Thieme

Magga Corts

- Studium an der Deutschen Sporthochschule Köln (Studienschwerpunkte: Sportmedizin, Sporttherapie, Psychomotorik, Abschluss: Diplom Sportwissenschaft)
- langjährige Tätigkeit in der betrieblichen Gesundheitsförderung, Arbeitsmedizin und Sporttherapie
- Berufsfachschule IAT für Naturheilkunde in Köln
- staatliche Abschlussprüfung zur Heilpraktikerin
- Abschluss acon-COLLEG DO.CN
- BAO-Abschluss mit 5-jähriger Osteopathieausbildung
- seit 1999 in eigener Praxis für Osteopathie und Naturheilkunde tätig
- Dozentin für osteopathische Behandlungskonzepte, osteopathische Techniken im Bereich der parietalen, viszeralen, kraniosakralen Osteopathie, myofaszialer Wirkungsketten und Reiz-Reflex-Therapien
- Autorin der Fachbücher „Diagnoseleitfaden Osteopathie" (Thieme 2020, 3. Aufl.) und „Sportosteopathie" (Haug 2013)
- magga.corts@praxis-corts.de

Anatomie für Osteopathen

Lehrbuch und Atlas

Magga Corts

2., aktualisierte Auflage

473 Abbildungen

Georg Thieme Verlag
Stuttgart • New York

Bibliografische Information der Deutschen Nationalbibliothek
Die Deutsche Nationalbibliothek verzeichnet diese Publikation in der Deutschen Nationalbibliografie; detaillierte bibliografische Daten sind im Internet über http://dnb.d-nb.de abrufbar.

Ihre Meinung ist uns wichtig! Bitte schreiben Sie uns unter:
www.thieme.de/service/feedback.html

Anschrift:
Magga Corts
Elisenstr. 1
50667 Köln
Deutschland

Wichtiger Hinweis: Wie jede Wissenschaft ist die Medizin ständigen Entwicklungen unterworfen. Forschung und klinische Erfahrung erweitern unsere Erkenntnisse, insbesondere was Behandlung und medikamentöse Therapie anbelangt. Soweit in diesem Werk eine Dosierung oder eine Applikation erwähnt wird, darf der Leser zwar darauf vertrauen, dass Autoren, Herausgeber und Verlag große Sorgfalt darauf verwandt haben, dass diese Angabe **dem Wissensstand bei Fertigstellung des Werkes** entspricht.
Für Angaben über Dosierungsanweisungen und Applikationsformen kann vom Verlag jedoch keine Gewähr übernommen werden. **Jeder Benutzer ist angehalten**, durch sorgfältige Prüfung der Beipackzettel der verwendeten Präparate und gegebenenfalls nach Konsultation eines Spezialisten festzustellen, ob die dort gegebene Empfehlung für Dosierungen oder die Beachtung von Kontraindikationen gegenüber der Angabe in diesem Buch abweicht. Eine solche Prüfung ist besonders wichtig bei selten verwendeten Präparaten oder solchen, die neu auf den Markt gebracht worden sind. **Jede Dosierung oder Applikation erfolgt auf eigene Gefahr des Benutzers.** Autoren und Verlag appellieren an jeden Benutzer, ihm etwa auffallende Ungenauigkeiten dem Verlag mitzuteilen.

1. Auflage 2019 Georg Thieme Verlag KG

Georg Thieme Verlag KG
Rüdigerstraße 14, 70469 Stuttgart, Germany
www.thieme.de

Printed in Germany

Covergestaltung: © Thieme
Bildnachweis Cover: © Thieme/Markus Voll, Karl Wesker
Zeichnungen: aus Schünke M, Schulte E, Schumacher U. Prometheus. LernAtlas der Anatomie. Illustrationen von M. Voll und K. Wesker. Stuttgart: Thieme.
Beschriftungsanpassungen/Beschnitt: Roland Geyer, Weilerswist.
Lektorat: Dr. med. Stefanie Gräfin v. Pfeil, Kirchheim/Teck
Satz: L42 AG, Berlin
Druck: Aprinta Druck GmbH, Wemding

DOI 10.1055/b000000633

ISBN 978-3-13-244588-8 1 2 3 4 5 6

Auch erhältlich als E-Book:
eISBN (PDF) 978-3-13-244589-5
eISBN (epub) 978-3-13-244590-1

Thieme Publikationen streben nach einer fachlich korrekten und unmissverständlichen Sprache. Dabei lehnt Thieme jeden Sprachgebrauch ab, der Menschen beleidigt oder diskriminiert, beispielsweise aufgrund einer Herkunft, Behinderung oder eines Geschlechts. Thieme wendet sich zudem gleichermaßen an Menschen jeder Geschlechtsidentität. Die Thieme Rechtschreibkonvention nennt Autor*innen mittlerweile konkrete Beispiele, wie sie alle Lesenden gleichberechtigt ansprechen können. Die Ansprache aller Menschen ist ausdrücklich auch dort intendiert, wo im Text (etwa aus Gründen der Leseleichtigkeit, des Text-Umfangs oder des situativen Stil-Empfindens) z. B. nur ein generisches Maskulinum verwendet wird.

Geleitwort

Dieser äußerst gelungene anatomische Atlas passt hervorragend zum Ausbildungskonzept der ACON (Arbeitsgemeinschaft für Chiropraktik, Osteopathie und Neuraltherapie deutscher Heilpraktiker e.V.). Er ist genau auf den Bedarf von osteopathisch arbeitenden Kollegen zugeschnitten. Sowohl in der Aus- und Fortbildung als auch zur Unterstützung bei der Patientenberatung ist er eine große Hilfe. Dieses Werk erklärt anschaulich die Arbeit und die Denkweise von Osteopathen. Es berücksichtigt neben der üblichen strukturellen Anatomie schwerpunktmäßig die funktionelle Anatomie. Die Kenntnis faszialer Züge, z. B. von Organaufhängungen, und deren Behandlung unterscheidet die osteopathische Heilkunde grundlegend von anderen therapeutischen Ansätzen.

Ich freue mich, mit diesem hervorragenden Anatomieatlas arbeiten zu können, der jedem osteopathischen Praktiker zu empfehlen ist. Er wird uns Therapeuten unterstützen, zielgerichtet zu behandeln und so dem Wohl unserer Patienten zu dienen.

Mein herzlicher Dank für diese Bereicherung meiner täglichen Arbeit gilt der Autorin.

Duisburg, im Februar 2019
Christian Blumbach
1. Vorsitzender ACON e.V.

Geleitwort

Als Patient fragt man sich: „Ist das nun ein starker Schmerz mit lokaler Ursache oder gibt es doch einen größeren Zusammenhang?“ Als ganzheitlich denkender Erdenbürger geht man zum Osteopathen. Man hofft, dass diesem Phänomen – wie üblich – genauestens auf den Grund gegangen wird. Und tatsächlich: Nach gründlicher Anamnese und noch gründlicheren Untersuchungen ergibt sich, dass es sich im vorliegenden Fall um eine weitläufige fasziale Ursachen-Folge-Kette handelt. Wie kommt es zu einer solchen Diagnose?

Dabei hilft die Erkenntnis, dass alles irgendwie mit allem anderen zusammenhängt, was gerade im ganzheitlichen Ansatz und Denken der Osteopathie an erster Stelle steht. Dabei wird aber dieser Aspekt noch übertroffen von einer Akribie, die dem Ziel folgt, neben dem eigentlichen Symptom noch nach weiteren komplexen kausalen Zusammenhängen zu suchen. Denn die wahre Haltung eines osteopathischen Therapeuten muss in erster Linie eine nahezu unstillbare Neugier auf seinem Fachgebiet sein. Auf diese Weise erweitert nämlich die Osteopathie den Horizont, indem man über den üblichen Tellerrand hinausschaut.

So kommt ein Osteopath auch nie auf die Idee, ausschließlich lokale Schmerzen zu behandeln. Zunächst aber sucht man – auch in anatomisch entlegenen Ecken – nach weiteren möglichen Ursachen. So werden auch Themen wie z. B. Ernährung, körperliche Bewegung, Umwelteinflüsse und allgemeine Lebensführung gründlich durchleuchtet. Dabei wird auch berücksichtigt, dass z. B. die Ernährung genauso beteiligt sein kann wie eine starke berufliche Belastung, psychische und/oder stressbedingte Einflüsse oder ein Unfall vor 20 Jahren, der schon längst in Vergessenheit geraten ist.

Der ganzheitliche Ansatz der Osteopathie und die damit verbundene Akribie beinhalten nämlich, dass nicht nur kurzfristig die Entwicklung der Beschwerden betrachtet wird, sondern dass alles mit allem zusammenhängt und somit auch die kleinsten Dinge früherer Zeiten von Bedeutung sein können. So ist denn auch der Erfolg einer guten osteopathischen Behandlung in erster Linie darauf zurückzuführen, dass das Ergebnis einer genauen Suche nach den wirklichen Ursachen der Beschwerden und deren kausale Vernetzung mit den vorgetragenen Symptomen zusammengeführt wird.

Es ist ein glücklicher Umstand, dass die erfahrene und kompetente Osteopathin Magga Corts ihre umfangreichen und fundierten Kenntnisse in diesem Anatomieatlas zusammengefasst hat, um andere Osteopathen dabei zu unterstützen, komplexe kausale Zusammenhänge schnell, in leicht verständlicher und gut nachvollziehbarer Form zu finden. Möge daher diese Arbeit für angehende und auch bereits praktizierende Osteopathen Hilfe und Anreiz sein, ihren Wissensdurst weiter zu stillen und ihre Genauigkeit in der täglichen Arbeit weiter zu fördern, um das Ergründen der wirklichen Ursachen der Beschwerden ihrer Patienten zu verfeinern.

Hennef, im Februar 2019
Dr. phil. Harald Hosch

Vorwort

Oft bin ich als Dozentin in osteopathischen Aus- und Fortbildungsseminaren gefragt worden, ob es neben den bekannten anatomischen Standardwerken denn kein Anatomielehrbuch gebe, das sich mit den spezifischen Fragestellungen der Osteopathie beschäftige. Dies war der Anlass, dieses Buch zu verfassen.

Die Einteilung der Kapitel erfolgt aus einem „osteopathischen" Blickwinkel. Gerade die anatomischen „Übergänge" der Körperhöhlen spielen in den osteopathischen Denkmodellen eine besondere Rolle. Hier wirken Diaphragmen (zervikothorakales Diaphragma, Diaphragma abdominale, Diaphragma pelvis) mit ihrer Bewegung und die anatomische Bauweise auf die darüber- und darunterliegenden Strukturen ein. Der menschliche Körper unterliegt der Schwerkraft und agiert in einer dreidimensionalen Dynamik. Myofasziale Zug-, skelettale Druckkräfte sowie Gleiteigenschaften von Durchtrittspassagen für Gefäße und Nerven haben durch die Kombination von festen und elastischen Elementen einen Einfluss auf den gesamten Körper. Dies gilt im Sinne des Tensegrity-Modells, bei dem Druck- und Zugkräfte über den ganzen Körper verteilt werden. Dabei sind Faszien, Muskeln und Sehnen elastische, die knöchernen Anteile feste Bestandteile. Es ist also ein komplexes dreidimensionales System, das durch Zug-, Druck- und Gleitverhalten seine Funktonen aufrecht erhält und bei dem die Atmung ein wesentlicher Motor für die körpereigene Bewegung ist.

Das Nervensystem ist das übergeordnete Steuerungssystem. Deshalb wird auch ausführlich auf die Segmentanatomie eingegangen.

Wie bei jeder Art von Einteilung können nicht immer alle Aspekte berücksichtigt werden. Aus Sicht der anatomischen Topografie kann man bei der vorgenommen Gliederung z. B. die Wirbelsäulenabschnitte nicht voneinander trennen. Deshalb wird die Wirbelsäule in ihrer Gesamtheit gezeigt, um auch hier die funktionellen Aspekte insgesamt darstellen zu können. So ist das kraniosakrale System und die OAA-Region in das Kapitel „Wirbelsäule" integriert.

Neben den respiratorisch wichtigen Diaphragmen (Kapitel 1–3) wird in Kapitel 11.1.3 näher auf die allgemeine Bedeutung der Diaphragmen im Fasziensystem eingegangen. In den Kapitel 11.1.4 und 11.1.5 werden die osteopathischen Modelle von Zentral- und Bogensehne dargestellt.

Grundsätzlich berücksichtigt die Einteilung nach Übergängen (kraniozervikal, zervikothorakal, thorakolumbal, lumbosakral) auch die unterschiedlichen Tiefen der Gewebe innerhalb der vorgestellten Region. In jedem Kapitel werden einzelne anatomische Strukturen abhängig von ihrer Lage eingeordnet und erörtert. Zunächst werden die oberflächlichen ventralen Schichten dargestellt, danach folgen die tiefen ventralen und anschließend die seitlichen sowie zum Schluss die dorsalen Schichten. Diese Einteilung ist für die gedankliche Visualisierung anatomischer Strukturen hilfreich, die bei der Palpation am Patienten wichtig ist. Anschließend werden wichtige Nervenverläufe und Gefäße vorgestellt. Denn Zirkulation und Rhythmus sind ein wichtiges Prinzip in der Osteopathie. Abbildungen zu Triggerpunkten und Schnittbilder vervollständigen den Überblick.

Die Zirkulation und die wechselseitige Beziehung von Struktur und Funktion spielen in der Osteopathie eine wichtige Rolle. Der Körper ist eine Einheit, was Körperhaltung, Gewebeeigenschaften, neurologische Steuerung, Gelenkeigenschaften oder die Frage nach der Adaption und psychische Komponenten angeht.

Auch in den Kapiteln zur oberen Extremität einschließlich des Schultergürtels und zur unteren Extremität inklusive des Beckens werden osteopathische Aspekte näher betrachtet, z. B. die Faszienkontinuität und ihre Funktion, besondere Durchtrittspassagen, Gelenkeigenschaften und die Wirkung auf das gesamte Körpersystem.

Die ganzheitliche Betrachtung macht es notwendig, zahlreiche Querverweise in den einzelnen Kapiteln aufzunehmen. Insbesondere in den osteopathischen Korrespondenzen wird auf Strukturen Bezug genommen, die nicht unbedingt in unmittelbarer Nähe liegen, aber für die ganzheitliche Betrachtungsweise wichtig sind. Es werden auch Strukturen angesprochen, die auf Grund des Buchumfangs nicht detailliert dargestellt werden konnten (Kranium).

Viele Aspekte bei den osteopathischen Korrespondenzen basieren auf praktischer Erfahrung. Osteopathische Denkmodelle werden zur Erklärung und Verdeutlichung von osteopathischen Dysfunktionen vorgestellt. Hypothesen in den osteopathischen Korrespondenzen führen zu Erklärungsmöglichkeiten. Es wird deutlich, dass weiterhin Forschungsbedarf besteht und noch vieles empirisch untersucht werden muss. Dieses Buch soll dazu Denkanstöße geben und Perspektiven aufzeigen.

Dies ist kein weiterer Anatomieatlas, sondern ein Hilfsmittel, um anatomische Strukturen unter spezifischen Aspekten für die osteopathische Diagnostik und Behandlung betrachten zu können. Die Kombination aus Lehrbuch und Atlas ergänzt die etablierten anatomischen Atlanten.

Für die konzeptionelle und inhaltliche Zusammenarbeit sage ich Frau Grübener und Herrn von Grumbkow vom Thieme Verlag großen Dank. Ein besonderer Dank geht auch an die Lektorin Dr. Stefanie Gräfin v. Pfeil, die mit ihrem Engagement und der kompetenten Betreuung eine große Hilfe war. Ein Dank gilt auch meiner Familie, die mir stets mit Rat und Tat zur Seite steht.

Köln, im Februar 2019
Magga Corts

Wie arbeitet man mit diesem Buch?

Mit der „Anatomie für Osteopathen“ halten Sie ein speziell für Ihre Bedürfnisse konzipiertes Buch in den Händen. Es soll Sie darin unterstützen, das für die Osteopathie so wichtige räumliche Denken und die Wechselbeziehungen zwischen verschiedenen Strukturen zu verstehen. Die Gliederung orientiert sich daher an den funktionellen Übergängen verschiedener Körperregionen: Okziput-Atlas-Region (Kap. 4), zervikothorakaler, thorakolumbaler und lumbosakraler Übergang (Kap. 1–3). Die Extremitäten werden in separaten Kapiteln vorgestellt und unter funktionellen Aspekten mit verschiedenen Körperregionen in Verbindung gebracht (Kap. 5–10). Der Seitenaufbau ist so angelegt, dass Text und gegenüberlegende Abbildung eine inhaltliche Einheit bilden.

Sie können dieses Buch selbstverständlich von der ersten bis zur letzten Seite lesen. Darüber hinaus lädt es auch zum Schmökern ein. Lassen Sie mich dies an einigen Beispielen aufzeigen.

- Sie interessieren sich für die Strukturen im thorakolumbalen Übergang. Gehen Sie in das entsprechende Kapitel, in dem die Inhalte **topografisch** aufgeführt sind. Das entspricht einer Palpation **von ventral nach dorsal**. Zuerst sieht man die oberflächlichen und anschließend die tiefliegenden Strukturen. Danach folgt die **Aufsicht von dorsal** für oberflächliche Strukturen. Am Ende des Kapitels findet man die knöchernen Strukturen, danach **Gefäße und Nerven**. Anschließend sieht man **Schnittbilder** von verschiedenen Ebenen. Diese Struktur haben sämtliche Kapitel. Je nach Region wird auch eine seitliche Ansicht gezeigt.
- Sie möchten sich einen Überblick über die Regionen überschreitenden Kraft- bzw. Wirkungsketten verschaffen. Fündig werden Sie dafür in den Kapiteln „Wirbelsäule“ (Kap. 4) und „Faszien“ (Kap. 11).
- Sie suchen eine Übersicht zu den Diaphragmen. Diese finden Sie im Kapitel „Diaphragmen und ihre Bedeutung im Fasziensystem“ (Kap. 11.1.3). Details dazu und osteopathische Korrespondenzen sind im Kapitel 1 (zervikothorakaler Übergang), Kapitel 2 (thorakolumbaler Übergang), Kapitel 3 (lumbosakraler Übergang) und Kapitel 4 (Wirbelsäule – OAA) nachzulesen.
- Die funktionelle Integrität des kraniosakralen Systems liegt in Ihrem Fokus. Dann werden Sie u.a. in den Kapiteln 4.6.3 (Rückenmarkshäute), 3.4.7 (Os sacrum) und 3.4.8 (Os coccygis) fündig.
- Einen Gesamtzusammenhang zu einer im Detail beschrieben Struktur finden Sie in jedem Kapitel in den Abschnitten zu den **osteopathischen Korrespondenzen**. Man kann sich über **Querverweise** weiterleiten lassen.
- Gefäß- und Nervenstrukturen sind sehr komplex. Sie suchen Gesamtübersichten und Einzelstrukturen. Details zu Gefäßen und Nerven finden Sie in einzelnen Kapiteln (z. B. 1.4.4 Venenwinkel) oder als Übersichten (z. B. 3.6.5 Gefäßversorgung der Beckenorgane, 5.6.1 Plexus brachialis).
- Triggerpunkte der Muskeln finden Sie im Anschluss an jede Muskelbetrachtung.

Ich wünsche Ihnen viel Freude bei der Lektüre sowie bei der Entdeckung der anatomischen Welt der Osteopathie.

Inhaltsverzeichnis

1 Zervikothorakaler Übergang (CTÜ)

1.1 Überblick

1.1.1 Zervikothorakaler Übergang

Als zervikothorakaler Übergang wird hier aus funktioneller Sicht die Hals-Thorax-Region zwischen dem 3. Halswirbel und dem 4. Brustwirbel definiert (Regio mediastinum superius; ▸ Abb. 1.1). Dieser weit gefasste Bereich trägt einerseits dem Umstand Rechnung, dass die obere Thoraxapertur durch ihre querverlaufenden Strukturen, wie Knochen, Muskeln und Faszien, eine Besonderheit darstellt (zervikothorakales Diaphragma). Andererseits stehen auch die longitudinal verlaufenden Strukturen durch diese engpassförmige Region unter besonderem Einfluss und können in ihrer Funktionalität durch osteopathische Dysfunktionen in weiter entlegenen anatomischen Strukturen beeinträchtigt werden.

Die Gestalt des zervikothorakalen Übergangs kann man sich wie einen auf dem Kopf stehenden Trichter vorstellen. Dieser ist nach kranial begrenzt durch das kraniozervikale Diaphragma und die Okziput-Atlas-Axis-Region (Kap. 4.6.1), nach kaudal durch das zervikothorakale Diaphragma mit fließendem Übergang in den oberen Thoraxbereich.

Zahlreiche Muskeln verlaufen im Bereich des zervikothorakalen Übergangs, die eine weitreichende Verbindung zwischen Kranium, HWS, Schultergürtel, Thorax, BWS, LWS und Becken herstellen. Folglich ist auch aus struktureller Perspektive der zervikothorakale Übergang eine weitreichende Region, die sich nicht nur bis in die obere BWS erstreckt. Eine hohe Komplexität von anatomischen Strukturen auf kleinem Raum, wie Muskeln, Faszien, Gefäßen, Strukturen des ZNS, des peripheren Nervensystems und Halsorgane, kennzeichnet die Region im zervikothorakalen Übergang.

Der Einfluss der Schwerkraft sowie die Druck- und Zugkräfte durch Bewegung wirken – wie auf den gesamten Körper – hier ein. Besonders aber die Atmung ist ein Bewegungsantrieb, der u. a. über die Verbindung der oberen endothorakalen Faszien mit den Querfortsätzen der HWS einen hohen funktionellen Einfluss bis zum Kranium hat.

Osteopathische Dysfunktionen im zervikothorakalen Übergang können somit weitreichende Auswirkungen auf das Kranium, die obere Extremität, den Rumpf, das Becken und die untere Extremität haben. Umgekehrt können osteopathische Dysfunktionen aus den genannten Regionen auch die Funktionalität des zervikothorakalen Übergangs beeinflussen (Kap. 4.6.1).

1.1.2 Obere Thoraxapertur

Die obere Thoraxapertur, ein Bestandteil des zervikothorakalen Übergangs, ist die Verbindung zwischen Hals und Brustkorb mit ihren Bindegewebsräumen. Sie wird knöchern von den beiden ersten Rippen sowie vom Oberrand des Manubrium sterni und vom 1. Brustwirbel gebildet.

Durch die obere Thoraxapertur treten u. a. folgende Strukturen hindurch:

- Trachea
- Ösophagus
- Nerven: N. vagus (Kap. 4.9.6), N. phrenicus, N. laryngeus recurrens, Truncus sympathicus (Kap. 1.4.5)
- Gefäße: A. carotis communis, Truncus brachiocephalicus, A. subclavia, V. jugularis interna, V. brachiocephalica, V. subclavia
- Lymphgefäße
- Faszien
- prävertebrale Halsmuskulatur

Der Ductus thoracicus zieht zwar nicht durch die obere Thoraxapertur, liegt dieser aber eng an, weil er auf ihrer Höhe (Höhe des linken Schlüsselbeins) in den linken Venenwinkel, den Zusammenfluss von V. jugularis externa, interna und V. subclavia, mündet.

Osteopathische Korrespondenzen

Die wechselseitige Beeinflussung vom zervikothorakalen Übergang und von der Okziput-Atlas-Axis-Region (OAA-Region) ist vielfältig. Aspekte der Körperstatik im Sinne der aufrechten Körperhaltung und der visuellen Orientierung stellen nur einen Teilbereich der Komplexität dar (Kap. 1.5.4, Kap. 4.3.2, Kap. 4.6.1). Die Besonderheit der OAA-Region besteht u.a. in der hohen Dichte an propriozeptiven Rezeptoren. Seh-, Gleichgewichts-, Hör- und Geruchssinn sowie die Information über die Körperhaltung und -stellung (auch kraniomandibulär) sind hier neuronal eng miteinander verknüpft.

Die Bedeutung der Zirkulation und nervalen Versorgung lässt sich am Beispiel des Foramen jugulare gut darstellen. Es liegt am Übergang der Schädelbasis zwischen der Pars petrosa ossis temporalis und der Pars lateralis ossis occipitalis im Bereich der Sutura occipitomastoidea. Es besteht aus einem vorderen kleineren und einem hinteren größeren Abschnitt.

- Durch den vorderen Abschnitt verlaufen N. glossopharyngeus (IX) und Sinus petrosus inferior. Der N. glossopharyngeus wirkt viszeroefferent und parasympathisch. Er zieht mit der V. jugularis interna und A. carotis interna nach kaudal und versorgt u.a. die Glandula parotis, Teile des Pharynx und den Sinus caroticus (Kap. 1.4.3). Dieser wirkt auf den Blutdruck und die Herzfrequenz ein. Der Sinus petrosus inferior ist Teil der venösen intraduralen Blutleiter und leitet das venöse Blut aus der mittleren Schädelgrube in die V. jugularis interna ab. Die venöse Entstauung der mittleren Schädelgrube ist ein wichtiger Behandlungsaspekt in der Osteopathie.

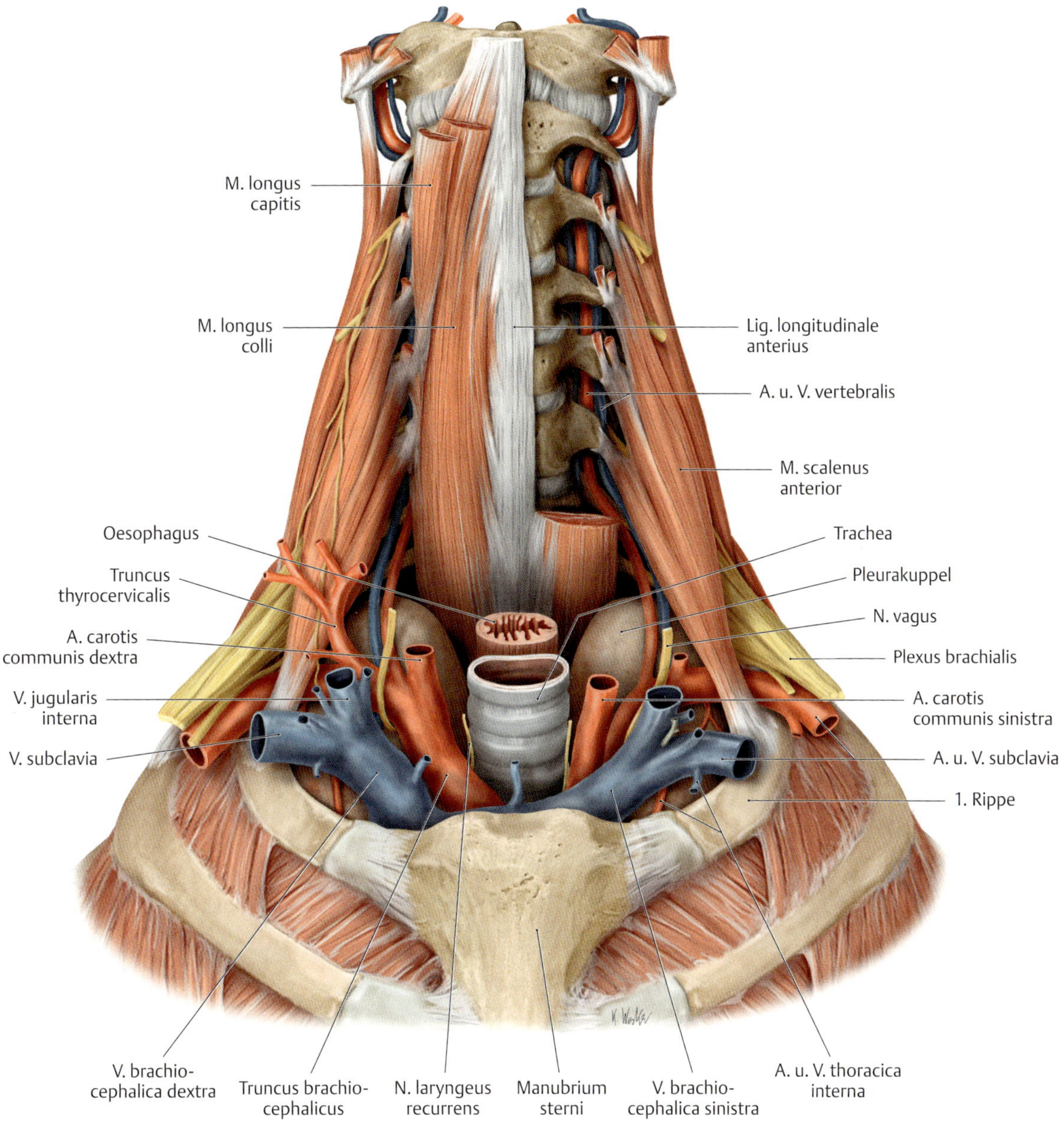

► **Abb. 1.1** Der zervikothorakale Übergang im Überblick (Ansicht von ventral). (aus Schünke M, Schulte E, Schumacher U. Prometheus, LernAtlas der Anatomie. Allgemeine Anatomie und Bewegungssystem. Illustrationen von M. Voll und K. Wesker. 5., vollständig überarbeitete Auflage. Stuttgart: Thieme; 2018)

- Durch den hinteren Abschnitt treten V. jugularis interna, N. vagus (X), N. accessorius (XI) und A. meningea posterior. Die A. meningea posterior ist ein wichtiges Gefäß für die Versorgung der Dura mater und hat damit eine zirkulatorische Bedeutung für das intrakraniale Membransystem.

Behandlungshinweise

Die Lösung von Spannungen im OAA-Bereich durch parietale Techniken in der oberen HWS oder durch einen Okziputrelease kann sich positiv auf die Weichteilspannung um das Foramen jugulare herum auswirken. Osteopathische Behandlungstechniken können sowohl auf zirkulatorische Strukturen als auch auf das vegetative Nervensystem einwirken.

Der N. vagus innerviert als größter parasympathischer Nerv viszeromotorisch und viszerosensibel alle Organe von der Halsregion bis ins Abdomen zur linken Kolonflexur (Cannon-Böhm-Punkt). Wichtig ist in diesem Zusammenhang insbesondere die viszerosensible Versorgung des Aortenbogens und des Herzens für die Blutdruckregulation, weil der N. vagus die Gefäßwandspannung registriert. Die Dehnungsrezeptoren in der Lunge sind besonders wichtig für die Atemregulation. Zirkulatorische und myofasziale Techniken können auf diesen Funktionskreis einwirken (▸ **Abb. 2.32**). Die somatosensible Funktion des N. vagus versorgt Kehlkopf, äußeren Gehörgang und Teile der Ohrmuschel. Die Earpull-Technik macht sich diesen Funktionszusammenhang zunutze. Die Kehlkopfmuskulatur, die für die Stimmbildung und Atmung bedeutsam ist, wird vom viszeromotorischen Anteil des N. vagus innerviert. Myofasziale Techniken für den Kehlkopf können sich positiv auf die Spannungen in der Kehlkopfregion auswirken.

Der N. accessorius, dessen Nervenkerne u.a. im zervikalen Rückenmark (C1–C4/5) liegen, versorgt somatomotorisch den M. sternocleidomastoideus und den M. trapezius. Nach seinem Durchtritt durch das Foramen jugulare zieht er über den Atlas-Querfortsatz weiter kaudal zum lateralen Halsdreieck (Kap. 1.4.3, ▸ **Abb. 1.22**) und endet mit diversen Ästen im M. trapezius. Muskelenergietechniken für den M. sternocleidomastoideus und M. trapezius können detonisierend auf die Muskelstrukturen einwirken.

Durch die vielfältige Gestaltung der Fascia thoracolumbalis besteht eine Verbindung zwischen der Lenden-Becken-Region und dem subokzipitalen Bereich. Die autochthone Rückenmuskulatur, die wie in einer Art faszialen Röhre von der Fascia thoracolumbalis umhüllt wird (hier insbesondere M. splenius capitis, M. splenius cervicis, M. longissimus dorsi, M. semispinalis cervicis, M. semispinalis capitis), korrespondiert damit auch auf faszialem Weg von der Beckenregion aus mit dem Kranium. Die Anspannung der autochthonen Rückenmuskeln erhöht den faszialen Druck auf die beteiligten Muskeln und sorgt für mehr Stabilität. Myofasziale Adhäsionen in der Fascia thoracolumbalis können u.a. dysfunktionale Wirkung auf das propriozeptive System des Körpers haben. Eine verbesserte Gleit- bzw. Scherbewegung im lumbothorakalen Fasziensystem durch myofasziale Techniken kann sich positiv auf die Propriozeption auswirken.

1.1.3 Regionen

Für den ventralen Bereich des CTÜ werden topografisch betrachtet (▸ **Abb. 1.2**, ▸ **Abb. 1.3**):

- Fossa supraclavicularis
- Regio sternocleidomastoidea (kaudaler und medialer Anteil)
- Fossa jugularis
- Trigonum musculare
- Trigonum caroticum
- kraniale Regio pectoralis
- Fossa infraclavicularis
- kraniale Regio praesternalis

Dies entspricht dem oberen Bereich des Thorax und dem vorderen Anteil des Halses.

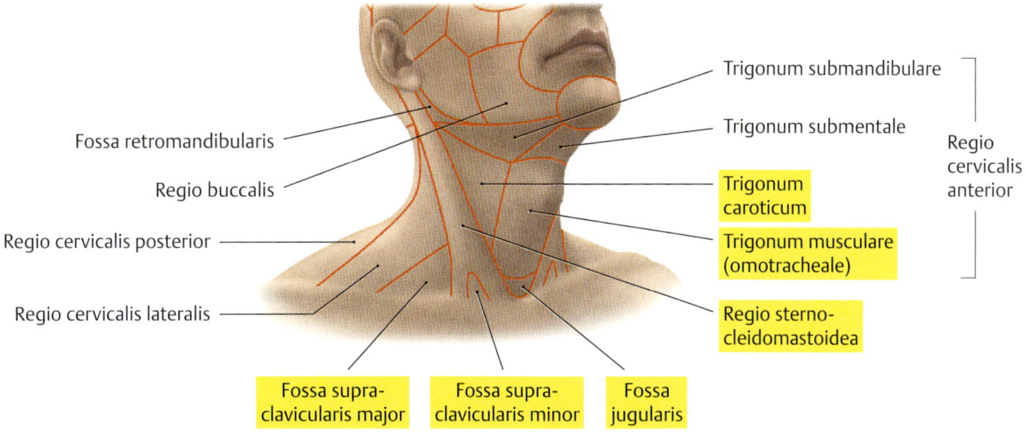

▸ **Abb. 1.2** Regionen des zervikothorakalen Übergangs I (Ansicht von ventral). (aus Schünke M, Schulte E, Schumacher U. Prometheus, LernAtlas der Anatomie. Allgemeine Anatomie und Bewegungssystem. Illustrationen von M. Voll und K. Wesker. 5., vollständig überarbeitete Auflage. Stuttgart: Thieme; 2018)

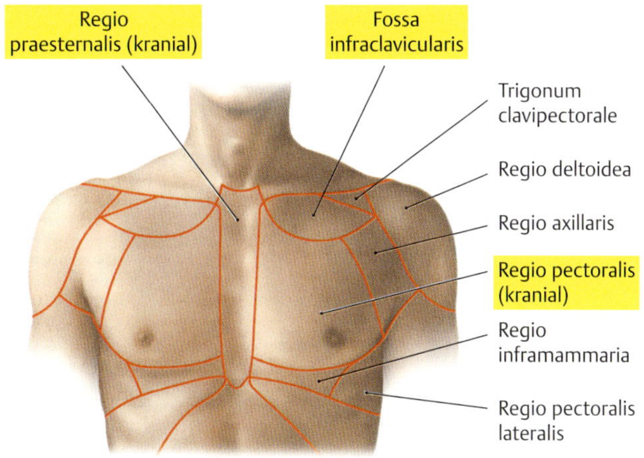

▸ **Abb. 1.3** Regionen des zervikothorakalen Übergangs II (Ansicht von ventral). (aus Schünke M, Schulte E, Schumacher U. Prometheus, LernAtlas der Anatomie. Allgemeine Anatomie und Bewegungssystem. Illustrationen von M. Voll und K. Wesker. 5., vollständig überarbeitete Auflage. Stuttgart: Thieme; 2018)

1.2 Faszienhülle, oberflächliche ventrale Schichten

1.2.1 Platysma

Anatomie

▸ Abb. 1.4, ▸ Abb. 1.7

- **Ursprung:** Haut im unteren Hals- und Thoraxbereich
- **Ansatz:** unterer Rand der Mandibula, Haut im unteren Wangenbereich
- **Funktion:**
  - Kontraktion des Platysmas zieht Unterkiefer, Mundwinkel und Unterlippe herab
  - bei fixiertem Unterkiefer wird die Haut des gesamten vorderen Halses gespannt
  - entkoppelt die mimische Muskulatur von den übrigen Körperregionen
- **Innervation:** N. facialis
- **Triggerpunkte:** an der Kreuzung von Platysma und M. sternocleidomastoideus, ca. 2 cm kranial der Klavikula (▸ Abb. 1.5)
- dünne Muskelplatte, die zur oberflächlichen Schicht der ventralen Halsmuskulatur gehört
- liegt auf der Lamina superficialis fasciae cervicalis und hat keine eigene Faszie
- bedeckt fast die gesamte anteriore Fläche des Halses
- Faserzüge verlaufen quer über die Klavikula, ziehen frontal und lateral der Halsregion nach kranial und medial

Osteopathische Korrespondenzen

Zwischen Platysma und M. sternocleidomastoideus zieht die V. jugularis externa zur Klavikula. Das Platysma, als korrespondierende Struktur zwischen dem oberen Thorax und der Hals-Gesichts-Region, kann Folgen von parietalen Dysfunktionen des Sternums, der Klavikula und des Sternoklavikulargelenks auf den Hals und/oder die Mandibula übertragen. Die Durchflechtung des Platysmas mit der mimischen Muskulatur (insbesondere der Mundregion) stellt einen funktionellen Zusammenhang dar.

Behandlungshinweise

Bei venösen Stauungen im kranialen Bereich kann durch Techniken, die das Platysma entspannen, eine verbesserte venöse Zirkulation erreicht werden. Aus funktioneller Sicht sollten bei einer Platysmabehandlung auch die korrespondierenden Faszien und Muskeln behandelt werden. Eine MET für den M. sternocleidomastoideus und die Mm. scaleni kann z. B. eine sinnvolle Ergänzung sein. Die Entspannung der mimischen Muskeln kann eine Entspannung des Platysmas bewirken.

1.2.2 Lamina superficialis fasciae cervicalis

Anatomie

▸ Abb. 1.4

- **Synonyme:** Fascia cervicalis superficialis, Fascia colli superficialis
- Halsfaszie (Fascia cervicalis colli) besteht aus 3 regional unterschiedlichen Blättern: Lamina superficialis, Lamina praetrachealis und Lamina praevertebralis (▸ Abb. 1.16)
- Lamina superficialis fasciae cervicalis ist das oberflächliche Blatt und gestaltet sich wie eine Halskrause
- beginnt dorsal an der Fascia nuchae, am Proc. mastoideus, dem Knorpel des äußeren Gehörgangs und der Mandibula
- hat durch die Fascia masseterica, Fascia temporalis und Fascia parotidea einen fließenden Übergang in das Gesichtsfeld und auf die Galea aponeurotica (Kopfschwarte)
- bedeckt und umschließt M. trapezius, M. sternocleidomastoideus und M. digastricus
- hat Verbindungen zum Zungenbein
- hat Bezug zu Glandula submandibularis, Plexus cervicalis C 2–C 4 und V. jugularis externa
- erstreckt sich kaudal bis zur Klavikula, zur Incisura jugularis und zum Manubrium sterni und besitzt dort Anheftungsstellen
- setzt sich kaudal in die Faszien des Schultergürtels und der Arme fort
- geht dorsal bis zur Spina scapulae und in die Fascia nuchae über

Osteopathische Korrespondenzen

Um eine möglichst hohe Elastizität u. a. im kraniokaudalen Verlauf zu erreichen, steht die Lamina superficialis fasciae cervicalis über bindegewebige Strukturen mit weiteren tieferliegenden Faszienblättern in Verbindung (Lamina praetrachealis, praevertebralis). Die Halsorgane (z. B. Trachea mit Kehlkopf, Ösophagus) und Gefäße sind gegenüber der faszialen und muskulären Umhüllung verschieblich. Beim Schluckakt kann sich diese strangförmige Eingeweideanordnung heben und senken sowie gleichzeitig auch den Bewegungen der HWS folgen.

Der oberflächliche Anteil der Halsfaszie dient funktionell der Verbindung von Subkutis und Muskel. Gleichzeitig gibt die Faszie dem Körper seine Form und Stütze. Für die lymphatische Zirkulation verbindet sie die Lymphgefäßkanäle untereinander (Vasa lymphatica superficialia = suprafaszial, Vasa lymphatica profunda = infrafaszial). Durch die Anheftungsstellen u. a. am Manubrium und an der Klavikula kommt es bei der Ein- und Ausatmung zu deutlichen Verschiebungen in der Fascia cervicalis superficialis.

Die Fascia cervicalis superficialis bildet auch die Verbindungskanäle für alle Afferenzen der Rezeptoren (Tastsinn usw.) innerhalb der äußeren Haut (Integumentum commune) und für die Efferenzen des Sympathikus (Pilo-, Sudo- und Vasomotorik). Sie schützt die Blutgefäße vor Scherkräften, indem sie Spalten und Gleitlager bildet, in denen die Gefäße verlaufen können.

Behandlungshinweise

Aufgrund der funktionellen Zusammenhänge können z. B. die Kehlkopfmobilisation oder die Behandlung des Os hyoideum für die Zirkulation und myofasziale Verschieblichkeit in der Halsregion hilfreich sein.

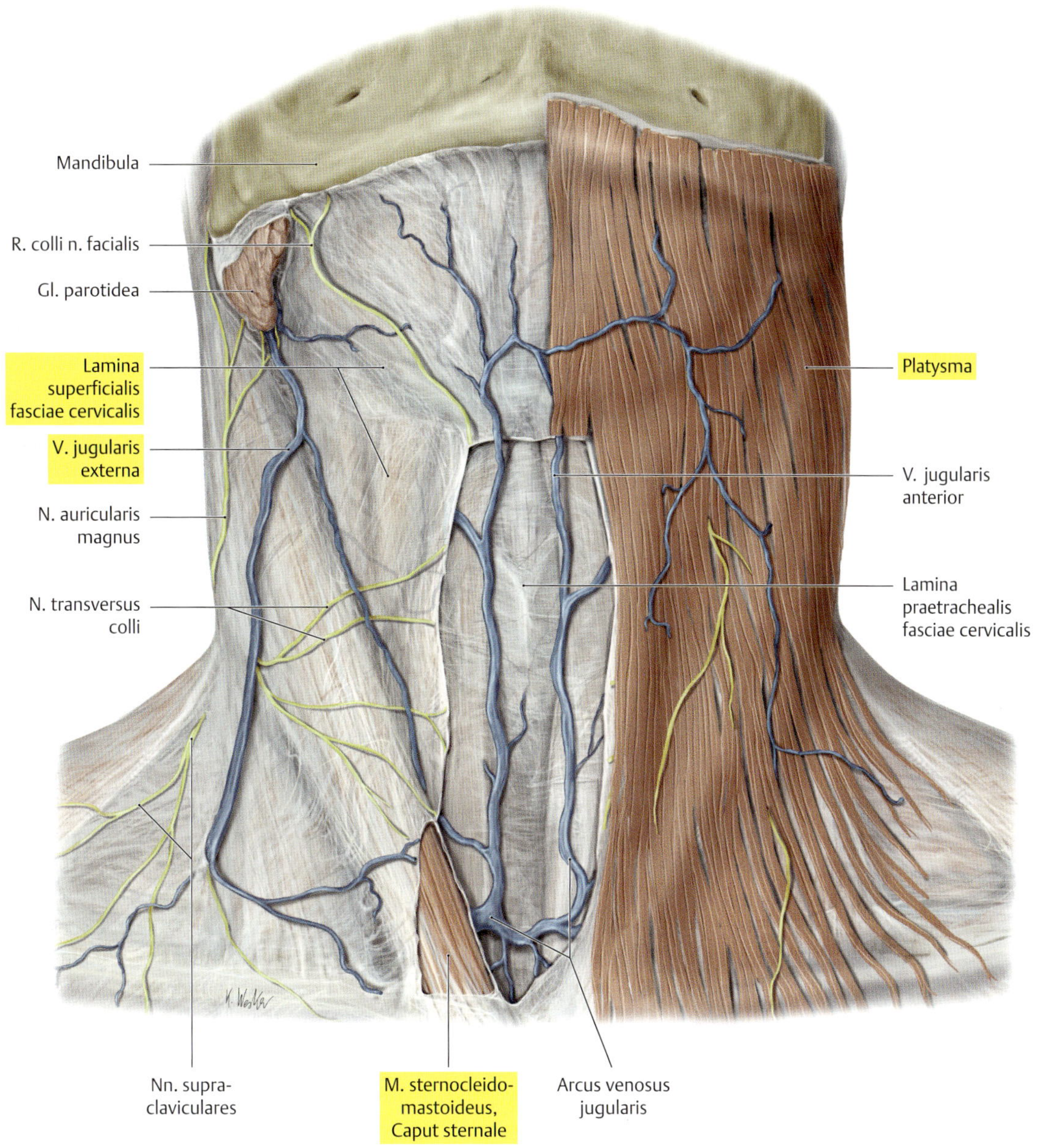

► **Abb. 1.4** Oberflächliche ventrale Schicht und Faszienhülle des zervikothorakalen Übergangs (Ansicht von ventral). (aus Schünke M, Schulte E, Schumacher U. Prometheus, LernAtlas der Anatomie. Kopf, Hals und Neuroanatomie. Illustrationen von M. Voll und K. Wesker. 5. Auflage. Stuttgart: Thieme; 2018)

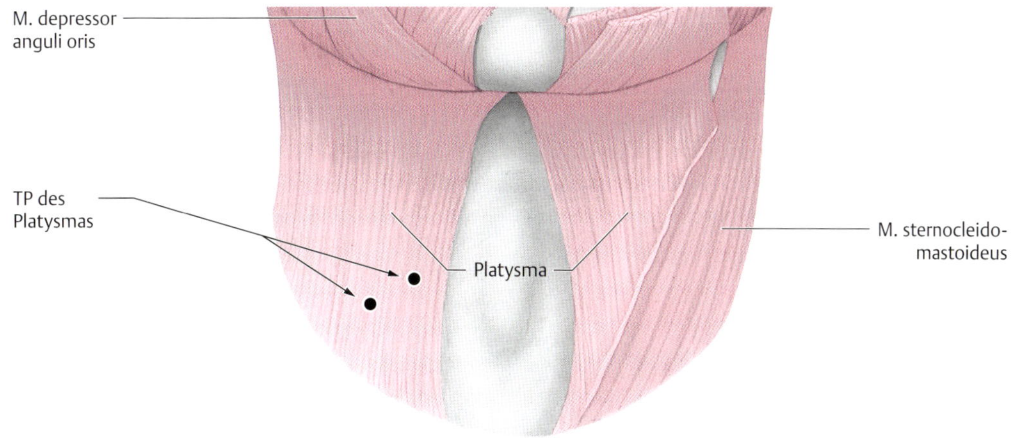

► **Abb. 1.5** Triggerpunkte Platysma. (aus Richter P, Hebgen E. Triggerpunkte und Muskelfunktionsketten. 5. Aufl. Stuttgart: Haug; 2021, nach: Schünke M. Funktionelle Anatomie: Topographie und Funktion des Bewegungssystems. 1. Aufl. Stuttgart: Thieme; 2000)

1.2.3 M. sternocleidomastoideus

Anatomie

▸ Abb. 1.7, ▸ Abb. 1.8

- **Ursprung:** zweiteilig; vom medialen Drittel der Klavikula und vom Manubrium sterni
- **Ansatz:** Proc. mastoideus und Linea nuchalis superior
- **Funktion:**
  - Seitneigung des Kopfes zur gleichen Seite
  - Rotation des Kopfes zur Gegenseite
  - Beugen der HWS, um das Kinn auf die Brust auszurichten
  - Atemhilfsmuskel bei festgestelltem Kopf
- **Innervation:** N. accessorius (C 1–C 2) und direkte Äste aus Plexus cervicalis (C 1/C 2)
- **Triggerpunkte** (▸ Abb. 1.6): zahlreiche TP im Längsverlauf des gesamten Muskels

Myofasziale Wirkungsketten

Der M. sternocleidomastoideus ist Bestandteil der oberflächlichen frontalen und der lateralen myofaszialen Wirkungskette und damit empfänglich für Einwirkungen aus diesem bis weit in die Körperperipherie reichenden myofaszialen Muskelkettengefüge.

Osteopathische Korrespondenzen

Über die fasziale Verbindung entsteht eine Korrespondenz zu den inneren Halsstrukturen.

Der kraniale Ansatz des Muskels befindet sich am Proc. mastoideus und überspannt damit auch die Sutura occipitomastoidea. Diese war für Sutherland für die kraniale Mobilität von großer Bedeutung. Restriktionen der OM-Sutur können die Bewegungen des primären respiratorischen Mechanismus (PRM) anscheinend einschränken. Kommt die OM-Sutur unter Kompression, könnte dies wiederum auch den venösen Abfluss und die nervalen Strukturen am Foramen jugulare beeinflussen.

Bei einem Hypertonus des Muskels kann es zur Innenrotation des Os temporale kommen. Dadurch kann eine sekundäre Störung des Kiefergelenks entstehen. Andererseits ist bei Störungen des Temporomandibulargelenks (TMG) auf den übergeordneten Funktionszusammenhang der postkranialen Strukturen zu achten. Dazu gehören u. a. die oberflächliche und mittlere Halsfaszie, die über die Fascia masseterica und das Zungenbein mit der infrahyoidalen Muskulatur und dem M. sternocleidomastoideus verbunden sind.

Der M. sternocleidomastoideus, der in der oberflächlichen Faszienschicht der Fascia cervicalis liegt, ist ein posturaler Muskel. Er neigt zur Verkürzung. Dies führt zu einer Belastung der durchtretenden Venen und Lymphgefäße. Die Folge ist ein verminderter venolymphatischer Abfluss u. a. aus der Armregion. So kann es zur Übersäuerung im Muskel- und Bindegewebe des Armes kommen, welche die Zirkulation der funktionellen Gewebe des Armes beeinträchtigt. Es können Symptome wie Tennisarm, Karpaltunnelsyndrom, Schweregefühl der Hand und Anschwellen der Hand auftreten.

Funktionell richtet der M. sternocleidomastoideus bei Skoliosen den Kopf in Zusammenarbeit mit dem M. trapezius auf und bringt den Kopf über die Seitneigung so in Position, dass die Augen horizontal ausgerichtet sind.

Dysfunktionen innerhalb der Zentralsehne und der tiefen Frontallinie können insbesondere den M. sternocleidomastoideus in seiner Funktionalität beeinträchtigen. Dieser Aspekt sollte diagnostisch beachtet werden.

Behandlungshinweise

Bei myofaszialen Adhäsionen in der oberflächlichen Halsfaszie kann über eine laterale und mediale oder auch ventral-laterale Mobilisation des M. sternocleidomastoideus die Spannung in der Lamina superficialis fasciae cervicalis gelöst werden.

Die Behandlung der Triggerpunkte im Verlauf des M. sternocleidomastoideus kann detonisierend auf den Muskel einwirken.

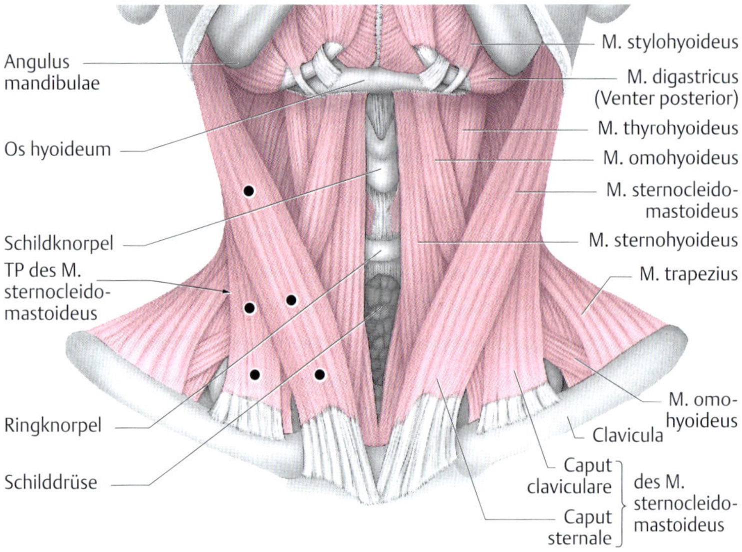

▸ **Abb. 1.6** Triggerpunkte M. sternocleidomastoideus. (aus Richter P, Hebgen E. Triggerpunkte und Muskelfunktionsketten. 5. Aufl. Stuttgart: Haug; 2021, nach: Schünke M. Funktionelle Anatomie: Topographie und Funktion des Bewegungssystems. 1. Aufl. Stuttgart: Thieme; 2000)

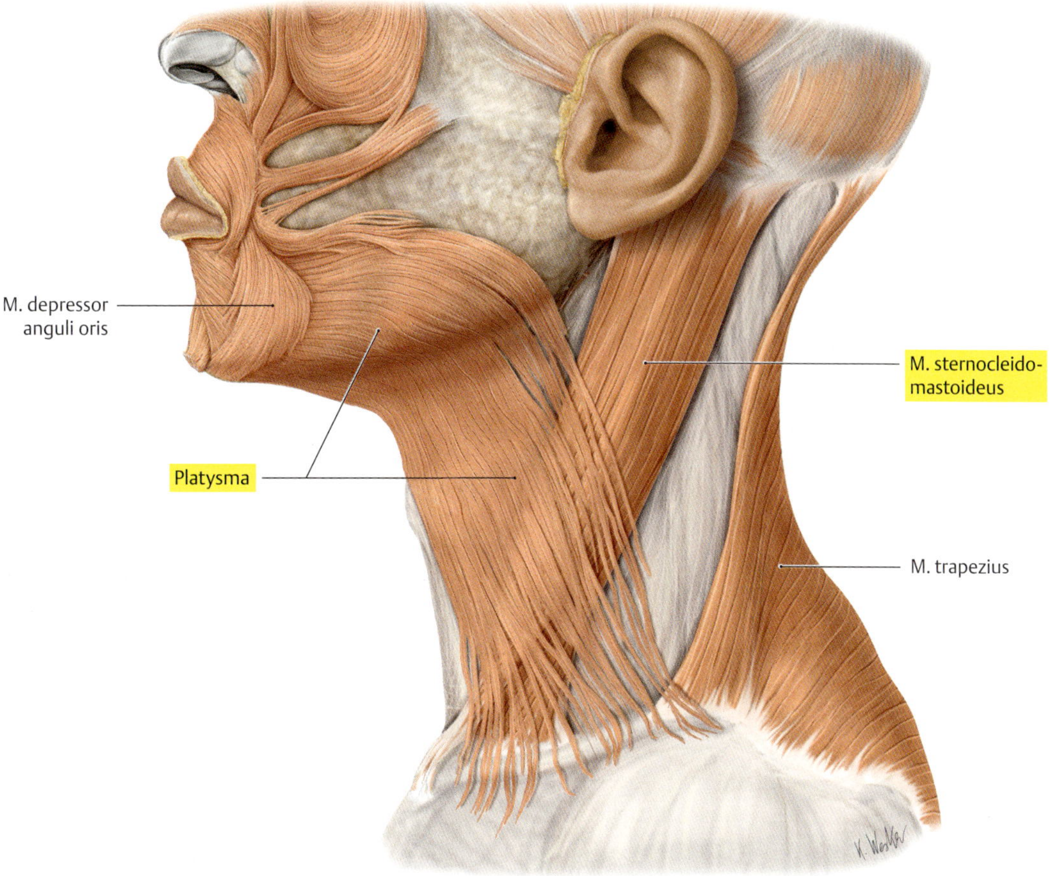

▶ **Abb. 1.7** Ansatz des M. sternocleidomastoideus und Verlauf des Platysmas (Ansicht von lateral). (aus Schünke M, Schulte E, Schumacher U. Prometheus, LernAtlas der Anatomie. Kopf, Hals und Neuroanatomie. Illustrationen von M. Voll und K. Wesker. 5. Auflage. Stuttgart: Thieme; 2018)

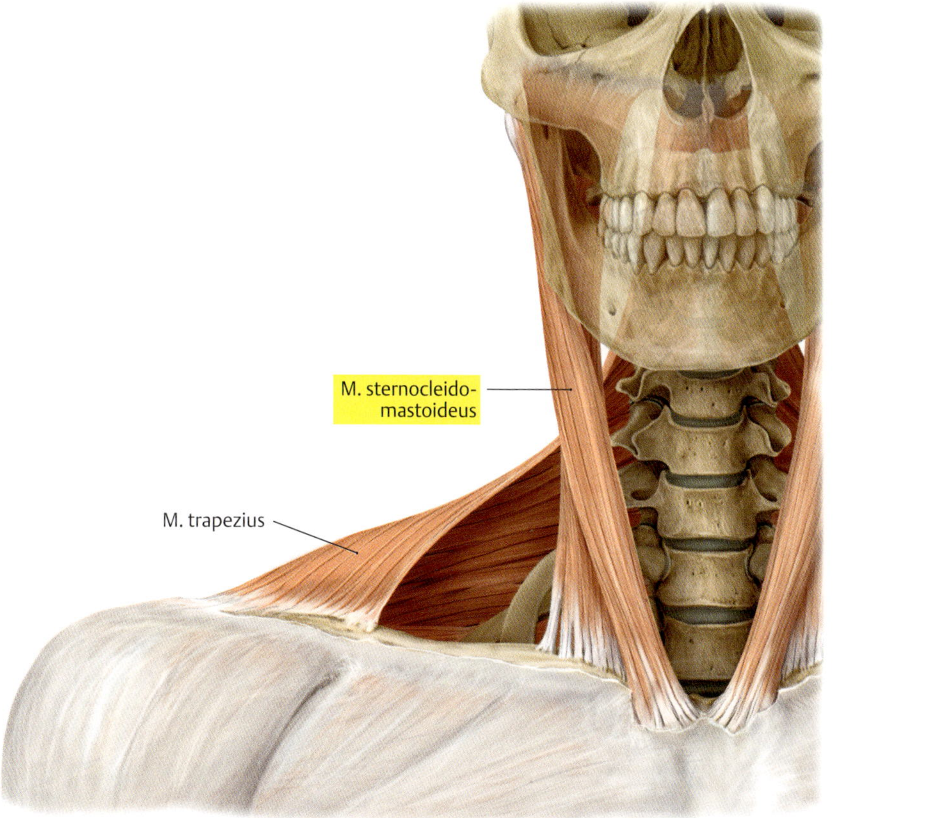

▶ **Abb. 1.8** Ursprung des M. sternocleidomastoideus (Ansicht von ventral). (aus Schünke M, Schulte E, Schumacher U. Prometheus, LernAtlas der Anatomie. Kopf, Hals und Neuroanatomie. Illustrationen von M. Voll und K. Wesker. 5. Auflage. Stuttgart: Thieme; 2018)

1.3 Tiefe ventrale Schichten

1.3.1 Lungenspitze, Fascia endothoracica, Pleurakuppel

Anatomie

- die Lungenspitzen ragen etwas über die obere Thoraxapertur (1. Rippe) heraus und werden von den Mm. scaleni abgedeckt (▶ Abb. 1.10)
- die Pleura parietalis, die als Pleura costalis die Thoraxwand bedeckt und fest mit der Fascia endothoracica verwachsen ist, bildet sich kuppelförmig im Bereich der oberen Thoraxapertur aus
- Fascia endothoracica:
  - umkleidet die Brustkorbeingeweide und grenzt sie von den Rippen und der Interkostalmuskulatur ab
  - im kranialen Bereich verdichten sich Faserzüge und verbinden sich mit der Pleura parietalis zu einer festen bindegewebigen Kuppel (▶ Abb. 1.11), gleichfalls beteiligen sich fasziale Ausläufer der Faszie des M. longus colli
  - dieser Bereich wird als Membrana suprapleuralis (Sibson-Faszie, auch Lig. suspensorium diaphragmale pleurale; ▶ Abb. 1.9) bezeichnet und bildet das eigentliche Diaphragma cervicothoracale
  - durch diese kräftige Faszienstruktur entsteht eine feste Aufhängeverbindung an der 1. Rippe, der Klavikula und der Fascia praevertebralis (entspricht dem Lig. longitudinale anterius)
- M. longus colli reicht bis zur Höhe des 4. Brustwirbels
- der N. phrenicus verläuft an der Medianseite der Pleurakuppel (▶ Abb. 1.18, ▶ Abb. 2.32)
- A. und V. subclavia ziehen bogenförmig über das Diaphragma cervicothoracale
- es existieren 3 ligamentäre Verbindungen zwischen der Pleurakuppel und den Wirbelsäulensegmenten C 6–Th 1 bzw. Rippen (1. Rippe):
  - Lig. vertebropleurale (Wirbelkörper)
  - Lig. transversopleurale (Proc. transversus)
  - Lig. costopleurale (1. Rippe)

Osteopathische Korrespondenzen

Durch die Art der Aufhängekonstruktion der Pleurakuppel (Membrana suprapleuralis) geht die fasziale seitliche Begrenzung des Mediastinum superius fließend in die Pleurakuppel über. Denn die Pleura parietalis bedeckt die seitlichen Wände des Mediastinums und wird hier als Pleura mediastinalis bezeichnet (Kap. 2.4.8).

Das Mediastinum inferius ist die Fortsetzung und die Verbindung zum Diaphragma abdominale und ist Bestandteil der Zentralsehne. Wo die Pleura parietalis dann das Diaphragma abdominale bedeckt, wird sie Pleura diaphragmatica genannt (Kap. 2.4.7).

Die ligamentäre Sicherung der Pleurakuppel bildet funktionell bei der Einatmung ein Widerlager zum Diaphragma abdominale. Sie verhindert bei der Inspiration ein Kaudalgleiten der Lungenspitzen (Kap. 2.3.3). In Ermangelung von Reserveräumen (Recessus) im Bereich der oberen Thoraxapertur findet während der Inspiration keine große Entfaltung der Lungenspitzen statt. Umso wichtiger ist für die Lungenraumvergrößerung im kranialen Bereich die Mobilität der 1. und 2. Rippe (Kap. 2.4.1).

Die räumliche Nähe des Caput costae der 1. Rippe und des Ganglion stellatum (auch Ganglion cervicothoracicum) des sympathischen Grenzstrangs weist auf eine weitere Korrespondenz im neuronalen Kontext hin. Das Ganglion stellatum befindet sich hinter der Pleurakuppel.

Nach einer abgelaufenen Lungenentzündung kann es zu einer verminderten Elastizität der faszialen Strukturen kommen. Es entsteht ein erhöhter myofaszialer Zug im Bereich der Sibson-Faszie, der zu Dysfunktionen in den Aufhängeverbindungen führen kann (Dysfunktion C 6/C 7, Dysfunktion der Klavikula in der Art. sternoclavicularis und Art. acromioclavicularis, Exspirationsdysfunktion 1. Rippe).

In diesem Zusammenhang ist auch die fasziale Verbindung der Pleurakuppel mit der Membran der A. subclavia und den unteren zervikalen Ganglien des Grenzstranges bei Zirkulations- und/oder vegetativen Störungen differenzialdiagnostisch zu beachten.

Behandlungshinweise

Um Strukturen im oberen mediastinalen Bereich und der oberen Thoraxapertur zu mobilisieren, wird u. a. die Recoil-Technik des Sternums angewendet. Ziel dieser Technik sind eine verbesserte Zirkulation in den oben genannten Gefäßen und eine verbesserte Beweglichkeit in den faszialen Anteilen.

Da die A. und V. subclavia im Bogen über die Pleurakuppel ziehen, kann auch mit zirkulatorischen Techniken über die Strukturen des Schultergürtels ein positiver Effekt auf die venolymphatische Zirkulation erreicht werden.

Behandlungstechniken im Bereich der Zentralsehne sind ebenfalls hilfreich für Dysfunktionen im zervikothorakalen Übergang. Sie können auch positiv auf den N. phrenicus einwirken, der an der Medianseite der Pleurakuppel verläuft.

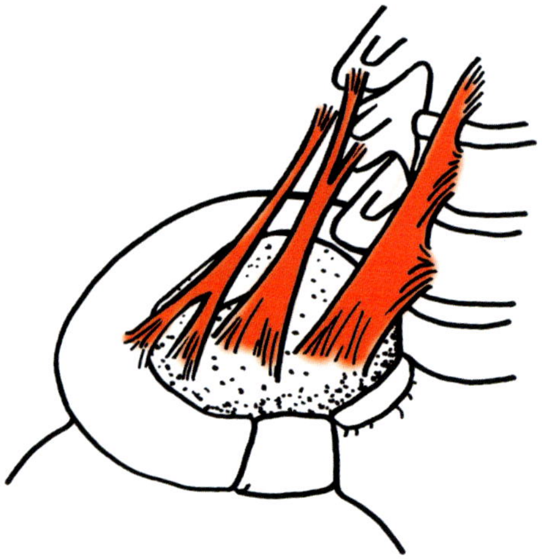

▶ **Abb. 1.9** Sibson-Faszie (Lig. suspensorium diaphragmale pleurale; Ansicht von ventral). (aus Strunk A. Fasziale Osteopathie. 3. Aufl. Stuttgart: Haug; 2021)

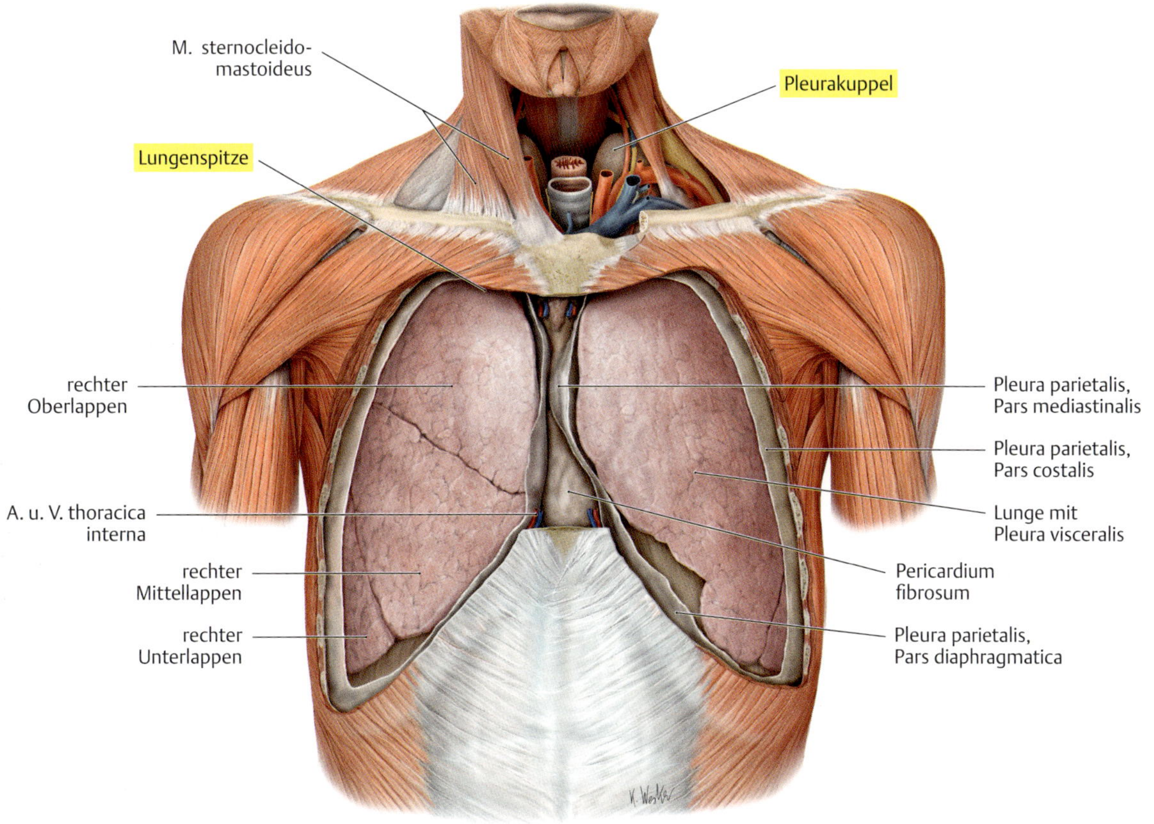

▸ **Abb. 1.10** Lage der Lungenspitze im Brustraum mit eröffneter Pleurahöhle (Ansicht von ventral). (aus Schünke M, Schulte E, Schumacher U. Prometheus, LernAtlas der Anatomie. Innere Organe. Illustrationen von M. Voll und K. Wesker. 5. Auflage. Stuttgart: Thieme; 2018)

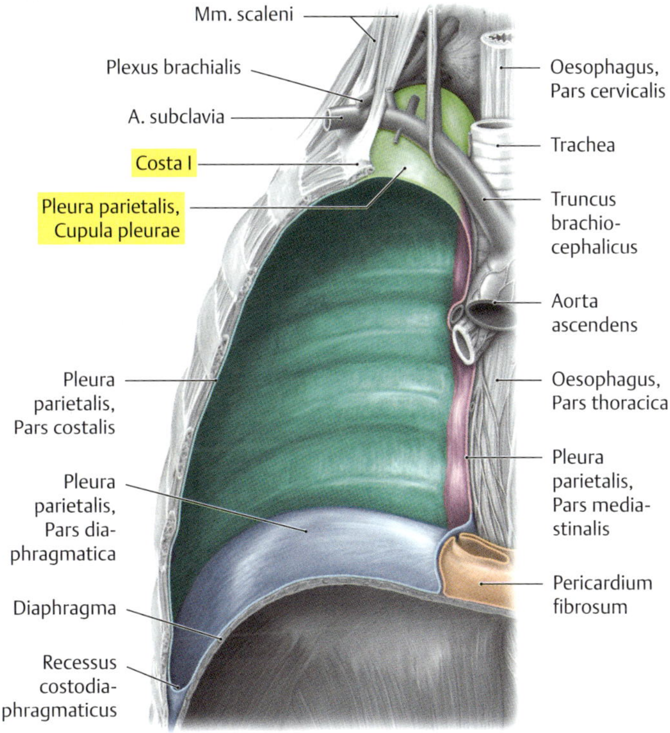

▸ **Abb. 1.11** Pleurakuppel (Ansicht von ventral in die eröffnete rechte Pleurahöhle). (aus Schünke M, Schulte E, Schumacher U. Prometheus, LernAtlas der Anatomie. Innere Organe. Illustrationen von M. Voll und K. Wesker. 5. Auflage. Stuttgart: Thieme; 2018)

1.3.2 Supra- und infrahyoidale Muskulatur

Allgemeines

- suprahyoidale Muskulatur: Muskulatur oberhalb des Zungenbeins (Os hyoideum); steht im engen Zusammenhang mit Kiefergelenk und Mundboden
- infrahyoidale Muskulatur: setzt von kaudal herkommend am Zungenbein an

Anatomie: suprahyoidale Muskulatur

▶ Abb. 1.12, ▶ Abb. 1.13

- **M. digastricus:**
  - **Ursprung:** Corpus mandibulae (Venter anterior), medial vom Proc. mastoideus, Incisura mastoidea (Venter posterior)
  - **Ansatz:** über eine Zwischensehne mit bindegewebiger Schlaufe am Zungenbeinkörper
  - **Funktion:** Heben des Zungenbeins, Unterstützung der Kieferöffnung
  - **Innervation:** N. mylohyoideus aus N. mandibularis (V3) (Venter anterior), N. facialis (Venter posterior)
- **M. geniohyoideus:**
  - **Ursprung:** Corpus mandibulae
  - **Ansatz:** Zungenbeinkörper
  - **Funktion:** zieht Zungenbein nach vorne, Unterstützung der Kieferöffnung
  - **Innervation:** Rr. ventrales des 1. und 2. Zervikalnervs
- **M. mylohyoideus:**
  - **Ursprung:** Innenseite des Unterkiefers (Linea mylohyoidea)
  - **Ansatz:** über eine median gelegene Ansatzsehne (Raphe mylohyoidea) am Zungenbeinkörper
  - **Funktion:** Spannen und Heben des Mundbodens, zieht Zungenbein nach vorne, Unterstützung der Kieferöffnung und Seitwärtsbewegung
  - **Innervation:** N. mylohyoideus
- **M. stylohyoideus:**
  - **Ursprung:** Proc. styloideus
  - **Ansatz:** mit gespaltener Sehne am Zungenbeinkörper
  - **Funktion:** Heben des Zungenbeins, Unterstützung der Kieferöffnung
  - **Innervation:** N. facialis

Anatomie: infrahyoidale Muskulatur

▶ Abb. 1.12

- **M. omohyoideus**:
  - **Ursprung:** Skapula, medial der Incisura scapulae
  - **Ansatz:** Os hyoideum
- **M. sternohyoideus**:
  - **Ursprung:** Manubrium sterni, mediales Ende der Klavikula
  - **Ansatz:** Os hyoideum (medial des Ansatzes des M. omohyoideus)
- **M. sternothyroideus**:
  - **Ursprung:** Manubrium sterni, Rippenknorpel 1. Rippe
  - **Ansatz:** Schildknorpel des Kehlkopfs
- **M. thyrohyoideus**:
  - **Ursprung:** Schildknorpel
  - **Ansatz:** Os hyoideum, lateral des Ansatzes des M. omohyoideus
- **Funktion:**
  - ziehen das Zungenbein nach unten bzw. fixieren es
  - Unterstützung des Schluckakts
- **Innervation:** Ansa cervicalis (Nervenschlinge, gespeist aus Segmenten C 1–C 4 des Plexus cervicalis)

Myofasziale Wirkungsketten

Die supra- und infrahyoidale Muskulatur ist Bestandteil der tiefen myofaszialen Frontallinie und damit empfänglich für Einwirkungen aus diesem myofaszialen Muskelkettengefüge. Dysfunktionen der supra- und infrahyoidalen Muskulatur können neben Dysfunktionen der Mandibula u. a. durch Bewegungseinschränkungen in der 1., 2. Rippe und/oder der Klavikula entstehen. Die ersten Rippen sind Bestandteil der myofaszialen Laterallinien.

Osteopathische Korrespondenzen

Die Karotisscheide, die von den Halsfaszien gebildet wird und die Gefäß-Nerven-Straße für N. vagus, V. jugularis interna und A. carotis communis bildet, steht mit dem M. omohyoideus in Verbindung. Der M. omohyoideus sorgt dafür, dass unabhängig von der Körperlage der venöse Rückstrom aus den kranialen Strukturen gewährleistet ist. Er hält das Lumen der V. jugularis interna offen. Gleichzeitig ist er eine wichtige Korrespondenz zum superioren Skapularand. In seinem Ansatzbereich liegt die Incisura scapulae, durch die der N. suprascapularis zieht.

Das Os hyoideum ist ein hufeisenförmiger Knochen, der Ursprung für die suprahyoidale Muskulatur und Ansatz für die infrahyoidale Muskulatur ist. Ligamentäre Verbindungen bestehen nach kranial zum Os temporale und nach kaudal zum Schildknorpel und zur Schilddrüse. Faszial bestehen Verbindungen zwischen Os hyoideum und Lamina superficialis fasciae cervicalis, Lamina praetrachealis fasciae cervicalis und Pharynx (Kap. 11.1.4).

Dysfunktionen der supra- und infrahyoidalen Muskulatur können u. a. auf die Funktionalität des Schluckaktes, des Os occipitale und des Os temporale Einfluss nehmen.

Die infrahyoidalen Muskeln werden von der Lamina praetrachealis fasciae cervicalis umscheidet. Daraus ergeben sich wichtige Verbindungen (Kap. 1.3.3).

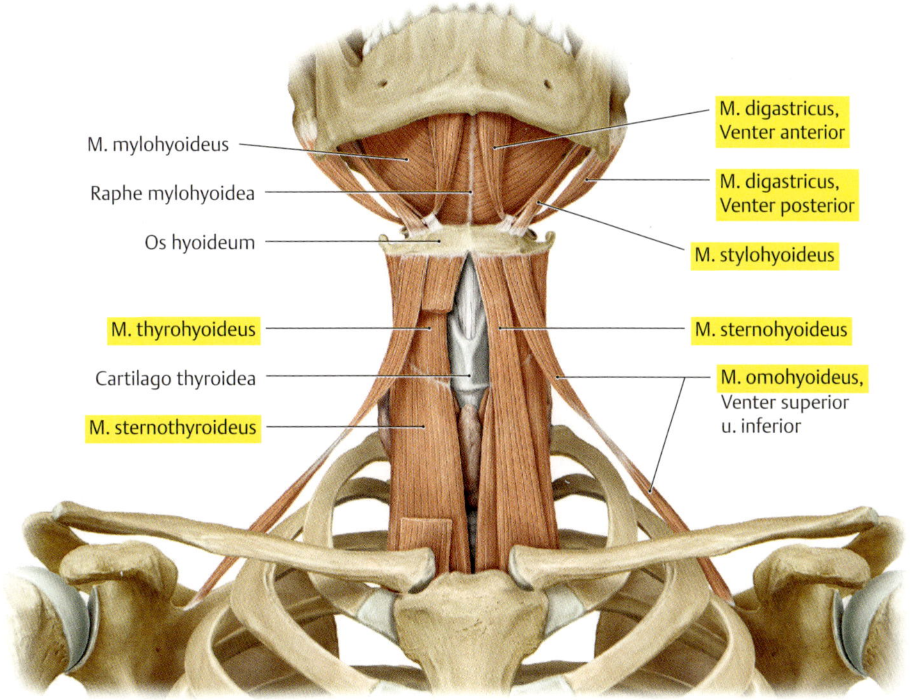

▸ **Abb. 1.12** Supra- und infrahyoidale Muskulatur (Ansicht von ventral). (aus Schünke M, Schulte E, Schumacher U. Prometheus, LernAtlas der Anatomie. Kopf, Hals und Neuroanatomie. Illustrationen von M. Voll und K. Wesker. 5. Auflage. Stuttgart: Thieme; 2018)

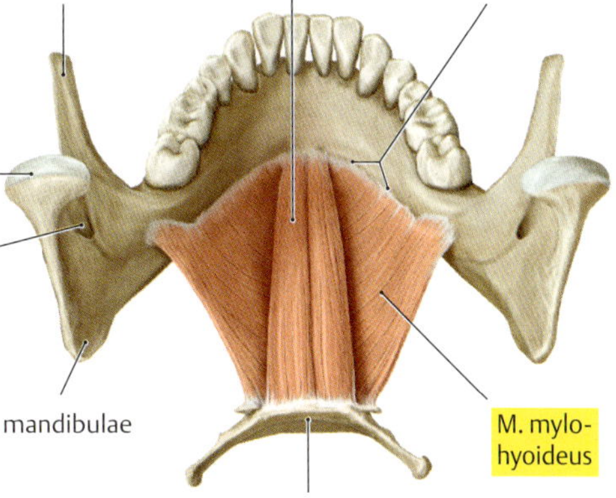

▸ **Abb. 1.13** Suprahyoidale Muskulatur (Ansicht von dorsokranial). (aus Schünke M, Schulte E, Schumacher U. Prometheus, LernAtlas der Anatomie. Kopf, Hals und Neuroanatomie. Illustrationen von M. Voll und K. Wesker. 5. Auflage. Stuttgart: Thieme; 2018)

1.3.3 Lamina praetrachealis fasciae cervicalis

Anatomie

▶ Abb. 1.14, ▶ Abb. 1.15, ▶ Abb. 1.16

- **Synonyme:** Fascia cervicalis media, Fascia praetrachealis, Fascia colli media
- mittleres Blatt der Halsfaszie (bestehend aus Lamina superficialis, Lamina praetrachealis und Lamina praevertebralis), liegt unterhalb der Lamina superficialis
- oberflächlicher Teil bedeckt in Form eines Dreiecks den vorderen Teil des Halses
- ist mit seiner Spitze am Os hyoideum aufgehängt
- setzt am posterioren Rand des Manubrium sterni und der Klavikula an und geht dort in die Fascia endothoracica über
- bedeckt ventral als Fascia thyroidea die Schilddrüse und umhüllt damit gleichzeitig die infrahyoidale Muskulatur
- seitlich durch den M. omohyoideus begrenzt
- umgibt den Hals nicht zirkulär

Osteopathische Korrespondenzen

Die Fascia praetrachealis umscheidet die Mm. omohyoidei. Gleichzeitig begrenzt die Faszie des M. omohyoideus die Fascia praetrachealis dorsolateral und spannt diese auf. Bei Kontraktion der infrahyoidalen Muskeln wird die Faszie gespannt und gleichzeitig das Lumen der V. jugularis interna erweitert, denn die Faszie ist an der Gefäß-Nerven-Scheide (Karotisscheide, Vagina carotica) für V. jugularis interna, A. carotis communis, N. vagus und Radix superior der Ansa cervicalis profunda (Plexus cervicalis) beteiligt. Dieses Wirkungsprinzip, das Lumen der Venen stabil zu halten, gilt auch für weitere tiefe und oberflächliche Venen, die aus dem Schultergürtelbereich und der Halsregion kommen. Daher sind bei myofaszialen Dysfunktionen zirkulatorische Störungen, v. a. der oberen Extremität und des Kraniums, denkbar.

Operationsnarben im Bereich der Schilddrüse können die Elastizität und die Gleiteigenschaften der Halsfaszien und damit auch die der Fascia praetrachealis stören.

Die extrakranialen Faszien (z. B. die Fascia pharyngobasilaris) korrespondieren alle mit dem Kranium bzw. der Schädelbasis. Spannungsveränderungen in ihnen bedeuten auch dynamische Spannungsveränderungen im intrakranialen Membransystem (PRM) und folglich über die Dura mater bis zum Sakrum.

1.3.4 Lamina praevertebralis fasciae cervicalis, Fascia pharyngobasilaris

Anatomie

▶ Abb. 1.14, ▶ Abb. 1.15, ▶ Abb. 1.16

- **Synonym:** Fascia colli profunda
- umscheidet dorsal die prävertebrale Muskulatur (Mm. longi colli) und autochthone Rückenmuskulatur
- ist mit dem Lig. longitudinale anterius verbunden und kleidet damit einen großen Teil des dorsalen Halsinnenraums aus
- umschließt lateral die Mm. scaleni und steht mit dem oberflächlichen Blatt der Halsfaszie, der Faszie des M. levator scapulae und der Fascia nuchae in Verbindung
- ist im kranialen Bereich nach dorsal verstärkt: diese Struktur wird als Fascia pharyngobasilaris bezeichnet
- die Fascia pharyngobasilaris ist kranial an der Pars basilaris des Os occipitale (Tuberositas pharyngea) angeheftet, verschließt am Os temporale im Bereich des unteren Teils der Pars petrosa extrakranial das Foramen lacerum, läuft mit ihrer Anheftung über die Tuba auditiva und setzt sich nach kaudal mit der Trachea in das Mediastinum fort; sie bildet die rückseitige Fläche der Fascia thyroidea

Myofasziale Wirkungsketten

Die Lamina praetrachealis und Lamina praevertebralis fasciae cervicalis sind Bestandteil der tiefen Frontallinie und Zentralsehne. Sie können myofasziale Spannungen auf das Kranium übertragen.

Osteopathische Korrespondenzen

Die Fascia colli profunda stellt die fasziale Verbindung von Kranium und Brustraum her. Denn über die Mm. scaleni medius und anterior gelangt sie zur Klavikula bzw. zum oberen Thoraxbereich. Hier umschließt sie wichtige Gefäß- und Nervenstränge, welche die obere Extremität versorgen, den Plexus brachialis und die A. subclavia. Weiter kaudal geht die Fascia colli profunda in die Fascia endothoracica über.

Störungen des Gehörorgans können mit faszialen Dysfunktionen der tiefen Halsfaszie einhergehen. Fasziale Spannungen aus dem tiefen Halsinnenraum können sich über die tiefe Halsfaszie auf das zervikothorakale Diaphragma übertragen.

Behandlungshinweise

Die myofasziale Behandlungstechnik des Zungenbeins wird u. a. zur Mobilisation der mittleren und tiefen Schichten der Halsfaszie eingesetzt. Behandlungstechniken am Os occipitale und Os temporale können für die Behandlung der tiefen Halsfaszie eingesetzt werden.

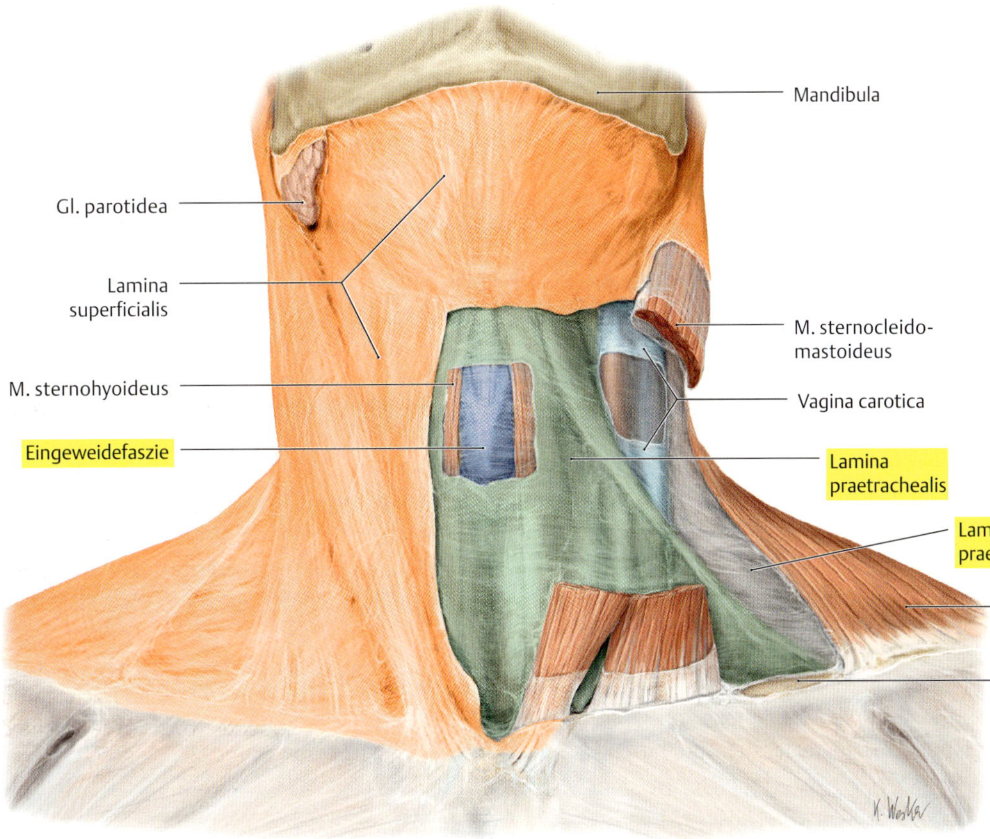

▸ **Abb. 1.14** Faszienverhältnisse am Hals (Ansicht von ventral). (aus Schünke M, Schulte E, Schumacher U. Prometheus, LernAtlas der Anatomie. Kopf, Hals und Neuroanatomie. Illustrationen von M. Voll und K. Wesker. 5. Auflage. Stuttgart: Thieme; 2018)

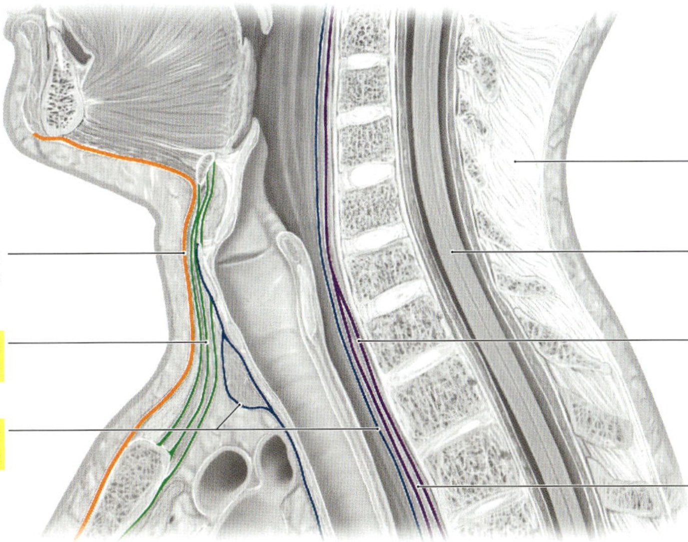

▸ **Abb. 1.15** Faszienverhältnisse am Hals (Ansicht von links; Mediansagittalschnitt). (aus Schünke M, Schulte E, Schumacher U. Prometheus, LernAtlas der Anatomie. Kopf, Hals und Neuroanatomie. Illustrationen von M. Voll und K. Wesker. 5. Auflage. Stuttgart: Thieme; 2018)

1.3.5 Eingeweidefaszie

Anatomie

▸ Abb. 1.14, ▸ Abb. 1.15, ▸ Abb. 1.16

- umscheidet Pharynx, Larynx, Trachea, Ösophagus und Schilddrüse (zirkulärer Verlauf)
- liegt ventral der Lamina praevertebralis und dorsal der Lamina praetrachealis
- hat eine verdichtete Struktur im dorsalen Bereich an der Pars basilaris des Os occipitale und die hier als Fascia pharyngobasilaris bezeichnet wird

Osteopathische Korrespondenzen

Diese Faszie stellt eine wichtige Verbindung zwischen kranialen und thorakalen Strukturen her. Denn ihren Anheftungen befinden sich kranial am Os occipitale (Pars basilaris, Tuberositas pharyngea), Os temporale (Pars petrosa) und ihre Ausläufer setzen sich kaudal in das Mediastinum fort. Das Foramen lacerum wird extrakranial von ihr bedeckt und die Tuba auditiva korrespondiert mit den Anheftungsstellen des Fascia pharyngobasilaris. Dysfunktionen im Bereich der Tuba auditiva oder der Synchondrosis sphenobasilaris können durch myofasziale Spannungen in den Halsfaszien provoziert werden.

1.3.6 Schilddrüse (Glandula thyroidea)

Anatomie

▸ Abb. 1.17

- liegt beidseits ventral und lateral der Trachea
- Innervation erfolgt durch Nervenfasern des vegetativen Nervensystems
- sympathische Fasern stammen aus dem Ganglion cervicale superius
- parasympathische Versorgung erfolgt über die Rami laryngei des N. vagus

Osteopathische Korrespondenzen

Bei Teil- oder Totalresektionen der Schilddrüse entsteht durch die Operation Narbengewebe, das die Mobilität und Elastizität der umliegenden Faszien beeinträchtigen kann.

Dysfunktionen des Os hyoideum oder eine vergrößerte Schilddrüse können Ursache für myofasziale Störungen im Halsbereich sein und den venösen Abfluss stören.

1.3.7 1. Rippe (Costa I)

Anatomie

▸ Abb. 1.18

- dorsal mit dem Rippenköpfchen mit dem Wirbelkörper Th 1 gelenkig verbunden
- ventral über den Rippenknorpel direkt mit dem Manubrium sterni verbunden

Osteopathische Korrespondenzen

Eine in Inspiration blockierte 1. Rippe kann (ebenso wie der M. pectoralis minor) ein neurovaskuläres Kompressionssyndrom der oberen Thoraxapertur (Thoracic-outlet-Syndrom) verursachen. Strukturen, die komprimiert werden können, sind die A. und V. subclavia sowie der Plexus brachialis.

Die räumliche Nähe des Ganglion stellatum zum Caput der 1. Rippe kann zu vegetativen Störungen bei einer Dysfunktion der Rippe führen (Kap. 2.4.3, Kap. 5.3.6).

Behandlungshinweise

Eine Mobilisation der 1. Rippe durch Dehnung der Mm. scaleni und anschließende parietale Manipulationstechnik kann eine Rippe in Dysfunktion lösen.

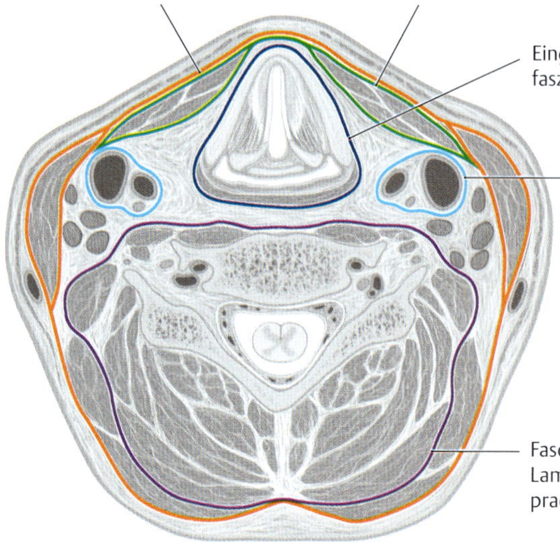

▸ **Abb. 1.16** Faszienverhältnisse am Hals (Querschnitt in Höhe des 5. Halswirbels). (aus Schünke M, Schulte E, Schumacher U. Prometheus, LernAtlas der Anatomie. Kopf, Hals und Neuroanatomie. Illustrationen von M. Voll und K. Wesker. 5. Auflage. Stuttgart: Thieme; 2018)

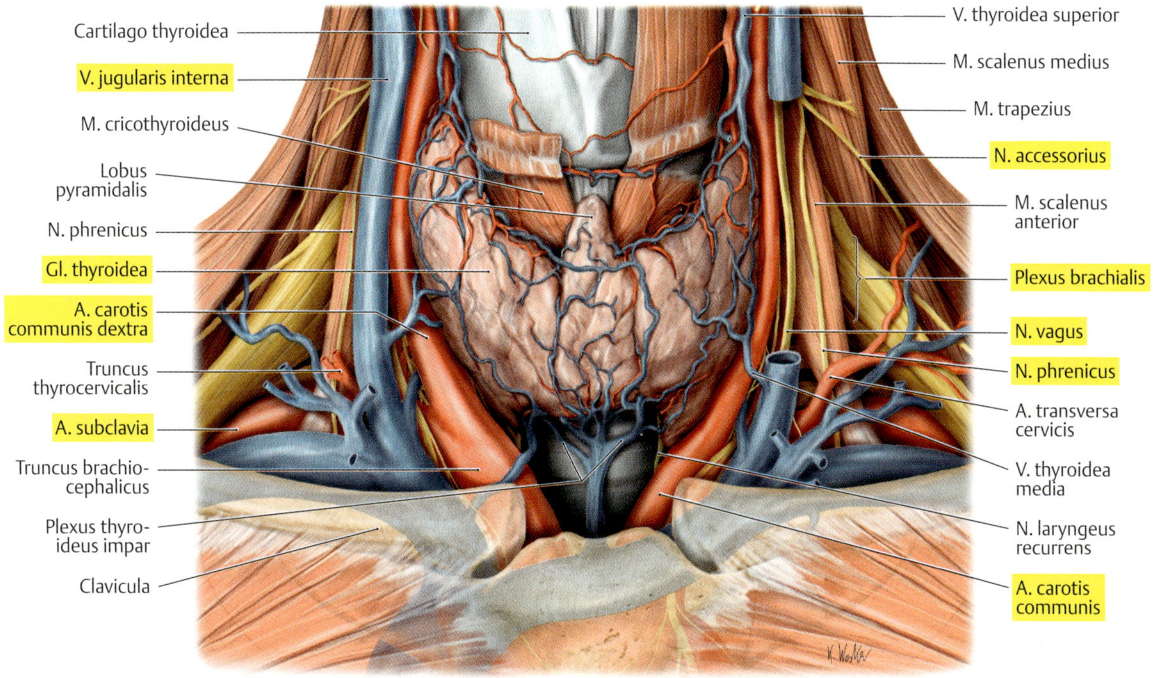

▸ **Abb. 1.17** Lage der Schilddrüse (Ansicht von ventral). Auffallend ist die Dichte der zirkulatorischen und nervalen Strukturen (V. jugularis interna, A. carotis communis, A. subclavia, N. phrenicus, N. vagus, Plexus brachialis, N. accessorius). (aus Schünke M, Schulte E, Schumacher U. Prometheus, LernAtlas der Anatomie. Kopf, Hals und Neuroanatomie. Illustrationen von M. Voll und K. Wesker. 5. Auflage. Stuttgart: Thieme; 2018)

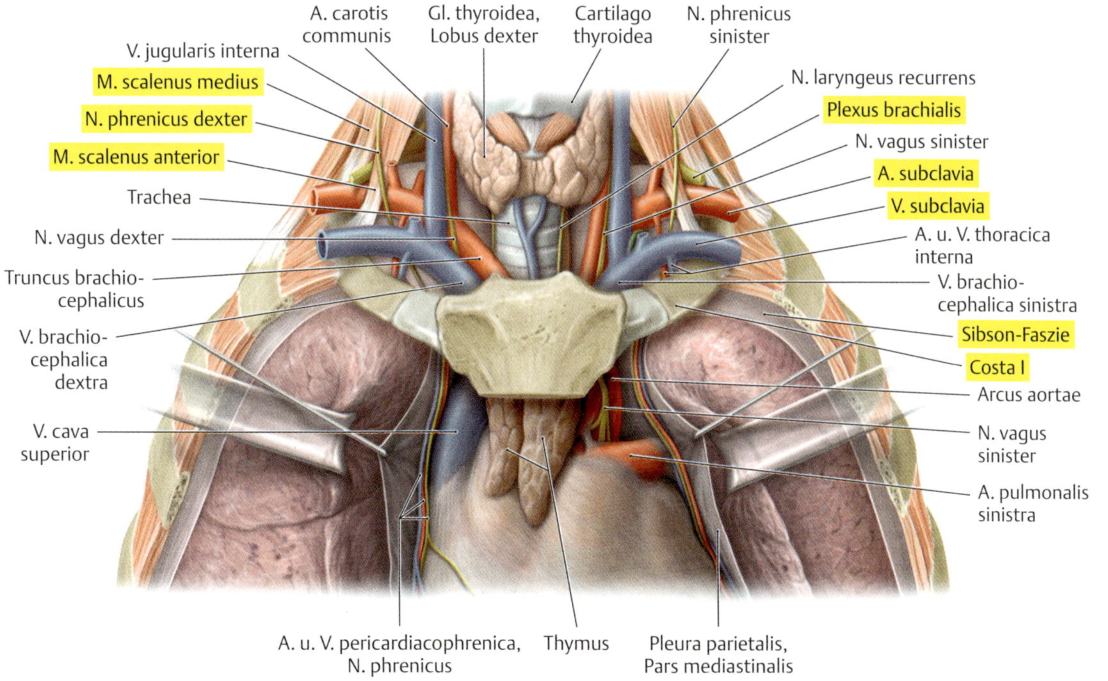

▸ **Abb. 1.18** Rippe, Mm. scaleni und Skalenuslücke (Ansicht von ventral). Auf Höhe der oberen Thoraxapertur grenzt das obere Mediastinum an die Halsorgane. (aus Schünke M, Schulte E, Schumacher U. Prometheus, LernAtlas der Anatomie. Innere Organe. Illustrationen von M. Voll und K. Wesker. 5. Auflage. Stuttgart: Thieme; 2018)

1.3.8 Mm. scaleni, Skalenuslücke

Anatomie

Die Mm. scaleni setzen sich zusammen aus (▸ Abb. 1.18, ▸ Abb. 1.19):

- **M. scalenus anterior:**
  - **Ursprung:** Tubercula anteriora der Querfortsätze von C 3–C 6
  - **Ansatz:** 1. Rippe am Tuberculum musculi scaleni
- **M. scalenus medius:**
  - **Ursprung:** Tubercula posteriora der Querfortsätze von C 3–C 7
  - **Ansatz:** 1. Rippe
- **M. scalenus posterior:**
  - **Ursprung:** Tubercula posteriora der Querfortsätze von C 5–C 7
  - **Ansatz:** 2. Rippe
- **M. scalenus minimus** (inkonstant):
  - **Ursprung:** Tubercula anteriora von C 6/C 7
  - **Ansatz:** Pleurakuppel
- **Funktion:**
  - Inspirationsmuskulatur, Atemhilfsmuskulatur beim Punctum mobile an den Rippen
  - M. scalenus anterior: Unterstützung der Seitneigung der HWS bei fixierter Rippe
  - M. scalenus minimus: Verspannung der Pleurakuppel
- **Innervation:** Plexus cervicalis und Plexus brachialis (C 3–C 6)
- **Triggerpunkte** (▸ Abb. 1.20): im gesamten Muskelverlauf verteilt
- **hintere** Skalenuslücke: von M. scalenus anterior, M. scalenus medius und 1. Rippe gebildet; Plexus brachialis und A. subclavia ziehen durch
- **vordere Skalenuslücke:** zwischen M. scalenus anterior und M. sternocleidomastoideus; V. subclavia und N. phrenicus ziehen durch

Myofasziale Wirkungsketten

Die Mm. scaleni sind Bestandteil der tiefen frontalen myofaszialen Wirkungskette.

Osteopathische Korrespondenzen

Die Mm. scaleni gehören zu den prävertebralen Muskeln. Sie stehen in direkter Verbindung mit der tiefen Halsfaszie, weil sie von ihr umhüllt sind. Gleichzeitig sind die faszialen Ausläufer der Skalenusmuskeln am zervikothorakalen Diaphragma (Sibson-Faszie; ▸ Abb. 1.18) beteiligt. Sie stehen dadurch mit der Zentralsehne und dem viszeralen Kompartiment in Verbindung. Triggerpunkte in den Mm. scaleni können Symptome einer Medianusneuralgie imitieren.

Verengungen im Bereich der hinteren Skalenuslücke können zum Skalenus-Syndrom führen. Dabei treten durch Druck auf die A. subclavia und den Plexus brachialis Durchblutungsstörungen und Schmerzen im Unterarm sowie Parästhesien der Hand auf (Kap. 5.3.6).

Die Mm. scaleni sind in ihrer Wirkung auf die HWS mit der Funktionalität des M. psoas major auf die LWS vergleichbar. Grundsätzlich sind sie Beuger für die Wirbelsäule, können aber auch die Lordose verstärken.

1.3.9 M. longus capitis und M. longus colli

Anatomie

- **M. longus capitis** (▸ Abb. 1.19):
  - verläuft auf der Vorderseite der oberen HWS
  - **Ursprung:** Tubercula anteriora der Querfortsätze des 3.–6. Halswirbels; zieht dann schräg nach medial
  - **Ansatz:** Pars basilaris des Os occipitale
  - **Funktion:**
    - beidseitig: Flexion des Kopfes nach vorne, Antagonist der Nackenmuskulatur
    - einseitig: Rotation des Kopfes zur ipsilateralen Seite, Lateralflexion
  - **Innervation:** Rr. ventrales der Spinalnerven C 1–C 4 über die prävertebralen Äste des Plexus cervicalis
- **M. longus colli** (▸ Abb. 1.19):
  - verläuft auf der Vorderseite der Wirbelsäule zwischen Atlas und BWK3
  - **Ursprung:**
    - Pars obliqua superior: Tubercula anteriora der Querfortsätze des 3., 4. und 5. Halswirbels; zieht dann schräg nach medial
    - Pars recta: anteriore Flächen der Wirbelkörper des 1.–3. Brustwirbels und des 5.–7. Halswirbels
    - Pars obliqua inferior: anteriore Flächen der Wirbelkörper des 1.–3. Brustwirbels; Fasern ziehen nach lateral
  - **Ansatz:**
    - Pars obliqua superior: mit einer schmaler Sehne am vorderen Bogen des Atlas
    - Pars recta: Vorderflächen des 2.–4. Halswirbelkörpers
    - Pars obliqua inferior: Tubercula anteriora der Querfortsätze des 5. und 6. Halswirbels
  - **Funktion:**
    - beidseitig: Flexion des Kopfes nach vorne
    - einseitig: Rotation des Kopfes zur ipsilateralen Seite, Lateralflexion
  - **Innervation:** Rr. ventrales der Spinalnerven C 2–C 7 (C 1–C 8) bzw. über die prävertebralen Äste des Plexus cervicalis (Kap. 4.7.6)

Myofasziale Wirkungsketten

Beide Muskeln gehören zur tiefen myofaszialen Frontalkette, die eine große Bedeutung für die Körperstatik und Haltungsstabilität hat.

Osteopathische Korrespondenzen

Die Faszie des M. longus colli ist ein Anteil der tiefen Halsfaszie, die an der Sibson-Faszie ansetzt, und steht damit in enger Verbindung mit dem zervikothorakalen Diaphragma.

Die Folge eines Schleudertraumas ist u. a. häufig eine reflektorische Steilstellung der HWS. Das erklärt sich aus dem Umstand, dass dabei auch die prävertebrale Muskulatur unter extreme Traktion gebracht wird. Als Folge kommt es zum Hypertonus der Muskulatur mit möglichen Folgen für die gesamte Körperstatik und zu Störungen des zentralen Fasziensystems (Zentralsehne) (Kap. 4.7.6).

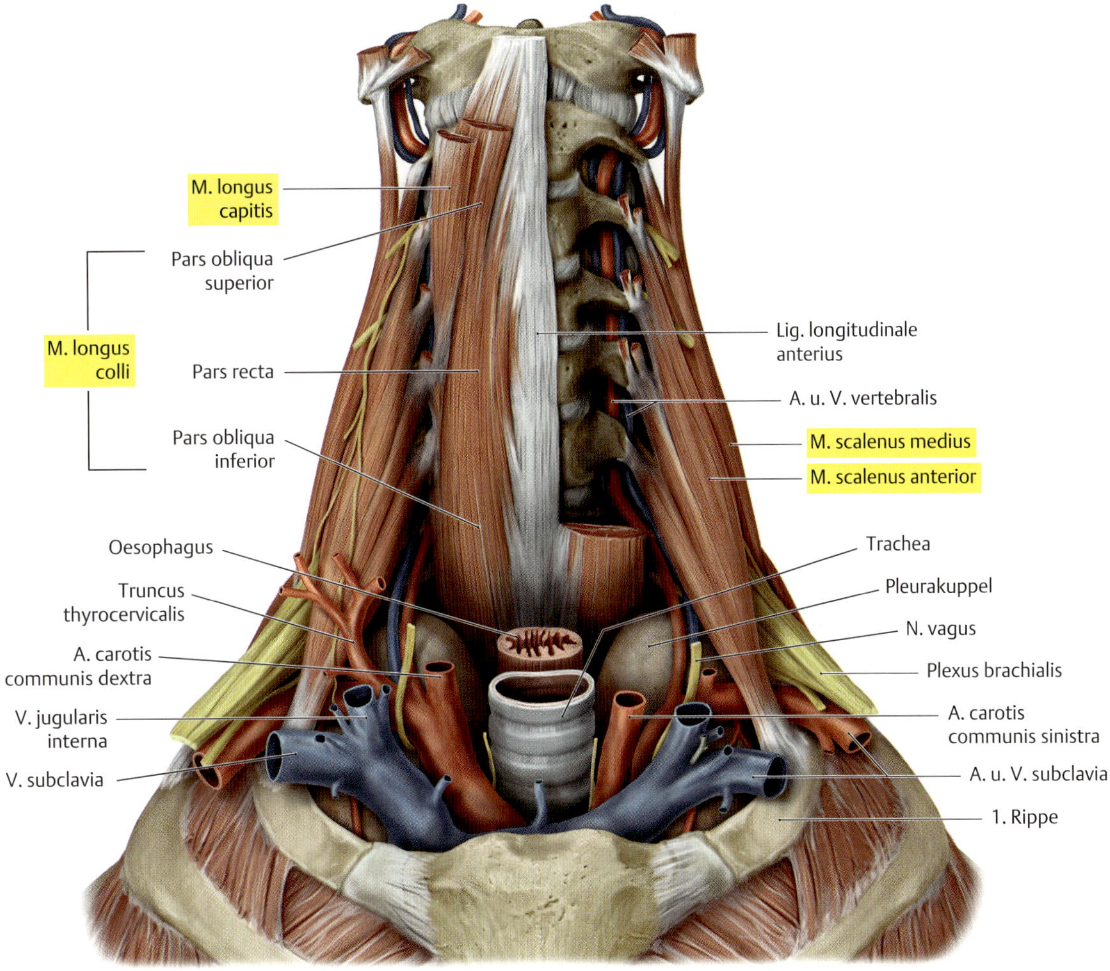

▸ **Abb. 1.19** Mm. scaleni, Skalenuslücke, M. longus capitis und M. longus colli (Ansicht von ventral). (aus Schünke M, Schulte E, Schumacher U. Prometheus, LernAtlas der Anatomie. Innere Organe. Illustrationen von M. Voll und K. Wesker. 5. Auflage. Stuttgart: Thieme; 2018)

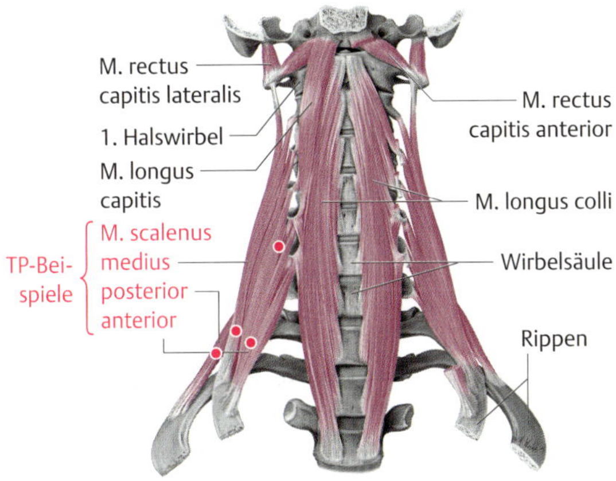

▸ **Abb. 1.20** Triggerpunkte Mm. scaleni. (aus Hebgen E. Taschenatlas Myofasziale Triggerpunkte. Schmerzguide für Osteopathen und Manualtherapeuten. 2. Aufl. Stuttgart: Georg Thieme Verlag 2020; nach Schünke M, Schulte E, Schumacher U. Prometheus LernAtlas der Anatomie. Allgemeine Anatomie und Bewegungssystem. Illustrationen von Voll M und Wesker K. 5. Aufl. Stuttgart: Thieme; 2018)

1.4 Seitliche Hals- und obere Thoraxregion

1.4.1 V. jugularis externa

Anatomie

▸ Abb. 1.21

- oberflächlich (epifaszial) gelegene Vene im Halsbereich
- bildet sich innerhalb der Ohrspeicheldrüse (Glandula parotis) auf Höhe des Kieferwinkels aus kleineren Zuflussvenen, u. a. der V. auricularis posterior
- zieht zwischen Platysma und M. sternocleidomastoideus nach kaudal zur Mitte der Klavikula
- dort durchstößt sie die Halsfaszie (Lamina superficialis und Lamina praetrachealis) und mündet anterior oder lateral des M. scalenus anterior in die V. subclavia (▸ Abb. 1.17)

Osteopathische Korrespondenzen

Die V. jugularis externa entsorgt die tieferliegenden Gesichtspartien und kann bei Abflussstörungen durch ihre oberflächliche Lage deutlich sichtbar werden. Bei der körperlichen Inspektion ist es hilfreich, auf den Füllungszustand der Vene zu achten, um Stauungsproblematiken differenzialdiagnostisch abzuklären (gestaute Halsvenen sind ein Hinweis auf eine Rechtsherzinsuffizienz).

Die V. jugularis externa wird vom N. transversus colli (sensibler Nervenast aus dem Plexus cervicalis C2–C3) überkreuzt und dieser bildet mit dem R. colli des N. facialis eine Anastomose. Folglich beinhaltet die Anastomose motorische Fasern des N. facialis und sensible Fasern des N. transversus colli für die Haut im vorderen Halsbereich.

Bei sensiblen Missempfindungen oder Störungen in der vorderen Hautregion des Halses ist differenzialdiagnostisch auf eine möglich myofasziale Dysfunktion im Nervendurchtrittsbereich des Erb-Punktes zu achten.

1.4.2 N. occipitalis minor

Anatomie

▸ Abb. 1.21

- stammt aus Plexus cervicalis, gespeist aus Segment C2/C3 (Kap. 5.2.6)
- versorgt die Haut sensibel hinter dem Ohr

Osteopathische Korrespondenzen

Der N. occipitalis minor tritt am Erb-Punkt (Punctum nervosum) am Hinterrand des M. sternocleidomastoideus) in die Galea aponeurotica. Spannungen, die durch myofasziale Restriktionen der Halsfaszie auf diese Region übertragen werden, können Kopfschmerzen verursachen. Der N. occipitalis minor korrespondiert auch mit dem N. occipitalis major (Kap. 1.5.4).

1.4.3 Karotisdreieck (Trigonum caroticum)

Anatomie

▸ Abb. 1.22

- eine dreieckähnliche Region im vorderen lateralen Halsareal (Regio cervicalis lateralis)
- befindet sich unterhalb des Platysmas
- begrenzt wird es kranial vom M. digastricus, ventral vom M. omohyoideus und dorsal vom M. sternocleidomastoideus
- hier teilt sich die A. carotis communis in die A. carotis interna und die A. carotis externa
- hier liegen wichtige zirkulatorische und nervale Strukturen:
  - Aa. carotis interna und externa
  - Sinus caroticus mit Presso- und Chemorezeptoren für die Messung des Sauerstoffgehalts des Blutes
  - N. hypoglossus
  - N. vagus mit seinem Ast N. laryngeus superior
  - N. accessorius
  - Ganglien des Truncus sympathicus
- in der Gefäß-Nerven-Scheide des Halses (Vagina carotica) verlaufen gemeinsam mit der A. carotis die V. jugularis interna, der N. vagus und die Ansa cervicalis profunda

Osteopathische Korrespondenzen

Kommt es zu einer Kompression im Trigonum caroticum im Bereich der Karotisgabel, können Druckrezeptoren (Pressorezeptoren) im Sinus caroticus stimuliert werden. Die pressorezeptiven Reize werden über den N. glossopharyngeus (IX), den N. laryngeus superior und den Truncus sympathicus an das Kreislaufzentrum des vegetativen Nervensystems weitergeleitet. Von dort aus werden dann die Herzfrequenz und der Blutdruck gesenkt.

Je nach Spannungszustand der angrenzenden Halsmuskulatur und Halsfaszien können eine Bradykardie und Hypotonie durch starke Extensionsbewegungen der HWS ausgelöst werden.

Differenzialdiagnostisch ist auf tumoröse Veränderungen in der Halsregion zu achten, die durch Kompression zu einer Gefäßstenose führen und den Sinus caroticus beeinflussen. Folgen sind eine Bradykardie und Hypotonie. Arteriosklerotische Veränderungen können ebenfalls zu einer Gefäßstenose führen.

Behandlungshinweise

Die Dichte der für die Durchblutung wichtigen Strukturen ist im Trigonum caroticum und in der Vagina carotica sehr hoch. Myofasziale Techniken in der Halsregion, welche die unterschiedlichen Faszien und umliegenden Muskeln mobilisieren, dienen der verbesserten Zirkulation und können auf das vegetative Nervensystem wirken.

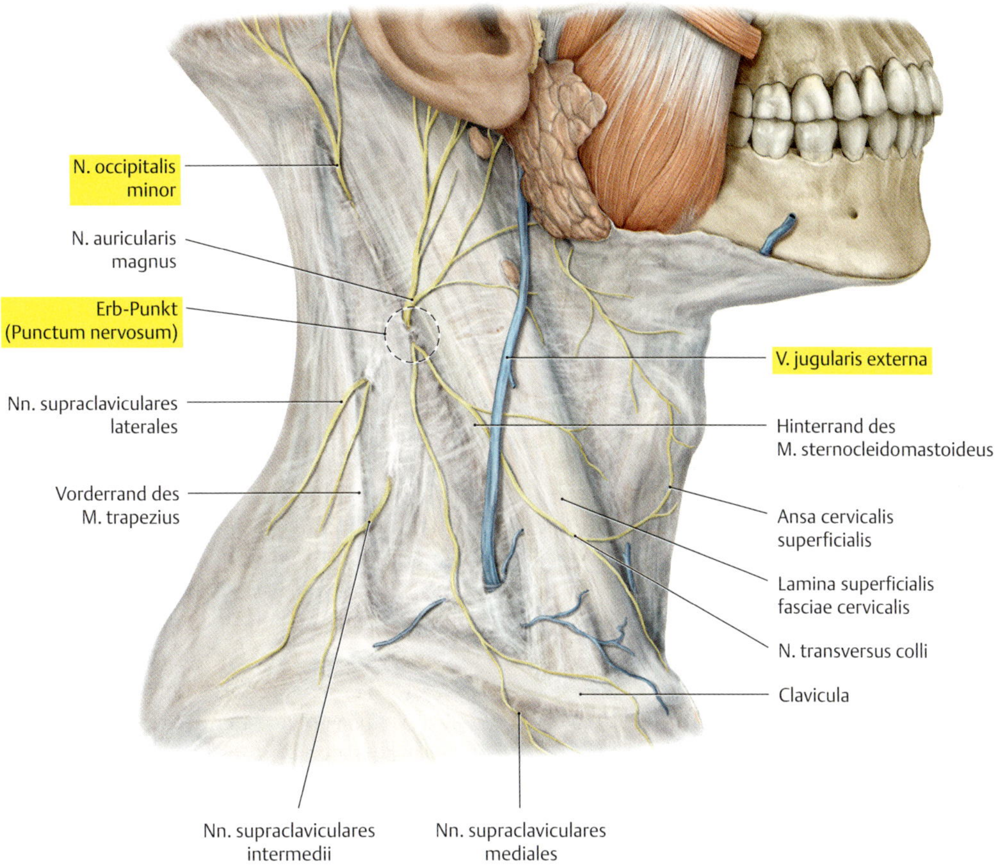

► **Abb. 1.21** Seitliche Halsregion (Ansicht von rechts). (aus Schünke M, Schulte E, Schumacher U. Prometheus, LernAtlas der Anatomie. Kopf, Hals und Neuroanatomie. Illustrationen von M. Voll und K. Wesker. 5. Auflage. Stuttgart: Thieme; 2018)

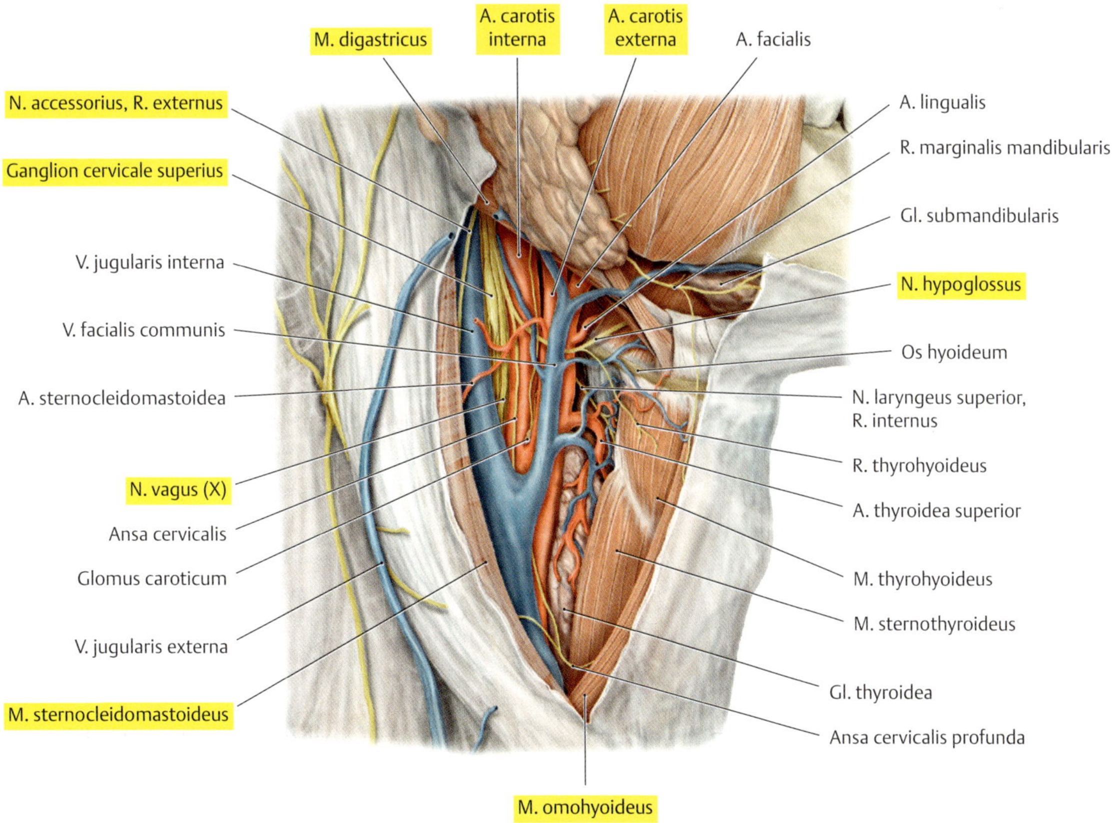

► **Abb. 1.22** Karotisdreieck (Trigonum caroticum; Ansicht von rechts). (aus Schünke M, Schulte E, Schumacher U. Prometheus, LernAtlas der Anatomie. Kopf, Hals und Neuroanatomie. Illustrationen von M. Voll und K. Wesker. 5. Auflage. Stuttgart: Thieme; 2018)

1.4.4 Venenwinkel

Anatomie

▶ Abb. 1.23

- V. brachiocephalica entsteht beidseits durch Zusammenfluss von V. jugularis interna und V. subclavia
- bilden an dieser Stelle den Angulus venosus (rechter und linker Venenwinkel)
- die linke V. brachiocephalica ist länger als die rechte V. brachiocephalica
- die Venenwinkel liegen hinter der Klavikula, nahe dem Sternoklavikulargelenk
- der Ductus thoracicus mündet in den linken Venenwinkel
- eine Klappe verhindert den Rückfluss von venösem Blut in den Ductus thoracicus
- der Ductus lymphaticus dexter mündet in den rechten Venenwinkel

Osteopathische Korrespondenzen

Der venöse Abfluss aus dem Kranium wird über die venösen Blutleiter zur V. jugularis interna geleitet. Die Diaphragmen – und insbesondere das zervikothorakale Diaphragma – sind vor einer Behandlung im Bereich der HWS und/oder des Kraniums im Sinne einer verbesserten venösen Abflusssituation frei zu machen.

Behandlungshinweise

Die lymphatische Pumpe direkt unter der Klavikula (insbesondere bei Kindern) ist eine gute Möglichkeit, den lymphatischen Rückfluss anzuregen. In diesem Funktionszusammenhang bietet sich auch die Behandlung des abdominalen und zervikothorakalen Diaphragmas an, weil dadurch die zentrale Zirkulation verbessert werden kann.

1.4.5 Truncus sympathicus

Anatomie

▶ Abb. 1.23, ▶ Abb. 2.32

- die sympathischen Kerngebiete liegen im Seitenhorn des thorakalen Rückenmarks
- Nervenfasern treten aus den Foramina intervertebralia der Segmente C 8–L 2 aus
- sie bilden auf beiden Seiten der Wirbelsäule eine Reihe von Ganglien, die über Fasersysteme miteinander in Verbindung stehen und in ihrer Gesamtheit den Grenzstrang (Truncus sympathicus) bilden
- im Halsbereich befinden sich 3 Ganglia cervicalia, deren unteres, das Ganglion cervicale inferius, mit dem 1. Thorakalganglion vereint sein kann und dann das Ganglion stellatum bildet
- in den Grenzstrangganglien erfolgt die Umschaltung vom 1. auf das 2. Neuron
- Axone der oberen sympathischen Neurone aus dem Thorakalmark versorgen Kopf, Hals, Herz, Lunge und Arme (Kap. 4.9.6)

Osteopathische Korrespondenzen

Die Lamina praevertebralis der Halsfaszie liegt hinter der viszeralen Loge (Eingeweidefaszie, Ösophagus, Trachea, Schilddrüse). Sie enthält den sympathischen Grenzstrang mit den 3 Halsganglien und dem N. phrenicus. Gelenkblockaden im Bereich C 7 / Th 1 können einen Einfluss auf die Ganglia cervicalia haben. Der N. phrenicus (aus C 3–5 kommend und zum Plexus cervicalis gehörend) verläuft teilweise lateral am M. scalenus anterior entlang bzw. überkreuzt ihn, um dann weiter kaudal zum Diaphragma abdominale zu ziehen (Kap. 4.8.1).

1.4.6 Herzbänder

Osteopathische Korrespondenzen

▶ Abb. 1.24, ▶ Abb. 2.32

Es bestehen ligamentäre Verbindungen zwischen Sternum und Perikard über die Ligg. sternopericardiaca superius und inferius. Die Ligg. vertebropericardiaca verbinden die obere Rückseite des Perikards mit den Wirbeln C 7–Th 2. Darüber hinaus bestehen ligamentäre Verbindungen zu Trachea, Thymus, Schilddrüse, Aortenbogen und A. pulmonalis (Kap. 2.4.11).

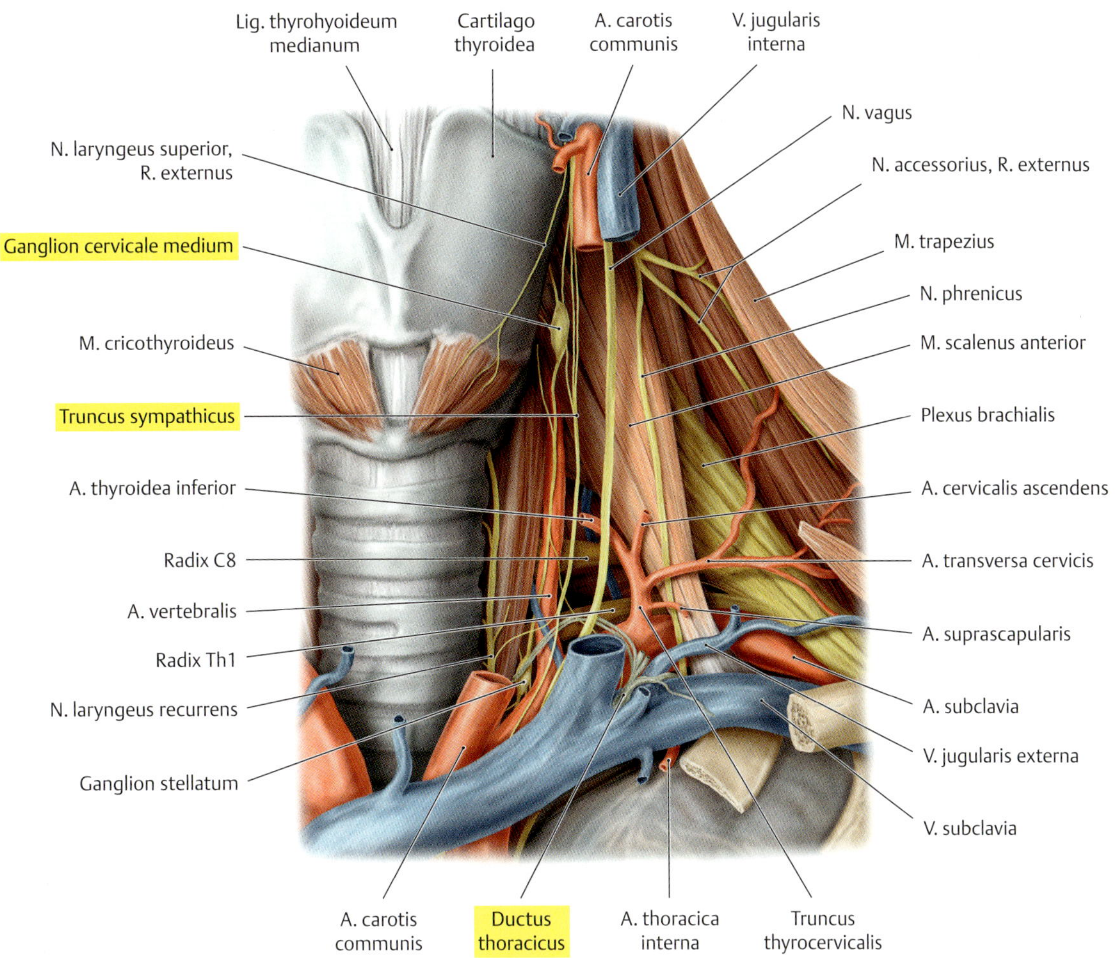

▸ **Abb. 1.23** Linke Halsbasis und obere Thoraxapertur (Ansicht von ventral). Auffallend ist die kompakte Lage der Nerven im zervikothorakalen Übergang. (aus Schünke M, Schulte E, Schumacher U. Prometheus, LernAtlas der Anatomie. Kopf, Hals und Neuroanatomie. Illustrationen von M. Voll und K. Wesker. 5. Auflage. Stuttgart: Thieme; 2018)

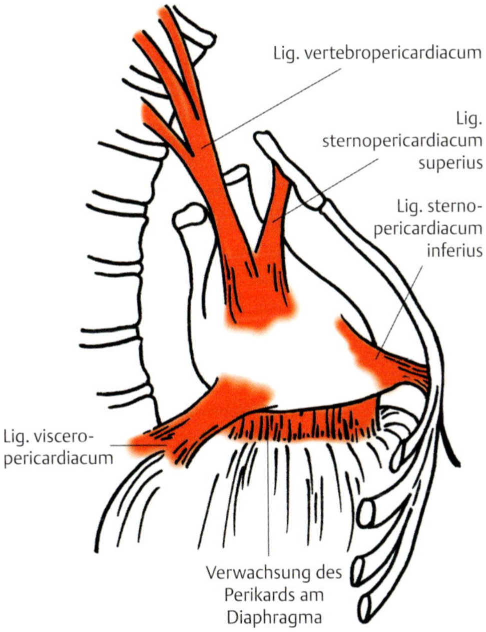

▸ **Abb. 1.24** Ligamentäre Verbindungen des Perikards (Ansicht von rechts). (aus Strunk A. Fasziale Osteopathie. 3. Aufl. Stuttgart: Haug; 2021)

1.5 Dorsale Schichten

1.5.1 Körperregionen

Für den dorsalen Bereich des zervikothorakalen Übergangs werden topografisch betrachtet (▶ Abb. 1.25, ▶ Abb. 1.26):

- Regio cervicalis posterior
- Vertebra prominens
- kraniale Regio vertebralis
- kraniale Regio suprascapularis

1.5.2 Lamina superficialis fasciae cervicalis

Anatomie

▶ Abb. 1.27

- oberflächliches Blatt der Halsfaszie, wird im Nackenbereich auch als **Fascia nuchae** bezeichnet
- liegt dem M. trapezius an (Kap. 2.7.2)
- geht dorsal bis zur Spina scapulae
- geht in der Mitte in das Lig. nuchae über
- setzt sich kaudal als oberflächliches Blatt der Fascia thoracolumbalis fort

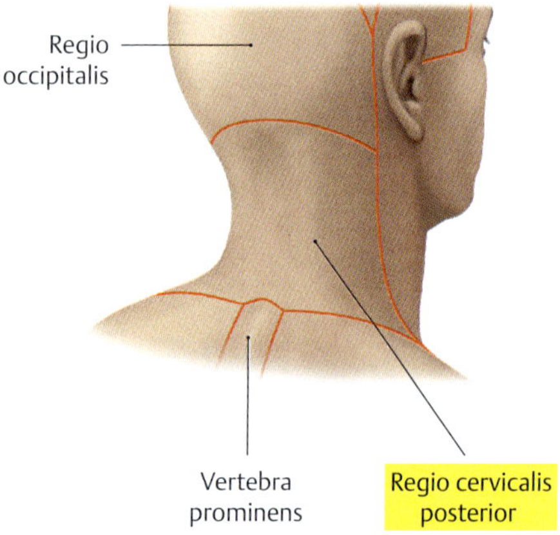

▶ **Abb. 1.25** Regionen des zervikothorakalen Übergangs I (Ansicht von dorsal). (aus Schünke M, Schulte E, Schumacher U. Prometheus, LernAtlas der Anatomie. Allgemeine Anatomie und Bewegungssystem. Illustrationen von M. Voll und K. Wesker. 5., vollständig überarbeitete Auflage. Stuttgart: Thieme; 2018)

Osteopathische Korrespondenzen

Die Verbindung der Lamina superficialis der Halsfaszie über das Lig. nuchae mit der tiefen Halsfaszie (▶ Abb. 1.15) bedeutet eine indirekte Verbindung mit der Nackenmuskulatur. Ferner besteht eine Beziehung zum oberflächlichen Blatt der Fascia thoracolumbalis, die an den Dornfortsätzen der LWS und BWS befestigt ist. Im Bereich der HWS spannt sie sich über das Lig. nuchae bis zum Hinterhauptbein.

Darüber hinaus bestehen Verbindungen mit den Strukturen, die am Proc. styloideus des Os temporale ansetzen. Folglich können über diesen Verlauf myofasziale Spannungen auch vom Nacken auf den vorderen Halsbereich übertragen werden. Beim sog. Globusgefühl ist differenzialdiagnostisch auch an diese Verbindung zu denken.

1.5.3 Lamina praevertebralis fasciae cervicalis

Anatomie

▶ Abb. 1.16

- liegt unterhalb des M. trapezius
- umschließt die autochthone kurze Nackenmuskulatur (u. a. M. erector spinae) von dorsal (Kap. 4.6.1, Kap. 4.7.5)
- in ihrer Mitte kommt es zu einer Verdichtung, dem in der Sagittalebene sehr großen, breiten Lig. nuchae
- verbindet sich u. a. über die Faszie des M. levator scapulae mit der Lamina superficialis

Osteopathische Korrespondenzen

Myofasziale Dysfunktionen aus dem Schulterbereich können auch die fasziale Spannung der tief liegenden Halsfaszien beeinflussen. Über ihre Verbindung zum Kranium und Mediastinum sind Dysfunktionen in den angrenzenden Bereichen denkbar.

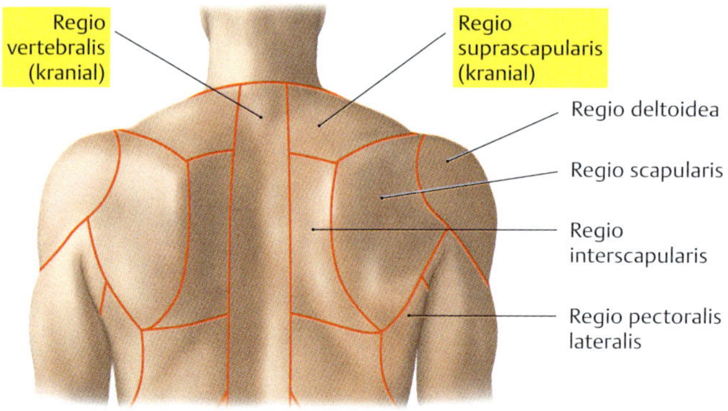

▶ **Abb. 1.26** Regionen des zervikothorakalen Übergangs II (Ansicht von dorsal). (aus Schünke M, Schulte E, Schumacher U. Prometheus, LernAtlas der Anatomie. Allgemeine Anatomie und Bewegungssystem. Illustrationen von M. Voll und K. Wesker. 5., vollständig überarbeitete Auflage. Stuttgart: Thieme; 2018)

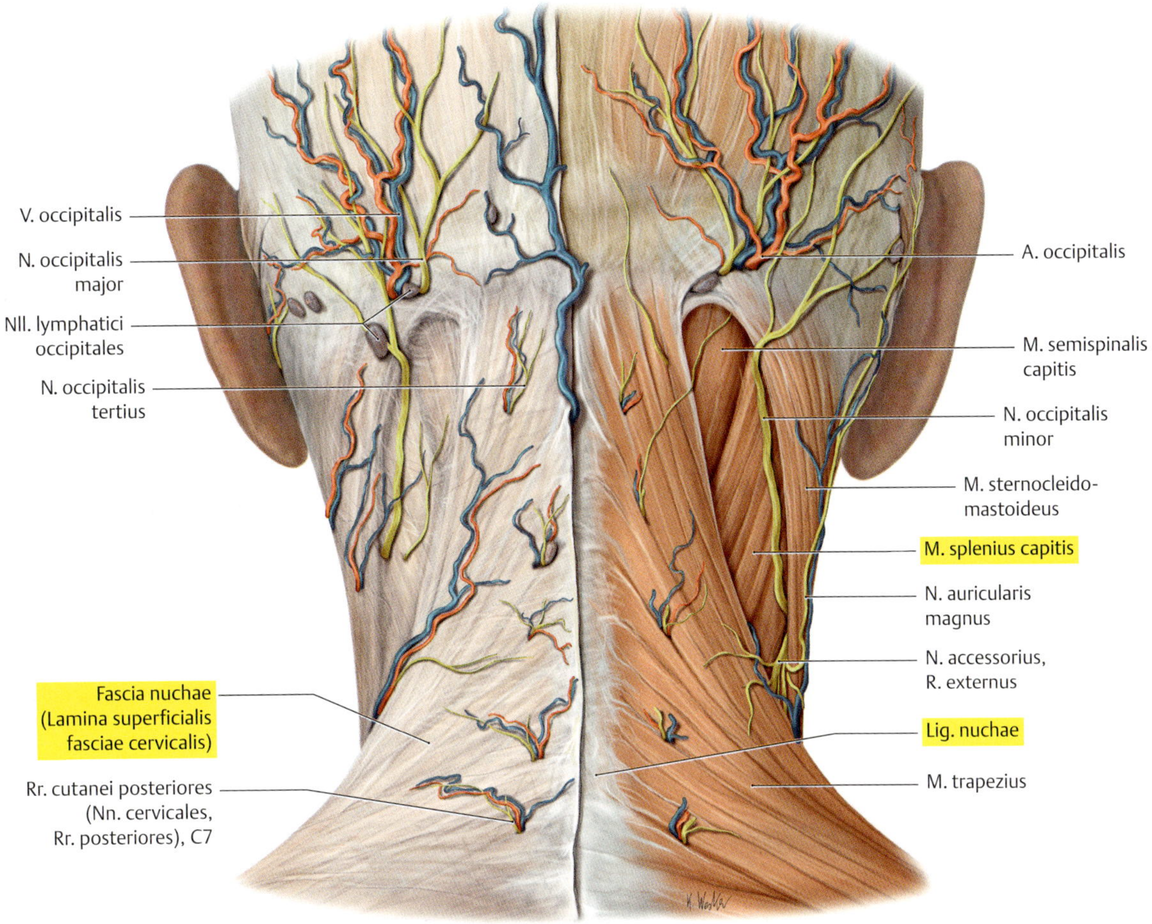

▸ **Abb. 1.27** Oberflächliche Halsregion (Ansicht von dorsal). (aus Schünke M, Schulte E, Schumacher U. Prometheus, LernAtlas der Anatomie. Kopf, Hals und Neuroanatomie. Illustrationen von M. Voll und K. Wesker. 5. Auflage. Stuttgart: Thieme; 2018)

1.5.4 Trigonum a. vertebralis

Anatomie

- ▶ Abb. 1.28
- **Synonym:** Trigonum suboccipitale
- kranial durch M. rectus capitis posterior major, kaudal durch M. obliquus capitis inferior und lateral durch M. obliquus capitis superior begrenzt
- A. vertebralis liegt hier kurz frei und gibt Muskeläste für die umliegenden kurzen Nackenmuskeln ab

Myofasziale Wirkungsketten

M. splenius capitis und M. splenius cervicis sind Bestandteil der Laterallinien, welche die aufrechte Körperhaltung unterstützen sowie Zug- und Spannungskräfte aus der ventralen, dorsalen und lateralen Körperseite ausbalancieren. Innerhalb dieser Wirkungsketten können myofasziale Dysbalancen Störungen im subokzipitalen System provozieren. Gleichzeitig sind diese Muskeln auch Bestandteil der Spirallinien, die u.a. Kräfte, die den Körper in Torsion bringen, entwickeln oder auch fortleiten können.

Die subokzipitale Muskulatur ist Bestandteil der oberflächlichen Rückenlinie, die den gesamten Körper bei Extensionsbewegungen unterstützt.

Osteopathische Korrespondenzen

Das tiefe Nackendreieck mit seinen beteiligten Muskeln ist für die fein abgestimmten Bewegungen des Kopfes wichtig. Osteopathische Dysfunktionen in der subokzipitalen Muskulatur können die Feinjustierung der Kopfhaltung beeinflussen und visuelle und vestibuläre Irritationen hervorrufen (Kap. 4.6.1).

Im Trigonum suboccipitale liegen u. a. auch die A. vertebralis, die Vv. vertebrales und der N. suboccipitalis.

Im Ansatzbereich von M. sternocleidomastoideus und M. trapezius durchbricht die A. suboccipitalis die Fascia nuchae und steht mit der A. vertebralis in Verbindung. Die A. vertebralis verläuft in der Tiefe im Sulcus a. vertebralis des Atlas. Dann tritt sie über das Foramen magnum in das Schädelinnere ein und versorgt dort die Dura mater, das Rückenmark und das Kleinhirn. Arteriosklerotische Veränderungen in der A. vertebralis können Durchblutungsstörungen im Kranium verursachen und vielfältige neurologische Störungen hervorrufen.

Der N. suboccipitalis ist der R. posterior des 1. Zervikalnervs und versorgt motorisch die kurzen Nackenmuskeln, teilweise auch den M. semispinalis capitis und M. longissimus capitis. Der 1. Zervikalnerv verlässt den Wirbelkanal zwischen Os occipitale und Atlas (Arcus posterior). Gemeinsam mit der A. vertebralis und den begleitenden Venen zieht er durch den Sulcus a. vertebralis zum hinteren Rand des Atlas. Dort spaltet er sich in R. anterior und R. posterior auf. Der anteriore Ast ist Bestandteil des folgenden Plexus cervicalis. Osteopathische Dysfunktionen des Atlas können diese nervalen Strukturen negativ beeinflussen. Ein erhöhter Muskeltonus der kurzen Nackenmuskeln ist möglich, der wiederum die Kopfhaltung beeinflussen und damit auf die Posturologie einwirken kann (Kap. 4.6.1, Kap. 4.7.5).

Der posteriore Ast des 3. Zervikalnervs ist der rein sensible N. occipitalis tertius. Er durchbohrt M. semispinalis capitis und M. trapezius und versorgt die Haut des Nackens im Bereich der Medianlinie. Ein muskulärer Hypertonus des M. semispinalis capitis kann den N. occipitalis tertius in seiner Funktionalität stören.

Der N. occipitalis major ist der hintere Ast des 2. Zervikalnervs, der den M. obliquus capitis inferior umschlingt, den M. semispinalis capitis durchdringt und innerviert, anschließend den M. trapezius durchbohrt, um dann mit seinen Endästen die Nackenhaut und Hinterhauptregion sensibel zu versorgen. N. occipitalis minor und N. auricularis magnus sind Bestandteile des Plexus cervicalis. Dieser setzt sich aus den ventralen Ästen der Spinalnerven C1–C4 zusammen und zieht zwischen M. scalenus anterior und M. scalenus medius in das seitliche Halsdreieck. N. occipitalis minor und N. auricularis magnus gehören zur Radix sensoria des Plexus cervicalis, der auch eine Radix motoria hat. Zusammen mit dem N. transversus colli und den Nn. supraclaviculares versorgen sie die Haut des seitlichen Hinterhaupts (N. occipitalis minor), die untere laterale Gesichtshälfte bis zum hinteren Bereich der Ohrmuschel (N. auricularis magnus), den Unterkieferrand und Oberrand vom Sternum (N. transversus colli) bis zur Pars clavicularis des M. pectoralis major und zum Schlüsselbein (Nn. supraclaviculares). Osteopathische Dysfunktionen von C1–C4 können sensible Störungen im Hautareal hinter dem Ohr, im vorderen und seitlichen Halsdreieck sowie im Unterkieferwinkel provozieren (▶ **Abb. 1.21**).

Behandlungshinweise

Die Radix motoria des Plexus cervicalis ist an zahlreichen Muskeln des Halsbereichs beteiligt. Neben der anteiligen Innervation des M. sternocleidomastoideus (N. accessorius) bestehen auch Innervationen zum M. trapezius (N. accessorius), M. levator scapulae (N. dorsalis scapulae), zu den Mm. scaleni, zur prävertebralen Halsmuskulatur, unteren Zungenbeinmuskulatur und zum Zwerchfell (N. phrenicus).

Über eine Nervenbrücke (Ansa cervicalis) bestehen Verbindungen von C1 zu C2–C4. An diese legt sich teilweise der N. hypoglossus (XII) an, der motorisch die Zunge versorgt. Die Ansa cervicalis verläuft u.a. in der Vagina carotica (Kap. 1.3.3). Myofasziale Techniken über den M. sternocleidomastoideus und MET können fasziale Adhäsionen und einen muskulären Hypertonus der Mm. scaleni reduzieren und die Funktionalität der nervalen Strukturen verbessern.

Bei einer erhöhten Spannung in der subokzipitalen Muskulatur (Kap. 4.7.5), zu der auch M. rectus capitis posterior major, M. obliquus capitis inferior und M. obliquus capitis superior gehören, kann durch MET die muskuläre Spannung reduziert werden. Typische Symptome bei einem Hypertonus sind z. B. Schwankschwindel, Ohrgeräusche und wechselhafte Sehfähigkeit. Ursächlich für die Symptome kann auch eine osteopathische Dysfunktion von C1/C2 sein. Myofasziale Techniken für die OAA-Region können Dysfunktionen lösen. Aufgrund der komplexen neuronalen Verschaltung in der OAA-Region bietet sich eine Kombination mit gerichteten Augenbewegungen des Patienten während der Behandlungstechnik an (Blickrichtung in die uneingeschränkte Bewegungsrichtung).

Differenzialdiagnostisch sind bei OAA-Dysfunktionen u.a. auch kraniale und kraniomandibuläre Dysfunktionen zu beachten. Fernwirkungen von Dysfunktionen aus der Körperperipherie können über die Testung der myofaszialen Wirkungsketten überprüft werden.

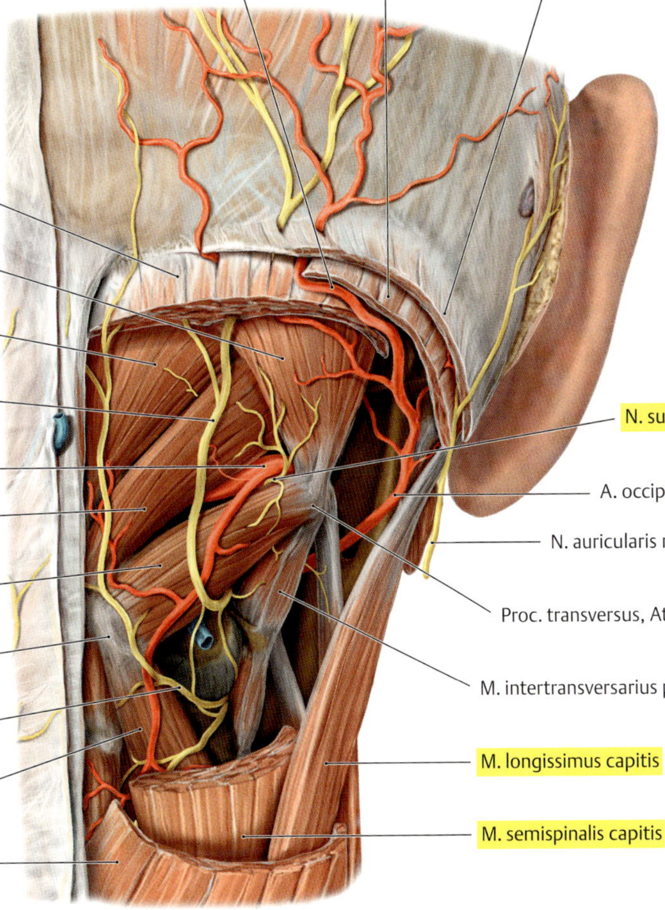

▸ **Abb. 1.28** Tiefe Halsregion mit den autochthonen Nackenmuskeln M. longissimus capitis, M. semispinalis capitis und M. semispinalis cervicis und dem Trigonum arteriae vertebralis (Ansicht von dorsal). (aus Schünke M, Schulte E, Schumacher U. Prometheus, LernAtlas der Anatomie. Kopf, Hals und Neuroanatomie. Illustrationen von M. Voll und K. Wesker. 5. Auflage. Stuttgart: Thieme; 2018)

1.6 Schnittbilder

▶ Abb. 1.29, ▶ Abb. 1.30

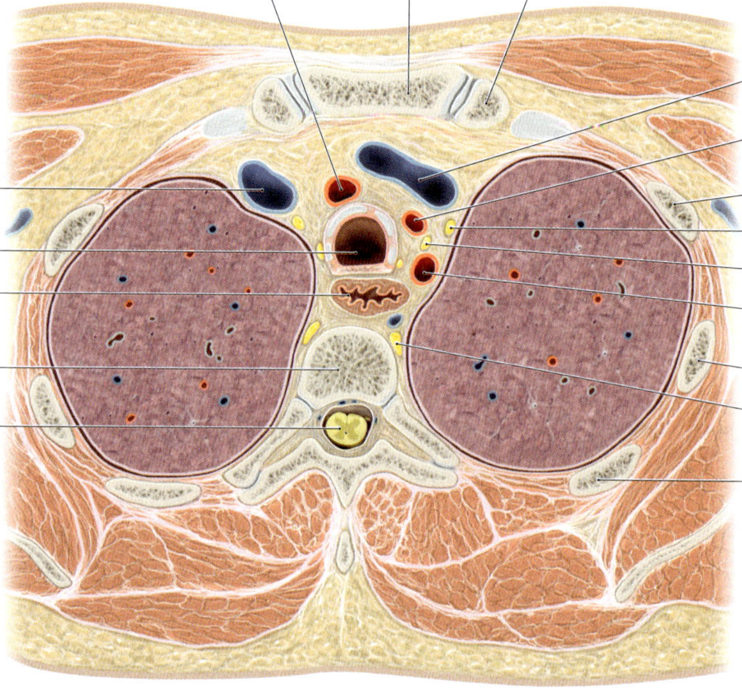

▶ **Abb. 1.29** Horizontalschnitt auf Höhe der oberen Thoraxapertur zur Verdeutlichung der Größenrelation von Lungenspitzen und Gefäßen im oberen Mediastinum (Ansicht von kaudal). (aus Schünke M, Schulte E, Schumacher U. Prometheus, LernAtlas der Anatomie. Innere Organe. Illustrationen von M. Voll und K. Wesker. 5. Auflage. Stuttgart: Thieme; 2018)

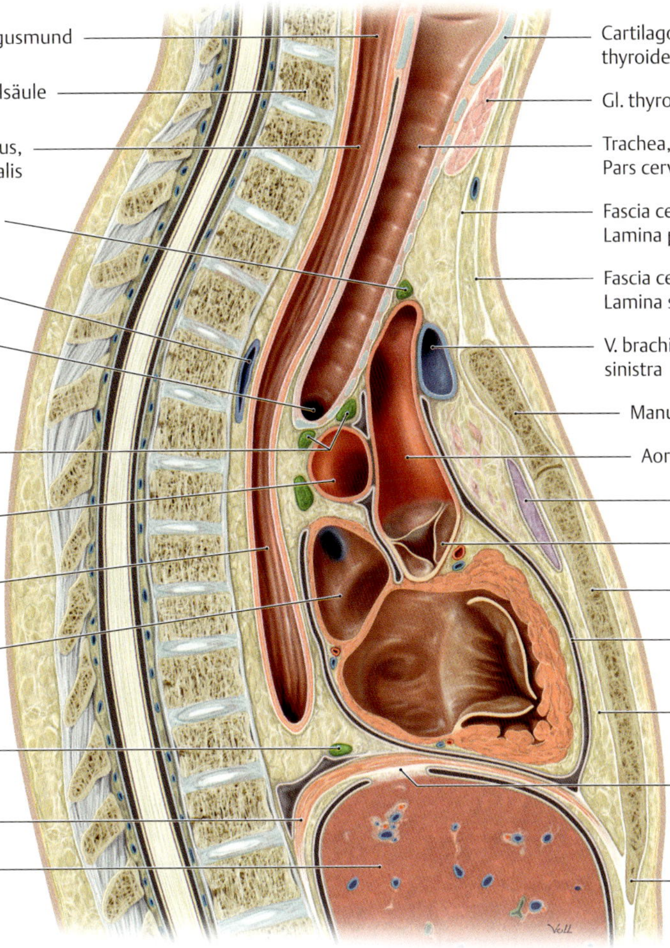

▶ **Abb. 1.30** Mediansagittalschnitt zur Verdeutlichung des verhältnismäßig kleinen Durchtrittbereichs der oberen Thoraxapertur zwischen Wirbelsäule und Sternum (Ansicht von lateral). (aus Schünke M, Schulte E, Schumacher U. Prometheus, LernAtlas der Anatomie. Innere Organe. Illustrationen von M. Voll und K. Wesker. 5. Auflage. Stuttgart: Thieme; 2018)

2 Thorakolumbaler Übergang (TLÜ)

2.1 Überblick

2.1.1 Thorakolumbaler Übergang

Als thorakolumbaler Übergang werden hier aus funktioneller Sicht die mittlere und untere Thoraxregion und die obere abdominale Region zwischen dem 5. Brustwirbel (Mediastinum inferius) und dem 3. Lendenwirbel definiert (▸ **Abb. 2.1**). Dieser Bereich wird deshalb sehr weit gefasst definiert, weil der Thorax nicht nur Schutzraum für seine Organe ist, sondern seine gesamte Struktur auch umfassend der funktionellen Atmung dient. Charakteristisch ist seine Viskoelastizität, gekoppelt mit einer hohen Festigkeit. Insbesondere die untere Thoraxapertur ist durch ihre quer verlaufenden Strukturen, wie das Diaphragma abdominale als Hauptatemmuskel, Rippen und Faszien, eine Besonderheit. Auch die Organe des Thorax (Lunge, Trachea, Ösophagus und Herz) stehen über ihre faszialen Verbindungen unter besonderem Einfluss. Zusätzlich korrespondieren weitere longitudinal verlaufende Strukturen (z. B. Gefäße, Nerven, Faszien) über diese Region mit anderen entlegenen anatomischen Strukturen, die in ihrer Funktionalität durch osteopathische Dysfunktionen beeinträchtigt werden können.

Die Gestalt des thorakolumbalen Übergangs kann man sich wie einen geometrischen Kegel ohne Spitze vorstellen, dessen Grundfläche einen Durchmesser hat, der transversal größer ist als sagittal (queroval). Der thorakolumbale Übergang geht kranial fließend in den kraniozervikalen Übergang und nach kaudal durch das abdominale Diaphragma in die Region der Oberbauchorgane über.

Zahlreiche Muskeln verlaufen im Bereich des thorakolumbalen Übergangs, die eine weit reichende Verbindung zwischen HWS, BWS, LWS und Sakrum herstellen. Folglich ist auch aus struktureller Perspektive der thorakolumbale Übergang eine Region, die sich u. a. bis in die LWS und die Beckenregion erstreckt.

Insgesamt ist der thorakolumbale Übergang durch eine atemtechnisch hohe Funktionalität mit weit reichenden komplexen anatomischen Strukturen gekennzeichnet, die zirkulatorisch, verdauungsphysiologisch und statisch (Haltung) von großer Bedeutung sind. Die Atembewegung, aber auch die Druck- und Zugkräfte, die durch die Körperbewegungen entstehen, wirken auf den gesamten Körper ein. Der thorakolumbale Übergang stellt mit dem Diaphragma abdominale, den angrenzenden Organen, Muskeln, faszialen Verbindungen sowie den durchtretenden Gefäßen und Nerven eine wichtige funktionelle Einheit dar.

2.1.2 Untere Thoraxapertur

Die untere Thoraxapertur (▸ **Abb. 2.1**) – als ein Bestandteil des thorakolumbalen Übergangs – ist die Verbindung zwischen Brustkorb und Abdomen mit ihren Bindegewebsräumen. Sie wird knöchern von den beidseitigen Rippenbögen (Arcus costales) und den freien Enden der 11./12. Rippe begrenzt, mittig ventral vom Proc. xiphoideus und dorsal vom 12. Brustwirbel. Sie ist durch das Diaphragma abdominale verschlossen und trennt topografisch damit die Brusthöhle von der Bauchhöhle. Die Crura des Diaphragma abdominale reichen in der Regel bis zum 2. bzw. 3. Lendenwirbelkörper. Sie sind u. a. ein Grund für die Definition der kaudalen Begrenzung des thorakolumbalen Übergangs. Durch die untere Thoraxapertur treten u. a. folgende Strukturen hindurch:

- Ösophagus
- Aorta
- V. cava inferior
- Ductus thoracicus
- A. und V. thoracica interna
- V. lumbalis ascendens
- Truncus sympathicus
- N. vagus
- N. phrenicus

2.1.3 Regionen

Für den ventralen Bereich des TLÜ werden topografisch betrachtet (▸ **Abb. 2.2**):

- untere Hälfte der Regio praesternalis (Mediastinum inferius)
- untere Hälfte der Regio pectoralis
- Regio inframammaria
- Regio pectoralis lateralis
- Epigastrium (Regio epigastrica)
- Regio hypochondriaca
- Regio umbilicalis
- Regio abdominalis lateralis

Für den dorsalen Bereich werden topografisch betrachtet (▸ **Abb. 2.3**):

- mittlerer Bereich der Regio vertebralis
- untere Hälfte der Regio scapularis und Regio interscapularis
- Regio pectoralis lateralis
- Regio infrascapularis
- oberer Anteil des Trigonum lumbale

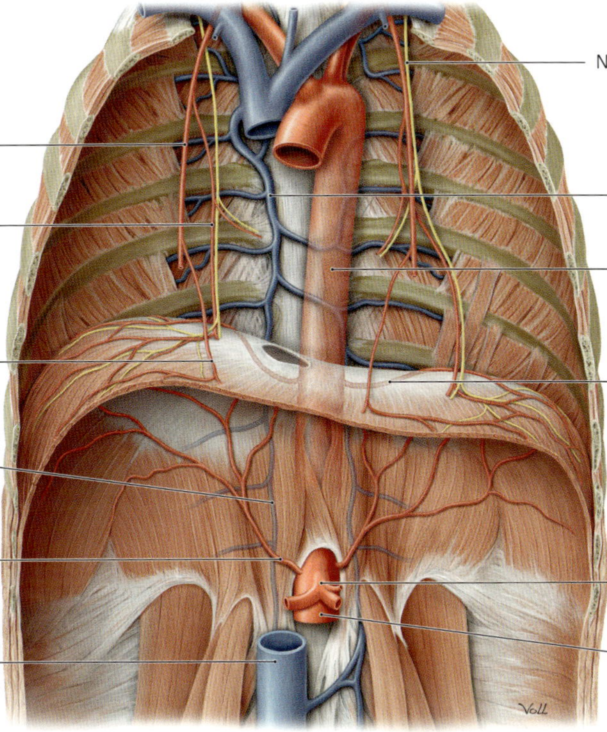

▶ **Abb. 2.1** Der thorakolumbale Übergang im Überblick (Ansicht von ventral). (aus Schünke M, Schulte E, Schumacher U. Prometheus, LernAtlas der Anatomie. Innere Organe. Illustrationen von M. Voll und K. Wesker. 5. Auflage. Stuttgart: Thieme; 2018)

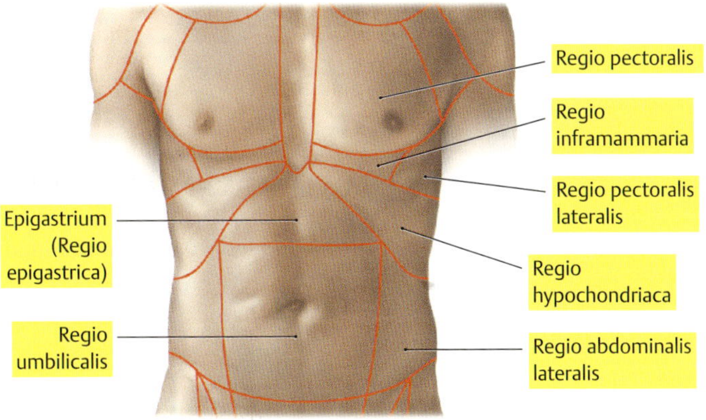

▶ **Abb. 2.2** Regionen des thorakolumbalen Übergangs (von ventral). (aus Schünke M, Schulte E, Schumacher U. Prometheus, LernAtlas der Anatomie. Allgemeine Anatomie und Bewegungssystem. Illustrationen von M. Voll und K. Wesker. 5., vollständig überarbeitete Auflage. Stuttgart: Thieme; 2018)

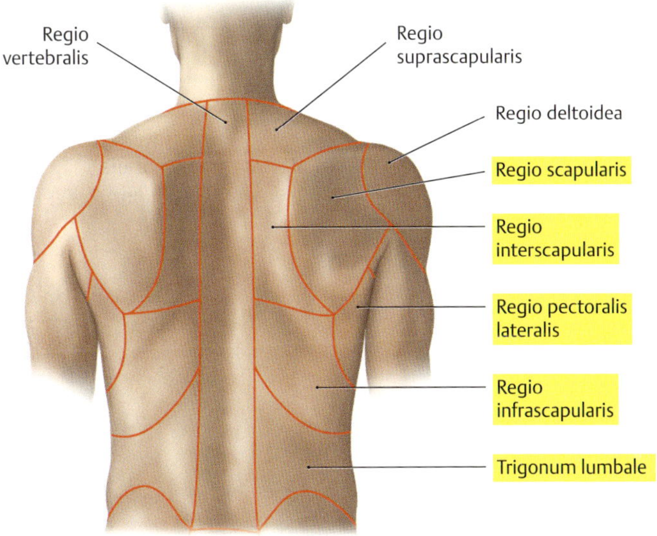

▶ **Abb. 2.3** Regionen des thorakolumbalen Übergangs (von dorsal). (aus Schünke M, Schulte E, Schumacher U. Prometheus, LernAtlas der Anatomie. Allgemeine Anatomie und Bewegungssystem. Illustrationen von M. Voll und K. Wesker. 5., vollständig überarbeitete Auflage. Stuttgart: Thieme; 2018)

2.2 Faszienhülle, oberflächliche ventrale Schichten

2.2.1 Fascia abdominalis superficialis

Anatomie

▸ Abb. 2.4, Kap. 3.2.1

- bedeckt oberflächlich die gesamte vordere Bauchwand
- geht kranial in die Fascia pectoralis über
- wird auf der Medianlinie von der Linea alba verstärkt
- teilt sich im Bereich des Beckens in einen oberflächlichen und tieferen Teil (Kap. 3.2.1)

2.2.2 Linea alba

Anatomie

▸ Abb. 2.5, Kap. 3.2.2

- verläuft vom Proc. xiphoideus bis zum Symphysenoberrand, setzt sich kaudal als Lig. suspensorium penis bzw. clitoridis fort
- bildet eine sehnige, streifenförmige Struktur der Aponeurosen der Bauchmuskulatur und ist eigentlich eine gegenseitige Verankerung der Sehnenplatten der Bauchmuskulatur
- unterhalb der Linea arcuata (3–5 cm unterhalb des Bauchnabels) ist sie nicht mehr eindeutig sichtbar, weil die Aponeurosen der Bauchmuskeln M. transversus abdominis und M. obliquus internus abdominis ventral des M. rectus abdominis verlaufen
- wird dorsal durch ein Verstärkungsband (Adminiculum lineae albae) verstärkt

2.2.3 Rektusscheide

Anatomie

▸ Abb. 2.5, ▸ Abb. 2.6, Kap. 3.2.3

- besteht aus mehreren Sehnenplatten der queren und schrägen Bauchmuskeln
- umhüllt den M. rectus abdominis ventral und dorsal (Vagina musculi recti abdominis)
- unterhalb der Linea arcuata verlaufen die Aponeurosen der Mm. obliquus internus und externus abdominis sowie des M. transversus abdominis vor dem M. rectus abdominis und bilden das vordere Blatt, während das hintere Blatt von der Fascia transversalis und dem Peritoneum gebildet wird
- Anordnung der Ansatzaponeurosen funktioniert wie ein Führungsrohr
- ist ein verbindendes Element der verschiedenen Bauchmuskelansätze: der M. obliquus externus der einen Seite geht z. B. mit seiner Sehnenplatte in die Sehnenplatte des M. obliquus internus der anderen Seite über

Myofasziale Wirkungsketten

Die Rektusscheide und insbesondere der M. rectus abdominis ist ein wichtiger Bestandteil der oberflächlichen Frontallinie. Bei den Spirallinien und der funktionellen Frontallinie sind die Aponeurosen der Rektusscheide der Mm. obliqui externus und internus abdominis bedeutend, weil sie zum einen Zugkräfte von kranial nach kaudal (und umgekehrt) von der einen Körperhälfte auf die andere übertragen können und zum anderen über die oberflächliche und funktionelle Frontallinie ein kontinuierlicher Kraftverlauf von Kopf bis Fuß möglich ist.

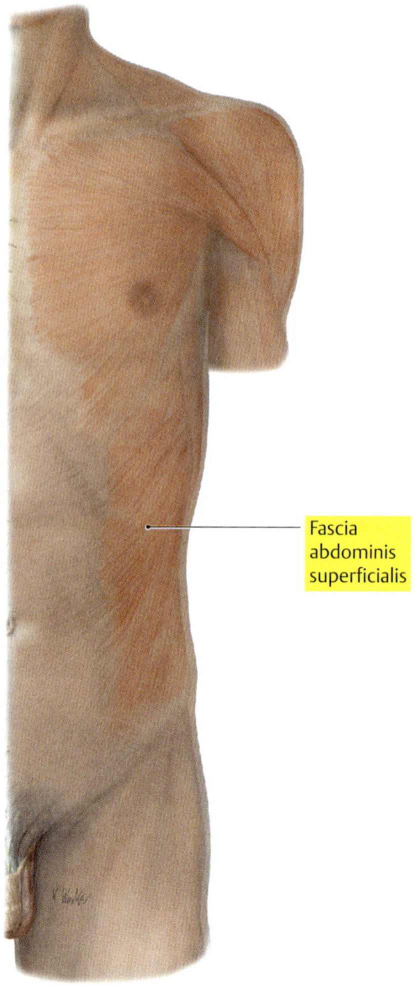

▸ **Abb. 2.4** Ventrale Rumpfwand. (aus Schünke M, Schulte E, Schumacher U. Prometheus, LernAtlas der Anatomie. Allgemeine Anatomie und Bewegungssystem. Illustrationen von M. Voll und K. Wesker. 5., vollständig überarbeitete Auflage. Stuttgart: Thieme; 2018)

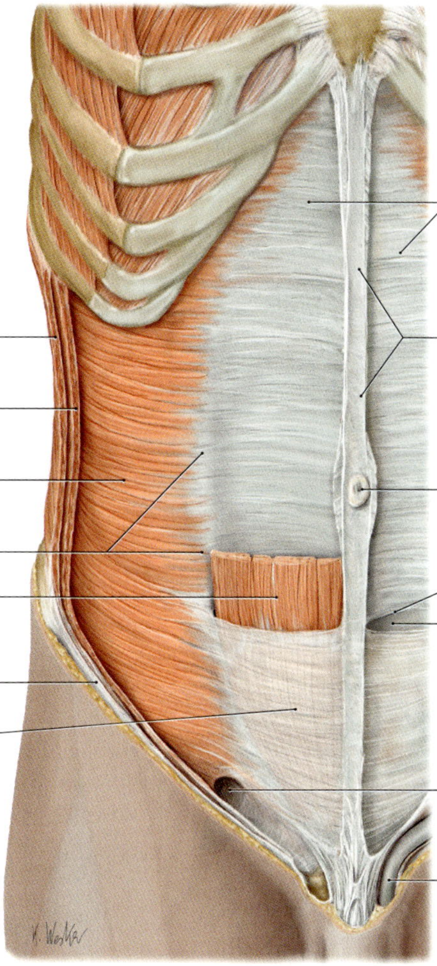

▸ **Abb. 2.5** Linea alba und Rektusscheide (Ansicht von ventral). (aus Schünke M, Schulte E, Schumacher U. Prometheus, LernAtlas der Anatomie. Allgemeine Anatomie und Bewegungssystem. Illustrationen von M. Voll und K. Wesker. 5., vollständig überarbeitete Auflage. Stuttgart: Thieme; 2018)

2.2.4 Fascia transversalis (Fascia abdominalis interna)

Anatomie

► Abb. 2.5, ► Abb. 2.6, Kap. 3.2.6

- Teil der Faszienhülle des M. transversus abdominis, die dem Peritoneum zugewandt ist
- reicht ventral von der oberen Linea alba bis kaudal zum Lig. inguinale
- geht kranial fließend in die Fascia subdiaphragmatica über
- kleidet in ihrer Gesamtheit die innere Bauchwandung aus

Osteopathische Korrespondenzen

Die Kontinuität der Faszien zeigt sich in verschiedenen Funktionszusammenhängen sehr deutlich. Hier im ventralen Bereich des thorakolumbalen Übergangs finden sich wesentliche Anteile der Bogensehne. Sie ist Gegenspielerin der Rückenfaszien und verbindet die Diaphragmen miteinander. Fasziale Anteile der Bogensehne im thorakolumbalen Übergang sind u. a.: Fascia endothoracica, Mediastinum, Perikard, Lig. coronarium der Leber und Lig. falciforme, dann weiter über das Lig. teres hepatis in die Linea alba zum Umbilicus in die Plica umbilicalis mediana.

Die Fascia transversalis ist angeheftet an der Crista iliaca (Labium internum) und der Spina iliaca anterior superior. Im Bereich der Bogensehne bedeckt nur diese unterhalb des Bauchnabels den M. rectus abdominis von innen.

Die Faszie steht in engem Kontakt mit der Fascia iliaca. Sie bedeckt dorsal auch den M. quadratus lumborum von vorne, also zum Bauchraum hin.

Behandlungshinweise

Getestet werden können Anteile der Bogensehne im thorakolumbalen Übergang mit der regionalen Untersuchung mit der Hand auf dem Sternum und auf der Regio umbilicalis.

Mit der faszialen Behandlung von Lig. falciforme, Lig. teres hepatis und Linea alba können Adhäsionen und die Elastizität dieser Strukturen verbessert werden.

2.2.5 M. sternalis

Anatomie

- kommt inkonstant und bei 5 % aller Europäer vor
- **Ursprung:** variabel einseitig oder beidseitig, vorderes Blatt der Rektusscheide, Pektoralisfaszie bzw. M. pectoralis major oder Fascia abdominalis externa
- **Ansatz:** nach longitudinalem Verlauf auf dem Sternum und/oder seitlich des Sternums große Variabilität mit möglichen Ansätzen an oberen Rippenknorpeln, Manubrium sterni, sehnige Verbindung zum Ursprung des M. sternocleidomastoideus
- **Funktion:** denkbar als Faszienspanner der Hautmuskulatur (Rudiment des M. panniculus carnosus)
- **Innervation:** N. pectoralis medialis (C 6–Th 1) oder Nn. intercostales
- **Triggerpunkte:** meistens im mittleren Bereich des Muskelbauchs, ggf. auch über den gesamten Muskel verteilt

Myofasziale Wirkungsketten

Durch die sehnige Verbindung zwischen dem M. sternalis und den Ursprungssehnen des M. sternocleidomastoideus zum einen und mit der Rektusscheide zum anderen verstärkt der M. sternalis die oberflächliche frontale Linie.

Osteopathische Korrespondenzen

Bei einer Chondropathie der Rippenknorpel am Sternum können sich im Bereich des M. sternalis Schmerzen und ggf. sogar Schwellungen zeigen. Typischerweise verstärken sich die Schmerzen bei tiefer Einatmung. Schmerzausstrahlungen können in den Brustkorb, Hals und auch die obere Extremität auftreten. Auslöser können die durch die Chondropathie ausgelösten Dysfunktionen der kostosternalen und/oder kostovertebralen Gelenke sein.

2.2.6 M. transversus thoracis

Anatomie

► Abb. 2.6

- **Ursprung:** Innenseite der Rippenknorpel der 2.–6. Rippe
- **Ansatz:** Innenseite des Corpus sterni und des Proc. xiphoideus sterni
- **Funktion:** Rippensenker (Exspiration)
- **Innervation:** Nn. intercostales II–VI

Osteopathische Korrespondenzen

Der Muskel liegt dorsal im kaudalen Bereich des Sternums und am Proc. xiphoideus. Er verspannt die Thoraxwand von innen und wirkt bei der Ausatmung mit. Faszial steht er eng mit der Fascia endothoracica in Verbindung. In Zusammenarbeit mit den Strukturen der Fascia thoracolumbalis (Kap. 2.7.1) spielt er eine wichtige Rolle für die Körperstabilität.

Behandlungshinweise

Mit einer Recoiltechnik am Sternum können beide Strukturen (M. transversus thoracis und Fascia endothoracica) gut mobilisiert werden.

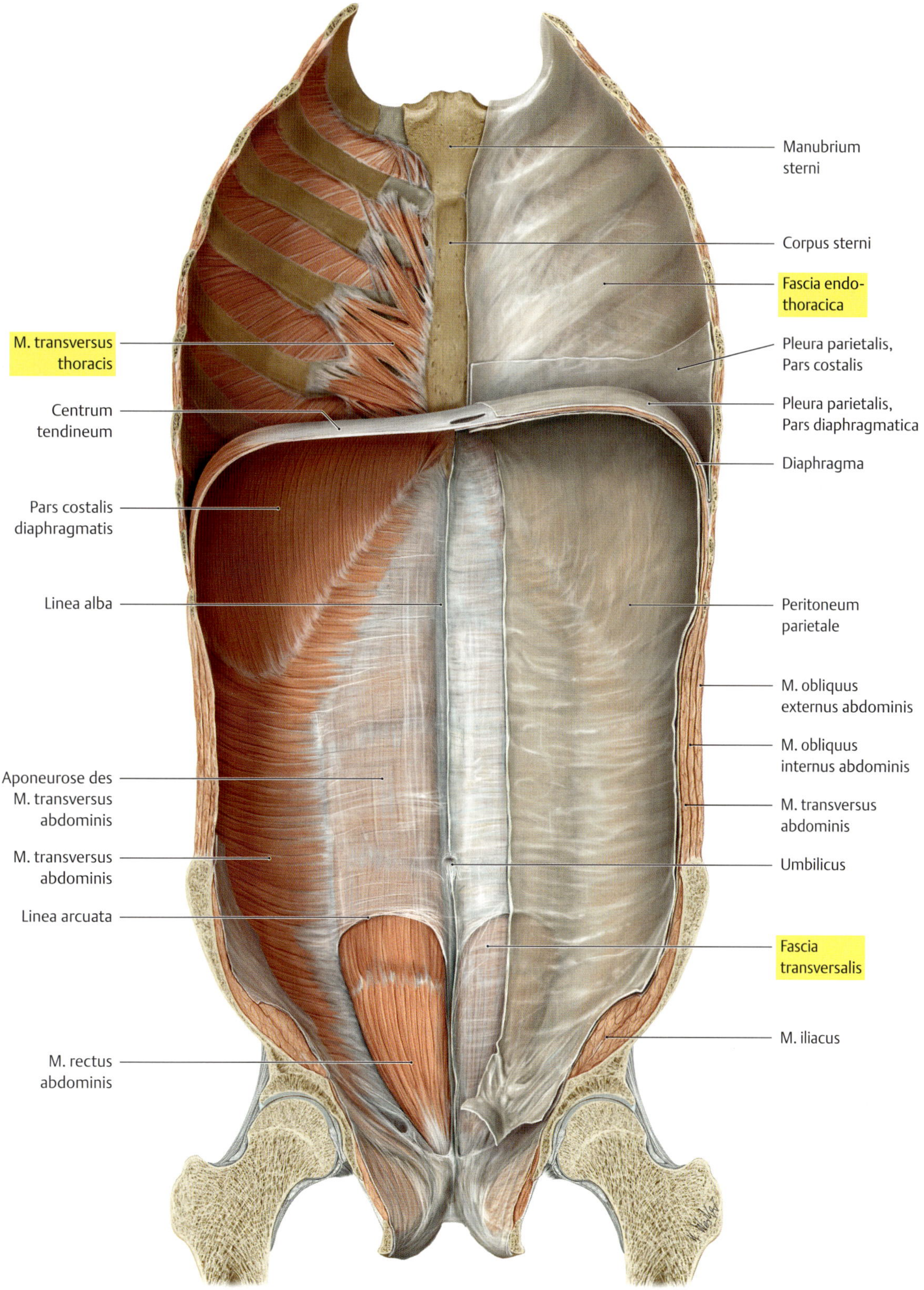

▶ **Abb. 2.6** Aufbau der Bauchwand und Rektusscheide (Ansicht von dorsal). (aus Schünke M, Schulte E, Schumacher U. Prometheus, LernAtlas der Anatomie. Allgemeine Anatomie und Bewegungssystem. Illustrationen von M. Voll und K. Wesker. 5., vollständig überarbeitete Auflage. Stuttgart: Thieme; 2018)

2.2.7 Bauchwandmuskeln allgemein

Einteilung

- seitliche schräge Bauchwandmuskeln: M. obliquus externus abdominis, M. obliquus internus abdominis, M. transversus abdominis
- vordere gerade Bauchwandmuskeln: M. rectus abdominis, M. pyramidalis (Kap. 3.2.4)
- Triggerpunkte können in der gesamten Bauchmuskulatur verteilt auftreten

Myofasziale Wirkungsketten

Die Verbindung der einzelnen Muskelschichten gibt Hinweise auf die Beteiligung an den einzelnen myofaszialen Wirkungsketten:

- M. obliquus externus abdominis: Spirallinien
- M. obliquus internus abdominis: Spirallinien
- M. rectus abdominis: oberflächliche Frontallinie, funktionelle Frontallinie

2.2.8 M. obliquus externus abdominis

Anatomie

▸ Abb. 2.7

- **Ursprung:** ventrale Außenfläche der Rippen V–XII
- **Ansatz:** Crista iliaca, Lig. inguinale, Tuberculum pubicum, vorderes Blatt der Rektusscheide, Linea alba
- **Funktion:**
  - einseitige Kontraktion: Rumpfrotation zur Gegenseite, Rumpfseitneige zur gleichen Seite
  - beidseitige Kontraktion: Flexion BWS und LWS
  - Bauchpresse
  - forcierte Ausatmung
- **Innervation:** ventrale Äste der Spinalnerven Th 5–Th 12

Osteopathische Korrespondenzen

Die Fasern des M. obliquus externus abdominis verlaufen in der gleichen Richtung wie die Mm. intercostales externi. Er korrespondiert mit seinen Ursprüngen an den Rippen zackenförmig mit den Ursprüngen des M. serratus anterior und M. latissimus dorsi. Damit ist ein Teil der oberflächlichen Schicht der Bauchmuskulatur funktionell mit dem Schultergürtel (M. serratus anterior) und der oberen Extremität (M. latissimus dorsi) verbunden.

Im kranialen Anteil wirkt der M. obliquus externus abdominis mit dem M. obliquus internus abdominis der Gegenseite zusammen. So kommt es zu einer diagonal verlaufenden Zuggurtung, die für Rotationsbewegungen im Rumpf wichtig ist.

Im kaudalen Bereich korrespondiert der M. obliquus externus abdominis über das Tuberculum pubicum (Ramus pubis superior) auf der Gegenseite mit der Adduktorenmuskulatur des Oberschenkels. Zugkräfte können über diese funktionelle Verbindung vom Abdomen auf die untere Extremität übertragen werden. Muskuläre Dysbalancen können diese funktionellen Verbindungen beeinträchtigen.

2.2.9 M. obliquus internus abdominis

Anatomie

▸ Abb. 2.8

- **Ursprung:** tiefes Blatt der Fascia thoracolumbalis, vordere Hälfte der Crista iliaca, laterale Hälfte des Lig. inguinale, SIAS
- **Ansatz:** Rippenbogen 9.–12. Rippe, Lamina anterior und posterior der Rektusscheide, sehnig über Linea alba zur Crista pubica und Linea pectinea
- **Funktion:**
  - einseitige Kontraktion: Rumpfrotation zur gleichen Seite, Seitneigung der Wirbelsäule
  - beidseitige Kontraktion: Flexion in BWS und LWS
  - Bauchpresse
  - forcierte Ausatmung
  - Verstärkung des Leistenkanals
- **Innervation:** ventrale Äste der Spinalnerven Th 8–L 1(2), N. iliohypogastricus, N. ilioinguinalis, N. genitofemoralis

Osteopathische Korrespondenzen

Der M. obliquus internus abdominis wird der mittleren Schicht der Bauchmuskeln zugeordnet. Er korrespondiert im oberen Anteil der Linea alba mit dem M. obliquus externus abdominis der Gegenseite. Daraus ergibt sich ein muskulärer Gürtelzug, der diagonal verläuft und Zugkräfte von der einen Körperseite auf die andere übertragen kann.

Durch seinen fächerförmigen Faserverlauf haben insbesondere die dorsalen Fasern, die an der Fascia thoracolumbalis und Crista iliaca entspringen, einen steilen Verlauf zu den kaudalen Rippen (9–12). Dieser Faserverlauf setzt sich über die Mm. intercostales interni fort. Hieraus ergibt sich ein funktionelles Zusammenspiel zwischen der LWS über die Fascia thoracolumbalis mit dem Thorax über Bauch- und Interkostalmuskulatur (Kap. 2.7.1).

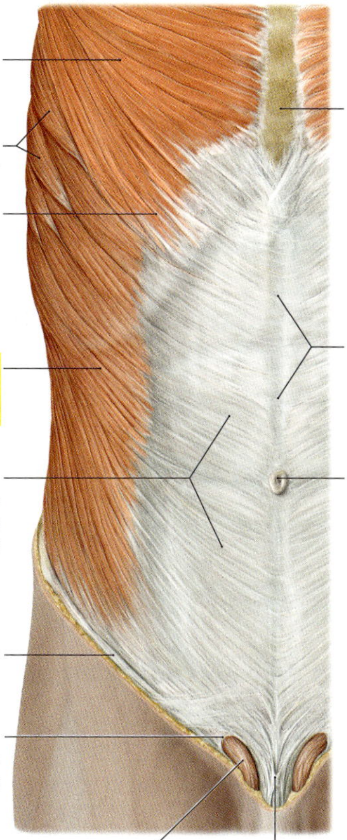

▶ **Abb. 2.7** Seitliche schräge Bauchwandmuskeln (Ansicht von ventral). (aus Schünke M, Schulte E, Schumacher U. Prometheus, LernAtlas der Anatomie. Allgemeine Anatomie und Bewegungssystem. Illustrationen von M. Voll und K. Wesker. 5., vollständig überarbeitete Auflage. Stuttgart: Thieme; 2018)

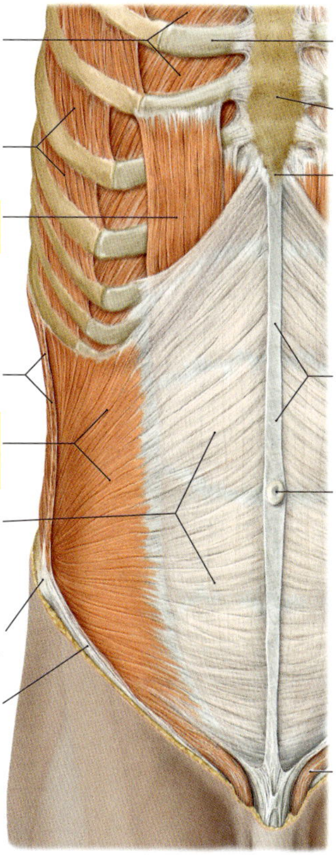

▶ **Abb. 2.8** Seitliche schräge Bauchwandmuskeln nach Entfernung der Mm. obliquus externus abdominis, pectoralis major und serratus anterior (Ansicht von ventral). (aus Schünke M, Schulte E, Schumacher U. Prometheus, LernAtlas der Anatomie. Allgemeine Anatomie und Bewegungssystem. Illustrationen von M. Voll und K. Wesker. 5., vollständig überarbeitete Auflage. Stuttgart: Thieme; 2018)

2.2.10 M. transversus abdominis

Anatomie

▸ Abb. 2.10, ▸ Abb. 2.5

- **Ursprung:** Innenfläche der unteren 6 kaudalen Rippenknorpel, tiefes Blatt der Fascia thoracolumbalis, Procc. costarii, vordere ⅔ der Crista iliaca, SIPS, laterale Hälfte des Lig. inguinale
- **Ansatz:** Lamina posterior der Rektusscheide, unterhalb der Linea arcuata Lamina anterior der Rektusscheide, Linea alba
- **Funktion:**
  - Bauchpresse
  - forcierte Ausatmung
  - Verstärkung des Leistenkanals
  - „Einziehen" des Bauches
- **Innervation:** ventrale Äste der Spinalnerven Th 5–Th 12 (L 1), N. iliohypogastricus, N. ilioinguinalis, N. genitofemoralis

Osteopathische Korrespondenzen

Durch seine komplexe Aufhängung zwischen der ventralen und dorsalen Rumpfseite ist der M. transversus abdominis in der Lage, Organe in der Bauchhöhle zu komprimieren. Er drückt sie in Richtung Wirbelsäule und kann die Ausatmung unterstützen. Ebenso unterstützt er die Entleerung von Darm und Blase sowie aktiv die Körperstatik und -stabilität. Seine differenzierte mechanische Wirkung auf die Fascia thoracolumbalis wird im Kap. 2.7.1 erläutert. Der M. transversus abdominis wirkt auch über den M. transversus thoracis auf den Thorax ein. Er ist die Fortsetzung des M. transversus abdominis (Kap. 2.3.3, Kap. 3.2.6).

2.2.11 M. rectus abdominis

Anatomie

▸ Abb. 2.10, ▸ Abb. 2.11

- **Ursprung:** Vorderfläche Rippenknorpel 5–7, Proc. xiphoideus
- **Ansatz:** Ramus superior ossis pubis bis zum Tuberculum pubicum
- **Funktion:**
  - Rumpfflexion (Punctum fixum am Becken)
  - Bauchpresse
  - forcierte Ausatmung
  - Hebung vorderer Beckenrand (Punctum fixum Thorax)
- **Innervation:** ventrale Äste der Spinalnerven Th 7–Th 12, N. iliohypogastricus

Myofasziale Wirkungsketten

Das umfangreiche Zusammenwirken der Bauchmuskulatur mit Muskeln aus der Arm-Schulter-Region und mit Muskeln aus der Lenden-Hüft-Bein-Region wird bei den funktionellen Linien deutlich. Die funktionelle Rücken- und die Frontallinie wirken bei Bewegung je nach Beanspruchung körperstabilisierend. Gleichzeitig können sie aber auch dynamische Kräfte entwickeln und Kräfte in andere Körperregionen weiterleiten.

Osteopathische Korrespondenzen

M. rectus abdominis und M. quadratus lumborum haben durch ihren Verlauf die Funktion der longitudinalen Zuggurtung der Leibeswand (▸ Abb. 2.9). Muskuläre Dysbalancen zwischen diesen beiden Muskeln können die Körperstatik nachteilig beeinflussen.

Behandlungshinweise

Die Übergänge z. B. vom M. rectus abdominis zum M. pectoralis major oder dem M. serratus anterior und M. obliquus externus (▸ Abb. 2.11) sind für die fasziale Behandlung des Thorax besonders interessant, weil sie für eine kontinuierliche Kraftübertragung wichtig sind und gleichzeitig durch ihre Elastizität Zugkräfte in bestimmte Richtungen weiterleiten können. Diagnostisch bieten sich Elastizitätsteste des Thorax an. Fasziale Techniken im Thorax und abdominalen Bereich können die Elastizität verbessern (Kap. 5.4.2).

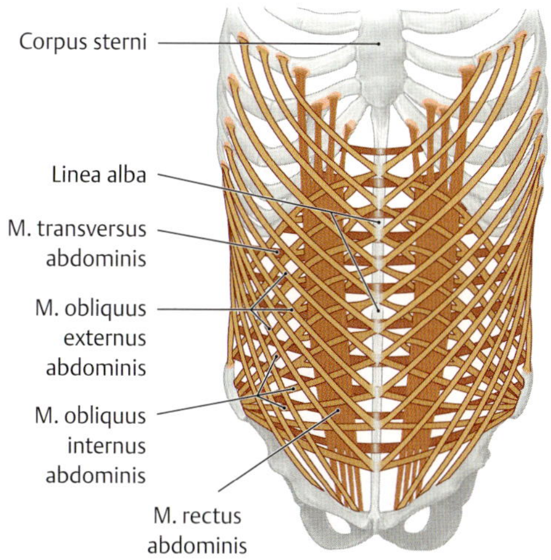

► **Abb. 2.9** Anordnung der Bauchwandmuskeln in Form von Verspannungssystemen (Ansicht von ventral). (aus Schünke M, Schulte E, Schumacher U. Prometheus, LernAtlas der Anatomie. Allgemeine Anatomie und Bewegungssystem. Illustrationen von M. Voll und K. Wesker. 5., vollständig überarbeitete Auflage. Stuttgart: Thieme; 2018)

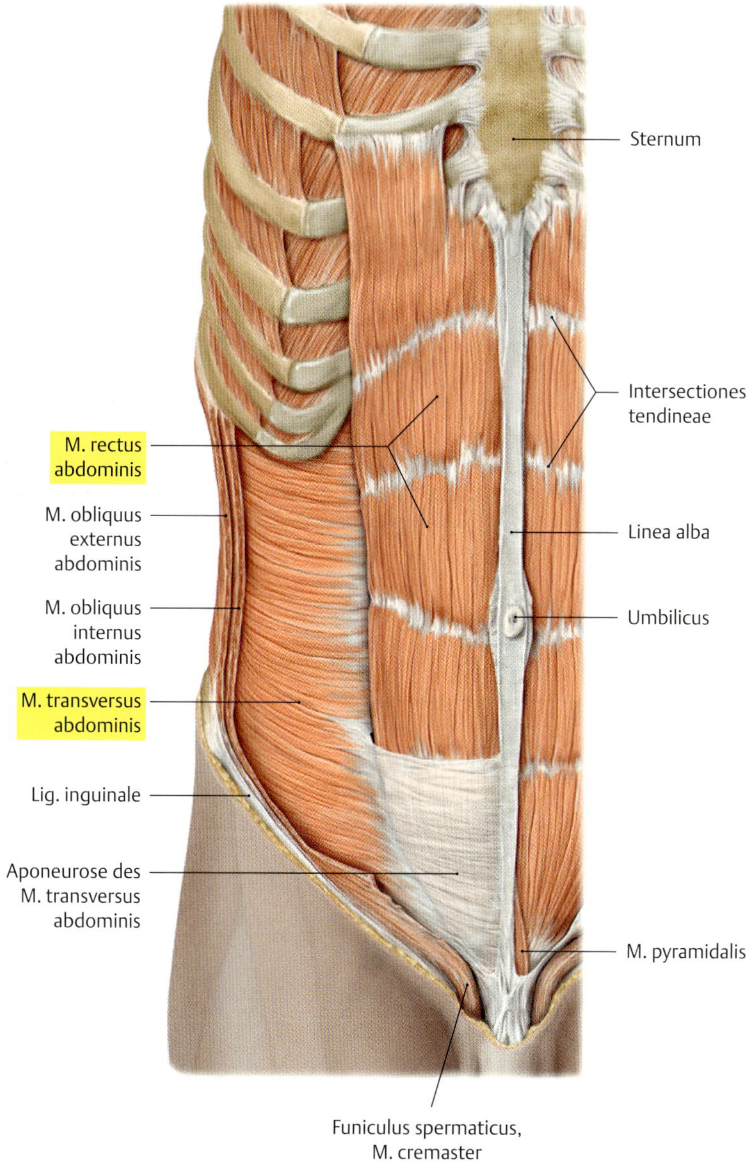

► **Abb. 2.10** Bauchwandmuskeln. (aus Schünke M, Schulte E, Schumacher U. Prometheus, LernAtlas der Anatomie. Allgemeine Anatomie und Bewegungssystem. Illustrationen von M. Voll und K. Wesker. 5., vollständig überarbeitete Auflage. Stuttgart: Thieme; 2018)

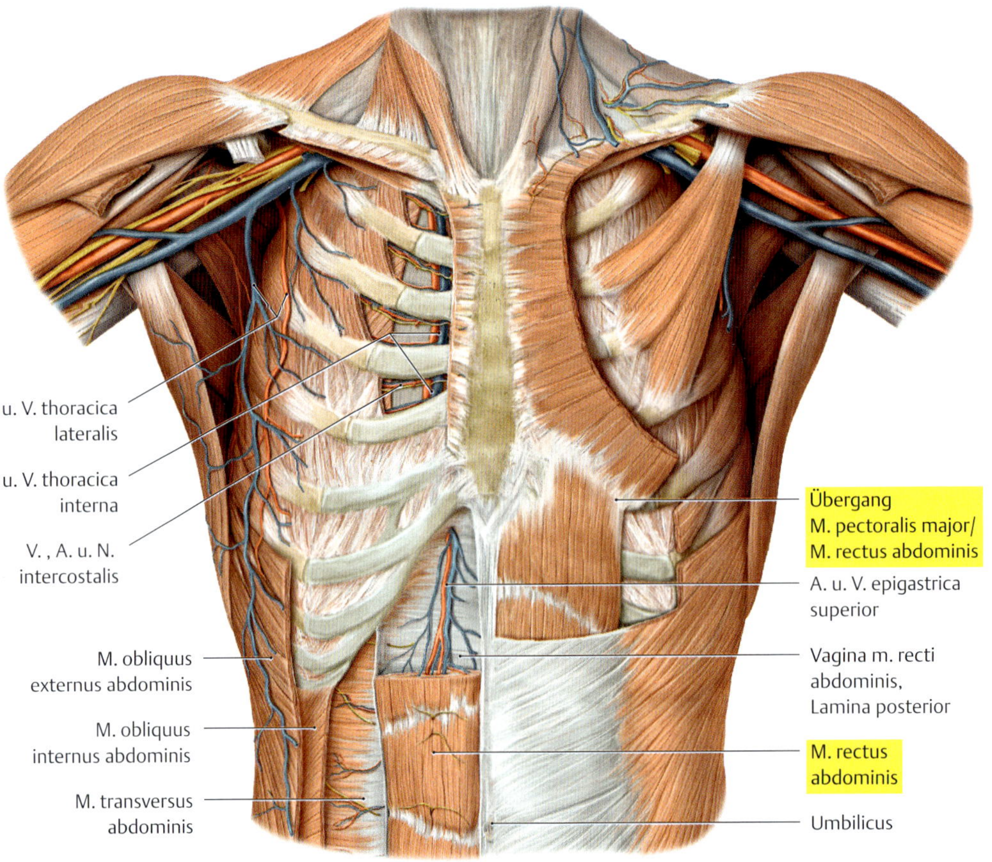

▸ **Abb. 2.11** Vordere Thoraxwand (Ansicht von ventral). (aus Schünke M, Schulte E, Schumacher U. Prometheus, LernAtlas der Anatomie. Innere Organe. Illustrationen von M. Voll und K. Wesker. 5. Auflage. Stuttgart: Thieme; 2018)

2.2.12 Plicae umbilicales (Bauchfellfalten)

Anatomie

► Abb. 2.12

- entstehen dadurch, dass Strukturen, die auf der rückwärtigen ventralen Bauchwand liegen, vom Peritoneum abgedeckt werden → Plicae umbilicales sind also Bauchfellfalten
- Lig. teres hepatis: ist beim Erwachsenen ein bindegewebiger Strang; war während der Embryonalzeit die Nabelvenen (Vv. paraumbilicales), die zwischen Nabel und Leber verlief; obliteriert und degeneriert zu Bindegewebe
- Ab dem Bauchnabel zeigen sich 5 Bauchfellfalten, die alle Richtung Bauchnabel ziehen (Kap. 2.5.5):
  - **Plica umbilicalis mediana:** obliterierter Urachus (bereits in der Embryonalphase verschlossener Urharngang)
  - **Plicae umbilicales mediales:** liegen jeweils rechts und links daneben und enthalten die A. umbilicalis
  - **Plicae umbilicales laterales** (auch Plicae epigastricae): befinden sich links und rechts noch weiter lateral und beinhalten die A. und V. epigastrica inferior und das Lig. interfoveolare (eine strangförmige Verstärkung der Fascia transversalis)

Myofasziale Wirkungsketten

Die Plica umbilicalis mediana ist Bestandteil der Bogensehne. Innerhalb dieser besteht im thorakolumbalen Übergang nach kranial die Verbindung vom Umbilicus über die Linea alba zum Lig. teres hepatis und daran anschließend über das Lig. falciforme zur Leber. Die Fortsetzung über das Lig. coronarium in Fascia endothoracica, Perikard und Mediastinum stellt den Bezug zum Thorax her (Kap. 3.3.2).

Nach kaudal findet die Plica umbilicalis mediana innerhalb der Bogensehne ihre Fortsetzung über die Fascia vesicoumbilicalis in die Delbet-Faszie. Sie hat damit einen faszialen Bezug zum Beckenboden (Kap. 3.4.16).

Osteopathische Korrespondenzen

Die Plica umbilicalis medialis reicht bis zur Fossa supravesicalis (im Bereich des Blasenscheitels), die oberhalb der Harnblase liegt.

Durch einen erhöhten faszialen Zug über Leber, Lig. teres hepatis und Bauchnabel (mit Übergang zur Plica umbilicalis mediana) zur Harnblase können Dysfunktionen der Harnblase möglich sein.

Adhäsionen im Verlauf der Plicae können die regionale Elastizität der Bauchwand negativ beeinflussen. Das ist von besonderem Interesse, weil das Lig. interfoveolare fast parallel zum M. rectus abdominis verläuft und die Fascia transversalis verstärkt. Hier besteht eine Verbindung zum inneren Leistenring (Kap. 3.3.2).

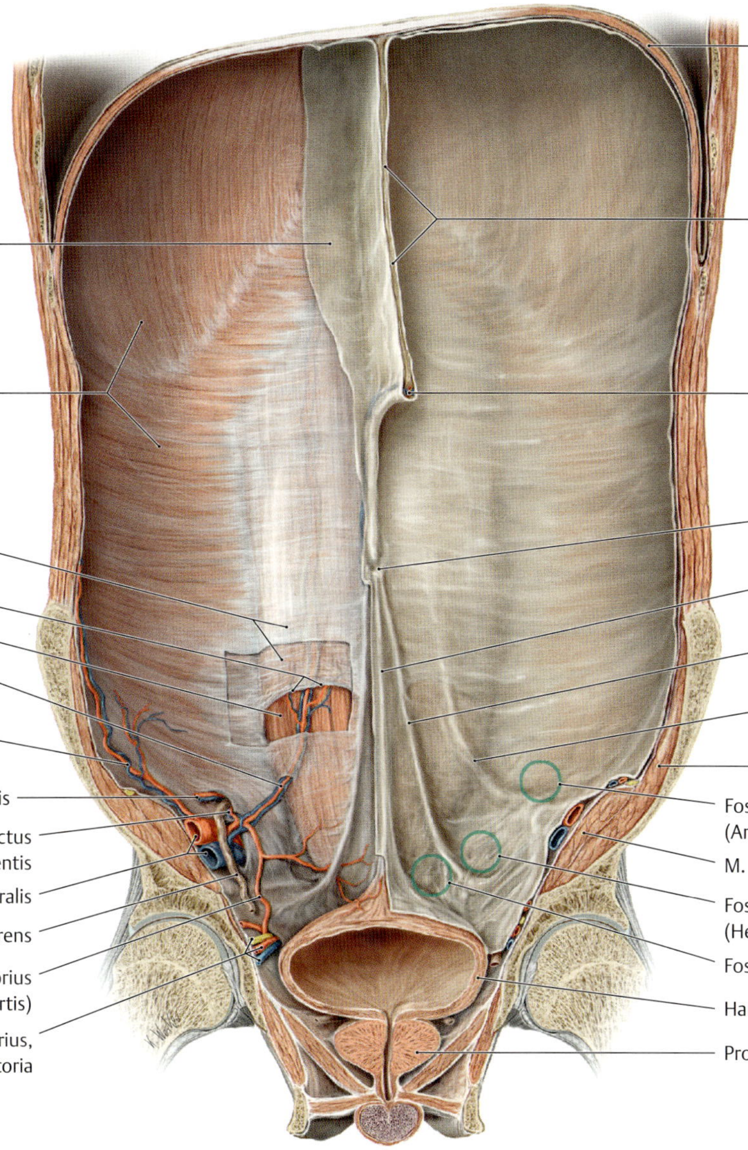

► **Abb. 2.12** Peritonealverhältnisse an der Rückseite der Bauchwand (Ansicht von dorsal auf die Rückseite der ventralen Bauchwand). (aus Schünke M, Schulte E, Schumacher U. Prometheus, LernAtlas der Anatomie. Innere Organe. Illustrationen von M. Voll und K. Wesker. 5. Auflage. Stuttgart: Thieme; 2018)

2.3 Diaphragma abdominale (Zwerchfell)

2.3.1 Diaphragma abdominale

Anatomie

► Abb. 2.13, ► Abb. 2.14

- wie eine Kuppel zwischen Bauch- und Brustraum aufgehängt
- bei maximaler Ausatmung liegt die Zwerchfellkuppel auf Höhe der 4. Rippe, bei maximaler Einatmung auf Höhe der 7. Rippe
- die rechte Zwerchfellkuppel steht wegen der Größe der Leber ca. 1–2 cm höher als die linke
- Hiatus aorticus: Sehnenbogen (Lig. arcuatum medianum) mit rechtem (L 1–L 3) und linkem Crus des Diaphragmas (L 2–L 3)
- Psoasarkade: Sehnenbogen (Lig. arcuatum mediale) von L 2 bis zum Rippenfortsatz L 2
- Quadratusarkade: Sehnenbogen (Lig. arcuatum laterale) vom Rippenfortsatz L 2 bis zur Spitze der 12. Rippe
- die sympathische Versorgung für Zirkulation und Grundtonus erfolgt aus den Segmenten Th 1–Th 6
- arterielle Versorgung über die Aa. phrenicae superior und inferior, die auf Höhe des Hiatus aorticus direkt aus der Aorta austreten (► Abb. 2.1)
- die Vv. phrenicae inferiores münden direkt in die V. cava inferior, die Vv. phrenicae superiores in die V. hemiazygos ascendens
- **Ursprung:**
  - Pars costalis: Unterrand des Rippenbogens, Innenfläche der 7.–12. Rippe
  - Pars lumbalis (Crus dextrum und Crus sinistrum):
    - mediale Teile: LWK 1–3, 2. und 3. Zwischenwirbelscheibe, Lig. longitudinale anterius
    - laterale Teile: Sehnenbogen der Psoasarkade (Lig. arcuatum mediale) vom 2. LWK zum dazugehörigen Rippenfortsatz; Sehnenbogen der Quadratusarkade (Lig. arcuatum laterale) vom Rippenfortsatz des 2. LWK zur Spitze der 12. Rippe
  - Pars sternalis: Hinterfläche des Proc. xiphoideus sterni
- **Ansatz:** Centrum tendineum
- **Funktion:**
  - wichtigster Inspirationsmuskel (Zwerchfell- bzw. Bauchatmung)
  - Mitwirkung bei der Bauchpresse
  - erleichtert venös-lymphatischen Rückfluss
  - räumliche Trennung zwischen Bauch- und Brustraum
- **Innervation:** N. phrenicus aus dem Plexus cervicalis (C 3–C 5)

Myofasziale Wirkungsketten

Die Arkaden sind Verstärkungen der Muskelfaszien des M. quadratus lumborum und M. psoas major. Sie bilden damit einen Funktionszusammenhang, der sich im Verlauf der tiefen Frontallinie widerspiegelt. Diese myofasziale Wirkungskette unterstützt die Haltungsstabilität und hat Stützfunktion. Insbesondere das Diaphragma abdominale kann durch Erhöhung des Drucks im Bauchraum in Verbindung mit der Kontraktion der Bauchmuskeln die Wirbelsäule stabilisieren und die Fascia thoracolumbalis funktionell im Sinne der Körperstabilität unter Spannung setzen.

Osteopathische Korrespondenzen

Es bestehen vielfältige Korrespondenzen, da das Diaphragma abdominale zur Zentralsehne gehört. Ferner gibt es Verbindungen zu den in direkter anatomischer Nähe liegenden Strukturen:

- Mediastinum, Herz, Perikard (Lig. phrenicopericardiacum), Lunge (Pleura parietalis, Fascia endothoracica, Fascia phrenicopleuralis), 7.–12. Rippe
- Duodenum, Treitz-Muskel (rechtes Crus, L 1/L 2)
- Leber (Lig. falciforme hepatis, Lig. coronarium, Lig. triangulare sinistrum/dextrum), Milz
- Ösophagus, Magen (Lig. gastrophrenicum)
- Kolon (Lig. phrenicocolicum sinistrum/dextrum)
- Nieren (Fascia renalis, Fascia retrorenalis)
- Peritoneum parietale und viscerale

Die Nn. phrenici verzweigen sich ober- und unterhalb des Zwerchfells in viele Einzeläste (Kap. 5.3.3). Es sollen auch Äste zum naheliegenden Peritoneum parietale verlaufen. Darüber hinaus bestehen direkte Verbindungen über die Nervenäste von den Nn. splanchnici majores zur Pars lumbalis des Diaphragmas. Ebenso sollen in zahlreichen Fällen Nervenfasern des Plexus coeliacus mit der rechten A. phrenica inferior zum Zwerchfell laufen. Demzufolge gibt es ein komplexes Verbindungsnetz zwischen den neurovegetativen Verbindungen der Thorax- und Oberbauchorgane mit dem Zwerchfell.

Interessant wegen ihres systemischen Bezugs sind insbesondere die ligamentären Anheftungen im Lendenteil (Pars lumbalis) des Diaphragmas, die unterschiedliche Arkaden bilden (Kap. 2.3.2; ► Abb. 2.13, ► Abb. 2.14). Auch der M. transversus abdominis steht über die gemeinsame Insertion von der Pars costalis des Diaphragmas an der Innenfläche der unteren Rippen im funktionellen Zusammenhang mit dem Diaphragma (Bauchpresse, Rumpfstabilität) (Kap. 2.3.3, Kap. 2.7.1).

Behandlungshinweise

Aus Sicht der osteopathischen Diagnostik und Behandlung ist daran zu denken, dass z. B. Adhäsionen die Organbewegungen stören können und Afferenzen über die Nn. phrenici zu einem fazilitierten Segment im Bereich C 3–C 5 oder auch Th 1–Th 6 führen können. Besonders bei therapieresistenten Dysfunktionen in den HWS-Segmenten C 3–C 5 ist an diese Verbindung zu denken. Nicht selten können auch Symptome in den zugehörigen Dermatomen, Myotomen, Sklerotomen und Viszerotomen auftreten.

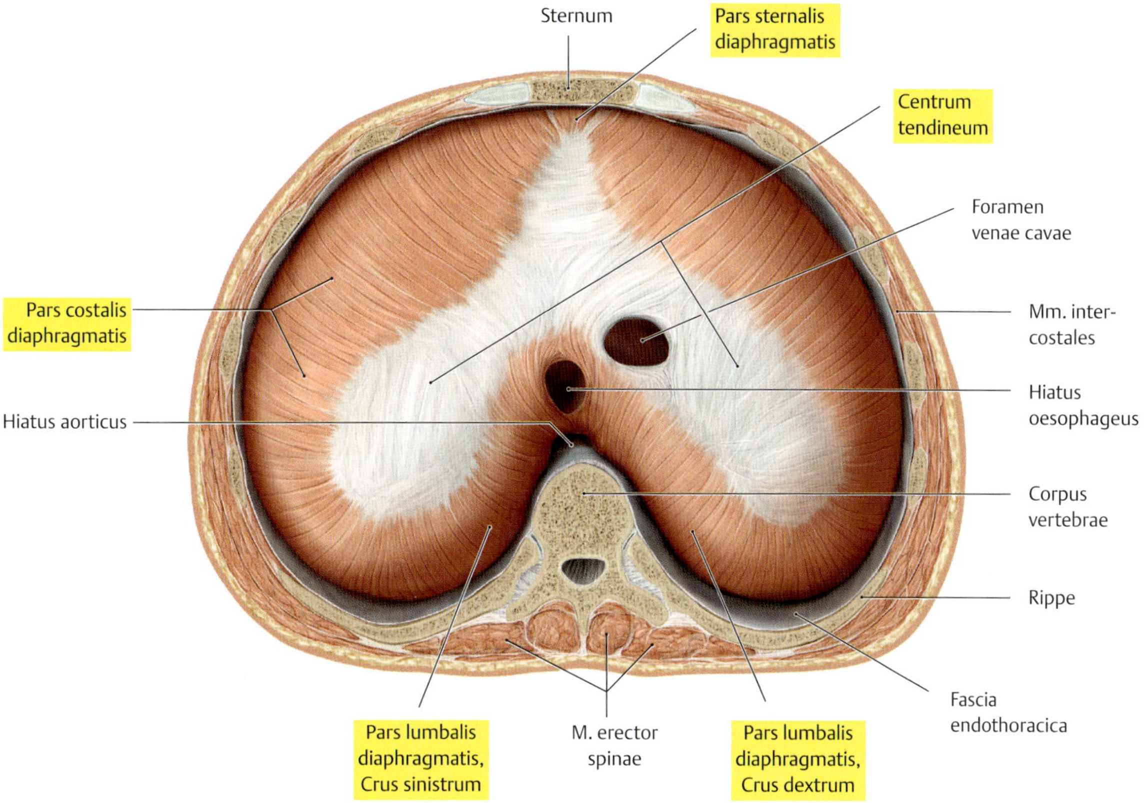

► **Abb. 2.13** Zwerchfell (Ansicht von kranial). Es verschließt muskulär die untere Thoraxapertur. (aus Schünke M, Schulte E, Schumacher U. Prometheus, LernAtlas der Anatomie. Innere Organe. Illustrationen von M. Voll und K. Wesker. 5. Auflage. Stuttgart: Thieme; 2018)

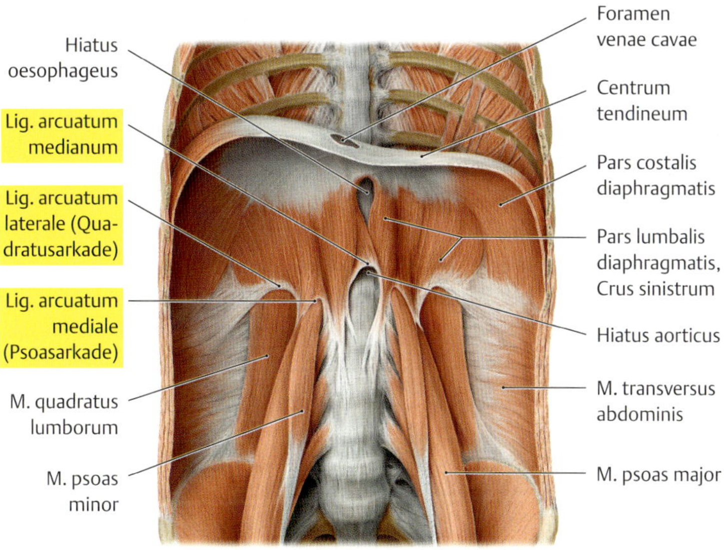

► **Abb. 2.14** Zwerchfell (Ansicht von ventral). (aus Schünke M, Schulte E, Schumacher U. Prometheus, LernAtlas der Anatomie. Innere Organe. Illustrationen von M. Voll und K. Wesker. 5. Auflage. Stuttgart: Thieme; 2018)

2.3.2 Zwerchfellöffnungen, -lücken und durchtretende Strukturen

Anatomie

▶ Abb. 2.15, ▶ Abb. 2.16, ▶ Abb. 2.17

- **Hiatus aorticus:**
  - Durchtritt von Aorta (Pars descendens) und Ductus thoracicus
  - vom Lig. arcuatum medianum begrenzt
  - liegt weit dorsal, paramedian links auf Höhe von Th 12
- **Hiatus oesophageus:**
  - Durchtritt von Ösophagus, Trunci vagales anterior und posterior
  - die Speiseröhre ist durch ihre fasziale Einbindung im Bereich des Hiatus oesophagus elastisch fixiert (trichterförmig über Fascia supra- und subdiaphragmatica)
  - sie wird von den Muskelfasern des Zwerchfells umschlossen, die aus den Crura entstammen; diese beiden medial liegenden Muskelfaserzüge überkreuzen sich vorher und wirken wie eine Schlinge
  - die Zwerchfellbewegung verengt in der Einatmungsphase diese physiologische Engpassstelle des Ösophagus und führt gleichzeitig dazu, dass die Speiseröhre gestreckt wird
- **Foramen venae cavae:**
  - Durchtritt von V. cava inferior und R. phrenicoabdominalis des rechten N. phrenicus
  - Foramenrand ist fest mit der Gefäßwand der V. cava inferior verwachsen, um das Lumen der Vene jeder Zeit offen zu halten
- **Trigonum sternocostale:**
  - Durchtritt von A. und V. thoracica interna, A. und V. epigastrica superior
  - Bereich zwischen den Muskelfasern der Pars sternalis und Pars costalis, der durch die Zwerchfellfaszien und Fasern des M. transversus abdominis bedeckt ist
- **Trigonum lumbocostale:** (Bochdalek-Dreieck):
  - Bereich zwischen Pars lumbalis und Pars costalis
  - bindegewebig verschlossen
- Spalten zwischen Crus mediale und Crus laterale:
  - Durchtritt des Truncus sympathicus
  - lateral von Th 12/L 1
- Spalten im Crus mediale:
  - Durchtritt von V. azygos, V. hemiazygos, Nn. splanchnici

Myofasziale Wirkungsketten

Neben der tiefen Frontallinie ist das Diaphragma abdominale ein wichtiger Bestandteil der Zentralsehne. Nach kranial steht damit es in Verbindung mit den intrakranialen Membranen. Die fasziale Kontinuität erfolgt über Mediastinum, Halsfaszien, Mandibula, Os hyoideum und Kehlkopf zur Synchondrosis sphenobasilaris.

Nach kaudal reicht die Zentralsehne bis zur Fußinnenseite. Über Peritoneum, Fascia iliaca, Beckenboden- und Adduktorenfaszien kann die Mobilität des Diaphragma abdominale einen weitreichenden Einfluss auf die Region des Beckens und der unteren Extremität haben (Kap. 2.3.3).

Osteopathische Korrespondenzen und Behandlungshinweise

- **Hiatus aorticus:** Osteopathische Dysfunktionen, die das Lig. arcuatum unter Spannung setzen (z. B. erhöhter Zug über die Muskelfaserzüge des Zwerchfells im Bereich der Pars lumbalis), können den Lymphfluss im Ductus thoracicus beeinträchtigen und dadurch die Drainage der Körperregionen unterhalb des Zwerchfells. Bei Ödemen in den unteren Extremitäten, der Becken- und Bauchregion sind zirkulatorische Techniken, wie z. B. das Grand manœvre, und Diaphragmatechniken hilfreich (Kontraindikationen müssen ausgeschlossen sein).
- **Hiatus oesophageus:** Unphysiologische Spannungen in den Muskelfaserzügen können ggf. die Gleitbewegung der Speiseröhre im Hiatus beeinträchtigen. Mobilisierende und detonisierende Techniken für das Zwerchfell können daher hilfreich sein. Osteopathische Dysfunktionen im Bereich Th 12–L 2 sind ebenfalls zu prüfen.
- **Foramen venae cavae:** Eine störungsfreie Bewegung des Diaphragma abdominale unterstützt den venösen Rückfluss.
- **Trigonum sternocostale:** Adhäsionen in diesem Bereich können die Zirkulation beeinträchtigen.
- **Trigonum lumbocostale:** Hier besteht die Möglichkeit, die Niere von dorsal über das Nierenlager zu behandeln.
- Das Diaphragma abdominale bildet zusammen mit den Bauchmuskeln und dem Beckenboden die parietale Umfassung der Bauchorgane. Bei der Einatmung erhöht sich der intraabdominale Druck auf die Bauchorgane und der venös-lymphatische Rückfluss verstärkt sich in Richtung Thorax.

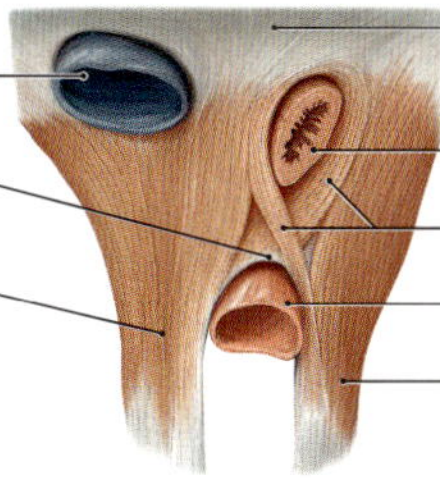

▶ **Abb. 2.15** Durchtrittsöffnungen in der Projektion auf die BWS (Ansicht von links). (aus Schünke M, Schulte E, Schumacher U. Prometheus, LernAtlas der Anatomie. Innere Organe. Illustrationen von M. Voll und K. Wesker. 5. Auflage. Stuttgart: Thieme; 2018)

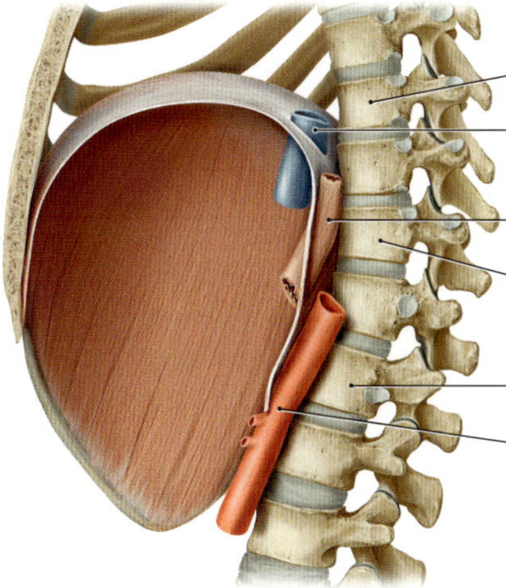

▶ **Abb. 2.16** Pars lumbalis und Teil des Centrum tendineum (Ansicht von ventral). (aus Schünke M, Schulte E, Schumacher U. Prometheus, LernAtlas der Anatomie. Innere Organe. Illustrationen von M. Voll und K. Wesker. 5. Auflage. Stuttgart: Thieme; 2018)

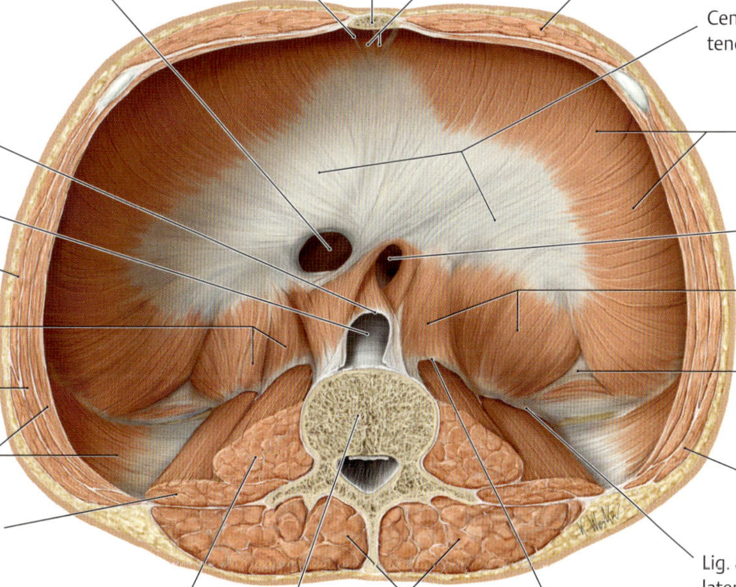

▶ **Abb. 2.17** Zwerchfellöffnungen und -lücken (Ansicht von kaudal). (aus Schünke M, Schulte E, Schumacher U. Prometheus, LernAtlas der Anatomie. Innere Organe. Illustrationen von M. Voll und K. Wesker. 5. Auflage. Stuttgart: Thieme; 2018)

2.3.3 Atembewegung

Physiologie

Zum Atemvolumen leistet das Zwerchfell einen wesentlichen Beitrag. Die Kapazität der Einatmung ergibt sich aus dem Druck- und Volumenverhältnis von Brust- und Bauchhöhle. Genau diese beiden Höhlen trennt das Diaphragma abdominale. Durch seine Kontraktionskraft erhöht es den Druck im Abdomen (das Diaphragma pelvis/urogenitale bietet hier den kaudalen Widerstand) und vergrößert gleichzeitig das Volumen im Thorax. Die Kuppeln des Zwerchfells gleiten durch die Kontraktion der Muskelfasern dabei nach kaudal und flachen sich ab.

Der Brustkorb funktioniert als Einheit bei der Atembewegung. Bei der Einatmung (Inspiration) vergrößern sich der sagittale, transversale und longitudinale Durchmesser des Brustkorbs (▶ **Abb. 2.18**). Bei der Ausatmung (Exspiration) reduzieren sich die Durchmesser entsprechend.

Myofasziale Wirkungsketten

Zwerchfellbewegung und Atmung bedingen sich gegenseitig. Die komplexe Einbindung des Diaphragma abdominale in die Zentralsehne und tiefe Frontallinie kann für die Körperstatik Konsequenzen haben. Parietale Dysfunktionen im Bereich des Thorax, z. B. Rippengelenkblockaden, können die Bewegung des Zwerchfells ebenso beeinflussen wie die Körperstatik z. B. bei einer starken BWS-Kyphose (Kap. 2.4.14, Kap. 2.4.7). Umgekehrt können Dysfunktionen des Zwerchfells, z. B. aufgrund einer verminderten Elastizität oder von dysfunktionalen Adhäsionen im Bereich der Nachbarorgane (Herz, Lunge, Leber, Gallenblase, Magen, Duodenum, Milz, Nieren, Kolon), das Gleichgewicht der Körperstatik negativ beeinflussen und weitreichenden Einfluss auf die OAA und das Kranium haben (Kap. 2.4.7, Kap. 2.4.10). Über vielfältige fasziale Verbindungen können von einer dysfunktionalen Bewegung des Zwerchfells auch Organe des Beckens betroffen sein, z. B. die Harnblase. Die Bogensehne, die der Gegenspieler zu den Rückenfaszien ist, korrespondiert über Lig. coronarium, Lig. falciforme, Lig. teres hepatis, Umbilicus und Plica umbilicalis mediana zwischen Apex der Harnblase und dem Zwerchfell.

Nach kranial ist über die Zentralsehne, Bogensehne und tiefe Frontallinie bei der Atembewegung des Zwerchfells eine Wirkung auf das Kranium und die Synchondrosis sphenobasilaris möglich. Dysfunktionen des Zwerchfells können auf Os temporale und Mandibula über die unterschiedlichen Anteile der Fascia cervicalis Einfluss nehmen. Eine Wechselwirkung vom Zwerchfell zum Os occipitale (Tuberculum pharyngeum) ist über die Pleura zur Fascia cervicalis (Lamina praevertebralis) möglich. Os temporale (Pars petrosa), Os sphenoidale (Proc. pterygoideus) und Os occipitale (Tuberculum pharyngeum) stehen über die fasziale Anheftung des Rachens (Raphe pharyngis) mit dem Zwerchfell in Verbindung. Pharynx, Os hyoideum (über Lig. stylohyoideum), Cartilago thyroidea und Mandibula stehen mit der Fascia pharyngobasilaris, Fascia buccopharygea und Fascia praetrachealis in Verbindung, die ebenfalls über die Zentralsehne mit dem Zwerchfell korrespondieren. Das Os occipitale (Pars basilaris) korrespondiert über das Lig. longitudinale anterius mit den Anheftungen des Zwerchfells an der Wirbelsäule (Kap. 2.4.8).

Auch die Art des Sprechens und der Lautbildung kann entscheidend über die Atmung und die Spannung des Zwerchfells in Verbindung mit dem M. transversus abdominis beeinflusst werden. Atmungsart und Zwerchfellbewegung wirken dabei u.a. über verschiedene myofaszialen Wirkungsketten auf Zirkulation, Verdauung, Körperstatik und Sprachbildung.

Osteopathische Korrespondenzen

Uneingeschränkte Gleiteigenschaften der beteiligten Strukturen sind eine wesentliche Voraussetzung für die physiologischen Bewegungsabläufe bei der Atmung.

Die unter dem Diaphragma liegenden Organe werden bei der Inspiration durch die Raumveränderung in ihrer Form verändert und gegen die ventrale Bauchwand gedrückt. Dabei hebt sich der vordere Rand der unteren Thoraxapertur, die vordere Bauchwand wird gestreckt.

Durch die Adhäsionskräfte (Peritonealüberzug) sind u. a. die Oberbauchorgane wie der Magen und die Dickdarmabschnitte verschieblich mit dem Zwerchfell verbunden. So wie die Organe über die Zwerchfellbewegung in Form und Lage verändert werden können, können Organe bei veränderter Größe (z. B. Magenfüllung) oder verminderter Elastizität (Folge von Narben, faszialen Adhäsionen) auch die Bewegung des Zwerchfells negativ beeinflussen.

Bei Dysfunktion des Zwerchfells, z. B. in Exspiration links, sind u. a. insbesondere die Oberbauchorgane Magen, Colon transversum und Kolonflexur links auf Dysfunktionen zu untersuchen.

Die Muskelfasern der Pars lumbalis und Pars costalis sind länger als in der Pars sternalis. Folglich sind die Zugkraft und das Bewegungsausmaß im kostolumbalen Bereich auch ausgeprägter. Eine hohe Lendenlordose kann ein Hinweis auf eine unphysiologisch verstärkte Zugkraft über das Zwerchfell sein und muss näher untersucht werden.

Entscheidend für die Funktionalität sind die Appositionszone zwischen Pleura und kranialer Seite des Zwerchfells sowie die Entfaltung der Reserveräume im thorakolumbalen Übergang Kap. 2.4.14).

Die Atmung wird zentral über das Atemzentrum in der Medulla oblongata gesteuert. Atemantrieb ist im Wesentlichen die Parameter O2-, CO2-Gehalt und pH-Wert des Bluts. Sie werden von Presso- und Chemorezeptoren an verschiedenen Stellen im Körper gemessen, z. B. der O2-

Gehalt im Aortenbogen und im Karotisdreieck (Kap. 1.1.3). Der Grundrhythmus der Atmung kann u.a. über folgende Faktoren beeinflusst werden: Irritation der Brochialschleimhaut (z. B. durch Staub, der einen Hustenreflex auslöst), erhöhte Muskelaktivität (z. B. durch Sport, körperliche Arbeit), Wärme- und/oder Kältereize über die Haut, Körpertemperaturveränderungen (z. B. Fieber), Emotionen (z. B. Freude, Schmerz, Angst) und Blutdruckabfall.

Behandlungshinweise

Körpereigene rhythmische Bewegungen u.a. von Atmung, Herzschlag und Liquor (PRM) stellen wichtige Dynamiken dar, die für die osteopathische Behandlung genutzt werden. Denn Rhythmen ermöglichen Austauschprozesse auf jeder Gewebeebene und stehen eng mit dem ZNS in Verbindung. Besonders der PRM, der sich aus der Mobilität der reziproken duralen Spannungsmembran und der Schädelknochen, der Motilität von Gehirn und Rückenmark und der Mobilität des Sakrums ergibt, ist Grundlage der kraniosakralen Behandlungstechniken. So soll mit der CV4-Technik eine bessere Zellversorgung und Lymphbewegung erreicht werden, indem die Liquorbewegung ansteigt und der Flüssigkeitsaustausch damit verstärkt wird.

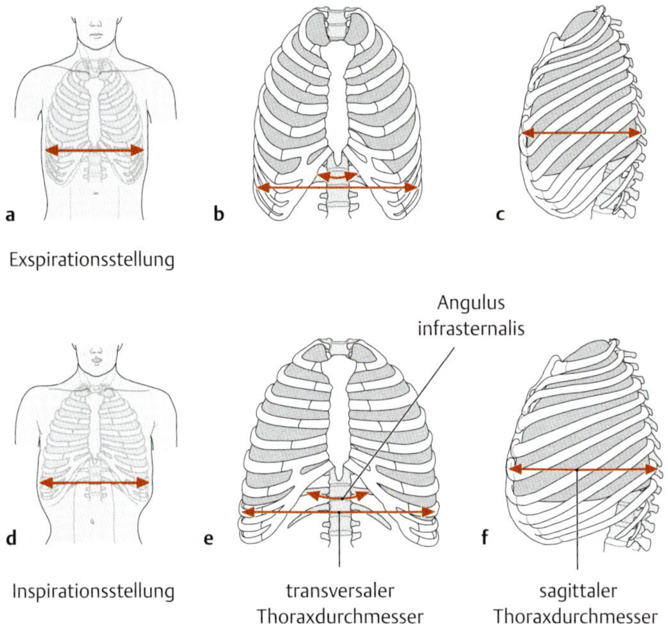

▶ **Abb. 2.18** Bewegungen des Brustkorbs während der Brust- oder Rippenatmung. **a–c** Ausatmung (Exspiration). **d–f** Einatmung (Inspiration). (aus Schünke M, Schulte E, Schumacher U. Prometheus, LernAtlas der Anatomie. Allgemeine Anatomie und Bewegungssystem. Illustrationen von M. Voll und K. Wesker. 5., vollständig überarbeitete Auflage. Stuttgart: Thieme; 2018)

2.4 Thorax

2.4.1 Knöcherner Thorax

- gebildet aus (▸ Abb. 2.20, ▸ Abb. 2.21)
  - Sternum
  - 12 Rippenpaaren
  - BWS (Kap. 2.4.4)
- bildet den Raum für die Brusthöhle
- bietet mechanischen Schutz für die innenliegenden Strukturen
- muss gleichzeitig auch beweglich und elastisch sein, um die Atmung und Zirkulation zu ermöglichen

2.4.2 Sternum (Brustbein)

Anatomie

▸ Abb. 2.19, ▸ Abb. 2.20

- besteht aus 3 Anteilen:
  - Handgriff (Manubrium sterni): mit den Gelenkflächen Incisura clavicularis rechts und links für die Klavikula (Sternoklavikulargelenk) und der Incisura jugularis (Drosselgrube), einer palpierbaren Einziehung am kranialen Ende
  - Körper (Corpus sterni): mit den Incisurae costales für die 2.–7. Rippe und der kaudal letzten Gelenkfläche am Übergang zum Proc. xiphoideus
  - Schwertfortsatz (Proc. xiphoideus): knöchernes Ende des Sternums, von hyalinem Knorpel umgeben
- die Gelenkflächen für die 1. Rippe liegen direkt unterhalb der Incisura clavicularis, für die 2. Rippe am Übergang zum Corpus sterni (Synchondrosis sternalis)
- an der Übergangsstelle zwischen Manubrium und Corpus sterni befindet sich der Angulus sterni, wo das Sternum nach dorsal abknickt

Osteopathische Korrespondenzen

Beim Einatmen bewegt sich das Sternum durch die Atemhilfsmuskulatur (Mm. scaleni, Mm. pectorales major und minor, Mm. serrati anterior, posterior inferior und superior, M. sternocleidomastoideus) nach ventral-kranial. Der M. transversus thoracis zieht die Rippen nach medial und bringt die sternokostalen Gelenke unter Kompression (Kraftschluss). Gleichzeitig ziehen das Zwerchfell und die Bauchmuskeln das Sternum nach dorsal-kaudal. Das Mediastinum, die „Herzbänder" Ligg. sternopericardiaca inferius und superius und die Pleura parietalis unterstützen den Zug nach dorsal. Folglich muss sich das Sternum dieser Spannung anpassen. Beim Einatmen wird der Angulus sterni spitzer. Dysfunktionen in den sternokostalen Gelenken können diesen Mechanismus stören und bei der Atembewegung Schmerzen verursachen.

Myofasziale Adhäsionen im Mediastinum (z. B. nach Herzoperationen) können die Elastizität und die Gleiteigenschaften im Mediastinum negativ beeinflussen.

Behandlungshinweise

Palpatorisch kann man die Bewegung im Angulus sterni in Rückenlage bei forcierter Ein- und Ausatmung wahrnehmen. Mobilisierend wirken z. B. direkte fasziale Behandlungstechniken des Sternums.

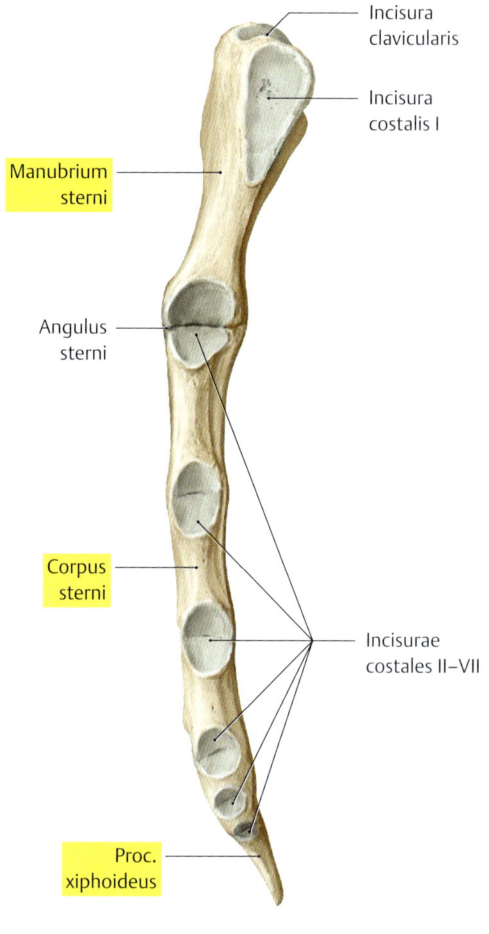

▸ **Abb. 2.19** Brustbein (Sternum; Ansicht von links lateral). (aus Schünke M, Schulte E, Schumacher U. Prometheus, LernAtlas der Anatomie. Allgemeine Anatomie und Bewegungssystem. Illustrationen von M. Voll und K. Wesker. 5., vollständig überarbeitete Auflage. Stuttgart: Thieme; 2018)

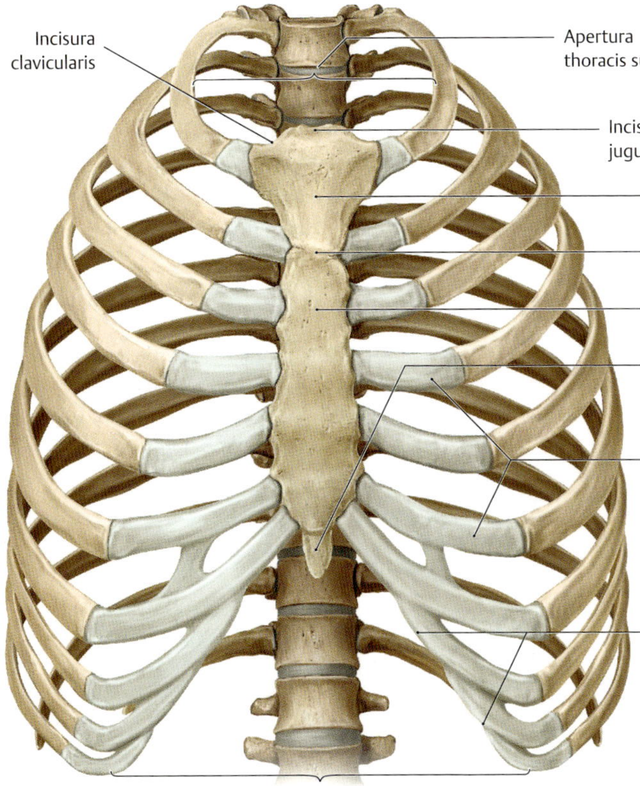

▶ **Abb. 2.20** Knöcherner Brustkorb (Ansicht von ventral). (aus Schünke M, Schulte E, Schumacher U. Prometheus, LernAtlas der Anatomie. Allgemeine Anatomie und Bewegungssystem. Illustrationen von M. Voll und K. Wesker. 5., vollständig überarbeitete Auflage. Stuttgart: Thieme; 2018)

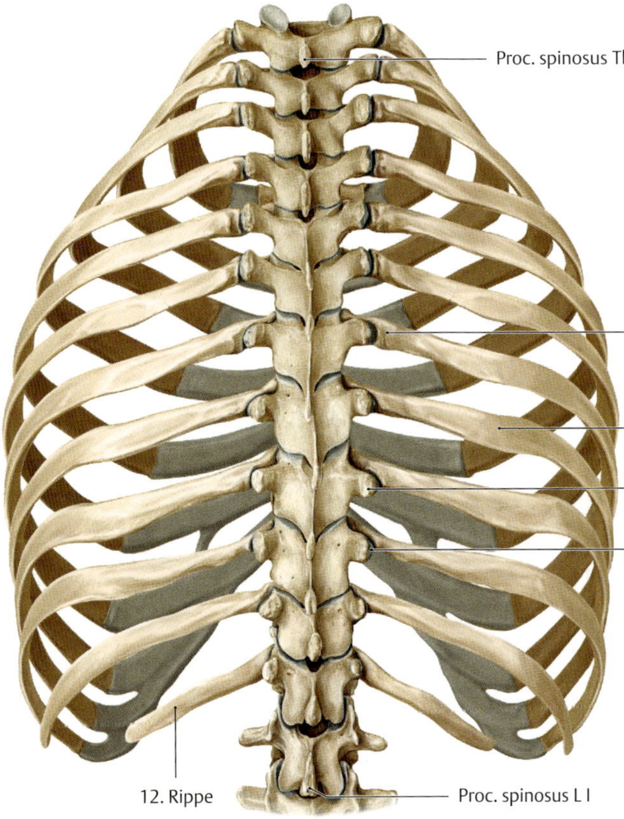

▶ **Abb. 2.21** Knöcherner Brustkorb (Ansicht von dorsal). (aus Schünke M, Schulte E, Schumacher U. Prometheus, LernAtlas der Anatomie. Allgemeine Anatomie und Bewegungssystem. Illustrationen von M. Voll und K. Wesker. 5., vollständig überarbeitete Auflage. Stuttgart: Thieme; 2018)

2.4.3 Rippen (Costae)

Anatomie

▸ Abb. 2.20, ▸ Abb. 2.22

- gelenkig zwischen Sternum und BWS aufgehängt
- knöcherne Anteile der Rippen sind bei allen 12 Rippen gleich, nur ihre Größe ist unterschiedlich
- der Rippenkopf (Caput costae) ist gelenkig mit der BWS (Wirbelkörper) verbunden (Kap. 2.4.4)
- der Rippenhals (Collum costae) reicht vom Caput costae bis zum Rippenhöckerchen (Tuberculum costae)
- das Tuberculum costae ist gelenkig mit dem Querfortsatz des jeweiligen Wirbels verbunden
- weiter lateral des Tuberculum costae ändert der Rippenkörper (Corpus costae) beim Rippenwinkel (Angulus costae) seine Ausrichtung (Ausnahme: 1. Rippe)
- der Rippenkörper besitzt am Unterrand des hinteren Teils den Sulcus costae für A. und V. intercostalis posterior und N. intercostalis (außer 1., 11. und 12. Rippe)
- über den knorpeligen Anteil der Rippe ventral ist die knöcherne Rippe mit dem Brustbein verbunden (Cartilago costalis) (▸ Abb. 2.20)
- echte Rippen (Costae verae) sind die 1.–7. Rippe, die direkt über ihren knorpeligen vorderen Anteil mit dem Brustbein verbunden sind
- falsche Rippen (Costae spuriae) sind die 8.–10. Rippe, die mit dem Knorpel der 7. Rippe verbunden sind
- die Knorpelspitzen der 11. und 12. Rippe enden frei (Costae fluctuantes) ohne Verbindung zum Sternum

Bewegungsachsen und Atembewegung

▸ Abb. 2.18, ▸ Abb. 2.23, Kap. 2.3.3

- Die Bewegungen der Rippen finden um die sog. Kollumachse herum statt. Sie verläuft vom Rippenköpfchen durch den Hals bis zum Rippenhöcker.
- Bei den oberen Rippen liegt die Bewegungsachse mehr in der Frontalebene. Darum spricht man hier auch von „Pumpschwengelbewegungen“. Dabei vergrößert sich der sagittale Durchmesser des Brustkorbs.
- Bei den unteren Rippen liegt die Achse mehr in der sagittalen Ebene und führt daher zu „Eimerhenkelbewegungen“. Dadurch wird der transversale Durchmesser des Brustkorbs vergrößert.
- Bei der Inspiration gleitet das Diaphragma nach kaudal und zieht die Pleura diaphragmatica mit sich. Die unteren Rippen machen eine Eimerhenkelbewegung und vergrößern den Durchmesser der unteren Thoraxapertur. Die mittleren Rippen führen neben der Eimerhenkelbewegung noch eine leichte Außenrotation durch und die oberen Rippen bewegen sich vorwiegend in Form einer Pumpschwengelbewegung mit leichter Außenrotation nach kranial. Die Mm. scaleni unterstützen den kranialen Zug an den Pleurakuppeln. Beim Ausatmen erfolgen die Bewegungen entgegengesetzt.

Osteopathische Korrespondenzen

Eine eingeschränkte Brustkorbmobilität kann zu vielfältigen Beschwerden führen, z. B. im zervikothorakalen Übergang oder auch im Schulterbereich (z. B. Thoracic-outlet-Syndrom, Periarthropathia humeroscapularis). Auch dysfunktionale Oberbauchorgane können die Funktionalität der Lunge beeinträchtigen und dadurch eine eingeschränkte Zwerchfellbeweglichkeit hervorrufen (Kap. 2.4.14).

Behandlungshinweise

Bei Muskelenergietechniken ist insbesondere auf die Bewegungsachsen der Rippe zu achten, weil nur dann die Muskulatur effektiv über die Technik angesprochen werden kann. Eine osteopathische Behandlung in Form einer Manipulation der Rippengelenke kann sympathikoton wirken.

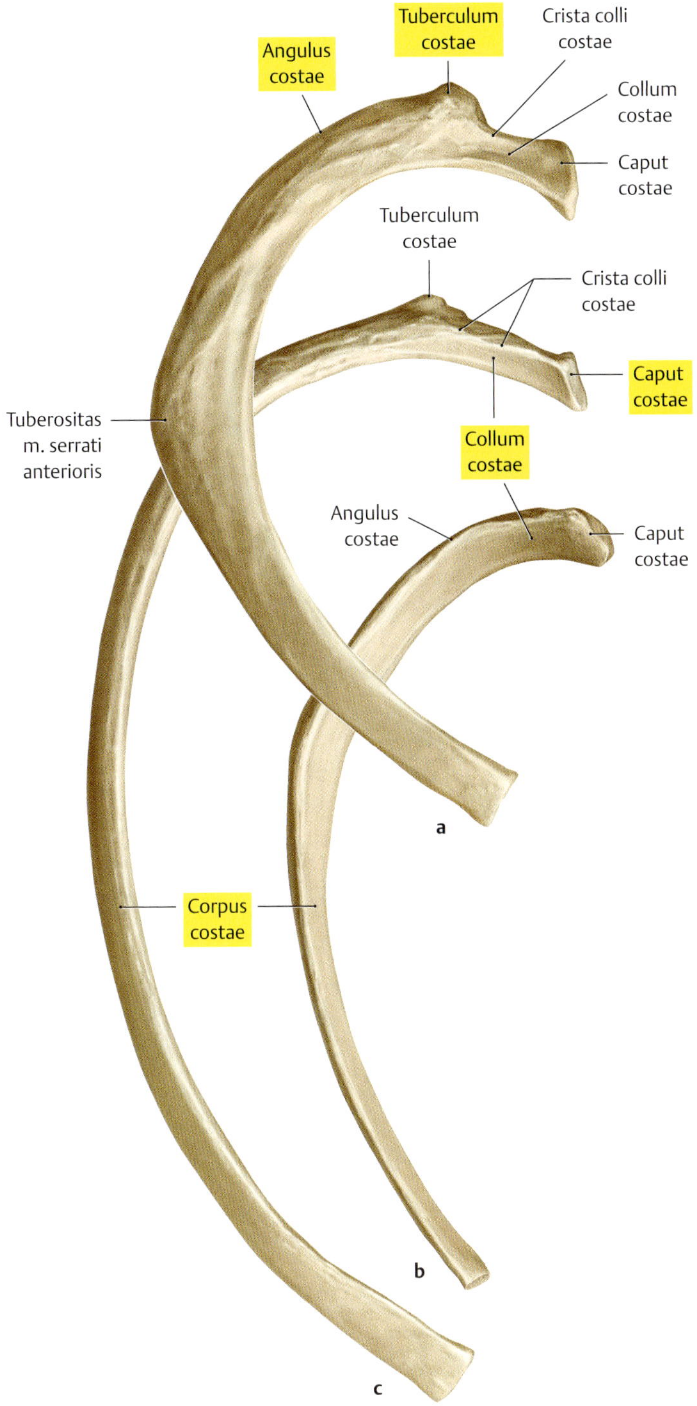

▸ **Abb. 2.22** Rippenformen (jeweils rechte Rippen, Ansicht von kranial). **a** 2. Rippe. **b** 5. Rippe. **c** 11. Rippe. (aus Schünke M, Schulte E, Schumacher U. Prometheus, LernAtlas der Anatomie. Allgemeine Anatomie und Bewegungssystem. Illustrationen von M. Voll und K. Wesker. 5., vollständig überarbeitete Auflage. Stuttgart: Thieme; 2018)

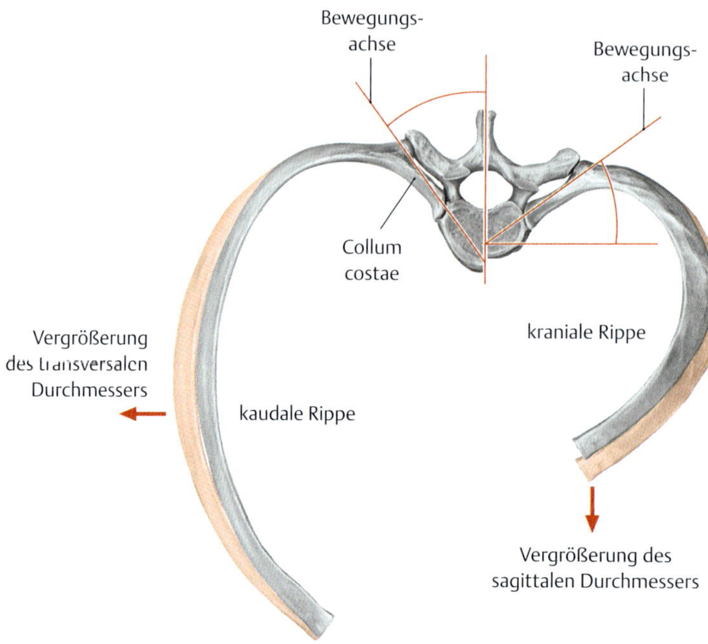

▶ **Abb. 2.23** Bewegungsachsen der Rippenwirbelgelenke und Bewegungen der Rippen (Ansicht von kranial). (aus Schünke M, Schulte E, Schumacher U. Prometheus, LernAtlas der Anatomie. Allgemeine Anatomie und Bewegungssystem. Illustrationen von M. Voll und K. Wesker. 5., vollständig überarbeitete Auflage. Stuttgart: Thieme; 2018)

2.4.4 Rippengelenke und Bandapparat

Anatomie

▶ Abb. 2.24, ▶ Abb. 2.25, ▶ Abb. 2.26

- der Bandapparat der Rippen-Wirbel-Gelenke ist differenziert, denn er muss stabilisierend sein und gleichzeitig Beweglichkeit und Elastizität ermöglichen
- **Rippenkopfgelenk (Art. capitis costae)**:
  - gebildet von Gelenkflächen am Rippenkopf und am Wirbelkörper
  - Gelenkkapsel von Lig. capitis costae radiatum verstärkt
  - Gelenkhöhle von Lig. capitis costae intraarticulare in 2 Kammern unterteilt
  - Lig. capitis costae radiatum: verläuft fächerförmig vom Rippenkopf zu den seitlichen Flächen der Wirbelkörper und den Bandscheiben; verstärkt die vordere Gelenkkapsel der Rippenkopfgelenke
  - Lig. capitis costae intraarticulare: zieht von der Crista capitis costae zu den Bandscheiben; fehlt bei der 1., 11. und 12. Rippe, weil hier das Rippenköpfchen direkt nur mit einem Wirbelkörper gelenkig verbunden ist
- **Rippenhöcker-Wirbelquerfortsatz-Gelenk (Art. costotransversaria):**
  - gebildet von Gelenkflächen des Rippenhöckers und des Brustwirbelquerfortsatzes
  - Gelenkkapsel verstärkt von Lig. costotransversarium laterale, Lig. costotransversarium, Lig. costotransversarium superius
  - Lig. costotransversarium: verläuft zwischen Collum costae und Proc. transversus
  - Lig. costotransversarium laterale: verläuft vom Tuberculum costae bis zur Spitze des Proc. transversus
  - Lig. costotransversarium superius: zieht von der Crista colli costae zum Proc. transversus des darüberliegenden Wirbels
- die Brustbein-Rippen-Gelenke werden in ihrer Kapsel an der Vorderseite durch die Ligg. sternocostalia radiata verstärkt und bilden mit dem Periost eine Art Membran

Osteopathische Korrespondenzen

Die Innenauskleidung des Brustkorbs erfolgt u. a. durch die Fascia endothoracica. Die Fascia thoracica externa hat ihre Fixpunkte u. a. an den Rippen und Interkostalmuskeln. Dysfunktionen der Rippengelenke können die Mobilität des Thorax einschränken und zu Spannungen in den myofaszialen Strukturen des Thorax führen. Dadurch können die Funktionalität und Bewegungsamplitude des Zwerchfells eingeschränkt sein. Das Wechselspiel des intraabdominalen Drucks während der Ein- und Ausatmung kann gestört sein und damit auch die zirkulatorische Wirkung der Atembewegung (Druck-Sog-Pumpe). Die eingeschränkte Zwerchfellbewegung kann zu einer verminderten Mobilität der inneren Organe führen, weil das Zwerchfell durch seine Bewegung ein Motor der viszeralen Mobilität ist (Kap. 2.3.3, Kap. 2.4.14).

Die gelenkigen Verbindungen der Rippen mit der BWS und dem Sternum machen in Kombination mit den umgebenen Muskeln und Faszien den Thorax zu einer Region, die sowohl Schutz als auch Elastizität und Stabilität bietet. Verschiedenste Bewegungen treffen hier aufeinander, wie Atem-, Körper- (z. B. Gehen), Wirbelsäulenbewegungen (Beugen, Strecken, Rotation, Seitneigung), und der Wechsel der Druckverhältnisse vom Thorax zum Abdomen.

Behandlungshinweise

Diese mechanischen Eigenschaften der Rippen-Wirbel-Gelenke machen es möglich, dass z. B. über Recoil-Techniken am Sternum neben der zirkulatorischen Wirkung auch eine komplexe Mobilisation der beteiligten Strukturen erreicht werden kann.

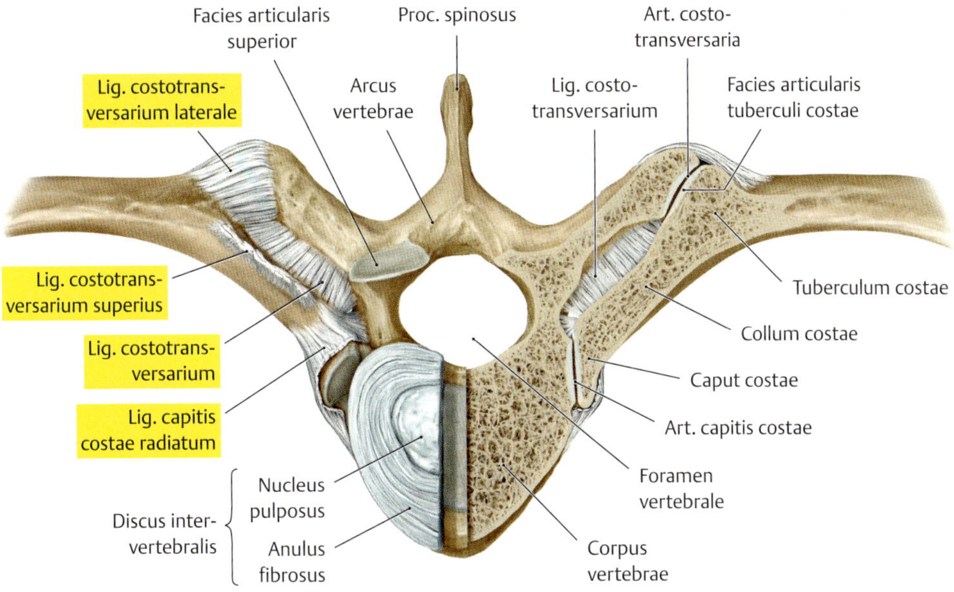

▶ **Abb. 2.24** Bandapparat der Rippenwirbelgelenke (Ansicht von kranial). (aus Schünke M, Schulte E, Schumacher U. Prometheus, LernAtlas der Anatomie. Allgemeine Anatomie und Bewegungssystem. Illustrationen von M. Voll und K. Wesker. 5., vollständig überarbeitete Auflage. Stuttgart: Thieme; 2018)

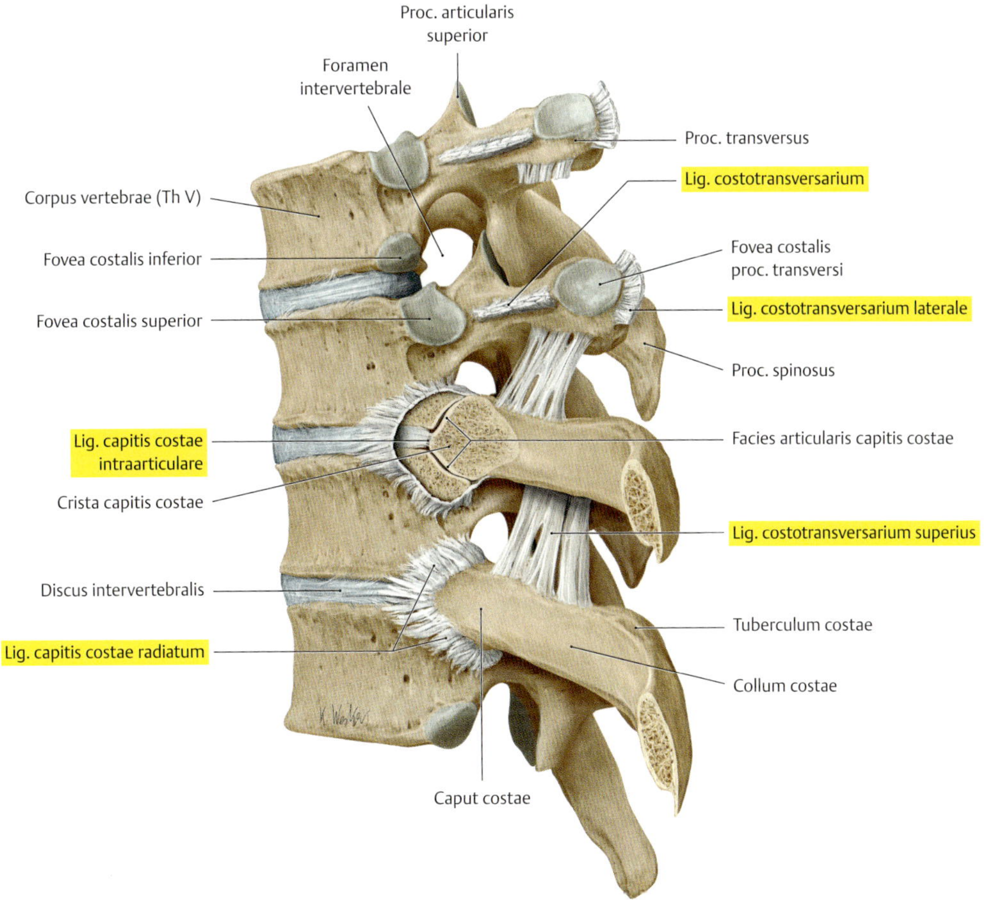

▶ **Abb. 2.25** Bandapparat der Rippenwirbelgelenke (Ansicht von links lateral). (aus Schünke M, Schulte E, Schumacher U. Prometheus, LernAtlas der Anatomie. Allgemeine Anatomie und Bewegungssystem. Illustrationen von M. Voll und K. Wesker. 5., vollständig überarbeitete Auflage. Stuttgart: Thieme; 2018)

2.4.5 Interkostalmuskulatur

Anatomie

▶ Abb. 2.27, ▶ Abb. 2.28

- wesentliche Aufgaben: Atembewegung und Stabilisation des Thorax
- an der Innenseite stabilisiert die Fascia endothoracica den Thorax, die im Bereich des Diaphragma als Fascia phrenicopleuralis bezeichnet wird
- **Mm. intercostales externi** (Tuberculum costae bis zur Knorpel-Knochen-Grenze):
  - **Ursprung und Ansatz:** entspringen am Unterrand einer Rippe und inserieren am Oberrand der nächsttieferen Rippe
  - Faserverlauf: von hinten-oben nach vorne-unten
- **Mm. intercostales interni** (Angulus costae bis zum Sternum:
  - **Ursprung und Ansatz:** entspringen am Oberrand einer Rippe und inserieren am Unterrand der nächsthöheren Rippe
  - Faserverlauf: von hinten-unten nach vorne-oben
- **Mm. intercostales intimi:**
  - Abspaltung der Mm. intercostales interni
  - daher gleicher Verlauf und gleiche Funktion
- **Funktion:**
  - Rippenheber (Inspiration): Mm. intercostales externi
  - Rippensenker (Exspiration): Mm. intercostales interni und intimi
  - Verspannung der Zwischenrippenräume
  - Stabilisation der Thoraxwand
- **Innervation:** Nn. intercostales I–XI

Osteopathische Korrespondenzen

Die Fascia endothoracica (Kap. 1.3.1) kleidet die gesamte Thoraxhöhle aus. Sie liegt der Pleura parietalis auf. Adhäsionen in diesen Gewebestrukturen können die Mobilität des Thorax beeinflussen.

Bei der osteopathischen Diagnostik ist bei der Palpation der Thorax- und Lungenmobilität auf eine seitengleiche symmetrische Bewegung zu achten. Abweichungen in Symmetrie, Bewegungsausmaß (Amplitude) und Gängigkeit der Bewegung (kraftlos, schwer) lassen auf Dysfunktionen schließen, die näher untersucht werden müssen.

2.4.6 Interkostalnerven (Nn. intercostales)

Anatomie

▶ Abb. 2.26

- entstammen den ventralen Ästen der 12 Thorakalnerven
- liegen in den Zwischenräumen der Rippen direkt unterhalb einer Rippe
- versorgen segmental sensibel und motorisch die Rumpfwand

Osteopathische Korrespondenzen

Eigentlich beteiligen sich die thorakalen Spinalnerven an keinem Plexus. Ausnahme ist der Spinalnerv aus dem Segment Th 1. Er hat eine Beziehung zum Plexus brachialis und versorgt mit einem kleinen Ast den 1. Interkostalraum. Dysfunktionen der 1. Rippe können das Versorgungsgebiet des Spinalnervs Th 1 gegebenenfalls negativ beeinflussen und Schmerzen in die obere Extremität ausstrahlen lassen (Kap. 4.8.1).

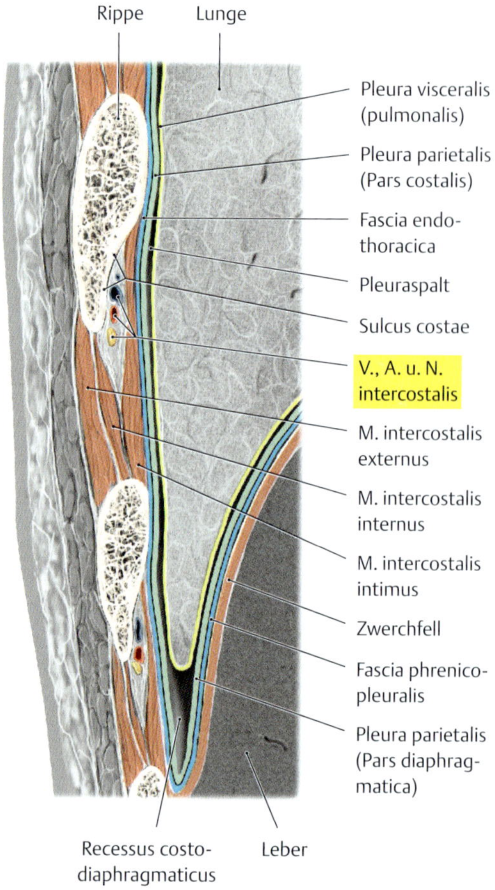

▶ **Abb. 2.26** V., A. und N. intercostalis liegen direkt unterhalb der Rippen (Frontalschnitt, Ansicht von ventral). (aus Schünke M, Schulte E, Schumacher U. Prometheus, LernAtlas der Anatomie. Allgemeine Anatomie und Bewegungssystem. Illustrationen von M. Voll und K. Wesker. 5., vollständig überarbeitete Auflage. Stuttgart: Thieme; 2018)

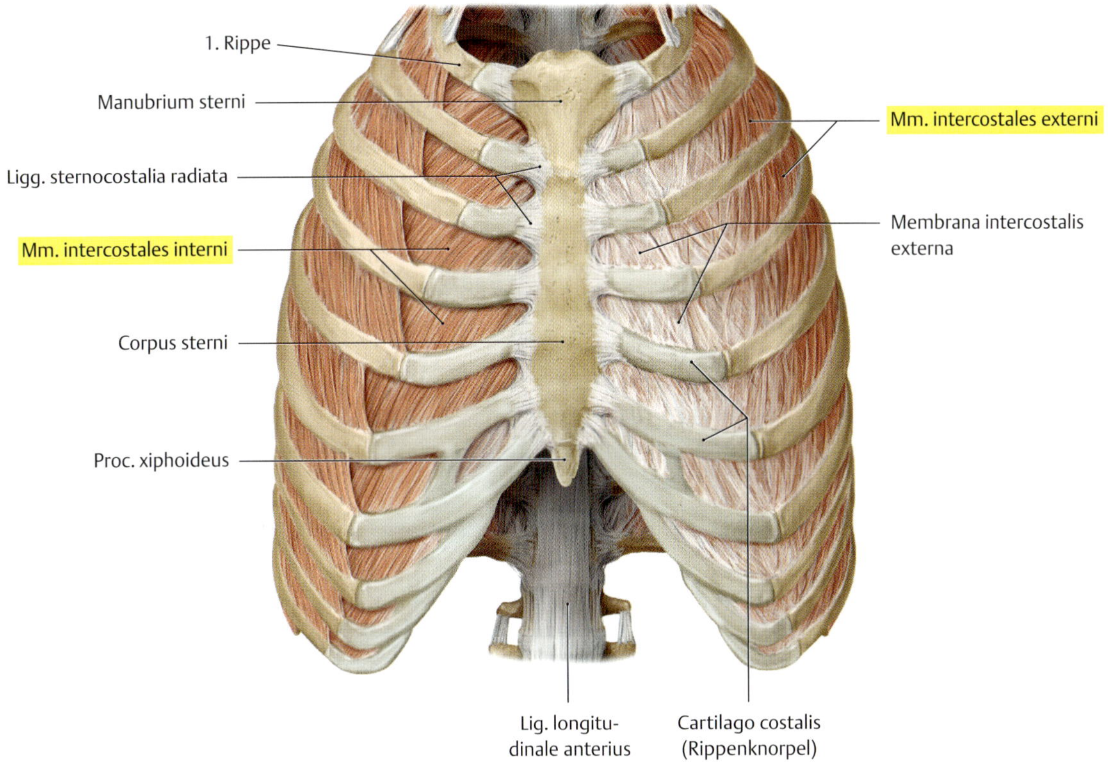

▸ **Abb. 2.27** Thoraxwandmuskeln (Ansicht von ventral). (aus Schünke M, Schulte E, Schumacher U. Prometheus, LernAtlas der Anatomie. Allgemeine Anatomie und Bewegungssystem. Illustrationen von M. Voll und K. Wesker. 5., vollständig überarbeitete Auflage. Stuttgart: Thieme; 2018)

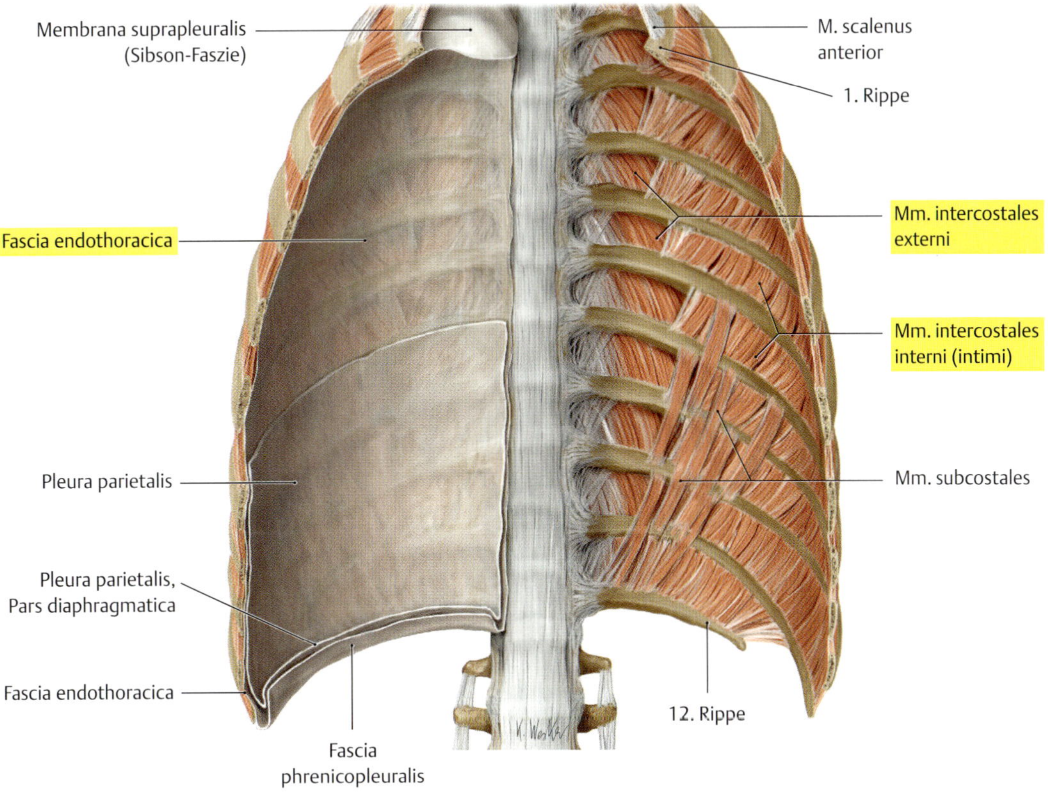

▸ **Abb. 2.28** Hintere Thoraxwand (Ansicht von ventral). (aus Schünke M, Schulte E, Schumacher U. Prometheus, LernAtlas der Anatomie. Allgemeine Anatomie und Bewegungssystem. Illustrationen von M. Voll und K. Wesker. 5., vollständig überarbeitete Auflage. Stuttgart: Thieme; 2018)

2.4.7 Pleura (Lungenfell)

Anatomie

▶ Abb. 2.26, ▶ Abb. 2.29

- besteht aus 2 Blättern:
  - Pleura visceralis: bedeckt die Lunge
  - Pleura parietalis: überzieht die Thoraxinnenseite, die Mediastinumseiten und inkomplett die kraniale Fläche des Diaphragma abdominale (Mediastinum und Perikard besetzen die Zwerchfellmitte)
- zwischen parietalem und viszeralem Blatt befindet sich der Pleuraspalt, der eine geringe Menge Flüssigkeit enthält, sodass die Pleurablätter durch die Kapillarkraft miteinander verbunden sind und während der Atmung gut aneinander vorbeigleiten können
- es bestehen noch Reserveräume für die Lunge (Kap. 2.4.14): Recessus costodiaphragmaticus, costomediastinalis und phrenicomediastinalis
- die Pleura parietalis wird sensibel vom N. phrenicus im Bereich des Diaphragmas und Mediastinums versorgt
- die Nn. intercostales versorgen den Rippenbereich sensibel
- die Pleura visceralis wird vom autonomen Nervensystem versorgt

Osteopathische Korrespondenzen

Die Pleurahöhlen (Cavitates pleurales) stehen im Dienste der Lungenverschiebbarkeit. Sie sind durch das Mediastinum und die BWS voneinander getrennt. Die größte Annäherung der Pleurahöhlen liegt kranial des Herzens. Die Reserveräume können z. B. nach abgelaufenen Entzündungen im Pleurabereich zu Adhäsionen neigen. Der daraus folgende verminderte Raum für die Lungenverschiebbarkeit kann sich auch negativ auf die Mobilität und Elastizität von Zwerchfell, Perikard, Rippen und Sternum auswirken.

Aufgrund der komplexen nervalen Versorgung der Pleura lassen sich periphere Schmerzsymptome bei einer akuten Erkrankung erklären (fazilitiertes Segment).

2.4.8 Mediastinum (Mittelfellraum)

Anatomie

▶ Abb. 2.29, ▶ Abb. 2.30

- Raum zwischen den Pleurahöhlen, der ventral vom Sternum und dorsal von der BWS, kaudal vom Zwerchfell und kranial vom faszialem Verschluss (zervikothorakales Diaphragma) der oberen Throraxapertur begrenzt wird (Kap. 1.3.1)
- kompakt und zahlreich sind die nervalen und zirkulatorischen Strukturen im Mediastinum (Kap. 11.1.4)
- eine Vielzahl von Kräften beeinflusst diesen Raum dynamisch: Atembewegung des Thorax, Verschiebung der Lunge durch Volumenveränderung, Herzschlag und die Bewegungen in der BWS (Flexion, Extension, Ausprägung der Kyphose) (Kap. 2.4.14)

Myofasziale Wirkungsketten

Das Mediastinum ist durch die Atmung und die Herztätigkeit ein bewegungsreicher Raum. Als Bestandteil der Zentralsehne und tiefen Frontallinie können sämtliche Adhäsionen verminderte Gleiteigenschaften und weitreichende Dysfunktionen hervorrufen.

Osteopathische Korrespondenzen

Der Truncus sympathicus (Grenzstrang) liegt nah an den kostovertebralen Gelenken. Am Übergang zum Diaphragma befinden sich die physiologischen Durchtrittsstellen von V. cava inferior, Ösophagus und Aorta. Sie verdeutlichen die Notwendigkeit der Gleitbewegung und Verschieblichkeit während der Bewegung des Diaphragmas.

Kontinuität, Elastizität und Mobilität im Mediastinum, damit sind auch Pleura und Perikard gemeint, sind im Zusammenhang mit der Zentralsehne aufgrund der zahlreichen zirkulatorischen Strukturen bedeutend. Rigidität und Festigkeit können u. a. zu Funktionsstörungen des Herz-Kreislauf-Systems führen.

Am Lungenhilus schlagen Pleura visceralis und Pleura parietalis ineinander um. Diese verdichtete Pleurastruktur wird als Lig. pulmonale bezeichnet und zieht kaudal bis zum Diaphragma abdominale. Die Aufhängungen und Fixationen der Pleura parietalis im Thorax verdeutlichen das Prinzip von Funktion und Struktur. Ein Beispiel ist die ausgeprägte membranöse Struktur der Pleurakuppel samt Aufhängung (Sibson-Faszie) und die kaudale Fixation über das Diaphragma abdominale (Kap. 1.3.1). Diese zeigen die auftretenden intensiven Zug- und Druckkräfte, die durch die Diaphragmabewegung entstehen und die Be- und Entlüftung der Lunge ermöglichen. Die kaudalen Reserveräume weisen auf das Potenzial der Volumenvergrößerung bei maximaler Einatmung hin (Kap. 2.3.3, Kap. 2.4.14).

Behandlungshinweise

Die Techniken zur Mobilisation des Mediastinums haben u.a. die Zielsetzung, die fasziale Einbindung des Herzens in seiner Elastizität und Beweglichkeit zu unterstützen.

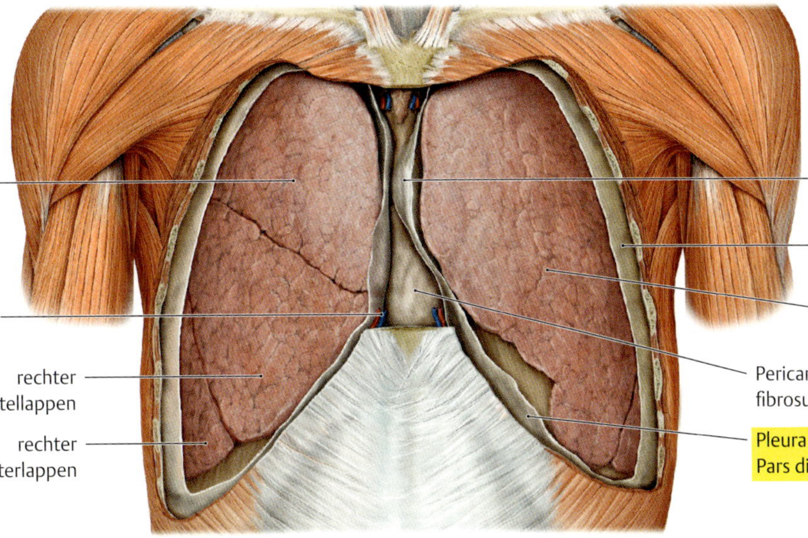

▶ **Abb. 2.29** Brustraum mit eröffneter Pleurahöhle (Ansicht von ventral). (aus Schünke M, Schulte E, Schumacher U. Prometheus, LernAtlas der Anatomie. Innere Organe. Illustrationen von M. Voll und K. Wesker. 5. Auflage. Stuttgart: Thieme; 2018)

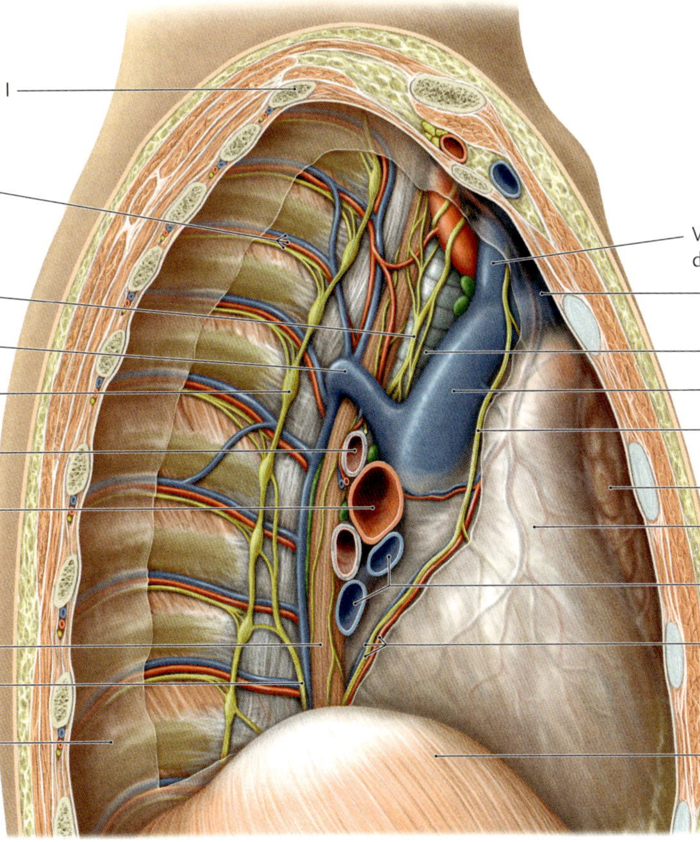

▶ **Abb. 2.30** Mediastinum (Ansicht von rechts). (aus Schünke M, Schulte E, Schumacher U. Prometheus, LernAtlas der Anatomie. Innere Organe. Illustrationen von M. Voll und K. Wesker. 5. Auflage. Stuttgart: Thieme; 2018)

2.4.9 Luftröhre (Trachea)

Anatomie

▶ Abb. 1.30, ▶ Abb. 2.31

- Lunge und Trachea bilden mit dem Brustkorb und Zwerchfell eine funktionale Einheit, um den Atmungsprozess möglich zu machen
- 10–12 cm lang und biegsam elastisch
- beginnt am Kehlkopf und endet an der Bifurcatio tracheae
- die Knorpelspangen der Trachea stabilisieren sie und geben ihr eine Querspannung

Osteopathische Korrespondenzen

Die Trachea ist über eine Membran (Membrana bronchopericardiaca) mit dem Zwerchfell und dem Perikard verbunden. Wenn eine tiefe Einatmung erfolgt, wird die Trachea um ca. 1,5 cm verlängert.

Behandlungshinweise

Mobilisierende Techniken für das Diaphragma abdominale mit tiefer Inspiration führen auch zur Mobilisation der Trachea.

2.4.10 Lunge (Pulmo)

Anatomie

▶ Abb. 2.31

- der rechte Lungenflügel besteht aus 3 Lappen und 10 Segmenten, der linke aus 2 Lappen und 9 Segmenten
- füllen den Raum im Brustkorb zwischen Zwerchfell und Mediastinum (mit Herz, Gefäßstämmen, Ösophagus, Thymus) aus
- dorsal von der BWS, medial und anterior vom Mediastinum begrenzt (Kap. 2.4.8)
- von der Innenseite des Brustkorbs nur durch den mit seröser Flüssigkeit gefüllten Pleuraspalt und die beiden Pleurablätter (parietales und viszerales) getrennt
- schmiegt sich durch die Adhäsionskraft der Thoraxinnenwand und der kranialen Fläche des Zwerchfells an
- kaudale Ränder auf Höhe der 6. Rippe, auf der Parasternallinie auf Höhe der 8. Rippe, auf der Medioaxillarlinie auf Höhe der 10./11. Rippe neben der Wirbelsäule
- Lungenrand reicht medial bis ca. zur 6. Rippe, lateral stark abgesenkt
- bei forcierter Einatmung senkt sich die Lunge um bis zu 10 cm
- Aufhängungen: im Bereich des zervikothorakalen Übergangs und Hilum pulmonis mit den Bronchien
- kann gleichzeitig den Bewegungen von Brustkorb und Zwerchfell folgen: folgt bei der Inspiration passiv den aktiven Bewegungen des Thorax
- angrenzende Organe rechter Lungenflügel:
  - anterior: rechter Vorhof, Aorta ascendens, Perikard, N. phrenicus, Thymus
  - dorsal: Ösophagus, N. vagus, V. azygos, Ductus thoracicus
  - kranial: Trachea, V. cava superior, V. azygos, V. brachiocephalica dextra
- angrenzende Organe linker Lungenflügel:
  - anterior: Perikard, Herzkammer und -vorhof (links), N. phrenicus
  - dorsal: Aorta descendens
  - kranial: N. vagus, A. und V. subclavia
- nervale Versorgung:
  - sympathisch aus dem Grenzstrangbereich Th 1–Th 5
  - parasympathisch vom N. vagus
- arterielle Versorgung: Rr. bronchiales aus der Aorta thoracica
- venöse Drainage: Vv. bronchiales → V. azygos
- lymphatische Drainage: über lokale Lymphknoten zum Truncus bronchomediastinalis

Myofasziale Wirkungsketten

Die Beteiligung an der Zentralsehne, Bogensehne und tiefen Frontallinie über die Pleura und Fascia endothoracica lässt weitere vielfältige Faktoren für eine Dysfunktion zu. Neben der Körperhaltung ist auch an Dysfunktionen im kleinen Becken zu denken (Kap. 2.3.3).

Osteopathische Korrespondenzen

Die Befüllung der Lungenflügel mit Luft ergibt eine dreidimensionale Ausdehnung der Lunge. Die Gleitbewegungen sowohl im Mediastinum an Nachbarorganen als auch innerhalb der Pleura sind entscheidend für die Funktionalität. Parietale Dysfunktionen z. B. der kostovertebralen Gelenke, der Facettengelenke der BWS und/oder der kostosternalen gelenkigen Verbindungen können diesen Mechanismus beeinträchtigen (Kap. 2.4.3, Kap. 4.3.3).

Eine verminderte Beweglichkeit der Lunge kann durch vielfältige Faktoren ausgelöst werden. Adhäsionen in den Gleitflächen der Organe, die mit dem Diaphragma in enger Verbindung stehen, können ursächlich sein. Sie beeinträchtigen die Mobilität des Zwerchfells und stören damit die Atembewegung. Die Anheftung der Pleurakuppel im zervikothorakalen Übergang kann zur Dysfunktion des zervikothorakalen Diaphragmas führen und z. B. Kopfschmerzen und Schmerzsyndrome im Schulter-Arm-Bereich provozieren.

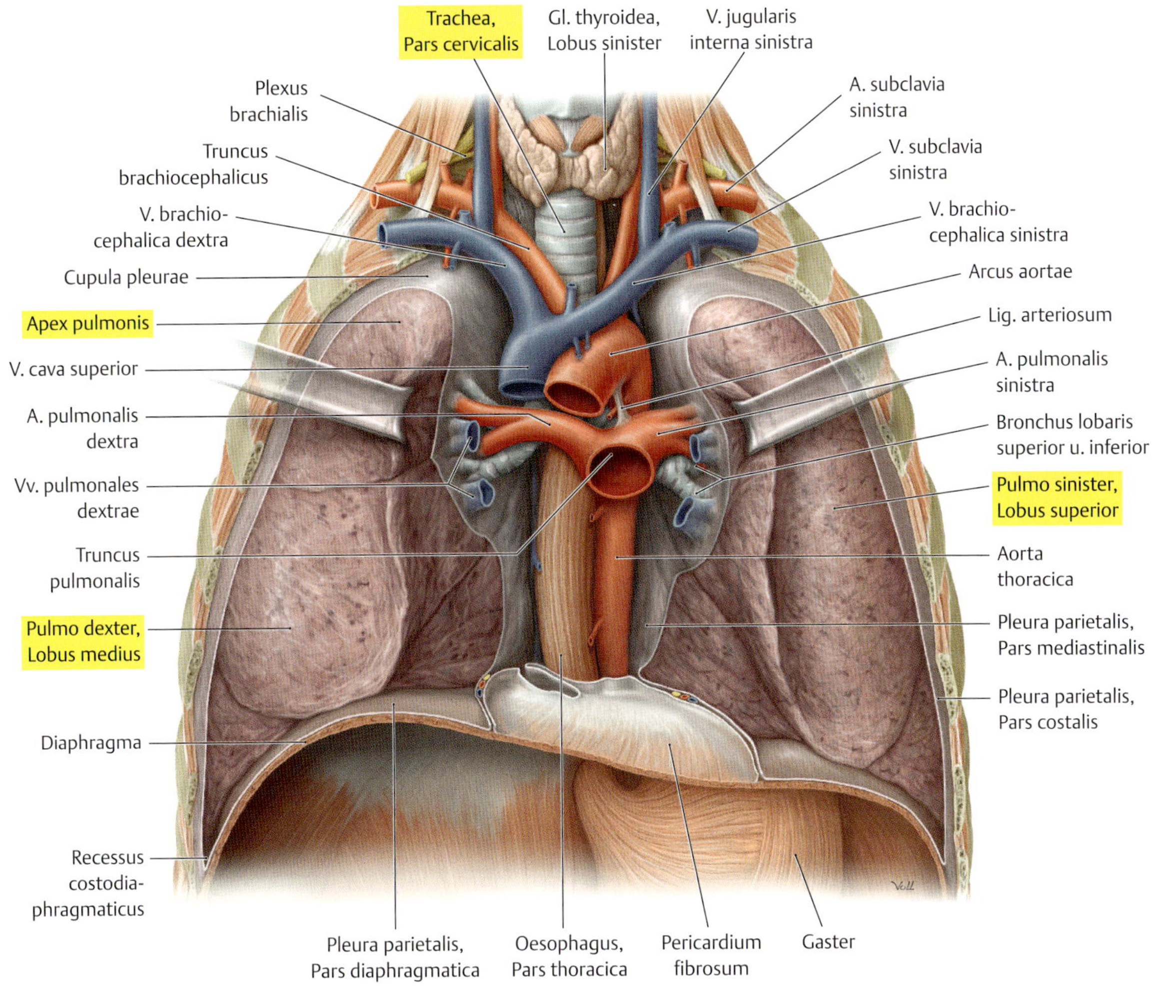

▸ **Abb. 2.31** Lage der Trachea und der Lungen (Ansicht von ventral). (aus Schünke M, Schulte E, Schumacher U. Prometheus, LernAtlas der Anatomie. Innere Organe. Illustrationen von M. Voll und K. Wesker. 5. Auflage. Stuttgart: Thieme; 2018)

2.4.11 Herz (Cor)

Anatomie

▸ Abb. 2.34

- liegt im mittleren Bereich des Mediastinums
- ⅔ des Herzens liegen links und ⅓ rechts im Verhältnis zur Medianlinie
- die rechte Herzkammer liegt auf dem Zwerchfell, die linke Kammer weiter dorsal, die Herzspitze ventral-kaudal-lateral an der Brustwand, der linke Vorhof zeigt zum Ösophagus
- rechter Rand des Herzens liegt auf der parasternalen Linie rechts und reicht von der 3. bis zur 6. Rippe
- linker Rand des Herzens liegt auf der linken parasternalen Linie vom 2. ICR nach kaudal schräg verlaufend lateral bis zum 5. ICR in der Medioklavikularlinie (ca. 1 cm medialer Abstand)
- die kaudale Begrenzung ist das Zwerchfell auf Höhe der 6. Rippe
- Verlauf der Herzachse: von ventral-kaudal links nach dorsal-kranial rechts
- besitzt ein eigenes Erregungsleitungssystem, das für die Reizbildung und Weiterleitung sorgt (Sinusknoten, AV-Knoten, His-Bündel, Purkinje-Fasern)
- nervale Versorgung:
  - sympathisch aus Th 1–Th 4 (Zervikal- und obere Thorakalganglien) (Wirkung: Verkürzung der Überleitungsgeschwindigkeit, Steigerung der Herzfrequenz und Herzmuskelkraft)
  - parasympathisch über N. vagus
  - die vegetativen Fasern werden im Plexus cardiacus nahe der Herzbasis außerhalb des Perikards gebündelt
  - sensibel vom N. phrenicus (Perikard)
- arterielle Versorgung: Herzkranzgefäße(Koronararterien) aus der Aorta
- venöse Drainage: Koronarvenen → rechter Vorhof

Osteopathische Korrespondenzen

▸ Abb. 2.32

Aufgrund der komplexen nervalen Versorgung lassen sich die Schmerzsymptome bei einer akuten Herzerkrankung erklären (fazilitiertes Segment).

Eine dauerhafte Stresssituation (dominante sympathikotone Lage) kann u. a. den Tonus im Fasziengewebe chronisch erhöhen und die Selbstregulation des Gewebes stören. Hormonelle Fehlregulationen, z. B. bei gestörtem Schlaf-Wach-Rhythmus, könnten ggf. auch die Elastizität der Faszienstrukturen beeinflussen und durch die eingeschränkte Beweglichkeit das Herz in seiner physiologischen Erregungsleitung negativ beeinflussen. Vielleicht könnte dies u. a. eine Erklärung für idiopathische Herzrhythmusstörungen sein. Gasansammlungen im Oberbauch können zum Zwerchfellhochstand führen und die Beweglichkeit der Thoraxorgane durch die Thoraxraumverkleinerung beeinträchtigen. Das kann u. a. eine Tachykardie auslösen (Roemheld-Syndrom) (Kap. 2.4.12, Kap. 2.5.7).

Eine Gruppendysfunktion von Th1–Th4 kann auf eine Dysfunktion des Herzens hinweisen (fazilitierte Segmente über die sympathische Versorgung). Der N. phrenicus (C3–C5) ist u.a. für die sensible Versorgung des Perikards zuständig.

Über die sympathische und sensible Versorgung können entsprechend der segmentalen Zuordnung bei einem akuten Herzgeschehen schmerzhafte Ausstrahlungen in Rücken, linken Brustkorb, linken Arm und Unterkiefer entstehen.

Die Hämodynamik, also die Blutverteilung und rhythmische Blutströmung im Körper, kann durch verschiedene Parameter beeinflusst werden, z. B. Herzzeit-, Blutvolumen, Blutdruck und Elastizität der Gefäße. Dies wird über das vegetative Nervensystem und das endokrinologische System gesteuert (neuroendokrinologische Wechselwirkungen). Die Herztätigkeit muss sich gemäß den Körperanforderungen immer wieder anpassen. Übergeordneten Zentren, die das autonome Reizleitungssystem des Herzens beeinflussen, sind u.a. das vegetative Nervensystem.

Grundsätzlich kann man die Herztätigkeit hinsichtlich der Schlagfrequenz des Herzens, der Geschwindigkeit der Erregungsleitung und der Kraft der Herzmuskelkontraktur differenzieren. Der N. vagus senkt über die Acetylcholinausschüttung die Herztätigkeit und die Reizüberleitung wird verzögert. Noradrenalin und Adrenalin erhöhen die Schlagfrequenz, beschleunigen die Reizüberleitung und erhöhen die Kontraktilität der Herzmuskelfasern. Die Freisetzung von Katecholaminen, z. B. durch dauerhafte Stresssituationen, kann die Herztätigkeit funktionell beeinträchtigen.

Behandlungshinweise

Das Herz kann osteopathisch mittels Dichtetest untersucht werden. Der intrathorakale fasziale Release ist eine Behandlungsmöglichkeit und kann auch für die angrenzende Lunge angewendet werden. Osteopathische Behandlungstechniken, die vegetativ ausgleichend wirken, können die Herztätigkeit harmonisieren.

Körpereigene rhythmische Bewegungen, u.a. von Atmung, Herzschlag und Liquor (PRM), stellen wichtige Dynamiken dar, die für die osteopathische Behandlung genutzt werden können. Denn Rhythmen ermöglichen Austauschprozesse auf jeder Gewebeebene und stehen eng mit dem ZNS in Verbindung (Kap. 2.3.3, Kap. 2.4.14).

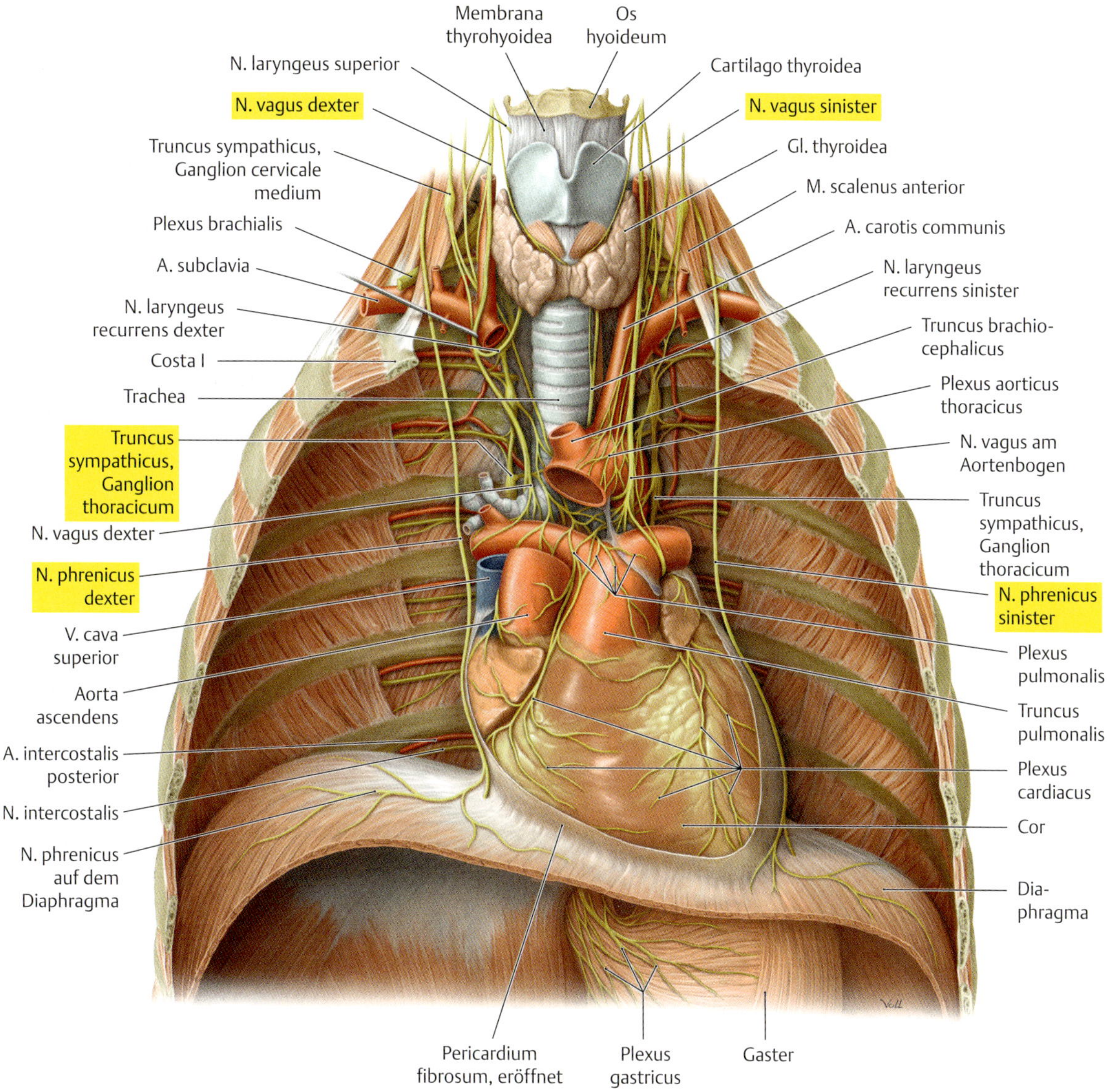

► **Abb. 2.32** Lage des Herzens und seine vegetative Versorgung (Ansicht von ventral). (aus Schünke M, Schulte E, Schumacher U. Prometheus, LernAtlas der Anatomie. Innere Organe. Illustrationen von M. Voll und K. Wesker. 5. Auflage. Stuttgart: Thieme; 2018)

2.4.12 Perikard (Herzbeutel)

Anatomie

▸ Abb. 2.34, ▸ Abb. 2.35

- fasziale Struktur, die das Herz umgibt, ihm seine Bewegung ermöglicht und eine Überdehnung während der Diastole (Erschlaffungsphase der Herzmuskelfasern) verhindert
- ist kranial an den ein- und austretenden Gefäßen des Herzens befestigt
- kaudal mit dem Zwerchfell über die Ligg. phrenicopericardiaca verbunden (neben anderen Ligamenten)
- wird sensibel vom N. phrenicus (C3–C5) versorgt (▸ Abb. 2.33)
- regionaler Bezug:
  - Aorta
  - V. cava superior
  - Truncus pulmonalis
  - Lunge
  - Thymus
  - Diaphragma abdominale
  - Ösophagus
  - 3.–6. Rippe
  - Sternum

Myofasziale Wirkungsketten

Das Perikard ist Bestandteil der Zentralsehne. Daraus ergeben sich zahlreiche systemische Korrespondenzen, die bei myofaszialen Dysfunktionen des Perikards oder bei Störungen der faszialen Kontinuität (z. B. Verfestigung, Adhäsionen) zu Pathophysiologien führen könnten.

Osteopathische Korrespondenzen

Das Perikard ist komplex von Nachbarstrukturen eingebunden. Es bestehen Verbindungen zwischen Sternum und Perikard über die Ligg. sternopericardiaca superius und inferius:

- Das Lig. sternopericardiacum superius reduziert im aufrechten Stand u. a. die Gewichtslast des Herzens auf das Zwerchfell.
- Das Lig. sternopericardiacum inferius hält u. a. das Herz in Position bei Rückenlage und verhindert damit eine dorsale Verlagerung. Das Ligament setzt fast ausschließlich an den knöchernen Anteilen des Proc. xiphoideus an.
- Als inkonstantes Band zeigt sich das Lig. sternopericardiacum medium, das sich von der Innenseite des Sternums bis zur mittleren Vorderfläche des Perikards erstreckt.

Die obere Rückseite des Perikards wird über die Ligg. vertebropericardiaca mit den Wirbeln C 7–Th 2 verbunden. Darüber hinaus bestehen ligamentäre Verbindungen zu Trachea, Thymus, Schilddrüse, Aortenbogen und A. pulmonalis.

Grundsätzlich zeigt sich in der Literatur kein einheitliches Bild über die Beschaffenheit der sternoperikardialen Bänder (die Grundlagenforschung steckt bzgl. der Faszien noch in den Kinderschuhen). Nachweisbar ist aber, dass sich mit Kollagen angereicherte Bindegewebszüge zwischen Perikard und Sternum befinden. Sie sind mit faserartigen Steg-

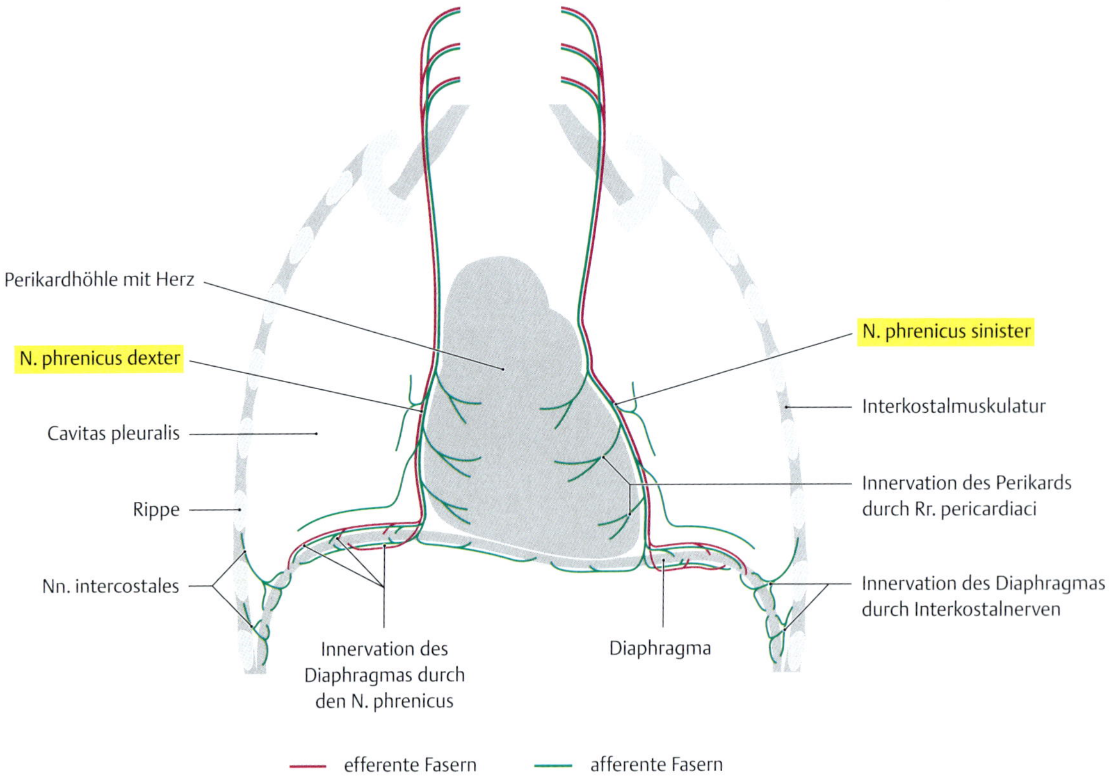

▸ **Abb. 2.33** Innervation des Perikards durch den N. phrenicus (Ansicht von ventral). (aus Schünke M, Schulte E, Schumacher U. Prometheus, LernAtlas der Anatomie. Innere Organe. Illustrationen von M. Voll und K. Wesker. 5. Auflage. Stuttgart: Thieme; 2018)

bildungen ausgestattet und weisen auf verstärkte Strukturen innerhalb des sternoperikardialen Bindegewebes hin. Daher kann es naheliegender sein, von faserartigen Verstärkungszügen innerhalb des sternoperikardialen Bindegewebes zu sprechen als von isolierten Ligamenten (Kap. 1.4.6).

Die Membrana bronchopericardiaca verbindet dorsal elastisch das Perikard mit der Bifurkation der Hauptbronchien. Sie reicht lateral zum Lig. pulmonale und kaudal bis zum Zwerchfell. Die Verbindung von Diaphragma und Bifurcatio tracheae sorgt dafür, dass die Trachea unter Zug gespannt ist. Das sichert die Bronchien in ihrer Position (Kap. 2.4.14, Kap. 11.1.4).

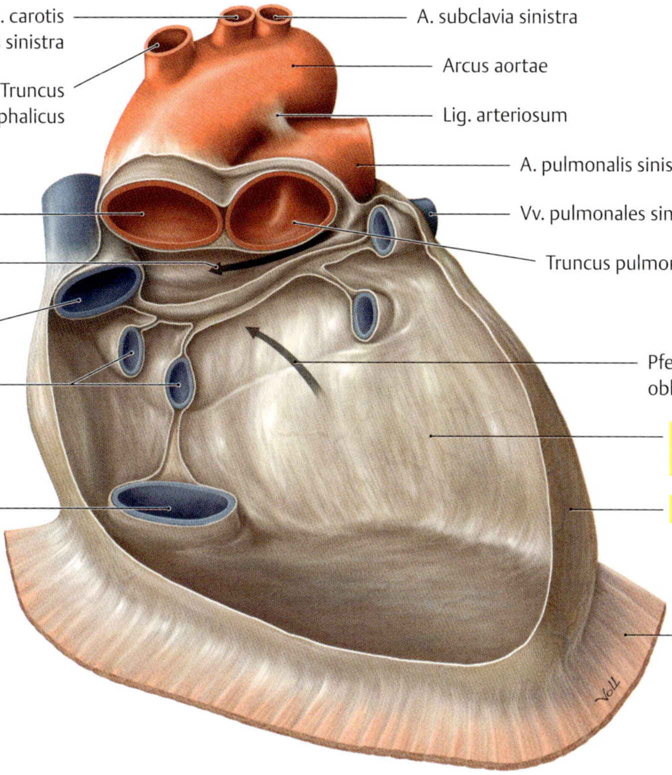

▶ **Abb. 2.34** Aufbau des Herzbeutels und der Perikardhöhle (Sicht von ventral in die leere Perikardhöhle). (aus Schünke M, Schulte E, Schumacher U. Prometheus, LernAtlas der Anatomie. Innere Organe. Illustrationen von M. Voll und K. Wesker. 5. Auflage. Stuttgart: Thieme; 2018)

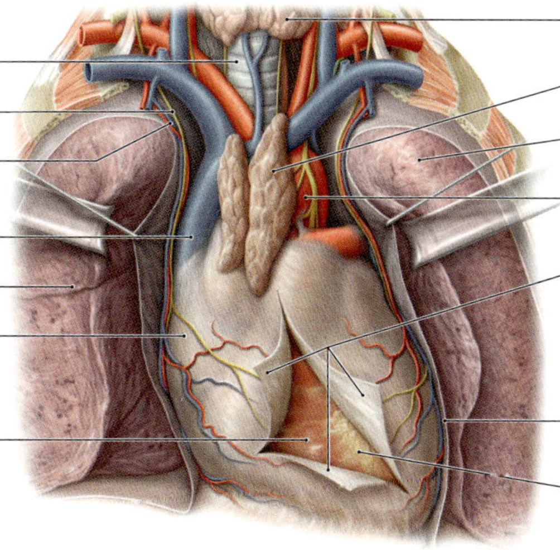

▶ **Abb. 2.35** Lage des Herzbeutels (Ansicht von ventral). (aus Schünke M, Schulte E, Schumacher U. Prometheus, LernAtlas der Anatomie. Innere Organe. Illustrationen von M. Voll und K. Wesker. 5. Auflage. Stuttgart: Thieme; 2018)

2.4.13 Ösophagus (Speiseröhre)

Anatomie

▶ Abb. 2.36

- liegt posterior im Mediastinum
- der senkrechte Verlauf mittig vor der Wirbelsäule ändert sich ab der Höhe Th 4: er weicht nach rechts ab, da das Herz dort über die Mittellinie herausragt
- die Aorta schiebt sich auf Höhe von Th 7/Th 8 hinter die Speiseröhre
- durchtritt linksseitig der Medianlinie das Zwerchfell im Bereich des Hiatus oesophageus (Kap. 2.3.2)
- tritt mit einem kurzen abdominal liegenden Teil in die Kardia des Magens ein
- durch die fasziale Einbindung im Bereich des Hiatus oesophageus elastisch fixiert (trichterförmig über Fascia supra- und subdiaphragmatica): die Zwerchfellbewegung verengt in der Einatmungsphase diese physiologische Engpassstelle des Ösophagus und führt gleichzeitig dazu, dass die Speiseröhre gestreckt wird
- Hiatus oesophageus wird von den Muskelfasern des Zwerchfells umschlossen, die aus den Crura entstammen; diese beiden medial liegenden Muskelfaserzüge überkreuzen sich vorher und wirken wie eine Schlinge
- durch Hiatus oesophageus treten auch die Gefäße des Ösophagus und die beiden Stämme des N. vagus durch
- ist durch das Bindegewebe des Mediastinums und das Lig. phrenicooesophageum (ringförmige Platte im Hiatus) befestigt
- Ösophagusengen (▶ Abb. 2.37):
  - obere (Constrictio pharyngooesophagealis): auf Höhe des Kehlkopfs (HWK 6) durch Cartilago cricoidea
  - mittlere (Constrictio partis thoracicae): durch rechtseitigen Verlauf des Ösophagus am Aortenbogen (auf Höhe BWK 4/5)
  - untere (Constrictio phrenica): Durchtritt durch das Zwerchfell auf Höhe BWK 10/11
- nervale Versorgung: sympathisch aus Th 4–Th 6, Plexus pharyngeus → Ganglion stellatum → N. splanchnicus major → Plexus coeliacus; parasympathisch über N. vagus
- arterielle Versorgung: Rr. oesophageales aus A. thyroidea inferior oder Truncus thyrocervicalis oder A. carotis communis, Aorta thoracica, A. gastrica sinistra
- venöse Drainage: Vv. oesophageales → V. thyroidea inferior oder V. brachiocephalica sinistra, V. hemiazygos accessoria, V. hemiazygos, V. azygos, V. gastrica sinistra
- Lymphgefäße im Verlauf der Wirbelsäule, im Bereich der Interkostalräume, tracheobronchial und paratracheal
- Bewegungsphysiologie nach Barral: Mobilität in Längsrichtung und Wellenbewegung durch Peristaltik

Myofasziale Wirkungsketten

Während der Embryonalentwicklung entstehen aus dem Darmrohr neben dem Darm auch Magen, Ösophagus und Pharynx. Der Pharynx, der sich erst später zu Larynx und Pharynx differenziert, ist an der Synchondrosis sphenobasilaris (SSB) mit der Raphe pharyngis (sehnenartige Struktur) aufgehängt. Damit sind Rachen, Ösophagus und Magen über Mediastinum und Zwerchfell wichtige Elemente der Dynamik innerhalb der Zentral- und Bogensehne.

Dysfunktionen können zu einer veränderten Körperhaltung führen, um die beeinträchtigte Region zu schützen und weitere mechanische Reizungen zu reduzieren. Die Zentralsehne kann sich hier dann kompensatorisch beteiligen.

Oberbauchbeschwerden provozieren tendenziell eine eher kyphotische Haltung, um die Gewebespannung zu reduzieren. Folglich kommt es zur Innenrotation und Protraktion der Schultern, der Kopf ist nach vorne geschoben und die HWS in vermehrter Lordose. Durch die kyphotische Haltung sind die Atemmechanik des Thorax und die Bewegung des Zwerchfells beeinträchtigt. Die physiologische Gewebespannung in der Zentralsehne zwischen Ösophagus und Magen ist reduziert. Der Druck aus dem Abdomen dominiert. Diese Spannungsveränderungen können zu einer verminderten Funktionalität am Hiatus oesophageus führen und eine funktionelle Hiatushernie provozieren, sodass es zu einer verminderten Schließfähigkeit des Mageneingangs und einem gastroösophagealen Reflux von Mageninhalt kommen kann (Kap. 2.3.3, Kap. 2.5.7).

Osteopathische Korrespondenzen

Durch die Lage des Ösophagus ergeben sich zahlreiche Verbindungen innerhalb des Thorax: Trachea, linker Hauptbronchus, Pleura mediastinalis, Perikard, Wirbelsäule, Aorta, V. cava inferior, V. azygos und hemiazygos, rechter Lungenflügel (im Bereich des Hiatus oesophageus), rechter und linker N. vagus.

Im Abdomen existieren Lageverbindungen zum Peritoneum (Vorderseite), zur Leber (Lobus hepatis dexter und sinister, zum linken Crus des Diaphragmas, Lig. triangulare sinistrum (linke Seite), Omentum minus sowie BWK 10 und 11 (rechte Seite).

Behandlungshinweise

Bei der Behandlung einer Hiatushernie sollten u. a. die Zentralsehne und die funktionellen Übergänge der Wirbelsäule (OAA-Komplex, CTÜ, TLÜ und lumbosakraler Übergang) berücksichtigt werden. Die Längsdehnung des Ösophagus ist eine mögliche Behandlungstechnik.

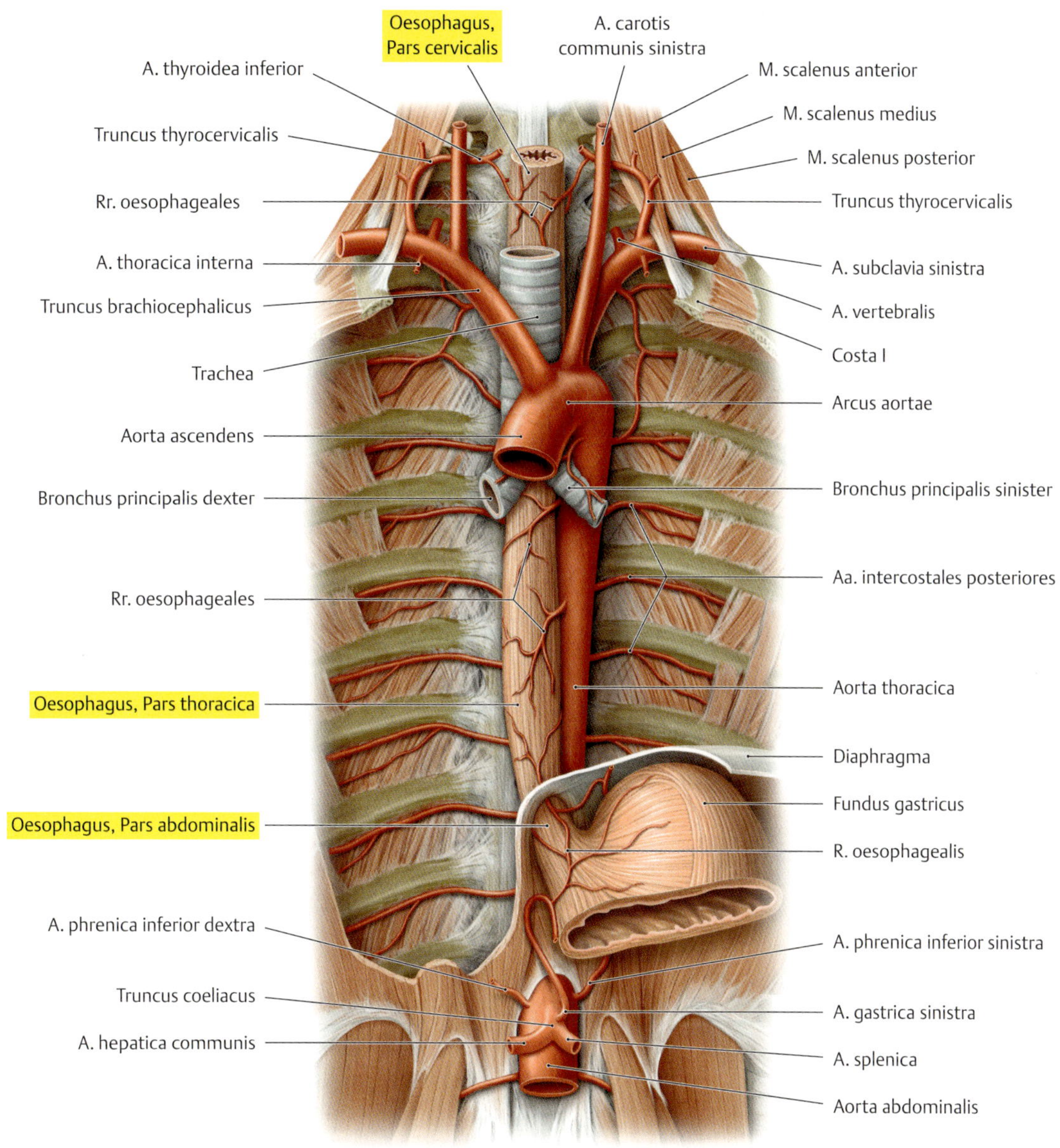

▸ **Abb. 2.36** Lage des Ösophagus (Ansicht von ventral). (aus Schünke M, Schulte E, Schumacher U. Prometheus, LernAtlas der Anatomie. Innere Organe. Illustrationen von M. Voll und K. Wesker. 5. Auflage. Stuttgart: Thieme; 2018)

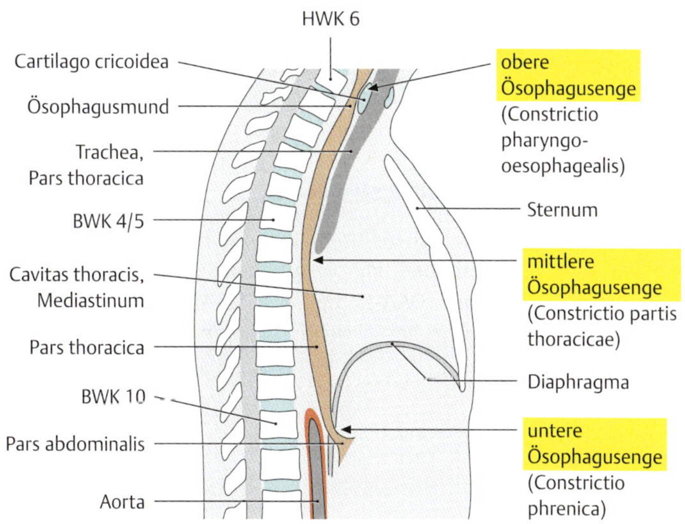

▸ **Abb. 2.37** Ösophagusengen (Ansicht von ventral). (aus Schünke M, Schulte E, Schumacher U. Prometheus, LernAtlas der Anatomie. Innere Organe. Illustrationen von M. Voll und K. Wesker. 5. Auflage. Stuttgart: Thieme; 2018)

2.4.14 Reserveräume des unteren Thoraxbereichs

Anatomie

▸ Abb. 2.38

- Reserveräume sind Aussackungen der Pleurahöhle
- in diese gleiten Teile der Lunge bei tiefer Einatmung hinein
- Recessus costomediastinalis: kleiner Reserveraum hinter dem Sternum
- Recessus costodiaphragmaticus: großer Reserveraum zwischen den unteren Rippen und dem Zwerchfell, der bis zu 2 Interkostalräume umfassen kann

Myofasziale Wirkungsketten

Da das Mediastinum und das Diaphragma abdominale wichtige Bestandteile der Zentral- und Bogensehne sind, ist auf die Haltungsphysiologie zu achten. Eine verstärkte Flexion im thorakolumbalen Übergang beeinträchtigt die Atemmechanik und damit auch die zentrale Zirkulation (Kap. 2.3.3, Kap. 1.3.1).

Osteopathische Korrespondenzen

Die Organe des Thorax sind lebenswichtig und werden durch Blutzirkulation und Atmung im hohen Maße beansprucht. Die Mobilität des Thorax ist daher besonders wichtig. Diese Reserveräume sind wichtig für die dynamische Volumenveränderung der Lunge im Thorax. Die Pleura parietalis ist fest mit der Innenseite des Thorax verbunden. Auch am Sternum, an den Rippen und dem Diaphragma bestehen fasziale Verbindungen. Zum Mediastinum hin bedeckt es nur die Organe. Es besteht hier keine feste Verbindung. Die fasziale und bindegewebige Auskleidung des Thorax gewährleistet zum einen die Stabilität der Organe in ihrer Verankerung, zum anderen aber auch so viel Mobilität, dass Organfunktion und durchtretende Gefäße nicht beeinträchtigt werden.

Die Lungenatmung bedeutet einen rhythmischen Wechsel zwischen Volumenvergrößerung und -verkleinerung des Thorax. Während der Inspiration ist die Ausdehnung im Bereich der Lungenspitze (Pleurakuppel) am geringsten. Die maximale Ausdehnung der Pleura ist in den Reserveräumen des unteren Thorax möglich. Denn bei der Inspiration senken sich die Kuppeln des Zwerchfells durch Muskelkontraktion ab und es entsteht eine transversale Weitung des unteren Thorax (Eimerhenkelbewegung). Gleichzeitig kontrahieren sich die Mm. intercostales externi (laterales Heben der Rippen) und kranial die Mm. scaleni (ventrales Heben der Rippen, Pumpschwengelbewegung) (Kap. 2.4.3, Kap. 2.4.4).

Eine hochthorakale Atmung, die nicht in eine tiefe Bauchatmung übergeleitet werden kann, zeigt, dass keine intensive Zwerchfellatmung möglich ist oder diese nicht bewusst angesteuert werden kann. Die Bauchatmung hat aber u.a. einen wichtigen Einfluss auf die Zirkulation und Durchblutung des gesamten Körpers. Durch die komplexen Anheftungen des Mediastinums im Thorax wirkt die erhöhte Spannung bei tiefer Einatmung sowohl auf die ein- und durchtretenden Gefäße (Aorta mit ihren Abgängen, A. subclavia, Aa. thoracicae internae, Truncus pulmonalis, V. cava superior, V. cava inferior, Vv. brachiocephalicae, V. azygos, V. hemiazygos), Ductus thoracicus, Nerven (N. vagus, Truncus sympathicus, N. phrenicus) und Organe (Herz, Ösophagus, Trachea, Thymus) ein.

Denn die Spannung wird neben den retrosternalen und prävertebralen Anheftungen des Mediastinums über die longitudinale Kontinuität kaudal direkt zum Zwerchfell und kranial über die Halsfaszien samt Raphe pharyngis zur SSB weitergeleitet (Kap. 11.1.3, Kap. 11.1.4). Dysfunktionen, insbesondere im zervikothorakalen und abdominalen Diaphragma, eine fasziale Hypertension im Mediastinum selbst und Narben, welche die Elastizität und Mobilität der intrathorakalen Strukturen beeinträchtigen, können zu Stauungsproblematiken führen. Nach kranial sind venöse Abflussstörungen möglich, die sich als Kopfschmerz zeigen können. Aber auch unterhalb des Zwerchfells können sich Stauungszeichen zeigen wie Druckdolenzen an den abdominalen Organen, Gefäßstauungen in Form von Varizen der unteren Extremität oder als Hämorrhoiden.

Behandlungshinweise

Der epigastrische Winkel weitet sich bei der Inspiration. Bei der Diagnostik auf eine Dysfunktion des Zwerchfells ist die Palpation dieses Winkels während des Atemrhythmus hilfreich. Zirkulatorische und BMT-Techniken im Bereich des Mediastinums sind für Stauungssymptomatiken besonders indiziert.

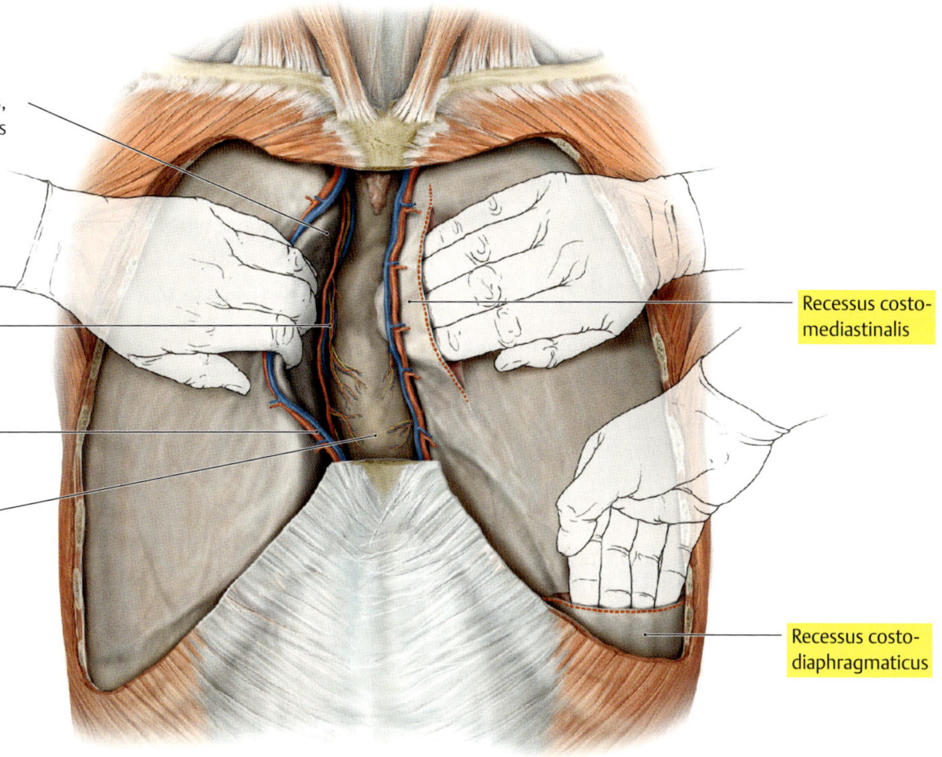

▸ **Abb. 2.38** Recessus costomediastinalis und Recessus costodiaphragmaticus (die Fascia parietalis wurde parasternal und oberhalb der 9. Rippe geschlitzt; Ansicht von ventral). (aus Schünke M, Schulte E, Schumacher U. Prometheus, LernAtlas der Anatomie. Innere Organe. Illustrationen von M. Voll und K. Wesker. 5. Auflage. Stuttgart: Thieme; 2018)

2.5 Abdomen

2.5.1 Peritoneum

Anatomie

▸ Abb. 2.39

- Peritoneum ist die seröse Haut, welche die gesamte Bauchhöhle auskleidet
- Peritoneum parietale unterteilt sich in:
  - Pars diaphragmatica: an der Unterseite des Zwerchfells
  - Pars anterior: überzieht die vordere und seitliche Bauchwand und bildet Fossa supravesicalis, Fossa inguinalis medialis sowie Fossa inguinalis lateralis
  - Pars inferior: kleidet Seitenwände des Beckenraums aus und liegt entlang der Mittellinie auf dem subperitonealen Bindegewebsraum; bildet im Becken tief reichende Aussackungen
  - Pars posterior: überzieht die Fascia transversalis und ist von der dorsalen Abdominalwand durch den Retroperitonealraum getrennt
- sensible und vasomotorische Versorgung von Fasern aus dem N. phrenicus (unterhalb des Zwerchfells) sowie aus thorakalen und lumbalen segmentalen Nerven (Nn. spinales)
- bedeckt Pankreas, Duodenum (außer der Pars superior), rechte und linke Niere mit Nebennieren, Colon ascendens, Colon descendens und Zäkum
- Peritoneum viscerale: liegt fest auf den Außenflächen der Organe und der Innenseite des Peritoneum parietale an (Gleitspalt), fast keine Innervation
- arterielle, venöse und lymphatische Versorgung: entspricht der Versorgung des zugeordneten Organs
- **intraperitoneal** liegen (in der Cavitas peritonealis abdominalis): Magen, Milz, Leber, Gallenblase, Duodenum mit Pars superior und einem Teil der Pars ascendens, Jejunum, Ileum, Colon transversum, Colon sigmoideum, Zäkum variabel
- **primär retroperitoneal** liegen: Nieren, Nebennieren, Ureter
- **sekundär retroperitoneal** liegen: Pankreas, Duodenum (Pars descendens, Pars horizontalis und teilweise Pars ascendens), Colon ascendens, Colon descendens, Zäkum variabel, Rektum bis Flexura sacralis

Myofasziale Wirkungsketten

Das Peritoneum ist Teil der Zentralsehne und kann durch seine Lage und Ausweitung im gesamten Bauchraum fasziale Spannungen auf andere Organe und Strukturen vom Kranium bis ins kleine Becken weiterleiten. Es besteht aber auch ein Wechselspiel in umgekehrter Richtung, denn fasziale Spannungen in der Zentralsehne können sich auf das Peritoneum übertragen.

Osteopathische Korrespondenzen

Das Peritoneum korrespondiert mit zahlreichen Strukturen, denn es hat zu allen intraperitonealen Organen Kontakt und Lagebeziehungen zu den meisten retro- und extraperitonealen Organen und Strukturen. Die Gleitflächen der einzelnen Bauchorgane sind sehr vielfältig. Ein Beispiel ist die Lage von Colon ascendens, Colon descendens und Colon sigmoideum zu den Dünndarmschlingen.

Eine freie Beweglichkeit der intraperitonealen Organe, Drainagemöglichkeiten in den Spalträumen (Kap. 2.5.2) und gute Gleiteigenschaften im peritonealen Raum sind wichtige Aspekte für Stoffwechsel, physiologische Organtätigkeit und Zirkulation. Darüber hinaus hat das Peritoneum eine stoßdämpfende und immunologische Funktion. Es schützt die Bauchwände und dient auch dem Druckausgleich zwischen Thorax und Bauchraum.

Das Peritoneum als seröse Haut schützt die in ihm eingebundenen Gefäße und Organe vor mechanischen und thermischen Einflüssen. Denn der Flüssigkeitsfilm des Peritoneums lässt die Organe reibungsfrei gegeneinander gleiten.

Die serösere Flüssigkeit ist ähnlich zusammengesetzt wie die Lymphe. Die Peritonealhöhle enthält somit Lymphozyten und Makrophagen. Damit hat sie auch eine immunologische Bedeutung. Die Flüssigkeit wird über die Spalträume zu den großen Resorptionsflächen der Zwerchfellunterseite und des Omentum majus geleitet. Über das venöse und lymphatische System wird sie dem Kreislauf zugeführt. Motor für die Drainage ist die Bewegung des Zwerchfells und der Viszera.

Im Peritoneum parietale befinden sich im Gegensatz zum Peritoneum viscerale auch nozizeptive Fasern (Schmerzrezeptoren). Diese senden bei Entzündungen und Verletzungen Signale an das ZNS. Vater-Pacini-Körperchen sind in der Serosa vorzufinden, wo die Arterien in das Organ eintreten. Diese reagieren auf Zug und Volumenveränderung eines Organs und wirken ggf. auf das Lumen der arteriellen Gefäße ein. Sie reagieren auch auf Vibration. Vibrationstechniken an einem Organ können deshalb einen Einfluss auf die lokale Zirkulation haben (Kap. 4.9).

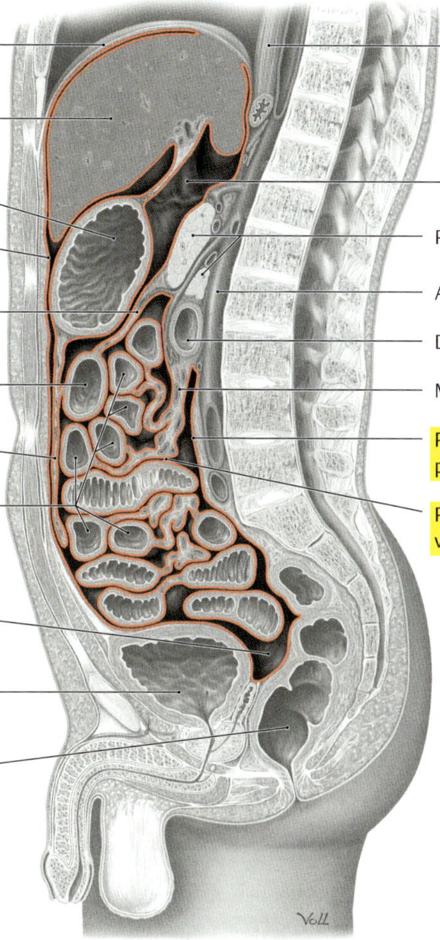

▸ **Abb. 2.39** Auskleidung der Bauchhöhle mit Peritoneum (Mediansagittalschnitt; Ansicht von links). (aus Schünke M, Schulte E, Schumacher U. Prometheus, LernAtlas der Anatomie. Innere Organe. Illustrationen von M. Voll und K. Wesker. 5. Auflage. Stuttgart: Thieme; 2018)

2.5.2 Drainageräume und Recessus in der Peritonealhöhle

Anatomie

▸ Abb. 2.39, ▸ Abb. 2.40

- Peritoneum bildet durch die Lage der Organe im Bauchraum Spalten (Recessus, Sulci)
- befinden sich zwischen den einzelnen Organen in der Peritonealhöhle oder auch zwischen Wand und Organ

Osteopathische Korrespondenzen

Die Spalträume dienen der Gleitbewegung der Organe untereinander. Adhäsionen durch lokale Entzündungen können die Mobilität einschränken. Manchmal können sich sogar Dünndarmschlingen einklemmen, die dann zu einer lebensbedrohlichen Darmlähmung, einem mechanischen Ileus, führen.

Organsenkungen werden entlang der Radix mesenterii sichtbar. Sie erfolgen vermehrt in den linken Unterbauch. Sogar Dünndarmschlingen, die bis in das kleine Becken abgesenkt sind, sind möglich (häufiger nach Uterusentfernung). Mögliche Ursachen sind Adhäsionen durch lokale Entzündungen, Narben infolge von Operationen, die Folge einer Geburt (hormonell und mechanisch), bindegewebige Veränderungen (verminderte Elastizität durch Alterung) oder eine Retroversion des Uterus.

Der Douglas-Raum (Excavatio rectouterina) ist die tiefste Stelle der weiblichen Bauchhöhle. Eine erhöhte Flüssigkeitsansammlung dort ist ein Hinweis auf entzündliche Prozesse in der Bauchhöhle. Die tiefste Stelle im männlichen Bauchraum wird als Excavatio rectovesicalis bezeichnet (Kap. 3.4.1).

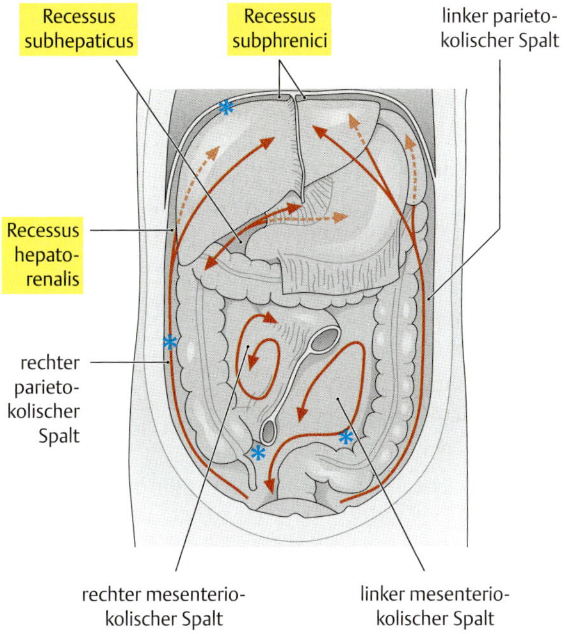

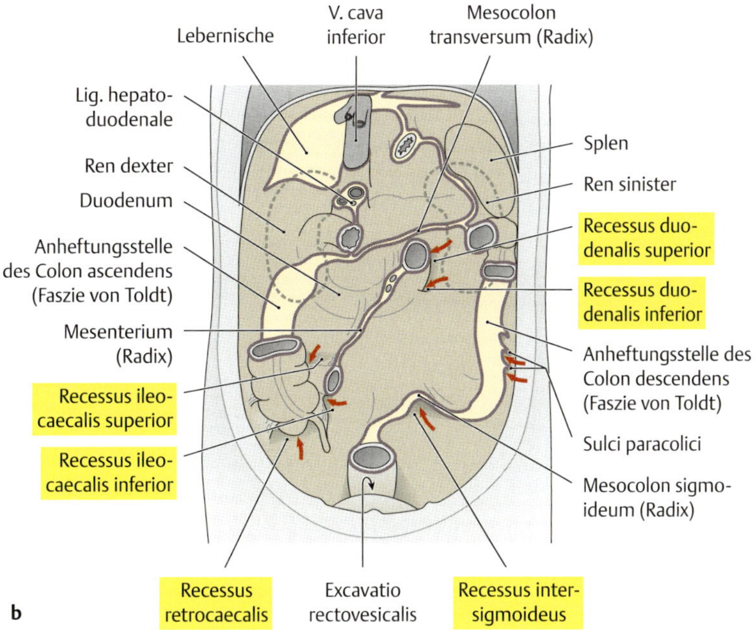

▸ **Abb. 2.40** Drainageräume und Recessus innerhalb der Peritonealhöhle. **a** Ansicht von ventral nach Entfernung von Omentum majus und Dünndarm. **b** Ansicht von ventral auf die dorsale Wand der Peritonealhöhle. (aus Schünke M, Schulte E, Schumacher U. Prometheus, Lern-Atlas der Anatomie. Innere Organe. Illustrationen von M. Voll und K. Wesker. 5. Auflage. Stuttgart: Thieme; 2018)

2.5.3 Aufhängebänder (Mesos)

Anatomie

▶ Abb. 2.41, ▶ Abb. 2.42

- befestigen die Organe beweglich an der dorsalen Rumpfwand
- führen versorgende Gefäße und Nerven der Organe, die an ihnen aufgehängt sind (zur Abgrenzung: Ligamente verbinden Organe untereinander oder befestigen Organe an der Bauchwand; sie führen keine Gefäße oder Nerven von größerer Bedeutung)
- eigene Aufhängebänder (Mesos) besitzen:
  - Jejunum und Ileum
  - Colon transversum
  - Colon sigmoideum
  - Appendix
  - oberer Teil des Rektums
- **Mesocolon transversum:**
  - Befestigung des Colon transversum
  - befindet sich unterhalb von Leber und Magen
  - teilt den Peritonealraum in Ober- und Unterbauch
  - kreuzt die rechte Niere, den absteigenden Anteil des Duodenums, das Pankreas und zieht bis zur linken Niere
- **Radix mesenterii (Mesenterium):**
  - eigentlich eine Fortsetzung des Mesocolon transversum, das an der dorsalen Bauchwand nach kaudal verläuft, um sich dann wieder als Radix mesenterii zu öffnen
  - vergrößert sich am Ende und nimmt das Zäkum auf
  - Aufhängung von Jejunum, Ileum, Zäkum
  - beginnt an der Flexura duodenojejunalis, zieht dann über eine Länge von ca. 15–20 cm nach schräg unten rechts in die Fossa iliaca dextra und kreuzt dabei den aufsteigenden Anteil des Duodenums (Pars ascendens duodeni), Aorta, V. cava inferior, den rechten Harnleiter sowie die A. und V. ovarica dextra bzw. A. und V. testicularis
  - die versorgenden Gefäße (Vasa mesenterica superiora) treten ungefähr auf Höhe von LWK3/4 in das Mensenterium ein
- **Mesocolon sigmoideum:**
  - Befestigung des Colon sigmoideum
  - zieht von der Fossa iliaca sinistra vom Ende des Colon descendens nach kaudal, kreuzt den linken M. psoas, die linken Vasa iliaca, den linken Ureter, den linken Eileiter und das Promontorium bis zum SWK 2–3
- **Mesoappendix:**
  - Abzweigung der Radix mesenterii
  - Aufhängeband der Appendix
  - befindet sich in der Fossa iliaca dextra
  - entstammt dem Mesenterium
  - setzt sich ins Lig. appendicoovaricum fort
  - Lage ist sehr variabel

Osteopathische Korrespondenzen

Wenn das Mesocolon sigmoideum unter starke Zugkräfte vom Sigmoid gerät (z. B. durch Obstipation), kann es durch seine Gefäßnähe (Ovarien, Testes) und Nähe zu den ableitenden Harnwegen zu Stauungen kommen.

Die Radix mesenterii kann durch Zugkräfte, die aufgrund von Dysfunktionen im Ileum, Jejunum oder Zäkum entstehen, Dysfunktionen auslösen, welche die Funktionalität der LWS beeinträchtigen können (Hyperlordose).

Behandlungshinweise

Die Behandlung der Organaufhängungen wirkt sich positiv auf die venös-lymphatische Versorgung aus und kann zu einer verbesserten Organmobilität beitragen. Unphysiologische Spannungen können sich negativ auf die korrespondierenden parietalen Strukturen auswirken und Dysfunktionen provozieren. So sind Dysfunktionen im thorakolumbalen Bereich der Wirbelsäule u. a. im Zusammenhang mit den Organaufhängungen zu untersuchen.

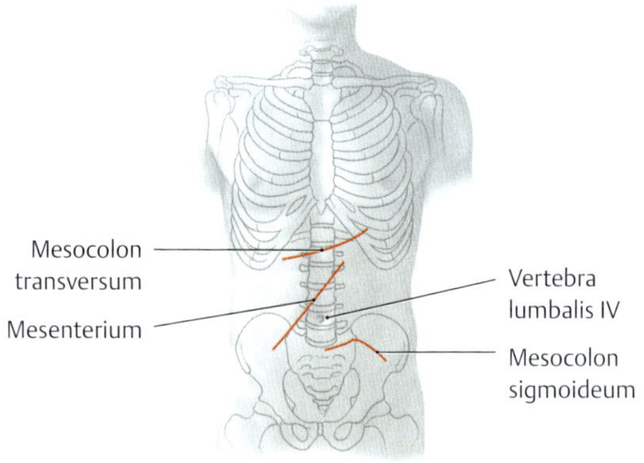

▶ **Abb. 2.41** Lage der Mesenterialwurzeln in der Projektion auf das Skelett (Ansicht von ventral). (aus Schünke M, Schulte E, Schumacher U. Prometheus, LernAtlas der Anatomie. Innere Organe. Illustrationen von M. Voll und K. Wesker. 5. Auflage. Stuttgart: Thieme; 2018)

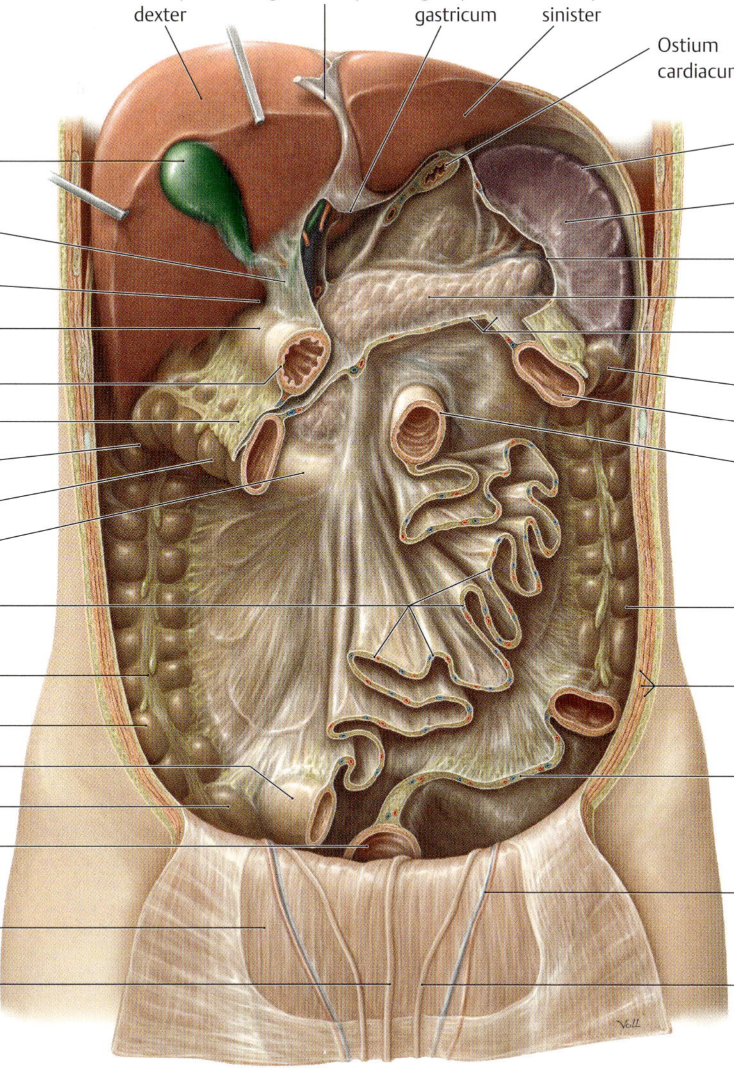

▶ **Abb. 2.42** Übersicht über die Mesenterien (Ansicht von ventral). Im weiteren Sinne werden mit „Mesenterium“ alle Peritonealduplikaturen an Dünn- und Dickdarm bezeichnet, im engeren Sinne nur das von Jejunum und Ileum. (aus Schünke M, Schulte E, Schumacher U. Prometheus, LernAtlas der Anatomie. Innere Organe. Illustrationen von M. Voll und K. Wesker. 5. Auflage. Stuttgart: Thieme; 2018)

2.5.4 Omentum majus

Anatomie

▶ Abb. 2.43

- Omentum: Bauchfellduplikatur, die von einem Organ zum anderen verläuft und Gefäße führen kann
- ist durch die Drehung und Kippung des Magens während der Embryonalentwicklung entstanden
- Duplikatur des Peritoneums, die von der großen Kurvatur des Magens herabhängt
- ein Anteil, der als Lig. gastrocolicum bezeichnet wird (▶ Abb. 2.49), kommt von der großen Kurvatur des Magens und zieht zum Colon transversum (Kap. 2.5.8)
- von dort verläuft das eigentliche Omentum majus weiter kaudal
- überdeckt einen Großteil der Darmschlingen
- das dorsale Blatt umgibt das Colon transversum von ventral und geht anschließend in das Mesocolon transversum über
- klappt man das Omentum majus nach unten und betrachtet den Bauchraum, der vom unteren Thorax teilweise abgedeckt wird, sind Leber, Gallenblase, Magen und Milz sichtbar
- Milchflecken (Maculae lacteae) im Omentum majus enthalten Lymphozyten und weitere Abwehrzellen (Makrophagen, Granulozyten, Mastzellen)

Osteopathische Korrespondenzen

Das Omentum majus ist beweglich und hat eine wichtige immunologische Aufgabe. Entzündliches Gewebe setzt Fibrin frei, das zu Adhäsionen führen kann. Zum Beispiel durch lokale Entzündungen kann es zu Verklebungen und Verwachsungen zwischen dem Omentum majus und der peritonealen Schicht anderer Organe kommen. Ziel ist es, die Ausbreitung einer Entzündung um den Preis der narbigen Verhärtung zu verhindern. Die mechanische Beeinträchtigung kann zu Passagestörungen im Dünndarm führen.

Behandlungshinweise

Durch Adhäsionen können ein erhöhter Tonus oder eine leichte Schmerzhaftigkeit der Darmschlingen auftreten (▶ Abb. 2.43). Es werden die Darmschlingen bei dem in Rückenlage befindlichen Patienten vorsichtig gedehnt, inhibiert und ggf. geringgradig gegeneinander verwrungen, um die Adhäsionen zu lösen.

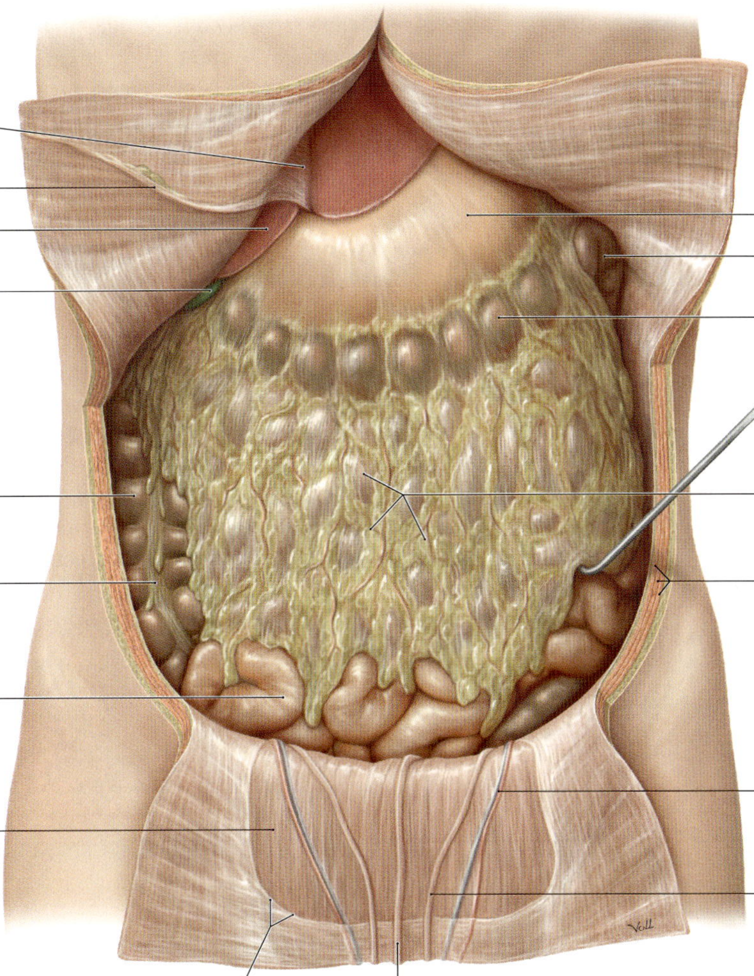

▸ **Abb. 2.43** Omentum majus (Ansicht von ventral). (aus Schünke M, Schulte E, Schumacher U. Prometheus, LernAtlas der Anatomie. Innere Organe. Illustrationen von M. Voll und K. Wesker. 5. Auflage. Stuttgart: Thieme; 2018)

2.5.5 Leber (Hepar)

Anatomie

▶ Abb. 2.44, ▶ Abb. 2.46

- liegt intraperitoneal direkt unter dem Zwerchfell
- kranialer Rand liegt dorsal auf Höhe Th 8/Th 9 und ventral auf Höhe des 5. Interkostalraums rechts und 6. ICR links
- kaudaler Rand liegt dorsal auf Höhe Th 11/Th 12, ventral am unteren rechten Rippenbogen
- über das Lig. coronarium fest mit dem Zwerchfell verbunden
- mit der ventralen Bauchwand über das Lig. falciforme bzw. das Lig. teres hepatis verbunden
- ligamentäre Strukturen, welche die Leber in ihrer Position halten (▶ Abb. 2.45):
  - Lig. coronarium (Befestigung der Leber am Diaphragma abdominale)
  - Lig. triangulare sinistrum und dextrum (Befestigung der Leber am Diaphragma abdominale)
  - Lig. falciforme (verbindet die Vorderfläche der Leber mit der Bauchwand)
  - Lig. hepatoduodenale und Lig. hepatogastricum (Omentum minus)
  - Lig. teres hepatis (enthält die verödete V. umbilicalis)
  - Lig. hepatorenale
- nervale Versorgung:
  - sympathisch aus dem Grenzstrangbereich Th 5–Th 9 über den N. splanchnicus major/minor
  - parasympathisch vom N. vagus
  - sensibel vom N. phrenicus (C 3–C 5), der die Leberkapsel versorgt
- arterielle Versorgung: A. hepatica propria aus Truncus coeliacus
- venöse Drainage: Vv. hepaticae → V. cava inferior
- Lymphgefäße verlaufen parallel zu den Blutgefäßen und münden in den Ductus thoracicus
- Bewegungsphysiologie nach Barral:
  - Mobilität in der Frontalebene: Drehachse ist Lig. triangulare sinistrum, bei Einatmung gehen laterale Anteile der Leber nach inferior-medial (im Uhrzeigersinn)
  - Mobilität in der Sagittalebene: Drehachse ist Lig. coronarium, bei Einatmung Kippung kranialer Anteile nach ventral, dorsale Verlagerung der kaudalen Anteile
  - Mobilität in der Transversalebene: Drehachse ist V. cava inferior, bei Einatmung Rotation nach medial
  - Motilität: identisch mit Mobilitätsbewegungen

Osteopathische Korrespondenzen

Korrespondenzen bestehen zu folgenden Organen und Strukturen:

- Diaphragma abdominale
- Magen
- Colon transversum, rechte Kolonflexur
- rechte Niere
- Gallenblase
- Duodenum (Pars superior und Pars descendens)
- Ösophagus
- Aorta abdominalis (Truncus coeliacus)
- V. cava inferior, V. portae
- über das Diaphragma abdominale zu Herz, Lunge, Pleura und Mediastinum

Aufgrund der komplexen nervalen Versorgung lassen sich periphere Schmerzsymptome bei einer akuten Erkrankung der Leber erklären (fazilitiertes Segment). Eine in Dysfunktion befindliche Leber kann über die sensible Versorgung durch den N. phrenicus zum übermäßigen Tonus der Muskeln führen, die aus den Segmenten C 3–C 5 versorgt werden (fazilitiertes Segment). Dazu gehörten z. B. M. subclavius und M. levator scapulae. Sind diese Muskeln in ihrer Funktionalität eingeschränkt, stören sie auch die mit ihnen in Verbindung stehenden Gelenkstrukturen und Faszien. Als Folge sind Schulterschmerzen, Nackenverspannungen und Kopfschmerzen möglich.

Über die sympathische Versorgung steht die Leber mit den BWS-Segmenten Th 5–Th 9 in Verbindung. Liegt hier ein fazilitiertes Segment vor, zeigen sich Dysfunktionen mehrerer Wirbel in dieser Region.

Bei Dysfunktionen des Zwerchfells ist die fasziale Gleiteigenschaft der Leber zu prüfen. Insbesondere bei organischen Belastungen durch Toxine, Ernährung und Herz-Kreislauf-Erkrankungen (v. a. bei Rechtsherzinsuffizienz) ist auf die myofasziale Funktionalität zu achten. Eine verminderte Mobilität der Leber bedeutet auch weniger Drainage des Organs durch die Eigenbewegung. Die gestörte Zirkulation innerhalb des Organs kann im osteopathischen Sinne zu einem Leberstau führen. Das mindert auch die venöse Entsorgung der korrespondierenden Gefäße im Bauchraum bzw. der Organe. Eine verminderte venöse Entsorgung z. B. des Plexus venosus vertebralis internus kann die Stoffwechselleistung, also die Mikrozirkulation, stören und myofasziale Schmerzen in der LWS-Region provozieren. Typischerweise reduzieren sich die Schmerzen durch Bewegung oder lösen sich ganz auf. Morgens sind die Beschwerden am deutlichsten. Umgekehrt ist eine verbesserte Mikrozirkulation im Bandscheibenbereich für Regeneration und Reparaturprozesse des Körpers nach Bandscheibenläsionen hilfreich.

Der Magen-Darm-Trakt, der über den venösen Zufluss zur Pfortader der Leber sauerstoffarmes, aber nährstoffreiches Blut erhält, kann bei einer Leberdysfunktion unter Stress geraten. Eine verminderte Verdauungsleistung, vermehrter Meteorismus oder entzündliche Schleimhautveränderungen im Magen-Darm-Trakt sind als Folge denkbar.

Behandlungshinweise

Ist die Leber in ihrer Mobilität gestört, sind direkte Techniken, welche die Leber in allen Ebenen bewegen und die ligamentären bzw. faszialen Strukturen mobilisieren, hilfreich. Zirkulatorische Techniken unterstützen die Leber in ihrer Stoffwechselleistung. Parietale Dysfunktionen in den korrespondierenden Segmenten (Th 5–Th 9) können durch HVLA-Techniken oder Muskelenergietechniken behandelt werden. Die Behandlung der Zentralsehne bezieht auch die Strukturen, die über die Peripherie mit der Leber in Verbindung stehen, mit ein.

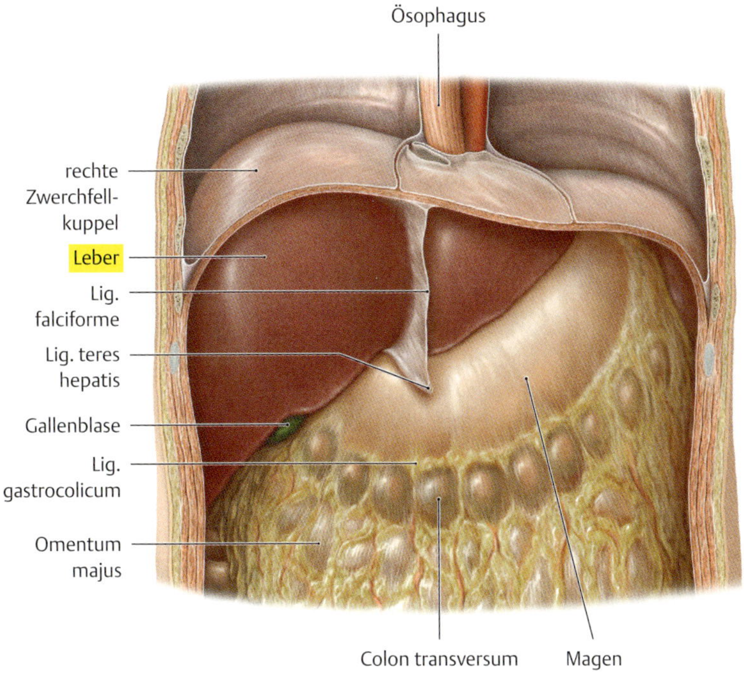

▸ **Abb. 2.44** Lage der Leber in der Bauchhöhle (Ansicht von ventral). (aus Schünke M, Schulte E, Schumacher U. Prometheus, LernAtlas der Anatomie. Innere Organe. Illustrationen von M. Voll und K. Wesker. 5. Auflage. Stuttgart: Thieme; 2018)

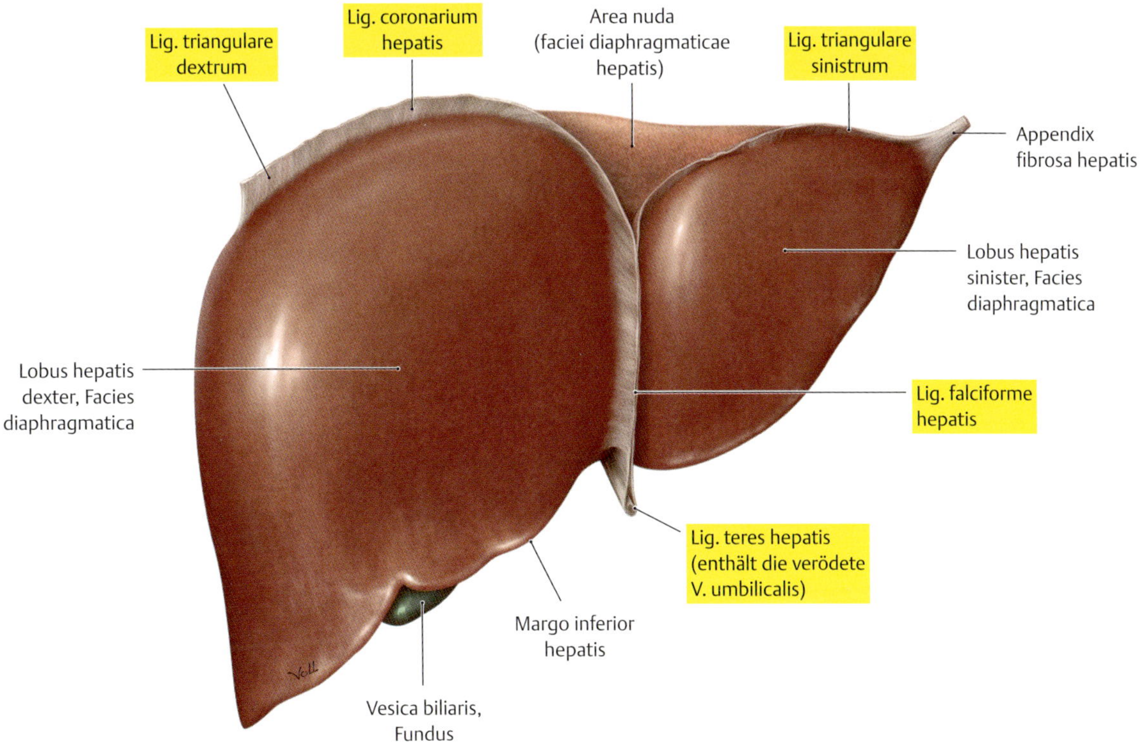

▸ **Abb. 2.45** Befestigungen der Leber (Ansicht von ventral). (aus Schünke M, Schulte E, Schumacher U. Prometheus, LernAtlas der Anatomie. Innere Organe. Illustrationen von M. Voll und K. Wesker. 5. Auflage. Stuttgart: Thieme; 2018)

2.5.6 Gallenblase (Vesica biliaris) und extrahepatische Gallenwege

Anatomie

▶ Abb. 2.46

- Gallenblase liegt intraperitoneal der Dorsalseite der Leber (Facies visceralis) an
- der Fundus liegt auf Höhe des Kreuzungspunkts der Medioklavikularlinie mit dem rechten kaudalen Rippenbogen, der Korpus auf Höhe Th 12/L 1
- aus Zusammenfluss von Ductus hepaticus communis und Ductus cysticus entsteht der Ductus choledochus
- Ductus choledochus passiert das Duodenum auf der dorsalen Seite und zieht dann durch den Pankreaskopf hindurch
- vom Pankreaskopf zieht der Ductus choledochus, in den oft der Ductus pancreaticus mündet, zum absteigenden Anteil des Duodenums (Pars descendens): der Eintritt des Ductus choledochus erfolgt über die Papilla duodeni
- nervale Versorgung:
  - sympathisch aus dem Grenzstrangbereich Th 5(6)–Th 9(10) über den N. splanchnicus major bzw. minor
  - parasympathisch vom N. vagus
  - sensibel vom N. phrenicus
- arterielle Versorgung: A. cystica aus A. hepatica propria (aus A. hepatica communis, aus Truncus coeliacus)
- venöse Drainage: V. cystica → V. portae
- Lymphgefäße: verlaufen parallel zu den Blutgefäßen, münden in den Ductus thoracicus
- Bewegungsphysiologie nach Barral:
  - Mobilität: Beweglichkeit an Mobilität der Leber gekoppelt (keine eigene Mobilität)
  - Motilität: Ductus choledochus bei Ausatmung nach posterior-medial, dann nach anterior-lateral

Osteopathische Korrespondenzen

Die Beweglichkeit der Gallenblase kann durch die Lage des Peritoneums zwischen Leber und Gallenblase stark beeinflusst sein. In der Regel folgt die Gallenblase den Bewegungen der Leber.

Der Fundus der Gallenblase ist am rechten unteren Rippenbogen palpierbar. Wenn diese Gallenblasenregion vorsichtig palpiert und der Patient aufgefordert wird einzuatmen, bewegt sich die Gallenblase nach kaudal und drückt gegen die Finger des Untersuchers. Beendet der Patient die Inspiration schmerzbedingt abrupt, ist das Murphy-Zeichen positiv. Dies kann ein Hinweis auf eine Cholezystitis oder Cholelithiasis sein, was eine ärztliche Abklärung erforderlich macht.

Korrespondenzen bestehen zu folgenden Organen und Strukturen:

- Leber
- Duodenum (Pars superior und Pars descendens)
- Peritoneum viscerale
- Omentum majus, Omentum minus

Der Ductus choledochus steht in Verbindung mit:

- Pankreas
- Duodenum (Pars superior und Pars descendens)
- Papilla duodeni
- Lig. hepatoduodenale
- V. portae
- A. hepatica propria

Behandlungshinweise

Um den Abfluss der Gallenflüssigkeit zu verbessern, können Behandlungstechniken in Form von Vibration, Inhibition und/oder Zirkulation an der Papilla duodeni hilfreich sein. Auch die Dehnung der Gallenausführungsgänge durch Anheben der Leber kann den Gallenabfluss verbessern. Mobilisierende Techniken, die fibrotisches Gewebe (z. B. nach abgeklungener lokaler Entzündung) lösen, verbessern die Bewegung der Gallenblase. Die fasziale Behandlung der Gallenblase kann zusätzlich die zirkulatorische Versorgung verbessern.

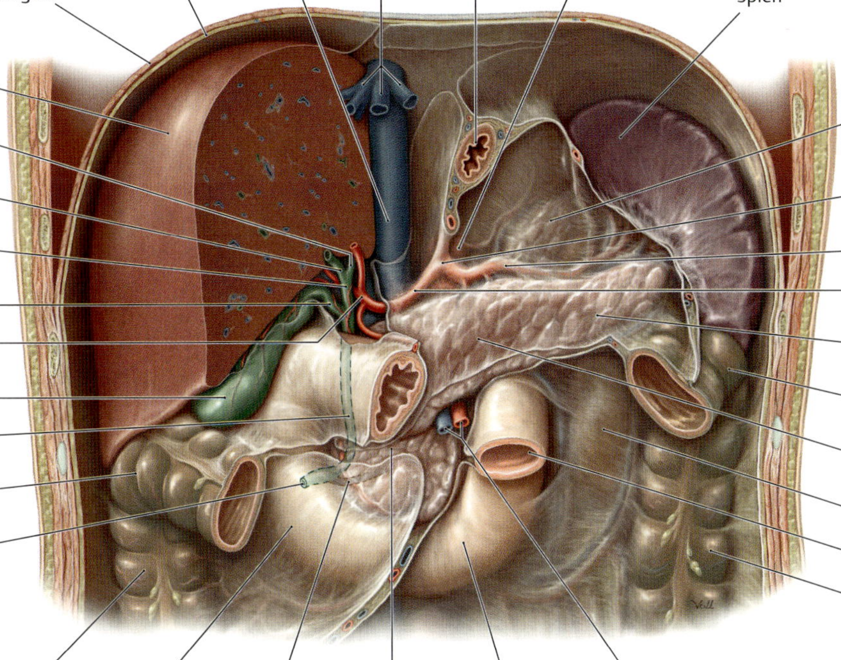

▸ **Abb. 2.46** Lage der Gallenblase und Verlauf der Gallenwege (Ansicht von ventral). (aus Schünke M, Schulte E, Schumacher U. Prometheus, LernAtlas der Anatomie. Innere Organe. Illustrationen von M. Voll und K. Wesker. 5. Auflage. Stuttgart: Thieme; 2018)

2.5.7 Magen (Gaster)

Anatomie

▸ Abb. 2.47, ▸ Abb. 2.49

- liegt intraperitoneal im linken Oberbauch unterhalb des Zwerchfells
- der Mageneingang liegt anterior 2 cm links der Medianlinie am Rippenbogen (linkes Kostochondralgelenk 7)
- das Antrum (Übergang vom Korpus zum Pylorus) ist die tiefste Stelle des Magens (Magenknie) und liegt links von L 2/L 3, bei starker Magenfüllung oder einer Ptose auch tiefer (L 4)
- der Pylorus befindet sich im Stand auf Höhe von L 3, im Liegen auch auf Höhe von L 1/L 2
- Omentum minus (entsteht aus dorsalem und ventralem Anteil der Peritonealdupplikaturen der Leber) zieht zur kleinen Kurvatura des Magens, am Rand der großen Kuvatura liegt das Lig. gastrocolicum, das dann wiederum der Übergang zum Omentum majus ist
- Kardia, Fundus (ligamentär verbunden mit Diaphragma) und Pylorus sind relativ fixiert, die übrigen Bereiche sind in ihrer Lage sehr variabel (abhängig vom Füllungszustand des Magen, von Lebensalter und Konstitution)
- ligamentäre Strukturen, die den Magen in seiner Position halten:
  - Omentum majus (Schürze des Peritoneums an der großen Kurvatur des Magens)
  - Lig. hepatogastricum (zwischen Leberpforte und kleiner Magenkurvatur), Lig. hepatooesophageale und Lig. hepatoduodenale (verbindet die Leber mit dem Magenpförtner und oberen Duodenum; darin verlaufen V. portae hepatis, A. hepatica propria und Ductus choledochus) als Teil des Omentum minus
  - Lig. gastrophrenicum (Umschlagfalte der beiden Peritonealblätter, die den Magen umgeben; setzt sich in Omentum minus und Lig. gastrosplenicum fort)
  - Lig. gastrocolicum (kaudale Fortsetzung des Lig. gastrosplenicum zwischen großer Magenkurvatur und Colon transversum)
  - Lig. gastrosplenicum (zwischen großer Magenkurvatur und Milzhilus)
  - Lig. phrenicocolicum (linksseitig)
- nervale Versorgung:
  - sympathisch aus dem Grenzstrangbereich Th 6–Th 9 über den N. splanchnicus major/minor
  - parasympathisch vom N. vagus
  - sensibel vom N. phrenicus (subdiaphragmales Peritoneum)
- arterielle Versorgung: zahlreiche Äste des Truncus coeliacus (Aa. gastricae dextra, sinistra und breves, Aa. gastroepiploicae dextra und sinistra, A. gastrica posterior)
- venöse Drainage: Vv. gastricae dextra und sinistra, Vv. omentales dextra und sinistra → V. portae
- Lymphabfluss über organnahe Lymphknoten, die in den Ductus thoracicus münden
- Bewegungsphysiologie nach Barral:
  - Mobilität in der Frontalebene: Bewegungsachse ist der Übergang kleine Magenkurvatur/Pylorus, bei Einatmung Bewegung nach kaudal-medial, bei Ausatmung nach kranial
  - Mobilität in der Transversalebene: Bewegungsachse ist das kaudale Ende der Speiseröhre, bei Einatmung Rotation nach medial
  - Mobilität in der Sagittalebene: Bewegungsachse ist der Mittelpunkt des Magens, bei Einatmung Kippung der oberen Anteile nach ventral, der kaudalen Anteile nach dorsal
  - Motilität: identisch mit Mobilitätsbewegungen

Myofasziale Wirkungsketten

Kap. 2.4.13

Osteopathische Korrespondenzen

Korrespondenzen bestehen zu folgenden Organen und Strukturen:

- Diaphragma abdominale (darüber zu Herz, Perikard, Lunge und Pleura)
- Ösophagus (über Raphe pharyngis Verbindung zur SSB)
- Leber
- Milz
- linke Niere
- Pankreas
- Bursa omentalis
- Truncus coeliacus, Plexus coeliacus
- Colon transversum
- linke Kolonflexur
- Mesocolon transversum
- Flexura duodenojejunalis
- Duodenum Pars ascendens
- 5.–8. linke Rippe

Das Perikard und der Magen korrespondieren insbesondere über ihre ligamentären Verbindungen zum Zwerchfell (Ligg. phrenicopericardiaca, Lig. gastrophrenicum).

Der Bereich des Magens zwischen den drei Punkten Kardia, Fundus und Pylorus ist gut verschieblich, um die unterschiedlichen Füllungszustände des Magens und eine gute Durchmischung des Speisebreis möglich zu machen. Eine verminderte Verschieblichkeit kann zu funktionellen Störungen des Magens führen.

Tonuserhöhungen in der Magenwand können die Sekretion der Magenschleimhaut beeinflussen. Die Stoffwechselleistung kann beeinträchtigt werden, was zu Reizungen (Gastritis) führen kann.

Über die sympathische Innervation besteht eine Verbindung zwischen Magen und Th 6–Th 9. Bei einem fazilitierten Segment können sich bei einer osteopathischen Dysfunktion des Magens Gruppendysfunktionen in den Segmenten Th 6–Th 9 zeigen.

Der N. phrenicus versorgt u. a. das subdiaphragmale Peritoneum, mit dem der Magen in Verbindung steht. Bei einer Fazilitation sind dann die HWS-Segmente 3–5 betroffen. Damit sind auch nervale Strukturen betroffen, welche die obere Extremität versorgen. Typische Pathologien sind in diesem Zusammenhang Zervikobrachialgien links und Kopfschmerzen.

Bei einer Magenptose oder einem Spasmus kann es durch die Lage zu Dysfunktionen der oberen LWS kommen (Kap. 2.4.12, Kap. 2.5.8).

Behandlungshinweise

Dysfunktionale Spannungen in der ligamentären Aufhängung des Magens können mit verschiedenen mobilisierenden Techniken behandelt werden.

Bei der Behandlung einer Hiatushernie sollten u. a. die Zentralsehne und die funktionellen Übergänge der Wirbelsäule berücksichtigt werden. Gerade die Zentralsehne ist für die Behandlung des Magens sinnvoll, da über die Verbindung Ösophagus, Larynx und Pharynx zur SSB kraniale Dysfunktionen mit einer Dysfunktion des Magens einhergehen können. In diesem Zusammenhang ist auch auf die Körperhaltung zu achten, die bei einer stark kyphotischen Haltung in der BWS zum einen die Atemmechanik des Thorax beeinträchtigen und zum anderen die Spannungsverhältnisse in der Zentralsehne beeinflussen kann.

Bei Dysfunktionen des Magens ist auf einen erhöhten Tonus des Pylorus zu achten. Es bieten sich dann Vibrations- oder Inhibitionstechniken am Pylorus an.

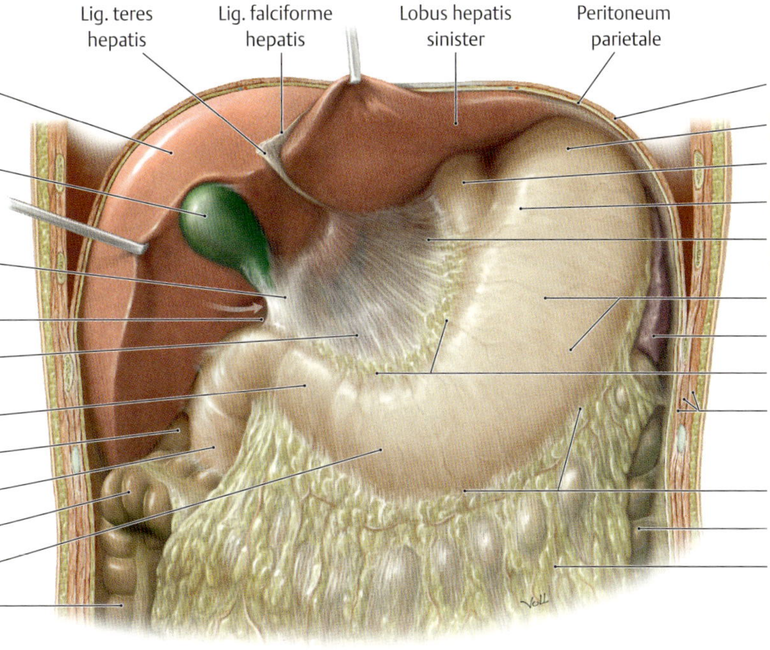

▶ **Abb. 2.47** Lage des Magens und Omentum minus (Ansicht von ventral). (aus Schünke M, Schulte E, Schumacher U. Prometheus, LernAtlas der Anatomie. Innere Organe. Illustrationen von M. Voll und K. Wesker. 5. Auflage. Stuttgart: Thieme; 2018)

2.5.8 Bursa omentalis und Omentum minus

Anatomie

▶ Abb. 2.48, ▶ Abb. 2.49

- größter Spaltraum des Peritonealraums
- liegt hinter Omentum minus und Magen
- an der Rückfläche verlaufen Aorta und V. cava inferior
- physiologische Öffnung ist das Foramen omentale (epiploicum)
- Wandbegrenzungen:
  - dorsal: Pankreas, Aorta, Truncus coeliacus, A. und V. splenica, linke Nebenniere, oberer Pol der linken Niere
  - kranial: Leber
  - kaudal: Mesocolon transversum
  - ventral: Omentum minus, Magenhinterwand, Lig. gastrocolicum
  - rechts: Leber, Pars superior des Duodenums
  - links: Milz, Lig. gastrosplenicum
- Omentum minus:
  - kleine Bauchfellduplikatur, die von der Leber zum Magen und Duodenum verläuft
  - Lig. hepatoduodenale: enthält Ductus choledochus, A. hepatica propria, V. portae
  - Lig. hepatogastricum: enthält A. hepatica propria, A. gastrica sinistra und A. gastrica dextra
  - ventrale Begrenzung der Bursa omentalis

Osteopathische Korrespondenzen

Durch die dynamischen Wachstumsveränderungen der Oberbauchorgane entsteht die Bursa omentalis. Die Lage des Magens zur Bursa omentalis ist für die Magenbewegung wichtig. Die Bursa omentalis dient als Gleitlager und mündet kranial im Lig. gastrophrenicum, das sich u. a. in das Omentum minus fortsetzt. Damit ist der Magenfundus wie an einem Haken über das Omentum minus kaudal an der Leber und am Diaphragma abdominale aufgehängt. Nach lateral setzt sich auf Höhe der linken Niere das Lig. gastrophrenicum in das Lig. gastrosplenicum fort.

Eine Magenptose kann somit zum Zwerchfelltiefstand führen und die Spannung von Bursa omentalis und Omentum minus beeinflussen. Auch Störungen der zirkulatorischen Strukturen sind denkbar. Durch das ligamentäre Kontinuum von Lig. gastrophrenicum, Zwerchfell und Lig. phrenicopericardiacum kann es zum unphysiologischen Zug auf das Perikard kommen. Vegetative Entgleisungen (N. vagus) und Schmerzen (sensible Versorgung über N. phrenicus) sind möglich. Umgekehrt kann ein Zwerchfelltiefstand auch einen erhöhten Druck auf die Oberbauchorgane verursachen und die zirkulatorische Drainage des Bauchraums beeinträchtigen.

Das Foramen omentale ist die einzige Durchtrittspforte der Bursa omentalis zur Peritonealhöhle. Die Bursa omentalis kann Flüssigkeit aufnehmen und sich vergrößern (z. B. bei Blutungen, die nach einem perforierten Magenulkus auftreten) (Kap. 2.5.4, Kap. 2.5.7).

Behandlungshinweise

Die Bursa omentalis ist für eine osteopathische Behandlung besonders interessant, weil sie zum einen die dorsale Gleitfläche des Magens bildet und zum anderen durch ihre Lage mit dem Peritoneum parietale diaphragmale, Peritoneum parietale posterior und der Nierenfaszie links in Verbindung steht.

Die Dehnung des Omentum minus hat einen reflektorischen Effekt auf die Zirkulation im Lig. hepatoduodenale. Durch diese Technik können die Gleiteigenschaften dieses spaltförmigen Verschieberaums verbessert werden.

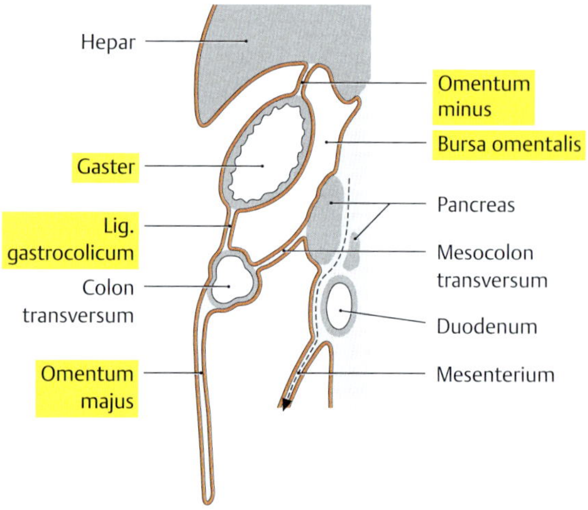

▶ **Abb. 2.48** Form und Lage der Bursa omentalis (Sagittalschnitt, Ansicht von links). (aus Schünke M, Schulte E, Schumacher U. Prometheus, LernAtlas der Anatomie. Innere Organe. Illustrationen von M. Voll und K. Wesker. 5. Auflage. Stuttgart: Thieme; 2018)

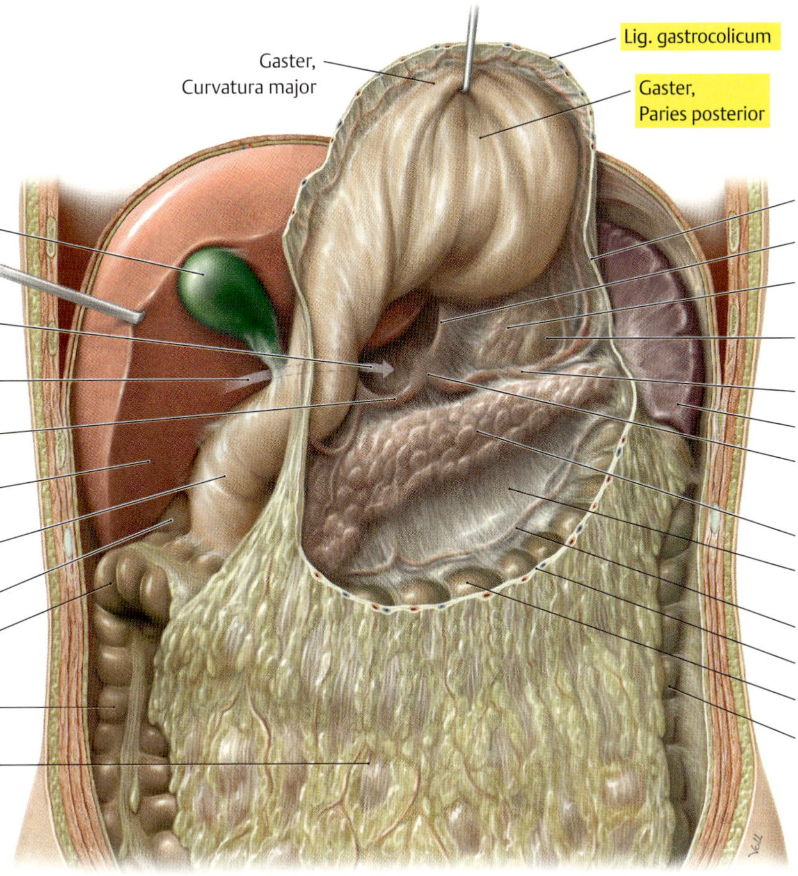

▸ **Abb. 2.49** Bursa omentalis und Aufhängungen des Magens (Ansicht von ventral). (aus Schünke M, Schulte E, Schumacher U. Prometheus, LernAtlas der Anatomie. Innere Organe. Illustrationen von M. Voll und K. Wesker. 5. Auflage. Stuttgart: Thieme; 2018)

2.5.9 Milz (Splen, Lien)

Anatomie

▸ Abb. 2.50, ▸ Abb. 2.51

- liegt intraperitoneal auf Höhe der 9.–11. Rippe in der Regio hypochondriaca links
- die Milzloge ist durch das Lig. phrenicocolicum sinistrum und das Lig. splenocolicum (Teil des Omentum majus) begrenzt
- ligamentäre Strukturen, welche die Milz in ihrer Position halten:
  - Lig. splenorenale: zwischen Milzhilus und linker Niere
  - Lig. gastrosplenicum: zwischen Magen und Milz
  - Lig. splenocolicum: zwischen Milz und linker Kolonflexur
  - Lig. phrenicosplenicum: zwischen Diaphragma und Milz
- nervale Versorgung:
  - sympathisch aus dem Grenzstrangbereich Th 5–Th 9 über den N. splanchnicus major bzw. minor
  - parasympathisch vom N. vagus (Foramen jugulare)
- arterielle Versorgung: A. splenica aus dem Truncus coeliacus
- venöse Drainage: V. splenica → V. portae
- Lymphgefäße verlaufen parallel zu den Blutgefäßen und münden in den Ductus thoracicus
- Bewegungsphysiologie nach Barral:
  - Mobilität: bei Einatmung Verlagerung nach kaudal-medial

Osteopathische Korrespondenzen

Die Milz ist ein Organ, das zum Immunsystem gehört. Sie entsorgt defekte bzw. alte Blutzellen (z. B. Erythrozyten) und Immunkomplexe. Gleichzeitig dient sie aber auch als Speicher von Erythrozyten und Thrombozyten. Es handelt sich um ein sehr gut durchblutetes Organ.

Durch die Lage links des Magens und durch die Stützung durch das Lig. phrenicocolicum sinistrum ist die Mobilität der Milz der des Magens sehr ähnlich. Beim Einatmen gleitet sie nach kaudal und medial.

Bei einer Splenomegalie (pathologische Milzvergrößerung) kann es zu Spannungen im Peritoneum kommen. Es drückt auf Magen und Kolon und kann „Seitenstechen“ provozieren. Eine Splenomegalie muss immer ärztlich abgeklärt werden.

Behandlungshinweise

Zirkulatorische Techniken für die Milz können das Immunsystem unterstützen.

Die Milz kann mit dem Dichtetest untersucht werden. Für die Technik „Milzpumpe“ gibt es verschiedene Möglichkeiten der Handhaltung. Bedenkt man die räumliche Lage der Milz – links unter dem Zwerchfell, lateral von linker Niere (anterior) und Magen (posterior) sowie oberhalb der linken Kolonflexur –, ergibt sich, dass bei dieser Technik eine Hand lateral-dorsal über die Rippenbögen gelegt werden kann. Da die 10. Rippe ungefähr der Längsachse der Milz entspricht, kann man die rhythmischen Oszillationen in Richtung der 10. Rippe weiter differenzieren.

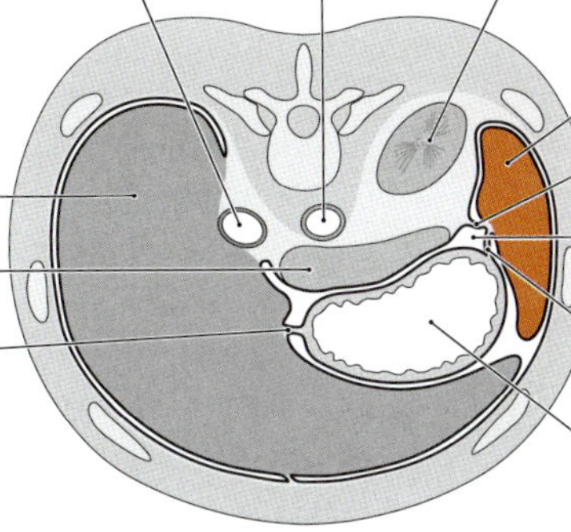

▶ **Abb. 2.50** Lage der Milz (Ansicht von kranial). (aus Schünke M, Schulte E, Schumacher U. Prometheus, LernAtlas der Anatomie. Innere Organe. Illustrationen von M. Voll und K. Wesker. 5. Auflage. Stuttgart: Thieme; 2018)

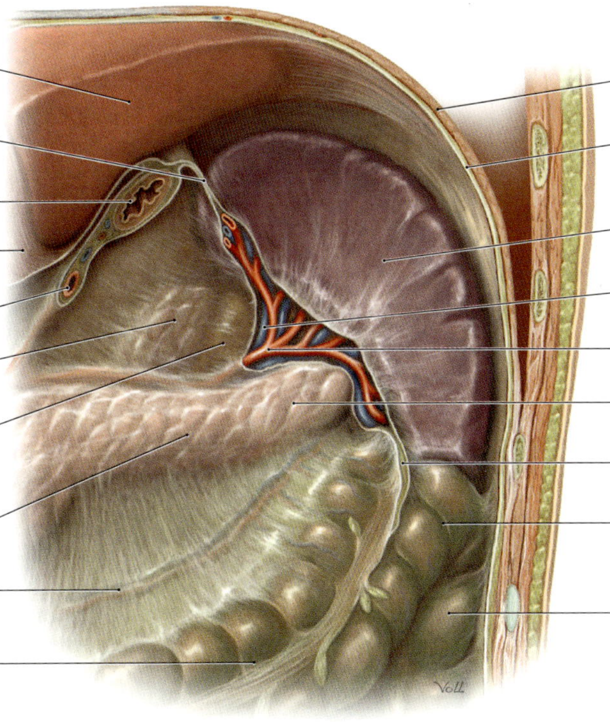

▶ **Abb. 2.51** Lage der Milz im linken Oberbauch (Ansicht von ventral nach Entfernung des Magens). (aus Schünke M, Schulte E, Schumacher U. Prometheus, LernAtlas der Anatomie. Innere Organe. Illustrationen von M. Voll und K. Wesker. 5. Auflage. Stuttgart: Thieme; 2018)

2.5.10 Dünndarm: Jejunum und Ileum

Anatomie

▶ Abb. 2.52

- durch Hochklappen des Omentum majus mitsamt dem Colon transversum werden Jejunum und Ileum sichtbar
- sind von den einzelnen Abschnitten des Kolons eingerahmt
- Jejunum: ca. 2 m lang, eher links der Wirbelsäule im kranialen Bereich des Abdomens intraperitoneal gelegen
- Ileum: ca. 3 m lang, eher rechts der Wirbelsäule vermehrt kaudal intraperitoneal gelegen, endet an Ileozäkalklappe (Übergang zum Kolon)
- umfangreiche topografische Beziehungen von Jejunum und Ileum nach dorsal:
  - dorsales parietales Peritoneum
  - Nieren
  - Ureter
  - Duodenum
  - Aorta
  - V. cava inferior
  - Vasa iliaca communia
  - Colon descendens und Colon ascendens
- nervale Versorgung:
  - sympathisch von postganglionären Ästen des Ganglion mesentericum superius (der Nervenplexus verläuft entlang der versorgenden Gefäße)
  - parasympathisch vom N. vagus
- arterielle Versorgung: Aa. jejunales, Aa. ileales und A. ileocolica aus A. mesenterica superior
- venöse Drainage: Vv. jejunales, Vv. ileales und V. ileocolica → V. mesenterica superior → V. portae
- Lymphgefäße verlaufen parallel zu Blutgefäßen, münden über die Cisterna chyli in den Ductus thoracicus
- Bewegungsphysiologie nach Barral:
  - Mobilität: in Form der Darmperistaltik
  - Motilität: bei Ausatmung Drehung des gesamten Darmkonvoluts im Uhrzeigersinn

Osteopathische Korrespondenzen

Dysfunktionen können am Übergang vom Duodenum und Jejunum im Bereich des Lig. suspensorium duodeni (Treitz-Band) entstehen, wenn es dort zu Adhäsionen oder unphysiologischen Spannungen kommt. Dieses Band verläuft von der Flexura duodenojejunalis zum Hiatus aorticus, Truncus coeliacus und zur A. mesenterica superior. Es enthält oft glatte Muskelfasern (M. suspensorius duodeni). Über die Aufhängung an Strukturen des Zwerchfells (Hiatus aorticus) können sich Dysfunktionen im Diaphragma auf das Ligament übertragen und die Passage zwischen Duodenum und Jejunum gegebenenfalls beeinträchtigen. Ebenso können sich Dünndarmschlingen zwischen das Band und die dahinter liegenden Gefäße (v. a. Aorta) wickeln und werden eingeklemmt (Treitz-Hernie).

Der Dünndarm hat über zahlreiche fasziale Gleitflächen einen engen Kontakt zu den umliegenden Organen wie Leber, Gallenblase, Pankreas, Niere, Kolon, Zäkum und Harnblase. Dysfunktionen dieser Organe können die Bewegungen des Dünndarms negativ beeinflussen. Eine Darmptose kann durch Operationen im Abdomen oder Beckenbereich begünstigt werden, insbesondere bei Ektomien. Narben können durch Verwachsungen räumlich und faszial die Lage und die Mobilität des Dünndarms beeinflussen (Kap. 2.5.3).

Eine sympathikotone Reaktionslage kann Einfluss auf die Spannung verschiedener Sphinkter im Verdauungstrakt haben. Für den Dünndarm ist hier an den Sphincter oddi und die Bauhin-Klappe zu denken. Dysfunktionen des Dünndarms können auch über eine Fehlbesiedlung der Darmflora entstehen.

Behandlungshinweise

Bei einer tiefen Lordose im oberen LWS-Bereich sollten die Mobilität des Dünndarms und seine Aufhängung (Radix mesenterii) untersucht werden. Osteopathische Dysfunktionen des Dünndarms können zu unphysiologischen Spannungen führen und die Statik der LWS beeinflussen. Die kaudale Peritoneumgrenze ist dabei auch auf Elastizität und Mobilität zu prüfen.

Zirkulatorische Techniken mit dem Ziel des vegetativen Ausgleichs über die präaortalen Plexus (Plexus coeliacus, Plexus mesentericus superior und inferior) erfolgen über die Bauchdecke. Sie können auch die venöse und lymphatische Situation des Dünndarms verbessern.

Die Mobilisation der Dünndarmschlingen kann bei Adhäsionen zwischen Darmschlingen und Bauchwand nach Operationen hilfreich sein.

Eine Entspannung des Abdomens ist durch die Behandlung der Flexura duodenojejunalis möglich. Dafür bieten sich Vibrations- und Inhibitionstechniken an.

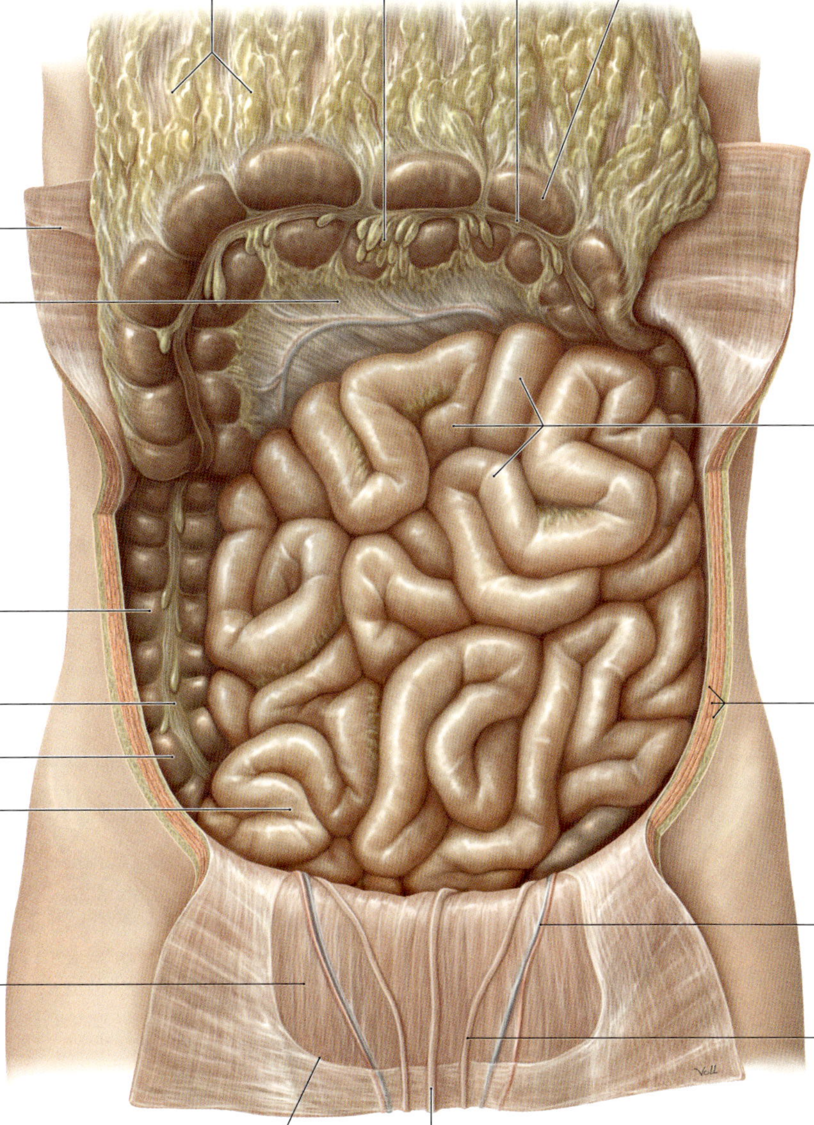

▸ **Abb. 2.52** Die Schlingen von Jejunum und Ileum füllen den ganzen zentralen Bereich der Peritonealhöhle unterhalb des Mesocolon transversum aus (Ansicht von ventral nach Anheben des Colon transversum). (aus Schünke M, Schulte E, Schumacher U. Prometheus, LernAtlas der Anatomie. Innere Organe. Illustrationen von M. Voll und K. Wesker. 5. Auflage. Stuttgart: Thieme; 2018)

2.5.11 Dickdarm (Colon)

Anatomie

▶ Abb. 2.53, ▶ Abb. 2.54

- gliedert sich in unterschiedliche **Abschnitte:**
  - **Zäkum:** liegt intraperitoneal in der rechten Fossa iliaca; dort mündet das terminale Ileum; die Ileozäkalklappe (liegt auf Höhe des McBurney-Punktes = mittleres Drittel einer Linie zwischen Nabel und SIAS) verhindert den Rückstrom von Dickdarminhalt in das Ileum
  - **Appendix vermiformis:** Fortsatz des Zäkums; sehr variable Lage (teils hinter dem Zäkum, dann absteigend); das kaudale Ende liegt auf Höhe des Lanz-Punktes (Verbindungslinie zwischen den beiden SIAS, rechtes Drittel), der Übergang zum Zäkum auf dem McBurney-Punkt
  - **Colon ascendens:** aufsteigender Anteil des Dickdarms; liegt retroperitoneal lateral vom M. rectus abdominis
  - **Colon transversum:** liegt intraperitoneal; zwischen rechter und linker Kolonflexur aufgespannt; viele Lagevarianten, weil es sehr verschiebbar ist
  - **Colon descendens:** absteigender Anteil des Dickdarms; liegt retroperitoneal und weiter dorsal als die Pars ascendens; zieht teilweise am lateralen Rand des M. psoas major entlang; geht auf Höhe der linken Crista iliaca in das Colon sigmoideum über
  - **Colon sigmoideum:** liegt intraperitoneal; hat einen aufsteigenden Verlauf medial des M. psoas major bis zum Promontorium ossis sacralis, um dann nach kaudal dorsal-medial Richtung Rektum abzusteigen (Kap. 3.4.18)
  - **Rektum:** liegt retroperitoneal (proximaler Teil) bzw. extraperitoneal (distaler Teil); verläuft auf Höhe des Kreuzbeins (von S 3) weiter kaudal zum Os coccygis (Kap. 3.4.8)
- ligamentäre Strukturen, die das Kolon in seiner Position halten:
  - Zäkum: im oberen Anteil über die Toldt-Faszie (Verschmelzung der dorsalen Bauchwand mit dem dorsalen Peritoneum parietale; eine kompakte bindegewebige Struktur, die Colon ascendens und Colon descendens von dorsal fixiert), inferior-medial über einen Teil des Mesenteriums
  - Colon ascendens: posterior über die Toldt-Faszie
  - rechte Kolonflexur: über Lig. hepatocolicum, Lig. cystoduodenale und Lig. phrenicocolicum (etwas global formuliert: ein Band von der Leber kommend, eines von Duodenum und Galle und eines vom Zwerchfell)
  - Colon transversum: über das Mesocolon transversum, Lig. gastrocolicum
  - linke Kolonflexur: über das Lig. phrenicocolicum sinistrum
  - Colon descendens: über die Toldt-Faszie
  - Sigmoideum: über das Mesocolon sigmoideum
  - Rektum: über den Beckenboden
- nervale Versorgung:
  - sympathisch: über die Nn. splanchnici lumbales über den Plexus hypogastricus inferior, teilweise über Nn. splanchnici major und minor (Ganglion mesentericum superius)
  - parasympathisch:
    - bis zum Cannon-Böhm-Punkt über den N. vagus
    - ab dem Cannon-Böhm-Punkt über die Nn. splanchnici pelvici aus den Segmenten S 2–S 4 über den Plexus hypogastricus inferior
- arterielle Versorgung: Äste der A. mesenterica superior und A. mesenterica inferior aus der Aorta
- venöse Dränage: V. mesenterica superior und V. mesenterica inferior → V. portae
- die Lymphgefäße verlaufen parallel zu den Blutgefäßen und münden über die Cisterna chyli in den Ductus thoracicus
- Bewegungsphysiologie nach Barral:
  - Mobilität in der Frontal- und Sagittalebene: beweglichste Bereiche sind Colon transversum und Colon sigmoideum, das Zwerchfell bewegt über die direkte Verbindung (Lig. phrenicocolicum) die Kolonflexuren, bei Einatmung Kolonflexuren in der Frontalebene nach kaudal medial und Colon transversum nach inferior, in Sagittalebene Bewegung nach anterior-kaudal
  - Motilität: transversale Bewegung jedes Darmabschnitts auf seiner parietalen Befestigung (Faszie von Toldt, Mesocolon), mediolaterale bzw. superior-inferiore (für das Colon transversum) konkave Verformung in der Frontalebene, Rotation um die Längsachse des Kolons

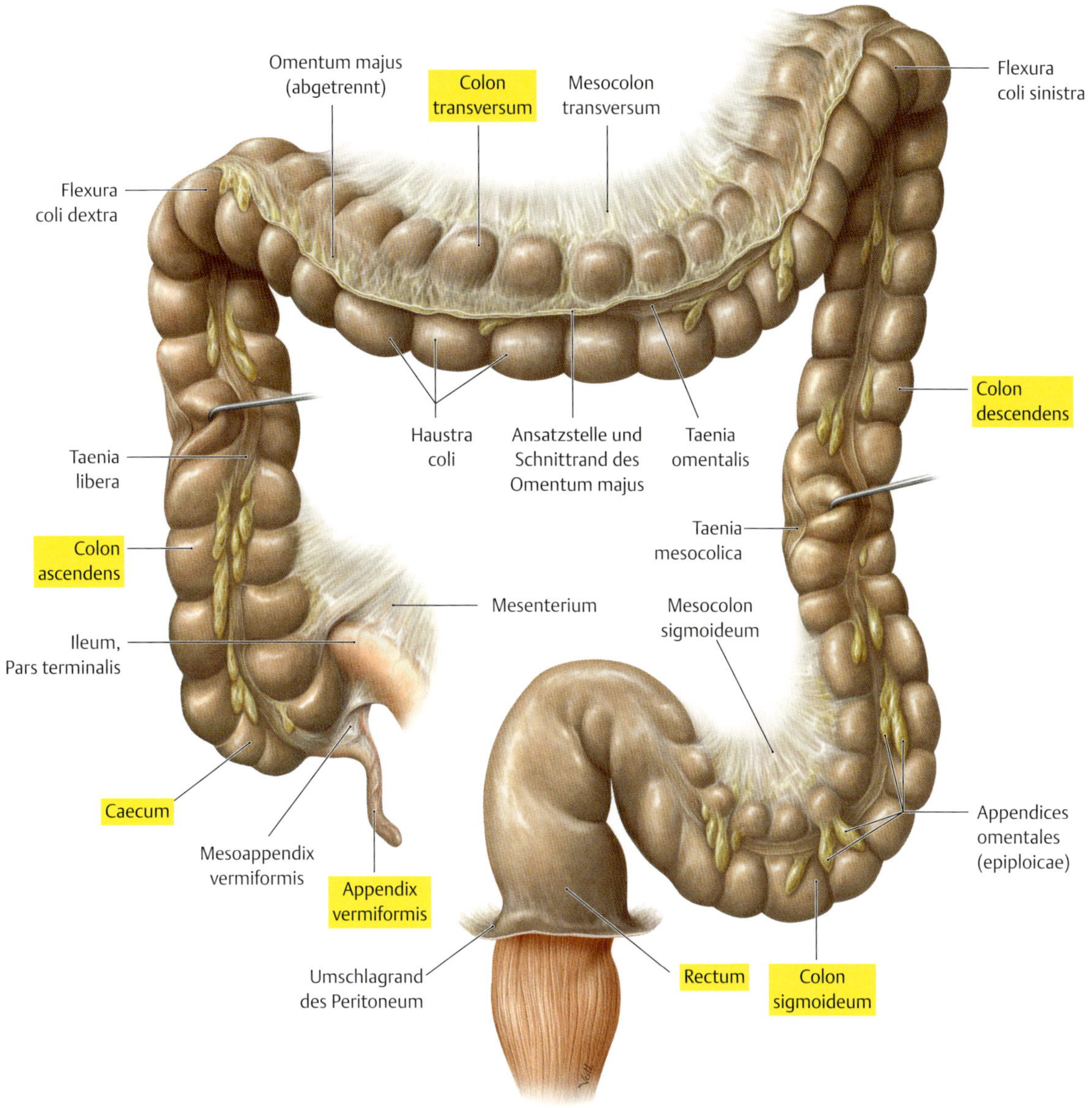

► **Abb. 2.53** Abschnitte des Dickdarms (Ansicht von ventral). (aus Schünke M, Schulte E, Schumacher U. Prometheus, LernAtlas der Anatomie. Innere Organe. Illustrationen von M. Voll und K. Wesker. 5. Auflage. Stuttgart: Thieme; 2018)

Osteopathische Korrespondenzen

Aufgrund der komplexen nervalen Versorgung lassen sich periphere Schmerzsymptome bei einer akuten Erkrankung erklären (fazilitiertes Segment). Die Lagebeziehungen veranschaulichen, wie weitreichend sich Dysfunktionen aus den einzelnen Kolonanteilen auf die korrespondierenden Strukturen auswirken können:

- Zäkum: zu Dünndarm, M. iliopsoas, Fascia iliaca, Peritoneum (dorsal), Lig. inguinale, N. cutaneus femoris lateralis, N. femoralis, N. genitofemoralis
- Appendix: zu Dünndarm, Zäkum, je nach Lage auch zu Ovar, Harnblase oder Rektum
- Colon ascendens: zu Dünndarm, Leber, M. quadratus lumborum, Fascia iliaca, rechter Niere, Pars descendens des Duodenums, Diaphragma, N. subcostalis, N. iliohypogastricus, N. ilioinguinalis, 11. Rippe
- rechte Kolonflexur: zu Leber, rechter Niere, Lig. phrenicocolicum, Pars descendens des Duodenums, Diaphragma
- Colon transversum: zu Leber, Omentum majus, Magen, Gallenblase
- linke Kolonflexur: zu 8./9. Rippe, Magen, Milz, Diaphragma, lateraler Bauchwand, Lig. phrenicocolicum
- Colon descendens: zu 10./11. Rippe, Dünndarm, linker Niere, dorsaler Bauchwand, N. subcostalis, N. iliohypogastricus, N. ilioinguinalis
- Colon sigmoideum: zu Dünndarm, M. iliacus, Fascia iliaca, N. cutaneus femoralis lateralis, Uterus, linkem Ovar, Harnblase

Gerade das Colon sigmoideum, das bei Obstipation einen massiven Druck auf die Organe des kleinen Beckens ausüben kann, kann nervale Strukturen beeinträchtigen und so zu Beschwerden im Versorgungsgebiet des N. cutaneus femoralis lateralis links führen. Für Zäkum und Colon descendens ist eine ähnliche dysfunktionale Auswirkung auf die beteiligten Nerven denkbar. Über die Verbindung von Zäkum und M. iliopsoas ist eine Dysfunktion des ISG und oder oberer/unterer LWS möglich (Kap. 2.5.3).

Behandlungshinweise

Adhäsionen im Bereich des Kolons können durch mobilisierende Techniken in allen Aufhängeeinrichtungen des Organs gelöst werden. Eine verminderte Peristaltik kann durch Behandlungstechniken, die dem vegetativen Ausgleich dienen, aktiviert werden.

Myofascial-Release-Techniken können bei der Kolonbehandlung mit der Atmung gut kombiniert werden. Adhäsionen lassen sich mit der Testung der Verschieblichkeit des Kolons erfassen.

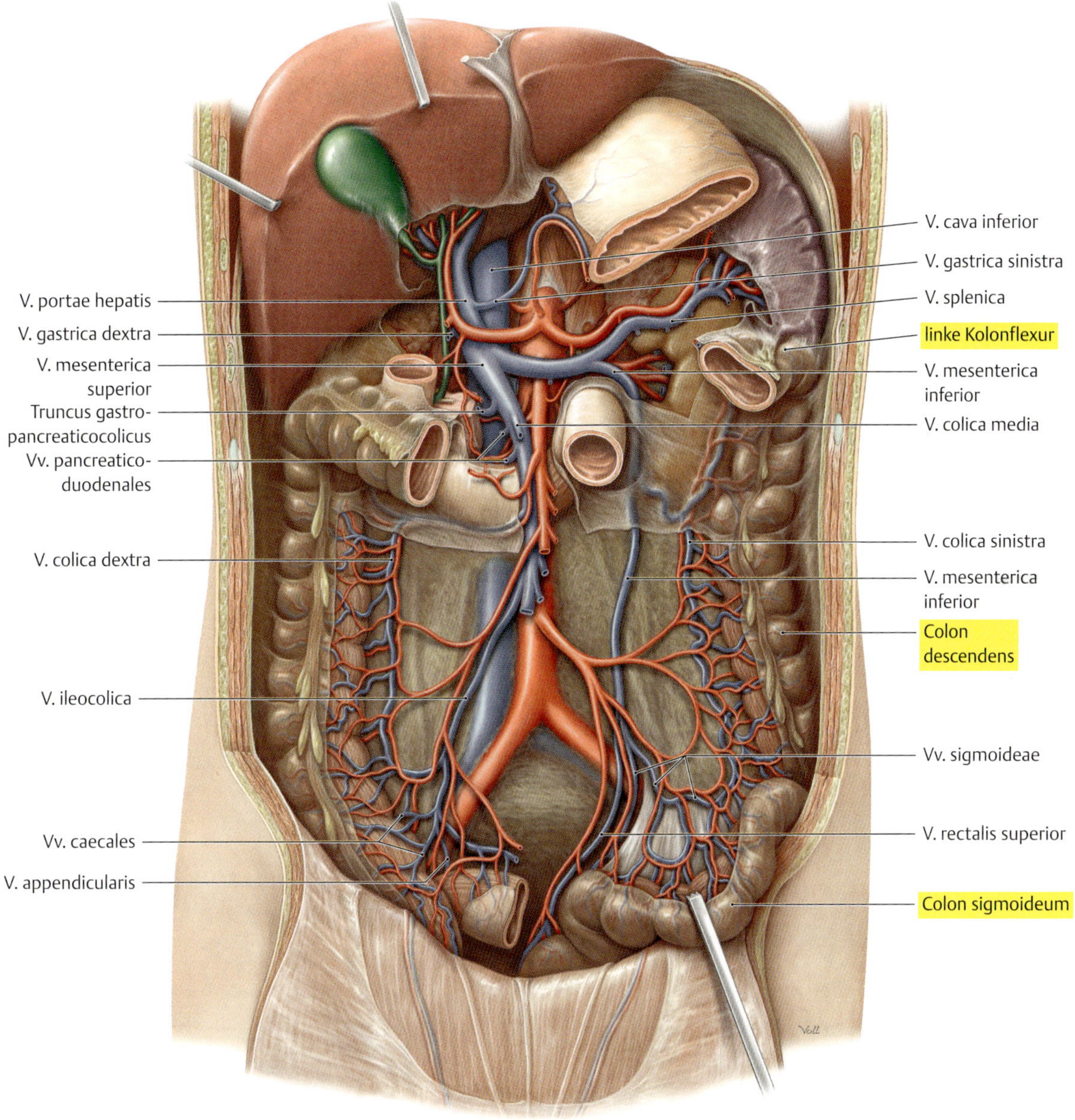

▸ **Abb. 2.54** Lage des Kolons (Ansicht von ventral). (aus Schünke M, Schulte E, Schumacher U. Prometheus, LernAtlas der Anatomie. Innere Organe. Illustrationen von M. Voll und K. Wesker. 5. Auflage. Stuttgart: Thieme; 2018)

2.5.12 Retroperitonealraum

Anatomie

▶ Abb. 2.56

- Bindegewebsraum, der zwischen der hinteren Bauchwand und dem Peritoneum parietale liegt
- primär retroperitoneal liegen: rechte und linke Niere, rechte und linke Nebenniere, linker und rechter Ureter
- sekundär retroperitoneal liegen (d.h. ursprünglich intraperitoneal gelegen, während der Embryonalentwicklung aber nach retroperitoneal verlagert): Pankreas, Duodenum (Pars descendens, Pars horizontalis, teilweise Pars ascendens), Colon ascendens und descendens, Zäkum (variabel), Rektum bis zur Flexura sacralis
- Gefäße im Retroperitonealraum: Aorta, V. cava inferior, Vv. lumbales ascendentes, V. portae hepatis, Trunci lumbales, Cisterna chyli
- Nerven: Äste des Plexus lumbalis, Truncus sympathicus, vegetative Ganglien und Plexus

Osteopathische Korrespondenzen

Besonders die Gleiteigenschaften der Niere im Zusammenhang mit der Psoasfaszie sind aus osteopathischer Sicht besonders wichtig (Kap. 2.5.15).

2.5.13 Dünndarm: Duodenum

Anatomie

▶ Abb. 2.55

- Abschnitte:
  - Pars superior
  - Pars descendens: mit Mündung von Ductus pancreaticus accessorius an der Papilla duodeni minor sowie Ductus pancreaticus und Ductus choledochus an der Papilla duodeni major (Papilla Vateri)
  - Pars inferior oder horizontalis
  - Pars ascendens
- liegt wie ein „C" rechtsseitig der Wirbelsäule und reicht von LWK1 bis LWK3
- nur die Pars superior liegt intraperitoneal, die anderen Teile liegen retroperitoneal
- der Pankreaskopf liegt auf Höhe von LWK2 in der Konkavität des Duodenums
- Aufhängung:
  - Lig. hepatoduodenale
  - Lig. suspensorium duodeni (Treitz-Band)
- nervale Versorgung:
  - sympathisch aus Th 9–Th 12 über N. splanchnicus minor zum Plexus coeliacus und Plexus mesenterícus superior
  - parasympathisch vom N. vagus

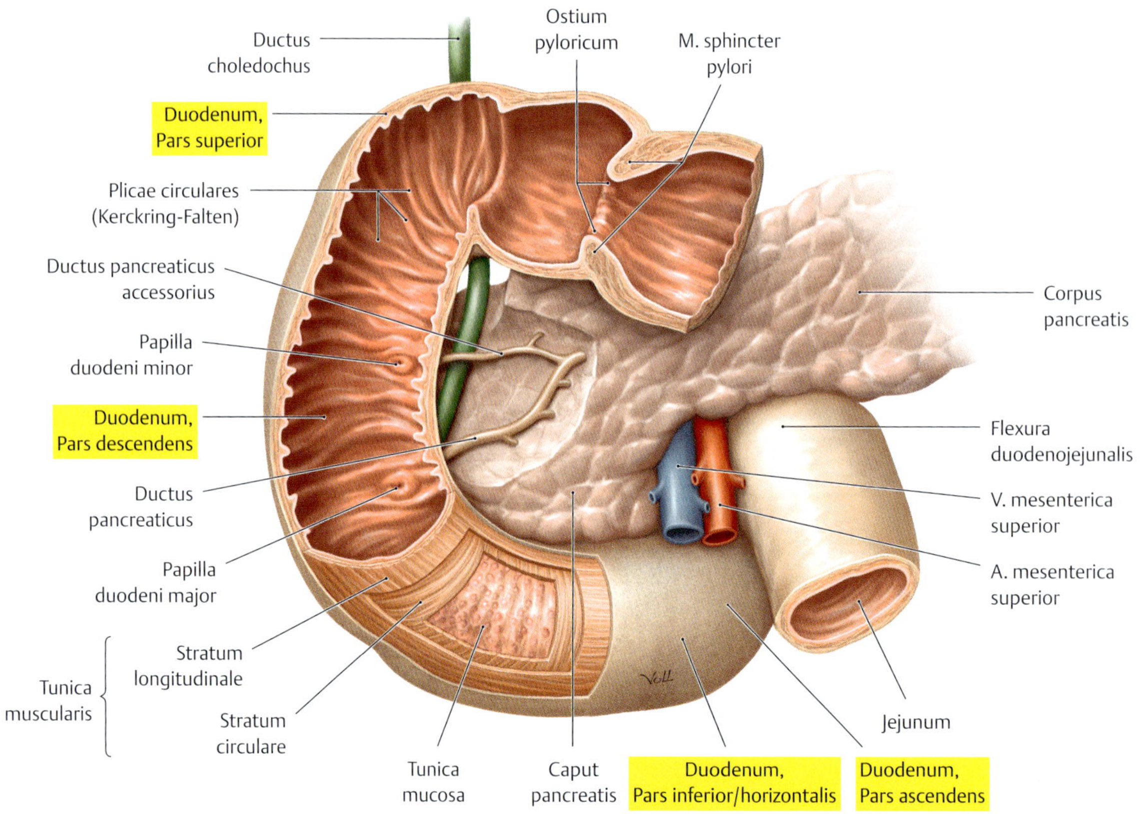

▶ **Abb. 2.55** Lage und Abschnitte des Duodenums (Ansicht von ventral). (aus Schünke M, Schulte E, Schumacher U. Prometheus, LernAtlas der Anatomie. Innere Organe. Illustrationen von M. Voll und K. Wesker. 5. Auflage. Stuttgart: Thieme; 2018)

- arterielle Versorgung: A. gastroduodenalis mit Aa. pancreaticoduodenales superior, anterior und posterior (indirekte Äste des Truncus coeliacus), A. pancreaticoduodenalis inferior aus der A. mesenterica superior
- venöse Drainage: Vv. pancreaticoduodenalis → V. portae
- Lymphgefäße verlaufen parallel zu Blutgefäßen, münden über die Cisterna chyli in den Ductus thoracicus
- Bewegungsphysiologie nach Barral:
  - Mobilität: geringes Kaudalgleiten, Motor dieser Bewegung ist das Zwerchfell
  - Motilität: bei Ausatmung nähert sich Pars superior der Pars ascendens an (das Duodenum-„C" wird enger)

Osteopathische Korrespondenzen

Aufgrund dieser komplexen nervalen Versorgung lassen sich periphere Schmerzsymptome bei einer akuten Erkrankung erklären (fazilitiertes Segment). Besonders Dysfunktionen im thorakolumbalen Übergang (Th 12–L 2) der Wirbelsäule sind typisch. Das Duodenum ist für die intraperitonealen Strukturen die Fixation am posterioren Peritoneum.

Behandlungshinweise

Insbesondere für die Zirkulation bieten sich Diaphragmatechniken, Leberpumpe, Dehnung des Lig. hepatoduodenale und eine Lymphdrainage an Thorax und Abdomen an.

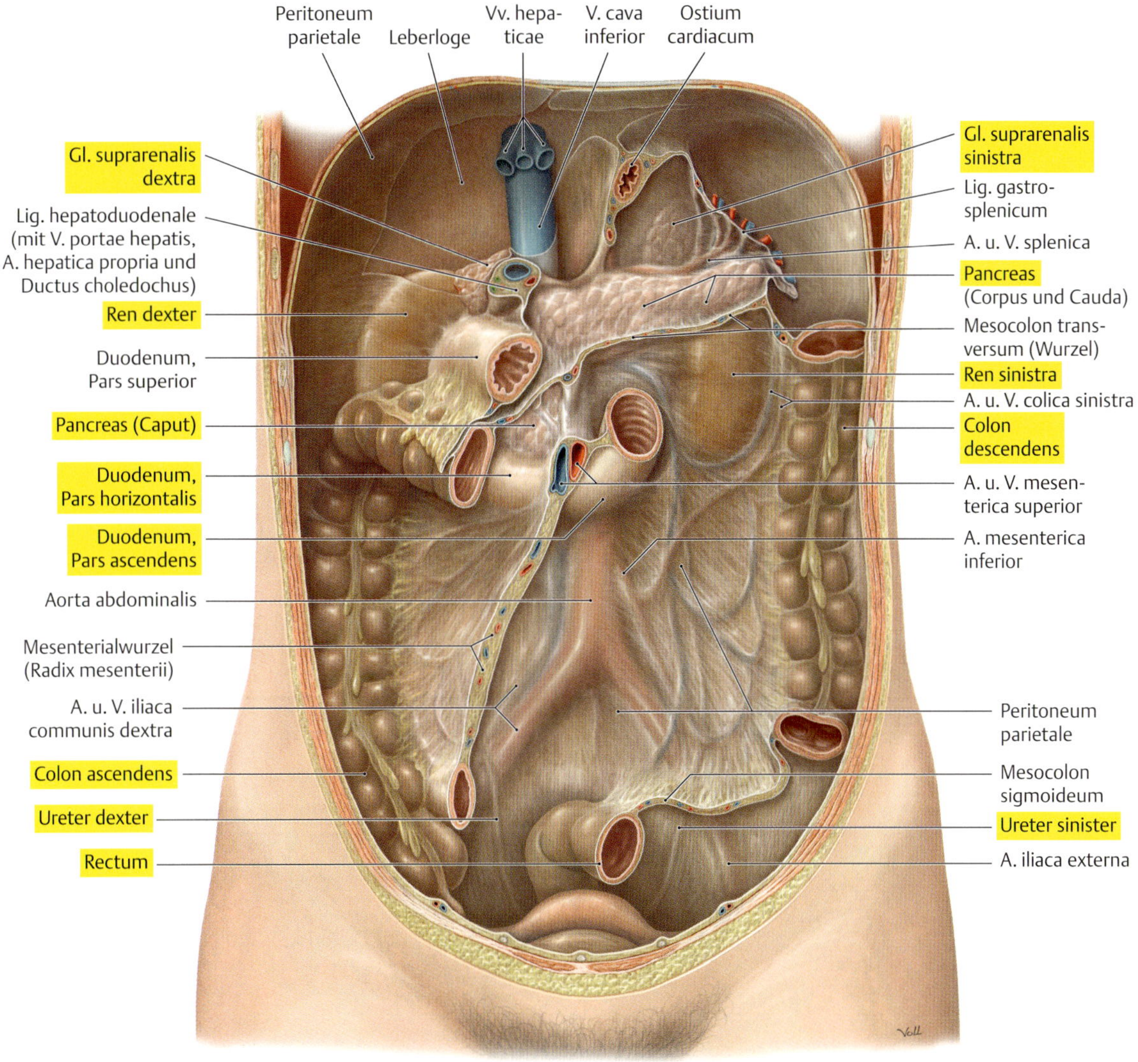

▸ **Abb. 2.56** Übersicht über den Retroperitonealraum (Ansicht von ventral). Die retroperitonealen Organe schimmern durch das Peritoneum parietale durch. (aus Schünke M, Schulte E, Schumacher U. Prometheus, LernAtlas der Anatomie. Innere Organe. Illustrationen von M. Voll und K. Wesker. 5. Auflage. Stuttgart: Thieme; 2018)

2.5.14 Pankreas (Bauchspeicheldrüse)

Anatomie

▶ Abb. 2.57, ▶ Abb. 2.58

- liegt an der dorsalen Bauchwand
- sekundär retroperitoneales Organ
- Unterteilung in 3 Abschnitte:
  - Caput pancreatis: liegt in der C-Krümmung des Duodenum descendens
  - Corpus pancreatis: liegt auf Höhe L 1/L 2
  - Cauda pancreatis: befindet sich auf Höhe der 10.–12. Rippe links
- Ductus pancreaticus (Pankreasgang) mündet auf der Papilla duodeni major (Papilla Vateri) von links in die Pars descendens duodeni (meist gemeinsam mit dem Ductus choledochus)
- ligamentäre Strukturen, die das Pankreas in seiner Position halten:
  - Lig. pancreaticosplenicum
  - Faszie von Treitz (Befestigung des Pankreas im retroperitonealen Raum über die Fascia retropancreatica)
  - Mesocolon transversum
- nervale Versorgung:
  - sympathisch aus dem Grenzstrangbereich Th 5–Th 9 über den N. splanchnicus major
  - parasympathisch vom N. vagus
- arterielle Versorgung: Äste des Truncus coeliacus (A. pancreatica magna, A. caudae pancreatis, A. pancreaticoduodenalis superior, anterior/posterior) und der A. mesenterica superior (A. pancreaticoduodenalis inferior)
- venöse Drainage: Vv. pancreaticae, Vv. pancreaticoduodenales → V. portae
- Lymphgefäße sind vielfältig verteilt, münden in Cisterna chyli (Ductus thoracicus)
- Bewegungsphysiologie nach Barral:
  - Mobilität: keine Bewegung des Pankreas, da fest im Retroperitonealraum eingebunden, nur Druck oder Zug werden über umliegende Organe und Strukturen übertragen → fasziale Spannungen registrierbar
  - Motilität: Wellenbewegung in der Exspirationsphase vom Kaput zur Kauda, umgekehrt in der Inspirationsphase

Osteopathische Korrespondenzen

Aufgrund der komplexen nervalen Versorgung lassen sich periphere Schmerzsymptome bei einer akuten Erkrankung erklären (fazilitiertes Segment). Das Pankreas ist in Bindegewebe, das vor der Wirbelsäule liegt, eingebettet und dadurch bei der Ein- und Ausatmung verschieblich. Über das posteriore parietale Peritoneum ist es allerdings ventral fest eingebunden und daher anfällig für Ptosen der Bauchorgane.

Korrespondenzen bestehen zu anderen Organen und Strukturen:

- Duodenum
- Flexura duodenojejunalis
- linke Kolonflexur
- Bursa omentalis
- Peritoneum
- Ductus choledochus
- L 2/L 3 (Kontakt zum rechten Crus des Diaphragma abdominale)
- Magen
- Milz
- linke Niere
- A. und V. mesenterica superior
- V. cava inferior
- Aorta abdominalis

Durch die räumliche Nähe und funktionelle Verbindungen bilden im osteopathischen Sinne Leber, Gallenblase, Duodenum und Pankreas eine funktionelle Einheit.

Pankreas und Duodenum sind eng miteinander verbunden. Es besteht eine Bandverbindung (embryonales Rudiment des duodenalen Mesos) zwischen Aorta und Pankreas, die das Pankreas nach posterior an dem Gefäß hält. Dieses Ligament korrespondiert rechts und links mit dem Plexus coeliacus und enthält neurovaskuläre Strukturen. Verlagerungen von Duodenum und Pankreas, z. B. durch Ptose intraperitonealer Strukturen, können einen Einfluss auf den Plexus coeliacus haben.

Behandlungshinweise

Da das Pankreas nur sehr schwer zu erreichen ist, ist es hilfreich, die korrespondieren Strukturen der funktionellen Einheit zu behandeln. Insbesondere die zirkulatorischen Techniken sind für dieses Organ sehr hilfreich.

Indikation für eine Behandlung sind Dysfunktionen im thorakolumbalen Übergang, Gelenkdysfunktionen der 11./12. Rippe oder Dysfunktionen im Bereich Th 5–9 oder im Bereich C 0/C 1.

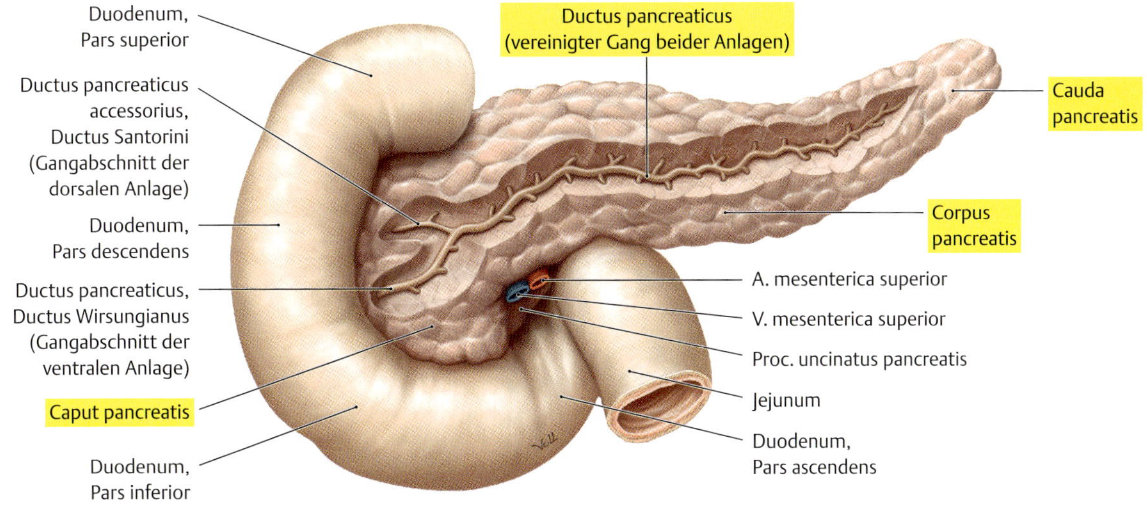

▸ **Abb. 2.57** Aufbau des Pankreas' (Ansicht von ventral). (aus Schünke M, Schulte E, Schumacher U. Prometheus, LernAtlas der Anatomie. Innere Organe. Illustrationen von M. Voll und K. Wesker. 5. Auflage. Stuttgart: Thieme; 2018)

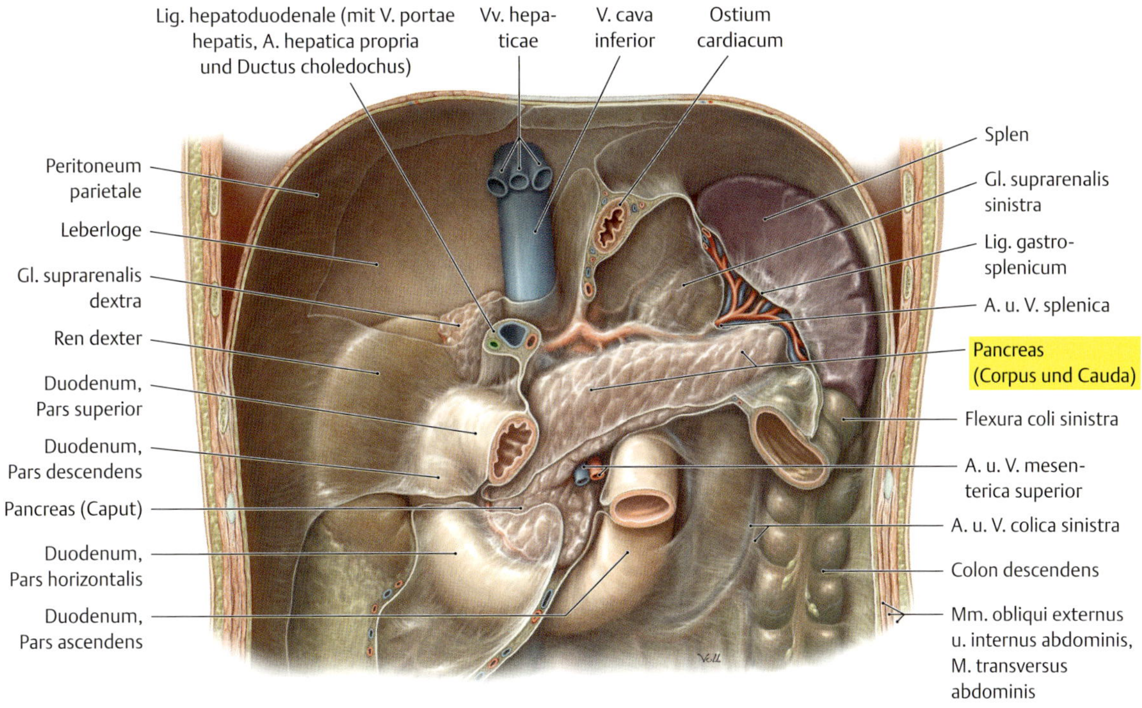

▸ **Abb. 2.58** Lage des Pankreas' (Ansicht von ventral). (aus Schünke M, Schulte E, Schumacher U. Prometheus, LernAtlas der Anatomie. Innere Organe. Illustrationen von M. Voll und K. Wesker. 5. Auflage. Stuttgart: Thieme; 2018)

2.5.15 Niere (Ren)

Anatomie

► Abb. 2.59, ► Abb. 2.60, ► Abb. 2.62

- liegen retroperitoneal
- linke Niere liegt ventral der 11. Rippe und lateral der Wirbelsäule von Th 11–L 2
- rechte Niere liegt ventral der 12. Rippe und lateral der Wirbelsäule auf Höhe Th 12–L 3; sie befindet sich wegen der darüber liegenden Leber etwas weiter kaudal als die linke Niere
- nicht verwachsen mit der hinteren Bauchwand
- Strukturen, welche die Nieren in ihrer Position halten:
  - Blutgefäße, welche die Nieren in der nierenumgebenden Fettkapsel „schwimmen" lassen
  - Fascia renalis (► Abb. 2.58):
    - umgibt die Fettkapsel (Capsula adiposa)
    - nach kaudal geöffnet
    - besteht aus einem anterioren und einem posterioren Blatt (auch Lamina genannt)
    - beide Laminae sind kranial oberhalb der Nebennieren miteinander verbunden und am Diaphragma abdominale befestigt
    - auf Höhe Th 12/L 1 verbinden sich die rechte und linke Nierenfaszie vor der Wirbelsäule
    - die Niere gleitet in ihrem Lager angetrieben durch die Bewegung des Diaphragma abdominale: bei der In- und Exspiration legt die Niere einen Höhenunterschied von ca. 3 cm zurück
- dorsal können die Nieren über einen Bereich erreicht werden, der medial vom M. erector spinae, lateral und kaudal vom M. obliquus abdominis internus und kranial von der 12. Rippe (Raum von Grynfelt, Trigonum lumbocostale, Bochdalek-Dreieck) begrenzt wird
- nervale Versorgung:
  - sympathisch aus dem Grenzstrangbereich Th 10–L 1 über den N. splanchnicus minor
  - parasympathisch aus dem sakralen Plexus (S 2–S 4)
- arterielle Versorgung: A. renalis (direkter Abgang der Aorta abdominalis)
- venöse Dränage: Vv. renales → V. cava inferior
- die Lymphgefäße verlaufen parallel zu den Blutgefäßen und münden über die Cisterna chyli in den Ductus thoracicus
- Bewegungsphysiologie nach Barral:
  - Mobilität: bei Einatmung 3–4 cm nach kaudal, oberer Pol wird nach vorn gedrückt (Psoas-Gleitschiene), medialer und kaudaler Anteil werden nach lateral außenrotiert
  - Motilität: bei Einatmung von medial-kranial nach lateral-kaudal verbunden mit einer Außenrotation („Scheibenwischer")

Osteopathische Korrespondenzen

Aufgrund der komplexen nervalen Versorgung lassen sich auch periphere Schmerzsymptome bei einer akuten Erkrankung erklären (fazilitiertes Segment).

Korrespondenzen bestehen zu anderen Organen und Strukturen nach dorsal:

- M. psoas major
- M. quadratus lumborum
- M. transversus abdominis
- Diaphragma abdominale
- N. subcostalis
- N. iliohypogastricus
- N. ilioinguinalis

Die linke Niere wird auch als „Genitalniere" bezeichnet, weil sie einen Bezug zur V. ovarica bzw. V. testicularis hat (sie mündet links in V. renalis, rechts direkt in V. cava inferior). Die rechte Niere wird als „Verdauungsniere" bezeichnet, da die Leber und die rechte Kolonflexur Einfluss auf sie haben.

Nierenptosen können verschieden stark ausgeprägt sein und Symptomatiken in anderen Körperregionen provozieren (► Abb. 2.59):

- 1. Grad: Absenkung rein nach kaudal; verursacht diffuse Schmerzen im unteren Rippenbereich durch Irritation des N. subcostalis
- 2. Grad: kaudal-laterale Lageveränderung; verursacht Schmerzen in Leiste, äußerem Hüftbereich, Oberschenkel lateral und medial oder im Genitalbereich durch Irritation von N. genitofemoralis, N. cutaneus femoris lateralis, N. ilioinguinalis und N. iliohypogastricus
- 3. Grad: kaudal-mediales Abgleiten der Niere; verursacht Missempfindungen im medialen und anterioren Bereich des Oberschenkels durch Irritation des N. femoralis; Achtung: ist der N. obturatorius betroffen, liegt eher ein medialer Knieschmerz vor

Auch Ptosen korrespondierender Organe können zu osteopathischen Dysfunktionen der Nieren führen:

- Dünndarm: Kreuzungspunkt Radix mesenterii mit dem Ureter in der rechten Fossa iliaca
- Colon sigmoideum: Kreuzungspunkt Mesocolon sigmoideum mit Ureter, Vasa ovarica bzw. testicularia
- Darmbereich (Ptosen im Darmbereich können z. B. durch Obstipation oder Divertikulitis verursacht werden)

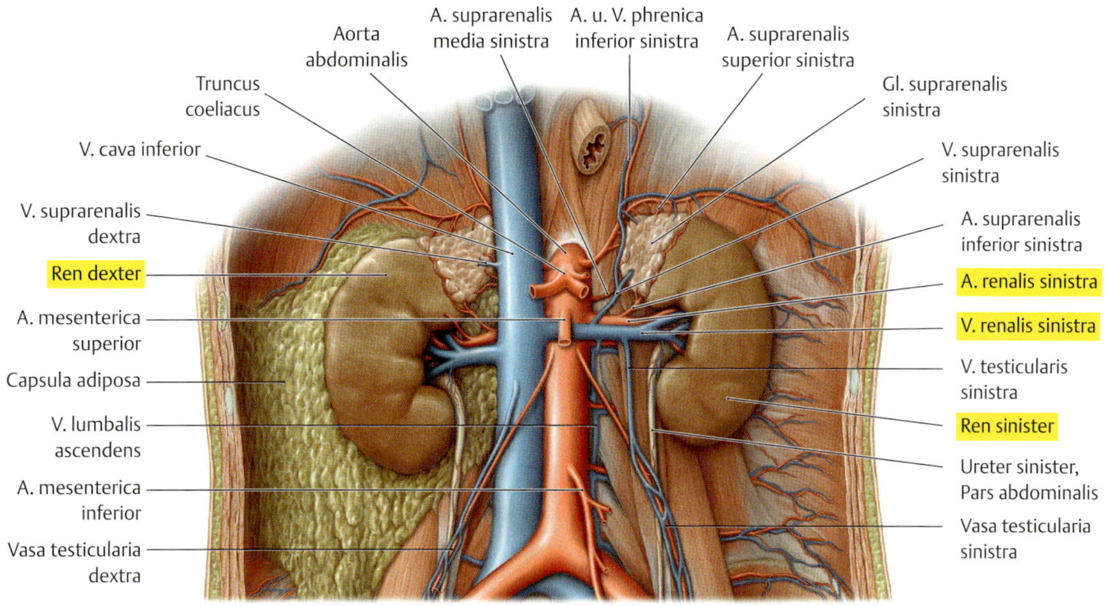

▸ **Abb. 2.59** Lage der Nieren im Retroperitoneum (Ansicht von ventral). (aus Schünke M, Schulte E, Schumacher U. Prometheus, LernAtlas der Anatomie. Innere Organe. Illustrationen von M. Voll und K. Wesker. 5. Auflage. Stuttgart: Thieme; 2018)

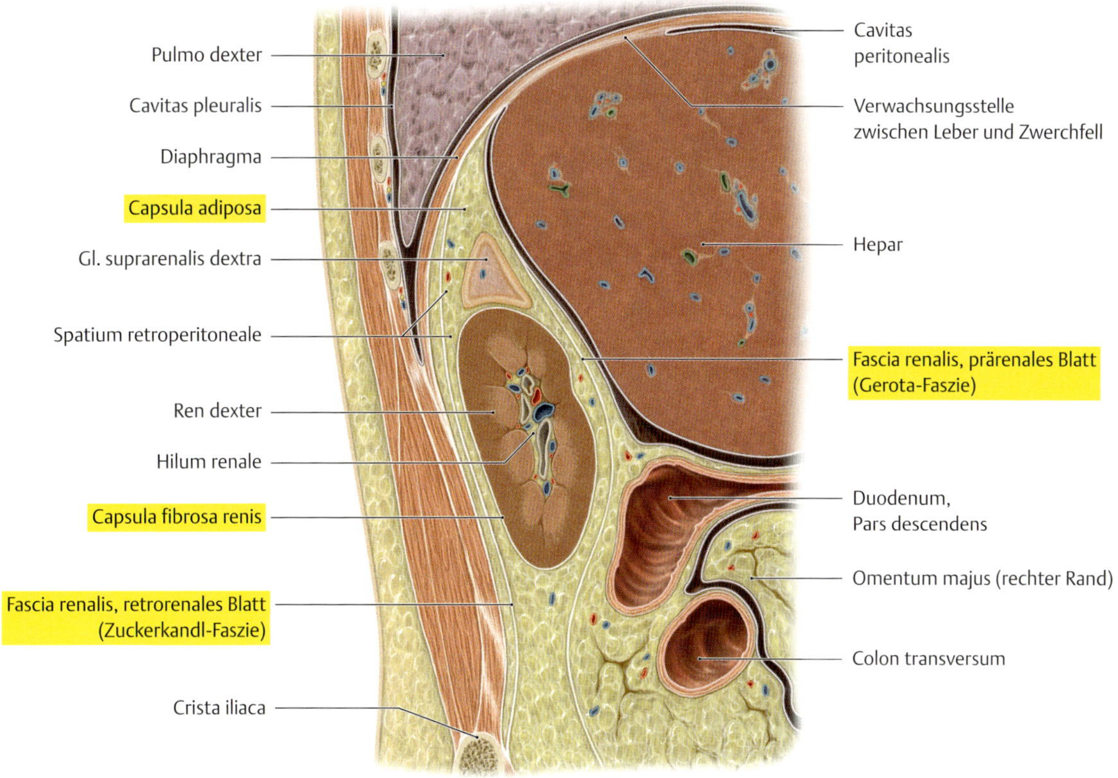

▸ **Abb. 2.60** Lage der rechten Niere im Nierenlager (Sagittalschnitt, Ansicht von rechts). (aus Schünke M, Schulte E, Schumacher U. Prometheus, LernAtlas der Anatomie. Innere Organe. Illustrationen von M. Voll und K. Wesker. 5. Auflage. Stuttgart: Thieme; 2018)

2.5.16 Muskeln der hinteren Bauchwand

Anatomie

▸ Abb. 2.62

- **M. psoas major:**
  - **Ursprung:** Procc. transversi der LWK1–5, BWK12–LWK5 und Bandscheiben unterhalb von BWK12
  - **Ansatz:** Trochanter minor femoris
  - **Funktion:**
    - Flexion im Hüftgelenk
    - Außen- und Innenrotation im Hüftgelenk
    - Abduktion im Hüftgelenk
    - Extension und Lateralflexion der LWS
  - **Innervation:** ventrale Äste der Spinalnerven L 1–L 2
  - **Triggerpunkte:** (▸ Abb. 2.61):
    - TP 1: laterale Begrenzung des Trigonum femorale
    - TP 2: in der Fossa iliaca auf Höhe der SIAS
    - TP 3: lateral des M. rectus abdominis und unterhalb des Bauchnabels palpiert man erst vorsichtig nach posterior und dann nach medial, um den M. psoas major gegen die Wirbelsäule zu komprimieren
- **M. psoas minor:**
  - **Ursprung:** BWK12–LWK1 einschließlich der Bandscheibe
  - **Ansatz:** Fascia iliaca
  - **Funktion:** Rumpfbeugung (schwach)
  - **Innervation:** ventraler Ast des Spinalnerven L 1
  - **Triggerpunkte** (▸ Abb. 2.61): s. M. psoas major
- **M. quadratus lumborum:**
  - **Ursprung:** Unterrand der 12. Rippe
  - **Ansatz:** Procc. costales von LWK1–4, Lig. iliolumbale, hinteres Drittel der Crista iliaca
  - **Funktion:**
    - Lateralflexion des Rumpfs
    - Fixierung der 12. Rippe während der Atmung
  - **Innervation:** ventrale Äste der Spinalnerven Th 12–L 3
  - **Triggerpunkte:**
    - oberflächliche TP: in den lateralen Bereichen des Muskels unterhalb der 12. Rippe und oberhalb der Crista iliaca
    - tiefe TP: oberhalb der Crista iliaca zwischen den Procc. costales des 4. und 5. Lendenwirbels und auf Höhe des Proc. costalis des 3. Lendenwirbels in den medialen Bezirken des Muskels

Osteopathische Korrespondenzen

Der M. transversus abdominis ist ein wichtiger Bestandteil der Fascia thoracolumbalis, die auch einen Bezug zum M. quadratus lumborum hat. Folglich können Dysfunktionen in der Fascia thoracolumbalis u. a. mit einem Hypertonus des M. quadratus lumborum und/oder M. transversus abdominis einhergehen (Kap. 2.7.1).

Das Zwerchfell steht mit Quadratus- und Psoasarkade in direkter Verbindung mit M. psoas major, M. psoas minor und M. quadratus lumborum. Der M. psoas major vereinigt sich etwas oberhalb des Lig. inguinale mit dem M. iliacus (Kap. 8.3.1) und zieht als M. iliopsoas zum Trochanter minor. Der M. psoas major ist damit ein Verbindungsglied zwischen TLÜ, LWS und unterer Extremität. Der M. quadratus lumborum wirkt neben seinen erwähnten Funktionen auch als Rumpfstabilisator bei der tiefen Einatmung. Die räumliche Nähe von Truncus sympathicus und M. psoas (major und minor), die beide durch die Psoasarkade ziehen, kann ursächlich dafür sein, dass der Truncus sympathicus durch einen Hypertonus des M. psoas in seiner faszialen Einbindung unter mechanischen Druck gerät und so vegetative Störungen provozieren kann.

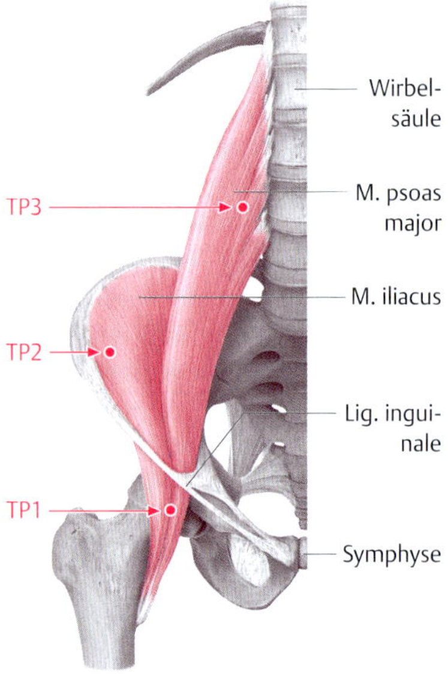

▸ **Abb. 2.61** Triggerpunkte M. psoas major und M. psoas minor. (aus Hebgen E. Taschenatlas Myofasziale Triggerpunkte. Schmerzguide für Osteopathen und Manualtherapeuten. 2. Aufl. Stuttgart: Georg Thieme Verlag 2020; nach Schünke M, Schulte E, Schumacher U. Prometheus LernAtlas der Anatomie. Allgemeine Anatomie und Bewegungssystem. Illustrationen von Voll M und Wesker K. 5. Aufl. Stuttgart: Thieme; 2018)

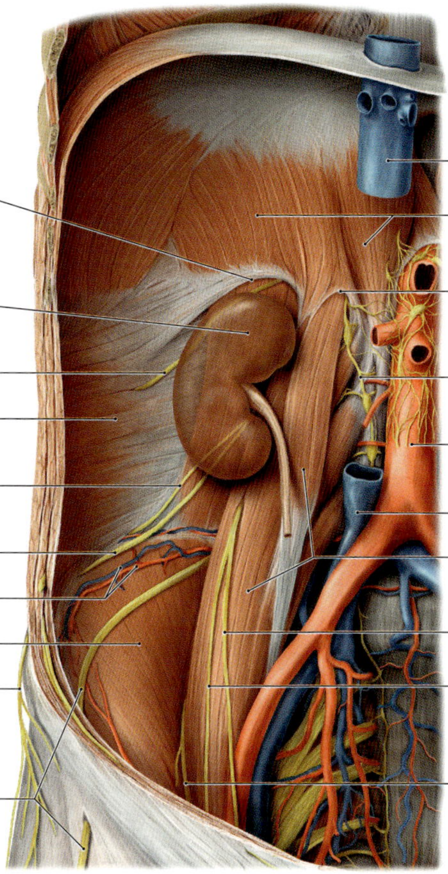

▶ **Abb. 2.62** Muskuläre Auskleidung der hinteren Bauchwand. Deutlich zu erkennen ist die Verbindung der Muskeln und Nieren zu N. subcostalis, N. iliohypogastricus und N. ilioinguinalis. (aus Schünke M, Schulte E, Schumacher U. Prometheus, LernAtlas der Anatomie. Innere Organe. Illustrationen von M. Voll und K. Wesker. 5. Auflage. Stuttgart: Thieme; 2018)

2.6
Nerven und Gefäße

2.6.1 Allgemeines

Anatomie

Für das osteopathische Arbeiten ist das Wissen sowohl um die komplexe Gestaltung von Gefäßstraßen und vegetativen Nervengeflechten als auch um ihre Lage und Bezugspunkte zur Wirbelsäule grundlegend. Die zirkulatorischen Techniken und Techniken für den vegetativen Ausgleich basieren auf der Funktionalität dieses Systems. Denn Arterien und gleichnamige Venen liegen in direkter Nachbarschaft zueinander und die vegetativen Plexus enthalten sowohl viszeromotorische (efferente) als auch viszerosensible (afferente) Nervenfasern für das sympathische und parasympathische Nervensystem.

Die topografische Organisation der vegetativen Plexus und Ganglien ist eng mit dem Verlauf der Arterien verbunden. Das vegetative Nervensystem bildet im Bereich der Aorta abdominalis Nervengeflechte und Ganglien, in denen vom 1. präganglionären Neuron auf das 2. postganglionäre Neuron umgeschaltet wird. Die vegetativen Plexus im Bereich der Aorta abdominalis werden in ihrer Gesamtheit als **Plexus aorticus abdominalis** bezeichnet. Der Plexus aorticus abdominalis setzt sich entsprechend aus verschiedenen einzelnen Plexus zusammen. Im Bereich des Abdomens liegt der **Plexus coeliacus** mit seinen Ganglia coeliaca um den **Truncus coeliacus**. Er liegt ca. auf Höhe des 12. Brustwirbels, also dicht unterhalb des Durchtritts der Aorta durch das Zwerchfell, und ist der gemeinsame Abschnitt von 3 Gefäßästen der Aorta, welche die Organe des Oberbauches versorgen. Diese Äste sind A. hepatica communis, A. gastrica sinstra und A. splenica. Der Truncus coeliacus versorgt Leber, Magen, Milz, Duodenum, Pankreas und angrenzende Teile des Mesenteriums. Arterielle Zirkulationsstörungen im Bereich des Truncus coeliacus können durch eine Kompression des Lig. arcuatum mediale, einer Bandstruktur, die den vorderen Anteil des Hiatus aorticus bildet, entstehen. Typische Symptome sind krampfartige Schmerzen im epigastrischen Winkel und Übelkeit, häufig in Abhängigkeit von der Nahrungsaufnahme. Die Symptome erklären sich durch eine verminderte arterielle Versorgung und Irritation des Plexus coeliacus.

Die **A. mesenterica superior** versorgt den Darm bis zur linken Kolonflexur. Sie entspringt am Übergang des 12. Brustwirbels zum 1. Lendenwirbel. Es besteht eine Anastomose zur A. mesenterica inferior. Das um die A. mesenterica superior herum gelegene vegetative Nervengeflecht wird als **Plexus mesentericus superior** bezeichnet. Es beinhaltet das Ganglion mesentericum superius. Versorgungsgebiete sind Pankreaskopf, Duodenum, Jejunum, Ileum, Zäkum, Kolon bis zur Flexura coli sinistra und Ovar.

Die **A. renalis** liegt paarig auf Höhe von L 1/L 2 vor: Die Abgänge sind von den **Plexus suprarenalis und renalis** mit dem Ganglion aorticorenale umschlossen. Versorgt werden von ihr Nieren, Nebennieren und kraniale Anteile des Ureters. Etwas weiter kaudal (L 2) gehen rechts und links die **Aa. testiculares bzw. Aa. ovaricae** ab, die Hoden bzw. Ovar versorgen.

Auf Höhe des 3. Lendenwirbels entspringt die **A. mesenterica inferior,** die den Darm ab der linken Kolonflexur bis zum Rektum versorgt. Der **Plexus mesentericus inferior** mit seinem gleichnamigen Ganglion wirkt von der Flexura coli sinistra bis zum oberen Anteil des Rektums.

Der **Plexus hypogastricus superior,** der Ureter sowie Testis und Epididymis oder Ovar versorgt, liegt am Eingang des kleinen Beckens auf Höhe des 5. Lendenwirbels/ 1. Sakralwirbels unterhalb der Aortenbifurkation (L 4). Die paarig vorliegenden **Plexus hypogastrici inferiores** versorgen die weiter kaudal liegenden Organe des kleinen Beckens, wie Prostata, Urethra, Harnblase, Uterus, Tuba uterina, Vagina, Ovar und den kaudalen Anteil des Rektums.

Die Aorta abdominalis als Fortsetzung der Aorta thoracica verläuft bis zum ca. 4. Lendenwirbel etwas linksseitig der Medianlinie. Dann folgt die Aortenbifurkation, an der sich die Aorta in **A. iliaca communis dexter et sinister** aufteilt, aus der jeweils **A. iliaca interna** und **A. iliaca externa** entspringen.

Auf Höhe ca. des 5. Lendenwirbels verbinden sich die die Vv. iliacae communes zur **V. cava inferior**. Sie transportiert das Blut aus Abdomen, Becken und unterer Extremität zum Herzen.

Der **N. vagus** mit seinem rechten und linken Ast ist im Bereich des Ösophagus als Truncus vagalis anterior und posterior angelegt. Der Truncus vagalis anterior enthält Fasern des linken Astes und endet im Bereich des Magens. Der Truncus vagalis posterior enthält Fasern des rechten Astes und versorgt Dünn- und Dickdarm bis ungefähr zur linken Kolonflexur (Kap. 3.6.1, Kap. 4.9.6).

Osteopathische Korrespondenzen

Die Lage der V. renalis sinistra kreuzt die Aorta abdominalis und verläuft dann unter der A. mesenterica superior. Diese Engpassstelle kann Stauungen in der linken Niere provozieren (Kap. 2.5.15).

Behandlungshinweise

Osteopathische Techniken für den vegetativen Ausgleich zielen auf das vegetative Nervensystem ab. Zirkulatorische Techniken über den Bauchraum bieten sich insbesondere bei Stauungsproblematiken an.

2.6.2 Vegetative Ganglien und Plexus

▶ Abb. 2.63

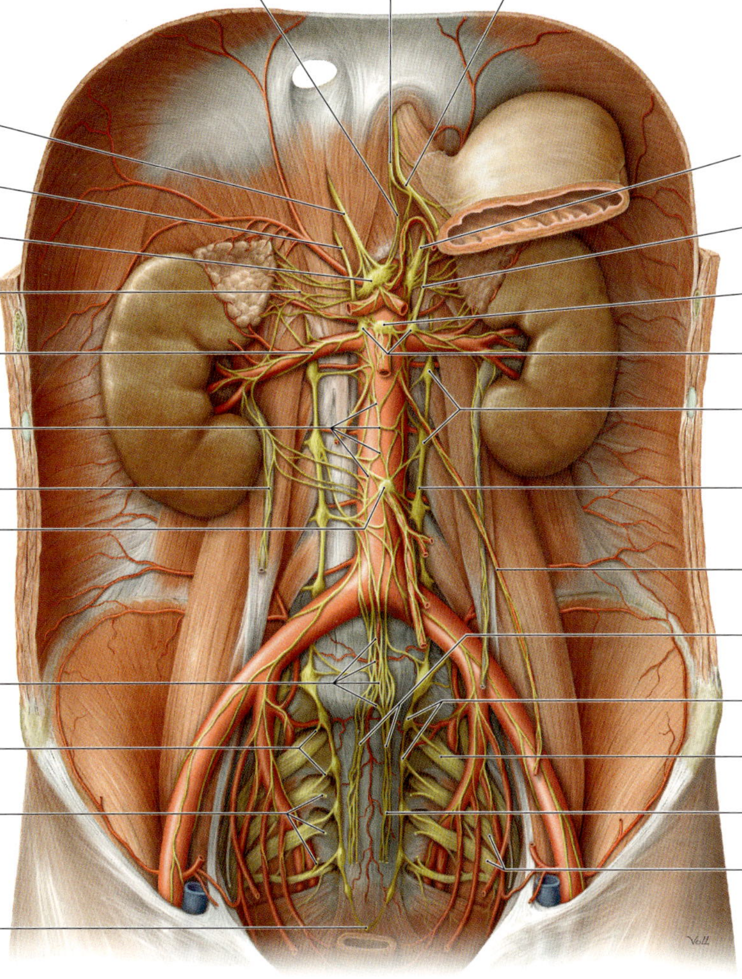

▶ **Abb. 2.63** Überblick über die vegetativen Ganglien und Plexus im Abdomen (Ansicht von ventral). (aus Schünke M, Schulte E, Schumacher U. Prometheus, LernAtlas der Anatomie. Innere Organe. Illustrationen von M. Voll und K. Wesker. 5. Auflage. Stuttgart: Thieme; 2018)

2.6.3 Äste der Aorta abdominalis

▶ Abb. 2.64

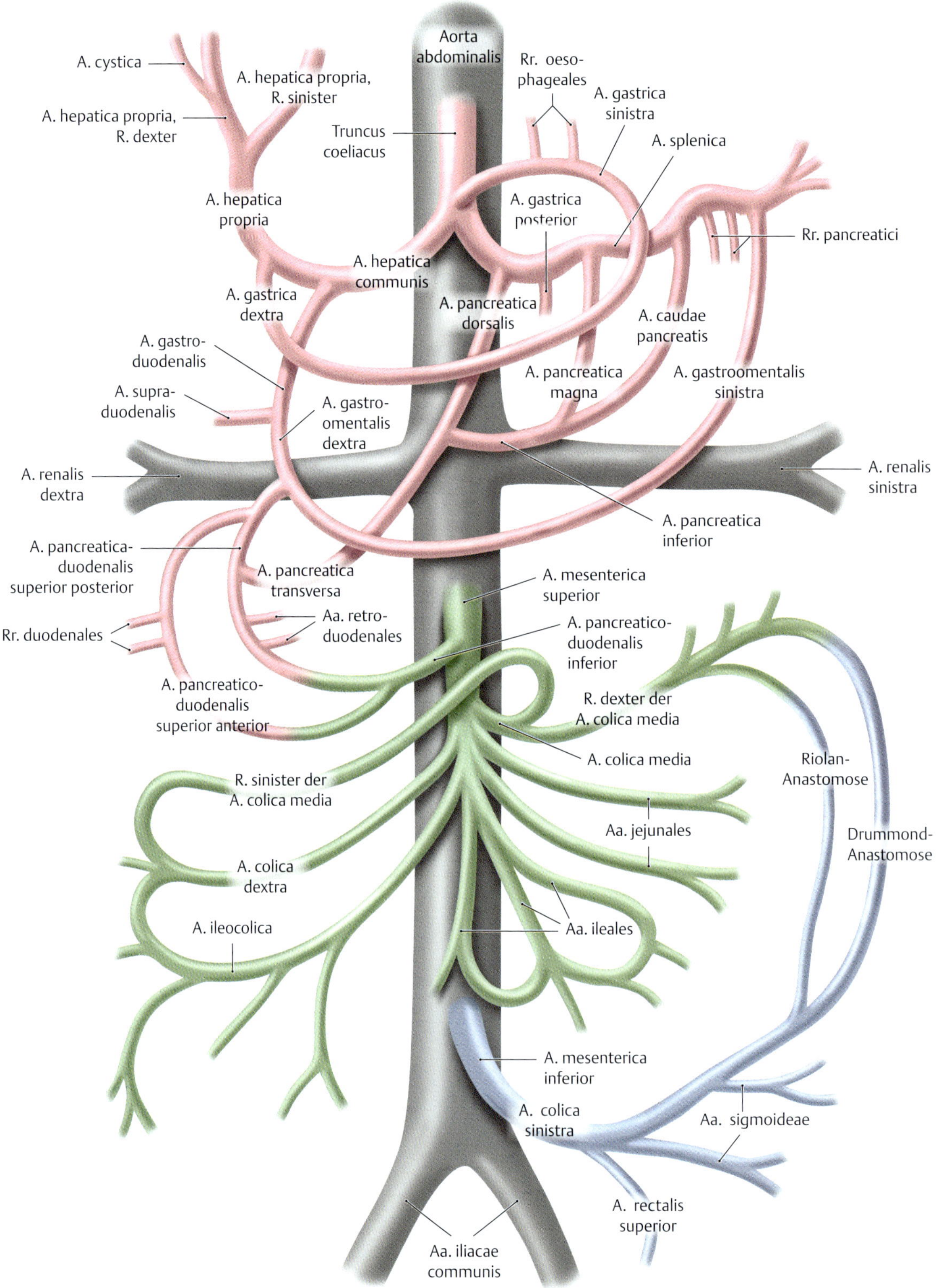

▶ **Abb. 2.64** Systematik der Arterien zur Versorgung des Abdomens. Die Hauptäste sind: Aa. phrenicae inferiores dextra und sinistra, Aa. suprarenales mediae dextra und sinistra, Aa. renales dextra und sinistra, Aa. testicularis/ovaricae dextra und sinistra, Aa. lumbales dextra und sinistra, A. sacralis mediana, Truncus coeliacus, A. mesenterica superior und A. mesenterica inferior. (aus Schünke M, Schulte E, Schumacher U. Prometheus, LernAtlas der Anatomie. Innere Organe. Illustrationen von M. Voll und K. Wesker. 5. Auflage. Stuttgart: Thieme; 2018)

2.6.4 Truncus coeliacus I

▸ Abb. 2.65

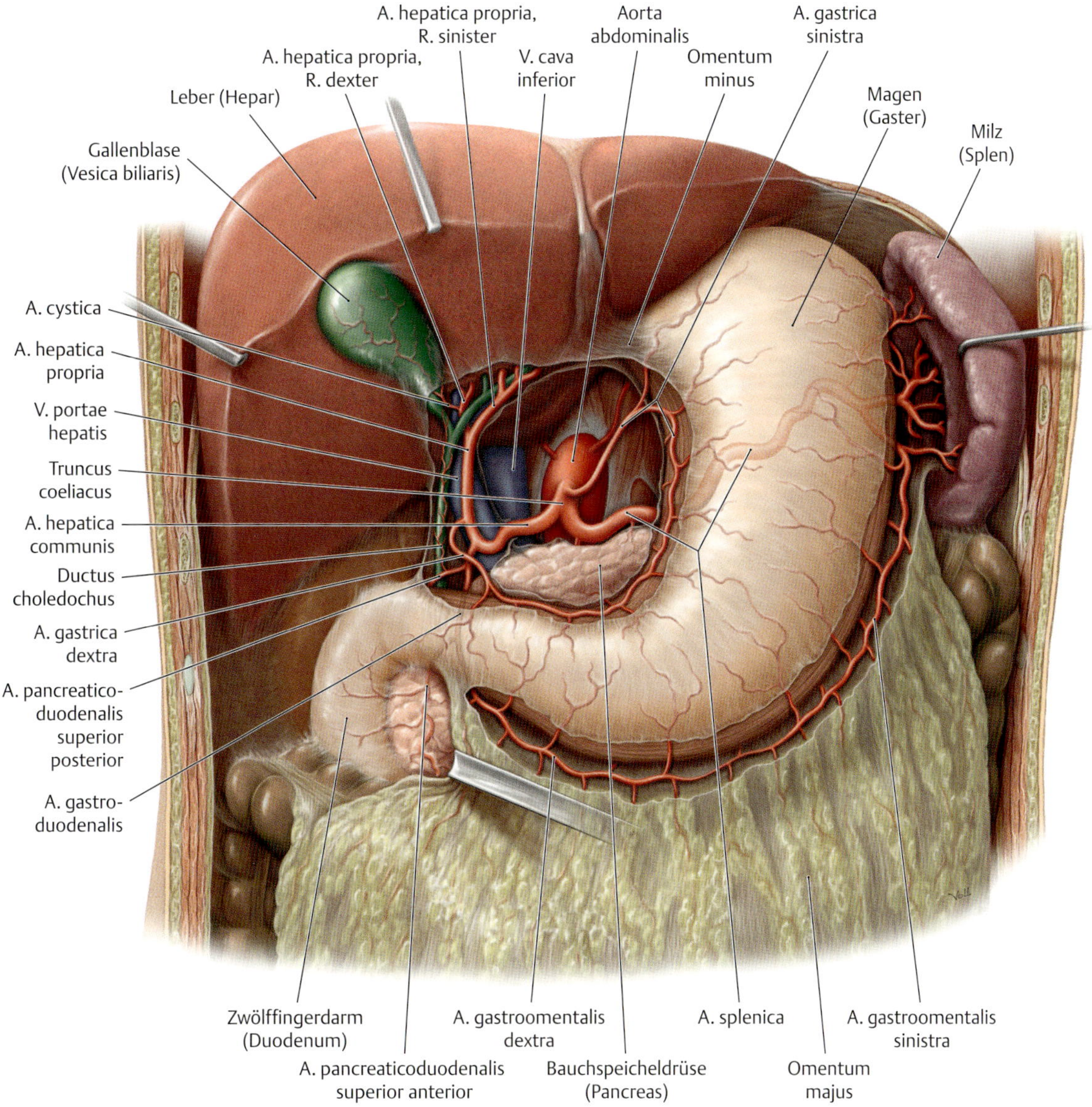

▸ **Abb. 2.65** Äste des Truncus coeliacus zu Magen, Leber und Gallenblase (Ansicht von ventral). (aus Schünke M, Schulte E, Schumacher U. Prometheus, LernAtlas der Anatomie. Innere Organe. Illustrationen von M. Voll und K. Wesker. 5. Auflage. Stuttgart: Thieme; 2018)

2.6.5 Truncus coeliacus II

▶ Abb. 2.66

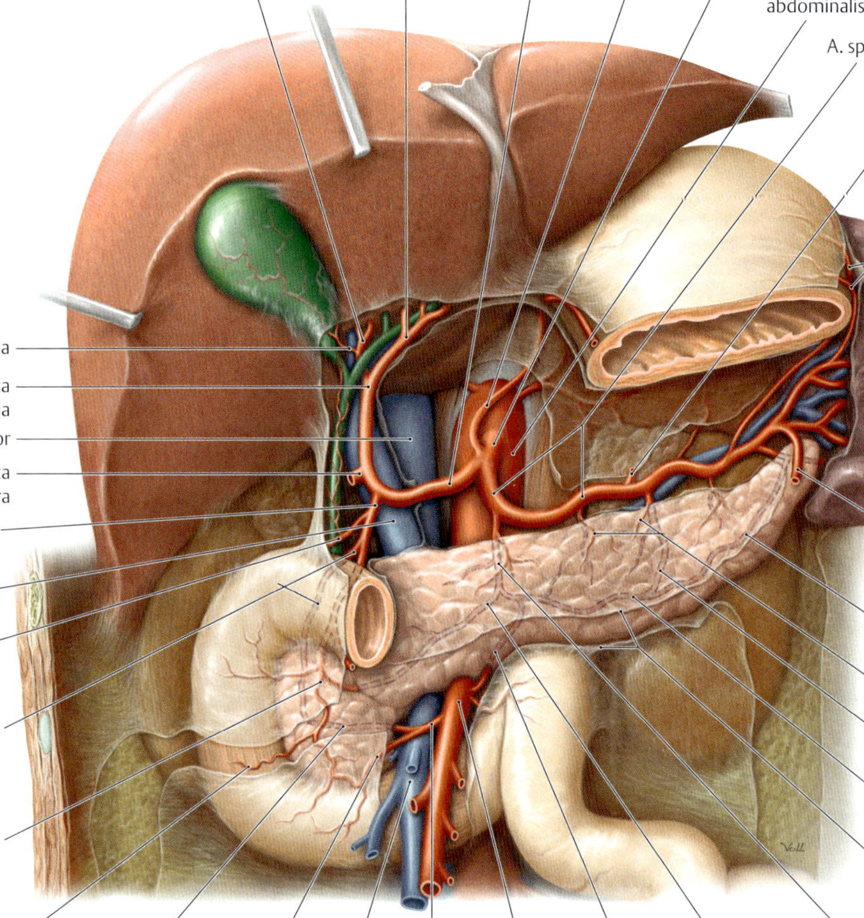

▶ **Abb. 2.66** Äste des Truncus coeliacus zu Pankreas, Duodenum und Milz (Ansicht von ventral). (aus Schünke M, Schulte E, Schumacher U. Prometheus, LernAtlas der Anatomie. Innere Organe. Illustrationen von M. Voll und K. Wesker. 5. Auflage. Stuttgart: Thieme; 2018)

2.6.6 A. mesenterica superior

▶ Abb. 2.67

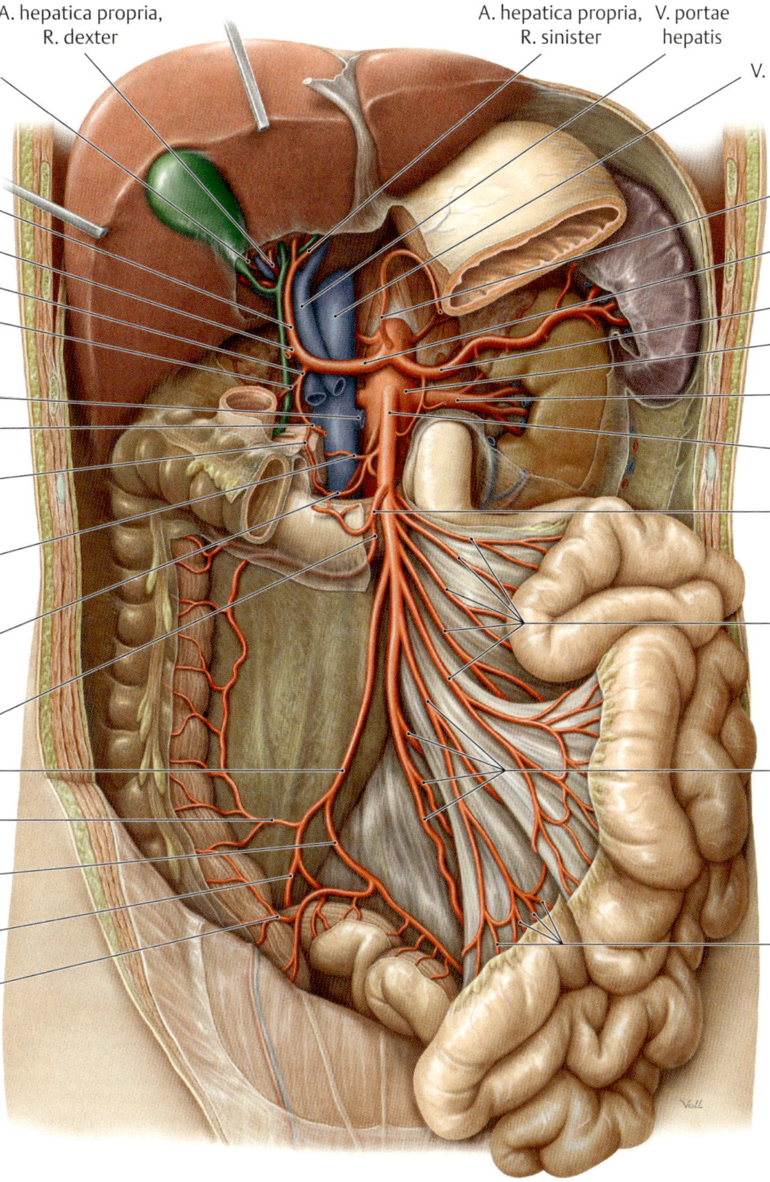

▶ **Abb. 2.67** Äste der A. mesenterica superior zu Pankreas, Dünn- und Dickdarm (Ansicht von ventral). Sie geht von der Aorta auf Höhe von LWK1 ab, zieht vorwiegend nach rechts und ist stark verästelt. Sie versorgt den Dickdarm bis nahe der Flexura coli sinistra. Sie überkreuzt das Duodenum und die V. renalis sinistra. (aus Schünke M, Schulte E, Schumacher U. Prometheus, LernAtlas der Anatomie. Innere Organe. Illustrationen von M. Voll und K. Wesker. 5. Auflage. Stuttgart: Thieme; 2018)

2.6.7 A. mesenterica inferior

▶ Abb. 2.68

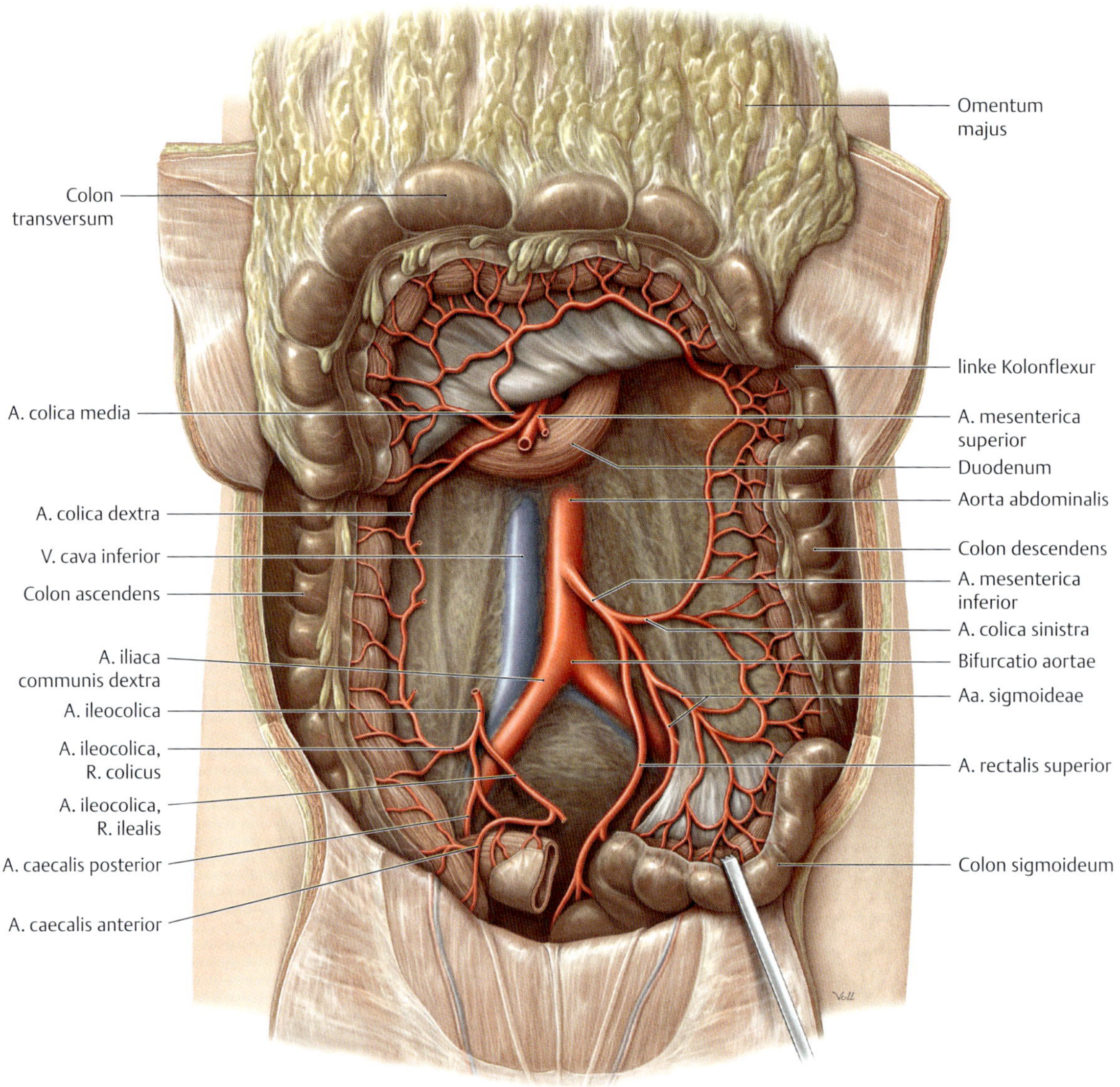

▶ **Abb. 2.68** Äste der A. mesenterica inferior zum Dickdarm (Ansicht von ventral). Sie geht von der Aorta auf Höhe von LWK3/4 nach links ab. Sie versorgt den Dickdarm ungefähr ab der Flexura coli sinistra. (aus Schünke M, Schulte E, Schumacher U. Prometheus, LernAtlas der Anatomie. Innere Organe. Illustrationen von M. Voll und K. Wesker. 5. Auflage. Stuttgart: Thieme; 2018)

2.6.8 V. cava inferior

▸ Abb. 2.69

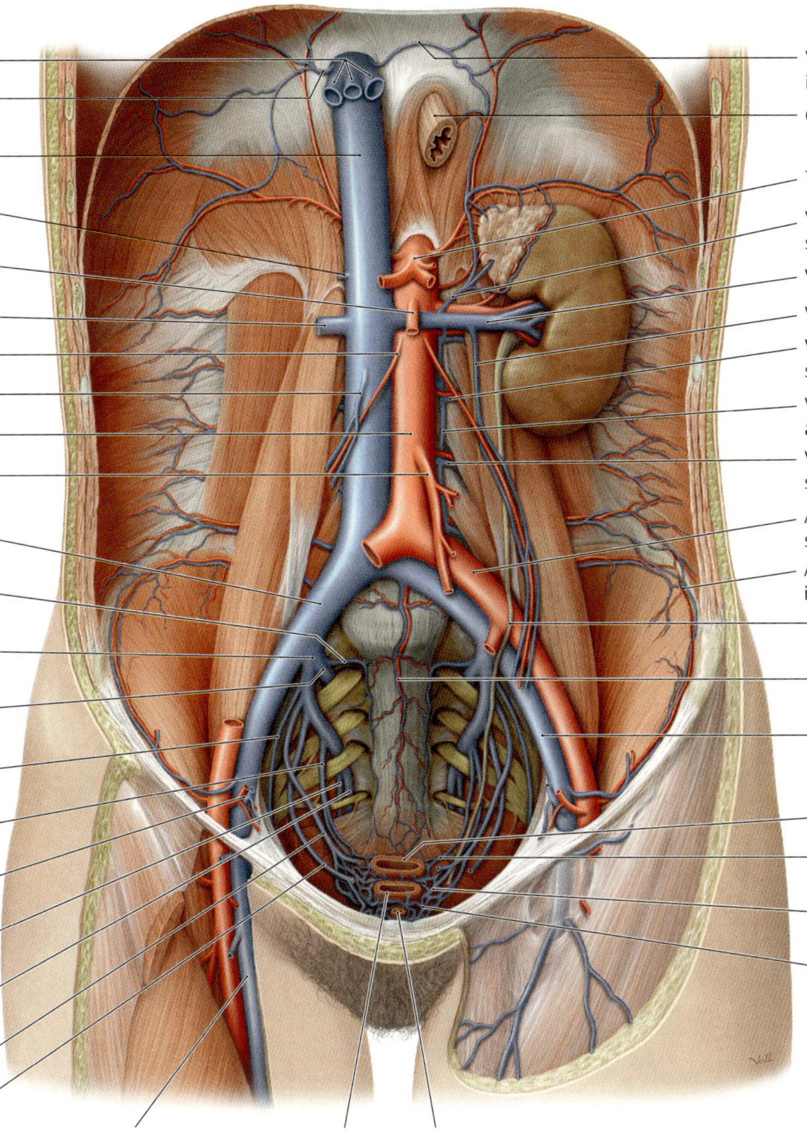

▸ **Abb. 2.69** Zuflüsse der V. cava inferior (Ansicht von ventral). Sie entsteht aus dem Zusammenfluss der beiden Vv. iliacae communes ungefähr auf Höhe von LWK5. Sie erhält direkte Zuflüsse aus Vv. phrenicae inferiores dextra und sinistra, Vv. hepaticae, V suprarenalis dextra, Vv. renales dextra und sinistra, Vv. lumbales, V. testicularis/ovarica dextra, Vv. iliacae communes und V. sacralis mediana. (aus Schünke M, Schulte E, Schumacher U. Prometheus, LernAtlas der Anatomie. Innere Organe. Illustrationen von M. Voll und K. Wesker. 5. Auflage. Stuttgart: Thieme; 2018)

2.6.9 V. portae hepatis

▸ Abb. 2.70, ▸ Abb. 2.71, ▸ Abb. 2.72

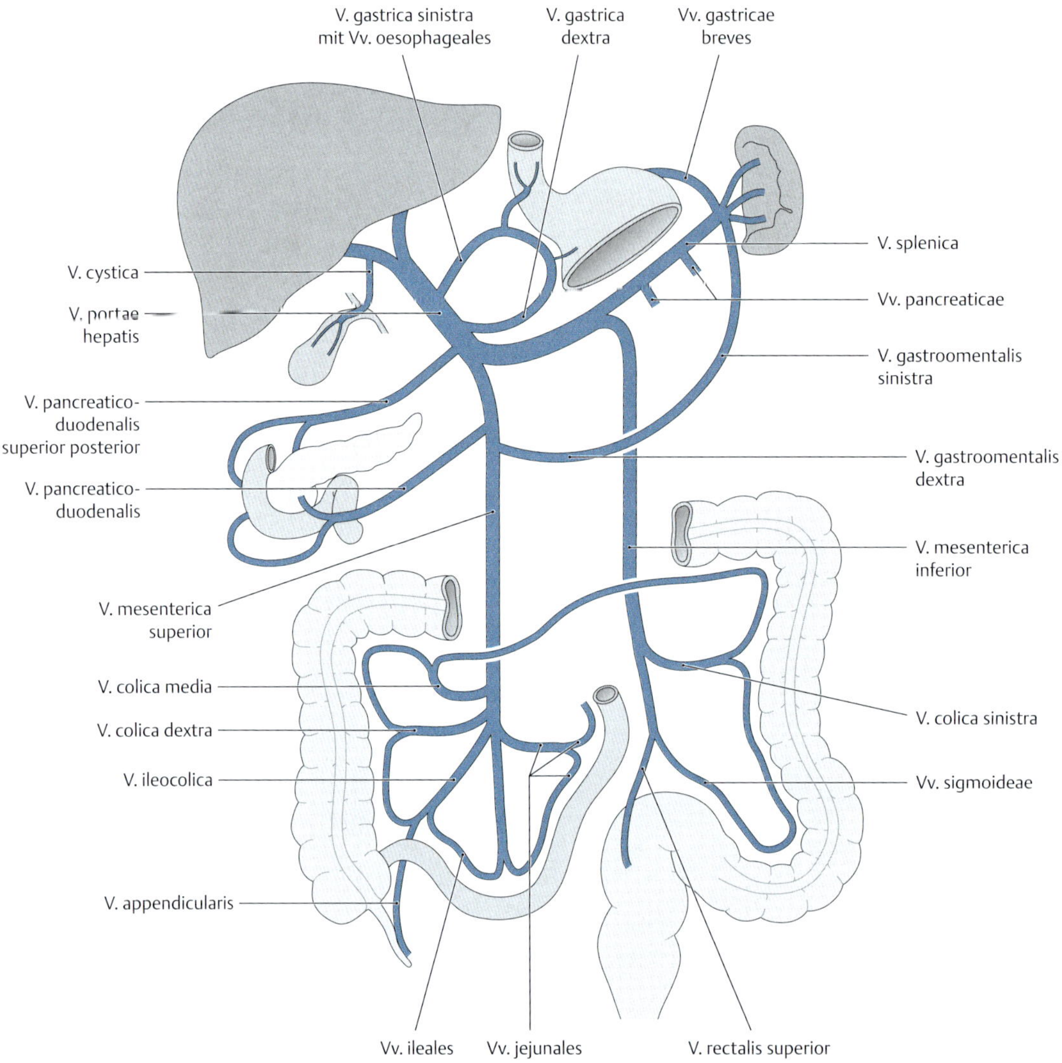

▸ **Abb. 2.70** Zuflussgebiet der V. portae hepatis. (aus Schünke M, Schulte E, Schumacher U. Prometheus, LernAtlas der Anatomie. Innere Organe. Illustrationen von M. Voll und K. Wesker. 5. Auflage. Stuttgart: Thieme; 2018)

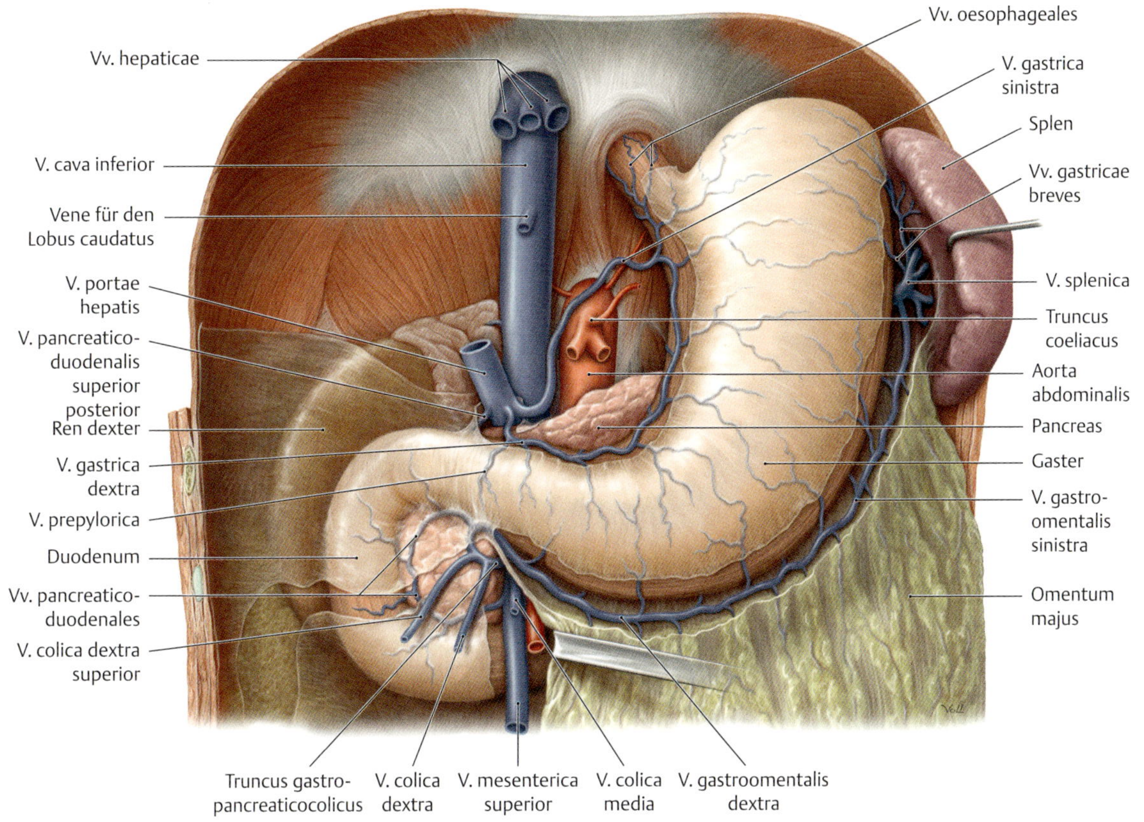

▸ **Abb. 2.71** V. portae hepatis: venöse Drainage von Magen und Duodenum (Ansicht von ventral). (aus Schünke M, Schulte E, Schumacher U. Prometheus, LernAtlas der Anatomie. Innere Organe. Illustrationen von M. Voll und K. Wesker. 5. Auflage. Stuttgart: Thieme; 2018)

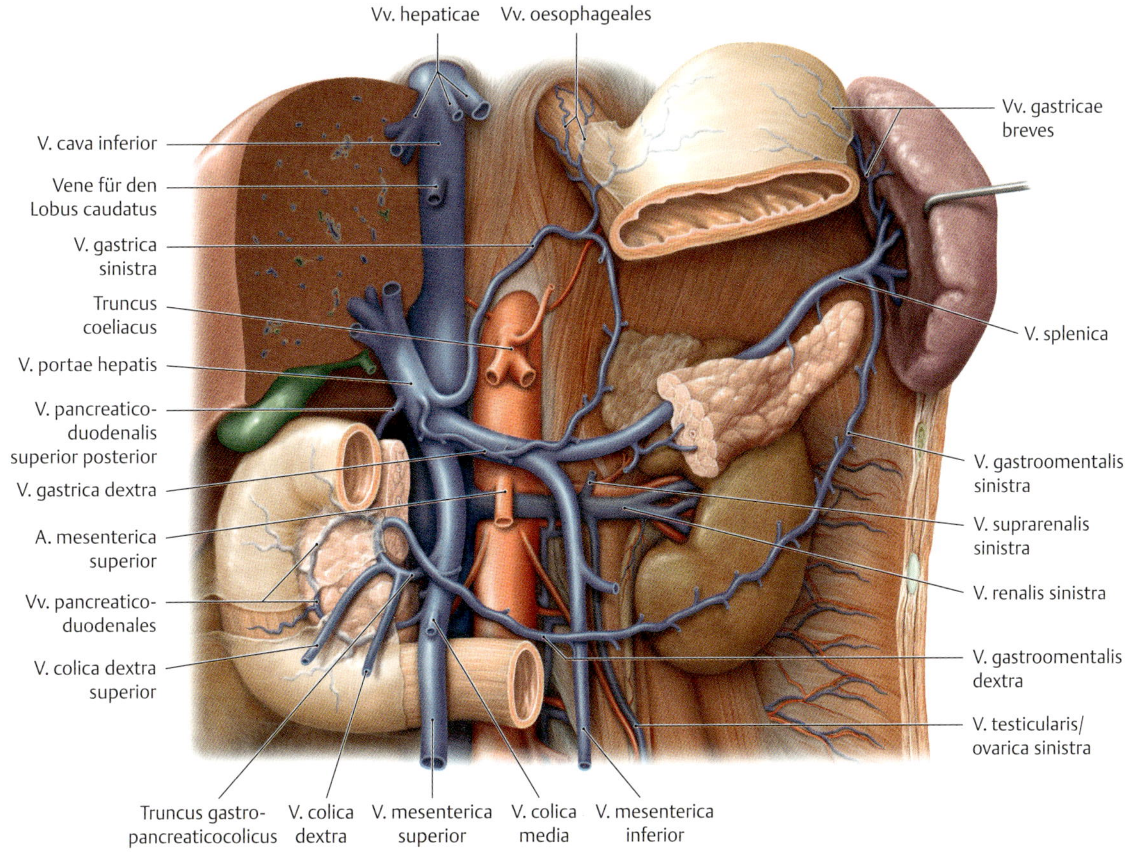

▸ **Abb. 2.72** V. portae hepatis: venöse Drainage von Pankreas und Milz (Ansicht von ventral). (aus Schünke M, Schulte E, Schumacher U. Prometheus, LernAtlas der Anatomie. Innere Organe. Illustrationen von M. Voll und K. Wesker. 5. Auflage. Stuttgart: Thieme; 2018)

2.6.10 V. mesenterica superior

► Abb. 2.73

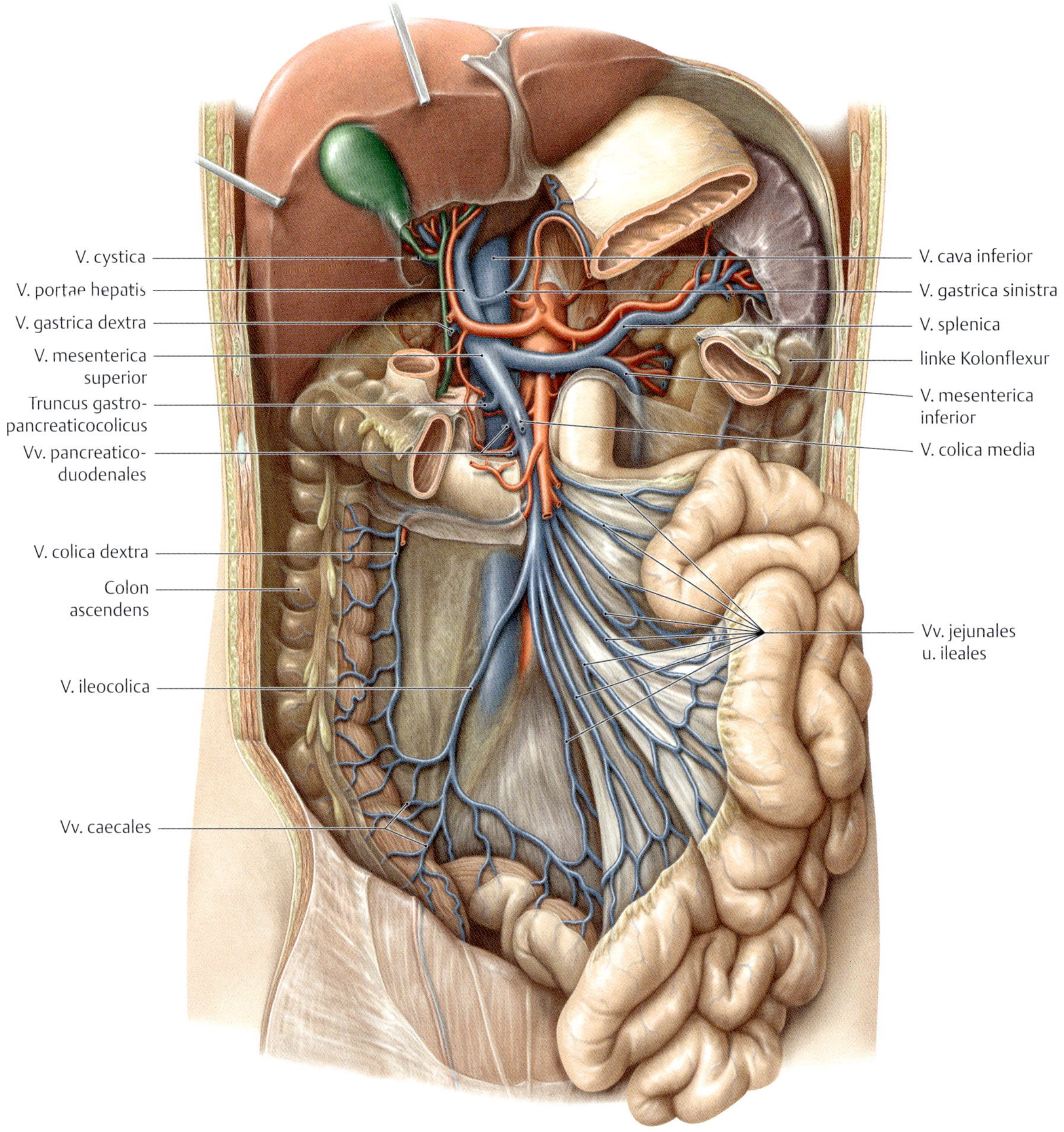

► **Abb. 2.73** Zuflüsse zur V. mesenterica superior (Ansicht von ventral). Auf Höhe von L 1 bilden die V. splenica und die V. mesenterica superior die V. portae hepatis. Zwischen V. mesenterica superior und V. mesenterica inferior existieren zahlreiche Anastomosen (wie bei den Arterien). (aus Schünke M, Schulte E, Schumacher U. Prometheus, LernAtlas der Anatomie. Innere Organe. Illustrationen von M. Voll und K. Wesker. 5. Auflage. Stuttgart: Thieme; 2018)

2.6.11 V. mesenterica inferior

▶ Abb. 2.74

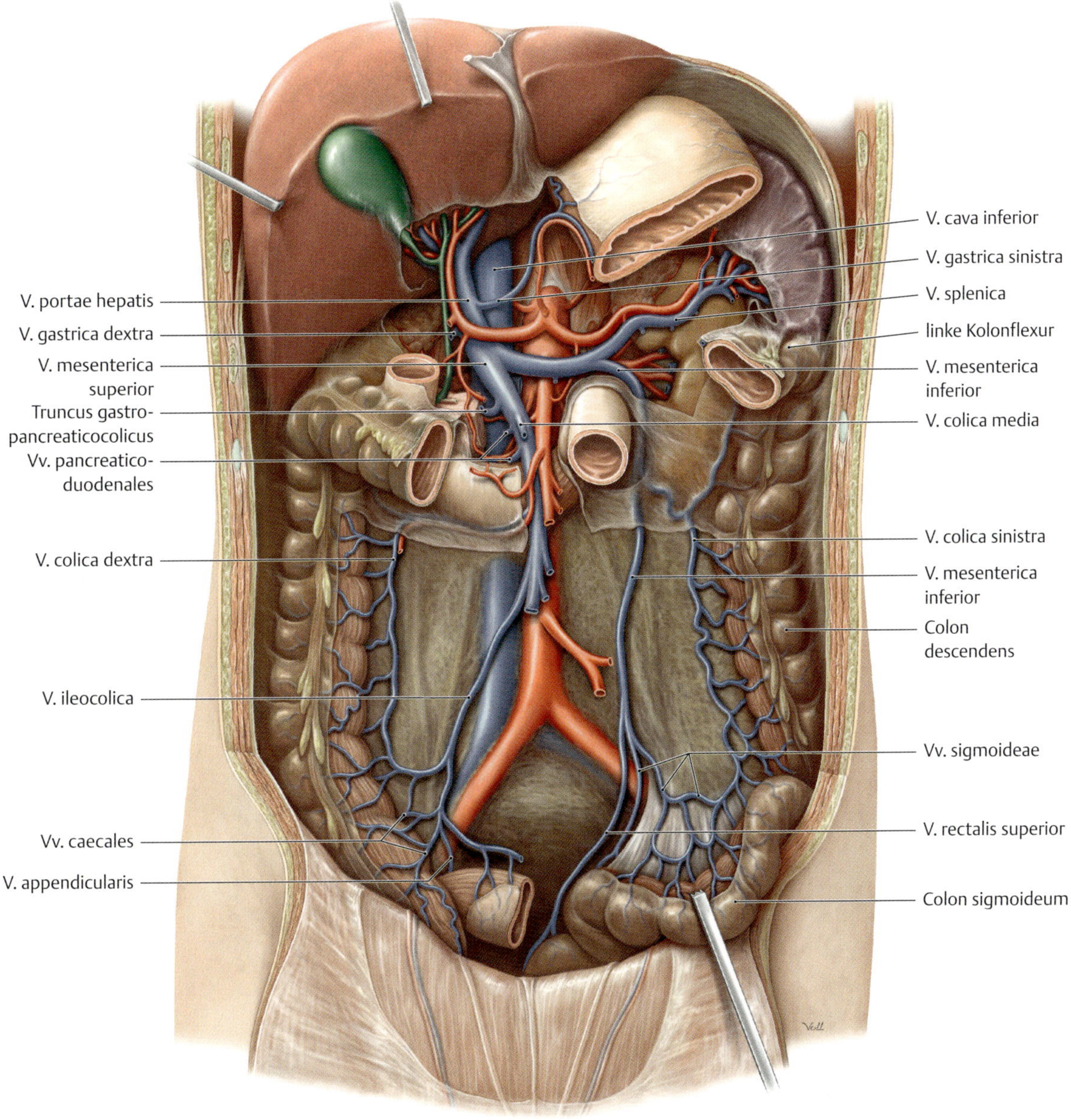

▶ **Abb. 2.74** Zuflüsse zur V. mesenterica inferior (Ansicht von ventral). An der linken Kolonflexur beginnt das Zuflussgebiet der V. mesenterica inferior. (aus Schünke M, Schulte E, Schumacher U. Prometheus, LernAtlas der Anatomie. Innere Organe. Illustrationen von M. Voll und K. Wesker. 5. Auflage. Stuttgart: Thieme; 2018)

2.6.12 Portokavale Anastomosen

▸ Abb. 2.75

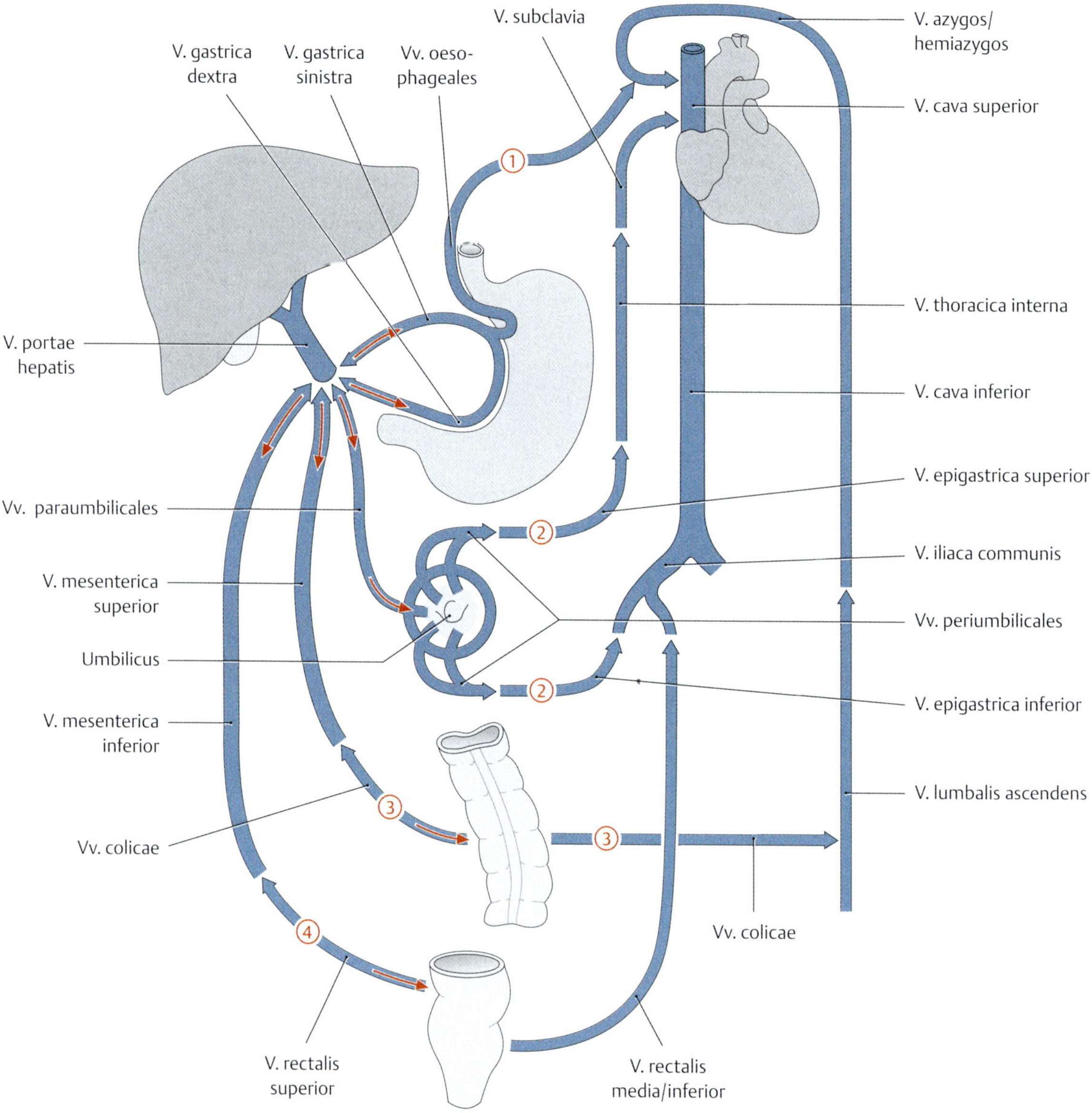

▸ **Abb. 2.75** Venöse Umgehungskreisläufe der V. portae hepatis (portokavale Anastomosen). Wenn der Blutfluss durch die Leber gestört ist, kommt es zur Strömungsumkehr in den eigentlich der Leber zuführenden Gefäßen und das Blut gelangt über Anastomosen bzw. Umwege in die V. cava inferior bzw. superior. 1: Über Venen von Magen und unterem Ösophagusende (Entstehung von Ösophagusvarizen). 2: Über Venen der ventralen Wand des Abdomens (Entstehung eines Caput medusae). 3: Über Venen der dorsalen Wand des Abdomens. 4: Über Venenplexus des Rektums (Entstehung von Hämorrhoiden). (aus Schünke M, Schulte E, Schumacher U. Prometheus, LernAtlas der Anatomie. Innere Organe. Illustrationen von M. Voll und K. Wesker. 5. Auflage. Stuttgart: Thieme; 2018)

2.7 Dorsale Schichten

2.7.1 Fascia thoracolumbalis (FTL)

Anatomie

▶ Abb. 2.76, ▶ Abb. 2.77

- kräftige und vielschichtige Faszie des Rückens, die aus 3 Blättern besteht
- liegt auf Muskeln von Rücken und Stamm
- durch ihre Anordnung und Mehrschichtigkeit umschließt sie auch muskuläre Systeme
- dient auch als Muskelansatz
- bildet eine „Ummantelung" für den M. erector spinae und zusammen mit den Dornfortsätzen, Wirbelbögen und dorsalen Rippenanteilen einen „osteofibrösen Kanal"

- **Oberflächliches Blatt (Lamina superficialis):**
  - an den Dornfortsätzen des Sakrums, der LWS und BWS befestigt
  - zieht kontinuierlich nach kranial über die Faszie des M. serratus posterior superior
  - geht an der HWS in die Fascia nuchae über, die bis zum Os occipitale reicht
  - geht im Bereich des Kreuzbeins fließend in die Fascia glutea (Faszie des M. gluteus maximus) über und steht damit mit den unteren Extremitäten und den sakralen Bändern (wie Lig. sacrotuberale, Lig. sacrospinale) in Verbindung
  - trennt im gesamten Rückenbereich die autochthone Muskulatur (M. erector spinae) von der oberflächlichen Muskulatur (z. B. M. trapezius)
  - im Lumbalbereich ist sie sehr dick, auch glatte Muskelzellen und nervale Strukturen (Rezeptoren und freie Nervenendigungen) sind zu finden
  - nahe den Dornfortsätzen der Wirbelsäule dicht unter der Haut gut zu tasten
  - dient im Lendenbereich und thorakolumbalen Übergang dem oberflächlichen M. latissimus dorsi und M. serratus posterior als Ursprung; dann schiebt sich das oberflächliche Blatt unter die Strukturen der beiden Muskeln und hat so keinen direkten Kontakt mehr mit dem Unterhautgewebe
  - Faserverlauf von kranial-lateral nach kaudal-medial
  - auf Höhe der Wirbel und auch unterhalb von L4/5 kreuzen die Fasern zur Gegenseite und ziehen zum Beckenkamm (Crista iliaca und SIPS)

- **Mittleres Blatt (Lamina media):**
  - an den Procc. transversi und den Ligg. intertransversaria der LWS befestigt (Kap. 3.5.1)
  - reicht kaudal bis zur Crista iliaca und kranial an die 12. Rippe
  - bildet eine Art Mittelschicht, die sich zwischen den tiefen Rückenmuskeln und dem M. quadratus lumborum befindet
  - zahlreiche Fasern setzen sich lateral in den M. transversus abdominis fort

- **Tiefes Blatt (Lamina profunda bzw. anterior):**
  - Fasern stammen aus den Ligg. interspinalia, setzen an bzw. oberhalb der Crista iliaca an und gehen in den M. obliquus internus über
  - wird im Lendenbereich immer dünner und geht im thorakolumbalen Übergang in die Fasern des M. serratus posterior inferior über
  - Faserverlauf von kranio-medial nach kaudal-lateral
  - im Sakralbereich mit Fasern des oberflächlichen Blatts verschmolzen
  - einige Fasern setzen sich im Lig. sacrotuberale fort, in das auch Faserzüge der ischiokruralen Muskulatur (Oberschenkelrückseitenmuskulatur, M. biceps femoris, M. semitendinosus und M. semimembranosus) übergehen (Kap. 8.4.1)

Myofasziale Wirkungsketten

Die FTL ist besonders bei den körperstabilisierenden und dynamischen Ketten beteiligt: bei der oberflächlichen Rückenlinie, den Spirallinien, der tiefen Frontallinie und funktionellen Rückenlinie.

Osteopathische Korrespondenzen

Sie ist durch eine sehr differenzierte Gestaltung gekennzeichnet, die auf neurophysiologische und biomechanische Funktionen hinweist. Unter anderem scheint sie für die Übertragung von Zugkräften und Lasten vom Rumpf auf die untere Extremität bedeutend zu sein. Die FTL hat Einfluss auf die Wirbelsäulenkrümmungen. Andererseits beeinflussen die Bewegungen in der Wirbelsäule durch die „Konstruktion der Ummantelung" die Spannung der FTL.

Der M. erector spinae beeinflusst durch seine Ansätze die Spannung der FTL. Bei Kontraktion des M. erector spinae erhöht sich sein Muskelquerschnitt, der dann zusätzlich zum mechanischen Zug an der FTL die Spannung in der Faszie erhöht. Dadurch wird die Kontraktion des Muskels effizienter (größere Stabilität durch erhöhten Druck innerhalb der Faszie und erhöhte Zugkraft). Im lumbalen Bereich wird diese Funktionalität noch durch die Beteiligung der Bauchmuskeln (M. obliquus internus, M. transversus abdominis) unterstützt.

Nach kranial bestehen Verbindung zur oberen Extremität über den M. latissimus dorsi, nach kaudal über den M. gluteus maximus zur unteren Extremität und nach ventral zu den Bauchmuskeln (M. obliquus internus und M. transversus abdominis). Unphysiologische Spannungen in der FTL können möglicherweise dafür verantwortlich sein, dass unspezifische Lumbalgien ausgelöst werden. Die Funktionalität der Muskelzüge kann Hinweise darauf geben, wo Ursachen zu suchen sind.

Wegen der zentralen Verbindungen der FTL sind die Korrespondenzen und die daraus resultierenden Dysfunktionen sehr vielfältig, z. B. Lumbalgien, Dysfunktionen von HWS, BWS, LWS, ISG, Hüfte, unterer und oberer Extremität sowie Rippengelenken, viszerale Dysfunktionen besonders im Abdomen, kraniale Dysfunktionen insbesondere im Bereich der Schädelbasis (Synchondrosis sphenobasilaris) durch die Beteiligung des Hinterhauptbeins.

Die Atembewegung ist neben der physiologischen lebenswichtigen Funktion auch eine wichtige dynamische Kraft für den gesamten Körper. Die Beckenstellung beeinflusst den Raum der Atembewegung. Eine Muskeltonuserhöhung des M. erector spinae und damit auch eine erhöhte Spannung in der Fascia thoracolumbalis kann auch reaktiv durch einen vermehrten kaudalen Zug der inneren Organe in Richtung Becken entstehen (Ptose) (Kap. 2.3.1).

Behandlungshinweise

Für das praktische Arbeiten ist es wichtig, die Funktionsweise des Gesamtsystems zu verstehen. Die Ansätze und Faserverläufe der Fascia thoracolumbalis verdeutlichen, dass viele Muskeln die Spannung der Fascia thoracolumbalis beeinflussen.

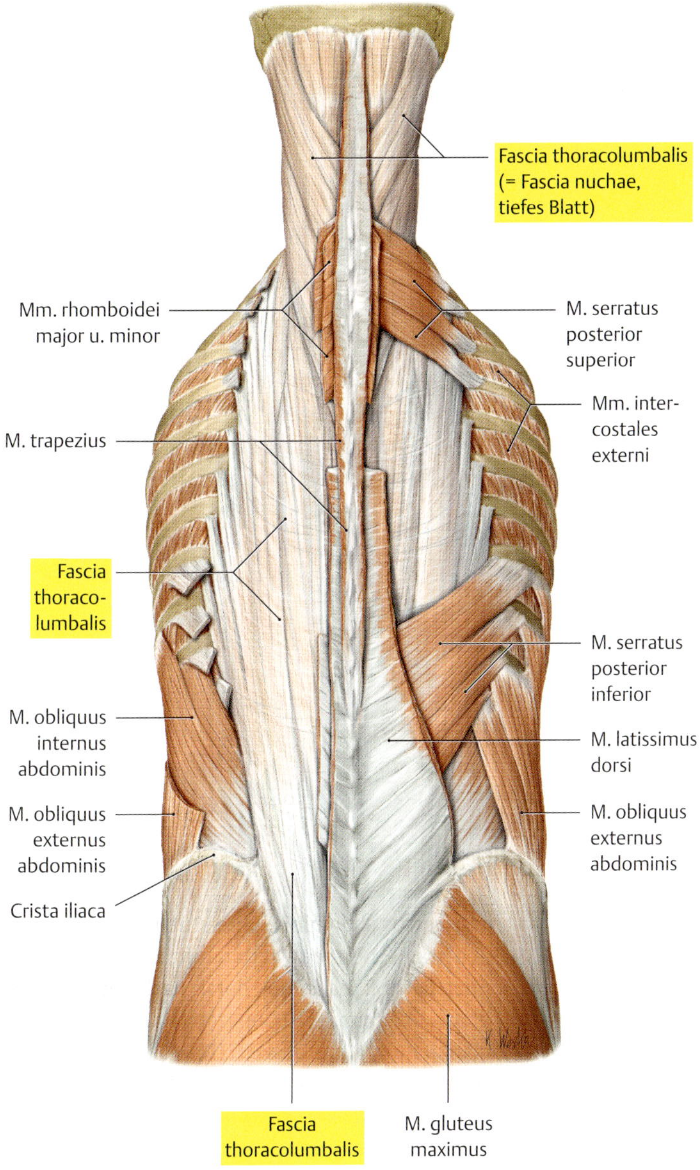

▶ **Abb. 2.76** Verlauf der Fascia thoracolumbalis (Ansicht von dorsal). Sie dient als Trennwand zwischen autochthoner und eingewanderter Rückenmuskulatur. (aus Schünke M, Schulte E, Schumacher U. Prometheus, LernAtlas der Anatomie. Allgemeine Anatomie und Bewegungssystem. Illustrationen von M. Voll und K. Wesker. 5., vollständig überarbeitete Auflage. Stuttgart: Thieme; 2018)

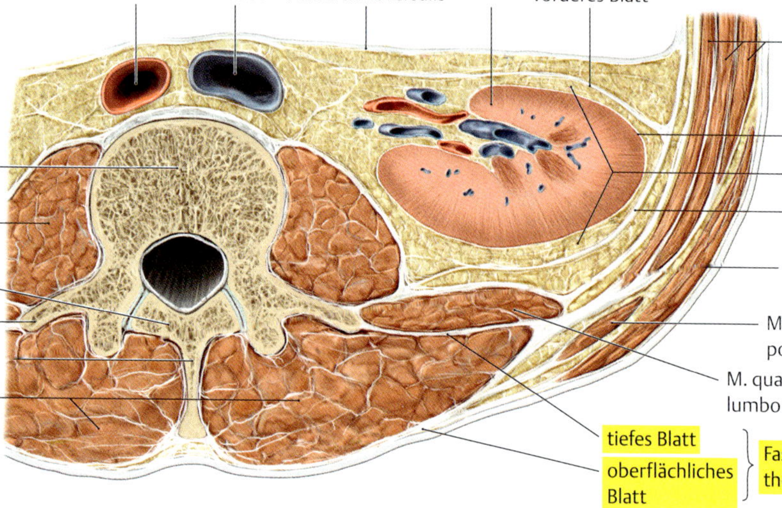

▸ **Abb. 2.77** Aufbau der Fascia thoracolumbalis (Querschnitt auf Höhe von LWK3, Ansicht von kranial). Sie bildet einen osteofibrösen Kanal für die autochthone Rückenmuskulatur. (aus Schünke M, Schulte E, Schumacher U. Prometheus, LernAtlas der Anatomie. Allgemeine Anatomie und Bewegungssystem. Illustrationen von M. Voll und K. Wesker. 5., vollständig überarbeitete Auflage. Stuttgart: Thieme; 2018)

2.7.2 Eingewanderte Rückenmuskulatur

Anatomie

▸ Abb. 2.80

- **M. latissimus dorsi:**
  - **Ursprung:**
    - Procc. spinosi und Ligg. supraspinalia aller Brust-, Lenden- und Sakralwirbel von BWK7 abwärts
    - Fascia thoracolumbalis
    - Crista iliaca (hinteres Drittel)
    - Rippen IX–XII
    - Angulus inferior scapulae
  - **Ansatz:** Crista tuberculi minoris humeri
  - **Funktion:**
    - Extension, Innenrotation und Adduktion des Arms
    - tiefe Inspiration und forcierte Exspiration
  - **Innervation:** N. thoracodorsalis (C6–C8)
  - **Triggerpunkte:** im freien Rand der posterioren Achselfalte etwa auf Höhe der Mitte des Margo lateralis scapulae (▸ Abb. 2.78)
- **M. serratus posterior superior:**
  - **Ursprung:** Procc. spinosi und Ligg. supraspinalia von HWK7–BWK2
  - **Ansatz:** Außenfläche der Rippen II–V (posterior)
  - **Funktion:** Inspirationsmuskel bei tiefer Einatmung
  - **Innervation:** ventrale Äste der Spinalnerven Th 2–5
  - **Triggerpunkte** (▸ Abb. 2.79): TP projiziert sich in Neutralstellung auf Höhe der Fossa supraspinata scapulae in der Nähe der Spina scapulae auf die dorsale Rumpfwand; für die Palpation die Schulter protrahieren, um ihn freizulegen
- **M. serratus posterior inferior:**
  - **Ursprung:** Procc. spinosi und Ligg. supraspinalia von BWK11–LWK2
  - **Ansatz:** Außenfläche der Rippen IX–XII (posterior)
  - **Funktion:** Exspirationsmuskel bei tiefer Ausatmung
  - **Innervation:** ventrale Äste der Spinalnerven Th 9–12
  - **Triggerpunkte** (▸ Abb. 2.79): im Muskelbauch nahe des Ansatzes an den Rippen
- **M. trapezius:**
  - **Ursprung:**
    - Pars descendens: Os occipitale (Linea nuchalis superior und Protuberantia occipitalis externa)
    - Pars transversa: Lig. nuchae
    - Pars ascendens: Procc. spinosi und Ligg. supraspinalia BWK5–12
  - **Ansatz:**
    - Pars descendens: äußeres Drittel des Klavikulahinterrands
    - Pars transversa: medialer Abschnitt des Akromions
    - Pars ascendens: Oberkante der Spina scapulae
  - **Funktion:**
    - Außenrotation im Schultergelenk
    - Hebung der Skapula
    - Retraktion der Skapula zur Wirbelsäule
    - bei fixierter Skapula: Extension und Lateralflexion der HWS
  - **Innervation:** N. accessorius, propriozeptive Fasern aus C3/4
  - **Triggerpunkte:** findet man im gesamten Muskel (▸ Abb. 2.78)
    - TP 1: im freien Rand der Pars descendens als hypertone Bänder palpierbar
    - TP 2: posterior von TP 1 und oberhalb der Spina scapulae etwa in der Mitte der Spina
    - TP 3: im Bereich des lateralen Randes der Pars ascendens, nahe des Margo medialis scapulae
    - TP 4: in der Pars ascendens direkt unterhalb der Spina scapulae, nahe des Margo medialis scapulae
    - TP 5: in der Pars horizontalis etwa 1 cm medial des Ansatzes des M. levator scapulae an der Skapula
    - TP 6: in der Fossa supraspinata scapulae, nahe dem Akromion

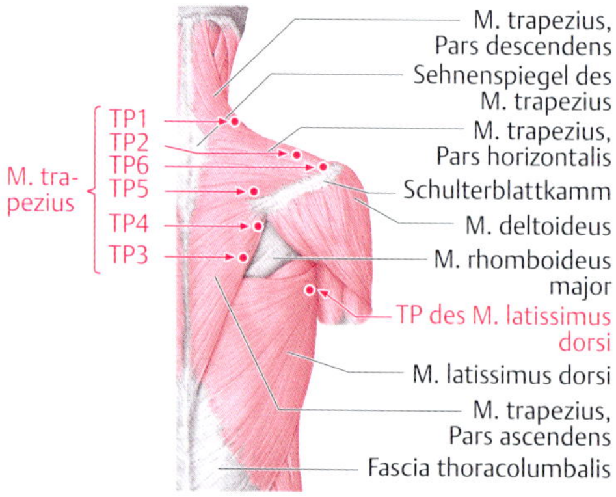

▸ **Abb. 2.78** Triggerpunkte M. latissimus dorsi und M. trapezius. (aus Hebgen E. Taschenatlas Myofasziale Triggerpunkte. Schmerzguide für Osteopathen und Manualtherapeuten. 2. Aufl. Stuttgart: Georg Thieme Verlag 2020; nach Schünke M, Schulte E, Schumacher U. Prometheus LernAtlas der Anatomie. Allgemeine Anatomie und Bewegungssystem. Illustrationen von Voll M und Wesker K. 5. Aufl. Stuttgart: Thieme; 2018)

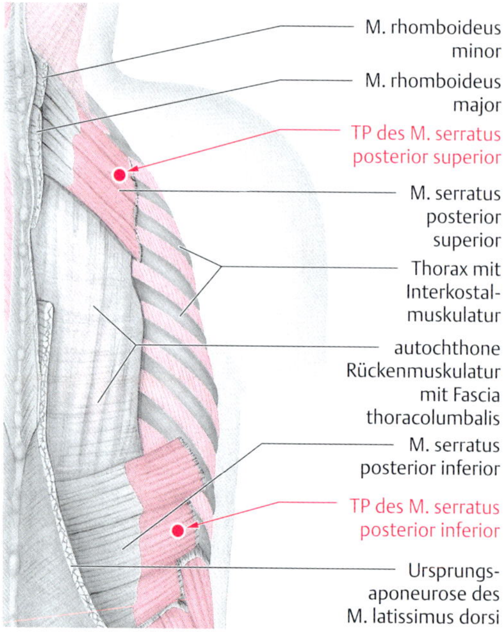

▸ **Abb. 2.79** Triggerpunkte M. serratus posterior superior und M. serratus posterior inferior. (aus Richter P, Hebgen E. Triggerpunkte und Muskelfunktionsketten. 5. Aufl. Stuttgart: Haug; 2021, nach: Schünke M. Funktionelle Anatomie: Topographie und Funktion des Bewegungssystems. 1. Aufl. Stuttgart: Thieme; 2000)

Osteopathische Korrespondenzen

Der M. latissimus dorsi ist der Muskel, der die Verbindung zwischen der LWS und der oberen Extremität herstellt. Dysfunktionen der FTL bzw. in der Wirbelsäule können sich so auf die obere Extremität übertragen. Umgekehrt können sich Zugkräfte aus der oberen Extremität über den M. latissimus auf die LWS fortsetzen.

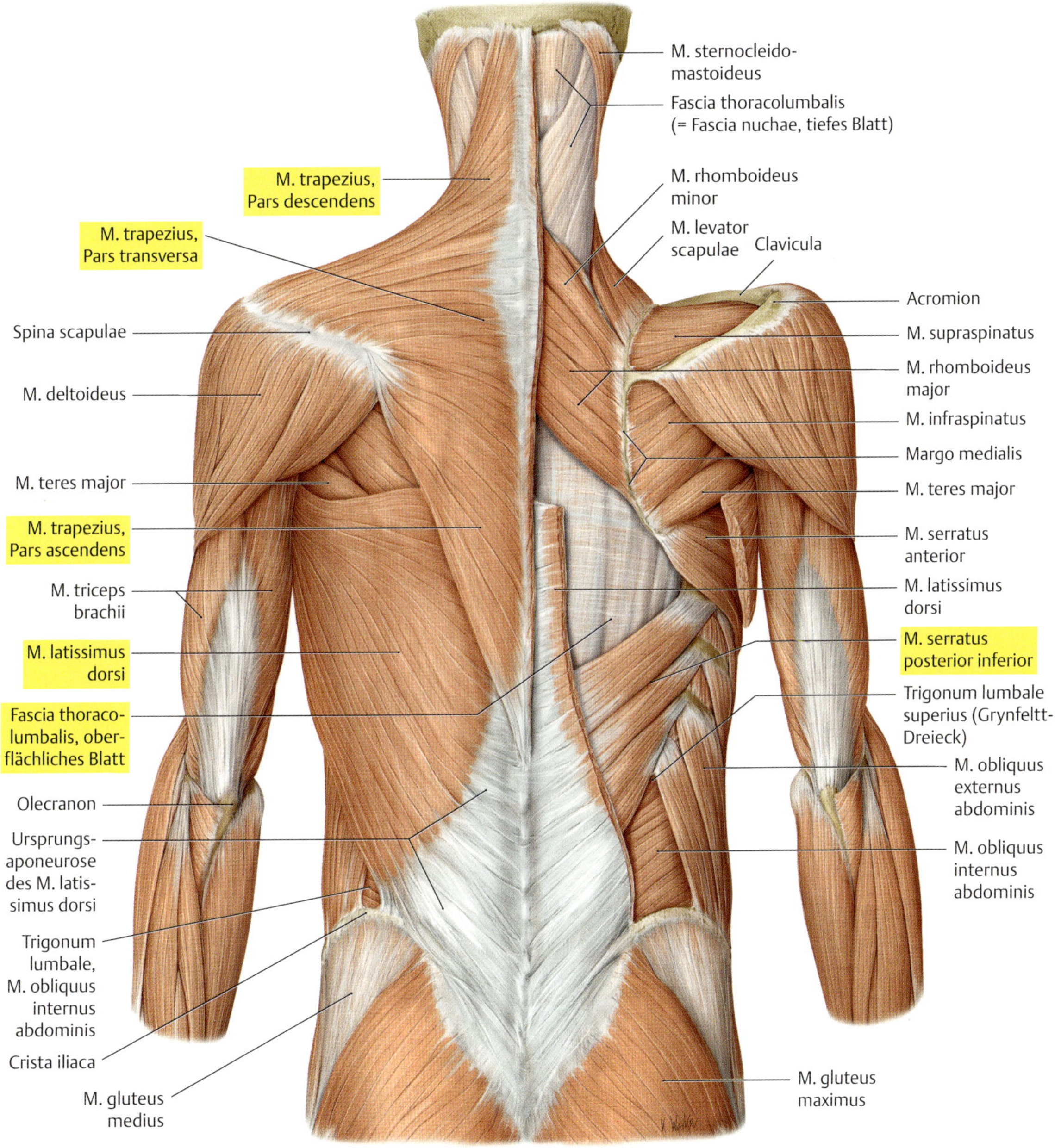

▸ **Abb. 2.80** Überblick über die eingewanderte Rückenmuskulatur (Ansicht von dorsal), das Trigonum lumbale superius (Grynfelt-Dreieck) ist ein muskelfreies Dreieck und wird von der 12. Rippe, M. erector spinae und M. obliquus inferius abdominis begrenzt. An dieser Stelle kann die Niere von dorsal mobilisiert werden. (aus Schünke M, Schulte E, Schumacher U. Prometheus, LernAtlas der Anatomie. Allgemeine Anatomie und Bewegungssystem. Illustrationen von M. Voll und K. Wesker. 5., vollständig überarbeitete Auflage. Stuttgart: Thieme; 2018)

2.8
Schnittbilder

▶ Abb. 2.81, ▶ Abb. 2.82, ▶ Abb. 2.83, ▶ Abb. 2.84, ▶ Abb. 2.85, ▶ Abb. 2.86, ▶ Abb. 2.87, ▶ Abb. 2.88, ▶ Abb. 2.89, ▶ Abb. 2.90

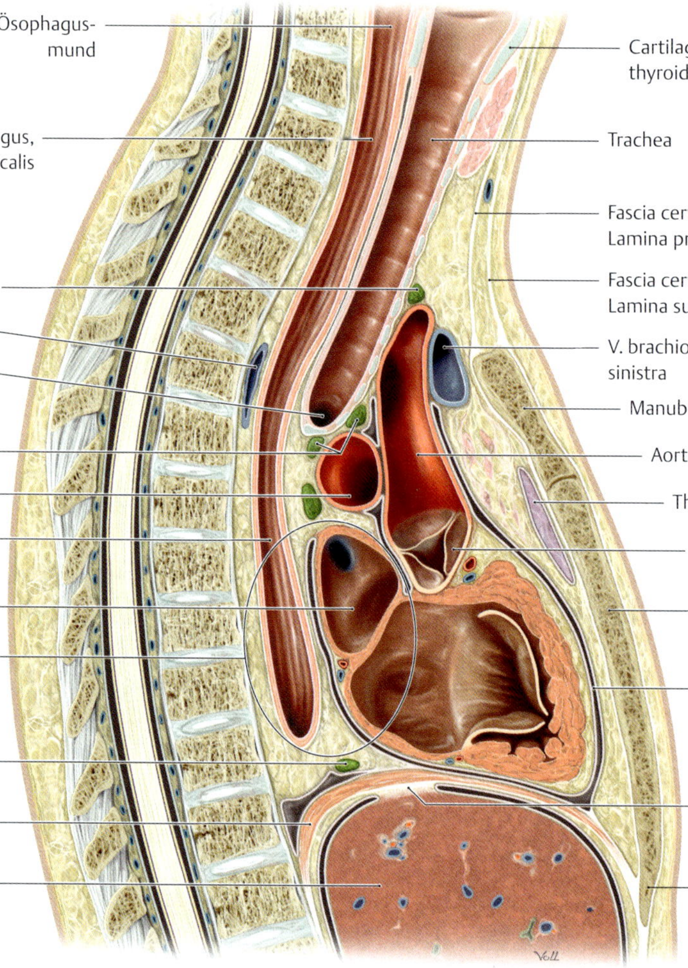

▶ **Abb. 2.81** Mediansagittalschnitt in der Ansicht von rechts. Man erkennt die Komplexität der Strukturen im Mediastinum. Insbesondere die Enge zwischen Herz und Ösophagus kann bei krankhaften Herzveränderungen (Vergrößerung) zum Engpass im Bereich des Ösophagus führen. Die räumliche Ausbreitung des Mediastinums zeigt sich an der Einteilung des Mediastinums in einen superioren, anterioren, medialen und posterioren Anteil. (aus Schünke M, Schulte E, Schumacher U. Prometheus, LernAtlas der Anatomie. Innere Organe. Illustrationen von M. Voll und K. Wesker. 5. Auflage. Stuttgart: Thieme; 2018)

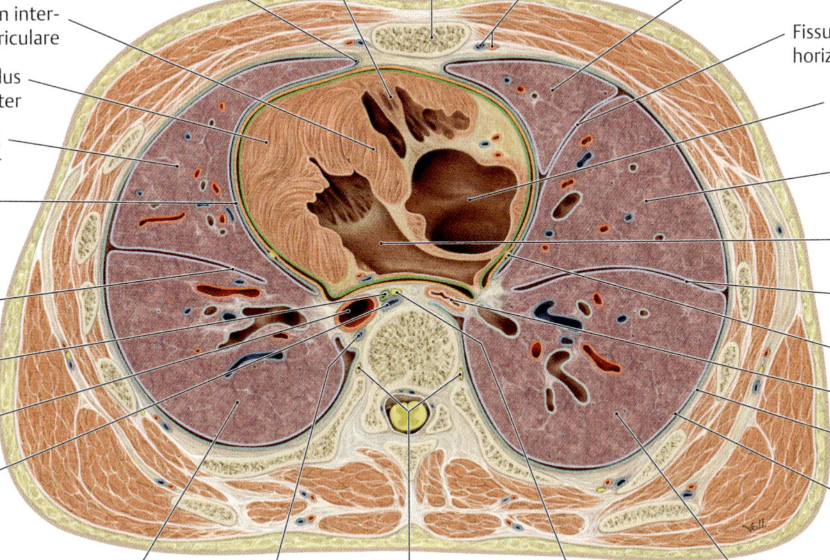

▶ **Abb. 2.82** Transversalschnitt durch den Thorax in Höhe von Th 8. Deutlich werden der schmale Raum zwischen Herz und Lunge sowie die Gefäßsituation vor der Wirbelsäule. (aus Schünke M, Schulte E, Schumacher U. Prometheus, LernAtlas der Anatomie. Innere Organe. Illustrationen von M. Voll und K. Wesker. 5. Auflage. Stuttgart: Thieme; 2018)

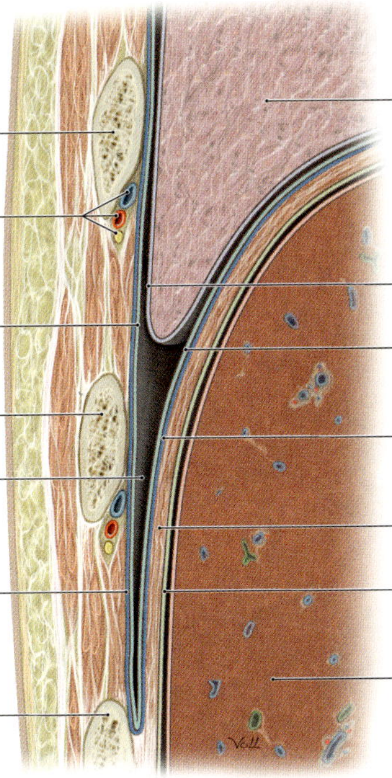

▶ **Abb. 2.83** Übersicht über die Recessus pleurales, die als Spalträume die Ausdehnung der Lunge möglich machen (Paramediansagittalschnitt rechts, Ansicht von lateral). (aus Schünke M, Schulte E, Schumacher U. Prometheus, LernAtlas der Anatomie. Innere Organe. Illustrationen von M. Voll und K. Wesker. 5. Auflage. Stuttgart: Thieme; 2018)

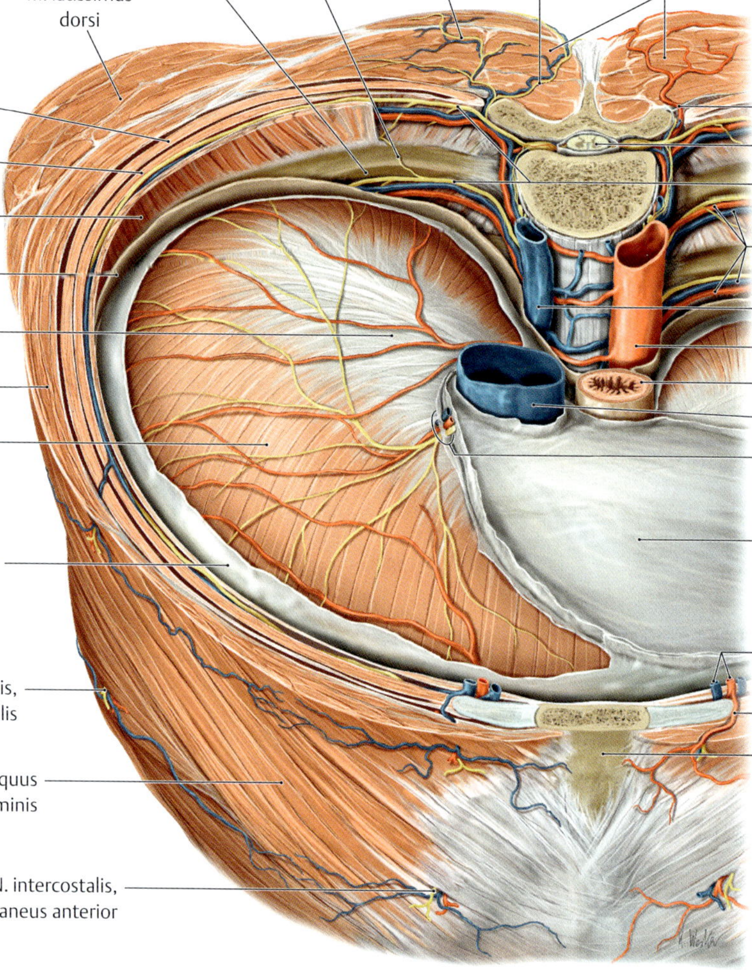

▶ **Abb. 2.84** Horizontalschnitt durch den Brustkorb (Ansicht von kranial-ventral). Man erkennt die Komplexität der Strukturen beim Durchtritt durch das Zwerchfell. Gut zu sehen ist auch die Lage der Fascia endothoracica und der Fascia phrenicopleuralis. (aus Schünke M, Schulte E, Schumacher U. Prometheus, LernAtlas der Anatomie. Allgemeine Anatomie und Bewegungssystem. Illustrationen von M. Voll und K. Wesker. 5., vollständig überarbeitete Auflage. Stuttgart: Thieme; 2018)

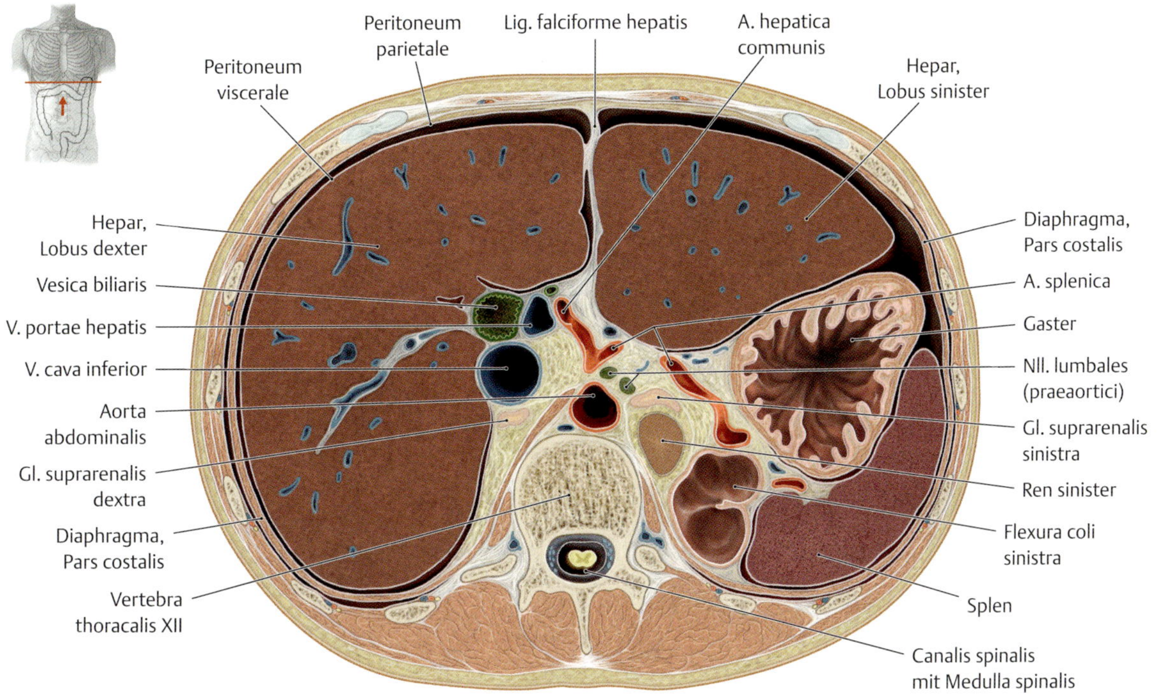

► **Abb. 2.85** Horizontalschnitt durch das Abdomen auf Höhe des Wirbelkörpers Th 12 (Ansicht von kaudal). (aus Schünke M, Schulte E, Schumacher U. Prometheus, LernAtlas der Anatomie. Innere Organe. Illustrationen von M. Voll und K. Wesker. 5. Auflage. Stuttgart: Thieme; 2018)

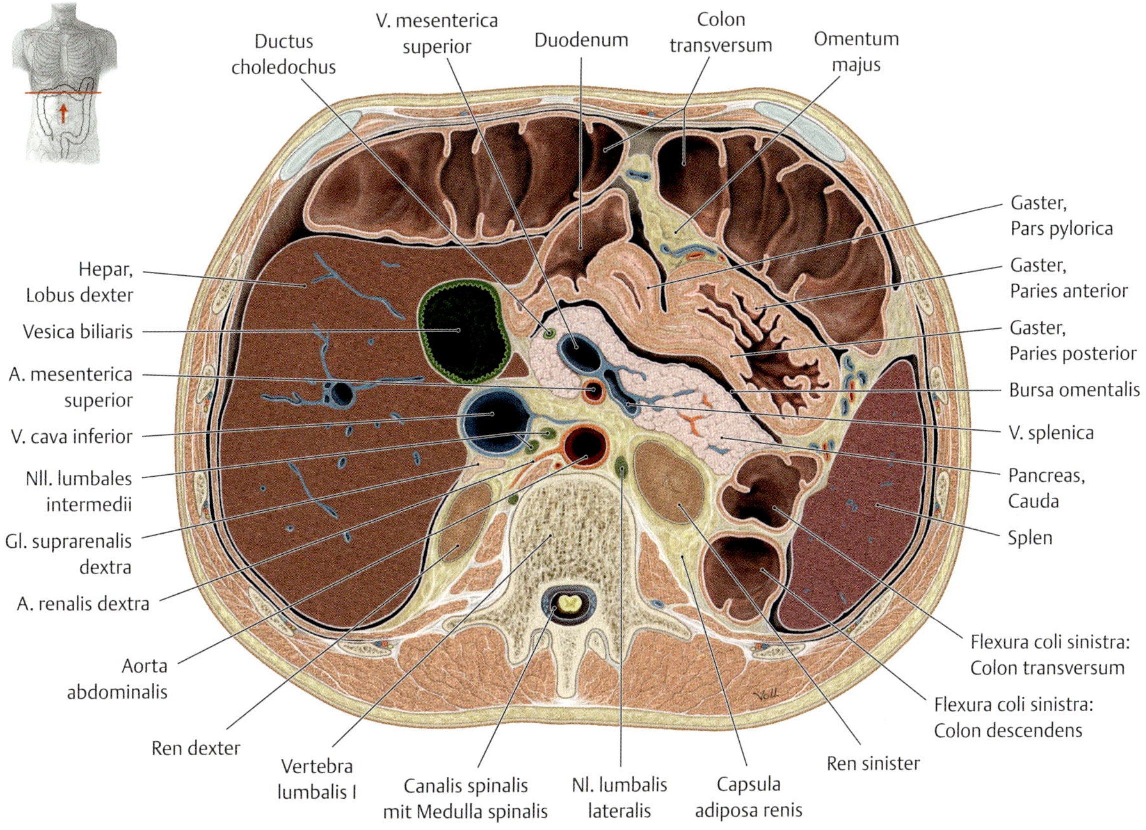

► **Abb. 2.86** Horizontalschnitt durch das Abdomen auf Höhe des Wirbelkörpers L 1 (Ansicht von kaudal). (aus Schünke M, Schulte E, Schumacher U. Prometheus, LernAtlas der Anatomie. Innere Organe. Illustrationen von M. Voll und K. Wesker. 5. Auflage. Stuttgart: Thieme; 2018)

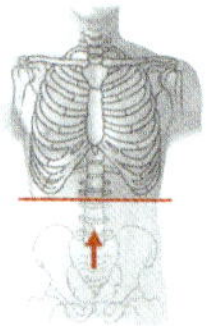

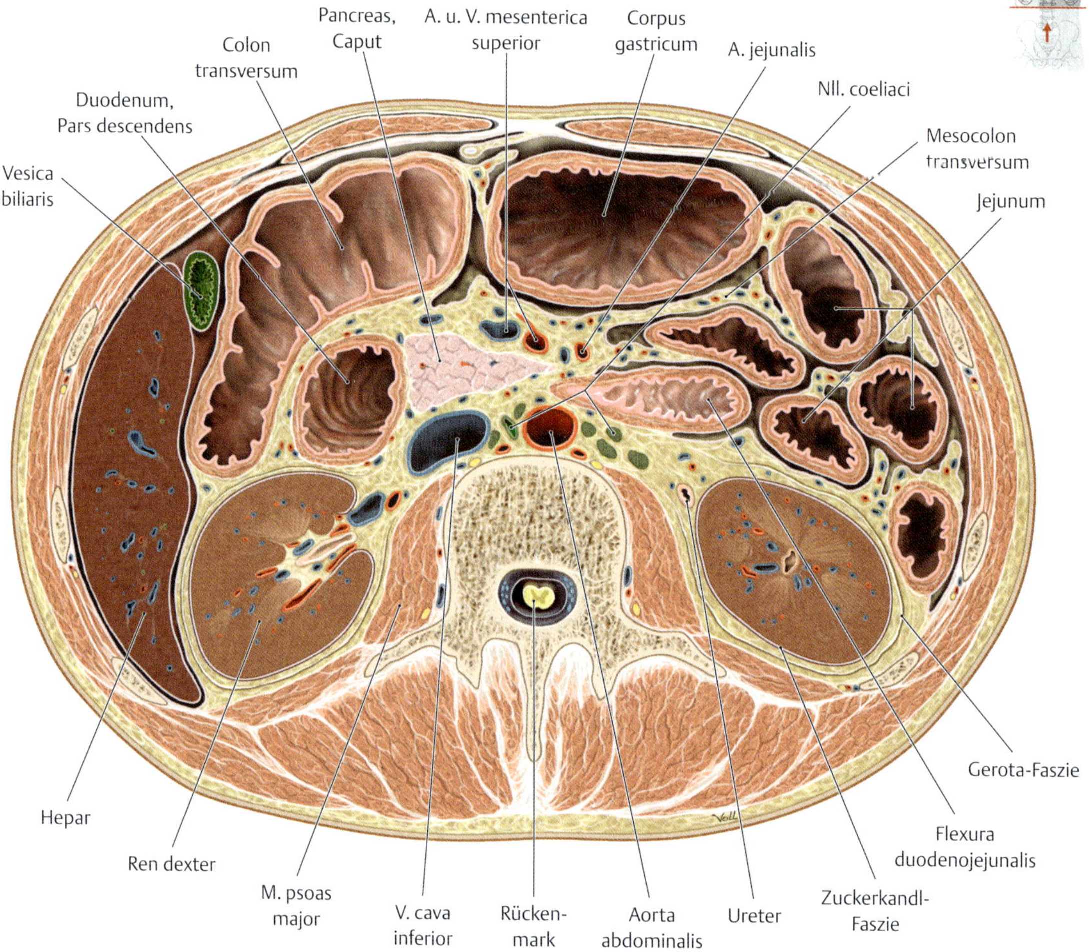

▸ **Abb. 2.87** Horizontalschnitt durch das Abdomen etwa in Höhe des 1. LWK (Ansicht von kaudal). Er zeigt die Komplexität und Vielfalt der Gleitflächen der Organe untereinander. (aus Schünke M, Schulte E, Schumacher U. Prometheus, LernAtlas der Anatomie. Innere Organe. Illustrationen von M. Voll und K. Wesker. 5. Auflage. Stuttgart: Thieme; 2018)

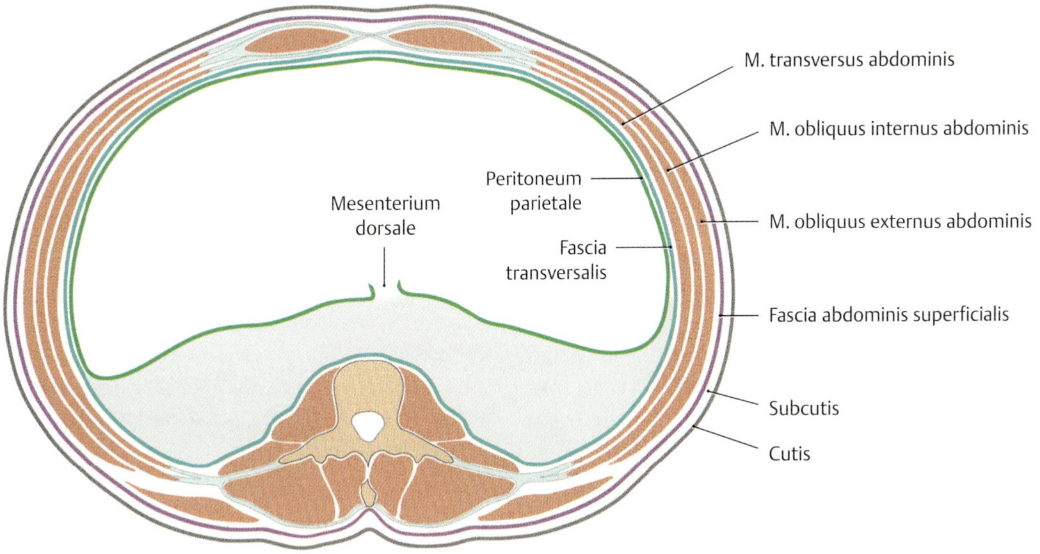

▸ **Abb. 2.88** Schematischer Aufbau der Bauchwand (Querschnitt durch die Bauchwand oberhalb des Nabels, Ansicht von kranial). (aus Schünke M, Schulte E, Schumacher U. Prometheus, LernAtlas der Anatomie. Allgemeine Anatomie und Bewegungssystem. Illustrationen von M. Voll und K. Wesker. 5., vollständig überarbeitete Auflage. Stuttgart: Thieme; 2018)

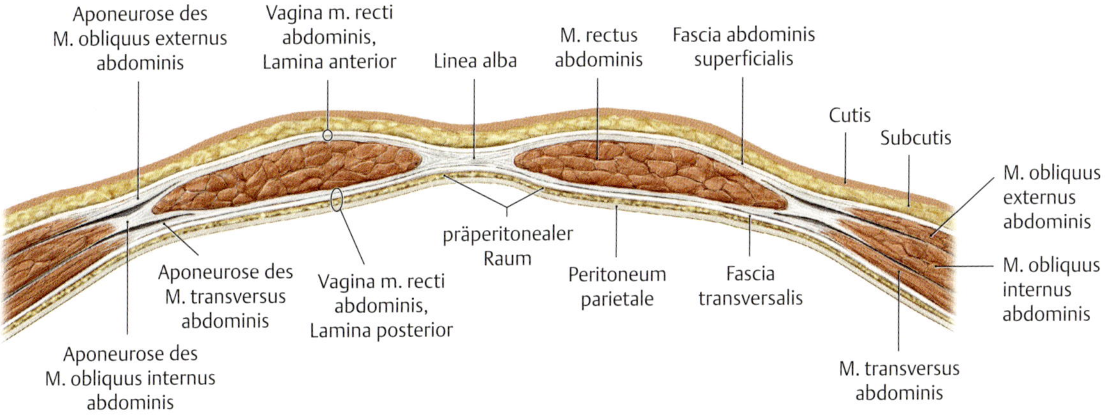

▸ **Abb. 2.89** Aufbau der Rektusscheide: Querschnitt durch die Rektusscheide oberhalb der Linea arcuata (Ansicht von kranial). (aus Schünke M, Schulte E, Schumacher U. Prometheus, LernAtlas der Anatomie. Allgemeine Anatomie und Bewegungssystem. Illustrationen von M. Voll und K. Wesker. 5., vollständig überarbeitete Auflage. Stuttgart: Thieme; 2018)

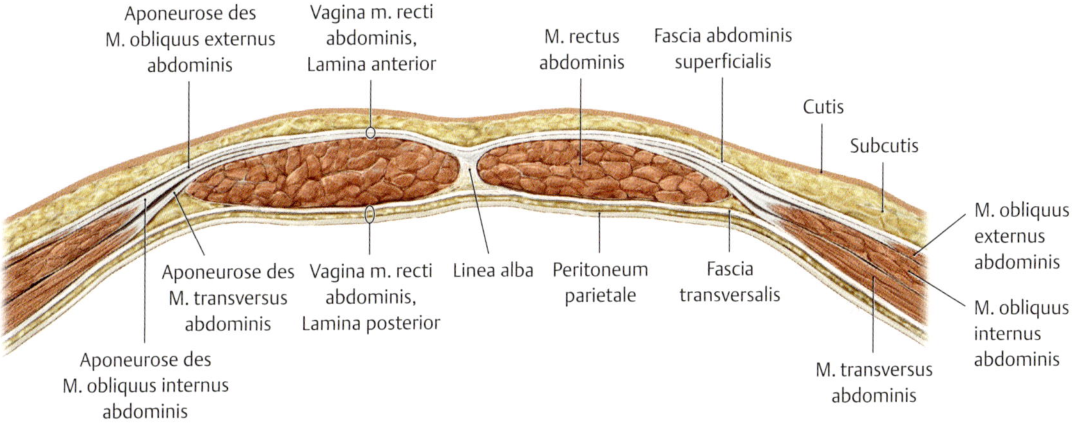

▸ **Abb. 2.90** Aufbau der Rektusscheide: Querschnitt durch die Rektusscheide unterhalb der Linea arcuata (Ansicht von kranial). (aus Schünke M, Schulte E, Schumacher U. Prometheus, LernAtlas der Anatomie. Allgemeine Anatomie und Bewegungssystem. Illustrationen von M. Voll und K. Wesker. 5., vollständig überarbeitete Auflage. Stuttgart: Thieme; 2018)

3 Lumbosakraler Übergang (LSÜ)

3.1 Überblick

Als lumbosakraler Übergang (LSÜ) wird aus funktioneller Sicht die untere abdominale Region zwischen L 4 bis zum kaudalen Abschluss des kleinen Beckens samt Os coccygis definiert (▶ Abb. 3.1). Dieser Bereich wird deshalb weit gefasst beschrieben, weil die untere abdominale Region nicht nur ein wichtiger Gleitraum für seine Organe, sondern in Kombination mit dem Beckenboden auch ein wichtiger Abschluss des Bauchraums ist. Wesentlich für den Beckenboden ist die stützende, stoßdämpfende, aber auch druckausgleichende Funktion für die Bauch- und Beckenorgane. Die zahlreich miteinander korrespondierenden faszialen, parietalen, viszeralen, kraniosakralen Strukturen sowie die Gefäßstraßen und Nervenverläufe in der Beckenregion unterstreichen die funktionelle Komplexität in diesem Bereich.

Im Bereich des lumbosakralen Übergangs verlaufen zahlreiche Muskeln und Faszien, die zum einen eine weit reichende Verbindung zwischen Kopf, Becken und Steißbein herstellen. Zum anderen bestehen auch komplexe Verbindungen vom lumbosakralen Übergang zur unteren Extremität. Der lumbosakrale Übergang ist auch aus struktureller Perspektive eine Region, die sich bis in die tiefe Beckenregion erstreckt. Über die Beckenstellung wird Einfluss auf die Hüftgelenke genommen und umgekehrt. Verschiedene Muskeln, Faszien und Bandstrukturen dienen der Stabilisation, aber auch der Ausbalancierung des Beckens. Daraus ergibt sich ein Aspekt, der die Posturalität betrifft.

Der lumbosakrale Übergang ist durch eine komplexe Verbindung zwischen Abdomen, Becken und unterer Extremität charakterisiert. Er steht in Wechselbeziehung zum thorakolumbalen und zervikothorakalen Übergang. Denn die Atemmechanik entwickelt eine dynamische Kraft, die nur im Zusammenspiel mit einem funktionsfähigen Beckenboden und einem freien lumbosakralen Übergang ihre Effizienz erreicht. Im lumbosakralen Übergang existieren zahlreiche Durchgangspassagen für Gefäße, Nerven und Muskeln, die auch u. a. zirkulatorisch für den gesamten Körper bedeutsam sind.

3.1.1 Regionen

Für den ventralen und dorsalen Bereich des LSÜ werden topografisch betrachtet (▶ Abb. 3.2, ▶ Abb. 3.3):

- Regio umbilicalis (kaudal unterhalb des Bauchnabels)
- Regio abdominalis lateralis
- Regio pubica
- Regio inguinalis
- Trigonum femoris (kraniale Hälfte)
- Regio sacralis
- Regio glutealis
- Regio analis

Dies entspricht annähernd dem subperitonealen Raum.

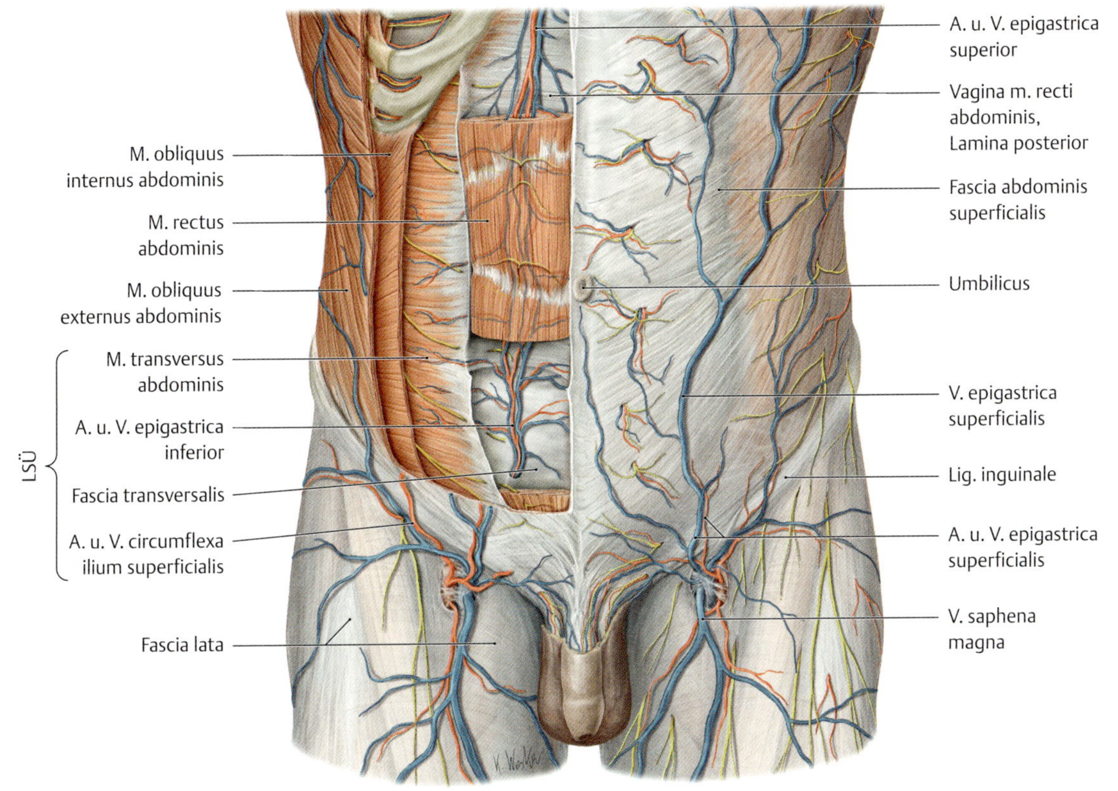

► **Abb. 3.1** Der lumbosakrale Übergang im Überblick (Ansicht von ventral). (aus Schünke M, Schulte E, Schumacher U. Prometheus, LernAtlas der Anatomie. Allgemeine Anatomie und Bewegungssystem. Illustrationen von M. Voll und K. Wesker. 5., vollständig überarbeitete Auflage. Stuttgart: Thieme; 2018)

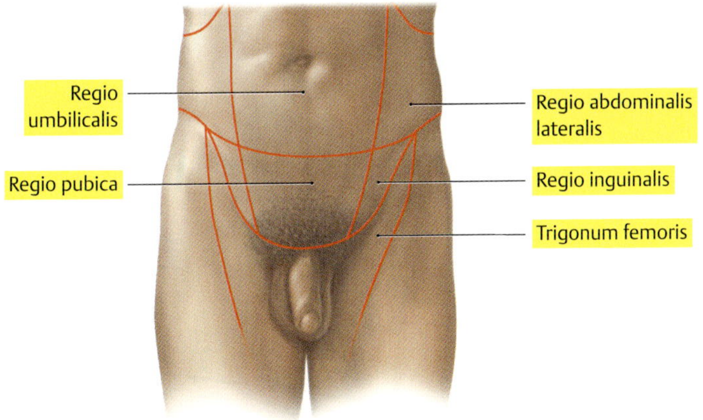

► **Abb. 3.2** Regionen des lumbosakralen Übergangs (Ansicht von ventral). (aus Schünke M, Schulte E, Schumacher U. Prometheus, LernAtlas der Anatomie. Allgemeine Anatomie und Bewegungssystem. Illustrationen von M. Voll und K. Wesker. 5., vollständig überarbeitete Auflage. Stuttgart: Thieme; 2018)

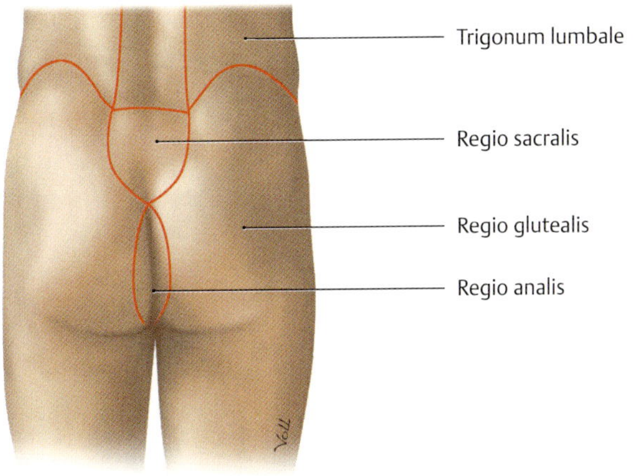

► **Abb. 3.3** Regionen des lumbosakralen Übergangs (Ansicht von dorsal). (aus Schünke M, Schulte E, Schumacher U. Prometheus, LernAtlas der Anatomie. Allgemeine Anatomie und Bewegungssystem. Illustrationen von M. Voll und K. Wesker. 5., vollständig überarbeitete Auflage. Stuttgart: Thieme; 2018)

3.2 Faszienhülle, oberflächliche ventrale Schichten

3.2.1 Fascia abdominis superficialis

Anatomie

Kap. 2.2.1, ▸ Abb. 3.1

- bedeckt die gesamte vordere Bauchwand
- ist im kaudalen Bereich in einen oberflächlicheren Anteil (Fascia subcutanea abdominis, Camper-Faszie), in dem mehr Fett eingelagert ist, und in einen tieferen, faserartigen Anteil (Scarpa-Faszie) aufgeteilt
- der tiefe Anteil setzt sich kaudal in die Fascia lata des Oberschenkels fort, den Übergang bildet das Lig. inguinale
- oberflächlicher und tiefer Anteil verbinden sich beim Mann an der Vorderfläche der Peniswurzel
- auf Höhe des Os pubis setzt sich die Faszie auf dem Penis als Fascia penis superficialis fort
- die Camper-Faszie ist bei der Frau mit mehr Fettgewebe angereichert und Bestandteil der äußeren Schamlippen
- zur Medianlinie hin ist die Scarpa-Faszie fest mit der Linea alba und der Symphysis pubis verbunden
- die Scarpa-Faszie verläuft über die Rr. inferiores ossis pubis bis zum Diaphragma urogenitale, wo sie zur Fascia urogenitalis superficialis (Colles-Faszie) wird
- die Scarpa-Faszie entwickelt beim Mann zur Medianlinie hin ligamentäre Strukturen und geht in das Lig. fundiforme penis über, das sich in einen rechten und linken Anteil aufteilt und das Corpus cavernosum penis umschlingt; von dort zieht es weiter zum Skrotum
- die Scarpa-Faszie setzt sich bei der Frau in die Labia majora und in den vorderen Abschnitt des Perineums (Damm) fort

Osteopathische Korrespondenzen

Schlecht verheiltes Narbengewebe oberhalb der Schambeinsymphyse, z. B. nach Prostataoperation oder Kaiserschnitt, kann die elastische Kontinuität der Faszienstruktur beeinträchtigen. Der Patient klagt dann über Missempfindungen im Narbengewebe und ziehende Schmerzen, die in den Genitalbereich ausstrahlen und sich durch Druck und Zug verschlimmern.

Behandlungshinweise

Eine flächige und auch punktförmige Narbenmobilisation kann die Elastizität und die Gleiteigenschaft des Fasziengewebes verbessern. Hilfreich ist insbesondere die regional übergreifende Mobilisation der Bogen- und Zentralsehne.

3.2.2 Linea alba

Anatomie

Kap. 2.2.2, ▸ Abb. 3.4

- eigentlich gegenseitige Verankerung der Sehnenplatten der Bauchmuskulatur
- unterhalb der Linea arcuata (etwas unterhalb des Bauchnabels) ist sie nicht mehr eindeutig sichtbar, weil die Aponeurosen der Bauchmuskeln (M. transversus abdominis, M. obliquus internus abdominis) ventral des M. rectus abdominis verlaufen
- wird dorsal durch ein Verstärkungsband (Adminiculum lineae albae) verstärkt

Behandlungshinweise

Zur Mobilisation der verschiedenen oberflächlichen Gewebeschichten bieten sich insbesondere im unteren abdominalen Bereich indirekte Faszientechniken an.

3.2.3 Rektusscheide

Anatomie

Kap. 2.2.3, ▸ Abb. 3.4

- besteht aus mehreren Sehnenplatten der queren und schrägen Bauchmuskeln
- umhüllt den M. rectus abdominis ventral und dorsal (Vagina musculi recti abdominis)
- funktioniert wie ein Führungsrohr
- wichtiger Stabilisator der kaudalen Bauchwand

Myofasziale Wirkungsketten

Die Linea alba und die Rektusscheide bilden eine Funktionseinheit u. a. mit dem M. rectus abdominis. Dieser Muskel ist Bestandteil der oberflächlichen Frontallinie, die eine Verbindung zwischen der dorsalen Fläche der Zehen bis zum Os occipitale (über die Galea aponeurotica) darstellt. Sie ist ein Antagonist der oberflächlichen Rückenlinie und zieht u. a. Strukturen nach kranial, die vor der Lotlinie liegen. Das ist z. B. der ventrale Anteil des Beckens, Abdomens und Thorax. Die Rektusscheide ist auch Bestandteil der Bogensehne.

3.2.4 M. pyramidalis

Anatomie

- ▶ Abb. 3.4, Kap. 8.5.5
- inkonstant und bei ca. 20 % der Menschen nicht angelegt
- war in der Evolution für die Ausbildung des Bauchbeutels der Säugetiere vorgesehen, so wie heute noch beim Känguru und dem Koalabären
- **Verlauf:**
  - **Ursprung:** Crista pubica, ventral des Ansatzes des M. rectus abdominis
  - **Ansatz:** distal an Linea alba
- **Funktion:** Verstärkung der Rektusscheide, Spannen der Linea alba
- **Innervation:** N. subcostalis (Th 12)
- **Triggerpunkte:** nahe der Symphyse

Osteopathische Korrespondenzen

Es ist insbesondere auf die Innervation aus Th 12 (N. subcostalis) und auf mögliche Dysfunktionen z. B. der 12. Rippe, von Colon ascendens und Colon transversum zu achten.

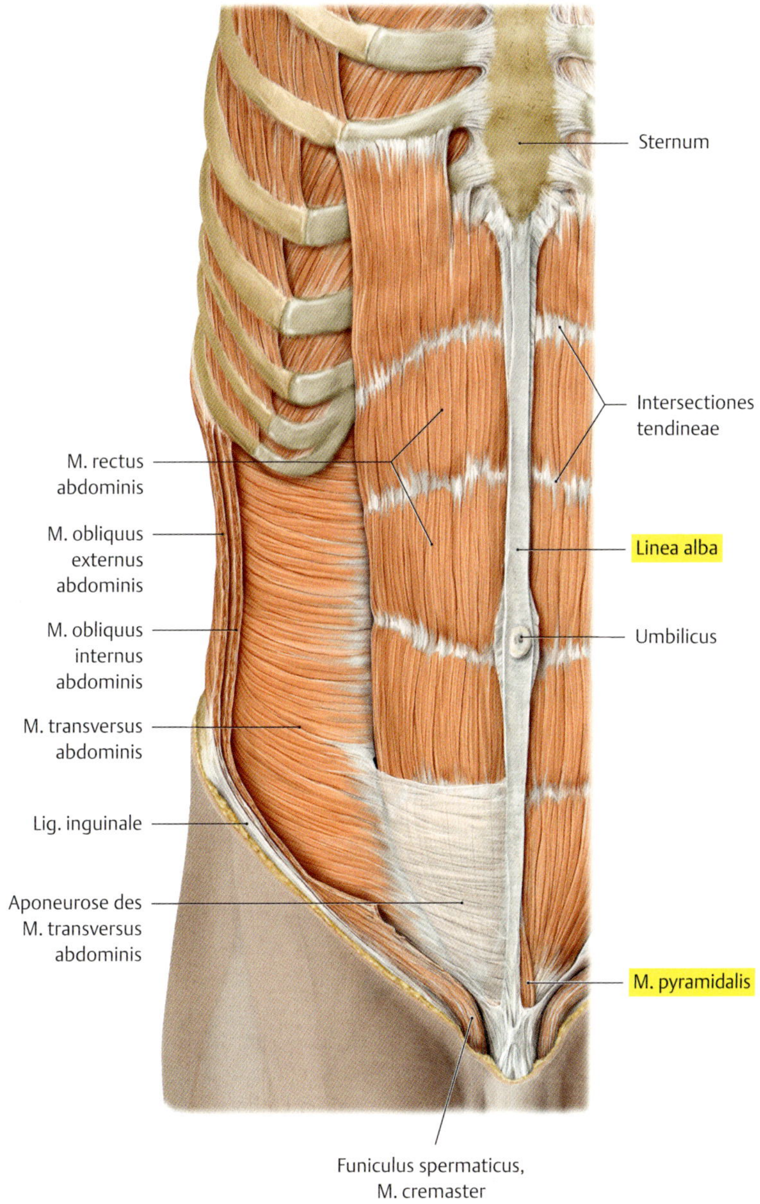

▶ **Abb. 3.4** Gerade Bauchwandmuskeln (Ansicht von ventral). (aus Schünke M, Schulte E, Schumacher U. Prometheus, LernAtlas der Anatomie. Allgemeine Anatomie und Bewegungssystem. Illustrationen von M. Voll und K. Wesker. 5., vollständig überarbeitete Auflage. Stuttgart: Thieme; 2018)

3.2.5 Leistenkanal (Canalis inguinalis)

Anatomie

► Abb. 3.3, ► Abb. 3.5, ► Abb. 3.7

- röhrenartiger Kanal, der oberhalb des Leistenbandes liegt und die vordere Bauchwand durchdringt
- besitzt eine innere Öffnung am inneren Leistenring (Anulus inguinalis profundus) und endet an einer äußeren Öffnung, die vom äußeren Leistenring (Anulus inguinalis superficialis) gebildet wird
- die Aponeurose des M. obliquus externus abdominis ist die Begrenzung für den äußeren Leistenring
- durch ihn ist der Hoden vom Ort seiner embryonalen Anlage in das Skrotum gewandert
- Begrenzungen:
  - kaudaler Boden bzw. Rand: Leistenband (Lig. inguinale; Verflechtung der Aponeurose des M. obliquus externus abdominis und der Fascia lata)
  - kraniales Dach: M. obliquus internus abdominis mit seinem unteren Rand und M. transversus abdominis
  - ventrale Wand: Aponeurose des M. obliquus externus abdominis und Fascia abdominis superficialis
  - dorsale Wand: Fascia transversalis und Peritoneum
- Lig. inguinale: ist der strukturell sehr dichte Übergang zwischen der Aponeurose des M. obliquus externus abdominis und der Fascia lata des Oberschenkels, spannt sich auf zwischen SIAS und Tuberculum pubicum
- beim Mann treten vom Leistenkanal Fasern aus, die den M. cremaster bilden und auf dem Funiculus spermaticus (Samenstrang) weiterziehen
- der Funiculus spermaticus beinhaltet: Samenleiter (Ductus deferens), A. und V. cremasterica, A. und V. testicularis, A. und V. ductus deferentis, Lymphgefäße, N. genitofemoralis (R. genitalis), N. ilioinguinalis und Plexus testicularis
- bei der Frau zieht das Mutterband (Lig. teres uteri) durch den Leistenkanal zu den großen Schamlippen; das Ligament ist ein Bestandteil des Bandapparates der Gebärmutter

Osteopathische Korrespondenzen

Prämenstruelle Beschwerden können sich u. a. durch ziehende Schmerzen im Leistenbereich zeigen. Das Lig. teres uteri enthält glatte Muskelfasern, die unter dem hormonellen Wechsel ggf. ihren Tonus verändern (Kap. 3.2.6).

Narbengewebe im Leistenbereich kann z. B. durch Adhäsionen und Verwachsungen die Zirkulation stören und/oder nervale Irritationen im Versorgungsgebiet des N. genitofemoralis und des N. ilioinguinalis verursachen (► Abb. 3.6). Osteopathische Dysfunktionen im Bereich des Plexus lumbalis (Th 12–L 4) können die Funktionalität dieser Nerven und auch des N. iliohypogastricus beeinträchtigen.

Fasziale Dysfunktionen im Bereich der Fascia lata können bei starken Gewebeadhäsionen in der Leiste hier ihre Ursache haben. Eine Irritation des N. cutaneus femoralis lateralis ist denkbar (Hyper- oder Parästhesien im Bereich des lateralen Oberschenkels).

Durch die Lacuna musculorum tritt der M. iliopsoas, der bei einer muskulären Dysbalance (Hyper- oder Hypotonus) Hüftgelenkbeschwerden auslösen kann. Hier ist z. B. an ein fazilitiertes Segment zu denken, aus dem der N. femoralis gespeist wird.

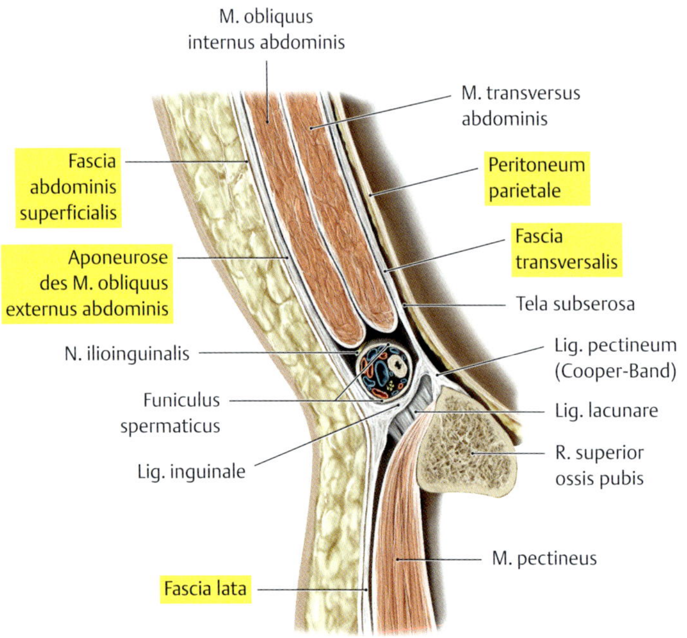

► **Abb. 3.5** Sagittalschnitt auf Höhe des Leistenkanals beim Mann (Ansicht von medial). (aus Schünke M, Schulte E, Schumacher U. Prometheus, LernAtlas der Anatomie. Allgemeine Anatomie und Bewegungssystem. Illustrationen von M. Voll und K. Wesker. 5., vollständig überarbeitete Auflage. Stuttgart: Thieme; 2018)

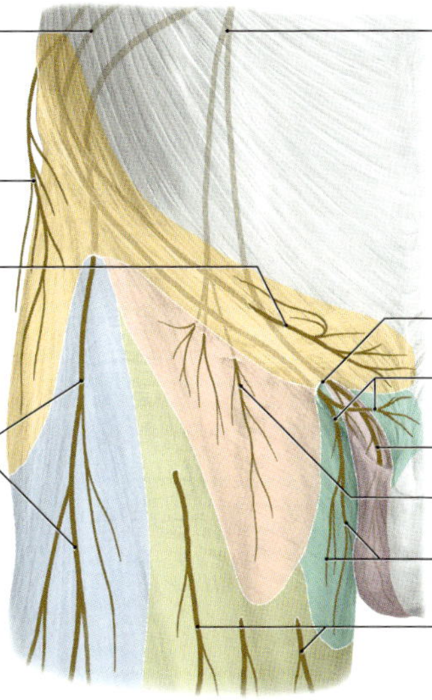

▸ **Abb. 3.6** Sensible Versorgung der Leistenregion (Ansicht von ventral). (aus Schünke M, Schulte E, Schumacher U. Prometheus, LernAtlas der Anatomie. Allgemeine Anatomie und Bewegungssystem. Illustrationen von M. Voll und K. Wesker. 5., vollständig überarbeitete Auflage. Stuttgart: Thieme; 2018)

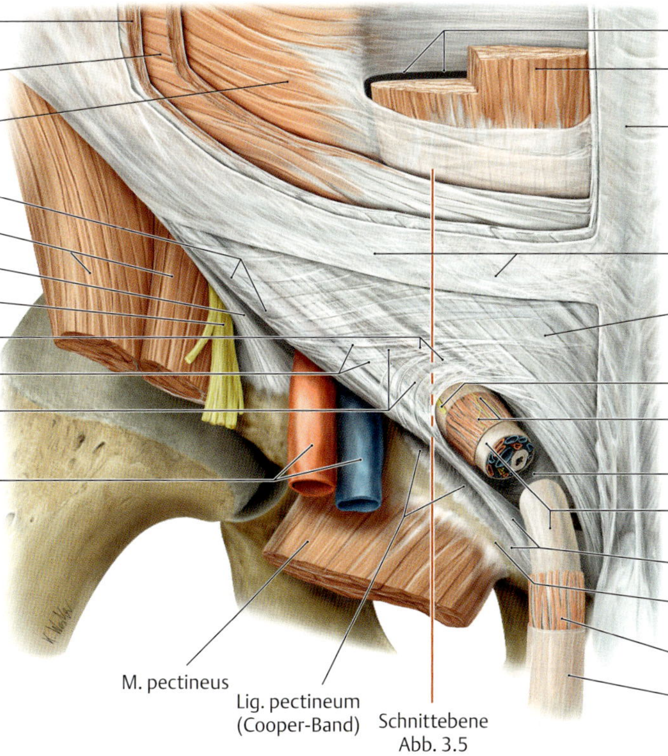

▸ **Abb. 3.7** Rechter Leistenkanal beim Mann (Ansicht von ventral). (aus Schünke M, Schulte E, Schumacher U. Prometheus, LernAtlas der Anatomie. Allgemeine Anatomie und Bewegungssystem. Illustrationen von M. Voll und K. Wesker. 5., vollständig überarbeitete Auflage. Stuttgart: Thieme; 2018)

3.2.6 Fascia transversalis (Fascia abdominalis interna)

Anatomie

▶ Abb. 3.8, Kap. 2.2.4

- steht in engem Kontakt mit der Fascia iliaca
- korrespondiert mit dem M. psoas major
- bedeckt dorsal den M. quadratus lumborum von vorne, also zum Bauchraum hin
- bedeckt in kranialer Richtung die Unterseite des Diaphragma abdominale (die dem Abdomen zugewandte Seite) (Kap. 2.2.10)
- unterhalb des Bauchnabels (auf Höhe der Linea arcuata) wird der M. rectus abdominis dorsal nur noch von der Fascia transversalis bedeckt
- bildet zusammen mit dem Peritoneum die hintere Wand des Leistenkanals (Canalis inguinalis)
- geht am äußeren Leistenring (Anulus inguinalis profundus) beim Mann in die Fascia spermatica interna über
- umkleidet bei der Frau das Lig. teres uteri

Myofasziale Wirkungsketten

Die Fascia transversalis verbindet über ihren Verlauf u. a. Strukturen der oberflächlichen Frontallinie mit Strukturen der tiefen Frontallinie und veranschaulicht die multifunktionalen Korrespondenzen zwischen den einzelnen Wirkungsketten und ihren Funktionen (Tensegrität).

Osteopathische Korrespondenzen

Der Anulus inguinalis profundus ist eine Schwachstelle der Bauchwand, durch die Eingeweidebrüche (Hernien) hindurchtreten können (▶ Abb. 3.8). Im Bereich des Anulus inguinalis profundus (Fossa inguinalis lateralis) zeigt sich dann die äußere Bruchpforte. Eine zweite innere Bruchpforte befindet sich im Hesselbach-Dreieck (Fossa inguinalis medialis). Es ist ein muskelfreies Dreieck der medialen Leistenbandregion, das durch den gemeinsamen bogenförmigen Verlauf der kaudalen Anteile von M. obliquus abdominis internus und M. transversus abdominis entsteht. In diesem Bereich wird die hintere Bauchwand nur vom Peritoneum parietale und der Fascia transversalis gebildet. Außen bedeckt nur der M. obliquus externus mit seiner Aponeurose das Dreieck. Die dritte Möglichkeit einer inneren Bruchpforte oberhalb des Leistenbandes ist die Fossa supravesicalis.

Die Fascia transversalis ist im Grunde die kaudale Fortsetzung von Fascia endothoracica und Pleura. Über die dorsalen Anteile des Zwerchfells und dessen Crura besteht eine Korrespondenz zur Faszie des M. psoas, zur Niere und weiter kaudal zum Beckenboden. In der Lendenregion besteht u.a. über den M. quadratus lumborum eine enge Korrespondenz zur Fascia thoracolumbalis. Das myofasziale Zusammenspiel von M. transversus abdominis, Fascia transversalis, Diaphragma abdominalis, Fascia thoracolumbalis und der Funktionseinheit Sakrum – Os coccygis – Beckenboden unterstreicht die posturale und respiratorische Bedeutung dieses myofaszialen abdominalen Systems (Kap. 2.7.1, Kap. 3.4.6).

Über das Lig. uteri fließt Lymphe vom Tubenwinkel durch den Leistenkanal in die Leistenlymphknoten. Unphysiologische mechanische Züge über die Fascia transversalis auf das Lig. teres uteri können lymphatische Stauungen im kleinen Becken verursachen (Kap. 3.4.16).

Behandlungshinweise

Vor viszeralen Behandlungen von kleinen Beckenorganen über die Bauchdecke sollten diese Schwachstellen eingehend palpiert werden, um differenzialdiagnostisch eine Leistenhernie auszuschließen.

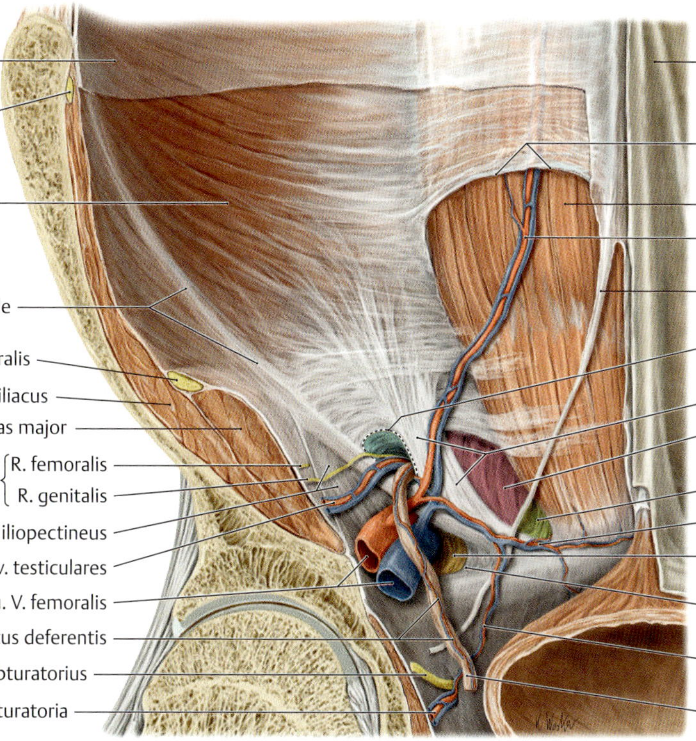

▸ **Abb. 3.8** Untere Bauch- und Leistenregion beim Mann (Ansicht von vorne). Farbig markiert sind die inneren Bruchpforten der indirekten (Fossa inguinalis medialis) und direkten (Fossa inguinalis lateralis) Leistenhernie, Schenkelhernie (Anulus femoralis) und suprapubischen Hernie (Fossa supravesicalis). (aus Schünke M, Schulte E, Schumacher U. Prometheus, LernAtlas der Anatomie. Innere Organe. Illustrationen von M. Voll und K. Wesker. 5. Auflage. Stuttgart: Thieme; 2018)

3.3 Tiefe ventrale Schichten

3.3.1 Fascia pelvis

Anatomie

- kleidet als Bindegewebsschicht das gesamte kleine Becken aus
- setzt sich aus der Fascia transversalis des Bauchraumes fort
- wird in einen parietalen und viszeralen Anteil unterteilt
- zur **Fascia pelvis parietalis** werden gezählt: Fascia obturatoria, Fascia piriformis, Fascia diaphragmatica pelvis superior et inferior, Fascia diaphragmatica urogenitale superior et inferior
  - Fascia pelvis parietalis bedeckt die Innenwand des Beckens
  - wird im Bereich des M. iliacus als Fascia iliaca bezeichnet
  - liegt als Fascia pelvis obturatoria auf dem M. obturatorius internus
  - ventral der Spina ischiadica an der Linea arcuata interna befindet sich der kräftigere Teil der Fascia pelvis parietalis, der bis zum Oberrand des M. obturatorius internus zieht; dorsal davon ist sie mehr zart bzw. dünn
  - gelangt im Bereich des Foramen obturatorium aus dem Becken und zieht in die Tiefe zum Lig. sacrotuberale und ist dadurch mit dem Sitzbeinhöcker verbunden
  - setzt sich zum Unterrand des Schambeins und der Symphysis pubica fort
  - erreicht im dorsalen Verlauf u.a. M. gluteus maximus und M. piriformis
  - umschließt den M. piriformis schlauchförmig und zieht auf ihm nach außen
  - umhüllt die Strukturen, die durch die Foramina suprapiriforme und infrapiriforme verlaufen.
    - Foramen suprapiriforme: A. und V. glutea superior, N. gluteus superior
    - Foramen infrapiriforme: A. und V. glutealis inferior, N. gluteus inferior, N. cutaneus femoris posterior, Rr. musculares des Plexus sacralis, N. ischiadicus, N. pudendus, A. und V. pudenda interna
  - gelangt durch einen Spalt zwischen M. piriformis und M. coccygeus (er liegt auf dem Foramen infrapiriforme) weiter dorsokaudal und umhüllt und begleitet dabei Strukturen, die zum Gesäß und in die Fossa ischioanalis ziehen
  - bildet bei Frauen das Lig. pubovesicale, beim Mann das Lig. puboprostaticum
- **Fascia pelvis visceralis** (▶ Abb. 3.9, ▶ Abb. 3.12):
  - überzieht Harnblase, Rektum, Prostata und Vagina
  - zwischen Schambeinbogenrand und Spina ischiadica bildet sich aus der Fascia pelvis parietalis ein viszerales Blatt, das sich recht kräftig darstellt; dabei handelt es sich um eine Umschlagfalte, die auch als Arcus tendineus m. levatoris ani bezeichnet wird; der Muskel verläuft nach kaudal, die Fascia pelvis visceralis liegt auf dem Muskel (Kap. 3.4.3)
  - reicht bis zum Spalt zwischen M. piriformis und M. coccygeus

Osteopathische Korrespondenzen

Fasziale Adhäsionen oder eine reduzierte Viskoelastizität in der Fascia pelvis parietalis können ggf. die umkleideten Gefäße und Nerven (z.B. A. und V. glutealis inferior, N. gluteus inferior, N. cutaneus femoris) in ihrer Funktionalität beeinträchtigen. Es können pseudoradikuläre Schmerzen auftreten, die häufig dem Piriformis-Syndrom zugeordnet werden.

Bei Dysfunktionen der Harnblase und Prostata ist insbesondere auf die funktionellen Gleiteigenschaften der faszialen Strukturen im kleinen Beckenbereich zu achten. Diese ligamentären Strukturen habe eine starke stützende und haltende Funktion für Harnblase und Prostata. Spannungsänderungen durch benachbarte Muskelansätze und veränderte Gleiteigenschaften der Strukturen können womöglich funktionelle Störungen im Bereich von Harnblase und Prostata provozieren.

Der Arcus tendineus ist Ursprung für den M. obturatorius internus und für 2 Muskeln des Diaphragma pelvis, nämlich den M. pubococcygeus und den M. iliococcygeus. Die Zugkraft der Muskeln wirkt auf den Arcus tendineus und damit auf das Diaphragma pelvis ein. Die Elastizität des langen Arcus tendineus hat einen deutlichen Einfluss auf die Spannkraft des M. levator ani. Ein Hypotonus dieser Muskeln kann die Spannkraft des M. levator ani beeinflussen. Aktives Beckenbodentraining (auch über lange Muskelketten) ist hilfreich.

Behandlungshinweise

Eine Behandlungsoption beim Piriformis-Syndrom ist die Behandlung der Foramina supra- und infrapiriforme mit Zirkumduktionstechniken. Schmerzen am Sitzbeinhöcker können über die Verbindung der Fascia pelvis parietalis mit dem Lig. sacrotuberale entstehen. Moderate Querfriktionen im Bereich des Lig. sacrotuberale sind eine Behandlungsmöglichkeit.

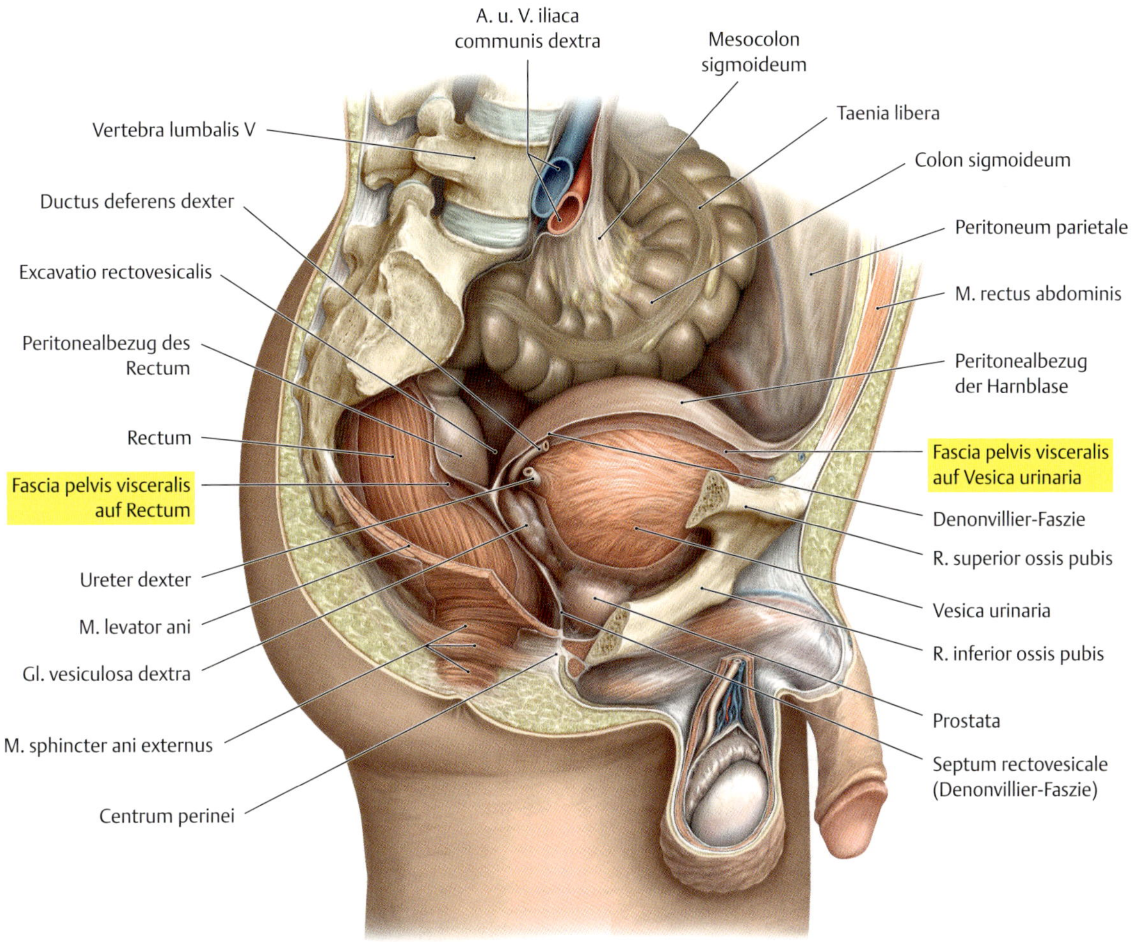

▸ **Abb. 3.9** Männliches kleines Becken im Paramedianschnitt (Ansicht von rechts). (aus Schünke M, Schulte E, Schumacher U. Prometheus, LernAtlas der Anatomie. Innere Organe. Illustrationen von M. Voll und K. Wesker. 5. Auflage. Stuttgart: Thieme; 2018)

3.3.2 Plicae umbilicales (Bauchfellfalten)

Anatomie

▶ **Abb. 3.10**, ▶ **Abb. 3.11**, Kap. 2.2.12

- zwischen den 5 Bauchfellfalten senkt sich das Peritoneum parietale grubenförmig ein und bildet auf jeder Seite 3 Gruben:
  - Fossa inguinalis lateralis
  - Fossa inguinalis medialis
  - Fossa supravesicalis
- **Plica umbilicalis mediana:** steht in direkter Verbindung mit dem Retzius-Raum (Spaltraum zwischen Symphyse und Harnblase); ist der obliterierte Urachus, der verschlossene Urharngang aus der Embryonalphase
- **Plicae umbilicales mediales:** liegen zweifach vor, beinhalten die A. umbilicalis (entstammt der A. iliaca interna, gibt A. vesicalis superior, welche die Harnblase versorgt, und beim Mann die A. ductus deferentis ab)
- **Plicae umbilicales laterales** (Plicae epigastricae): liegen zweifach vor, beinhalten die A. und V. epigastrica inferior (A. epigastricae inferior entstammt der A. iliaca externa und versorgt die vordere untere Bauchwand) und das Lig. interfoveolare (strangförmige Verstärkung der Fascia transversalis)

Osteopathische Korrespondenzen

Der Retzius-Raum (Spatium retropubicum) adaptiert u. a. bei schnell wechselnden Druckverhältnissen im Becken (z. B. beim Husten) die plötzliche Spannungsänderung. Adhäsionen können die Verschieblichkeit und Gleitfähigkeit der faszialen Strukturen im retropubischen Raum beeinträchtigen und dysfunktional beim plötzlichen Druckausgleich sein (Tröpfcheninkontinenz beim Husten) (Kap. 2.3.3).

Wenn man sieht, wie die Plica umbilicalis mediana mit den seitlichen Plicae umbilicales mediales die Blase stützt, kann man es sich als Blasenhalterung vorstellen (▶ **Abb. 3.10**, Kap. 2.5.5).

Die A. epigastrica inferior kann eine Anastomose (R. obturatorius) mit der A. obturatoria bilden, welche die arterielle Versorgung des Hüftkopfs beeinflussen kann.

Am Lig. inguinale liegen M. iliacus und M. psoas major mit der gemeinsamen Fascia iliaca eng darunter. Der N. femoralis zieht gemeinsam mit den Muskeln durch die Lacuna musculorum. Der Arcus iliopectineus ist ein bogenförmiges Band, das Lacuna vasorum und Lacuna musculorum voneinander trennt (▶ **Abb. 3.8**). Hier ist auch der Ansatz für den M. psoas minor (inkonstant vorhanden). Eine Enge im Bereich des Arcus iliopectineus (z. B. durch Narbengewebe nach einer Leistenhernienoperation) kann die Rr. cutanei anteriores des N. femoralis beeinträchtigen und sensible Störungen im Versorgungsgebiet verursachen (an der Vorderseite des Oberschenkels).

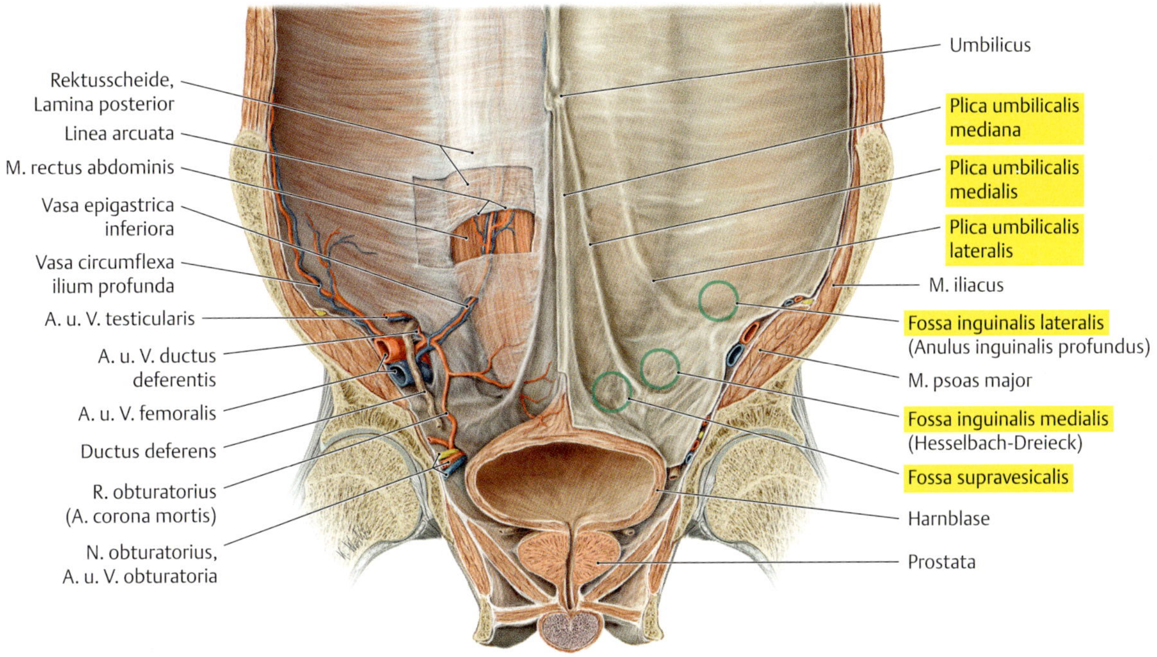

▸ **Abb. 3.10** Bauchfellfalten (Plicae umbilicales) an der Rückseite der Bauchdecke (Ansicht von dorsal). (aus Schünke M, Schulte E, Schumacher U. Prometheus, LernAtlas der Anatomie. Innere Organe. Illustrationen von M. Voll und K. Wesker. 5. Auflage. Stuttgart: Thieme; 2018)

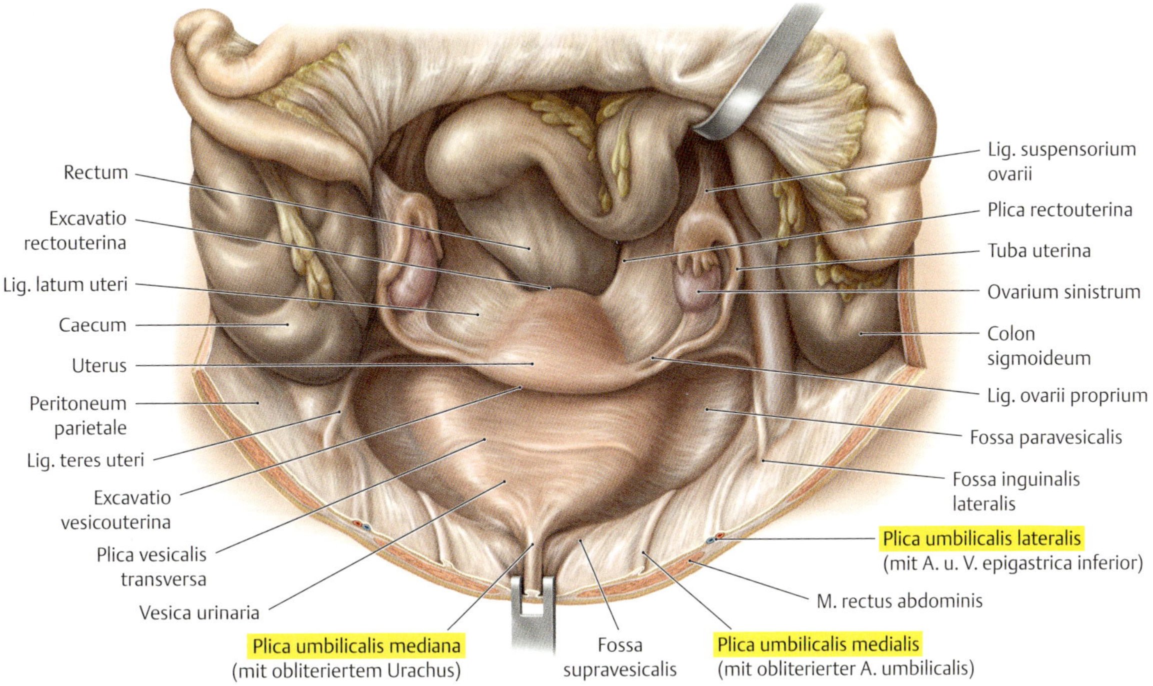

▸ **Abb. 3.11** Weibliches kleines Becken (Ansicht von kranial-ventral). (aus Schünke M, Schulte E, Schumacher U. Prometheus, LernAtlas der Anatomie. Innere Organe. Illustrationen von M. Voll und K. Wesker. 5. Auflage. Stuttgart: Thieme; 2018)

3.4
Kleines Becken

3.4.1 Peritoneum und Gleiträume

Anatomie

▶ Abb. 3.12, ▶ Abb. 3.13

- Peritoneum parietale verläuft dorsal bis tief in das kleine Becken
- Peritoneum viscerale bedeckt den kranialen Anteil der Harnblase, den Fundus und Korpus der Gebärmutter und den superioren Anteil des Rektums
- zwischen der Hinterwand der Harnblase und dem unteren Rektumabschnitt gibt es kein Peritoneum, auch die Cervix uteri ist frei von Peritoneum
- der Ductus deferens ist von Peritoneum parietale umgeben
- das Peritoneum umschließt die Ovarien und die Eileiter, wodurch sich ein Mesenterium dieser Organe (Mesovarium bzw. Mesosalpinx) bildet; dieses beinhaltet die zu- und abführenden Gefäße
- Organe, die **sub- bzw. retroperitoneal** liegen: Cervix uteri, Harnblase, Flexura sacralis des Rektums
- Organe, die **extraperitoneal** liegen (haben keinen Kontakt mehr zum Peritoneum): Flexura perinealis des Kolons, Prostata, Urethra, Cavum uteri
- Organe, die **intraperitoneal** liegen: Ovar, Tuba uterina, Teile des Corpus uteri; hier ist die Besonderheit, dass ein Teil der Organe von kaudal nach kranial in das Peritoneum hineingewandert ist, sodass sie fast komplett vom Peritoneum umschlossen sind
- Plica vesicalis transversa: Querfalte des Peritoneums auf der Harnblase, die sich bei Blasenfüllung entfaltet
- das Peritoneum bildet bei der Frau beim Übergang zum Rektum die **Excavatio rectouterina** (Douglas-Raum) und vorne die etwas höher gelegene **Excavatio vesicouterina**, also die Umschlagsfalte zur Harnblase, beim Mann die **Excavatio rectovesicalis**
- **Gleiträume** des Beckens (Kap. 2.5.2):
  - Spatium retropubicum (Retzius-Raum): wird kaudal durch das Lig. pubovesicale, medial durch das Lig. umbilicale medianum begrenzt
  - Spatium vesicovaginale (nur bei der Frau)
  - Spatium rectovaginale (nur bei der Frau)
  - Spatium retroperitoneale (gebildet aus Spatium praesacrale und Spatium retrorectale)

Myofasziale Wirkungsketten

Das Peritoneum ist Teil der Zentralsehne, die eine fasziale Verbindung zwischen Schädelbasis und Beckenboden herstellt. Sie durchdringt den Körper von kranial nach kaudal.

Osteopathische Korrespondenzen

Auffallend ist, dass das parietale Peritoneum nur die kraniale und dorsokraniale Seite im Bereich des Apex vesicae abdeckt, dann sich über den Uterus legt (weibliches Becken) und dann zur Vorderwand des Rektums zieht.

Bei der Frau ist der tiefste Raum der Bauchhöhle der Douglas-Raum. Er ist klinisch bedeutend, weil sich dort Exsudate in der Bauchhöhle als Erstes ansammeln. Über die Vagina kann der Douglas-Raum mittels Ultraschall untersucht werden. Der tiefste Raum der Bauchhöhle beim Mann ist die Excavatio rectovesicalis.

Im Bereich des Ovars bildet das Peritoneum das sog. Keimepithel aus. Dies wird beim Eisprung durchbrochen und das Ei gelangt in die Bauchhöhle. Das Tubenende hat allerdings eine Öffnung in die Bauchhöhle hinein. Über die Fimbrien (Schleimhautfransen der Tuba uterina) wird die Eizelle aus der Bauchhöhle aufgenommen. Von Bedeutung ist die uneingeschränkte Gleitbewegung zwischen Ovar und Eileiter.

Von ventral-kranial umfasst der Tubentrichter das Ovar. Die fransenartige Schleimhaut (Fimbrien) des Tubentrichters und die Ampulle sind wie eine Art Meso aufgehängt. Dies ermöglicht Bewegung. Dadurch können die Tubentrichter auf dem Ovar hin- und hergleiten. Für den Eiabnahmemechanismus ist diese Beweglichkeit wichtig. Fasziale Adhäsionen können diesen Prozess negativ beeinflussen.

A. und V. obturatoria sowie N. obturatorius verlaufen am Boden der Fossa ovarica. Durch die Nähe von Ovar und N. obturatorius können entzündliche Prozesse, Zysten etc. den Nerv beeinträchtigen und Schmerzen im medialen Oberschenkel verursachen, weil der N. obturatorius mit einem Hautast diese Region versorgt.

Behandlungshinweise

Mobilisationstechniken für die Organe im kleinen Becken können bei Adhäsionen hilfreich sein.

In der Ampulle des Eileiters findet die Befruchtung statt. Narbige Verengungen im Eileiter (z. B. durch Eileiterentzündungen) können das Wandern der befruchteten Eizelle durch den Eileiter in den Uterus verhindern. Es droht die Gefahr der Eileiterschwangerschaft, die in einer Bauchhöhlenschwangerschaft enden kann. Es besteht eine lebensgefährliche Situation, weil es zur Perforation des Eileiters mit massiven Blutungen kommen kann. Narbige Verengungen sind eine Indikation für eine osteopathische Behandlung (sowohl direkt als auch indirekt).

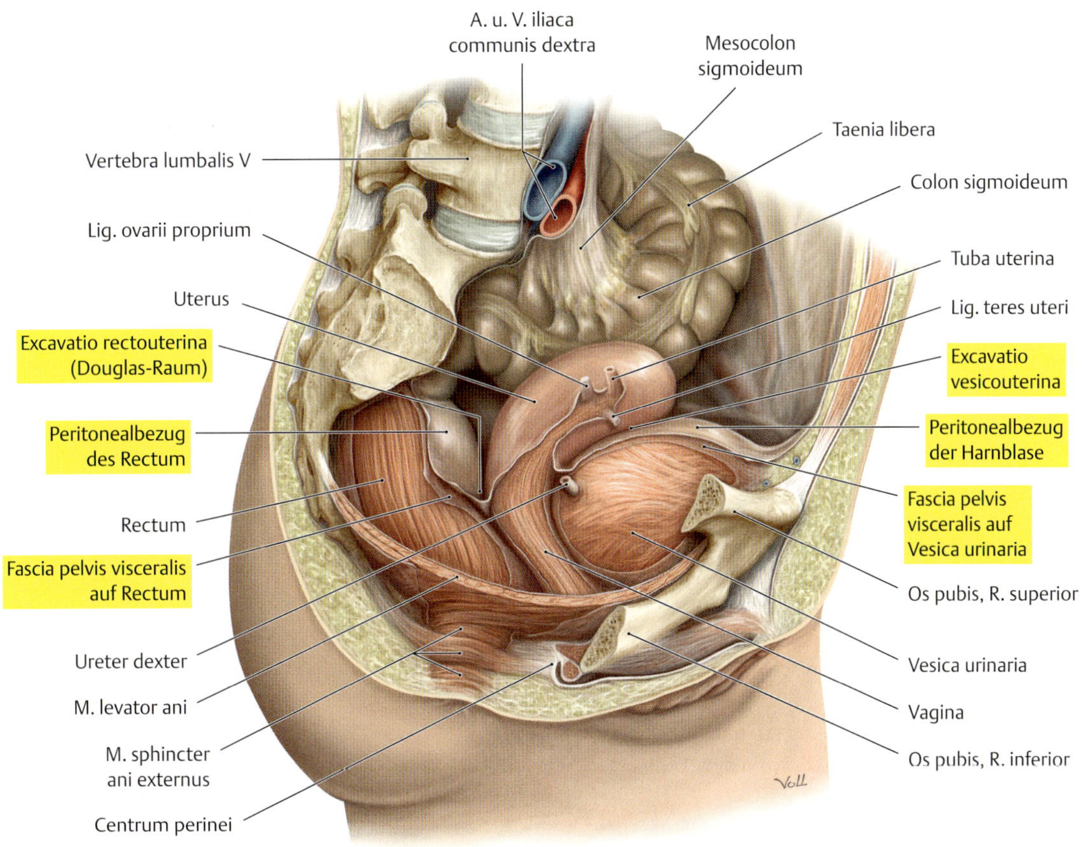

▶ **Abb. 3.12** Peritonealverhältnisse im weiblichen kleinen Becken (Paramedianschnitt, Ansicht von rechts). (aus Schünke M, Schulte E, Schumacher U. Prometheus, LernAtlas der Anatomie. Innere Organe. Illustrationen von M. Voll und K. Wesker. 5. Auflage. Stuttgart: Thieme; 2018)

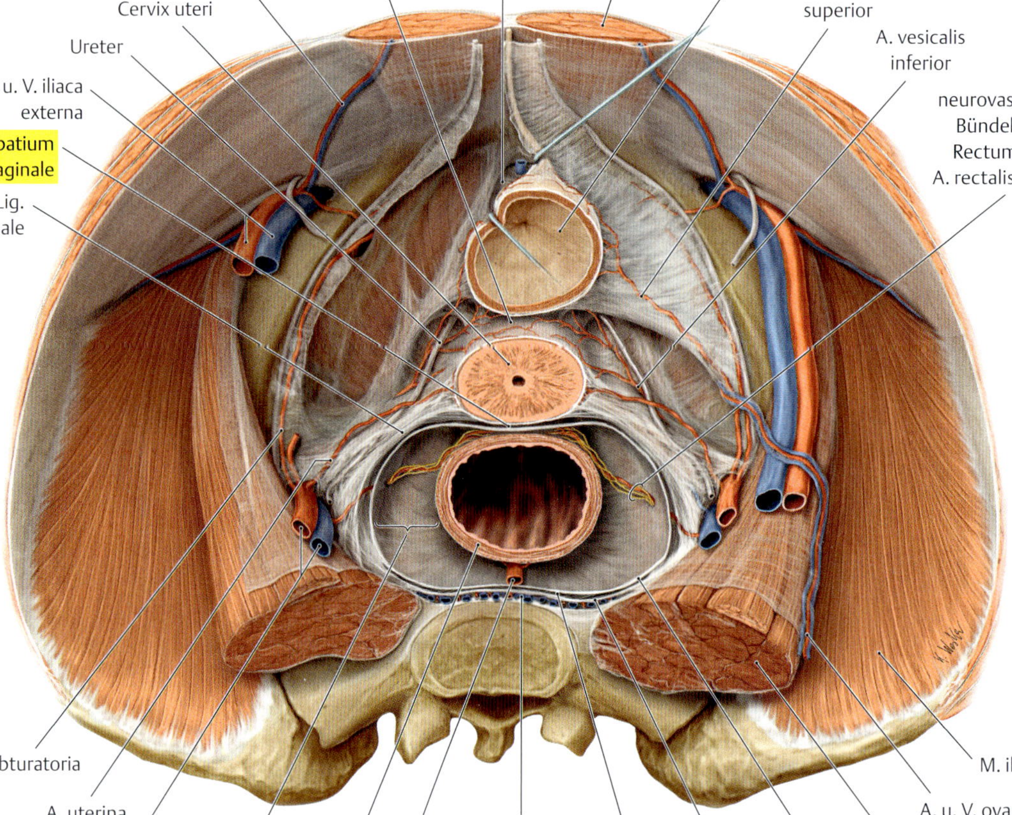

▶ **Abb. 3.13** Weiblicher Beckensitus mit den Gleiträumen (Ansicht von kranial). (aus Schünke M, Schulte E, Schumacher U. Prometheus, LernAtlas der Anatomie. Innere Organe. Illustrationen von M. Voll und K. Wesker. 5. Auflage. Stuttgart: Thieme; 2018)

3.4.2 Beckenring

Kap. 8.5.1

3.4.3 Muskeln der tiefen hinteren Wand des Beckens

Anatomie

▶ Abb. 3.14

- M. piriformis: verbindet das Sakrum mit dem Femur (Kap. 8.4.4)
- M. obturatorius internus (Kap. 8.4.5)
- M. iliacus (Kap. 8.3.1)

Myofasziale Wirkungsketten

M. piriformis und M. obturatorius internus sind Bestandteil der tiefen Frontallinie, deren Hauptaufgabe die Körperstabilisierung ist.

Osteopathische Korrespondenzen

Im Grunde gehört der M. piriformis nicht zur Beckenbodenmuskulatur, allerdings steht er durch seinen Verlauf mit der Fascia pelvis parietalis in Verbindung. Eine reduzierte Viszeroelastizität der Fascia pelvis parietalis kann pseudoradikuläre Schmerzen provozieren, die dann als Piriformis-Syndrom interpretiert werden können.

Der Muskel tritt durch das Foramen ischiadicum majus und teilte es in eine Pars suprapiriformis und eine Pars infrapiriformis. Die Foramina sind wichtige Durchtrittsbereiche für Nerven- und Gefäßstraßen (Kap. 3.6.2, Kap. 8.4.5).

Der M. obturatorius stabilisiert die Verbindung des Oberschenkelkopfs mit dem Becken. Gleichzeitig wirkt er wie ein Stoßdämpfer für das Hüftgelenk. Er unterstützt die Beckenbodenmuskulatur. Die Membrana obturatoria, die Ansatzstelle des Muskels ist, verschließt das Foramen obturatorium. Es bleibt ein kleiner Durchtrittsbereich (Canalis obturatorius), durch die die A. und V. obturatoria sowie der N. obturatorius ziehen. Während des Geburtsvorgangs kann der Druck des kindlichen Kopfes den N. obturatorius komprimieren. Das kann zu einer eingeschränkten Adduktionsbewegung des Beins oder zu sensiblen Ausfallerscheinungen im autonomen Hautgebiet des N. obturatorius (kleine rundliche Fläche an der medialen Seite des Oberschenkels oberhalb des Kniegelenks) führen.

Neben dem Ovar liegt die Harnblase dem Muskel sehr nah an. Bei Dysfunktionen der Blase, z. B. einer Blasensenkung, Spasmen und myofaszialen Adhäsionen, kann der M. obturatorius durch die enge Lagebeziehung hyperton werden und damit die Spannung der Membrana obturatoria erhöhen und den Durchtritt durch den Canalis obturatorius beeinträchtigen. Dies kann zirkulatorische Störungen und nervale Irritationen in Versorgungsgebieten der A. obturatoria (Versorgung u. a. des Hüftkopfs) und des N. obturatorius (Oberschenkelinnenseite) hervorrufen.

Der Arcus tendineus, eine Umschlagfalte der Fascia pelvis parietalis, die von der Symphyse bis zur Spina ischiadica verläuft, verstärkt die Fascia obturatoria. Er dient Teilen des M. levator ani als Ansatz. Eine veränderte Spannung im Beckenboden kann die Funktionalität der Sphinktermuskulatur im Beckenboden beeinträchtigen und sich auch unphysiologisch auf die Spannung der Membrana obturatoria übertragen (Kap. 3.3.1, Kap. 3.2.3).

Das Zusammenspiel von Muskeln der tiefen hinteren Innenwand des Beckens mit Ligamenten, Faszien und Organen, die mit dem Sakrum und Steißbein korrespondieren, ist sehr komplex und verdeutlicht die funktionelle Gesamtheit. Folgende Ligamente und Muskeln wirken ebenfalls wie der M. piriformis auf das Sakrum und damit auf die Funktionalität des kleinen Beckens ein (Kap. 3.4.8, Kap. 3.4.9):

- Ligg. iliosacralia anteriora und posteriora: verbinden das Ilium mit dem Sakrum
- Lig. sacrotuberale und Lig. sacrospinale: stellen die Verbindung zum kaudalen Anteil des Iliums her
- Ligg. sacrococcygea dorsale, laterale und ventrale: darüber korrespondieren Sakrum und Steißbein miteinander
- Lig. sacrouterinum: Korrespondenz zum Uterus

Das Diaphragma pelvis ist für den Druckausgleich im Bauch und Becken wichtig und kann damit auch die Sakrumstellung und die Spannung des umgebenen Fasziengewebes und die Spannung des M. piriformis beeinflussen. M. erector spinae, M. gluteus maximus und M. coccygeus bringen neben dem M. piriformis Druck und Zug auf Sakrum und Steißbein.

Über die Lamina pubovesicogenitorectosacralis (Lamina von Delbet) können dysfunktionale Veränderungen der Organe des kleinen Beckens (Harnblase, Uterus, Prostata, Rektum) auf die Sakrumstellung einwirken und M. piriformis, M. iliacus und M. obturatorius internus in ihrer Funktionalität beeinflussen.

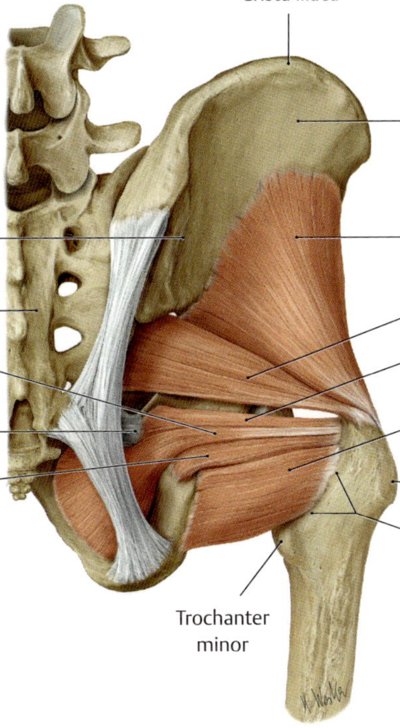

▶ **Abb. 3.14** Hüftmuskeln (rechte Seite, Ansicht von dorsal). (aus Schünke M, Schulte E, Schumacher U. Prometheus, LernAtlas der Anatomie. Allgemeine Anatomie und Bewegungssystem. Illustrationen von M. Voll und K. Wesker. 5., vollständig überarbeitete Auflage. Stuttgart: Thieme; 2018)

3.4.4 Obere Etage des Beckenbodens: Diaphragma pelvis

Anatomie

▸ Abb. 3.15, ▸ Abb. 3.17

- gebildet von:
  - flächiger trichterförmiger Ausgestaltung des M. levator ani (an dessen Auslauf sich der Analkanal bildet)
  - M. coccygeus
- kranial von der Fascia diaphragmatis pelvis superior (darüber liegen die großen Beckenorgane und der subperitoneale Bindegewebsraum) bedeckt und kaudal von der Fascia diaphragmatis pelvis inferior
- Spatium subserosum (Bindegewebsraum des kleinen Beckens) wird nach kaudal durch M. levator ani abgeschlossen
- **M. levator ani** (schräg verlaufend) besteht aus:
  - **M. puborectalis:**
    - **Ursprung:** beidseits der Symphyse
    - **Ansatz:** schlingenförmig um Junctio anorectalis (posterior ohne ossäre Befestigung)
  - **M. pubococcygeus:**
    - **Ursprung:** Os pubis
    - **Ansatz:** Lig. anococcygeum und Steißbein
  - **M. iliococcygeus:**
    - **Ursprung:** Faszie des M. obturatorius internus
    - **Ansatz:** Lig. anococcygeum und Steißbein
  - **Ursprung:** insgesamt am Arcus tendineus musculi levatoris ani
  - **Funktion:**
    - Sicherung der Beckenorgane gegen Schwerkraft und Druckausgleich gegenüber dem Diaphragma abdominale (Inhalt des Bauch- und Beckenraums)
    - Verschluss des Bauch- und Beckenraums nach kaudal
  - **Innervation:** N. pudendus (S 2–S 4)

Osteopathische Korrespondenzen

Der Arcus tendineus musculi levatoris ani spannt sich vom Os pubis bis zur Spina ischiadica auf. Durch diesen Verlauf besteht damit auch eine Verbindung zum M. obturatorius und seiner Faszie und damit zum Hüftgelenk. Bei Dysfunktionen des Hüftgelenks sollte daher auch der Beckenboden untersucht werden.

Als kaudaler Abschluss des Bauchraums ist die trichterförmige Ausgestaltung für den Analkanal funktionell wichtig. Der M. levator ani hebt den Anus bei der Defäkation, bewirkt eine Konstriktion von Rektum, Vagina und Urethra und wirkt stützend und druckausgleichend auf Bauch und Becken. Er stabilisiert das Rektum mit dem Analkanal. Organptosen und Lageveränderungen der Becken- und Bauchorgane können die Funktionalität stören.

3.4.5 Mittlere Etage des Beckenbodens: Diaphragma urogenitale

Anatomie

▸ Abb. 3.15, ▸ Abb. 3.17

- spannt sich als bindegewebige Muskelplatte zwischen den beiden Sitzbeinhöckern (Tubera ischiadica) und den unteren Ästen der Schambeine auf (Rr. inferiores ossis pubis)
- Urethra und Vagina werden umschlossen (willkürlicher Verschluss), aber der Analkanal bleibt frei
- setzt sich zusammen aus:
  - **M. transversus perinei profundus:**
    - Ursprung: R. inferior ossis pubis, R. ossis ischii
    - Ansatz: Wand der Vagina, Wand der weiblichen bzw. männlichen Urethra
  - **M. transversus perinei superficialis:**
    - Ursprung: R. ossis ischii
    - Ansatz: Centrum perinei
  - **Funktion:**
    - Sicherung der Beckenorgane
    - Verschlussmechanismus für die Urethra
  - **Innervation:** N. pudendus (S 2–S 4)

Myofasziale Wirkungsketten

Diaphragma urogenitale und Diaphragma pelvis sind Bestandteile der tiefen Frontallinie. Diese ist für die Körperstabilität wichtig. Die Atembewegung hat teil an dieser Stützfunktion. Wichtig ist das ungestörte Zusammenspiel der verschieden Diaphragmen (u. a. Diaphragma abdominale, Diaphragma urogenitale und pelvis).

Osteopathische Korrespondenzen

Die Muskeln geben den Beckenorganen Halt und verschließen die Urethra. Sie schließen den Bauch- und Beckenraum nach kaudal ab.

3.4.6 Untere Etage des Beckenbodens: Schließ- und Schwellkörpermuskeln

Anatomie

▸ Abb. 3.15, ▸ Abb. 3.16, ▸ Abb. 3.17

Zu den Schließ- und Schwellkörpermuskeln des Urogenital- und Darmtraktes, die vom N. pudendus (S 2–S 4) innerviert werden, zählen:

- M. sphincter ani externus
- M. sphincter urethrae externus
- M. bulbospongiosus
- M. ischiocavernosus

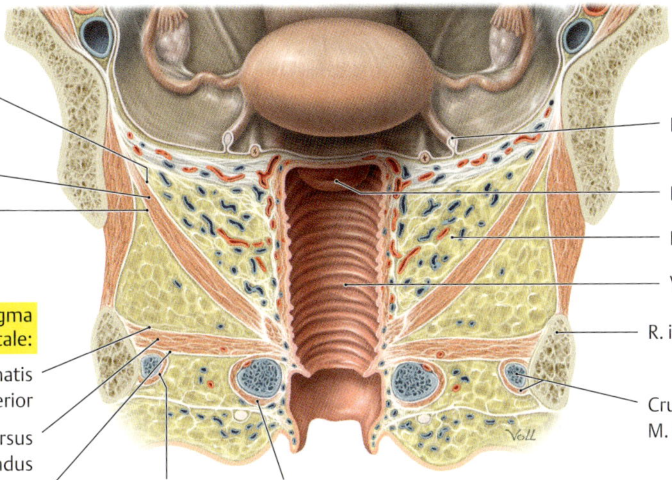

▸ **Abb. 3.15** Aufbau des Beckenbodens (Frontalschnitt). (aus Schünke M, Schulte E, Schumacher U. Prometheus, LernAtlas der Anatomie. Innere Organe. Illustrationen von M. Voll und K. Wesker. 5. Auflage. Stuttgart: Thieme; 2018)

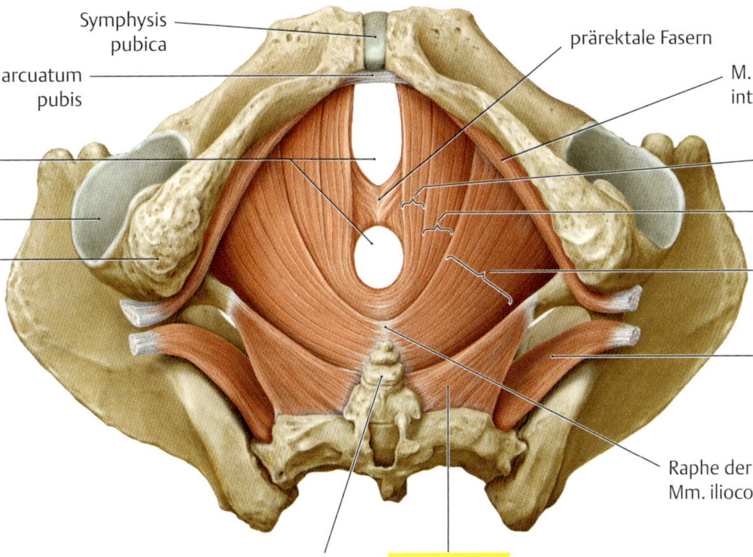

▸ **Abb. 3.16** Muskulatur des Beckenbodens: Diaphragma pelvis (weibliches Becken, Ansicht von kaudal). (aus Schünke M, Schulte E, Schumacher U. Prometheus, LernAtlas der Anatomie. Allgemeine Anatomie und Bewegungssystem. Illustrationen von M. Voll und K. Wesker. 5., vollständig überarbeitete Auflage. Stuttgart: Thieme; 2018)

Osteopathische Korrespondenzen

Eine erhöhte Spannung der Beckenbodenmuskulatur, ob einseitig oder beidseitig, kann die Mechanik der Iliosakralgelenke beeinträchtigen. Die Spannung kann den Kraftschluss des Gelenks erhöhen und damit dessen Mobilität beeinträchtigen (Kap. 3.4.7)

Der Beckenboden mit seinen Schließmuskeln von Urogenital- und Darmtrakt steht in wechselseitiger Abhängigkeit von Druck- und Zugkräften aus dem abdominalen Raum. Jede forcierte Ein- und Ausatmung sowie dynamische Kräfte durch Körperbewegungen wirken auf den Beckenboden und damit auf die Sphinkter ein. Aber auch Posturalität, Funktionalität der respiratorisch wichtigen Diaphragmen (zervikothorakal, thorakolumbale, lumbosakral) und Atemart (Bauch-, Thoraxatmung) beeinflussen die Funktionalität des Beckenbodens (Kap. 4.2.5, Kap. 11.1.3.

Ein erhöhter Druck aus dem Abdomen z. B. durch Gewichtszunahme, mangelnde Bewegung und myofasziale Adhäsionen belasten die viskoelastischen Eigenschaften des Beckenbodens und damit die Funktionalität der Beckenorgane. Daneben sind auch zirkulatorische Störungen (venös, arteriell, lymphatisch) möglich, welche die Gewebeversorgung beeinträchtigen können. Als Folge können Stauungen in der unteren Extremität, eine Harninkontinenz durch Organptosen oder eine Dysfunktion des Enddarms durch Verlagerung auftreten. Nervale Irritationen und Organdysfunktionen können auch durch Kompression und myofasziale Adhäsionen, welche die Durchtrittspassagen verengen (z. B. N. pudendus im Alcock-Kanal, N. obturatorius im Canalis obturatorius), entstehen. Die funktionelle Bewegung des Sacrum und Os coccygis kann beeinträchtigt werden und damit neben mechanischen Dysfunktion in der unteren Extremität auch das kraniosakrale System stören. Die vegetativen Plexus (z. B. Plexus hypogastricus inferior) können in ihrer Funktionalität gestört sein und die Organe des kleinen Beckens fehlsteuern (Kap. 4.9.6).

Der Beckenboden ist der kaudale Abschluss des Rumpfes und steht auch in wechselseitiger Beziehung zur Zwerchfellbewegung. Aber letztlich sind die Funktionen des Beckenbodens, nämlich zu stützen, zu halten und zu bewegen, erst durch das synergistische funktionelle Zusammenspiel des gesamten Körpers erst möglich.

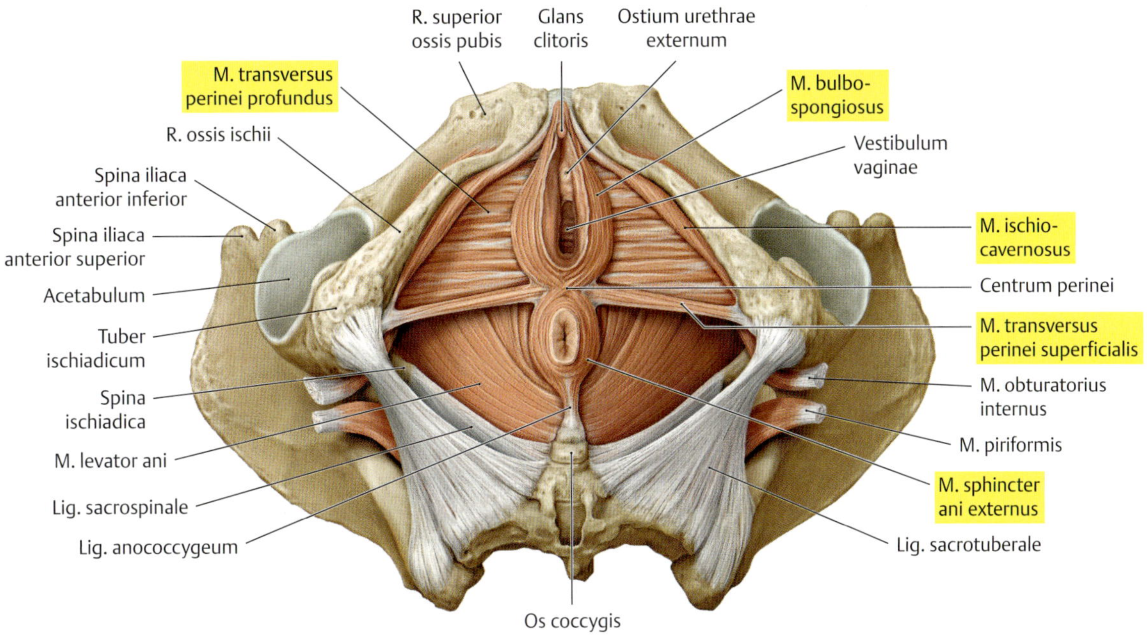

► **Abb. 3.17** Muskulatur des Beckenbodens: Diaphragma urogenitale, Schließ- und Schwellkörpermuskeln (weibliches Becken, Ansicht von kaudal). (aus Schünke M, Schulte E, Schumacher U. Prometheus, LernAtlas der Anatomie. Allgemeine Anatomie und Bewegungssystem. Illustrationen von M. Voll und K. Wesker. 5., vollständig überarbeitete Auflage. Stuttgart: Thieme; 2018)

3.4.7 Os sacrum (Kreuzbein)

Anatomie

▶ Abb. 3.18, ▶ Abb. 3.19, ▶ Abb. 3.20

- kraniale Anteile:
  - Basis ossis sacri: gelenkig über eine Zwischenwirbelscheibe mit dem 5. Lendenwirbel verbunden
  - Promontorium: ventraler Punkt an der Sakrumbasis, der am weitesten in den Bauchraum hinein ragt
  - Canalis sacralis (dreieckiger Kreuzbeinkanal): untere Fortsetzung des Wirbelkanals mit Dura mater spinalis (bis zum 2. Sakralwirbel), Filum terminale (Ende des Rückenmarks, zur Rückfläche des Os coccygis), Cauda equina (Spinalnervenwurzeln)
- kaudale Anteile:
  - Apex ossis sacri: gelenkige Verbindung mit dem Steißbein
  - Hiatus sacralis: Öffnung des Wirbelbogens in Höhe des 4. oder 5. Sakralwirbels (nicht vollständig geschlossen, Zwischenraum wird durch das Lig. sacrococcygeum posterius superficiale abgedeckt)
  - Cornua sacralia: Fortsätze des Kreuzbeins zur Artikulation mit dem Steißbein
- ventrale Seite (Facies pelvina):
  - konkave Fläche
  - Lineae transversae: Verschmelzungslinien der Sakralwirbelkörper
  - Foramina sacralia anteriora: paarige 4 Austrittsöffnungen, die nach unten und innen gerichtet sind und an denen die Nn. sacrales I–IV mit ihren Rr. ventrales das Kreuzbein verlassen
- dorsale Seite (Facies dorsalis):
  - konvexe Fläche
  - Crista sacralis mediana: mediale Dornfortsatzrudimente
  - Crista sacralis medialis: Rudimente der Gelenkfortsätze
  - Crista sacralis lateralis: Rudimente der Querfortsätze
  - Foramina sacralia posteriora: paarigen 4 Austrittsöffnungen, die nach unten und innen gerichtet, kleiner als die vorderen Foramina sind und an denen die Nn. sacrales I–IV mit ihren Rr. dorsales das Kreuzbein verlassen
- laterale Anteile (Pars lateralis):
  - ursprünglich aus Querfortsätzen, Rippenrudimenten und verknöcherten Bändern entstandene seitliche Fläche des Kreuzbeins
  - Facies auricularis: eine ohrmuschelartige L-förmige Gelenkfläche zur Artikulation mit dem Darmbein auf Höhe der ersten 2–3 Kreuzbeinwirbel; besitzt einen kurzen Arm, der von hinten-oben schräg nach vorn-unten verläuft, und einen langen Arm, der von vorn-oben schräg nach hinten-unten verläuft, beide Arme treffen sich auf Höhe des 2. Sakralwirbels
  - Tuberositas ossis sacri: raue Fläche beidseitig hinter der Facies auricularis; Ansatzfläche der intraossalen Bänder zwischen Kreuz- und Darmbein (Ligg. sacroiliaca interossea)
- korrespondierende knöcherne Strukturen:
  - superior: 5. Lendenwirbel
  - lateral: Os coxae
  - inferior: Os coccygis

Osteopathische Korrespondenzen

Die zentrale Stellung des Sakrums innerhalb des Beckens ist durch die gelenkigen Verbindungen zu den knöchernen Anteilen des Beckenrings gekennzeichnet. Es entsteht dadurch ein Wechselspiel zwischen den Darmbeinschaufeln mit dem Sakrum, aber auch mit dem Steißbein und indirekt der Symphyse. Die Sakrumbewegung findet vorwiegend in der Sagittalebene mit der Basis nach anterior/inferior (Nutation) oder posterior/superior (Kontranutation) statt. Aber auch Torsionsbewegungen sind möglich (im Sinne einer vermehrten interossären Verwringung, weniger im Sinne einer freien Bewegung im ISG). Osteopathische Dysfunktionen, bei denen das Sakrum in Nutation fixiert ist, führen zu einer Sakrumbasis, die nach anterior/inferior steht, den Beckeneingangsbereich verkleinert und den Beckenausgangsbereich vergrößert. Aufgrund der komplexen osteopathischen Verbindungen im kleinen Becken ist hier an mögliche Ursachen zu denken, wie z. B. Beckenbodenschwäche, Ptose des Uterus (Lig. sacrouterinum), Dysfunktion von Nieren, Zäkum (Mesoappendix), Colon sigmoideum (Mesocolon sigmoideum) oder Rektum.

An der Crista sacralis mediana ist die oberflächliche Schicht der Fascia thoracolumbalis befestigt. Diese ist u. a. für eine dreidimensionale Kraftübertragung von der unteren Extremität nach kranial und von der oberen Extremität nach kaudal wichtig. Dysfunktionen des Sakrums oder unphysiologische Kraftzüge über das Sakrum können z. B. Schmerzen im ISG provozieren. Denn dies ist ein Gelenk, das auf Kraftzüge reagiert, also passiv agiert. Gleichzeitig stellt die Fascia thoracolumbalis auch die fasziale Verbindung zum thorakolumbalen Übergang her.

Dysfunktionen am Sakrum können über neurale (Rückenmark), durale, ligamentäre (Ligg. longitudinalia anterius und posterius) und myofasziale Verbindungen (z. B. Zentralsehne) Dysfunktionen am Kranium (SSB, einzelne knöcherne Anteile des Schädels) und/oder an der oberen HWS auslösen. Gleiches ist auch in umgekehrter Richtung möglich (Kap. 3.4.8, Kap. 8.5.2).

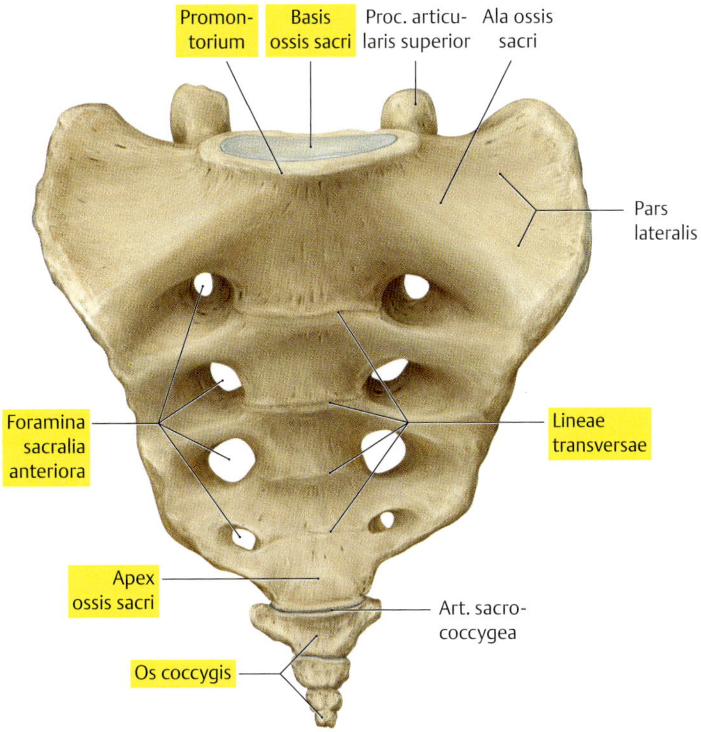

▸ **Abb. 3.18** Kreuz- und Steißbein (Ansicht von ventral). (aus Schünke M, Schulte E, Schumacher U. Prometheus, LernAtlas der Anatomie. Allgemeine Anatomie und Bewegungssystem. Illustrationen von M. Voll und K. Wesker. 5., vollständig überarbeitete Auflage. Stuttgart: Thieme; 2018)

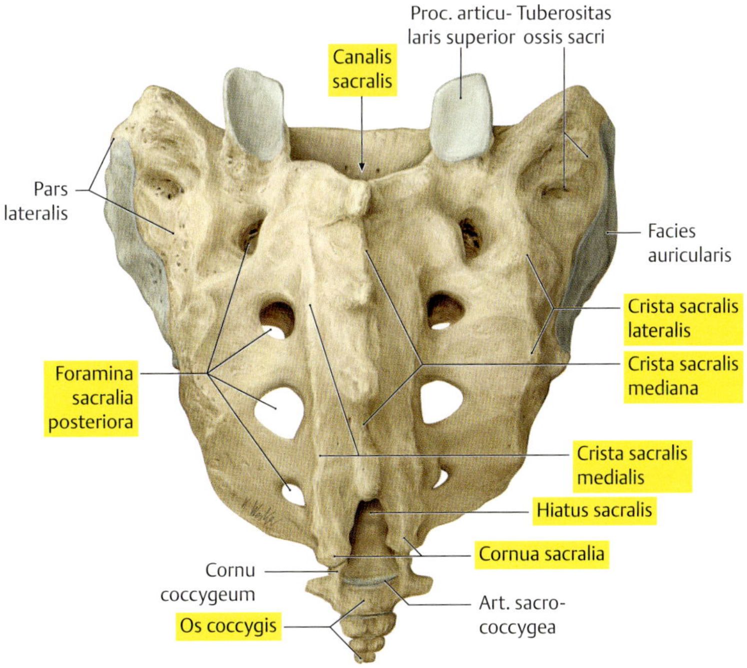

▸ **Abb. 3.19** Kreuz- und Steißbein (Ansicht von dorsal). (aus Schünke M, Schulte E, Schumacher U. Prometheus, LernAtlas der Anatomie. Allgemeine Anatomie und Bewegungssystem. Illustrationen von M. Voll und K. Wesker. 5., vollständig überarbeitete Auflage. Stuttgart: Thieme; 2018)

3.4.8 Os coccygis (Steißbein)

Anatomie

▶ Abb. 3.18, ▶ Abb. 3.19, ▶ Abb. 3.20, ▶ Abb. 3.21

- besteht aus 3–4 rudimentären Wirbeln
- Gelenkfortsatz (Cornu coccygeum) artikuliert über das Lig. sacrococcygeum articulare mit dem Kreuzbein
- die obere Fläche des ersten Steißbeinwirbelkörpers verbindet sich mit dem Kreuzbein
- Filum terminale: an der Rückseite des Os coccygis befestigt
- N. coccygeus: tritt zwischen dem Steiß- und Kreuzbein aus
- nervale Verbindungen bestehen zum Plexus coccygeus und zu den Nn. anococcygei

Osteopathische Korrespondenzen

Das Steißbein bildet die Verbindung zwischen kleinem Becken und Kranium. Mit dem Filum terminale inseriert die Dura mater am Steißbein. Weitere Anheftungspunkte der Dura mater finden sich am Foramen magnum des Os occipitale, in der HWS an C 2/3 und im Bereich des Sakrums auf Höhe S 2/3.

Fehlstellungen des Steißbeins, die z. B. durch einen Sturz verursacht sind, aber auch Dysfunktionen, die durch die inserierende Muskulatur des Beckenbodens entstehen können, können Gewebespannungen in der Dura mater hervorrufen. Durch die kranialen Anheftungsstellen kann diese Spannung bis zum Kopf übertragen werden. Bei Dysfunktionen von Kopfgelenken und dem Kiefergelenk, die sich z. B. in Form von Kopfschmerzen zeigen können, sollte die Verbindung zum kleinen Becken osteopathisch untersucht werden.

Der Plexus coccygeus innerviert die Haut sowohl der Analregion als auch der Steißbeinspitze. Bei Missempfindungen in diesem Bereich sollten daher auch die Verbindungen zum Kranium und zu den Kopfgelenken geprüft werden (Kap. 4.6.3).

Dysfunktionen des Sakrums und des Steißbeins können z. B. durch Geburtstraumata, Dysfunktionen im kleinen Becken, Haltungsdysfunktionen, Sturztraumata, chirurgische Eingriffe und kraniale Dysfunktionen entstehen. Sie können sich durch folgende Symptome zeigen:

- Schmerzen im Bereich von unterer LWS, ISG und Beckenboden
- ausstrahlende Schmerzen in die Leistenregion und den Oberschenkel
- Irritation des N. ischiadicus
- Kopfschmerzen

Kopfschmerzen können auf das kraniale System hinweisen. In der kranialen Inspirationsphase bewegt sich das Os sacrum in eine kraniale Flexion; es richtet sich vertikal auf. Dies entspricht aus biomechanischer Sicht einer Kontranutation. Während der kranialen Exspirationsphase bewegt sich das Os sacrum in eine kraniale Extension; es senkt sich horizontal ab. Dies entspricht einer Nutation. Die transversale Bewegungsachse verläuft durch den 2. Sakralwirbel. Wenn diese Bewegung gestört ist, können über das intra- und extrakraniale Membransystem Dysfunktionen in der OAA-Region und im Kranium hervorgerufen werden (Kap. 4.6.1, Kap. 4.6.3).

Behandlungshinweise

Sakrum und Os coccygis können mit dem Listening-Test untersucht werden. Dysfunktionen kann man mit einem Sakrum-Release behandeln.

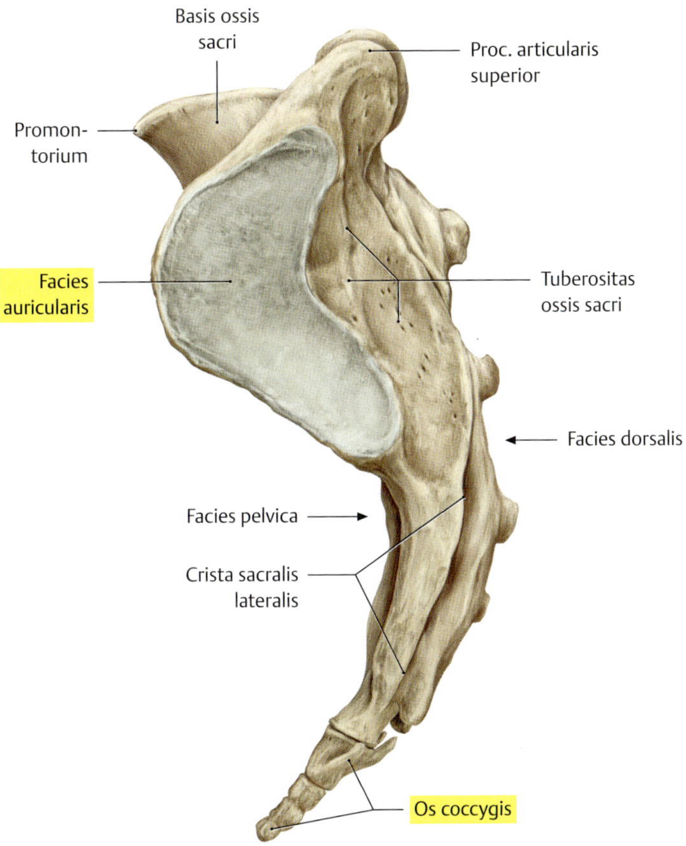

▸ **Abb. 3.20** Kreuz- und Steißbein (Ansicht von links-lateral). (aus Schünke M, Schulte E, Schumacher U. Prometheus, LernAtlas der Anatomie. Allgemeine Anatomie und Bewegungssystem. Illustrationen von M. Voll und K. Wesker. 5., vollständig überarbeitete Auflage. Stuttgart: Thieme; 2018)

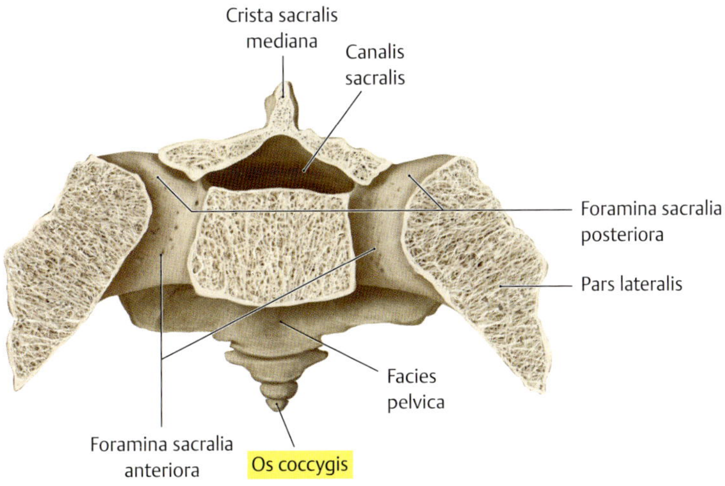

▸ **Abb. 3.21** Os sacrum und Os coccygis (Transversalschnitt durch das Os sacrum, Ansicht von kranial). (aus Schünke M, Schulte E, Schumacher U. Prometheus, LernAtlas der Anatomie. Allgemeine Anatomie und Bewegungssystem. Illustrationen von M. Voll und K. Wesker. 5., vollständig überarbeitete Auflage. Stuttgart: Thieme; 2018)

3.4.9 Art. sacrococcygea (Kreuzbein-Steißbein-Gelenk)

Anatomie

▶ Abb. 3.18

- Art: Amphiarthrose
- Partner: Apex ossis sacri und Os coccygis
- Funktion: Flexion, Extension
- Ligamente:
  - Lig. interosseum: Relikt des Diskus, zwischen den Gelenkflächen in der Gelenkhöhle gelegen
  - Lig. sacrococcygeum ventrale (anterius): Fortsetzung des Lig. longitudinale anterius
  - Lig. sacrococcygeum dorsale profundum: Fortsetzung des Lig. longitudinale posterius
  - Lig. sacrococcygeum dorsale superficiale: Fortsetzung des Lig. supraspinale
  - Lig. sacrococcygeum laterale: verbindet die sakralen und kokzygealen Cornua

Osteopathische Korrespondenzen

Alle Ligamente zwischen Kreuz- und Steißbein (Ligg. sacrococcygea) stabilisieren diese gelenkige Verbindung. In dieses Bandsystem strahlen Fasern des Lig. sacrospinale und Lig. sacrotuberale ein. Zusätzlich setzt an Co1 das Filum terminale externum an. Bei unphysiologischen Zugkräften vom Lig. sacrospinale oder Lig sacrotuberale (z. B. bei muskulären Dysbalancen von M. gluteus maximus und M. biceps femoris) kann die Beweglichkeit des Os coccygis gestört sein, was Schmerzen auslösen kann.

Bewegungen im Gelenk treten auf bei:

- Anspannung der Beckenbodenmuskulatur
- interner Drucksteigerung (bei entspannter Beckenbodenmuskulatur)
- Traumen (Sturz auf das Gesäß, Geburt)

Durch Traumen ist auch eine Verschiebung in der Frontalebene möglich. Das bedeutet eine seitliche Abweichung des Steißbeins, was zu unphysiologischen Spannungen der Beckenbodenmuskulatur führen kann.

3.4.10 Bänder von Os sacrum, Os ilium und Os coccygis

Anatomie

Kap. 3.4.3, ▶ Abb. 3.22

- Lig. sacrospinale: von der Spina ischiadica zu Os sacrum und Os coccygis
- Lig. sacrotuberale: vom Tuber ischiadicum zu Os sacrum und Os ilium
- Ligg. sacroiliaca anteriora: vom 1. und 2. Sakralwirbel zum Os ilium
- Ligg. sacroiliaca interossea: von der Tuberositas sacralis zum Os ilium
- Ligg. sacroiliaca posteriora: dorsal zwischen Os sacrum und Os ilium
- Lig. Trolard: zwischen Os sacrum und Filum terminale
- Lig. sacrouterinum: vom Os sacrum (S2–S4) zum Gebärmutterhals
- Lig. anococcygeum: zwischen Anus und Steißbein

Osteopathische Korrespondenzen

Das Lig. sacrospinale bildet eine Nutationsbremse für das Os sacrum.

Lig. sacrotuberale gerät bei Anteriorisierung des Sakrums unter Spannung und bremst die Nutation. Es wird in seiner Spannung muskulär stark beeinflusst: Von kranial-lateral ziehen Fasern des M. gluteus maximus und von kaudal Fasern des M. biceps femoris ein und von kranial verschmelzen die tiefen Fasern des M. multifidus (M. erector spinae) mit dem Band. Je mehr sich das Sakrum in Nutation befindet, desto größer wird die Spannung im Ligament.

Die Ligg. sacroiliaca anteriora verstärken die Gelenkkapsel. Die Ligg. sacroiliaca interossea und posteriora gelangen unter Spannung, wenn sich das Sakrum anteriorisiert.

Mit dem Lig. sacrouterinum existiert eine direkte ligamentäre Verbindung zwischen Uterus und Kreuzbein. Menstruationsschmerzen und damit einhergehende Spannungsänderungen der myofaszialen Strukturen können sich vom Uterus auf das Sakrum übertragen.

3.4.11 Muskuläre Verbindungen von Os sacrum und Os coccygis

Anatomie

▶ Abb. 3.23

- M. piriformis: an der Vorderfläche des Sakrums
- M. iliacus: an der oberen seitlichen Ecke der Sakrumvorderfläche
- M. coccygeus: von der Spina ischiadica zur vorderen Seitenfläche des Steiß- und Kreuzbeins
- M. gluteus maximus: an der Hinterfläche des Sakrums
- M. iliococcygeus: von der Faszie des M. obturatorius internus zu Lig. anococcygeum und Steißbein
- M. pubococcygeus: von der Symphysis pubica zu Lig. anococcygeum und Steißbein

Myofasziale Wirkungsketten

M. piriformis, M. iliacus und M. coccygeus sind Bestandteil der tiefen Frontallinie, deren Hauptaufgabe die Körperstabilisierung ist. Der M. gluteus maximus ist Bestandteil der funktionellen Rückenlinie und kann Kräfte von der einen Körperhälfte auf die andere im Bereich des LSÜ übertragen. Das Sakrum und das Lig. sacrotuberale sind wichtige Bestandteile der oberflächlichen Rückenlinie. Diese myofasziale Kette unterstützt den Körper bei Extensionsbewegungen.

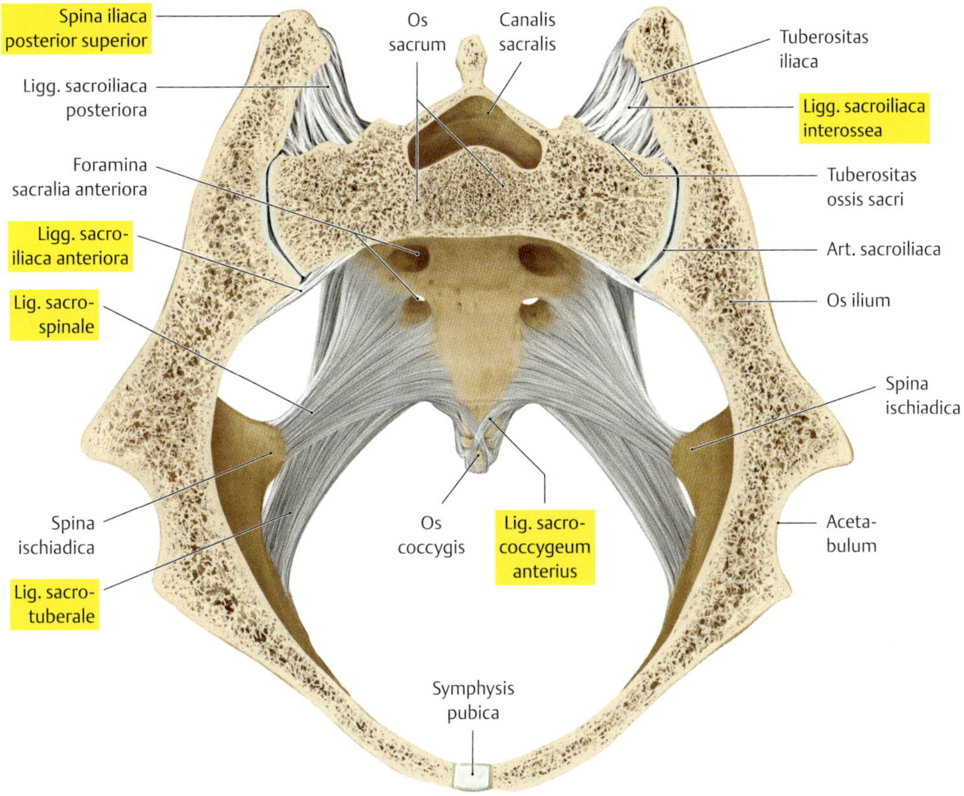

▸ **Abb. 3.22** Bandapparat von Os sacrum und Os coccygis (nach ventral geneigter Horizontalschnitt, Ansicht von kranial). (aus Schünke M, Schulte E, Schumacher U. Prometheus, LernAtlas der Anatomie. Allgemeine Anatomie und Bewegungssystem. Illustrationen von M. Voll und K. Wesker. 5., vollständig überarbeitete Auflage. Stuttgart: Thieme; 2018)

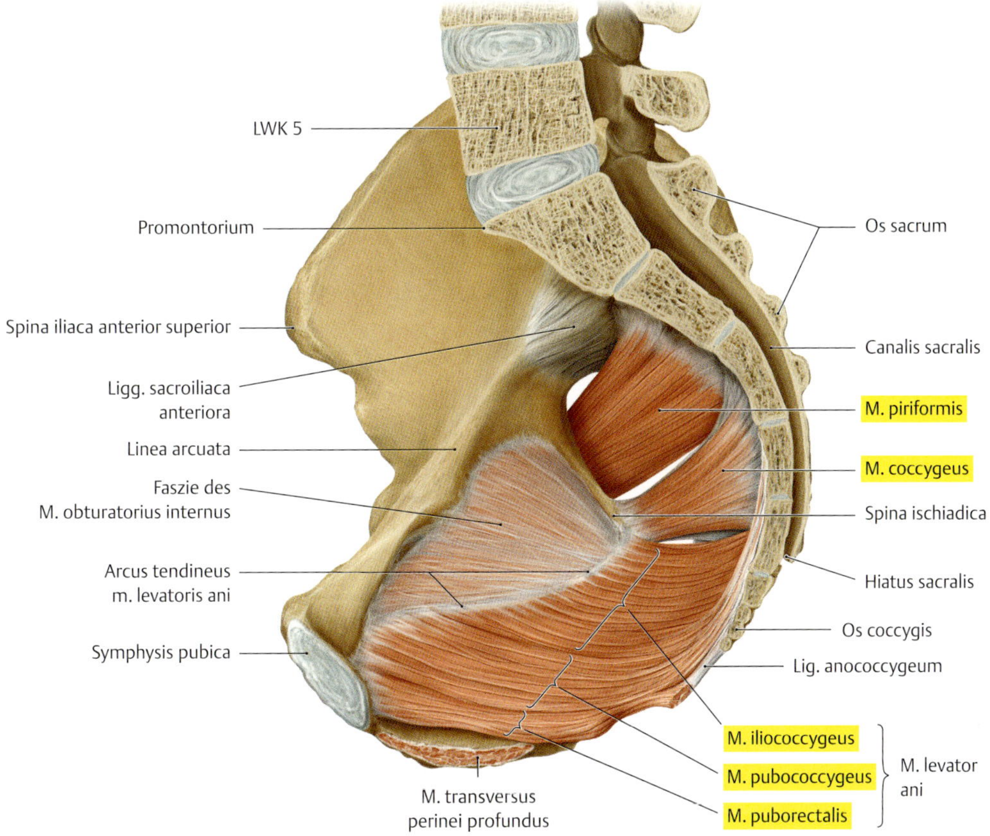

▸ **Abb. 3.23** Muskuläre Verbindungen von Os sacrum und Os coccygis (rechte Beckenhälfte, Ansicht von medial). (aus Schünke M, Schulte E, Schumacher U. Prometheus, LernAtlas der Anatomie. Allgemeine Anatomie und Bewegungssystem. Illustrationen von M. Voll und K. Wesker. 5., vollständig überarbeitete Auflage. Stuttgart: Thieme; 2018)

3.4.12 Ureter (Harnleiter)

Anatomie

▶ Abb. 3.24

- verläuft auf dem M. psoas major kaudal
- unterkreuzt die Vasa testicularia bzw. ovarica
- überkreuzt beim Eintritt ins kleine Becken die Vasa iliaca externa oder communia
- steigt dann weiter an der lateralen Beckenwand ab
- verläuft beim Mann von dort auf Höhe der Spina ischiadica nach medial und ventral in Richtung Harnblase, unterkreuzt den Ductus deferens (Samenleiter) und tritt dann in die Harnblase (dorsal-lateral nach medial-ventral) ein
- verläuft bei der Frau auf Höhe der Spina ischiadica nach medial-ventral (dorsal befindet sich dann das Lig. latum uteri), unterkreuzt ca. 2 cm lateral der Cervix uteri die A. uterina, verläuft anschließend parallel zur Cervix uteri und tritt dann in die Harnblase ein
- Ureterengen:
- Abgang vom Nierenbecken
- (ggf. Unterkreuzung der Vasa testicularia bzw. ovarica)
- Überkreuzung der Vasa iliaca externa oder communia
- Durchtritt durch die Harnblasenwand (engste Stelle)
- nervale Versorgung:
  - parasympathisch über Nn. splanchnici pelvici (S 2–S 4)
  - sympathisch über Nn. splanchnici minor und imus (über Ggll. coeliaca und aorticorenalia) sowie Nn. splanchnici lumbales (über Plexus hypogastricus inferior)
- arterielle Versorgung: Äste aus der A. renalis, A. vesicalis superior, A. iliaca interna
- venöse Drainage: V. renalis, Plexus venosus vesicalis, V. iliaca interna
- Lymphdrainage: Nll. lumbales, Nll. vesicales laterales, Nll. iliaci interni

Osteopathische Korrespondenzen

An den Engstellen können sich abgehende Nierensteine festsetzen. Durch die enge Verbindung zwischen dem Ureterverlauf und der Faszie des M. psoas können myofasziale Adhäsionen den Ureter beeinflussen.

Der linke Ureter wird am Beckeneingang vom Mesocolon sigmoideum überquert. Ausgeprägte Zugkräfte von diesem könnten die Funktion des Ureters einschränken (Kap. 2.5.3).

Der rechte Ureter unterquert an der Beckeneingangsebene das Mesenterium des terminalen Ileums. Auf der ventralen Seite des M. psoas major liegt der Ureter in enger Nachbarschaft zum N. genitofemoralis. Volumenveränderungen des Ureters (z. B. tumoröse Veränderungen durch Metastasen beim Prostatakarzinom) können womöglich den N. genitofemoralis beeinflussen und Irritationen in seinem Versorgungsgebiet provozieren. Tumoren des Uterus können durch die räumliche Nähe von Ureter und Uterus den Harnleiter komprimieren und zum Harnstau führen.

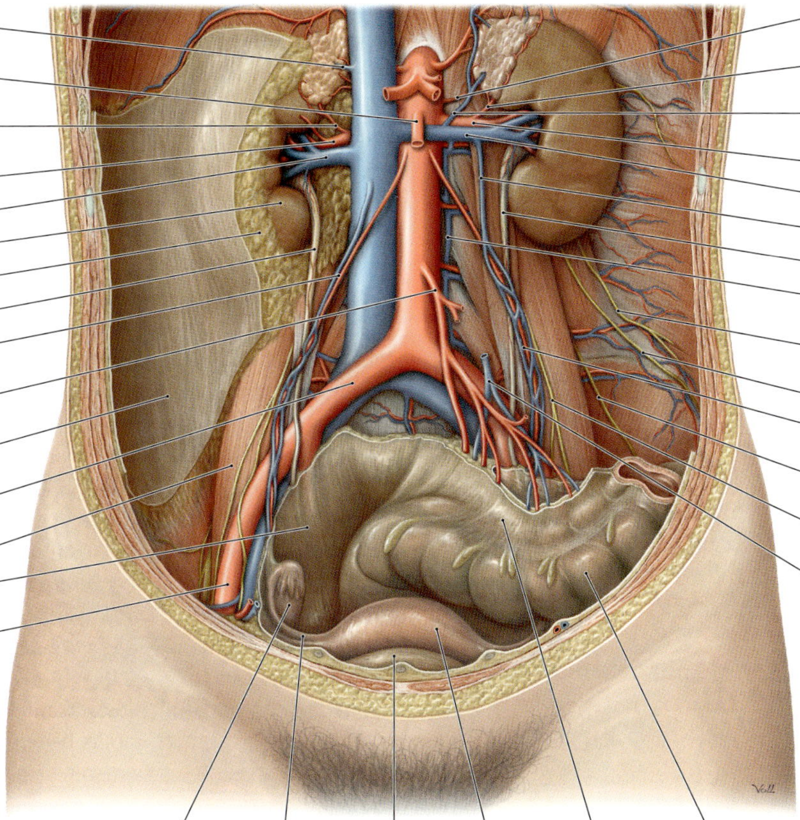

▸ **Abb. 3.24** Verlauf des Ureters (weiblicher Situs, Ansicht von ventral). (aus Schünke M, Schulte E, Schumacher U. Prometheus, LernAtlas der Anatomie. Innere Organe. Illustrationen von M. Voll und K. Wesker. 5. Auflage. Stuttgart: Thieme; 2018)

3.4.13 Harnblase (Vesica urinaria)

Anatomie

► Abb. 3.25, ► Abb. 3.26

- liegt im kleinen Becken dorsal der Symphysis pubica
- der superiore Pol der Blase kann nur bei einer entsprechenden Blasenfüllung oberhalb der Symphyse palpiert werden (bis 3 cm oberhalb)
- eine leere Harnblase reicht mit ihrem superioren Pol nicht über die Symphyse hinaus
- topgrafische Beziehungen der Harnblase:
  - superior: Peritoneum, Darmschlingen, Uterus
  - anterior: Os pubis, Peritoneum, ventrale Bauchwand (nur bei gefüllter Blase)
  - inferior: bei der Frau Cervix uteri, Vagina, Urethra, M. levator ani, M. obturatorius internus; beim Mann Prostata
  - posterior: bei der Frau Cervix und Isthmus uteri, Vagina, Ureter; beim Mann Rektum, Ductus deferens, Glandula vesiculosa (Samenbläschen), Ureter, Peritoneum, Dünndarmschlingen
  - lateral: bei der Frau Peritoneum (Lig. latum uteri); beim Mann Peritoneum, M. levator ani, M. obturatorius internus
- nervale Versorgung:
  - parasympathisch über Nn. splanchnici pelvici (S 2–S 4)
  - sympathisch über Nn. splanchnici lumbales und sacrales (über Plexus hypogastricus inferior)
- arterielle Versorgung: Aa. vesicales superiores und inferiores (Äste der A. iliaca interna)
- venöse Drainage: Vv. vesicalis → V. iliaca interna
- Lymphgefäße verlaufen parallel zu den Blutgefäßen, münden in den Truncus lumbalis sinister bzw. dexter, der weiter in die Cisterna chyli und zum Ductus thoracicus führt
- Bewegungsphysiologie nach Barral:
  - Mobilität: abhängig von der Sakrum- und Uterusbewegung; bei Einatmung Aufrichtung der Blase nach kranial-dorsal, bei Ausatmung Bewegung nach ventral-kaudal
  - Motilität: in der Exspirationsphase Bewegung nach posterior-superior

Osteopathische Korrespondenzen

Zwischen dem Os pubis bzw. der Bauchwand und der Harnblase befindet sich ein Spaltraum, das Spatium retropubicum (Retzius-Raum). Es lässt Gleitbewegungen der anliegenden Strukturen und insbesondere die der Blase bei zunehmender Füllung zu.

Durch einen erhöhten faszialen Zug über Leber, Lig. teres hepatis und Bauchnabel mit Übergang zum Urachus, der innerhalb der Plica umbilicalis mediana zur Harnblase zieht, können Dysfunktionen der Harnblase auftreten.

Während der Füllungsphase der Harnblase muss das Muskel-Faszien-System rund um den M. levator ani die abdominalen Druckschwankungen, die sich z. B. durch die Atmung ergeben, auffangen. Ziel ist es, die Blase in Position zu halten. Im Prinzip wirkt der Beckenboden dabei wie ein schwingendes gespanntes Tuch (Trampolin), das als Mobilisationsrichtung nach kranial ausgerichtet ist. Der Venenplexus kaudal der Beckenorgane wird durch die Kontraktion der Beckenbodenmuskulatur unter Kompression gebracht. Dadurch führt jede Bewegung, ob bedingt durch die Einatmung oder durch Gehen, Laufen oder Springen, zu einer Drainage des Venenplexus und erleichtert den venösen Rückfluss.

Senkt sich die Blase (Organptose), muss der Beckenboden mehr als statisch arbeitender Halteapparat arbeiten. Die Folge ist ein venöser Stau, der sich in Form von Hämorrhoiden zeigen kann. Ein venöser Rückstau in die untere Extremität ist ebenfalls denkbar und kann die Entwicklung von Varizen begünstigen.

Die Harnblase ist in die Lamina von Delbet (zieht vom Os pubis bis zum Sakrum) eingefasst. Diese ist der Endpunkt der Zentralsehne und kann dysfunktionale Spannungen auf die Harnblase übertragen.

Behandlungshinweise

Zirkulatorische Techniken, wie das Grand manœvre, sind bei venösen Stauungen im kleinen Becken hilfreich.

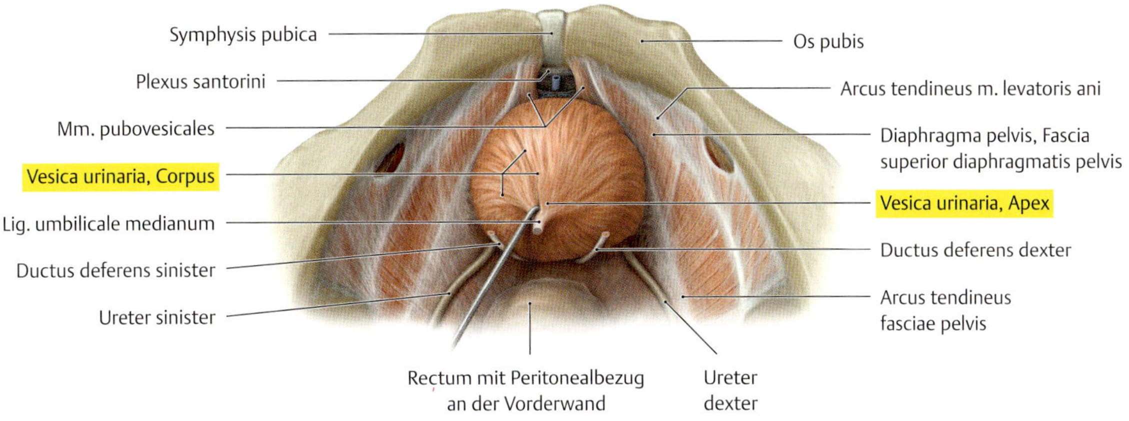

▶ **Abb. 3.25** Lage der Harnblase, die leicht nach dorsal gezogen und gut gefüllt ist (männlicher Situs, Ansicht von kranial). (aus Schünke M, Schulte E, Schumacher U. Prometheus, LernAtlas der Anatomie. Innere Organe. Illustrationen von M. Voll und K. Wesker. 5. Auflage. Stuttgart: Thieme; 2018)

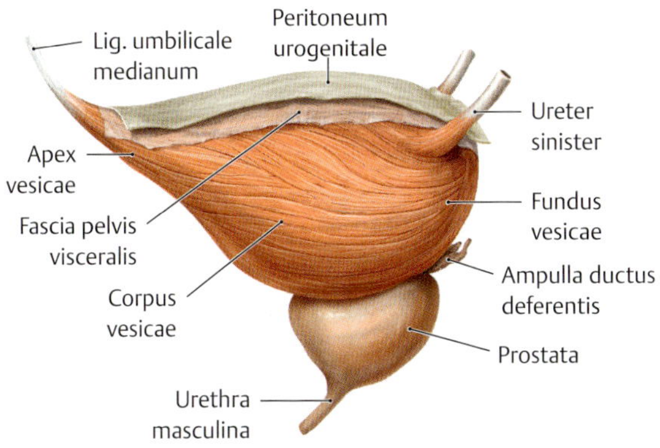

▶ **Abb. 3.26** Harnblase (Ansicht von links beim Mann). (aus Schünke M, Schulte E, Schumacher U. Prometheus, LernAtlas der Anatomie. Innere Organe. Illustrationen von M. Voll und K. Wesker. 5. Auflage. Stuttgart: Thieme; 2018)

3.4.14 Urethra (Harnröhre)

Anatomie

▸ Abb. 3.27, ▸ Abb. 3.28

- muskuläre Röhre, die mit Schleimhaut ausgekleidet ist
- Harnröhrenwand ist mit zugfestem, kollagenem Bindegewebe ausgekleidet
- verläuft durch das Diaphragma urogenitale
- am inferioren Ende vom M. sphincter urethrae umgeben
- die weibliche Urethra ist deutlich kürzer (ca. 3 cm) als die männliche (ca. 20 cm)
- steht bei der Frau in enger Beziehung zur Vagina
- beim Mann in 4 Abschnitte unterteilt:
  - Pars intramuralis
  - Pars prostatica (zieht durch die Prostata)
  - Pars membranacea (mittlerer Abschnitt)
  - Pars spongiosa (längster Abschnitt)
- nervale Versorgung:
  - die Harnröhrenmündung ist sympathisch innerviert (Nn. splanchnici sacrales über Plexus hypogastricus inferior und beim Mann zusätzlich aus dem Plexus prostaticus)
  - parasympathisch über Nn. splanchnici pelvici
  - N. pudendus (ventrale Äste von S 2–S 4, somatisch sensibel)
- arterielle Versorgung: A. urethralis (aus A. iliaca interna → A. pudenda interna)
- venöse Drainage: Plexus vesicalis, beim Mann zusätzlich Plexus prostaticus und Penisvenen → V. iliaca interna und teilweise V. femoralis
- Lymphdrainage: Nll. lumbales

Osteopathische Korrespondenzen

Das kollagene zugfeste Bindegewebe in der Harnröhrenwand ist gitterförmig gestaltet. Bei longitudinalem Zug verringert sich das Lumen der Urethra. Mit zunehmendem Volumen während der Blasenfüllung hebt sich die Blase an und parallel kommt es zum Dehnungsverschluss der Urethra. Ist der Stützapparat der Blase insuffizient, kann die Blase nicht mehr kranial gleiten, sondern liegt mit dem unteren Teil der Urethra außerhalb des abdominalen Druckbereichs. Es besteht keine Widerlager und der Druck auf die Blase (z. B. Husten, Niesen) kann nicht kompensiert werden. Eine Folge kann eine Tröpfcheninkontinenz sein.

Behandlungshinweise

Techniken, die der Blasensenkung entgegenwirken und den Beckenboden mobilisieren, können hilfreich sein.

3.4.15 Prostata (Vorsteherdrüse)

Anatomie

▸ Abb. 3.26, ▸ Abb. 3.28

- liegt extraperitoneal zwischen Harnblase und Diaphragma urogenitale
- wird dorsal durch das Septum rectovesicale (Denonvillier-Faszie) vom Rektum getrennt
- Fixierung der Prostata im Becken erfolgt u. a. durch die Lamina sacro-recto-genito-vesico-pubicalis (Lamina von Delbet), die eine Verbindung zwischen Symphyse und Sakrum herstellt
- nervale Versorgung:
  - sympathisch: Nn. splanchnici lumbales und sacrales über N. hypogastricus inferior (Th 10–L 2) (an Kontinenz beteiligt)
  - parasympathisch über Nn. splanchnici pelvici (S 2–S 4; unterstützt Miktion)
- arterielle Versorgung: Rr. prostatici aus A. vesicalis inferior (aus A. iliaca interna)
- venöse Drainage: Plexus venosus prostaticus → Plexus venosus vesicalis → V. iliaca interna
- Lymphdrainage: Nll. praevesicales und retrovesicales → Nll. iliaci interni, sacralis, lumbales

Osteopathische Korrespondenzen

Über die Fixierung der Prostata bestehen myofasziale Verbindungen zum M. levator ani, M. coccygeus, M. obturatorius und M. piriformis. Diesen ist gemeinsam, dass sie von der Fascia pelvis parietalis umgeben sind. Nach kaudal besteht eine Beziehung zum Lig. sacrotuberale und damit zum Tuber ischiadicum (Kap. 3.4.16).

Myofasziale Verbindungen zu Knie bzw. Fuß lassen sich u. a. über den Ursprung des M. biceps femoris erklären, der weiter zum Fibulaköpfchen verläuft. Der myofasziale Zug lässt sich dann über die Mm. peronei bis zum Fuß fortsetzen.

Über die segmentale Verschaltung im Rückenmark können Irritationen im Bereich der Organe (viszerale Afferenz) des kleinen Beckens in efferente motorische Impulse umgewandelt werden. Dies kann zu einem Hypertonus der Muskulatur führen, die aus diesen Segmenten des Rückenmarks versorgt wird.

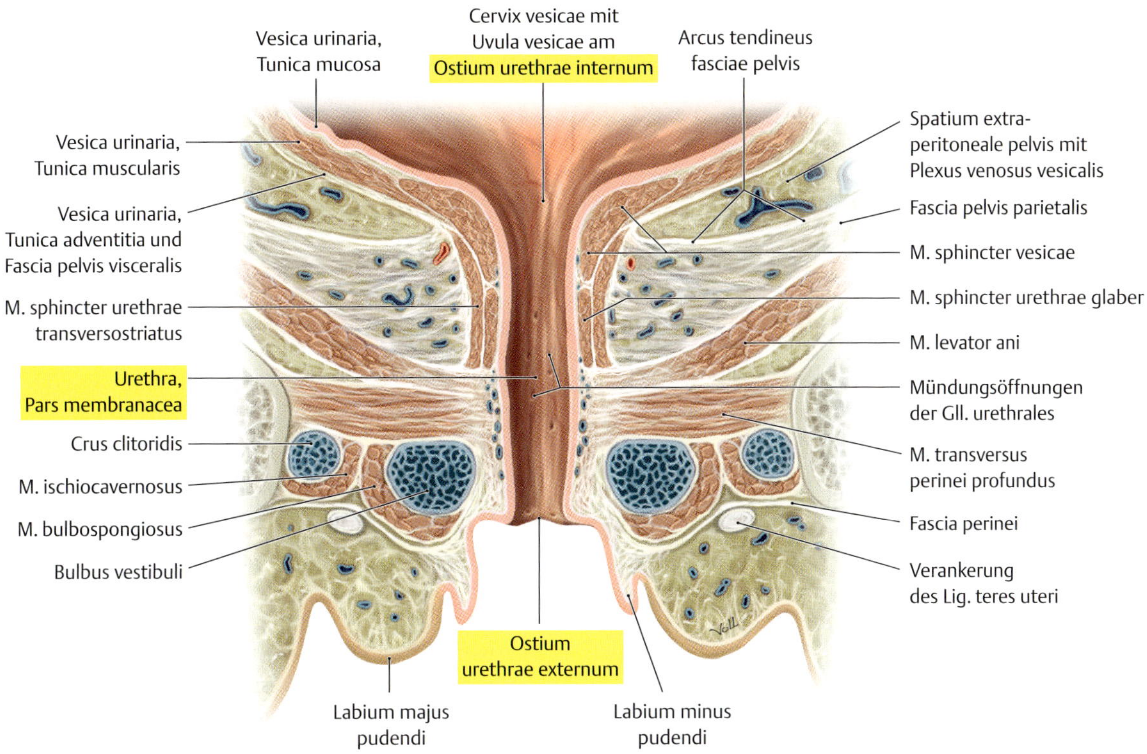

▸ **Abb. 3.27** Weibliche Urethra (Frontalschnitt, Ansicht von ventral). (aus Schünke M, Schulte E, Schumacher U. Prometheus, LernAtlas der Anatomie. Innere Organe. Illustrationen von M. Voll und K. Wesker. 5. Auflage. Stuttgart: Thieme; 2018)

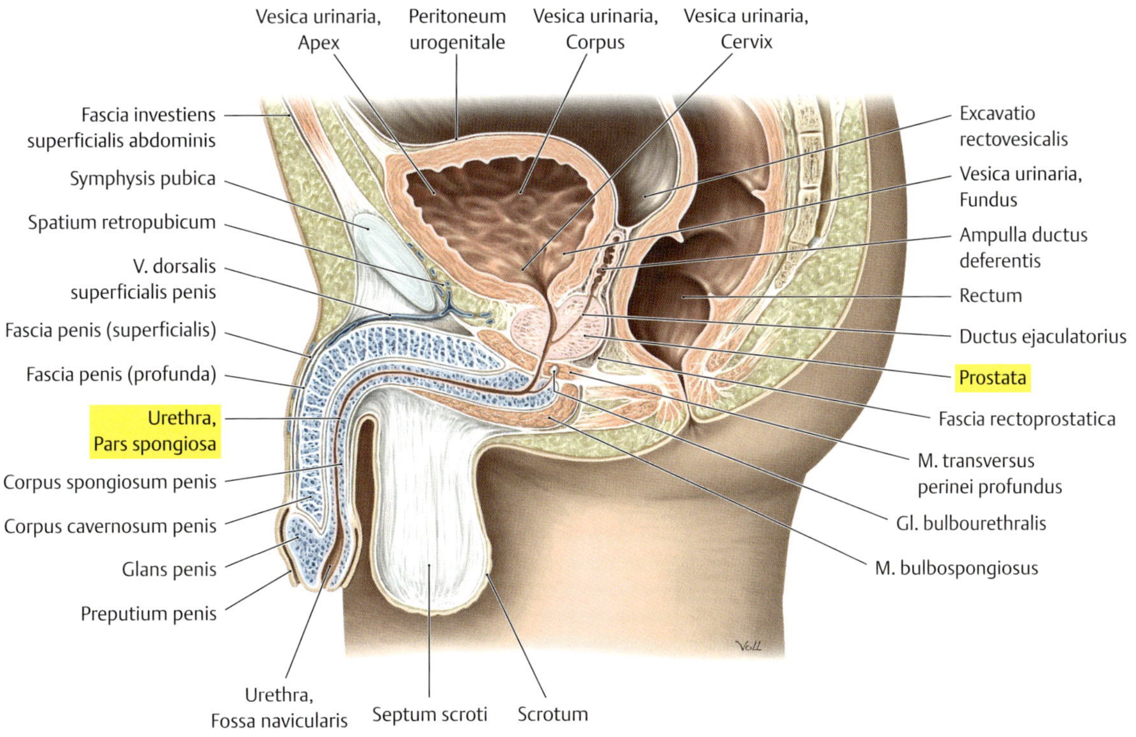

▸ **Abb. 3.28** Männliche Urethra und Lage der Prostata (Sagittalschnitt, Ansicht von links). (aus Schünke M, Schulte E, Schumacher U. Prometheus, LernAtlas der Anatomie. Innere Organe. Illustrationen von M. Voll und K. Wesker. 5. Auflage. Stuttgart: Thieme; 2018)

3.4.16 Uterus (Gebärmutter)

Anatomie

▶ Abb. 3.11, ▶ Abb. 3.12, ▶ Abb. 3.29, ▶ Abb. 3.30, ▶ Abb. 3.31

- 7–10 cm lang, 4–5 cm breit und 2–3 cm dick
- ca. 50 g schwer, während der Schwangerschaft (neben der massiven Größenveränderung) ist eine Gewichtszunahme bis zu ca. 1 kg möglich (Gewicht der Gebärmutterwand)
- Lig. teres uteri: zieht vom Tubenwinkel durch das Lig. latum uteri zum Leistenkanal und endet schließlich an den Schamlippen; ein Band des Halteapparates des Uterus
- Lig. latum uteri: Duplikatur des Peritoneums; ist über Fascia iliaca und M. iliacus mit dem Darmbein (Os ilium) verbunden; fixiert sowohl das Peritoneum mit den Adnexen (Ovar und Tuba uterina) als auch den Uterus
- Lig. cardinale: enge Verbindung zwischen Gebärmutterhals und lateraler Innenwand des Iliums
- Lig. sacrouterinum: verbindet Sakrum und Zervix
- Lig. rectouterinum: verbindet Rektum und Zervix
- Lig. vesicouterinum: verbindet dorsale Anteile der Harnblase mit der Zervix
- nervale Versorgung:
  - parasympathisch über Nn. splanchnici pelvici (S 2–S 4)
  - sympathisch über Nn. splanchnici lumbales und sacrales (über Plexus hypogastricus inferior)
- arterielle Versorgung: A. uterina (aus A. iliaca interna)
- venöse Drainage: Plexus venosus uterinus und V. uterina → V. iliaca interna
- Lymphdrainage: Nll. parauterini, Nll. inguinales
- Bewegungsphysiologie nach Barral:
  - Mobilität: große Mobilität, abhängig von Lage der Dünndarmschlingen, Menstruationszyklus, Harnblasen-, Rektumfüllung
  - Motilität: in Exspirationsphase nach posterior-superior

Myofasziale Wirkungsketten

Die Lamina von Delbet als Befestigungslinie ist der kaudale Abschluss der Zentralsehne. Sie macht die Organe des kleinen Beckens, den muskulären Beckenboden und den knöchernen Beckenring zu einer funktionellen Einheit.

Osteopathische Korrespondenzen

Das Lig. latum uteri steht mit der Lamina von Delbet in Verbindung (Lamina sacro-recto-genito-vesico-pubicalis). Es ist eine bindegewebige Befestigung direkt kranial des Beckenbodens von Harnblase, Prostata bzw. Uterus und Rektum, die anterior-posterior verläuft. Dadurch stehen die Organe des kleinen Beckens in direkter Verbindung zueinander. Somit kann die Dysfunktion eines Organs in dieser Aneinanderreihung zu Dysfunktionen bei den anderen Organen führen.

Durch die komplexe myofasziale Verknüpfung der Organe im kleinen Becken (u. a. Fascia iliaca, Lamina von Delbet) können Schmerzen im lumbosakralen Übergang zum Zeitpunkt der Menstruation oder auch Ovulation auftreten.

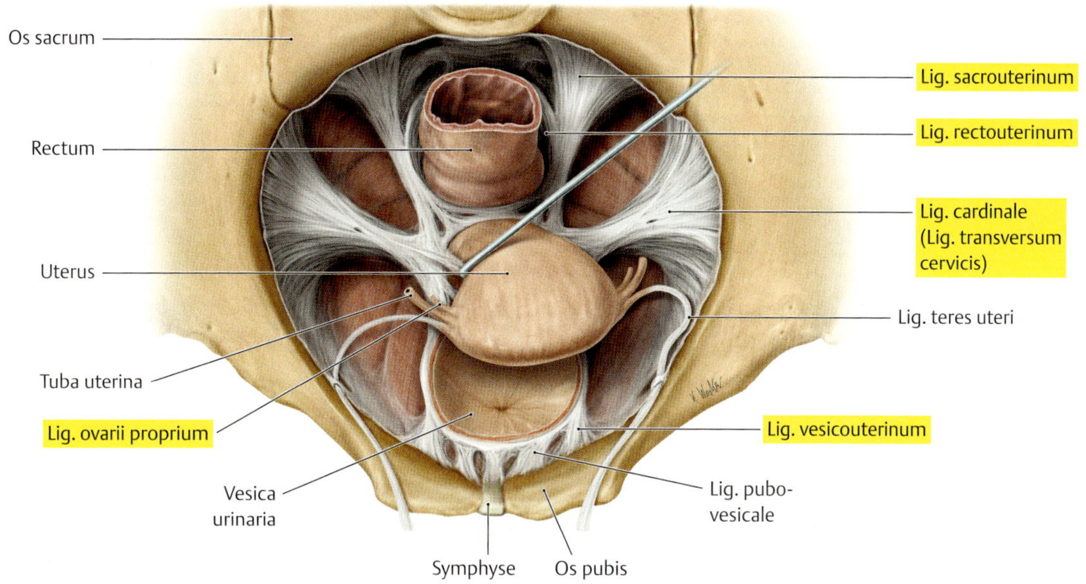

▸ **Abb. 3.29** Halteapparat des Uterus (Ansicht von kranial). (aus Schünke M, Schulte E, Schumacher U. Prometheus, LernAtlas der Anatomie. Innere Organe. Illustrationen von M. Voll und K. Wesker. 5. Auflage. Stuttgart: Thieme; 2018)

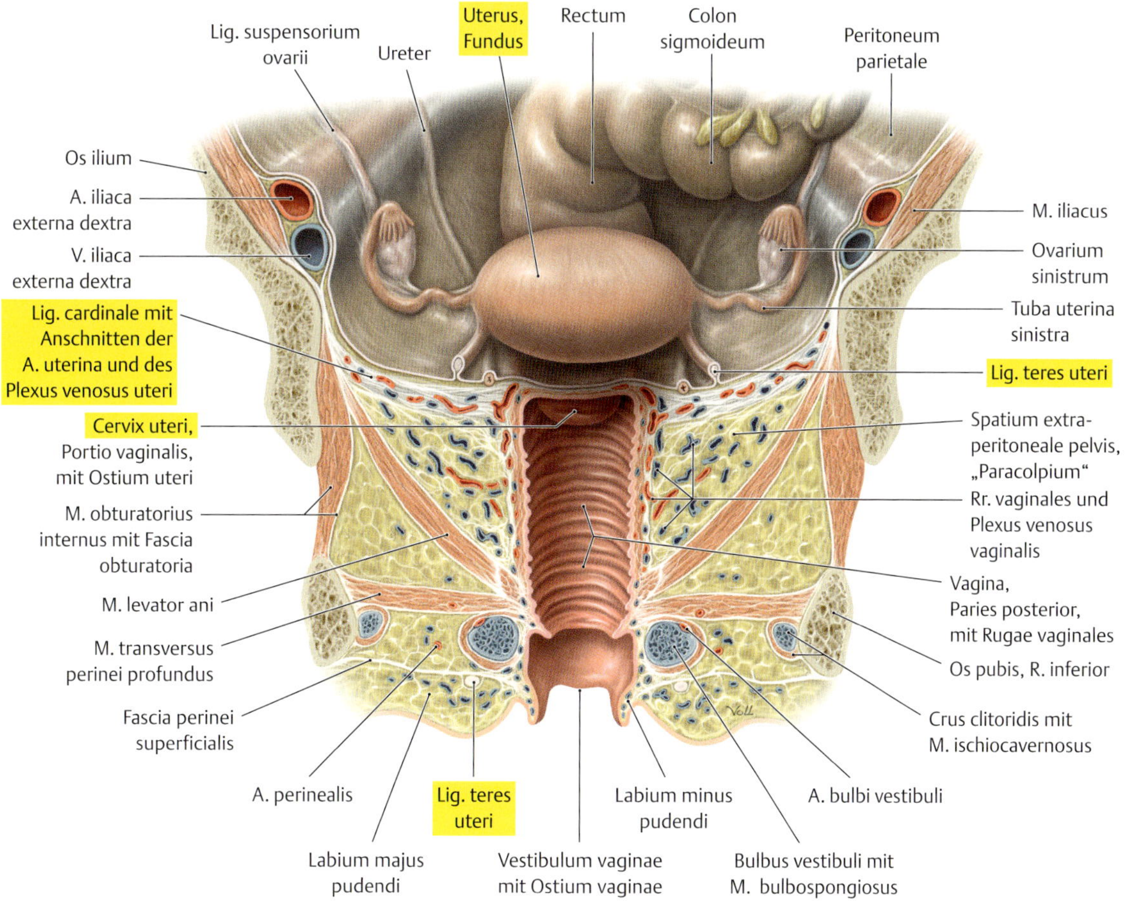

▸ **Abb. 3.30** Weibliche Genitalorgane (leicht geneigter Frontalschnitt). (aus Schünke M, Schulte E, Schumacher U. Prometheus, LernAtlas der Anatomie. Innere Organe. Illustrationen von M. Voll und K. Wesker. 5. Auflage. Stuttgart: Thieme; 2018)

3.4.17 Tuba uterina (Eileiter) und Ovar (Eierstock)

Anatomie

► Abb. 3.30, ► Abb. 3.31

- **Tuba uterina:**
  - intraperitoneal am oberen Rand des Lig. latum uteri gelegen
  - beidseits zwischen Uterus und Ovar aufgespannt
  - Ampulla: ca. 8 cm langer Teil des Eileiters zwischen Tubentrichter und Isthmus
  - Fimbriae: fransenförmige Fortsätze des Infundibulums (Tubentrichter)
  - Isthmus: ca. 4–5 cm langer verengter Anteil des Eileiters, mündet im Lumen des Uterus (Ostium tubae uterinae)
  - nervale Versorgung: wie Uterus
  - arterielle Versorgung: R. tubarius aus A. uterina, R. tubarius aus A. ovarica (aus Aorta abdominalis)
  - venöse Drainage: Plexus venosus uterinus oder Plexus ovaricus → V. iliaca interna
  - Lymphdrainage: Nll. parauterini → Nll. lumbales
- **Ovar:**
  - 4 cm breit, 2 cm hoch und 1 cm dick
  - Lig. suspensorium ovarii: Aufhängeband des Ovars; zieht vom Ovar zum Ilium und zur Psoasfaszie; führt die Vasa ovarica und Nerven zum Ovar
  - Lig. ovarii proprium: verbindet Ovar und Tubenwinkel
  - nervale Versorgung:
    - sympathisch über Nn. splanchnici minores und imus (über Ggll. coeliaca und aorticorenalia)
    - parasympathisch: N. vagus; seine Äste ziehen aus dem Bauchraum mit der A. ovarica kaudal zum Ovar
  - arterielle Versorgung: A. ovarica (aus Aorta abdominalis), R. ovaricus (aus A. uterina)
  - venöse Drainage: V. ovarica (rechts in V. cava inferior, links in V. renalis sinistra), Plexus venosus ovaricus in Plexus venosus uterinus → V. iliaca interna
  - Lymphdrainage: Nll. lumbales
  - Bewegungsphysiologie nach Barral:
    - Mobilität: abhängig von der Bewegung des Uterus
    - Motilität Ovar links: Rotation im Uhrzeigersinn, mäßig superior
    - Motilität Ovar rechts: Rotation gegen den Uhrzeigersinn, mäßig superior

Osteopathische Korrespondenzen

Während der Embryonalzeit entwickelt sich das Ovar im Bereich der dorsalen Bauchwand (auf Höhe der LWS). Dann wandert es zur Beckeneingangsebene. Es liegt bei Frauen, die nicht geboren haben, noch in der Wand des kleinen Beckens (Fossa ovarica). Nach einer Geburt liegt es dann etwas tiefer. Dies sollte bei Behandlungstechniken für die Ovarien beachtet werden.

In der Pubertät verändern sich bei der heranwachsenden Frau Lage und Größe von Ovarien, Tuben und Uterus. Mediale Oberschenkelschmerzen können dabei begleitend auftreten. Diese sind dann eine Folge des Geschehens im kleinen Becken. Dann liegt die Ursache für diese Schmerzen nicht in Knie oder Oberschenkel.

Von ventral-kranial umfasst der Tubentrichter das Ovar. Die fransenartige Schleimhaut (Fimbrien) des Tubentrichters und die Ampulle sind wie eine Art Meso aufgehängt. Dies ermöglicht Bewegung. Dadurch können die Tubentrichter auf dem Ovar hin- und hergleiten. Für den Weg der Eizelle vom Ovar in die Tuba uterina (Eiabnahmemechanismus) ist diese uneingeschränkte Gleitbewegung zwischen Ovar und Eileiter wichtig.

A. und V. obturatoria und N. obturatorius verlaufen am Boden der Fossa ovarica. Durch die Nähe von Ovar und N. obturatorius können entzündliche Prozesse, Zysten etc. den Nerv beeinträchtigen und Schmerzen im medialen Oberschenkel verursachen, weil der N. obturatorius mit einem Hautast diese Region versorgt.

Die Fossa ovarica wird lateral vom M. obturatorius internus begrenzt. Myofasziale Adhäsionen in diesem Bereich, aber auch pathologische Geschehen können den Muskel irritieren und zum Hypertonus des Muskels führen.

Behandlungshinweise

Eine Mobilisation der Membrana obturatoria und eine Behandlung der Delbet-Lamina können indiziert sein. Auch Behandlungen innerhalb der Zentralsehne sind hilfreich.

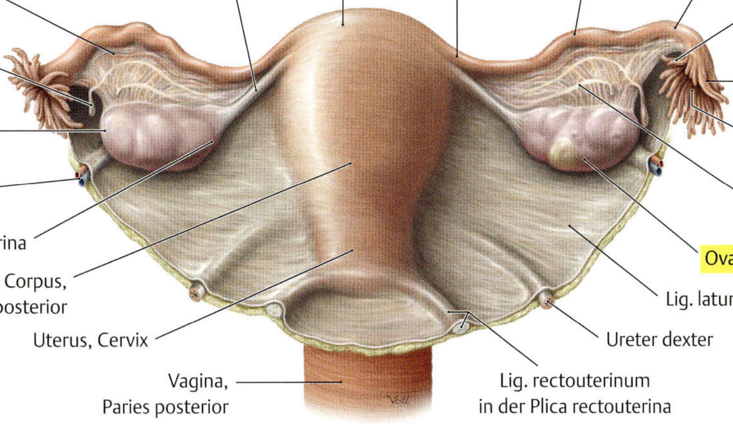

▸ **Abb. 3.31** Ovar und Tuba uterina (Ansicht von dorsal-kranial). (aus Schünke M, Schulte E, Schumacher U. Prometheus, LernAtlas der Anatomie. Innere Organe. Illustrationen von M. Voll und K. Wesker. 5. Auflage. Stuttgart: Thieme; 2018)

3.4.18 Colon sigmoideum und Rektum

Anatomie

▸ Abb. 3.32
- **Colon sigmoideum:**
  - verläuft intraperitoneal beginnend im posterior-superioren Teil der Fossa iliaca, dann entlang am Außenrand des linken M. psoas major
  - überkreuzt den M. psoas ca. 3 cm oberhalb des Leistenbandes
  - tritt dann in das kleine Becken ein und mündet im Rektum
  - Aufhängung: Mesocolon sigmoideum
  - nervale Versorgung:
    - sympathisch über Plexus hypogastricus inferior
    - parasympathisch über Nn. splanchnici pelvici (S 2–S 4)
  - arterielle Versorgung: A. sigmoidea (aus A. mesenterica inferior)
  - venöse Drainage: Vv. sigmoideae → V. mesenterica inferior
  - Lymphdrainage: Nll. colici sinistri und Nll. sigmoidei → Nll. mesenterici inferiores → Nll. lumbales sinistri → Trunci intestinales oder Cisterna chyli
- **Rektum:**
  - proximales Rektum liegt retroperitoneal, distales Rektum extraperitoneal
  - nervale Versorgung:
    - parasympathisch über Nn. splanchnici pelvici (S 2–S 4)
    - sympathisch über Nn. splanchnici lumbales und sacrales (über Plexus rectales superior, medius, inferior)
  - arterielle Versorgung: A. rectalis superior über A. mesenterica inferior aus Aorta abdominalis, A. rectalis media aus A. iliaca interna, A. rectalis inferior über A. pudenda interna aus A. iliaca interna
  - venöse Drainage: V. rectalis superior → V. mesenterica inferior, Vv. rectales mediae und Vv. rectales inferiores → V. pudenda interna → V. iliaca interna
  - Lymphdrainage: Nll. rectales superiores → Nll. mesenterici inferiores, Nll. sacrales und Nll. pararectales → Nll. iliaci interni, Nll. pararectales und Nll. inguinales superficiales → Nll. iliaci interni

Osteopathische Korrespondenzen

Bei einer Ptose des Sigmoids können die Organe des kleinen Beckens unter Druck kommen und damit die Federungseigenschaften des Beckenbodens beeinträchtigen (Kap. 2.5.3).

Behandlungshinweise

Zirkulatorische Techniken, wie das Grand manœvre, sind bei venösen Stauungen und verminderten Federungseigenschaften des Beckenbodens hilfreich.

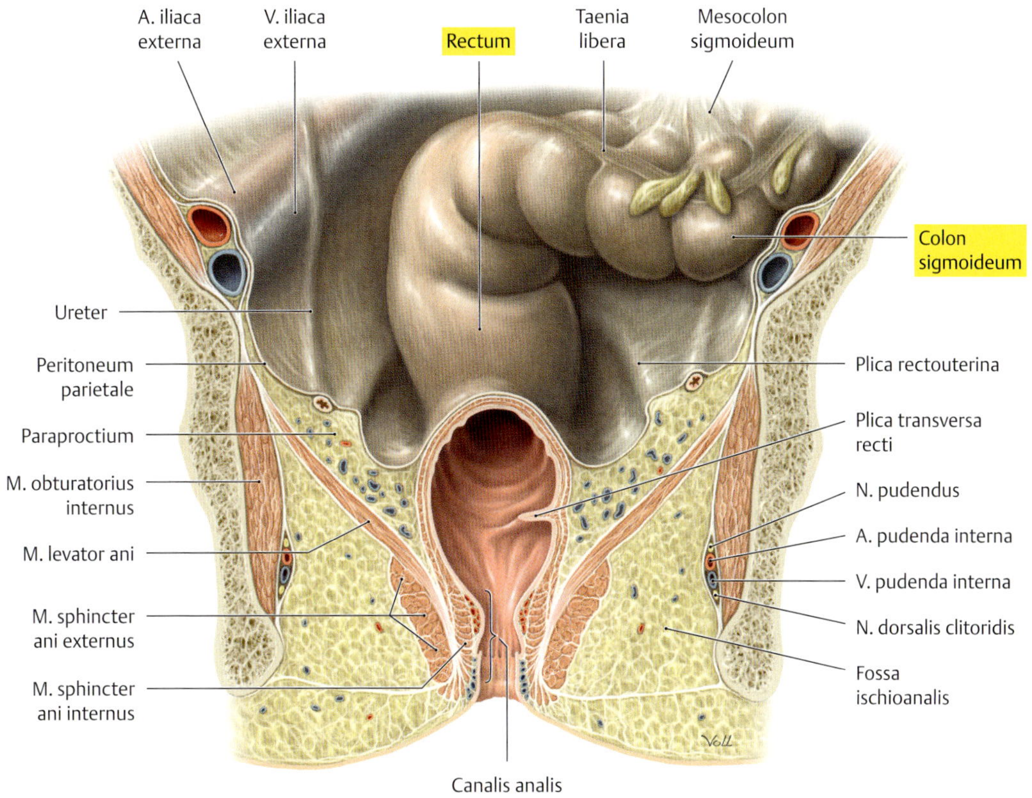

▸ **Abb. 3.32** Lage von Colon sigmoideum und Rektum (Frontalschnitt durch ein weibliches Becken, Ansicht von ventral). (aus Schünke M, Schulte E, Schumacher U. Prometheus, LernAtlas der Anatomie. Innere Organe. Illustrationen von M. Voll und K. Wesker. 5. Auflage. Stuttgart: Thieme; 2018)

3.5

Dorsale Schichten

3.5.1 Fascia thoracolumbalis (FTL)

Kap. 2.7.1, Kap. 4.7.1, ▸ **Abb. 3.33**

- die Ausläufer der Fascia thoracolumbalis und die Ursprungsaponeurose des M. latissimus dorsi sind weitreichend: Verbindung von TLÜ bzw. LSÜ mit der oberen Extremität
- die Vielschichtigkeit des M. erector spinae im lumbosakralen Übergang zieht bis zum Bandapparat des Iliosakralgelenks
- der M. erector spinae ist von der FTL umhüllt wie eine Röhre und reicht vom Becken bis zum Kranium
- ein Kontinuum von Fasern aus der Fascia thoracolumbalis setzt sich in das Lig. sacrotuberale fort, in das auch Faserzüge der ischiokruralen Muskulatur übergehen

3.5.2 Fascia glutea

Anatomie

Kap. 8.4.1, ▸ **Abb. 3.34**, ▸ **Abb. 3.35**

- ist die dorsale Fortsetzung des oberflächlichen Blattes der Fascia thoracolumbalis, die von der Crista iliaca und dem Sakrum kommt
- entspringt dorsal am Rand der Crista iliaca
- liegt auf dem M. gluteus maximus und M. gluteus medius und bildet dort zahlreiche Kammern für die Muskelfasern
- setzt sich unterhalb der Mm. glutei medius und maximus als Oberschenkelfaszie (Fascia lata) fort

Osteopathische Korrespondenzen

Die Spannung des M. erector spinae und der Zug über die Fascia thoracolumbalis beeinflussen die gesamte Wirbelsäule und insbesondere den lumbosakralen Übergang. Zugkräfte aus der Fascia thoracolumbalis können über die Fascia glutea auf die Fascia lata übertragen werden.

Umgekehrt erfordert die Lastübertragung über das Iliosakralgelenk eine muskuläre Stabilisierung (hier insbesondere über M. gluteus maximus und M. biceps femoris). Ist die Lastübertragung gestört, können über die muskuloligamentäre Verbindung (Lig. sacrotuberale – Lig. sacrospinale) Schmerzen im Bereich des Iliosakralgelenks auftreten.

Behandlungshinweise

Querfriktionen im Bereich des Lig. sacrotuberale und Muskelenergietechniken für den M. biceps femoris können die Funktionalität der Strukturen verbessern.

Die Fuß-Beinachsen-Stellung und die Mobilität von Ilium und Sakrum sind in diesem Funktionszusammenhang besonders wichtig.

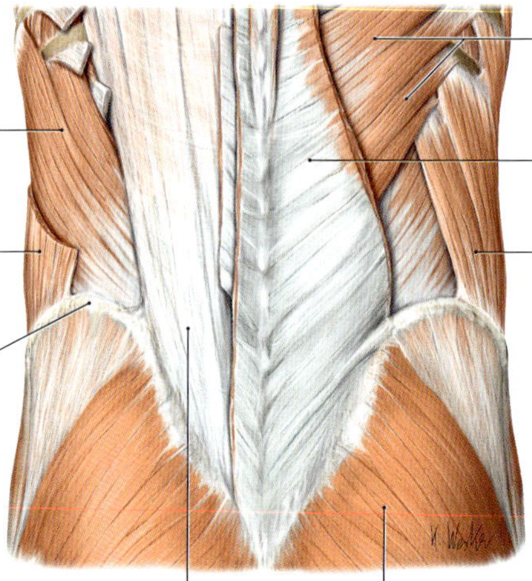

▸ **Abb. 3.33** Verlauf der Fascia thoracolumbalis (Ansicht von dorsal). (aus Schünke M, Schulte E, Schumacher U. Prometheus, LernAtlas der Anatomie. Allgemeine Anatomie und Bewegungssystem. Illustrationen von M. Voll und K. Wesker. 5., vollständig überarbeitete Auflage. Stuttgart: Thieme; 2018)

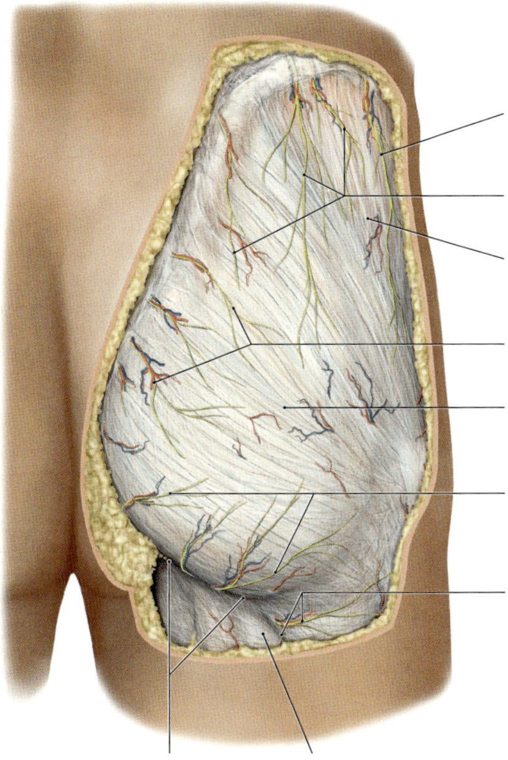

▶ **Abb. 3.34** Fascia glutea und Hautnerven im Bereich der rechten oberflächlichen Gesäßregion (Ansicht von dorsal). (aus Schünke M, Schulte E, Schumacher U. Prometheus, LernAtlas der Anatomie. Allgemeine Anatomie und Bewegungssystem. Illustrationen von M. Voll und K. Wesker. 5., vollständig überarbeitete Auflage. Stuttgart: Thieme; 2018)

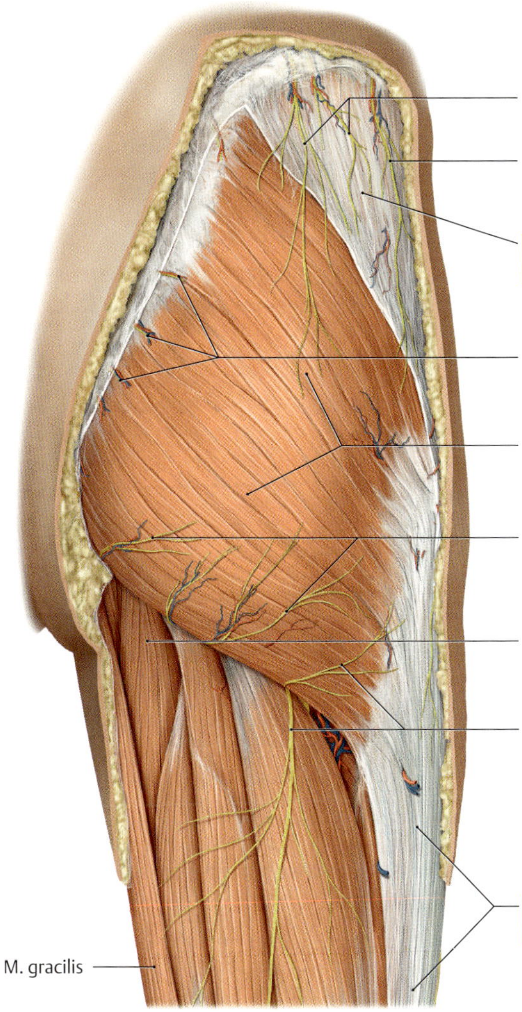

▶ **Abb. 3.35** Übergang der Fascia glutea in die Fascia lata am rechten Gesäß (Ansicht von dorsal). (aus Schünke M, Schulte E, Schumacher U. Prometheus, LernAtlas der Anatomie. Allgemeine Anatomie und Bewegungssystem. Illustrationen von M. Voll und K. Wesker. 5., vollständig überarbeitete Auflage. Stuttgart: Thieme; 2018)

3.6
Nerven und Gefäße

3.6.1 Vegetative Innervation

Anatomie

▸ Abb. 3.36

- Parasympathikus: die Nervenzentren für die Beckenorgane liegen in den Sakralsegmenten des Rückenmarks (S 2–S 5) (Kap. 4.9.6)
- Sympathikus:
  - die Nervenzentren für die Beckenorgane liegen in den unteren Brustsegmenten des Rückenmarks (Th 10–L 3)
  - der Grenzstrang des Sympathikus bildet im Lumbalbereich 4 Ganglien, u. a. das Ganglion mesentericum inferius
  - von dort zieht beidseitig der N. hypogastricus nach kaudal, bildet den Plexus hypogastricus superior (auf Höhe L 5/S 1) und zieht weiter ins kleine Becken
  - unter dem Peritoneum bildet der Nerv weitere spinnennetzartige Nervengeflechte (Plexus hypogastricus inferior), deren Hauptstränge seitlich entlang des Rektums verlaufen
  - in diesem Bereich nehmen sie auch die parasympathischen Nerven auf
  - im Unterschied zur Versorgung der Organe, die intra- oder retroperitoneal liegen, ist dieses Nervengeflecht unabhängig vom Verlauf der Arterien; das Nervengeflecht verschaltet funktionell die Organe untereinander; intra- und retroperitoneale Organe erhalten ihre Innervation durch die zuführenden Arterien
  - des Weiteren befindet sich ein Plexus direkt vor dem Sacrum (Plexus sacralis)
  - es entstehen noch weitere vegetative Nervengeflechte in den Bauchfellduplikaturen: bei der Frau versorgen sie Uterus, Eileiter, Vagina und äußeres Genitale (Plexus uterovaginalis); ein Plexus ist besonders stark ausgeprägt, er befindet sich am Uterushals und wird als Frankenhäuser-Ganglion bezeichnet
- N. pudendus:
  - innerviert somatomotorisch im Wesentlichen die Beckenbodenmuskulatur und die Beckenorgane
  - kommt aus den Ästen der Spinalnerven von S 2–S 5
  - verzweigt sich flächig unterhalb des Beckenbodens und sendet Äste zum Anus und zu den großen Schamlippen
- N. obturatorius (L 2–L 4): zieht von kranial am oberen Rand der Membrana obturatoria durch ein kleines Foramen nach kaudal
- N. cutaneus femoris lateralis (L 2–L 3): liegt eng auf dem M. iliacus

Myofasziale Wirkungsketten

M. iliacus und M. psoas major ordnet man der tiefen Frontallinie zu, die für die Körperstabilität wichtig ist.

Osteopathische Korrespondenzen

Aus dem Plexus lumbalis (L 1–L 3) werden somatomotorisch neben anderen Muskeln auch der M. psoas und M. quadratus lumborum versorgt. Aus den gleichen Segmenten versorgt der Sympathikus Colon descendens, Colon sigmoideum und das Rektum. Durch Entzündungen der Organe können die sie versorgenden vegetativen Nerven gereizt werden. Gleichzeitig findet auch eine Irritation der somatischen Nerven, die aus denselben Rückenmarksegmenten stammen, statt. Zum Beispiel können myofasziale Adhäsionen im Bereich des Colon sigmoideum die versorgenden sympathischen Nervenstränge irritieren. Über die segmentale Verschaltung im Rückenmark kann es zum Hypertonus (Verspannung) des M. psoas major kommen. Dieser provoziert durch seinen unphysiologischen Zug Rückenschmerzen.

Folgende Muskeln können in diesem Funktionszusammenhang (fazilitiertes Segment) eine Rolle spielen und Beschwerden im parietalen Bereich nach sich ziehen:

- Bauchmuskulatur: M. rectus abdominis, M. obliquus externus abdominis, M. obliquus internus abdominis, M. transversus abdominis, M. pyramidalis
- Rückenmuskulatur: M. erector spinae, M. quadratus lumborum
- Hüftbeugemuskulatur: M. iliopsoas
- Oberschenkelmuskulatur: Adduktorengruppe
- Beckenmuskulatur mit Bezug zur Hüfte: M. obturatorius internus, M. piriformis, Beckenbodenmuskulatur

Kompressionen im Verlauf des N. pudendus im Alcock-Kanal können in dessen Versorgungsgebiet Irritationen hervorrufen.

Spannungen in der Membrana obturatoria können den Durchtritt für den N. obturatorius verengen und Irritationen in seinem Versorgungsgebiet verursachen (z. B. sensible Versorgung im Bereich der Knie- und Oberschenkelinnenseite).

Dysfunktionen in der Fascia iliaca oder ein Hypertonus des M. iliacus können den N. cutaneus femoris lateralis irritieren und in seinem Versorgungsgebiet Irritationen verursachen (sensible Versorgung der lateralen Oberschenkelhaut). Der gleiche Mechanismus ist beim Verlauf des N. femoralis und N. genitofemoralis denkbar. Diese begleiten den M. psoas major und M. psoas minor nach kaudal.

Behandlungshinweise

Bei dieser Art von Rückenschmerzen können osteopathische Techniken, die diese Adhäsionen lösen, hilfreich sein.

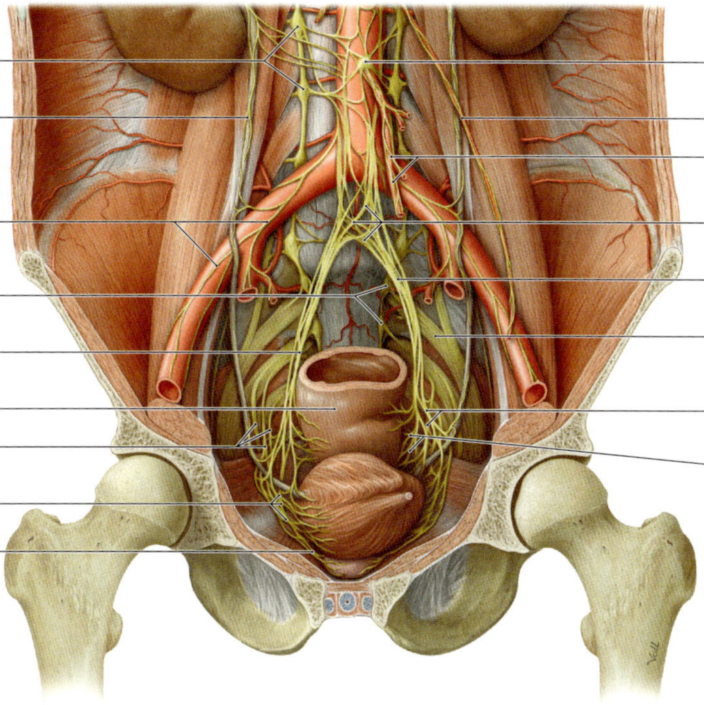

▶ **Abb. 3.36** Vegetative Innervation (Ansicht von ventral). (aus Schünke M, Schulte E, Schumacher U. Prometheus, LernAtlas der Anatomie. Innere Organe. Illustrationen von M. Voll und K. Wesker. 5. Auflage. Stuttgart: Thieme; 2018)

3.6.2 Versorgungsstraßen in der Beckenwand

Anatomie

▶ Abb. 3.37

- Foramen ischiadicum majus, Pars suprapiriformis (oberhalb des M. piriformis): A. und V. glutea superior, N. gluteus superior
- Foramen ischiadicum majus, Pars infrapiriformis (unterhalb des M. piriformis): A. und V. glutea inferior, N. gluteus inferior, N. ischiadicus, A. und V. pudenda interna, N. pudendus, N. cutaneus femoris posterior
- Canalis pudendalis: A. und V. pudenda interna, N. pudendus
- Canalis obturatorius: A. und V. obturatoria, N. obturatorius
- Lacuna musculorum (dorsal des Lig. inguinale, lateral des Arcus iliopectineus): N. femoralis, N. cutaneus femoris lateralis
- Lacuna vasorum (dorsal des Lig. inguinale, medial des Arcus iliopectineus): A. und V. femoralis, Lymphgefäße, R. femoralis des N. genitofemoralis

Osteopathische Korrespondenzen

Die Gefäßstraßen in der Beckenwand sind vielfältig und können bei Dysfunktionen den Durchtritt der Gefäße beeinflussen. Dysfunktionen des Beckenbodens z. B. durch Organsenkungen können u. a. das Os coccygis irritieren, aber auch ein Hypertonus des M. obturatorius und seiner Faszie (Bezug zum M. levator ani) sind denkbar. Nervale Irritationen oder auch Stasen in der Zirkulation sind möglich.

Behandlungshinweise

Die osteopathische Behandlung des Foramen obturatorium und des Beckenbodens kann hilfreich für eine verbesserte Durchflussrate der Gefäßstraßen sein.

3.6.3 A. iliaca interna

Anatomie

▶ Abb. 3.38

- auf Höhe vom L4 teilt sich die Aorta in die paarigen Aa. iliacae communes auf
- diese verzweigen sich wiederum in die Aa. iliacae internae und externae
- Aa. iliacae internae verlaufen hinter dem Ovar in der Beckenwand, bis verschiedene Arterienäste zu den kleinen Beckenorganen abzweigen
- 5 parietale Äste der A. iliaca interna versorgen die Beckenwände: A. iliolumbalis, A. sacralis lateralis, A. obturatoria, A. glutea superior, A. glutea inferior
- 5–6 viszerale Äste der A. iliaca interna versorgen die Beckenorgane: A. umbilicalis, A. vesicalis inferior, A. uterina (die A. ductus deferentis beim Mann ist ein Ast der A. umbilicalis), A. vaginalis (kann auch von der A. vesicalis inferior oder der A. uterina abgehen), A. rectalis media, A. pudenda interna
- diese Arterienäste bilden untereinander zahlreiche Anastomosen, sodass ein Organ von mehreren Ästen arteriell versorgt wird
- der Verlauf der V. iliaca interna entspricht dem der A. iliaca interna

Osteopathische Korrespondenzen

Osteopathische Techniken zur Verbesserung der Zirkulation im kleinen Becken müssen berücksichtigen, dass aufgrund der funktionellen Einheit (zirkulatorisch, nerval und faszial) und der Verschaltung der Organe untereinander alle Organe von der Wirkung der Behandlungstechnik betroffen sind. Auf Höhe der Iliosakralgelenke liegt die Gabelung der A. bzw. V. iliaca communis in A. bzw. V. iliaca interna und A. bzw. V. iliaca externa. Osteopathische Dysfunktionen des Iliosakralgelenks können die Zirkulation beeinträchtigen.

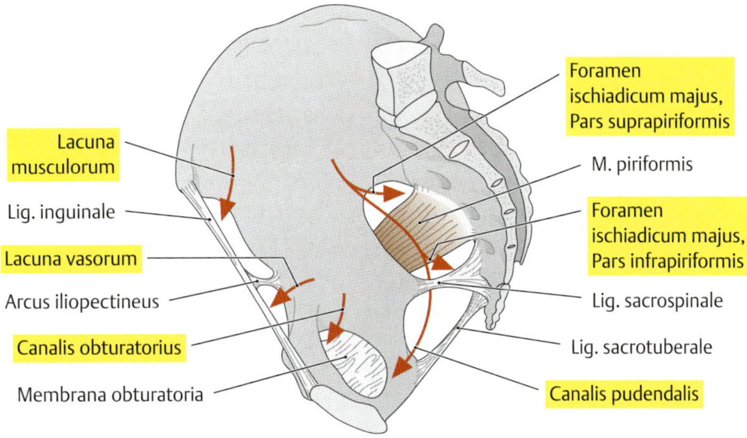

▸ **Abb. 3.37** Versorgungsstraßen der Beckenwand (Ansicht von medial auf eine rechte Beckenhälfte). (aus Schünke M, Schulte E, Schumacher U. Prometheus, LernAtlas der Anatomie. Innere Organe. Illustrationen von M. Voll und K. Wesker. 5. Auflage. Stuttgart: Thieme; 2018)

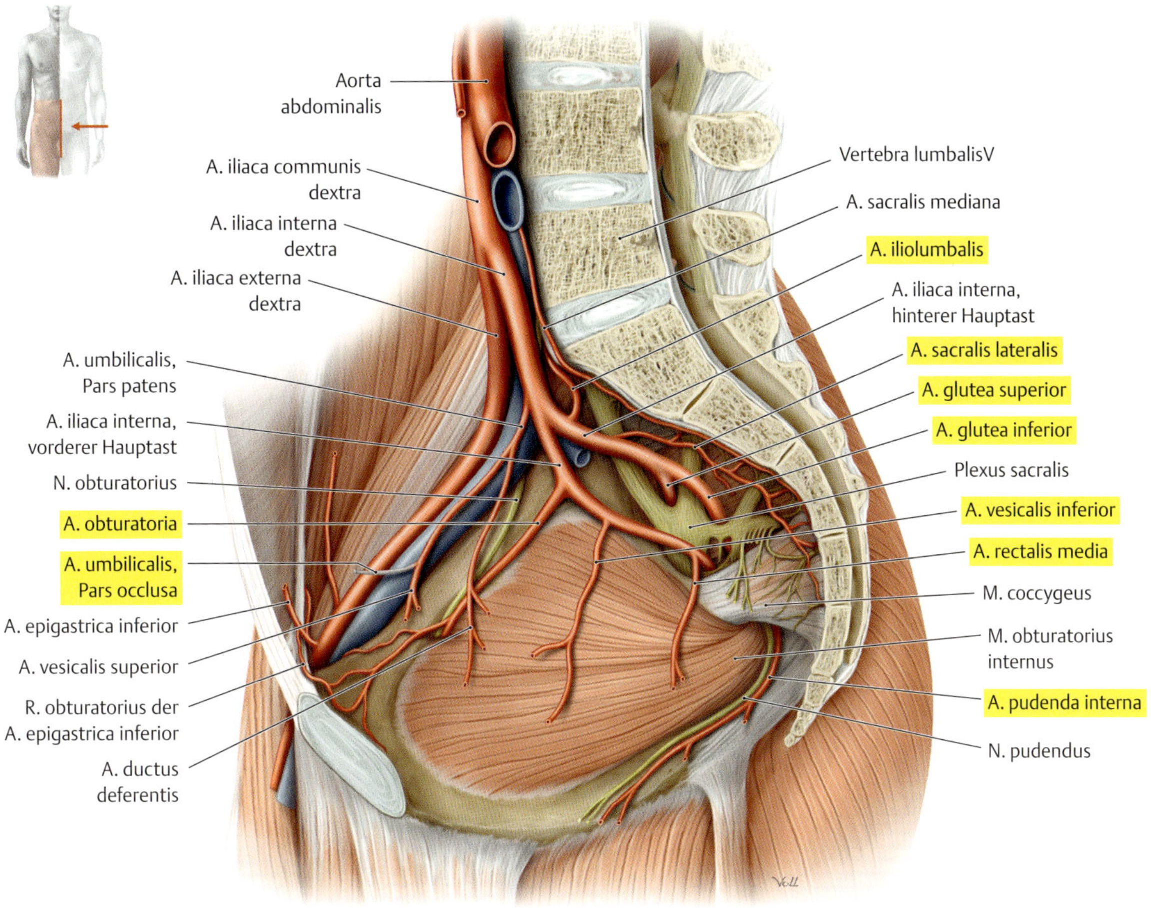

▸ **Abb. 3.38** Äste der rechten A. iliaca interna im männlichen Becken (Sagittalschnitt, Ansicht von links). (aus Schünke M, Schulte E, Schumacher U. Prometheus, LernAtlas der Anatomie. Innere Organe. Illustrationen von M. Voll und K. Wesker. 5. Auflage. Stuttgart: Thieme; 2018)

3.6.4 Zuflüsse der V. cava inferior

▸ Abb. 3.39

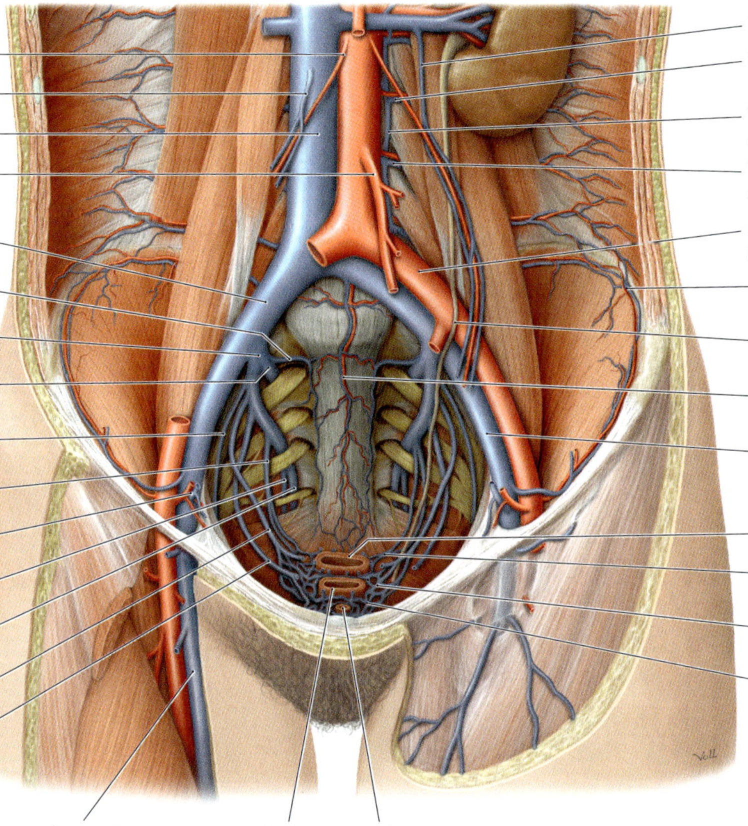

▸ **Abb. 3.39** Zuflüsse der V. cava inferior an der weiblichen hinteren Bauch- und Beckenwand (Ansicht von ventral). Verschiedene Plexus werden über die Sammelvene (z. B. V. uterina, V. vesicalis) zur V. iliaca interna entsorgt. V. iliaca interna und V. iliaca externa bilden durch Zusammenfluss die V. iliaca communis. Auf Höhe von L 5 entsteht durch Zusammenfluss beider Vv. iliacae communes die V. cava inferior. (aus Schünke M, Schulte E, Schumacher U. Prometheus, LernAtlas der Anatomie. Innere Organe. Illustrationen von M. Voll und K. Wesker. 5. Auflage. Stuttgart: Thieme; 2018)

3.6.5 Gefäßversorgung der Beckenorgane

▶ Abb. 3.40

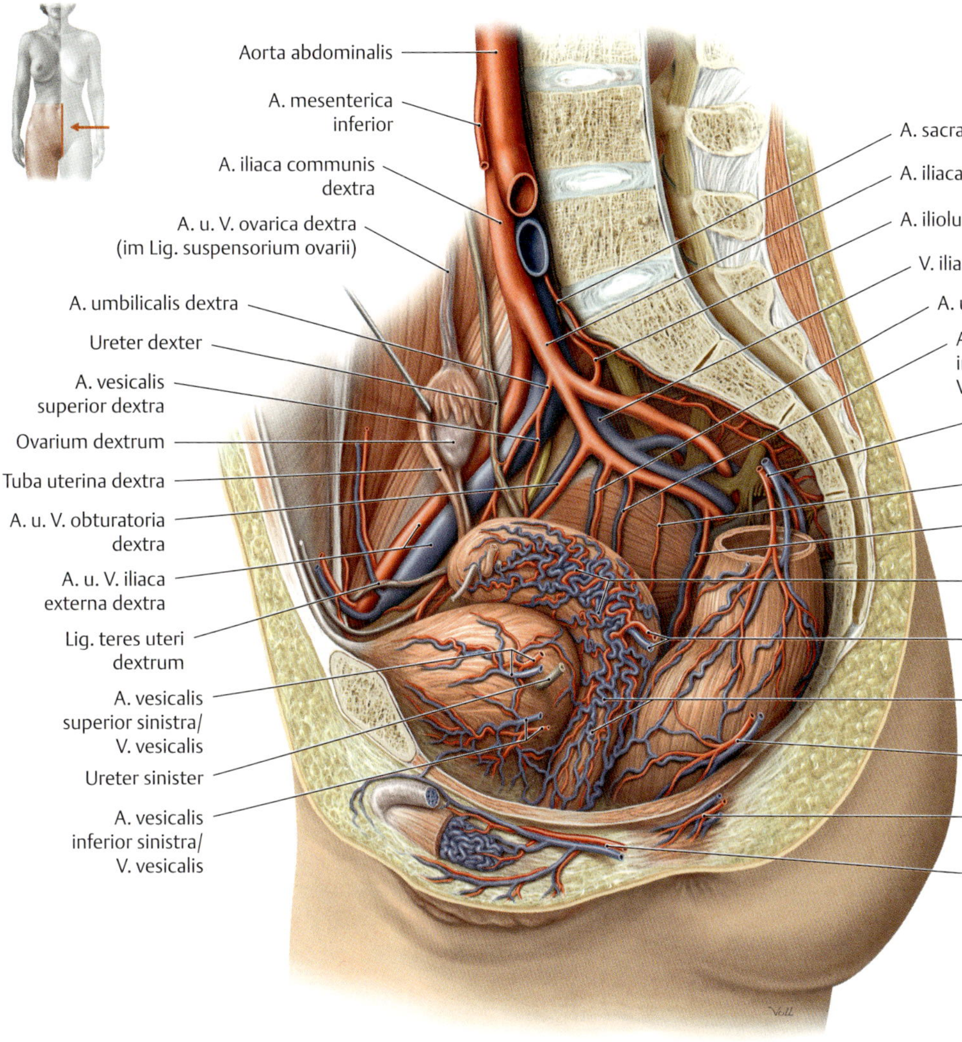

▶ **Abb. 3.40** Arterielle Versorgung und venöse Drainage der Beckenorgane bei der Frau (Sagittalschnitt, Ansicht von links). Es zeigt sich die komplexe Zirkulation von Arterien und Venen im Becken. Adhäsionen und Narben können diese stören. Drainage-Techniken wirken einem möglichen venösen Stau entgegen. (aus Schünke M, Schulte E, Schumacher U. Prometheus, LernAtlas der Anatomie. Innere Organe. Illustrationen von M. Voll und K. Wesker. 5. Auflage. Stuttgart: Thieme; 2018)

3.6.6 Lymphbahnen

Anatomie

▶ Abb. 3.41, ▶ Abb. 3.42

- die Lymphknoten und -gefäße bilden im Abdomen und Becken ein engmaschiges Netzwerk
- im Becken gibt es viele verschiedene Lymphabflussmöglichkeiten und der Lymphfluss erfolgt nicht nur über einen Weg
- die Organe nutzen gemeinsam mehrere Lymphwege
- äußeres Genitale: zu den Lymphknoten der Leiste (Nll. inguinales)
- Uterus und Ovar: über das Lig. suspensorium ovarii nach kranial in die Lymphknoten des Nierenlagers (Nll. lumbales)
- Tubenwinkel des Uterus: über das Lig. teres uteri und den Leistenkanal in die Lymphknoten der Leiste (Nll. inguinales superficiales)
- seitlich des Uterus: durch das Parametrium zu den Beckenlymphknoten (Nll. iliaci interni)
- Cervix uteri und Vagina: zu den Lymphknotengruppen des Beckens (u. a. Nll. iliaci interni, Nll. sacrales)
- Rektum, Harnblase, Urethra, Prostata, Ductus deferens: zu den Nll. iliaci
- von den Lymphknotenstationen fließt die Lymphe in die Trunci lumbales und den Truncus intestinalis
- an der Vereinigungsstelle dieser Trunci findet sich eine Erweiterung, die Cisterna chyli
- von dort gelangt die Lymphe über den Ductus thoracicus in den linken Venenwinkel

Osteopathische Korrespondenzen

Zirkulatorische Techniken können den Lymphfluss anregen und zur Entstauung bis in die Körperperipherie führen. Entzündungen und Tumoren breiten sich über die Lymphabflüsse aus. Lymphknotenschwellungen müssen ärztlich differenzialdiagnostisch abgeklärt werden.

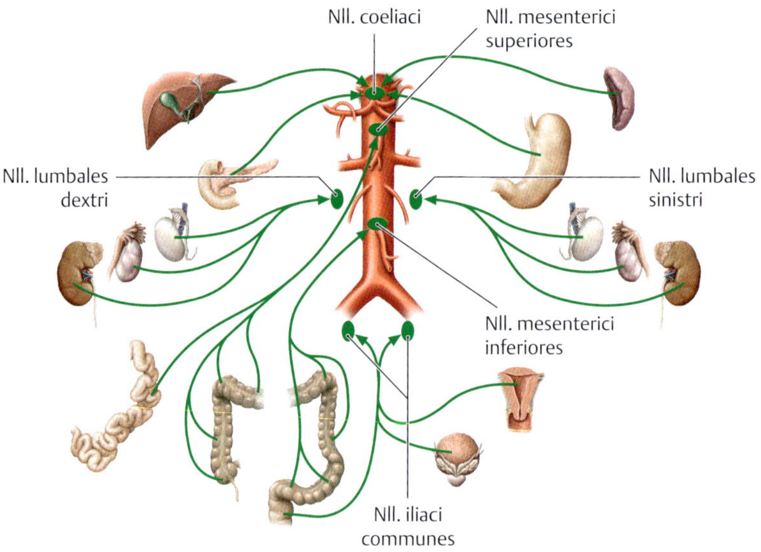

▶ **Abb. 3.41** Lymphknotenstationen von Abdomen und Becken. (aus Schünke M, Schulte E, Schumacher U. Prometheus, LernAtlas der Anatomie. Innere Organe. Illustrationen von M. Voll und K. Wesker. 5. Auflage. Stuttgart: Thieme; 2018)

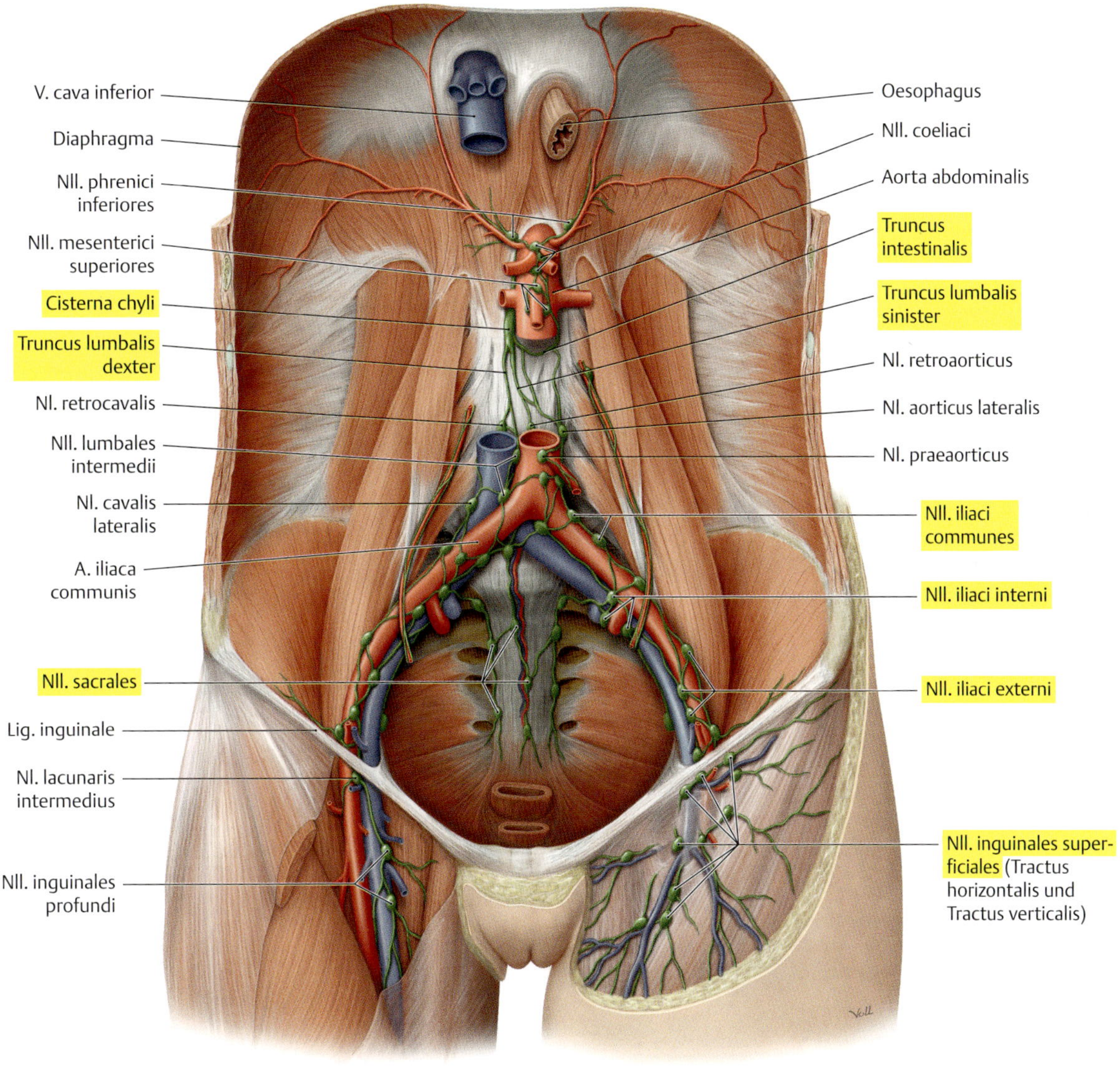

▸ **Abb. 3.42** Lymphknoten und Lymphstämme im Abdomen und Becken (Ansicht von ventral). (aus Schünke M, Schulte E, Schumacher U. Prometheus, LernAtlas der Anatomie. Innere Organe. Illustrationen von M. Voll und K. Wesker. 5. Auflage. Stuttgart: Thieme; 2018)

3.7 Schnittbilder

▸ Abb. 3.43, ▸ Abb. 3.44, ▸ Abb. 3.45, ▸ Abb. 3.46, ▸ Abb. 3.47, ▸ Abb. 3.48, ▸ Abb. 3.49, ▸ Abb. 3.50

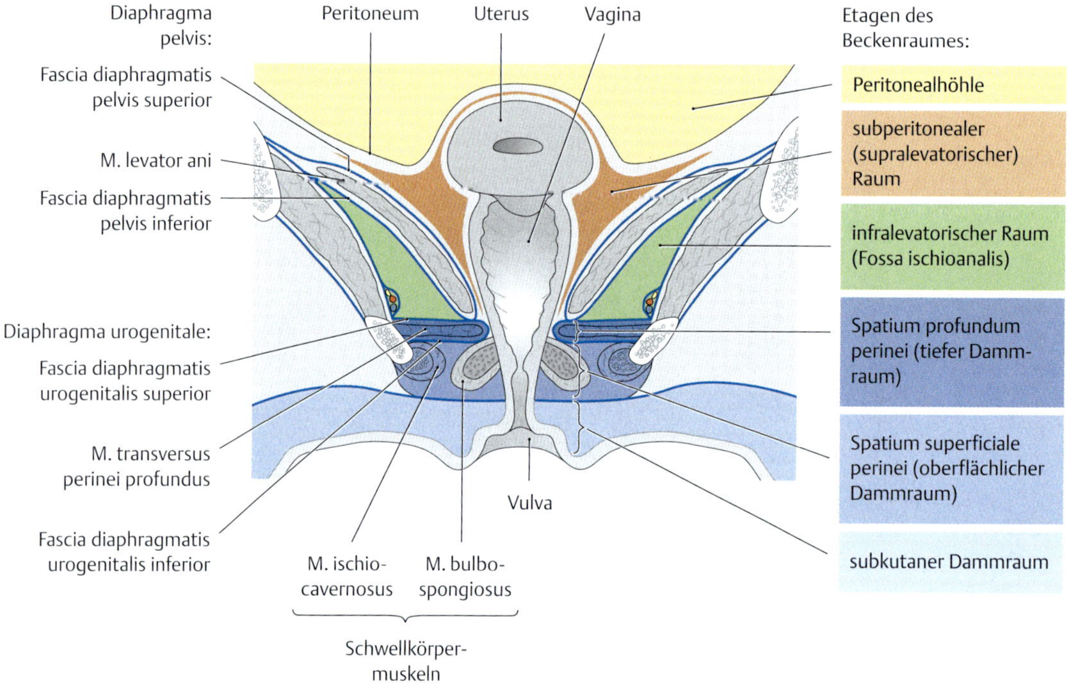

▸ **Abb. 3.43** Beckenboden in einem weiblichen Becken (Frontalschnitt, Ansicht von ventral). Die 3 am Aufbau beteiligten Muskel- und Bindegewebsplatten sind in 3 Etagen angeordnet: obere Etage (Diaphragma pelvis), mittlere Etage (Diaphragma urogenitale) und untere Etage (Schließ- und Schwellkörpermuskeln des Urogenital- und Darmtrakts. (aus Schünke M, Schulte E, Schumacher U. Prometheus, LernAtlas der Anatomie. Allgemeine Anatomie und Bewegungssystem. Illustrationen von M. Voll und K. Wesker. 5., vollständig überarbeitete Auflage. Stuttgart: Thieme; 2018)

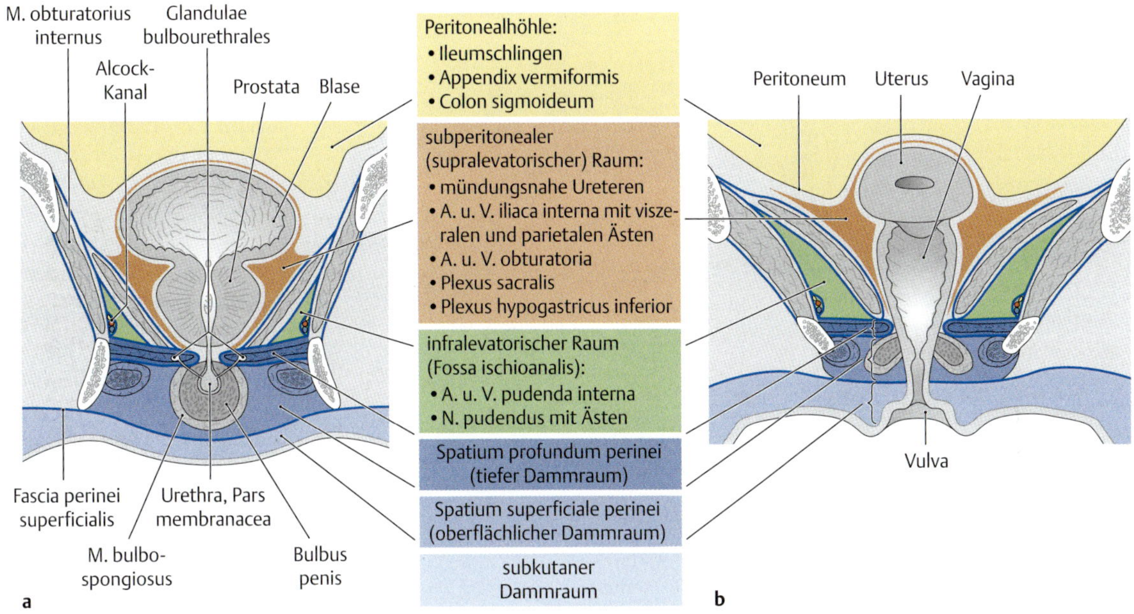

▸ **Abb. 3.44** Etagen des Beckenraums und Strukturen, die in dem jeweiligen Stockwerk lokalisiert sind: obere Etage = Peritonealhöhle des kleinen Beckens, mittlere Etage = subperitonealer (supralevatorischer) Raum, untere Etage = infralevatorischer Raum (Fossa ischioanalis). Man beachte die räumliche Nähe des M. obturatorius internus zum Beckenboden. **a** Frontalschnitt durch ein weibliches Becken. **b** Frontalschnitt durch ein männliches Becken. (aus Schünke M, Schulte E, Schumacher U. Prometheus, LernAtlas der Anatomie. Innere Organe. Illustrationen von M. Voll und K. Wesker. 5. Auflage. Stuttgart: Thieme; 2018)

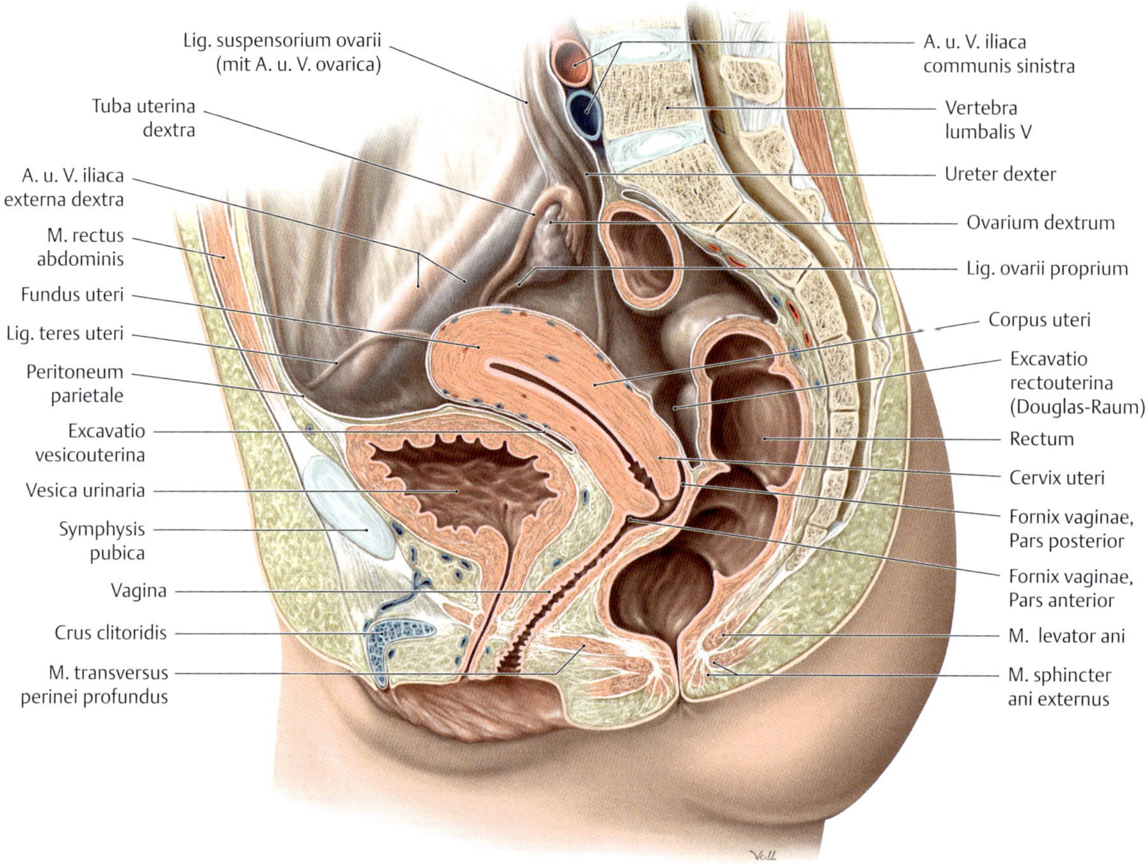

▸ **Abb. 3.45** Mediansagittalschnitt durch ein weibliches Becken in der Ansicht von links. Der Uterus liegt in Anteversion und Anteflexion auf der Harnblase. Mit seinem Bandapparat schiebt er sich zwischen Harnblase und Rektum. Dadurch bildet das Peritoneum zwischen Uterus und Blase die Excavatio vesicouterina, eine tiefe schmale Grube. Entzündliche Prozesse können die Gleiteigenschaften im Spaltraum beeinträchtigen und zu Dysfunktionen führen. (aus Schünke M, Schulte E, Schumacher U. Prometheus, LernAtlas der Anatomie. Innere Organe. Illustrationen von M. Voll und K. Wesker. 5. Auflage. Stuttgart: Thieme; 2018)

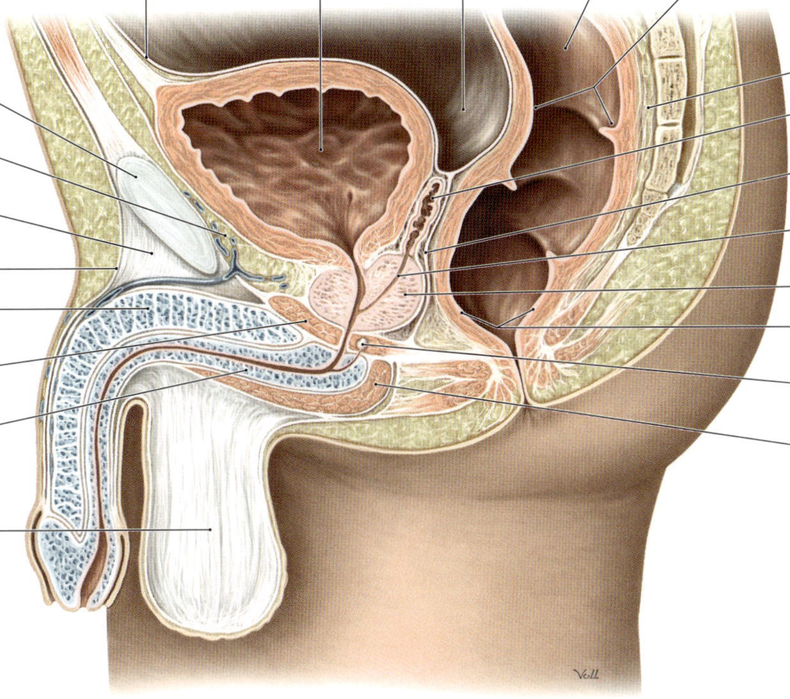

▸ **Abb. 3.46** Mediansagittalschnitt durch ein männliches Becken in der Ansicht von links. Man erkennt die räumliche Nähe von Rektum und Prostata und die Lage der Denonvilliers-Faszie. Das Peritoneum zieht bis zum Rektum und bildet dort eine Höhle (Excavatio rectovesicalis). Die Prostata wird nicht vom Peritoneum erreicht. (aus Schünke M, Schulte E, Schumacher U. Prometheus, LernAtlas der Anatomie. Innere Organe. Illustrationen von M. Voll und K. Wesker. 5. Auflage. Stuttgart: Thieme; 2018)

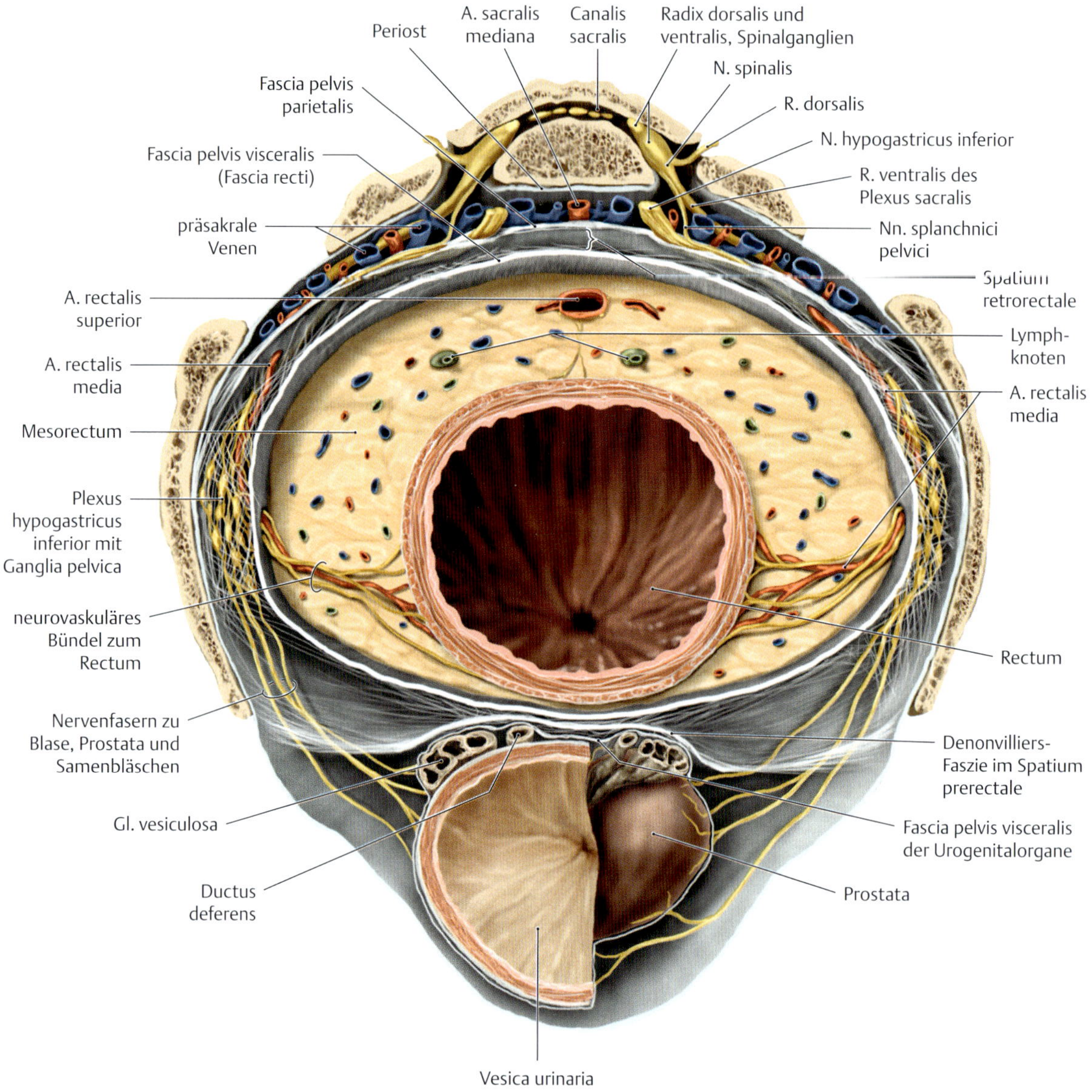

▸ **Abb. 3.47** Transversalschnitt durch ein männliches Becken (Ansicht von kranial). Deutlich sind die Fascia pelvis visceralis und Fascia pelvis parietalis zu erkennen, die als Gleitschichten und Leitschienen für die neurovaskuläre Versorgung der Beckenorgane dienen. An den Stellen, an denen die Organe mit dem Beckenboden in Kontakt treten, sind das parietale und das viszerale Blatt miteinander verschmolzen. (aus Schünke M, Schulte E, Schumacher U. Prometheus, LernAtlas der Anatomie. Innere Organe. Illustrationen von M. Voll und K. Wesker. 5. Auflage. Stuttgart: Thieme; 2018)

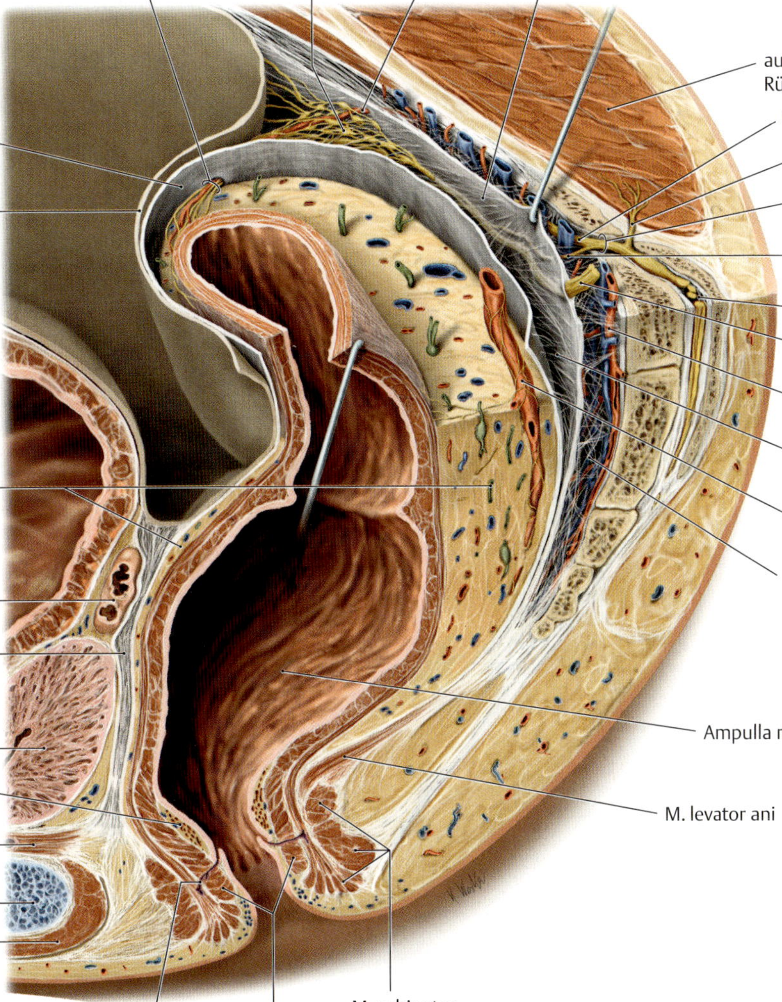

▸ **Abb. 3.48** Mediansagittalschnitt durch ein männliches Becken (Ansicht von links). Die sympathischen Nervenstränge des N. hypogastricus sind von der Fascia pelvis umhüllt. Der Plexus sacralis und die Nn. splanchnici pelvici liegen dicht dem Sakrum an. (aus Schünke M, Schulte E, Schumacher U. Prometheus, LernAtlas der Anatomie. Innere Organe. Illustrationen von M. Voll und K. Wesker. 5. Auflage. Stuttgart: Thieme; 2018)

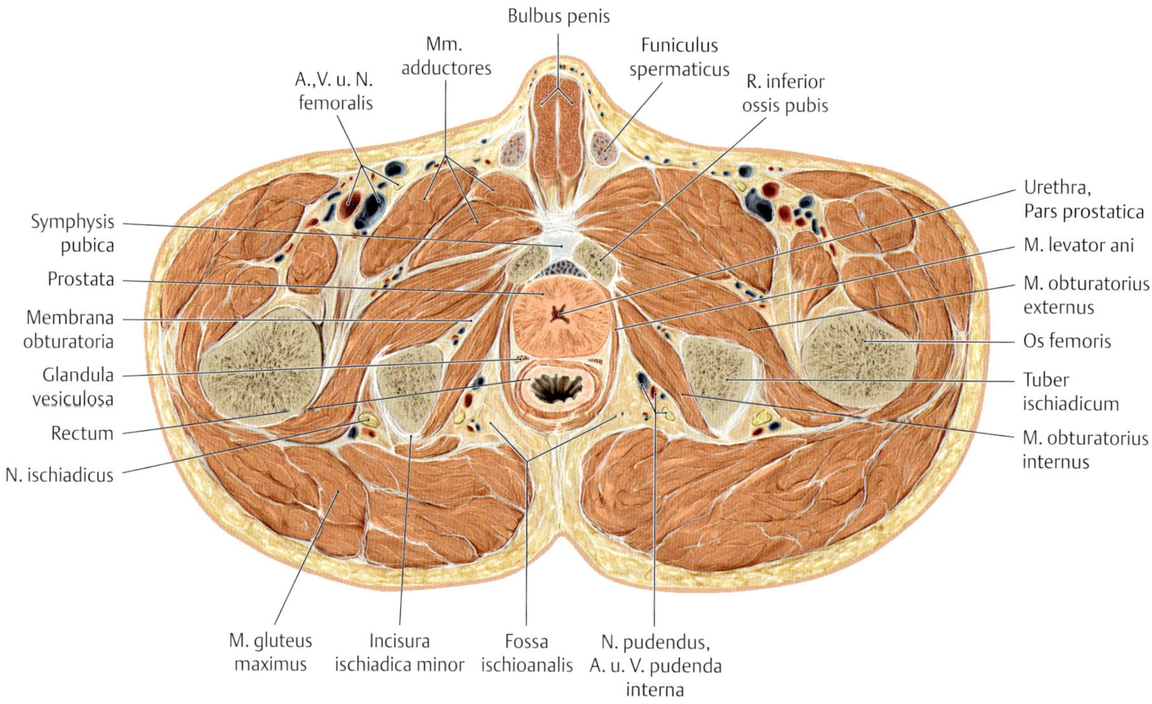

▶ **Abb. 3.49** Horizontalschnitt durch ein männliches Becken (Ansicht von kranial). Gut sichtbar sind der Verlauf von M. obturatorius externus und M. obturatorius internus zur Fossa trochanterica und deren kompakte fasziale Einbindung. (aus Schünke M, Schulte E, Schumacher U. Prometheus, LernAtlas der Anatomie. Allgemeine Anatomie und Bewegungssystem. Illustrationen von M. Voll und K. Wesker. 5., vollständig überarbeitete Auflage. Stuttgart: Thieme; 2018)

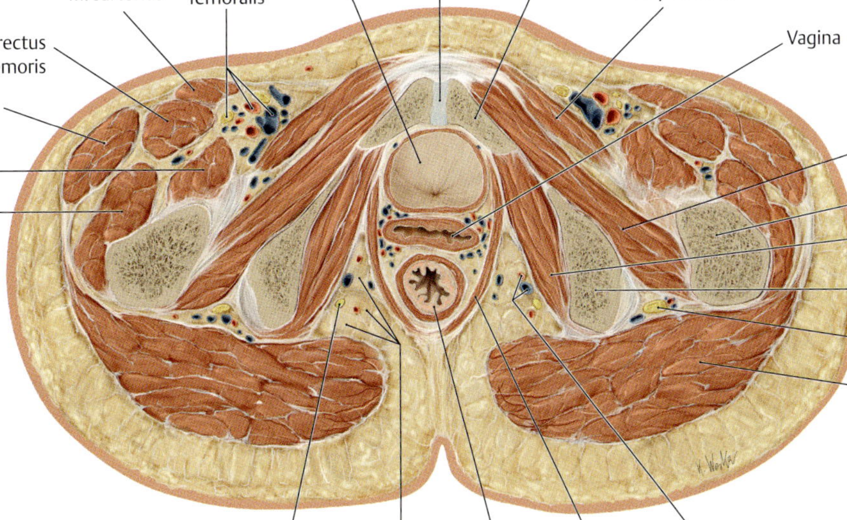

▶ **Abb. 3.50** Horizontalschnitt durch ein weibliches Becken (Ansicht von kranial). Gut sichtbar sind die räumliche Nähe des M. obturatorius internus zu den Organen des kleinen Beckens und die Aneinanderreihung der Organe auf Höhe der Delbet-Faszie. (aus Schünke M, Schulte E, Schumacher U. Prometheus, LernAtlas der Anatomie. Allgemeine Anatomie und Bewegungssystem. Illustrationen von M. Voll und K. Wesker. 5., vollständig überarbeitete Auflage. Stuttgart: Thieme; 2018)

4 Wirbelsäule

4.1 Überblick

Die Wirbelsäule ist ein Achsenorgan, das gleichzeitig Stabilität und Mobilität ermöglichen muss. Sie besteht aus unterschiedlichen Einzelbausteinen, die aber in der Summe mit dem gesamten Körper eine hochgradige funktionelle Einheit bilden. Ihre Krümmungen wirken als Stoßdämpfer.

Die Wirbelsäule ist gleichzeitig die stützende und ausbalancierende Basis für das Kranium und wesentlicher Bestandteil von Thorax, Abdomen und Becken. Sie ist das knöcherne Bindeglied zwischen Kopf und Becken. Gleichzeitig ist die Wirbelsäule auch ein Organ, das durch seine eigene Mobilität (Flexion, Extension, Rotation und Seitneigung) aktiv eine Eigenbewegung möglich macht. Die unterschiedlichen Druck- und Zugkräfte, die z. B. durch die Atmung, die abdominalen Organbewegungen, die (Fort-)Bewegung, aber auch durch die Schwerkraft auf sie einwirken, sind vielfältig und können die Wirbelsäule massiv in ihrer Form und Funktion beeinflussen. Die myofaszialen Verbindungen, der Zellstoffwechsel, die Zirkulation von Blut, Lymphe und die nervalen Verbindungen des peripheren und zentralen Nervensystems stehen in funktionellem Zusammenhang mit der Wirbelsäule. So befindet sich der gesamte Körper in einem ständigen Anpassungsprozess, um den Körper in einem physiologischen Spannungsverhältnis zu halten. Gleichgewicht meint hier nicht nur ein strukturelles, sondern auch ein metabolisches und zirkulatorisches Gleichgewicht.

Es geht damit auch um Homöostase und Posturologie. Der gesamte menschliche Körper ist ein offenes dynamisches System, dessen Gleichgewichtszustand durch regelnde Prozesse im Inneren aufrechterhalten werden soll. Deshalb sind in diesem Kapitel u.a. neben dem Kraftlinienmodell von Littlejohn (Kap. 4.1.1) auch die Kopfgelenke (Kap. 4.9.6), die Bedeutung der subokzipitalen Muskulatur (Kap. 4.7.5), die Funktionseinheit Wirbelsäulenbewegung-Membransystem-Liquor cerebrospinalis (Kap. 4.6.3) und das vegetative Nervensystem (Kap. 4.9.6) aufgeführt.

4.1.1 Aufbau und Krümmungen

Anatomie

▶ Abb. 4.1

- Halswirbelsäule (HWS, 7 Wirbel): Zervikallordose
- Brustwirbelsäule (BWS, 12 Wirbel): Thorakalkyphose
- Lendenwirbelsäule (LWS, 5 Wirbel): Lumballordose
- Kreuzbein: Sakralkyphose
- Steißbein

Osteopathische Korrespondenzen

Die dynamische **Entwicklung der Wirbelsäulenkrümmungen** (▶ Abb. 4.2) erklärt, warum in den Übergangszonen häufig Zug- und Druckkräfte auftreten, welche die Wirbelsäule besonders beanspruchen. Beim Neugeborenen zeigt die Wirbelsäule keine fixierten Krümmungen. Sie ist elastisch und hat im lumbosakralen Bereich eine abgeflachte lordotische Form, gekoppelt an einer ausgeprägten Kyphose im Bereich des Sakrums. Der Muskelzug, der mit Beginn der ersten Bewegungen des Säuglings entsteht (Kopfhebung), wirkt sich direkt auf die Wirbelsäule aus. Die Nackenmuskeln bewirken die HWS-Lordose, der M. erector spinae die Lendenlordose. Die Krümmungen verstärken sich mit dem Aufrichten (Sitzen). Das Stehen mit gestreckten Beinen bzw. das Gehenlernen sorgen dann für einen ausgeprägten lumbosakralen Übergang. Denn durch das Stehen erfolgt eine stärkere Kippung des Beckens nach anterior, die dann für die Ausprägung der Lendenlordose und das Promontorium verantwortlich ist. Bei Erwachsenen zeigt sich dann die doppelbögige Wirbelsäule in ihrer vollen Ausprägung (Kap. 11.1, Kap. 11.2). Die unterschiedlichen Stadien der Wirbelsäulenformen bei Säuglingen und Kleinkindern bestimmen auch die Auswahl spezifischer osteopathischer Behandlungstechniken in der Kinderosteopathie.

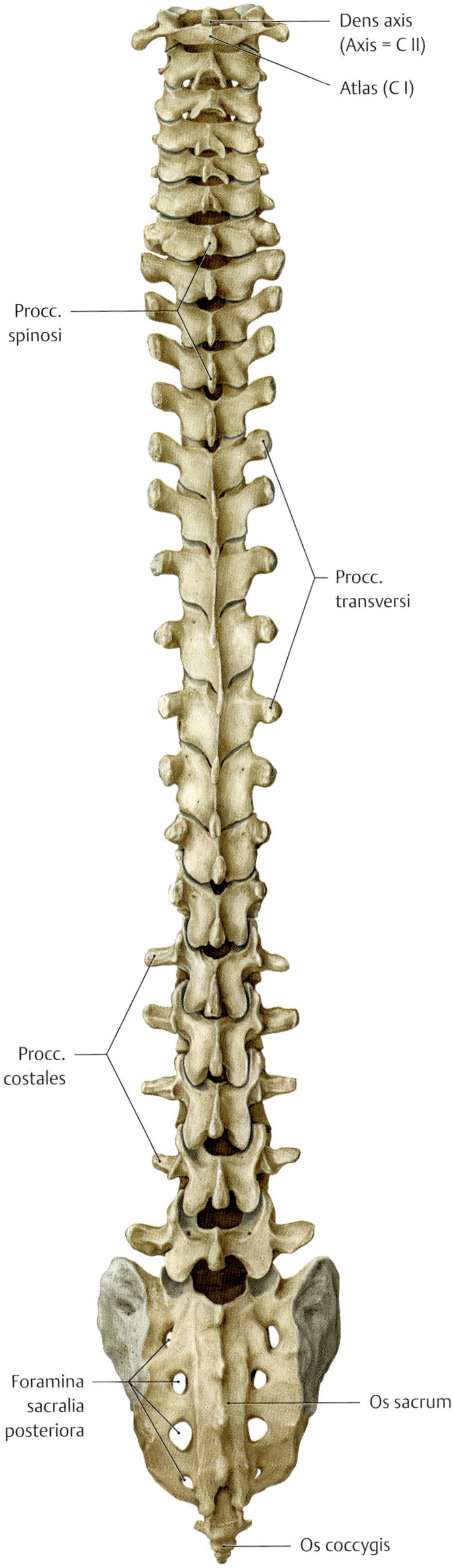

► **Abb. 4.1** Übersicht über die gesamte Wirbelsäule (Ansicht von dorsal). (aus Schünke M, Schulte E, Schumacher U. Prometheus, LernAtlas der Anatomie. Allgemeine Anatomie und Bewegungssystem. Illustrationen von M. Voll und K. Wesker. 5., vollständig überarbeitete Auflage. Stuttgart: Thieme; 2018)

Die Form der Wirbelsäule trägt gleichzeitig sowohl der Stabilität als auch der Mobilität Rechnung. Stoßdämpferfunktion und Weiterleitung der mechanischen Kräfte sind besonders wichtig. John Martin Littlejohn (1865–1947) beschreibt zu jeder der 4 strukturellen Wirbelsäulenkrümmungen (zervikal, thorakal, lumbal, sakral) bestimmte **„Schlüsselsteine“** (▶ Abb. 4.2). Dies sind Wirbel, die bei der Absorption und der Weiterleitung mechanischer Kräfte eine besondere Funktion haben.

- In der HWS sind die Schlüsselsteine C 2 und C 3 und deren gelenkiger Übergang. An C 2 setzen u. a. die subokzipitalen Muskeln an, die für die okulomotorische Ausrichtung verantwortlich sind. C 2 ist der Hauptdrehpunkt für das Kranium. C 1/C 2 können aufgrund der zahlreichen ligamentären Verbindungen funktionell dem Kranium zugeordnet werden.
- In der BWS sind die Schlüsselsteine Th 5 und Th 6. Bewegungen der HWS reichen funktionell bis Th 4. Th 4 ist auch Kreuzungspunkt der Kraftlinie. Th 5/Th 6 sind somit „indirekte Träger“ des Kopfes.
- In der LWS bilden L 2 und L 3 die Schlüsselsteine. L 3 ist der erste Wirbel, der sich unabhängig vom Becken bewegen kann. Darüber hinaus liegt in dieser Region auch die Bifurkation der Aorta. Der M. psoas major entwickelt hier über seinen Ursprungsbereich seine Zugkraft.
- In der Sakralwirbelsäule sind L 5 und S 1 die Schlüsselsteine. In dieser Region befindet sich der Übergang von der mobilen LWS zum festen Knochenkonstrukt, dem Sakrum. Die Facettengelenke sind im Verhältnis zu L 4/L 5 abgeflachter, weil sie die Kräfte vom Becken auf die Wirbelsäule übertragen müssen. Durch die ligamentäre Verbindung (Iliolumbalbänder) können L 4/L 5 funktionell dem Becken zugeordnet werden.

Das Funktionsmodell der Wirbelsäule nach Littlejohn beschreibt die Wirbelsäulenkrümmungen u. a. auch in Form von **funktionellen Bögen und Doppelbögen.** Diese erklären, wie sich die einzelnen Abschnitte der Wirbelsäule unter dem Einfluss von Schwerkraft und Bewegung gegenseitig bedingen.

Die **Bögen** setzen sich aus dem oberen Bogen (C 1–C 4), mittleren Bogen (C 6–Th 8), unteren Bogen (Th 10–L 4) und dem Sakrum zusammen. Physiologische **Drehpunkte** sind Wirbel, die im Übergang der Wirbelsäulenkrümmungen liegen (Lordose/Kyphose). Das sind C 5, Th 9 und L 5. Funktionelle Drehpunkte sind C 2, Th 4 und L 3.

Die **Doppelbögen** setzen sich aus dem oberen posterioren Bogen von C 7–Th 8 und dem unteren anterioren Bogen (Th 10 bis Sakrum) zusammen. Das Gewicht von Schultergürtel, oberer Extremität, Thorax und Kranium wirkt auf den posterioren Bogen ein. Um das Gleichgewicht zu halten, erfolgt eine Verlagerung nach dorsal und der untere anteriore Bogen balanciert nach ventral aus. Bei Dysbalancen entstehen Kompensationen, die Dysfunktionen an bestimmten Schwachstellen entstehen lassen können.

Als **Schwachstellen** in den Krümmungen der Wirbelsäule beschreibt Littlejohn folgende Wirbel (▶ Abb. 4.3):

- C 7: liegt direkt im Übergang der mobilen HWS und der bewegungsrigiden oberen BWS
- Th 9: Drehpunkt zwischen den Doppelbögen
- Th 11/Th 12: bilden das Zentrum für Torsionsbewegungen zwischen BWS und LWS
- L 2/L 3: hier sammeln sich die Gewichtskräfte des Rumpfes und hier entsteht auch Zug, wenn bei der Gangbewegung das Bein angehoben wird
- 5. Rippe: liegt in der funktionellen Übergangszone zwischen dem oberen Thorax (mit Verbindung zur HWS) und dem unteren Thorax (mit Verbindung zur LWS)

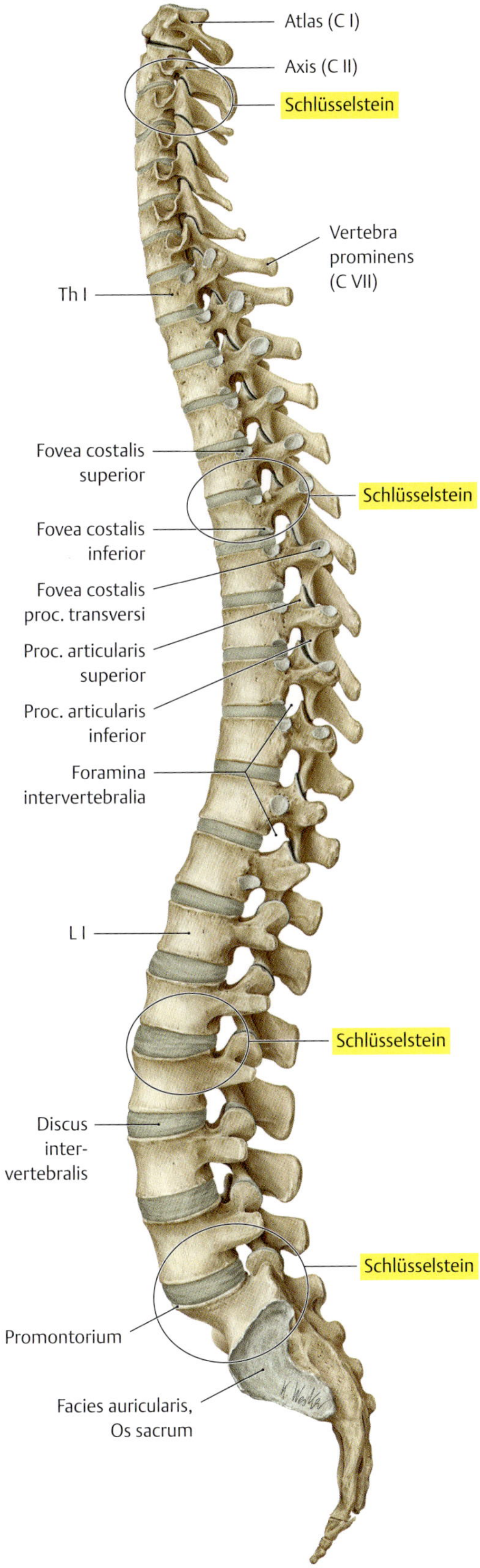

▸ **Abb. 4.2** Krümmungen und Schlüsselsteine der Wirbelsäule (Ansicht von links lateral). (aus Schünke M, Schulte E, Schumacher U. Prometheus, LernAtlas der Anatomie. Allgemeine Anatomie und Bewegungssystem. Illustrationen von M. Voll und K. Wesker. 5., vollständig überarbeitete Auflage. Stuttgart: Thieme; 2018)

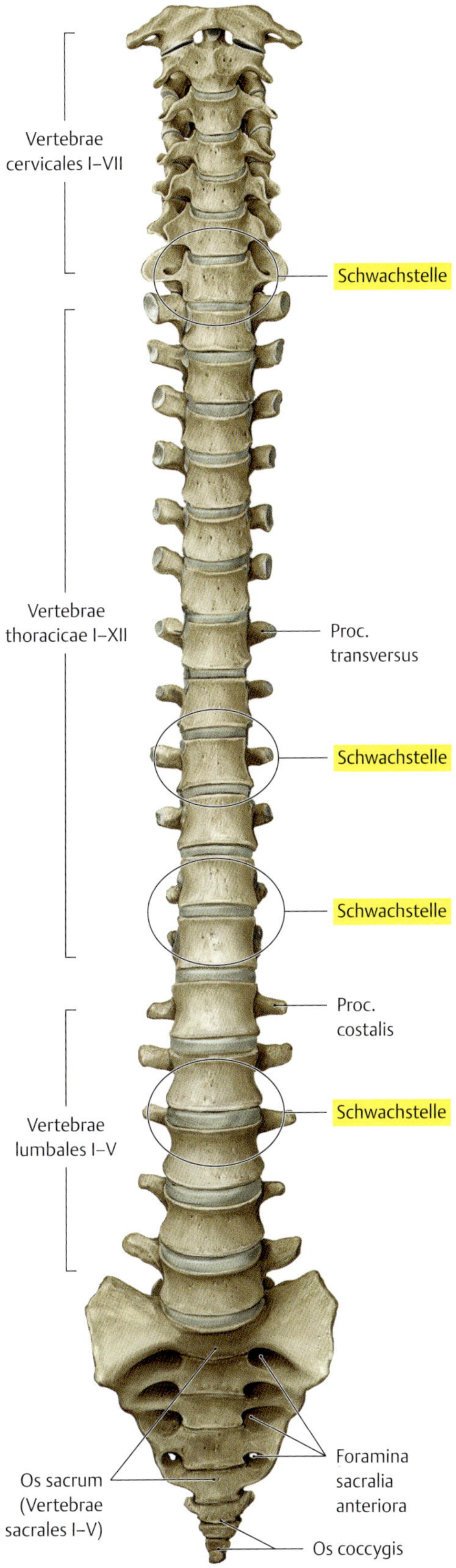

▸ **Abb. 4.3** Schwachstellen der Wirbelsäule (Ansicht von ventral). (aus Schünke M, Schulte E, Schumacher U. Prometheus, LernAtlas der Anatomie. Allgemeine Anatomie und Bewegungssystem. Illustrationen von M. Voll und K. Wesker. 5., vollständig überarbeitete Auflage. Stuttgart: Thieme; 2018)

4.2
Kraftlinien

4.2.1 Allgemeines

Es existieren zahlreiche Modelle, um den Einfluss äußerer und innerer Faktoren auf die Wirbelsäule zu erklären. John Martin Littlejohn beschrieb 6 Kraftlinien, um den Einfluss der Schwerkraft und der Weichteilspannungskräfte auf das mechanische Verhalten der Wirbelsäule zu erklären:

- absteigende zentrale Kraftlinie (eigentlich 2 Linien: eine linke und eine rechte)
- anteriore Körperlinie
- anteroposteriore Kraftlinie
- 2 posteroanteriore Kraftlinien

Diese Kraftlinienverläufe bilden das Kräftepolygon oder auch Vieleck der Kräfte.

4.2.2 Absteigende zentrale Kraftlinien

Verlauf

▸ Abb. 4.4

- Vertex →
- posterior der Procc. clinoidei (ca. ± 1 cm) zum hinteren Drittel des Foramen magnum →
- anterior (ca. ± 1 cm) der Atlasgelenkflächen →
- durch Querfortsätze von C 3–C 6 →
- anterior von Th 3/Th 4 zum unteren Rand der 3. Rippe →
- durch den Korpus von L 3 →
- auf Höhe von L 3 geht je eine Linie über die mediale Seite der Knie bis zum Mittelfuß

Osteopathische Korrespondenzen

Der zentrale Punkt, auf den die Schwerkraft einwirkt, ist L 3. Littlejohn bezeichnete die absteigenden zentralen Schwerkraftlinien als mobile Linien, die ihren Verlauf durch die Veränderung der Haltung ändern können. Sie reagieren auf veränderte Druck- und Zugverhältnisse aus der Körpermitte und der Peripherie, die über die anderen Kraftlinien übertragen werden. Die zentrale Kraftlinie entspricht der Gravitätskraft, die auf den Körper einwirkt.

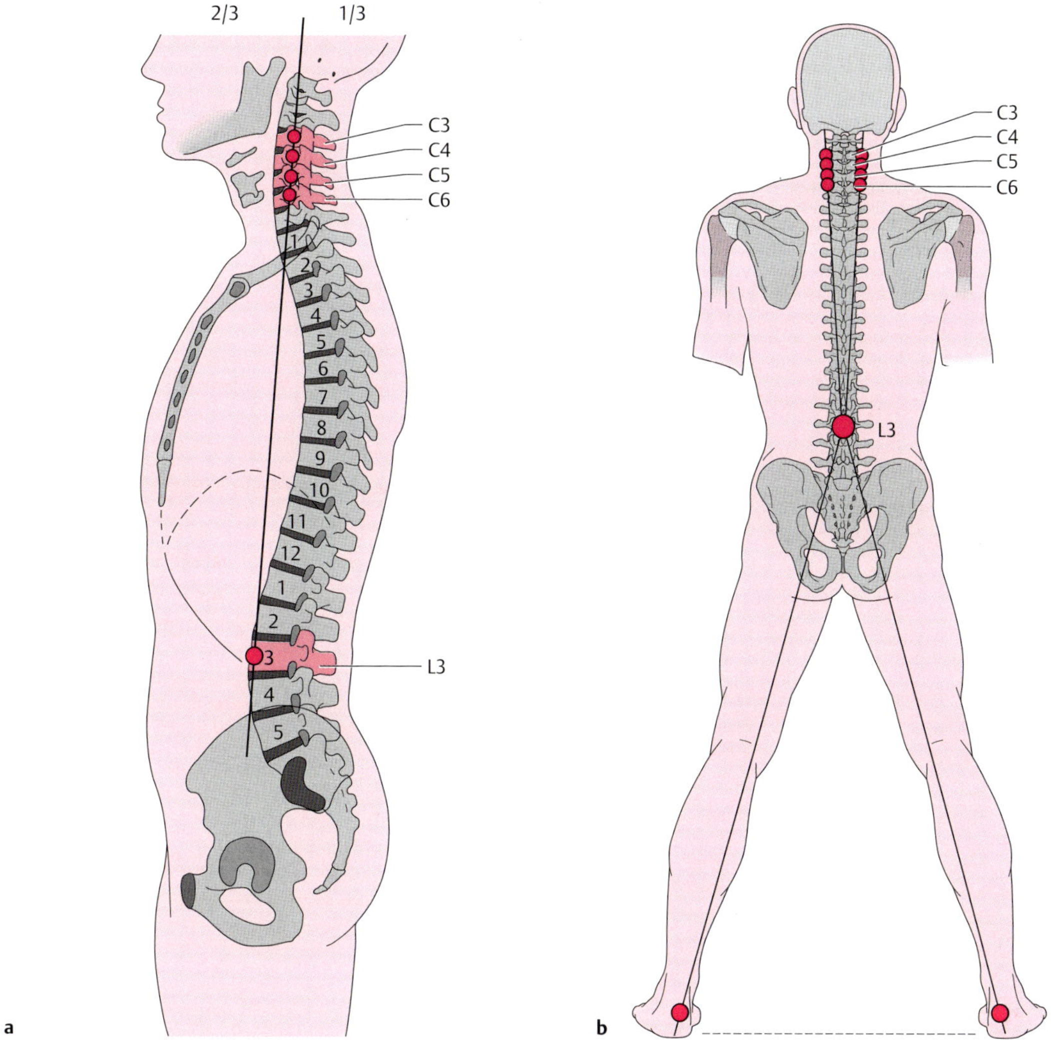

▶ **Abb. 4.4** Verlauf der absteigenden zentralen Kraftlinien. **a** Seitenansicht. **b** Ansicht von dorsal. (aus Richter P, Hebgen E. Triggerpunkte und Muskelfunktionsketten. 5. Aufl. Stuttgart: Haug; 2021)

4.2.3 Anteriore Körperlinie

Verlauf

▸ Abb. 4.5

- parallel ventral zur absteigenden zentralen Schwerkraftlinie
- verbindet die Symphysis pubica mit der Symphysis mentis

Osteopathische Korrespondenzen

Der Verlauf dieser Schwerkraftlinie ist insbesondere abhängig von der Funktionalität der Diaphragmen, den Druckverhältnissen in Abdomen und Thorax und damit auch von der adaptierten Körperstatik. Ein erhöhter Druck im Abdomen kann unterschiedlich kompensiert werden (▸ Abb. 4.6):

- die anteriore Körperlinie fällt vor die Symphysis pubica, die Folgen sind:
  - erhöhter Druck auf die Bauchwand
  - größere Spannung auf das Leistenband → erhöhte Gefahr von Leistenhernien
  - stärkere Ausprägung der HWS-Lordose
  - Kinnverlagerung nach vorne oben (anteriokranial)
  - Spannungszunahme in den Übergängen zervikothorakal, thorakolumbal und lumbosakral
  - Knie in Rekurvation
- die anteriore Körperlinie fällt hinter die Symphysis pubica, die Folgen sind:
  - Verlagerung des abdominalen Drucks nach hinten auf die Unterbauchorgane, Aorta und iliakalen Gefäße
  - Delordosierung der HWS und Kinn nach hinten unten (posterokaudal) orientiert
  - verstärkte BWS-Kyphose und erhöhte muskuläre Spannungen zwischen den Schulterblättern
  - Schultern hängend und vermehrt in Innenrotation
  - Tendenz zur lumbalen Hyperlordose
  - abgeflachter Thorax ventral
  - Tendenz zu Ptosen der Bauch- bzw. Beckenorgane
  - Iliosakralgelenk gerät unter vermehrte Spannung
  - Knie vermehrt in Flexion
  - Zug auf die Ischiokruralmuskulatur
  - Gewichtsverlagerung auf die Fersenregion

Der Verlauf der anterioren Körperlinie gibt wichtige Hinweise auf das Haltungsschema, nämlich ob es sich um einen posterioren oder anterioren Haltungstyp handelt.

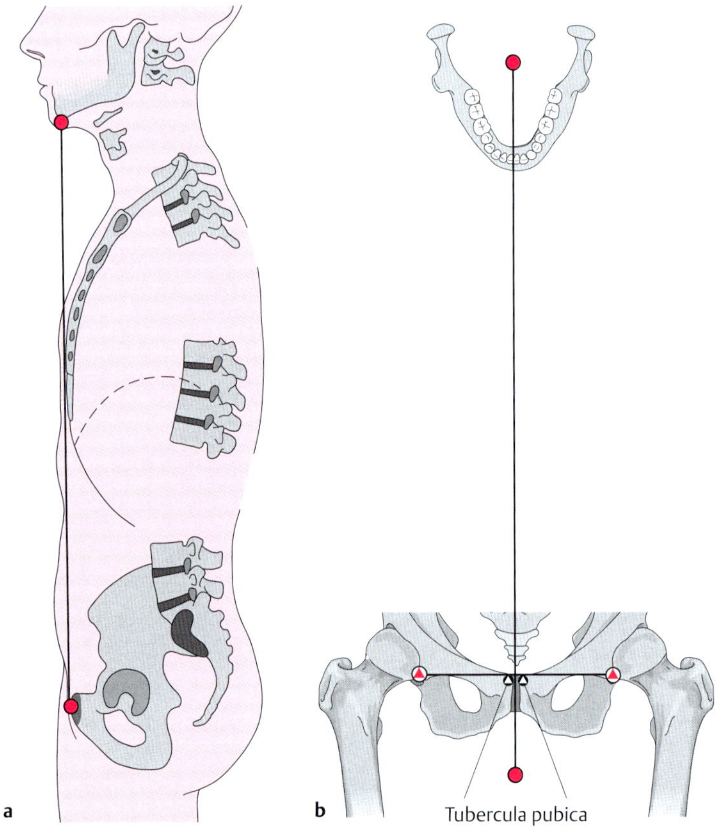

▸ **Abb. 4.5** Verlauf der anterioren Körperlinie. **a** Seitenansicht. **b** Ansicht von ventral. (aus Richter P, Hebgen E. Triggerpunkte und Muskelfunktionsketten. 5. Aufl. Stuttgart: Haug; 2021)

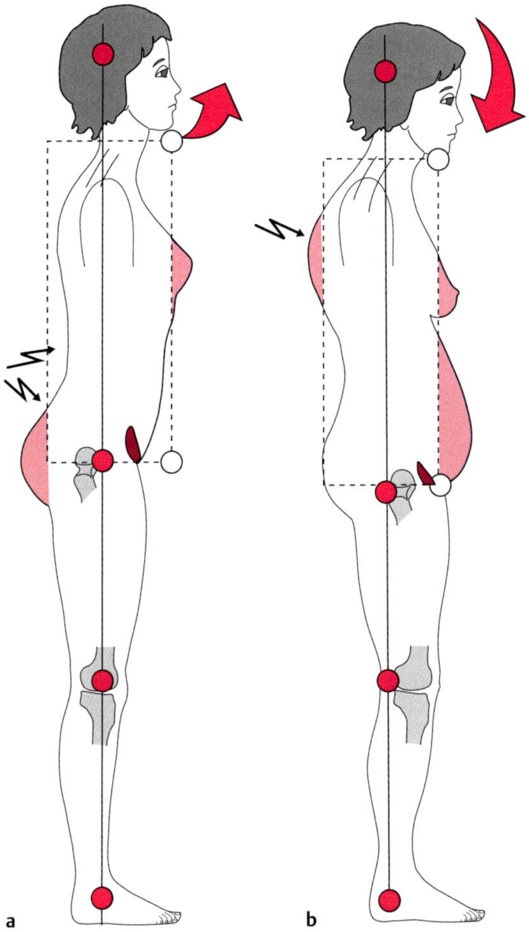

▸ **Abb. 4.6** Haltungsänderung der Wirbelsäule bei Verlagerung der anterioren Körperlinie vor die Symphysis pubica (**a**) oder hinter die Symphysis pubica (**b**). (aus Richter P, Hebgen E. Triggerpunkte und Muskelfunktionsketten. 5. Aufl. Stuttgart: Haug; 2021)

4.2.4 Absteigende anteroposteriore Kraftlinie (AP-Kraftlinie)

Verlauf

▶ Abb. 4.9a

- anteriorer Rand des Foramen magnum
- Atlas (Tuberculum anterior) →
- vor Th 4 vorbei →
- durch den Korpus von Th 11 und 12 →
- durch die Gelenkverbindung von L 4/L 5 →
- durch S 1 →
- zur Spitze des Os coccygis

Osteopathische Korrespondenzen

Diese Linie zeigt die funktionelle Einheit der Wirbelsäule. Th 11 und Th 12 sind die „Schlüsselwirbel" bei der Torsion des Rumpfs, sind aber auch für das Gleichgewicht nach anterior bzw. posterior verantwortlich. Sie sind u. a. auch Ansatzstellen der Zwerchfellschenkel. Hier liegen in nächster Nähe auch vaskuläre Strukturen, z. B. Aorta, V. cava inferior und neurovegetative Strukturen, z. B. N. splanchnicus minor (▶ Abb. 4.7). Th 11 und Th 12 werden besonders beansprucht bei unphysiologischen Belastungen aus den Extremitäten, asymmetrischen Zug- bzw. Druckkräften bei Rumpftorsion und/oder Rumpfflexion sowie Rumpfextension. Aber auch Spannungen, die über die Weichteile während der Ein- und Ausatmung entstehen, wirken hier ein. Aufgrund der Komplexität der verschieden anatomischen Strukturen in diesem Bereich (skelettal, muskulär, vaskulär, nerval) können Dysfunktionen im thorakolumbalen Übergang weitreichende Symptome provozieren.

4.2.5 Aufsteigende posteroanteriore Kraftlinien (PA-Kraftlinie)

Verlauf

▶ Abb. 4.9b

- beide Schwerkraftlinien beginnen beidseitig im Hüftgelenk →
- ziehen in Anlehnung an den Verlauf des M. psoas major ventral zum Wirbelkörper L 3 (▶ Abb. 4.8) →
- weiter nach kranial durch die 2. Rippen →
- enden am posterioren Rand des Foramen magnum

Osteopathische Korrespondenzen

Diese Linien haben die entscheidende Aufgabe, die Spannungsverhältnisse zwischen Hals, Rumpf und Beinen physiologisch zu optimieren, denn sie lenken die Schwerkraft vom Atlantookzipitalgelenk zum 2. Brustwirbel und zur 2. Rippe. Sie beeinflussen die Spannungsverhältnisse im zervikothorakalen Übergang und nehmen Einfluss auf die Druckverhältnisse von Thorax und Abdomen.

Die Kraft wird im Stand auf die Hüftgelenke weitergeleitet, im Sitzen auf die Sitzbeinhöcker. In der Hüftgelenkspfanne befindet sich bei aufrechter Körperhaltung der maximale Druckpunkt des Femurkopfs. Die gleichmäßige Verteilung der Kräfte führt zu physiologischen Spannungsverhältnissen in HWS, Thorax, Abdomen und Beinen.

Die anteroposterioren und posteroanterioren Linien sind Grundlage des Kräftepolygons. Beeinflusst werden diese Linien von der Form der Wirbelsäule (Krümmungen, Wirbelform), der Gestaltung der Wirbelsäulenübergange, den Zug- und Widerstandskräften der Faszien, Muskeln, Band- und Gelenkkapselstrukturen und den Druck- und Zugkräfte im Abdomen und Thorax.

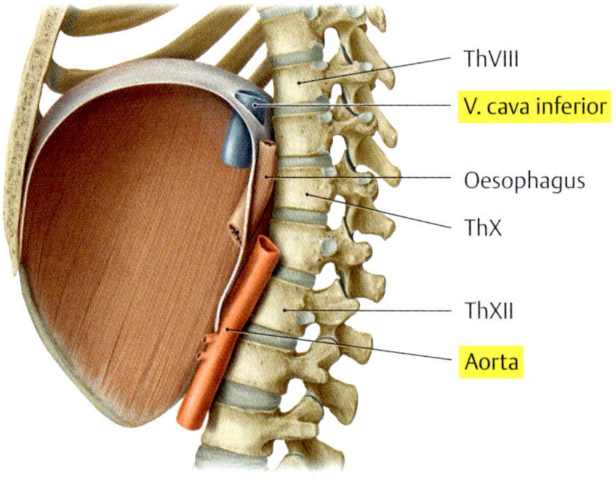

▶ **Abb. 4.7** Durchtrittsöffnungen des Zwerchfells (Mediansagittalschnitt, Ansicht von links). (aus Schünke M, Schulte E, Schumacher U. Prometheus, LernAtlas der Anatomie. Allgemeine Anatomie und Bewegungssystem. Illustrationen von M. Voll und K. Wesker. 5., vollständig überarbeitete Auflage. Stuttgart: Thieme; 2018)

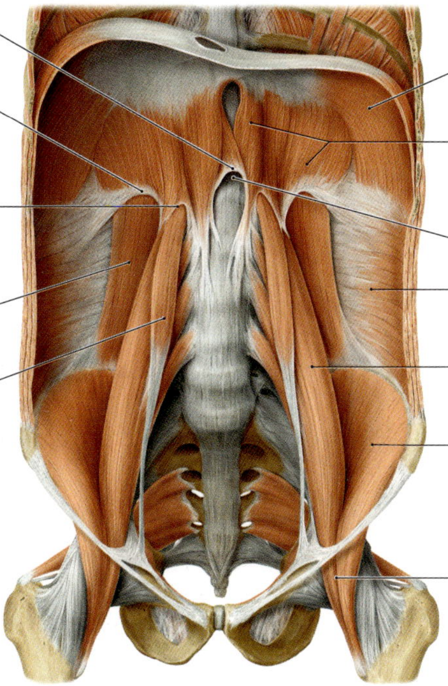

▶ **Abb. 4.8** Durchtrittsöffnungen des Zwerchfells (Ansicht von ventral). Im Zentrum tendineum und in der Pars lumbalis liegen die großen Durchtrittsöffnungen für V. cava inferior, Ösophagus und Aorta. (aus Schünke M, Schulte E, Schumacher U. Prometheus, LernAtlas der Anatomie. Allgemeine Anatomie und Bewegungssystem. Illustrationen von M. Voll und K. Wesker. 5., vollständig überarbeitete Auflage. Stuttgart: Thieme; 2018)

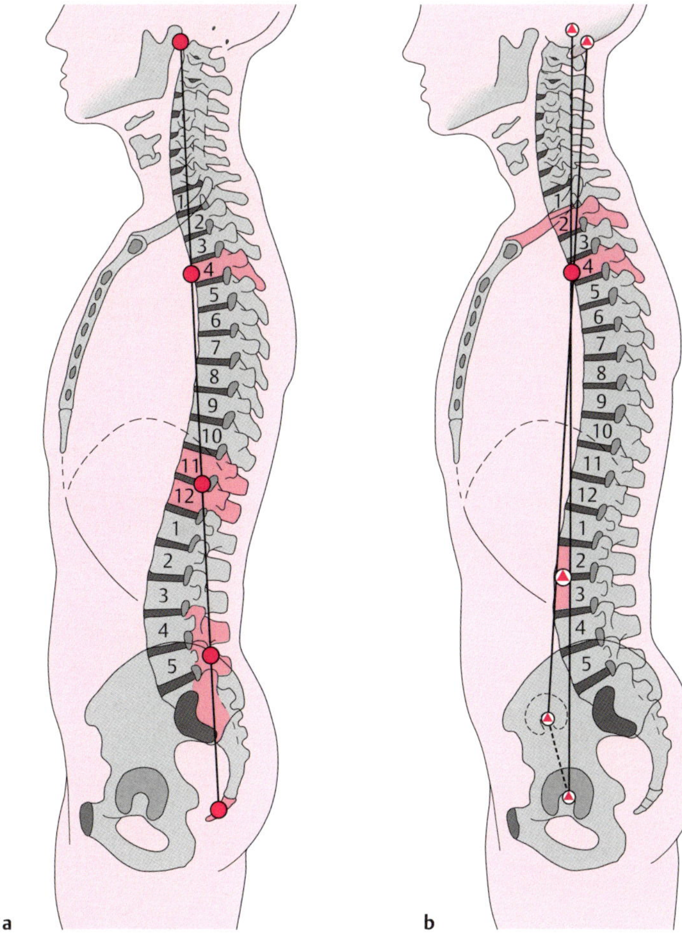

▶ **Abb. 4.9** **a** Verlauf der absteigenden anteroposterioren Kraftlinie. **b** Verlauf der aufsteigenden posteroanterioren Kraftlinien. (aus Richter P, Hebgen E. Triggerpunkte und Muskelfunktionsketten. 5. Aufl. Stuttgart: Haug; 2021)

4.2.6 Das Kräftepolygon (Vieleck der Kräfte)

Verlauf

► Abb. 4.10

- die Kraftlinien (anteroposterior und posteroanterior) kreuzen sich vor Th 4
- dadurch ergibt sich eine geometrische Figur, die 2 Pyramiden mit dreieckigem Boden zeigt
- diese Pyramiden stehen mit ihren Spitzen aufeinander
- Treffpunkt der Spitzen liegt auf Th 4, sodass dort der Kreuzungspunkt der Kraftlinien ist
- das Ergebnis des Krafteverlaufs aus den genannten Linien ergibt die zentrale Kraftlinie

Osteopathische Korrespondenzen

Am Treffpunkt der Spitzen müssen sich die Kräfte ausbalancieren. Dies ist für die Körperstatik von großer Bedeutung.

Die obere Pyramide enthält die gelenkigen Verbindungen der atlantookzipitalen Region. Rotationsbewegungen des Kopfes reichen bis zu Th 4. So können z. B. muskuläre Dysbalancen bzw. Dysfunktionen von HWS, Zungenbein und Kiefer sowie myofasziale Adhäsionen diese Region negativ beeinflussen.

Die untere Pyramide umfasst die Hüftgelenke und das Steißbein. Sie ist u. a. für die Funktion des Abdomens zuständig. Die physiologische Beckenstatik ist auch für die Bauchdeckenspannung verantwortlich.

Die Druckverhältnisse in Thorax, Abdomen und Becken haben einen deutlichen Einfluss auf dieses Vieleck der Kräfte und damit auch auf die Wirbelsäule. Die Atembewegung verändert nicht nur dynamisch die Druckverhältnisse in Thorax und Abdomen, sondern führt auch zur Formveränderung der Wirbelsäule. Bei der Einatmung im Stand bewegt sich die Wirbelsäule in Extension, bei der Ausatmung bewegt sie sich mehr in Flexion. Myofasziale Verbindungen sind hier entscheidende Verbindungen.

Dysfunktionen im Becken können z. B. eine Wirkung auf die obere BWS und OAA-Region (Okziput-Atlas-Axis-Region) und somit auch auf das Kiefergelenk haben. Das Polygon der Kräfte gerät dann in Dysbalance und kann zu unphysiologischen Belastungen in verschiedensten Körperregionen führen.

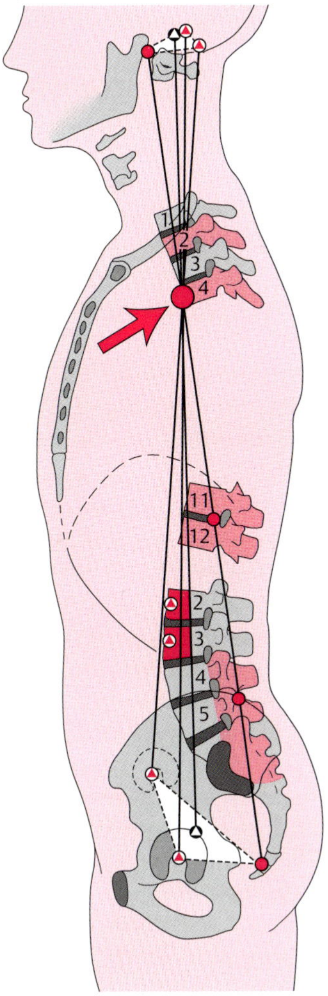

▶ **Abb. 4.10** Kräftepolygon (Vieleck der Kräfte) nach Littlejohn. (aus Richter P, Hebgen E. Triggerpunkte und Muskelfunktionsketten. 5. Aufl. Stuttgart: Haug; 2021)

4.3
Knöcherne Wirbelsäule

4.3.1 Architektur eines Wirbels (C 3–L 5)

Anatomie

▸ Abb. 4.11

- Wirbelkörper (Corpus vertebrae)
- Wirbelbogen (Arcus vertebrae) mit:
  - Pediculus arcus vertebrae: Verbindung zum Wirbelkörper
  - Lamina arcus vertebrae
- Wirbelloch (Foramen vertebrale bzw. Canalis vertebralis als Gesamtheit): wird von Wirbelkörper und -bogen gebildet
- Dornfortsatz (Proc. spinosus)
- 2 Querfortsätze (Procc. transversi; in der LWS: Procc. costales): Ansatzstellen für Ligamente und Muskeln (paravertebral)
- 4 Gelenkfortsätze (Procc. articulares)
- Foramen intervertebrale: gebildet von der Incisura vertebralis superior des unteren und der Incisura vertebralis inferior des oberen Wirbels (▸ Abb. 4.2)

Osteopathische Korrespondenzen

Durch das Foramen intervertebrale treten die Spinalnerven und die intraforaminalen Gefäße aus. Angefüllt ist dies mit intraforaminalem Fett. Beim Austritt ist besonders der Nerv durch Druck gefährdet. Ist z. B. der venöse Rückfluss des Blutes in den Gefäßen, die den Nerv begleiten, gestört, kann ein venöser Stau entstehen. Dies kann zur Kompression des Spinalnervs führen und Schmerzen auslösen, ohne dass wirklich eine radikuläre Kompression durch einen Bandscheibenvorfall vorliegen muss.

Zwar nehmen die Wirbel gemäß ihrer statischen Belastung von kranial nach kaudal an Wirbelkörperhöhe zu und die Foramina intervertebralia werden von kranial nach kaudal größer, aber dennoch besteht hier die Gefahr der Verengung.

4.3.2 Charakteristische Gestaltungsmerkmale der HWS

Anatomie

▸ Abb. 4.12

- HWS besteht aus 7 Wirbeln
- 1. und 2. Halswirbel (Atlas und Axis) weichen deutlich vom einheitlichen Bauplan der anderen Wirbel ab
  - Atlas: besitzt weder einen Wirbelkörper noch einen Dornfortsatz; besteht aus einem vorderem und hinterem Wirbelbogen (Arcus posterior und Arcus anterior atlantis mit Tuberculum posterius bzw. anterius) und 2 Massae laterales; gelenkig über die kranialen Gelenkflächen mit den Okziputkondylen verbunden (Art. atlantooccipitalis); mit den 2 kaudalen Gelenkflächen (Art. atlantoaxialis lateralis) und der Fovea dentis (Art. atlantoaxialis mediana) mit dem Axis verbunden; Sulcus a. vertebralis ist die Rinne für die A. vertebralis
  - Axis: besteht aus einem Wirbelkörper mit Dens axis und Dornfortsatz
  - zwischen Atlas und Axis befindet sich keine Bandscheibe
- Proc. uncinatus: seitliche Erhebungen am Rand der kranialen Deckplatte des 3.–7. Halswirbelkörpers
- Querfortsätze: sind rinnenförmig (Sulcus n. spinalis) ausgeprägt und beinhalten das Foramen transversarium
- Dornfortsätze: beim 3.–6. Halswirbel kurz und gegabelt, am 7. Halswirbel durch seine Länge deutlich prominent

Osteopathische Korrespondenzen

Die Procc. uncinati neigen zu degenerativen Veränderungen, die das Foramen intervertebrale verengen können. Im Anfangsstadium können sich blitzartige nervale Missempfindungen zeigen, die durch schnelle Kopfrotation ausgelöst werden können.

Durch das Foramen transversarium verläuft ab dem 6. Halswirbel die A. vertebralis. Einengungen der Foramina können die Durchflussrate des Bluts negativ beeinflussen und die arterielle Zirkulation beeinträchtigen.

Im Sulcus n. spinalis verläuft der aus dem Foramen intervertebrale kommende Spinalnerv (gilt nur für den 3.–7. Halswirbel). Arthrotische Veränderungen im Bereich des Sulcus und degenerative Veränderungen des umgebenen Band-Kapsel-Apparats können den Nerv unter Kompression bringen, ohne dass ein radikuläres Problem durch eine Bandscheibenprotrusion oder einen -prolaps vorliegt.

Die Krümmung der HWS kann durch die Stellung des Kiefergelenks (Protrusion, Retrusion) beeinflusst werden. Hier kann ein wechselseitiger Einfluss bestehen. Artikuläre Dysfunktionen der HWS können z. B. durch Muskeln aus dem Bereich des Schultergürtels (z. B. M. trapezius, M. sternocleidomastoideus, M. levator scapulae), der Rippen (Mm. scaleni), der Wirbelsäule (z. B. M. erector spinae, M. longus colli) und/oder des Kopfes (z. B. suprahyoidale Muskeln) entstehen.

Die gelenkige Verbindung zwischen Okziput und Atlas kann über das Os hyoideum beeinflusst werden (Kap. 4.7.5). C 0–C 2 stehen über den N. vagus mit den viszeralen Organen in Verbindung. Die horizontale Ausrichtung der Augen erfordert in der Okziput-Atlas-Axis-Region (OAA) eine uneingeschränkte Beweglichkeit. Dysfunktionen, welche die Körperstatik beeinflussen, können sich hier negativ auswirken (Kap. 4.7.5). Die Zentralsehne mit ihrem Bestandteil der Fascia praevertebralis verbindet das Kranium mit der HWS (Kap. 1.3.8, Kap. 5.2.6, Kap. 11.1.1, Kap. 11.1.4).

Behandlungshinweise

Palpatorisch ist der Dornfortsatz von C 7 eine gute Orientierungshilfe. Bei einer Extensionsbewegung der HWS bis zum Segment C 6/C 7 gleitet der Dornfortsatz von C 6 nach ventral. Das erleichtert die Palpation des Dornfortsatzes von C 7.

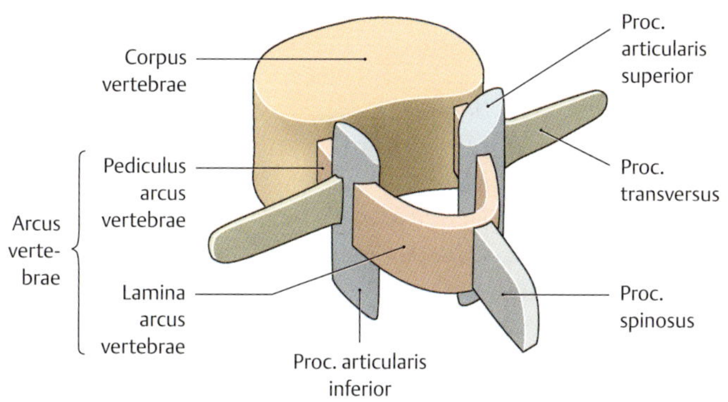

▸ **Abb. 4.11** Aufbau eines Wirbels (Ansicht von links oben dorsal). (aus Schünke M, Schulte E, Schumacher U. Prometheus, LernAtlas der Anatomie. Allgemeine Anatomie und Bewegungssystem. Illustrationen von M. Voll und K. Wesker. 5., vollständig überarbeitete Auflage. Stuttgart: Thieme; 2018)

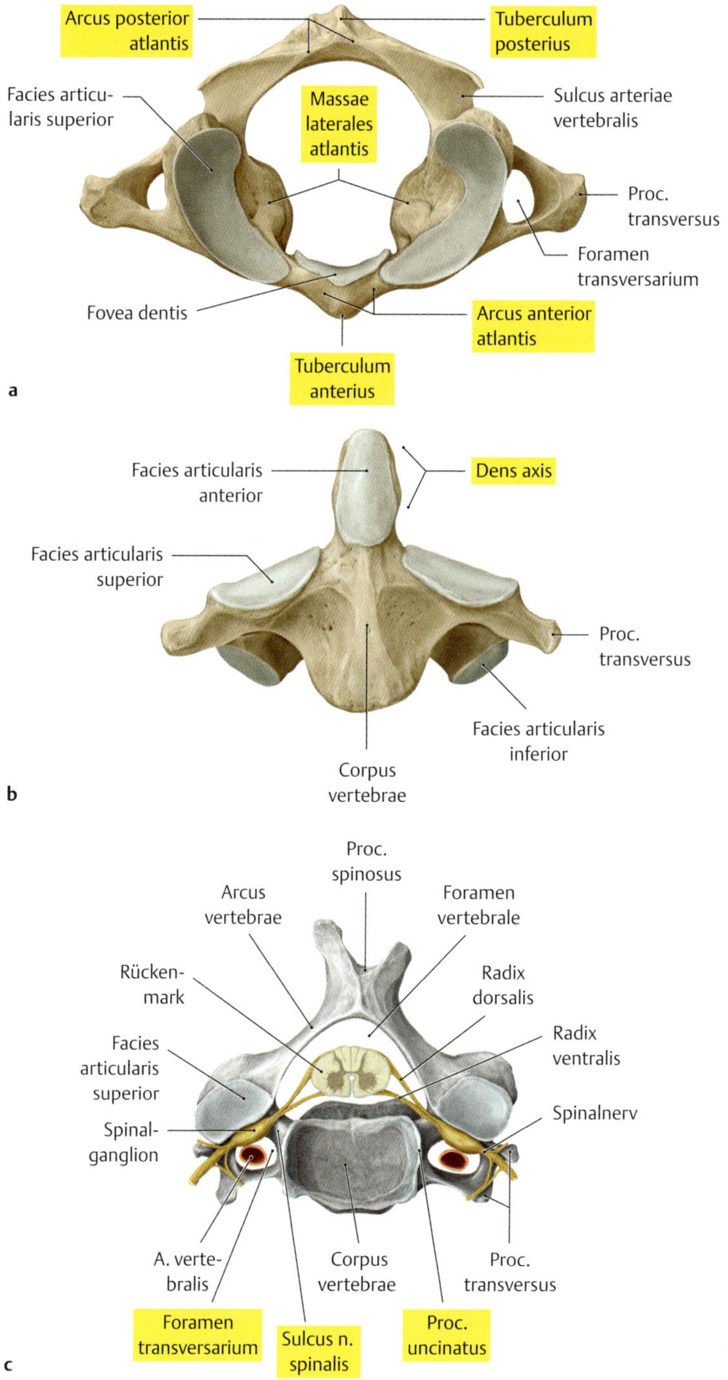

▸ **Abb. 4.12** **a** 1. Halswirbel (Atlas; Ansicht von kranial). **b** 2. Halswirbel (Axis; Ansicht von ventral). **c** 4. Halswirbel (Ansicht von kranial). (aus Schünke M, Schulte E, Schumacher U. Prometheus, LernAtlas der Anatomie. Allgemeine Anatomie und Bewegungssystem. Illustrationen von M. Voll und K. Wesker. 5., vollständig überarbeitete Auflage. Stuttgart: Thieme; 2018)

4.3.3 Charakteristische Gestaltungsmerkmale der BWS

Anatomie

► Abb. 4.13
- BWS besteht aus 12 Wirbeln
- Querfortsätze: gelenkig mit den Rippen verbunden und daher im Vergleich zur HWS und LWS etwas mehr nach dorsal ausgerichtet
- Dornfortsätze: lang, stark nach kaudal ausgerichtet (dachziegelförmig)
- Fovea costalis superior, Fovea costalis inferior und Fovea costalis proc. transversi: Gelenkflächen für die Rippen

Osteopathische Korrespondenzen

Der thorakolumbale Übergang ist für die Zirkulation besonders wichtig. Hier liegt der Hiatus aorticus des Zwerchfells, durch den die Aorta hindurchtritt. Sie ist vom Plexus coeliacus, der die Oberbauchorgane vegetativ versorgt, umgeben. Der Durchtritt der V. cava durch das Zwerchfell, das mit seinen Crura direkt mit dem thorakolumbalen Übergang in Verbindung steht, erklärt den funktionellen Zusammenhang zwischen venösem Rückstrom und Bewegung des Diaphragma abdominale (Atembewegung). Lymphatisch hat der Hiatus aorticus auch einen Einfluss auf die Cisterna chyli (liegt ca. auf Höhe von Th 11–L 1) und ist damit für den lymphatischen Rückfluss in den Thorax wichtig. Denn der Ductus thoracicus verläuft durch den Hiatus aorticus.

Auf Höhe von ca. Th 10–Th 12 liegt die Adamkiewicz-Arterie (auch A. radicularis magna). Sie versorgt das thorakolumbale Rückenmark. Sie tritt durch das Formen intervertebrale und anastomosiert dann mit der A. spinalis anterior (Kap. 2.3.2, Kap. 4.8.2).

Rippengelenkdysfunktionen können gekoppelt mit Dysfunktionen der Brustwirbel auftreten. Die Atembewegung ist Motor für die physiologische Bewegung von der Funktionseinheit Rippen/Sternum/BWS. (Kap. 2.4.6).

Im Bereich von Th 1–Th 4 entspringt die sympathische Innervation für die Schulter und in Th 1 und Th 2 erfolgt die Umschaltung auf das Ganglion stellatum (zervikaler Grenzstrang). Über die sympathische Innervation steht die BWS mit den viszeralen Organen in einer komplexen Verbindung
- Ösophagus, Bronchien (Th 1–Th 4)
- Kopf, Hals (Th 1–Th 4)
- Herz, Lunge (Th 1–Th 5)
- Leber, Gallenblase (Th 5–Th 9 rechts)
- Milz, Magen (Th 5–Th 9 links)
- Duodenum (Th 10–Th 12)
- Niere, Ureter (Th 10–L 1)
- Kolon (Th 10–L 2)
- kleines Becken (Th 10–L 2) (Kap. 4.9.5)

4.3.4 Charakteristische Gestaltungsmerkmale der LWS

Anatomie

► Abb. 4.14
- LWS besteht aus 5 Wirbeln
- massive Wirbelkörper
- Procc. costales: Rippenrudimente, die als seitlicher Fortsatz auffallen
- Proc. accessorius: eigentlicher Querfortsatz
- Proc. mamillaris: knöcherne Höcker an den Außenflächen der oberen Gelenkfortsätze für die Ansätze bzw. Ursprünge der autochthonen Rückenmuskeln
- Dornfortsätze: kräftig und abgeflacht

Osteopathische Korrespondenzen

Die Ligg. iliolumbalia entspringen an den Querfortsätzen von L 4 und L 5. Sie setzen an der Crista iliaca der Darmbeinschaufeln an und gehen kaudal eine Verschmelzung mit den Ligamenten des Iliosakralgelenks ein. Diese Bandstrukturen können Bewegungen von der Darmbeinschaufel auf die Lendenwirbel übertragen und umgekehrt. Die Ligamente kommen unter Spannung, wenn das Sakrum in Nutation geht oder das Ilium nach posterior rotiert. Somit ist L 3 der erste nachfolgende Wirbel, der sich unabhängig vom Ilium bewegen kann. Stöße aus der unteren Extremität werden durch das Dämpfungssystem von Fußgewölbe, Sprunggelenk, Knie-, Hüftgelenk und der Verbindung Ilium und Kreuzbein abgeschwächt und auf die LWS übertragen. Dysfunktionen im Dämpfungssystem können sich nachteilig auf die Mechanik und die Bandscheiben der LWS auswirken.

Über die Aufhängung des Zwerchfells an der LWS, die Ligg. arcuata, bestehen Verbindungen zur 12. Rippe. Eine eingeschränkte Atembewegung des Zwerchfells kann die Mobilität des oberen LWS beeinflussen. Abdominale Veränderungen, die den intraabdominalen Druck verändern und damit die vordere Leibeswand unter vermehrten Zug setzen, können die gesamte Körperstatik und damit auch die Lendenlordose beeinträchtigen. Die dorsalen Aufhängestrukturen des Peritoneums (Radix mesenterii, Faszie von Toldt, Lig. von Treitz) können bei unphysiologischen Zügen oder myofaszialen Adhäsionen die Mechanik der LWS stören.

Über die sympathische Innervation steht die LWS (L 1–L 2) in Verbindung mit Niere, Ureter, Kolon und viszeralen Organen des kleinen Beckens. Über den Plexus venosus vertebralis und die Vv. lumbales erfolgt die Drainage in das Azygossystem und in die V. cava inferior (Kap. 2.5.15).

Behandlungshinweise

Für HVLA-Techniken ist die exakte Voreinstellung über die ligamentäre und ossäre Verriegelung wichtig. Bei immer wiederkehrenden Dysfunktionen im TLÜ ist grundsätzlich an viszerale Dysfunktionen zu denken.

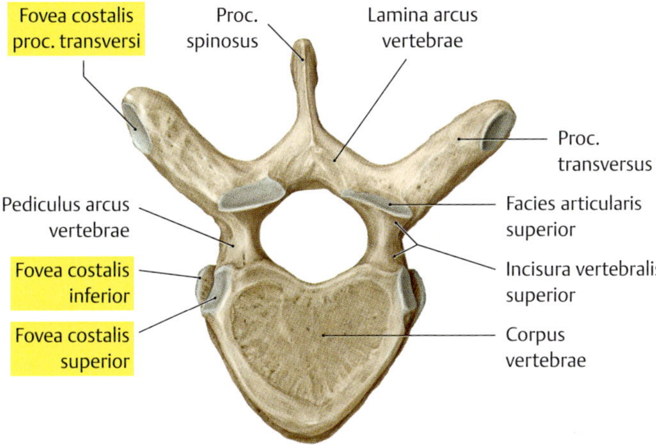

▸ **Abb. 4.13** 6. Brustwirbel (Ansicht von kranial). (aus Schünke M, Schulte E, Schumacher U. Prometheus, LernAtlas der Anatomie. Allgemeine Anatomie und Bewegungssystem. Illustrationen von M. Voll und K. Wesker. 5., vollständig überarbeitete Auflage. Stuttgart: Thieme; 2018)

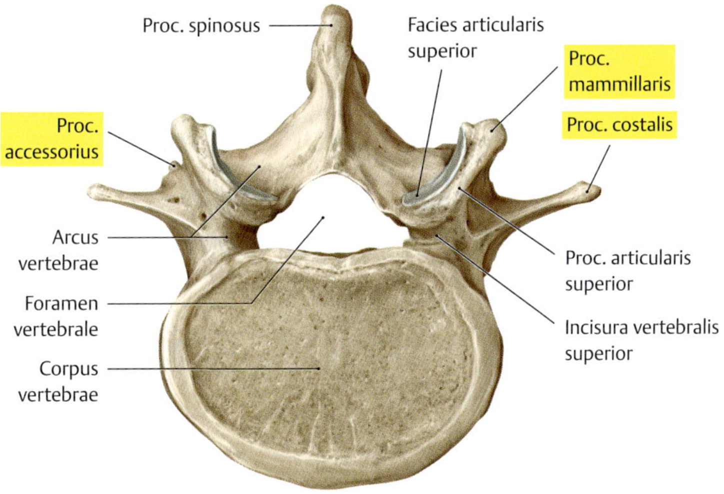

▸ **Abb. 4.14** 4. Lendenwirbel (Ansicht von kranial). (aus Schünke M, Schulte E, Schumacher U. Prometheus, LernAtlas der Anatomie. Allgemeine Anatomie und Bewegungssystem. Illustrationen von M. Voll und K. Wesker. 5., vollständig überarbeitete Auflage. Stuttgart: Thieme; 2018)

4.4
Bandscheibe (Discus intervertebralis)

4.4.1 Anatomie

▶ Abb. 4.16

- druckelastische Verbindung zwischen 2 Wirbelkörpern
- charakteristisch ist der funktionelle Aufbau von zugfesten ringförmigen kollagenen Strukturen (Anulus fibrosus) mit einem wässrigen und nicht komprimierbaren Inhalt (Nucleus pulposus)
- Anulus fibrosus:
  - äußere Anteile:
    - zugfestes und straffes Gewebe mit zunehmend schrägem Verlauf der Fasern von peripher nach zentral: äußere Fasern nahezu vertikal, innere Fasern nahezu horizontal
    - befestigen sich an den Randleisten der Wirbelkörper
  - gleichmäßiger Übergang zu den inneren Anteilen:
    - faserknorpeliges Gewebe
    - Typ-I- und Typ-II-Kollagenfasern, die in die Deckplatten der Wirbelkörper einstrahlen
- Nucleus pulposus:
  - gelatinöse Masse, welche die einwirkenden Kompressionskräfte aufnimmt
  - hat einen hohen Anteil von Glukosaminoglykanen und kann Wasser reversibel binden → druckelastisches hydrostatisches System, das deformierbar ist (Wasserkissenprinzip)
- Stoßdämpferfunktion: kann einwirkende Kräfte gleichmäßig auf die Wirbelkörper verteilen
- Höhe der Bandscheiben nimmt von kranial nach kaudal zu: je größer die Bandscheibenhöhe und die zu Wirbelkörperhöhe sind, umso größer ist die Mobilität

4.4.2 Osteopathische Korrespondenzen

Die Spongiosa der Wirbelkörperdeck- und Bodenplatten ist für die Ernährung der Bandscheibe sehr wichtig. Hier liegen die gefäßführenden Strukturen, welche die Bandscheibe ernähren. Der Stoffaustausch ist aber von wechselnden Druck- und Zugkräften abhängig, die bei Bewegung ausgelöst werden. Lang andauerndes Sitzen und einseitige Belastungen der Bandscheiben stören die Regeneration des Bandscheibengewebes (▶ Abb. 4.15). Die Atembewegung und damit die Bewegung des Zwerchfells sind ebenfalls Motor für eine gute Drainage der Wirbelsäulenstrukturen.

Die komplexe fasziale und ligamentäre Sicherung der Wirbelsäule verdeutlicht einmal mehr die stützende und elastische Funktionalität des Fasziensystems, die für die Dynamik der Wirbelsäule grundlegend ist (Kap. 4.5). Beim Zusammenpressen der Zähne kann es zu einer Rückverlagerung des Körperschwerpunkts kommen. Dies kann zu einer stärkeren Belastung des Discus intervertebralis in der LWS führen.

4.4.3 Behandlungshinweise

Vibrationstechniken im Liegen über die untere Extremität können die Drainage der Bandscheiben und Elastizität des Fasziensystems begünstigen und fördern (Wechsel von Be- und Entlastung). Bei Bandscheibenvorfällen (▶ Abb. 4.17) eignen sich insbesondere Techniken, die den Druck auf die Bandscheibe verringern. Zirkulatorische Techniken sind hilfreich für den Heilungsprozess, weil durch sie eine verbesserte arterielle Versorgung und venöse Entsorgung möglich sind.

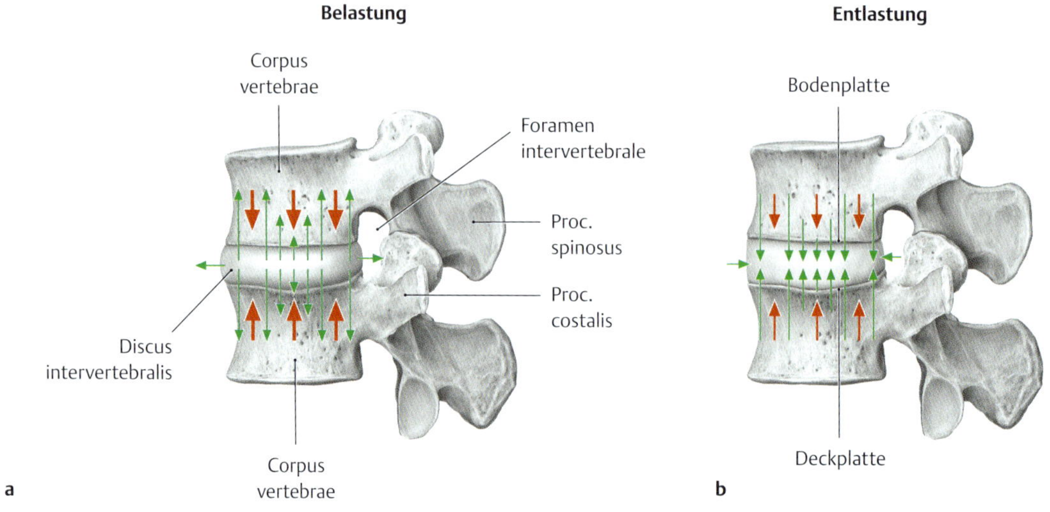

▶ **Abb. 4.15** Belastungsabhängige Flüssigkeitsverschiebung innerhalb der Bandscheibe. **a** Permanente Flüssigkeitsabgabe (grüne Pfeile) bei langfristiger Belastung (dicke rote Pfeile), sodass Turgor und Dicke der Bandscheibe abnehmen. **b** Flüssigkeitsaufnahme (grüne Pfeile) bei Entlastung (dünne rote Pfeile), sodass die Bandscheibe wieder an Dicke zunimmt. (aus Schünke M, Schulte E, Schumacher U. Prometheus, LernAtlas der Anatomie. Allgemeine Anatomie und Bewegungssystem. Illustrationen von M. Voll und K. Wesker. 5., vollständig überarbeitete Auflage. Stuttgart: Thieme; 2018)

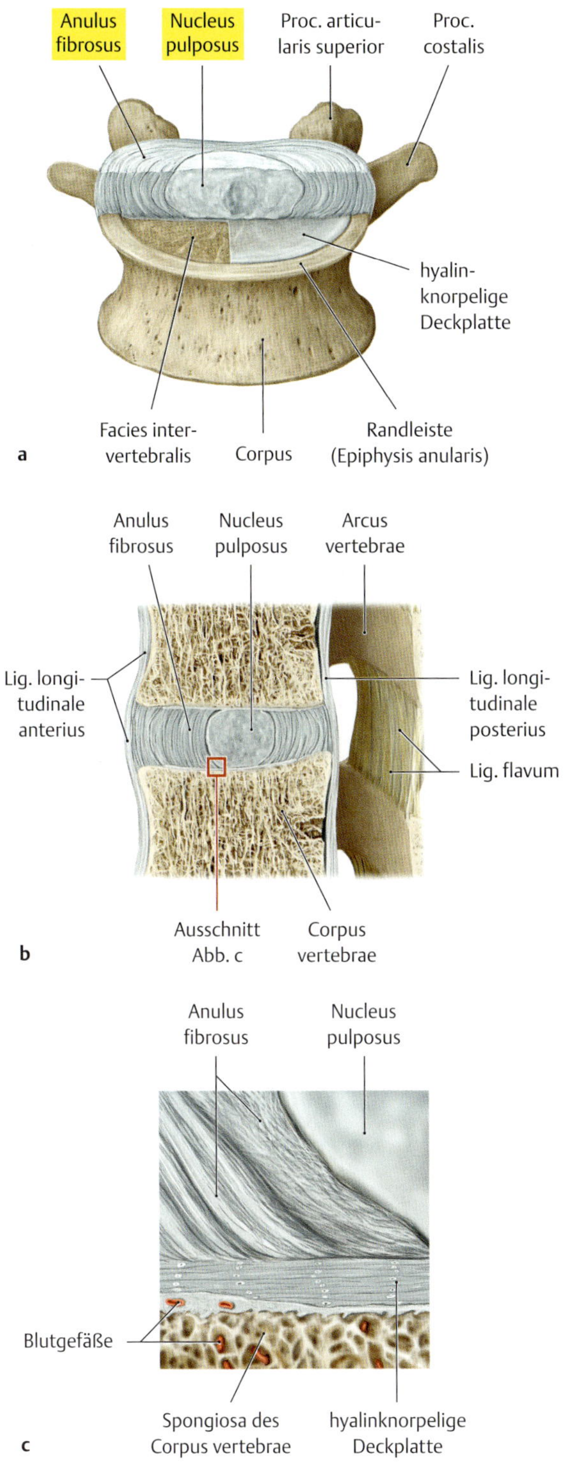

▶ **Abb. 4.16** Lage der Bandscheibe im Bewegungssegment. **a** Hyalinknorpelige Deckplatte (Ansicht von kranial-ventral; die vordere Bandscheibenhälfte und die rechte Hälfte der Deckplatte sind entfernt). **b** Sagittalschnitt durch ein Bewegungssegment (Ansicht von links). **c** Ausschnitt aus b. (aus Schünke M, Schulte E, Schumacher U. Prometheus, LernAtlas der Anatomie. Allgemeine Anatomie und Bewegungssystem. Illustrationen von M. Voll und K. Wesker. 5., vollständig überarbeitete Auflage. Stuttgart: Thieme; 2018)

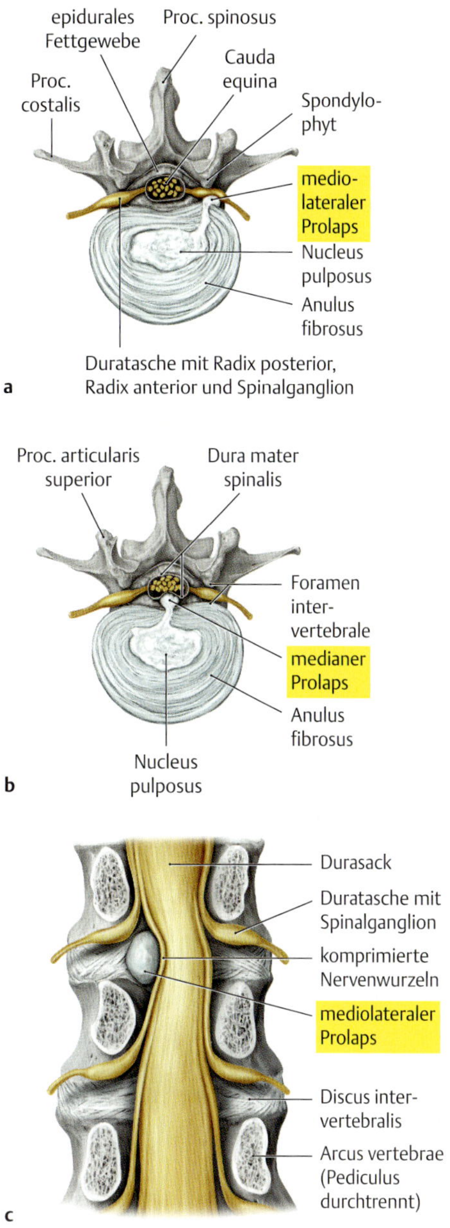

▶ **Abb. 4.17** **a** Mediolateraler Bandscheibenvorfall (Ansicht von kranial). **b** Medianer (dorsaler) Bandscheibenvorfall (Ansicht von kranial). **c** Mediolateraler Bandscheibenvorfall (Ansicht von dorsal). (aus Schünke M, Schulte E, Schumacher U. Prometheus, LernAtlas der Anatomie. Allgemeine Anatomie und Bewegungssystem. Illustrationen von M. Voll und K. Wesker. 5., vollständig überarbeitete Auflage. Stuttgart: Thieme; 2018)

4.5
Bandapparat der Wirbelsäule

4.5.1 Anatomie

Ligamente, welche die Region des **Wirbelbogens** auskleiden (von dorsal nach ventral; ► Abb. 4.18):

- Lig. supraspinale: verläuft oberflächlich von Dornfortsatz zu Dornfortsatz
- Ligg. interspinalia: spannen sich zwischen benachbarten Dornfortsätzen auf und gehen dorsal in das Lig. supraspinale über
- Ligg. intertransversaria: verbinden Querfortsatz mit benachbartem Querfortsatz
- Ligg. flava: kleiden den Raum zwischen den Wirbelbögen aus und verlaufen zwischen den Laminae arcus vertebrae eines oberen und eines unteren Wirbels
- Ligg. capsularia (Gelenkkapselbänder): umschließen die kleinen Wirbelgelenke (Facettengelenk)

Ligamente, die im direkten Kontakt mit den **Wirbelkörpern** stehen (► Abb. 4.18, ► Abb. 4.19):

- Lig. longitudinale posterius:
  - auf Bandscheibenhöhe fest verwachsen mit zipfelförmiger Ausdehnung nach lateral aus
- Lig. longitudinale anterius:
  - tiefe Fasern verbinden benachbarte Wirbelkörper,
  - oberflächliche Anteile ziehen über mehrere Segmente hinweg,
  - die Kollagenfasern sind fest mit den Wirbelkörpern verbunden
  - mit den Bandscheiben hingegen nur locker

Ligamentäre Sicherung der **Kopfgelenke** (► Abb. 4.20, ► Abb. 4.21):

- Membrana atlantooccipitalis anterior:
  - verbreiterte Fortsetzung des Lig. longitudinale anterius
  - spannt sich zwischen Arcus anterior des Atlas‘ und dem vorderen Rand des Foramen magnum auf
- Membrana atlantooccipitalis posterior:
  - Verbindung zwischen Arcus posterior des Atlas‘ mit dem hinteren Rand des Foramen magnum
  - „Lig. flavum“ zwischen Atlas und Os occipitale
- Membrana tectoria:
  - ventrale ligamentäre Begrenzung des Wirbelkanals
  - Verlängerung der oberflächlichen Schicht des Lig. longitudinale posterius
  - liegt posterior dem Lig. cruciforme an
- Lig. cruciforme atlantis: setzt sich zusammen aus:
  - Lig. transversum atlantis:
    - verläuft horizontal
    - Verbindung der beiden Massae laterales des Atlas‘ miteinander
    - umschließt und fixiert von dorsal als Zuggurtung den Dens im Atlas
    - schützt das Rückenmark vor dem Dens
  - Fasciculi longitudinales:
    - Verlängerungen der tiefen Schicht des Lig. longitudinale posterius
    - senkrechter Verlauf
    - ziehen von der Hinterfläche des Axiskörpers zum vorderen Rand des Foramen magnum
- Ligg. alaria:
  - ziehen rechts und links von den Seitenflächen des Dens axis zum seitlichen Rand des Atlas‘ und zum Foramen magnum
  - kommen bei Nick- und Drehbewegungen des Kopfes unter Spannung
- Lig. apicis dentis: zieht als dünnes Band von der Spitze des Dens zum Vorderrands des Foramen magnum (Innenkante)
- Lig. nuchae:
  - reicht von C 7 bis zur Protuberantia occipitalis externa
  - sagittale Ausbreitung des Lig. supraspinale
  - wird bei Flexion gespannt

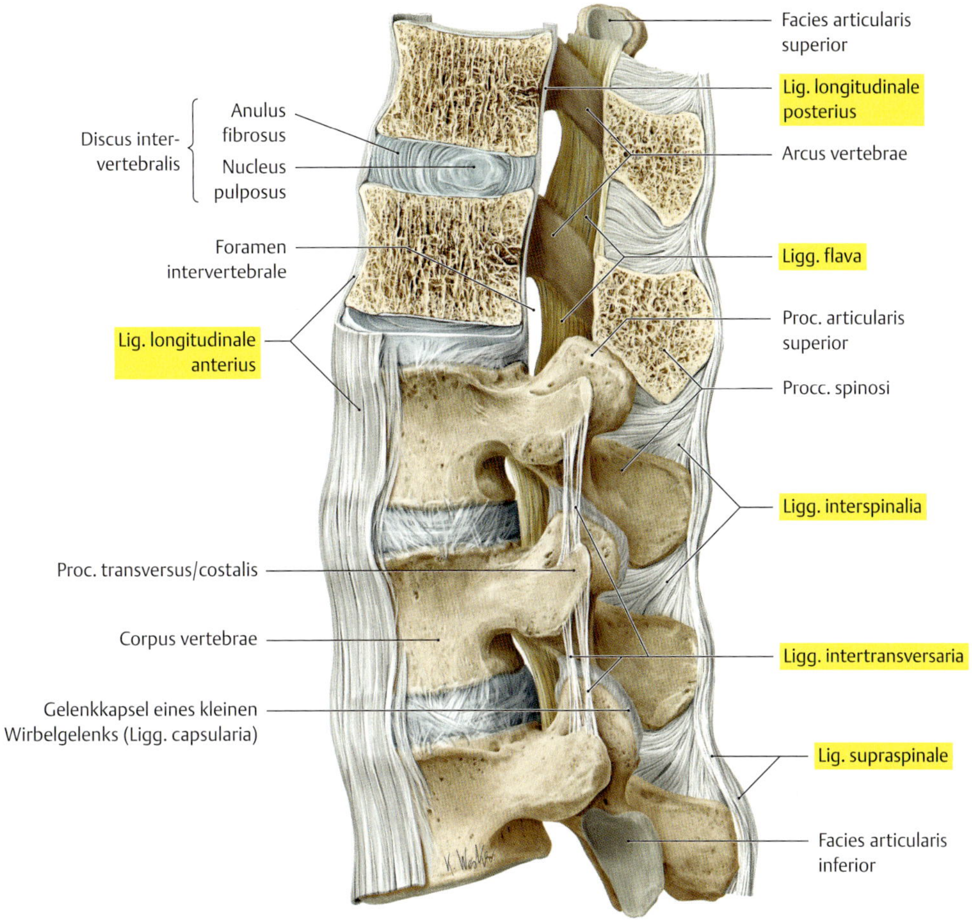

▸ **Abb. 4.18** Bandapparat der Wirbelsäule auf Höhe des thorakolumbalen Übergangs (Th 11–L 3; Ansicht von links-lateral). (aus Schünke M, Schulte E, Schumacher U. Prometheus, LernAtlas der Anatomie. Allgemeine Anatomie und Bewegungssystem. Illustrationen von M. Voll und K. Wesker. 5., vollständig überarbeitete Auflage. Stuttgart: Thieme; 2018)

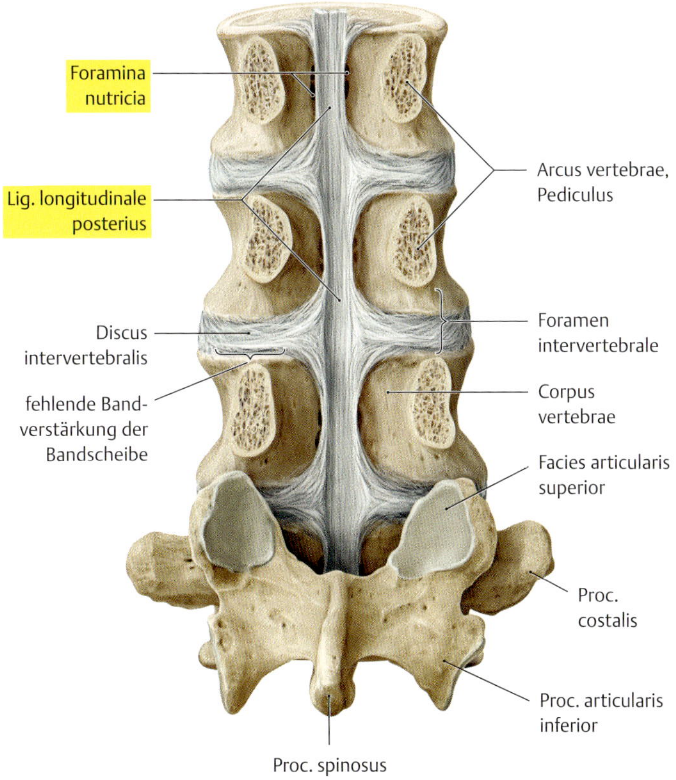

▸ **Abb. 4.19** Bandapparat im Bereich der LWS (Ansicht von dorsal nach Entfernung der Wirbelbögen). (aus Schünke M, Schulte E, Schumacher U. Prometheus, LernAtlas der Anatomie. Allgemeine Anatomie und Bewegungssystem. Illustrationen von M. Voll und K. Wesker. 5., vollständig überarbeitete Auflage. Stuttgart: Thieme; 2018)

Bewegungen der Wirbelsäule und Funktionalität der Ligamente:

- bei Flexion werden folgende Bänder in Verbindung mit den dorsalen Muskeln und dem myofaszialen System unter Spannung gebracht:
  - Lig. longitudinale posterius
  - Lig. supraspinale
  - Ligg. interspinalia
  - Ligg. flava
  - Ligg. capsularia
- bei Extension werden folgende Bänder in Verbindung mit den ventralen Muskeln und dem myofaszialen System unter Spannung gebracht:
  - Ligg. capsularia
  - Lig. longitudinale anterius
- bei Lateralflexion spannen sich die Ligg. intertransversaria der Gegenseite
- bei axialer Rotation bremsen die Ligg. capsularia auf der homolateralen Seite und die Bandscheibe die Bewegung ab

Mit zunehmendem Bewegungsumfang spannen sich die an der Bewegung beteiligten Bänder mehr und mehr auf.

4.5.2 Osteopathische Korrespondenzen

Bei Höhenminderung der Bandscheibe (Degeneration) vermindert sich die Bandspannung der Ligg. flava. Auch Kalzifikationen der Bänder im Rahmen degenerativer Umbauprozesse in den Facettengelenken können eine Stenose des Wirbelkanals begünstigen.

Das Lig. longitudinale posterius hat eine taillierte Form, da es im Bereich des Wirbelkörpers schmaler und auf Höhe der Bandscheiben breiter ausgeprägt ist. Der seitliche bzw. hintere Bereich der Bandscheiben wird nicht vom Ligament verstärkt (▶ **Abb. 4.21**). Das kann erklären, warum gehäuft laterale Bandscheibenvorfälle vorkommen (seltener sind mediale; ▶ **Abb. 4.17**). Venöse Stauungen können zu Rückenschmerzen führen, weil sie das Lig. longitudinale posterius unter Spannung und die Region unter Kompression bringen.

In die Ligg. capsularia strahlen Fasern von folgenden Ligamenten und Muskeln ein: Lig. flavum, M. multifidus und in der HWS zusätzlich M. semispinalis und Mm. rotatores. Die Gelenkkapselbänder sind reich an Nozi- und Propriozeptoren (Sensorik für Schmerzentstehung und Bewegung). Bei einem Schleudertrauma werden u. a. die Gelenkkapselbänder unter massive unphysiologische Traktion (Vorschnellen des Kopfes) gebracht. Klinisch zeigen sich häufig eine Steilstellung der HWS sowie vegetative und vestibuläre Beschwerden. Die beschriebenen Verbindungen sind ein Hinweis auf den Pathomechanismus.

Die Ligg. intertransversaria werden auch als sehnige Ausläufer von Muskeln der autochthonen Rückenmuskulatur und teilweise auch als membranöse Ausläufer des thorakolumbalen Fasziensystems bewertet. Dies verdeutlicht, dass der gesamte Band-Kapsel-Apparat der Wirbelsäule als ein Bestandteil des Fasziensystems gesehen werden kann.

Die Ligg. interspinalia und das Lig. supraspinale sind eng mit dem thorakolumbalen Fasziensystem verbunden. Das thorakolumbale Fasziensystem (Fascia thoracolumbalis) ist vielschichtig. Die Fascia transversalis verbindet u. a. die lumbalen Wirbelsäulensegmente mit den faszialen Strukturen des Abdomens und Beckens, denn sie setzt sich als Fascia inguinalis und Fascia pelvis fort. Fascia pelvis und Membrana obturatoria stehen in enger Verbindung. Auch das Peritoneum parietale ist eng mit der Fascia transversalis verbunden. Eine Dysfunktion im Bauchraum, die eine veränderte fasziale Spannung im Abdomen verursacht, kann somit Einfluss auf die Wirbelsäule haben und Dysfunktionen der Wirbelsäule provozieren.

Durch die komplexe ligamentäre und muskuläre Verbindung agieren Okziput, Atlas und Axis als Einheit. Die Ligg. alaria sind für die heterolaterale Koppelung von Lateralflexions- und Rotationsbewegungen im OAA-Bereich verantwortlich. Das bedeutet, bei einer Lateralflexion im OAA-Bereich nach rechts kommt es durch die Spannung der Ligg. alaria zur gekoppelten Rotation nach links. Eine Rotationsbewegung primär im OAA-Komplex nach rechts ist an eine Lateralflexion nach links gekoppelt (und umgekehrt).

4.5.3 Behandlungshinweise

Bei einem akuten Schleudertrauma sind Behandlungstechniken der HWS, die mit Traktion und Rotation arbeiten, zu vermeiden. Behandlungstechniken, die über periphere Strukturen einen positiven Einfluss auf das Geschehen in der HWS haben, sind zu bevorzugen. Die Behandlung der Fascia thoracolumbalis wirkt durch ihre vielfältigen funktionellen Verbindungen auf die Wirbelsäule ein. BMT- und BLT-Techniken sind indiziert.

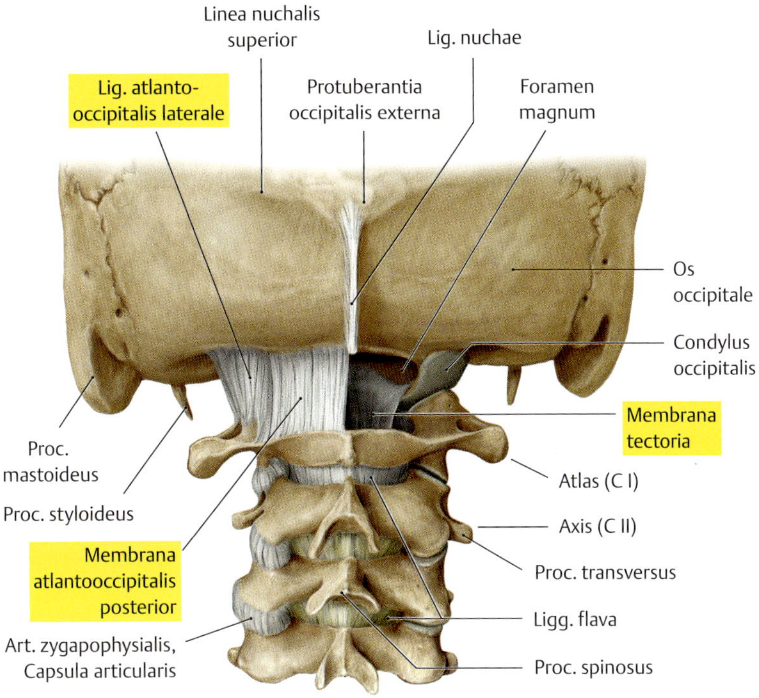

▸ **Abb. 4.20** Bandapparat der Kopfgelenke (Ansicht von dorsal). (aus Schünke M, Schulte E, Schumacher U. Prometheus, LernAtlas der Anatomie. Allgemeine Anatomie und Bewegungssystem. Illustrationen von M. Voll und K. Wesker. 5., vollständig überarbeitete Auflage. Stuttgart: Thieme; 2018)

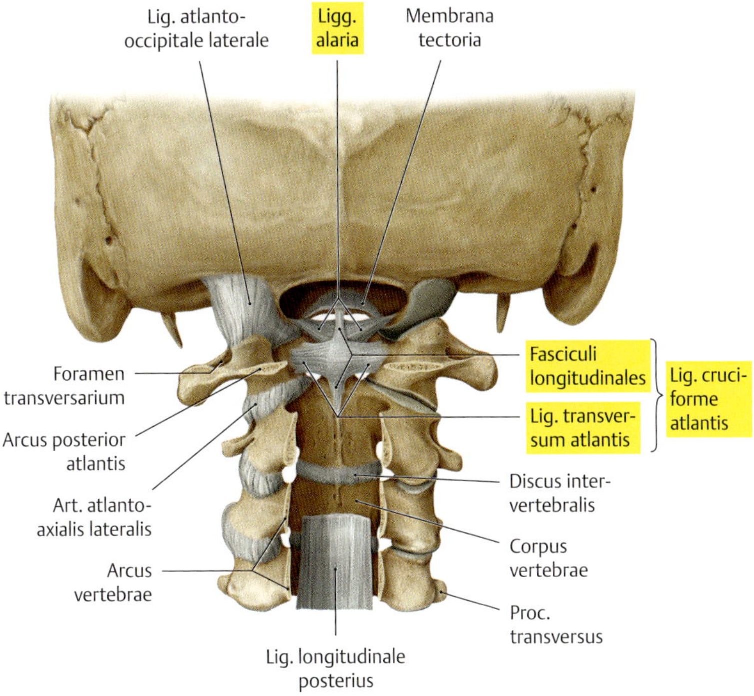

▸ **Abb. 4.21** Bandapparat der Kopfgelenke (Ansicht von dorsal). (aus Schünke M, Schulte E, Schumacher U. Prometheus, LernAtlas der Anatomie. Allgemeine Anatomie und Bewegungssystem. Illustrationen von M. Voll und K. Wesker. 5., vollständig überarbeitete Auflage. Stuttgart: Thieme; 2018)

4.6 Gelenke der Wirbelsäule

4.6.1 Kopfgelenke

Anatomie

- **Art. atlantooccipitalis** (oberes Kopfgelenk)
  - paarige gelenkige Verbindung
  - Partner: Foveae articulares superiores des Atlas (konkav) und Condyli occipitales des Os occipitale (konvex)
- **Artt. atlantoaxiales** (untere Kopfgelenke; ▶ Abb. 4.22):
  - **Art. atlantoaxialis lateralis:**
    - paarige gelenkige Verbindung
    - Partner: Foveae articulares inferiores des Atlas und obere Gelenkflächen des Axis
  - **Art. atlantoaxialis mediana:**
    - unpaares Gelenk
    - Partner: Dens axis, Fovea dentis atlantis und überknorpelte Fläche des Lig. transversum atlantis

Osteopathische Korrespondenzen

Es befinden sich zahlreiche Propriozeptoren im Bereich der Kopfgelenke und kurzen Nackenmuskeln. Dadurch besteht eine direkte nervale Verbindung zur Formatio reticularis, zu den Nervenkernen des N. trigeminus und des Vestibularapparats sowie den Augenmuskelkernen. Folglich können sich Dysfunktionen in den Kopfgelenken auf Gleichgewichtsinn, Raumorientierung, aber womöglich auch auf Halte- und Stellreflexe auswirken.

Schwindel, der aufgrund kraniomandibulärer oder zervikaler Dysfunktionen entsteht, kann über die verzahnten Afferenzen von den Nervenkernen des Vestibularsystems, der Propriozeption der oberen HWS und den Augenmuskelnervenkernen erklärt werden. Tinnitus, der sich unter Bewegungen der HWS oder bei Kaubewegungen ändert, kann sich durch die Verknüpfung der Propriozeption von HWS, Nervenkernen des Kochleasystems und den Trigeminuskernen in der Medulla oblongata ergeben. Besonders der N. mandibularis (V_3), der mit seinen viszeromotorischen Fasern neben der Kaumuskulatur auch den M. tensor tympani versorgt, kann hier von besonderer Bedeutung sein.

Körperstatische Dysfunktionen durch kraniomandibuläre Dysfunktionen können über die vernetzte Funktionalität des N. trigeminus mit den kurzen Nackenmuskeln (C 1–C 2/3) entstehen. Die sich daraus ableitenden myofaszialen Wirkungsketten und ihre Fernwirkung auf Thorax, Schultergürtel, obere Extremität, Abdomen, Becken und untere Extremität veranschaulichen eine Vielzahl von möglichen Dysfunktionen. Die ligamentären Verbindungen von Dura mater spinalis und C 1/2 bzw. Sakrum (S 1–S 2) erklären mögliche Adaptionen im kraniosakralen System bei Dysfunktionen im Bereich der Kopfgelenke.

Der N. vagus tritt durch das Foramen jugulare in die Halsregion ein, passiert lateral die Kopfgelenke, durchdringt die obere Thoraxapertur und gelangt nach dem Durchtritt durch das Zwerchfell bis zum Cannon-Böhm-Punkt. Direkt unterhalb des Foramen jugulare teilt er sich mit dem N. accessorius dieselbe Duraloge. Das kann eine Ursache dafür sein, dass bei Dysfunktionen in diesem Bereich (Kopfgelenke, Os occipitale) beide Nerven betroffen sein können.

Der N. accessorius hat seine spinalen Nervenkerne auf Höhe von C 2–C 4/5. Hinter dem Lig. denticulatum gelangt er durch das Foramen magnum in das Kopfinnere, das er durch das Foramen jugulare wieder verlässt, und innerviert dann motorisch M. trapezius, M. sternocleidomastoideus und die Kehlkopfmuskeln.

Die Funktionalität der Kopfgelenke ist auch für den Schluckakt und die Kiefergelenkbewegung, z. B. beim Kauen, wichtig. Diese Bewegungen basieren u. a. auf einem funktionellen Zusammenspiel von zahlreichen Strukturen, die auch die obere HWS betreffen. Kauen und Schlucken sind auch abhängig von Atmung, dem Zusammenspiel von Körperhaltung und faszialen Strukturen (v. a. der Zentralsehne mit ihrer kranialen Aufhängung), der beteiligten HWS-Muskulatur (z. B. Mm. scaleni, M. sternocleidomastoideus), der Kopfhaltung, der Funktionalität der Zunge und des Os hyoideum, Muskeln, von Weichteilen des Gaumens, Rachens, Schlunds und dem Kiefergelenk mit seinen Muskeln (M. masseter, Mm. pterygoidei lateralis und medialis, M. temporalis) (Kap. 1.1.3, Kap. 1.5.3).

4.6.2 Wirbelbogengelenke (Artt. zygapophysiales)

Anatomie

▶ Abb. 4.23

- werden auch als Facettengelenke bezeichnet
- sind paarig angelegt
- echte Gelenke
- jeweils vom Proc. articularis superior und inferior gebildet
- Gelenkkapsel bildet meniskusartige Synovialfalten, welche die Inkongruenz der Gelenkflächen ausgleichen
- die dorsale Seite der Gelenkkapsel ist mit Fasern des Lig. flavum und des M. multifidus verstärkt
- die Gelenkflächen sind je nach Wirbelsäulenabschnitt mehr horizontal (z. B. in der HWS) oder mehr vertikal bzw. sagittal ausgerichtet (z. B. in der LWS)

Osteopathische Korrespondenzen

Die Kapsel der Facettengelenke wird, wie auch die autochthone Rückenmuskulatur, vom R. dorsalis des jeweiligen Spinalnervs innerviert. Eine Dysfunktion in den Facettengelenken könnte wegen der gemeinsamen Innervation durch Verspannungen in der paravertebralen Muskulatur provoziert werden.

Behandlungshinweise

Die Ausrichtung der Facettengelenke bestimmt die Impulsrichtung bei HVLA-Techniken. Sie limitiert die Beweglichkeit in den einzelnen Wirbelsäulenabschnitten.

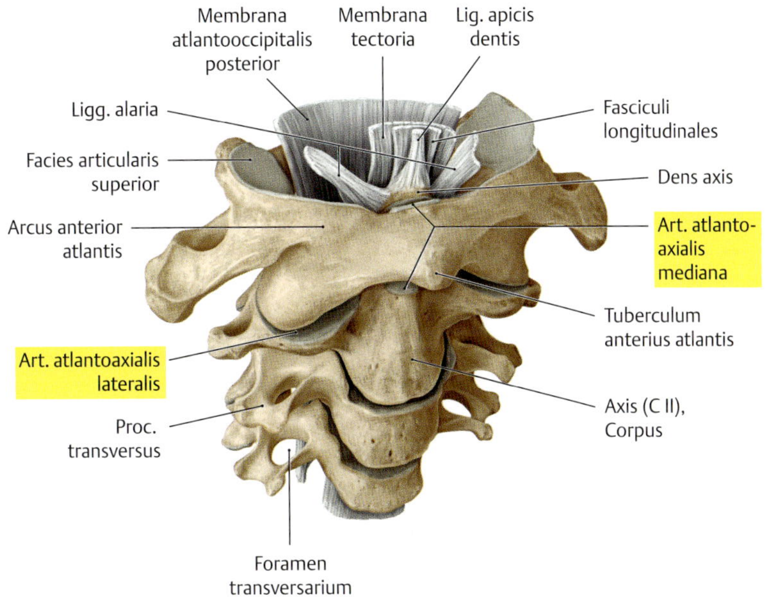

▶ **Abb. 4.22** Artt. atlantoaxiales (Ansicht von ventral-kranial). (aus Schünke M, Schulte E, Schumacher U. Prometheus, LernAtlas der Anatomie. Allgemeine Anatomie und Bewegungssystem. Illustrationen von M. Voll und K. Wesker. 5., vollständig überarbeitete Auflage. Stuttgart: Thieme; 2018)

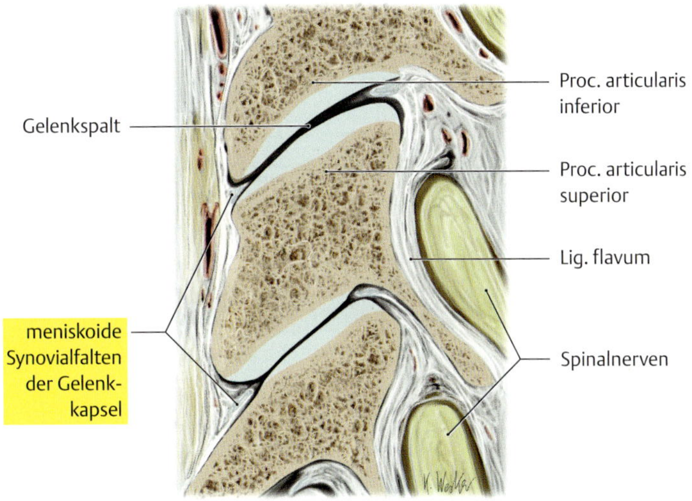

▶ **Abb. 4.23** Sagittalschnitt durch die Wirbelbogengelenke auf Höhe des 3.–5. Halswirbels (Ansicht von lateral). Man erkennt den hyalinen Gelenkknorpel und die Gelenkkapsel, die meniskusartige Synovialfalten bildet. (aus Schünke M, Schulte E, Schumacher U. Prometheus, LernAtlas der Anatomie. Allgemeine Anatomie und Bewegungssystem. Illustrationen von M. Voll und K. Wesker. 5., vollständig überarbeitete Auflage. Stuttgart: Thieme; 2018)

4.6.3 Rückenmarkshäute (Meningen)

Anatomie

- reichen vom Kranium bis zum Sakrum
- Schichten:
  - Epiduralraum: in der Schädelhöhle bilden Dura mater encephali und Periost der Schädelknochen eine Einheit, aber im Spinalkanal sind Dura mater spinalis und Periost der Wirbelknochen voneinander getrennt, um wegen der Beweglichkeit der Wirbelsäule gegeneinander verschieblich zu sein
  - Dura mater: besteht aus zahlreichen straffen Kollagenfasern, die ihr Festigkeit geben
  - Arachnoidea
  - Subarachnoidalraum: mit Liquor gefüllt; wird durch Arachnoidalsepten unterteilt, die von der Arachnoidea zur Pia mater verlaufen
  - Pia mater: recht weich
- Dura mater spinalis:
  - Fixationspunkte: Foramen magnum, dorsal am Arcus posterior von Atlas und Axis, C3, S2 und Corpus ossis coccygis
  - Ligamente: Ligg. atlantooccipitalia anterius und posterius, Lig. longitudinale posterius, Lig. nuchae, Lig. flavum (LWS), Lig. anococcygeum, Lig. denticulatum, Lig. transformidale (Foramen intervertebrale)
  - vaskuläre Versorgung: aus A. vertebralis, Aa. spinales anteriores und posteriores; in V. azygos über Plexus venosi vertebrales interni anterior und posterior
  - nervale Versorgung: R. meningeus der Spinalnerven

Osteopathische Korrespondenzen

Das Durasystem wird in der Osteopathie in seiner funktionellen Gesamtheit als reziproke Spannungsmembran beschrieben. Ein mechanischer Zug an einer Stelle der Membran hat also einen Einfluss auf die Spannungsverhältnisse des gesamten Membransystems. Die Funktionseinheit des Membransystems verbindet kranial die Schädelknochen miteinander und koordiniert die Bewegung von Kranium und Sakrum über den Verlauf durch den Rückenmarkskanal. Das Membransystem ist die Hülle des ZNS und bildet gleichzeitig auch den Raum für zirkulatorische Strukturen (Gefäße, Liquor). Darüber hinaus hat das Membransystem eine stützende, einteilende und schützende Funktion.

Die Bewegungen der Wirbelsäule führen dazu, dass sich das Membransystem diesen Bewegungen anpasst und sich im Spinalkanal gleitend bewegt. Es zeigt aus osteopathischer Sicht zudem noch eine weitere rhythmische Bewegung, die im direkten Zusammenhang mit dem PRM steht. Grundlage des PRM ist die rhythmische, wellenförmige Bewegung des Liquors. Der PRM überträgt Bewegung auf das gesamte Körpersystem.

Behandlungshinweise

Indikationen für die Behandlung des Membransystems sind u.a. Kopfschmerzen, Schmerzen im Bereich des Beckenbodens, Dysfunktionen von Sakrum, Os coccygis und Knochen des Kraniums sowie eine veränderte Qualität des PRM. Gezielte Tests für das Membransystem sind z. B. die frontookzipitale Handhaltung, der Schalengriff Os temporale, der Durazug von kaudal und kranial. Die Behandlungstechnik Duraschaukel kann die inhärente Bewegung der Dura mater spinalis synchronisieren. Zur Beurteilung des PRM eignen sich der Horchgriff bzw. die Schädeldachhaltung nach Sutherland. Durch spezifische Behandlungstechniken, wie z. B. die Kompression des 4. Ventrikels (CV4-Technik), kann der PRM beeinflusst werden.

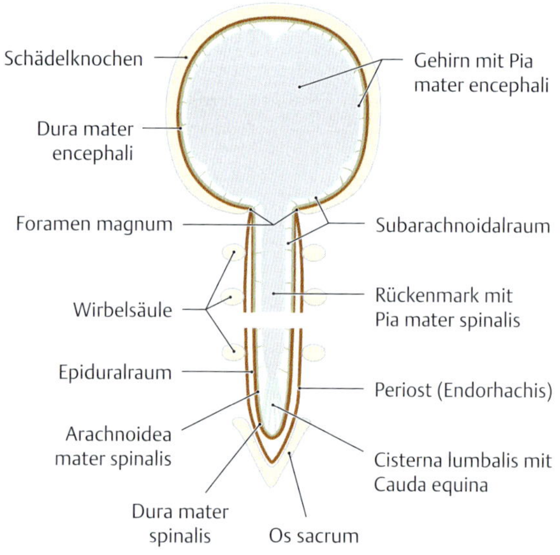

▸ **Abb. 4.24** Meningen in Schädelhöhle und Wirbelkanal (aus Schünke M, Schulte E, Schumacher U. Prometheus, LernAtlas der Anatomie. Kopf, Hals, Neuroanatomie. Illustrationen von M. Voll und K. Wesker. 5. Auflage. Stuttgart: Thieme; 2018)

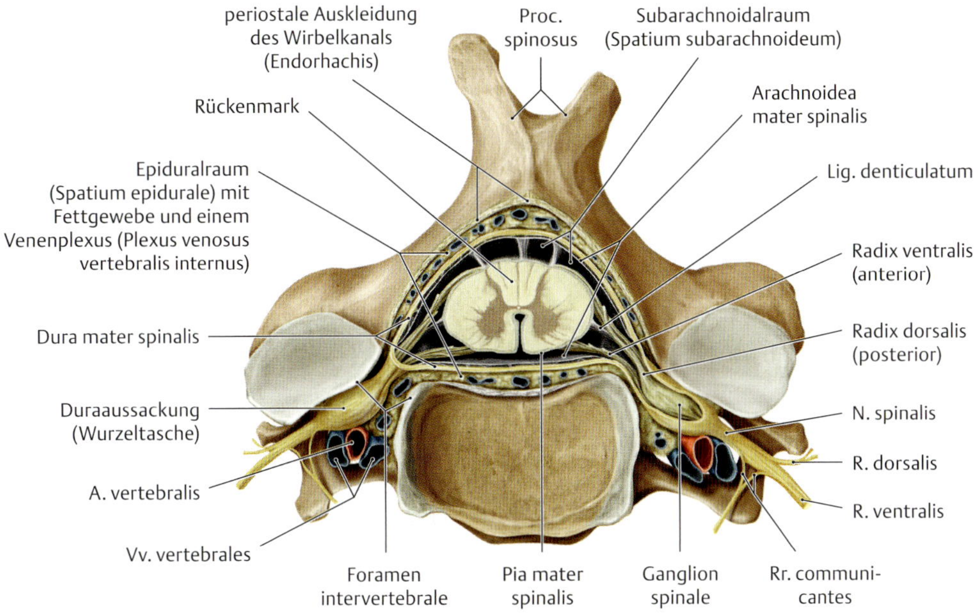

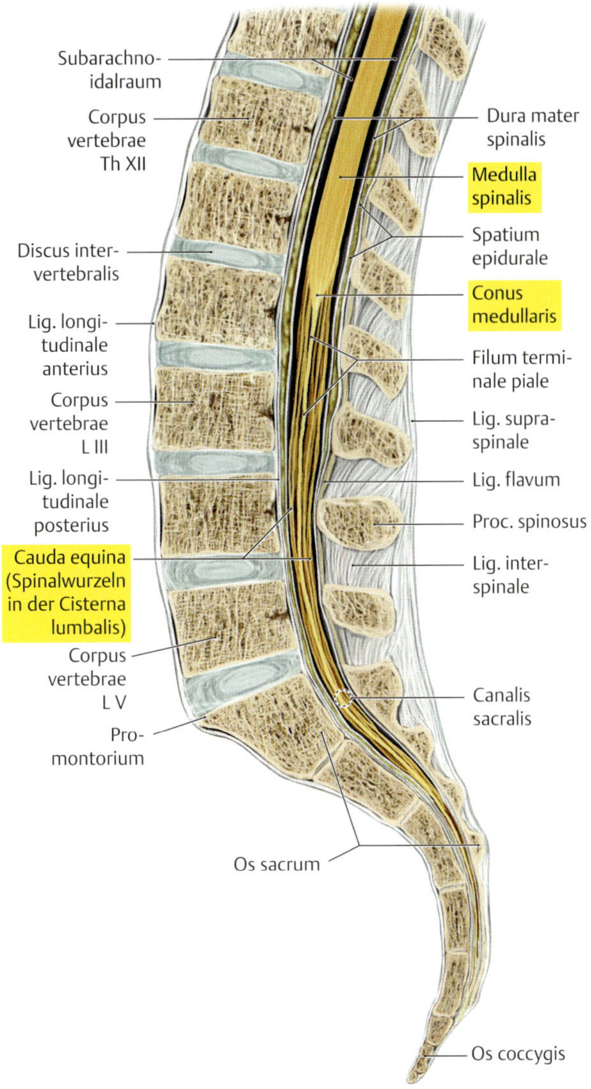

▸ **Abb. 4.25** Abb. oben: Rückenmarkshäute im Querschnitt (Querschnitt durch einen Halswirbel, Ansicht von kranial). (aus Schünke M, Schulte E, Schumacher U. Prometheus, LernAtlas der Anatomie. Kopf, Hals, Neuroanatomie. Illustrationen von M. Voll und K. Wesker. 5. Auflage. Stuttgart: Thieme; 2018). Abb. unten: Rückenmark im unteren Abschnitt der Wirbelsäule (Mediansagittalschnitt). (aus Schünke M, Schulte E, Schumacher U. Prometheus, LernAtlas der Anatomie. Allgemeine Anatomie und Bewegungssystem. Illustrationen von M. Voll und K. Wesker. 5., vollständig überarbeitete Auflage. Stuttgart: Thieme; 2018)

4.7
Faszien und Muskeln

4.7.1 Fascia thoracolumbalis (FTL)

Anatomie

Kap. 2.7.1, Kap. 3.5.1, Kap. 8.4.1, ▶ Abb. 4.26

Myofasziale Wirkungsketten

Die Fascia thoracolumbalis ist Bestandteil der oberflächlichen Rückenlinie und der Spirallinie, die stützende und dynamische Funktionen haben.

Osteopathische Korrespondenzen

Die FTL umschließt den M. erector spinae und bildet zusammen mit den Dornfortsätzen, Wirbelbögen und dorsalen Rippenanteilen einen osteofibrösen Kanal. Damit hat sie Einfluss auf die Wirbelsäulenkrümmungen und der M. erector spinae hat durch seine Ansätze Einfluss auf die Spannung der FTL (Kap. 2.7.1, Kap. 4.7.3).

Behandlungshinweise

Oberflächliche myofasziale Adhäsionen besonders im lumbosakralen Bereich lassen sich gut mit dem Griff für die Kipplerfalte lösen (oberflächliches Gewebe wird lokal als Hautfalte angehoben).

4.7.2 Autochthone Rückenmuskulatur: Allgemeines

Anatomie

- dazu zählen: M. erector spinae und subokzipitale Muskulatur (kurze Nackenmuskeln)
- liegt der Wirbelsäule direkt auf
- wird vom R. dorsalis des jeweiligen Spinalnerven innerviert
- M. erector spinae kann in einen lateralen und medialen Trakt unterteilt werden
- grundsätzlich dient die Muskulatur dazu, den Rücken und Kopf aufrecht zu halten, den Rumpf zu stabilisieren und sowohl Seitneigung als auch Rotation in der Wirbelsäule zu ermöglichen

Myofasziale Wirkungsketten

Die autochthone Rückenmuskulatur ist Bestandteil der oberflächlichen Rückenlinie und der Spirallinien.

Osteopathische Korrespondenzen

Wenn der gebeugte Rumpf aufgerichtet wird, kontrahiert sich der M. erector spinae kraftvoll. Aber auch beim Gehen wird bei jedem Schritt die Mitarbeit dieses Muskels eingefordert. Er kontrahiert sich immer sehr ausgeprägt auf der Seite des Spielbeins. Auch Bewegungen, die nicht direkt mit der Rumpfbewegung zu tun haben, erfordern die Mitarbeit der Rückenmuskulatur und des faszialen Systems.

Der Kraftschluss des Iliosakralgelenks wird durch den M. erector spinae verstärkt. Eine Anspannung dieses Muskels führt zur Streckung der Wirbelsäule. Die Extensionsbewegung der LWS wirkt auch auf die Stellung des Sakrums, das in Nutation geht. Das heißt, die Sakrumbasis bewegt sich im Verhältnis zur Darmbeinschaufel nach vorne (ventrokaudal), das untere Ende des Sakrums geht mehr nach hinten (dorsokranial) und es kommt u. a. im Lig. sacrotuberale zu einer erhöhten Spannung.

Die Atembewegung ist auch eine wichtige dynamische Kraft für den gesamten Körper. Die Beckenstellung beeinflusst den Raum der Atembewegung. Eine Muskeltonuserhöhung des M. erector spinae und damit auch eine erhöhte Spannung in der Fascia thoracolumbalis kann auch reaktiv durch einen vermehrten kaudalen Zug der inneren Organe in Richtung Becken entstehen (Ptose).

Behandlungshinweise

Die Stellung der LWS beeinflusst die Stabilität (Kraftschluss) des Iliosakralgelenks. Die beteiligten Muskeln und Faszien sind auf ihre möglicherweise eingeschränkte Funktionalität (z. B. Verkürzung, Adhäsionen) zu prüfen.

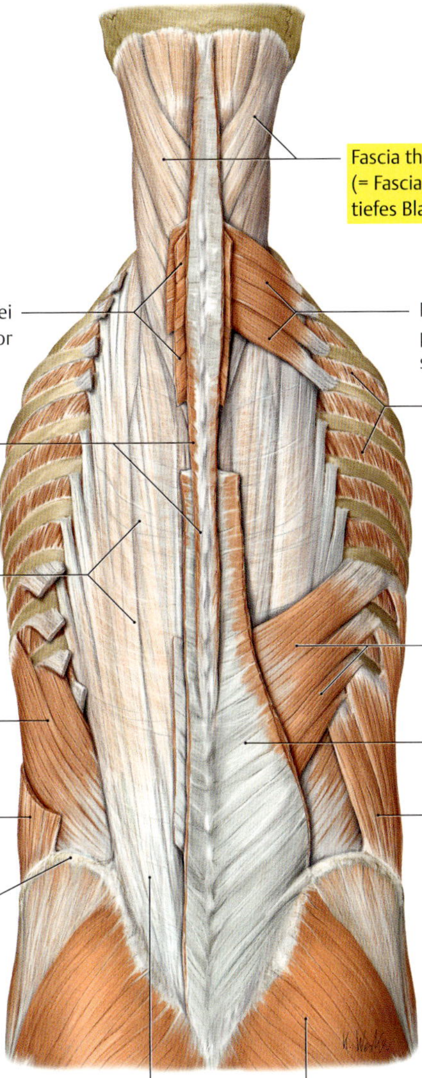

▸ **Abb. 4.26** Verlauf der Fascia thoracolumbalis (Ansicht von dorsal). (aus Schünke M, Schulte E, Schumacher U. Prometheus, LernAtlas der Anatomie. Allgemeine Anatomie und Bewegungssystem. Illustrationen von M. Voll und K. Wesker. 5., vollständig überarbeitete Auflage. Stuttgart: Thieme; 2018)

4.7.3 Autochthone Rückenmuskulatur: lateraler Trakt

Anatomie

- **M. iliocostalis** (▶ Abb. 4.28):
  - **Ursprung:**
    - Pars lumborum: Os sacrum, Crista iliaca, Fascia thoracolumbalis
    - Pars thoracis: 7.–12. Rippe
    - Pars cervicis: 3.–7. Rippe
  - **Ansatz:**
    - Pars lumborum: 6.–12. Rippe, tiefes Blatt der Fascia thoracolumbalis
    - Pars thoracis: 1.–6. Rippe
    - Pars cervicis: Querfortsätze 4.–6. HWK
  - **Innervation:** Rr. dorsales der Spinalnerven
- **M. longissimus**(▶ Abb. 4.28):
  - **Ursprung:**
    - Pars thoracis: Os sacrum, Crista iliaca, Dornfortsätze der LWS, Querfortsätze der unteren BWS
    - Pars cervicis: Querfortsätze 1.–6. BWK
    - Pars capitis: Querfortsätze 1.–3. BWK, Quer- und Gelenkfortsätze 4.–7. HWK
  - **Ansatz:**
    - Pars thoracis: 2.–12. Rippe, Rippenfortsätze der LWS, Querfortsätze der BWK
    - Pars cervicis: Querfortsätze 2.–5. HWK
    - Pars capitis: Proc. mastoideus (Os temporale)
  - **Innervation:** Rr. dorsales der Spinalnerven
- **M. splenius capitis und M. splenius cervicis** (▶ Abb. 4.28):
  - **Ursprung:**
    - Pars cervicis: Dornfortsätze 3.–6. BWK
    - Pars capitis: Dornfortsätze 3. HWK bis 3. BWK
  - **Ansatz:**
    - Pars cervicis: Querfortsätze 1. und 2. HWK
    - Pars capitis: laterale Linea nuchalis superior, Proc. mastoideus
  - **Innervation:** Rr. dorsales der Spinalnerven
  - **Triggerpunkte** (▶ Abb. 4.29):
    - M. splenius capitis: im Muskelbauch etwa auf Höhe des Proc. spinosus des Axis
    - M. splenius cervicis: auf Höhe des Übergangs von der Schulter auf den Nacken, etwas weiter oberhalb davon ein 2. TP nahe dem Muskelansatz auf Höhe HWK2/3
- **Mm. intertransversarii** (▶ Abb. 4.27):
  - **Ursprung und Ansatz:**
    - medialer lumbaler Anteil: zwischen 2 benachbarten Procc. mamillares der LWK
    - lateraler lumbaler Anteil: zwischen 2 benachbarten Procc. costales der LWK
    - hinterer zervikaler Anteil: zwischen 2 benachbarten Tubercula posteriora 2.–7. HWK
    - vorderer zervikaler Anteil: zwischen 2 benachbarten Tubercula anteriora 2.–7. HWK
  - **Innervation:** lateraler lumbaler und vorderer zervikaler Anteil durch Rr. ventrales der Spinalnerven, ansonsten Rr. dorsales der Spinalnerven
- **Mm. levatores costarum** (▶ Abb. 4.27):
  - **Ursprung:** Querfortsätze HWK 7. und 1.–11. BWK
  - **Ansatz:**
    - Pars brevis: Angulus costae der darunterliegenden Rippe
    - Pars longus: Angulus costae der übernächsten Rippe
  - **Innervation:** sowohl Rr. dorsales als auch Rr. ventrales der Spinalnerven
- **Funktion** des lateralen Trakts:
  - bei beidseitiger Kontraktion: Dorsalextension
  - bei einseitiger Kontraktion:
    - Lateralflexion zur ipsilateralen Seite (Mm. iliocostalis, longissimus, splenius, intertransversarii)
    - Rotation zur kontralateralen Seite (Mm. levatores costarum)
    - Rotation zur ipsilateralen Seite (Mm. longissimus capitis [Kopfdrehung], M. splenius capitis)

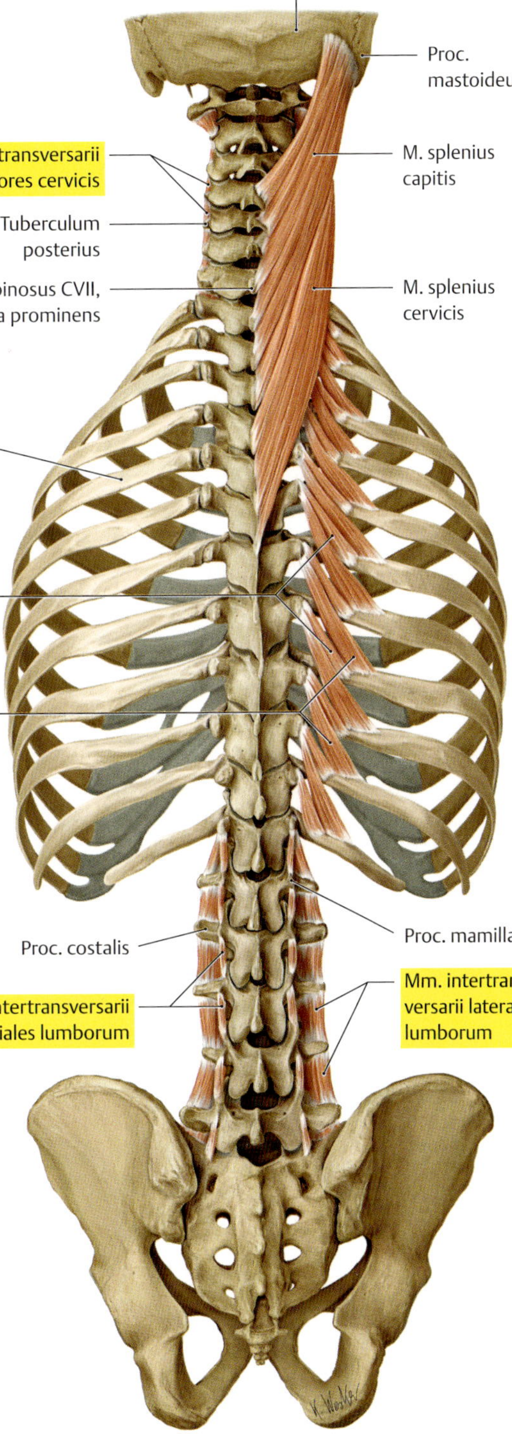

▶ **Abb. 4.27** Lateraler Trakt des M. erector spinae (Ansicht von dorsal). (aus Schünke M, Schulte E, Schumacher U. Prometheus, LernAtlas der Anatomie. Allgemeine Anatomie und Bewegungssystem. Illustrationen von M. Voll und K. Wesker. 5., vollständig überarbeitete Auflage. Stuttgart: Thieme; 2018)

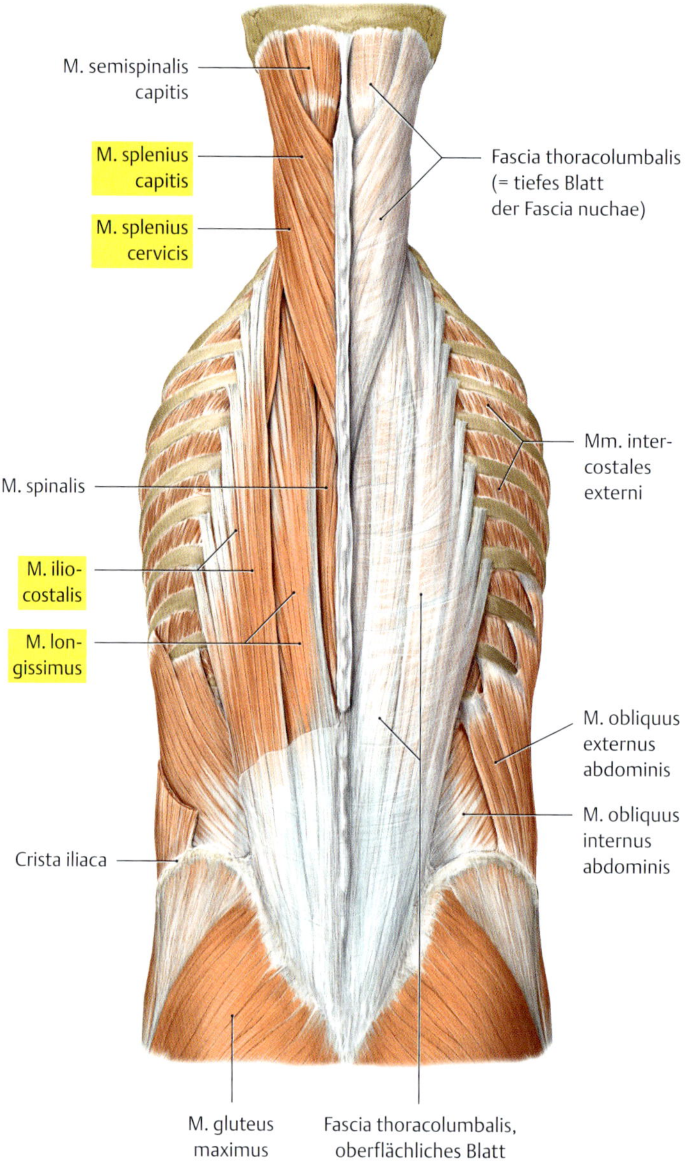

▸ **Abb. 4.28** Lateraler Trakt des M. erector spinae (Ansicht von dorsal). (aus Schünke M, Schulte E, Schumacher U. Prometheus, LernAtlas der Anatomie. Allgemeine Anatomie und Bewegungssystem. Illustrationen von M. Voll und K. Wesker. 5., vollständig überarbeitete Auflage. Stuttgart: Thieme; 2018)

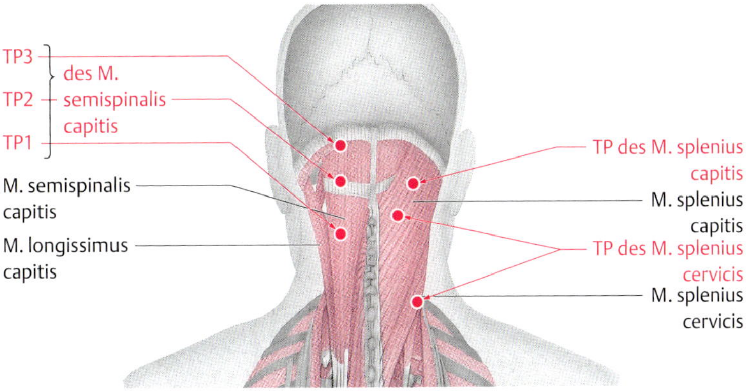

▶ **Abb. 4.29** Triggerpunkte M. semispinalis capitis, M. splenius capitis und M. splenius cervicis. (aus Richter P, Hebgen E. Triggerpunkte und Muskelfunktionsketten. 5. Aufl. Stuttgart: Haug; 2021, nach: Schünke M. Funktionelle Anatomie: Topographie und Funktion des Bewegungssystems. 1. Aufl. Stuttgart: Thieme; 2000)

4.7.4 Autochthone Rückenmuskulatur: medialer Trakt

Anatomie

- **Mm. interspinales** (▸ Abb. 4.31):
  - **Ursprung und Ansatz:**
    - Pars cervicis: zwischen den Dornfortsätzen der HWS
    - Pars lumborum: zwischen den Dornfortsätzen der LWS
- **M. spinalis** (▸ Abb. 4.31):
  - **Ursprung:**
    - Pars thoracis: seitliche Fläche der Dornfortsätze 10.–12. BWK und 1.–3. LWK
    - Pars cervicis: Dornfortsätze 1. sowie 2. BWK und 5.–7. HWK
  - **Ansatz:**
    - seitliche Fläche Dornfortsätze 2.–8. BWK
    - Dornfortsätze 2.–4. HWK
- **Mm. rotatores breves und longi** (▸ Abb. 4.31):
  - **Ursprung und Ansatz:** verlaufen zwischen Querfortsatz und nächsthöherem Dornfortsatz (brevis) bzw. übernächstem Dornfortsatz (longus) der gesamten BWS
- **M. multifidus** (▸ Abb. 4.30):
  - **Ursprung und Ansatz:**
    - verläuft zwischen Querfortsatz und Dornfortsatz, überspringt dabei 2–4 Wirbel
    - vom 2. HWK bis Os sacrum, am stärksten ausgebildet in der LWS

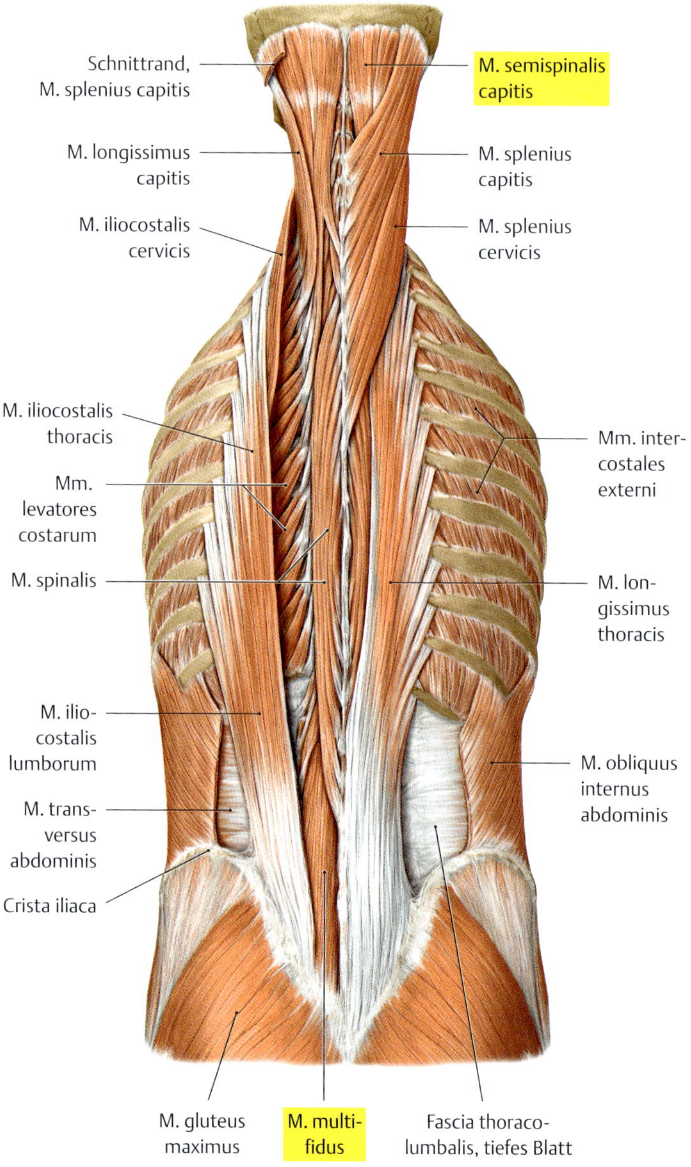

▸ **Abb. 4.30** Medialer Trakt des M. erector spinae (Ansicht von dorsal). (aus Schünke M, Schulte E, Schumacher U. Prometheus, LernAtlas der Anatomie. Allgemeine Anatomie und Bewegungssystem. Illustrationen von M. Voll und K. Wesker. 5., vollständig überarbeitete Auflage. Stuttgart: Thieme; 2018)

- **M. semispinalis** (▶ Abb. 4.30):
  - **Ursprung:**
    - Pars thoracis: Querfortsätze 6.–12. BWK
    - Pars cervicis: Querfortsätze 1.–6. BWK
    - Pars capitis: Querfortsätze 3. HWK bis 6. BWK
  - **Ansatz:**
    - Pars thoracis: Dornfortsätze 6. HWK bis 4. BWK
    - Pars cervicis: Dornfortsätze 2.–7. HWK
    - Pars capitis: Os occipitale (zwischen Linea nuchalis superior und Linea nuchalis inferior)
  - **Triggerpunkte** (▶ Abb. 4.29):
    - TP1 An der Nackenbasis auf Höhe von HWK 4/5
    - TP2 2–4 cm unterhalb des Okziputs
    - TP3 Unmittelbar unterhalb der Linea nuchae superior
- **Innervation:** Rr. dorsales der Spinalnerven
- **Funktion** des medialen Trakts:
  - bei beidseitiger Kontraktion: Dorsalextension
  - bei einseitiger Kontraktion:
    - Lateralflexion zur ipsilateralen Seite (Mm. spinalis, multifidus, semispinalis)
    - Rotation zur kontralateralen Seite (Mm. rotatores, multifidus, semispinalis)

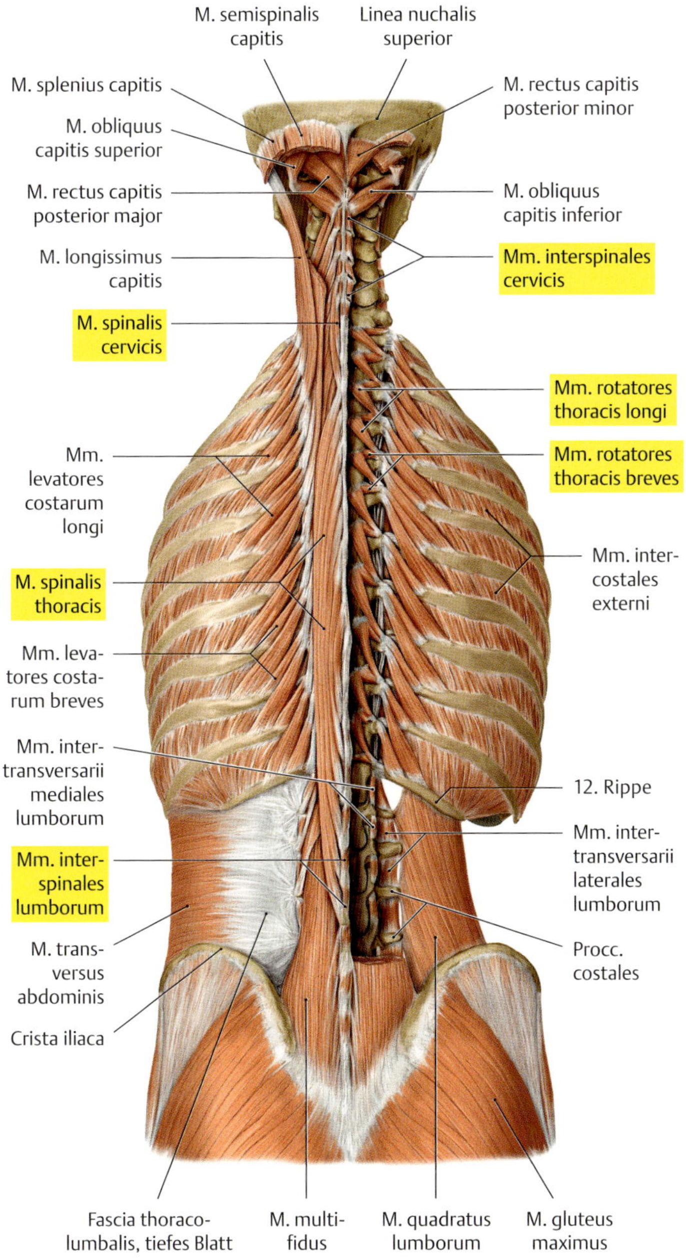

▶ **Abb. 4.31** Medialer Trakt des M. erector spinae (Ansicht von dorsal). (aus Schünke M, Schulte E, Schumacher U. Prometheus, LernAtlas der Anatomie. Allgemeine Anatomie und Bewegungssystem. Illustrationen von M. Voll und K. Wesker. 5., vollständig überarbeitete Auflage. Stuttgart: Thieme; 2018)

4.7.5 Subokzipitale Muskulatur

Anatomie

▶ Abb. 4.32

- **M. rectus capitis posterior major:**
  - **Ursprung:** Proc. spinosus HWK2
  - **Ansatz:** äußere Hälfte der Linea nuchae inferior
  - **Funktion:** Extension des Kopfs und ipsilaterale Rotation im Atlantookzipitalgelenk
  - **Triggerpunkte** (▶ Abb. 4.34): allgemeine Spannung im Muskelbauch (kein TP)
- **M. rectus capitis posterior minor:**
  - **Ursprung:** Tuberculum posterius atlantis
  - **Ansatz:** mediale Hälfte der Linea nuchae inferior
  - **Funktion:** Extension des Kopfs
- **M. obliquus capitis inferior:**
  - **Ursprung:** Proc. spinosus HWK2
  - **Ansatz:** Massa lateralis atlantis
  - **Funktion:** ipsilaterale Rotation im Atlantoaxialgelenk
  - **Triggerpunkte** (▶ Abb. 4.34): allgemeine Spannung im Muskelbauch (kein TP)
- **M. obliquus capitis superior:**
  - **Ursprung:** Massa lateralis atlantis
  - **Ansatz:** laterale Hälfte der Linea nuchae inferior
  - **Funktion:** Seitneigung des Kopfs
- **Innervation:** N. suboccipitalis (Kap. 1.5.3)

Osteopathische Korrespondenzen

Die subokzipitale Region ist umfangreich propriozeptiv versorgt. Tonusänderungen dieser Muskulatur können sich nachhaltig auf die Körperhaltung auswirken, insbesondere auf die Kopfhaltung und die intrakranialen Membranen. Dysfunktionen in diesem Bereich können z. B. negativ das audiovestibuläre, visuelle und kraniomandibuläre System beeinflussen. Umgekehrt haben diese Systeme auch einen Einfluss auf die OAA.

Das Os hyoideum steht mit seiner suprahyoidalen Muskulatur mit der OAA in Verbindung. Der Schluckakt und auch die Zungenbewegungen stehen in Wechselbeziehung mit der subokzipitalen Muskulatur. Die Dura mater spinalis ist im Bereich C 0–C 2 angeheftet und steht bindegewebig u. a. mit dem M. rectus capitis posterior minor in Verbindung.

4.7.6 Prävertebrale Halsmuskulatur

Anatomie

▶ Abb. 4.33

- **M. longus capitis:**
  - **Ursprung:** 3.–6. HWK, Tubercula anteriora der Querfortsätze
  - **Ansatz:** Pars basilaris des Os occipitale
  - **Funktion:**
    - einseitige Kontraktion: überwiegend Lateralflexion, geringfügig homolaterale Rotation
    - beidseitige Kontraktion: Ventralflexion des Kopfes
  - **Innervation:** direkte Äste aus Plexus cervicalis (C 1–C 4)
- **M. longus colli (cervicis):**
  - **Ursprung:**
    - Pars recta: 5.–7. HWK, 1.–3. BWK und gemeinsam mit M. rectus capitis anterior
    - Pars obliqua inferior: 1.–3. BWK
    - Pars obliqua superior: Querfortsätze (Tubercula anteriora) 3.–5. HWK
  - **Ansatz:**
    - 2. – 4. HWK
    - Atlas (Tuberculum anterius)
    - 5. und 6. HWK (Tubercula anteriora)
  - **Funktion:**
    - einseitige Kontraktion: homolaterale Lateralflexion und Rotation
    - beidseitige Kontraktion: unterstützt Flexion der HWS, stabilisiert HWS in aufrechter Position
  - **Innervation**: direkte Äste aus dem Plexus cervicalis (C 2–C 6)

Myofasziale Wirkungsketten

Die prävertebrale Muskulatur ist Bestandteil der tiefen Frontallinie.

Osteopathische Korrespondenzen

Die ligamentäre Anheftung des Duodenums über das Lig. von Treitz an der Wirbelsäule stellt eine Verbindung über das Lig. longitudinale anterius zur Lamina praevertebralis dar. Eine Delordosierung der HWS kann über die fasziale Verbindung möglich sein, wenn es zu einer Darmptose kommt und sich die prävertebrale Halsmuskulatur anspannt.

Behandlungshinweise

Um die möglichen mechanischen Funktionszusammenhänge der einzelnen Wirbelbewegungen zu erklären, hat man verschiedene Erklärungsmodelle entwickelt. Das bekannteste, um das biomechanische Verhalten einzelner Wirbel und ihre Position in Flexion bzw. Extension und Neutralposition gegenüber den darunterliegenden Wirbeln zu erklären, sind die Gesetze von Fryette. Sie lauten:

- **1. Gesetz:** Wenn Wirbelsäulensegmente in neutraler Position stehen, wird eine Seitneigung des Wirbels von einer Rotation zur Gegenseite begleitet.
- **2. Gesetz:** Wenn Wirbelsäulensegmente endgradig in Flexion oder Extension stehen, erfolgen Seitneigung und Rotation zur gleichen Seite.
- **3. Gesetz:** Je nachdem, in welcher Ebene (Flexion/Extension, Rotation oder Seitneigung) eine Bewegung beginnt, reduziert dies die Beweglichkeit in Rotation und Seitneigung.

Für das praktische Arbeiten und im Wissen um die individuelle Ausgestaltung der anatomischen Strukturen ist die funktionelle klinische Untersuchung und Palpation gegenüber allen standardisierten Gesetzmäßigkeiten vorrangig. Denn es handelt sich um ein theoretisches Erklärungsmodell.

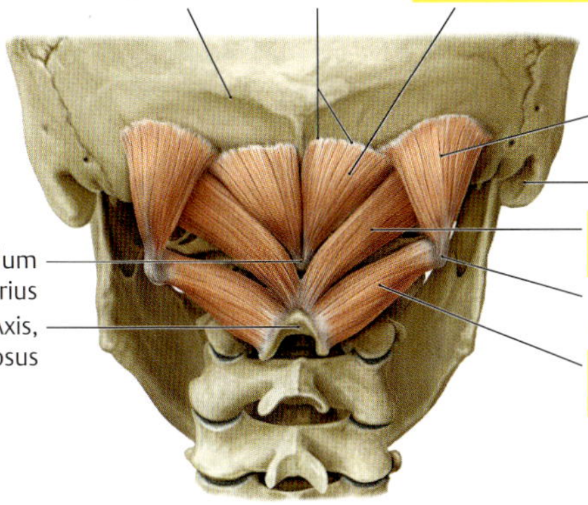

▶ **Abb. 4.32** Subokzipitale Muskulatur (Ansicht von dorsal). (aus Schünke M, Schulte E, Schumacher U. Prometheus, LernAtlas der Anatomie. Allgemeine Anatomie und Bewegungssystem. Illustrationen von M. Voll und K. Wesker. 5., vollständig überarbeitete Auflage. Stuttgart: Thieme; 2018)

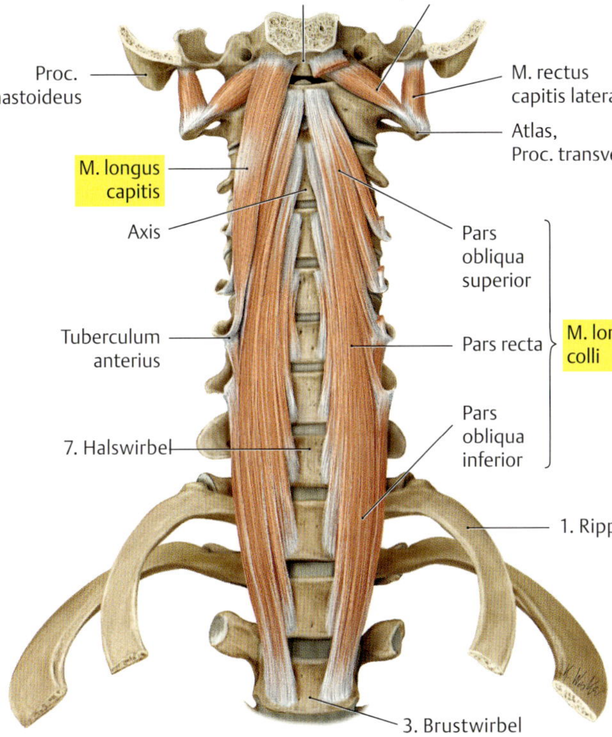

▶ **Abb. 4.33** Prävertebrale Muskulatur (Ansicht von ventral). (aus Schünke M, Schulte E, Schumacher U. Prometheus, LernAtlas der Anatomie. Allgemeine Anatomie und Bewegungssystem. Illustrationen von M. Voll und K. Wesker. 5., vollständig überarbeitete Auflage. Stuttgart: Thieme; 2018)

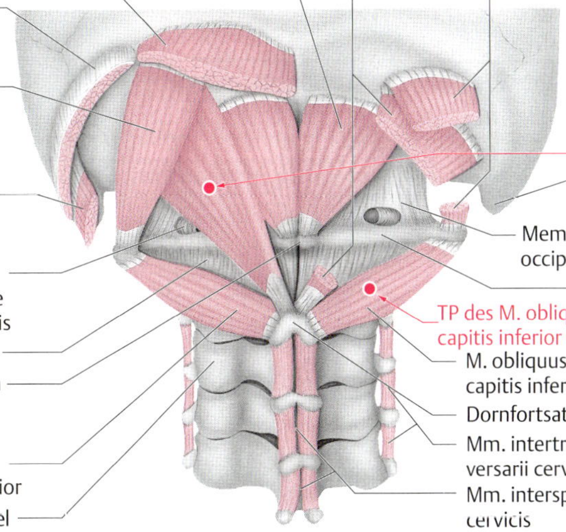

▶ **Abb. 4.34** Triggerpunkte M. rectus capitis posterior major und M. obliquus capitis inferior. (aus Richter P, Hebgen E. Triggerpunkte und Muskelfunktionsketten. 5. Aufl. Stuttgart: Haug; 2021, nach: Schünke M. Funktionelle Anatomie: Topographie und Funktion des Bewegungssystems. 1. Aufl. Stuttgart: Thieme; 2000)

4.8 Nerven und Gefäße

4.8.1 Rückenmark (Medulla spinalis) und Spinalnerven

Anatomie

- im Wirbelkanal befindet sich das Rückenmark
- es reicht ca. bis LWK2, endet dort mit dem Conus medullaris und setzt sich dann als Cauda equina bis zum Ende des Canalis sacralis fort
- umhüllt ist das Rückenmark von den Rückenmarkshäuten
- aus dem Rückenmark zweigt auf Höhe eines jeden Foramen intervertebrale ein Spinalnerv (N. spinalis) ab, der aus einer vorderen (Radix anterior) und einer hinteren Nervenwurzel (Radix posterior) besteht
- die Spinalnerven versorgen die Rumpfwand sensibel und motorisch (▶ **Abb. 4.35**)
- **Äste eines Spinalnervs**, nachdem er den Wirbelkanal verlassen hat (▶ **Abb. 4.35**):
  - R. dorsalis (posterior): versorgt sensibel die Haut der Rückseite von Kopf, Hals, Rücken im Bereich der autochthonen Muskulatur und des Gesäßes, motorisch den M. erector spinae
  - R. ventralis (anterior): versorgt sensibel über die Nn. intercostales die Haut im seitlichen und ventralen Rumpfbereich, über Plexus cervicalis, brachialis und lumbosacralis den Bereich der oberen und unteren Extremitäten und motorisch die gesamte somatische Muskulatur (mit Ausnahme der autochthonen Muskeln)
  - R. meningeus (recurrens): nach seiner Abzweigung vom Spinalnerv verläuft er zurück zum Foramen intervertebrale und zweigt sich im Rückenmarkskanal auf; gemischter Nerv, entstammt einer somatischen Wurzel des R. ventralis und einer autonomen (sympathischen) Wurzel des R. communicans griseus; wirkt segmentüberlappend und versorgt Rückenmarkshäute, Periost, Bandapparat der Wirbelsäule (v. a. auch Lig. longitudinale posterius und äußere Ränder des Anulus fibrosus) und Gelenkkapseln der kleinen Wirbelgelenke
  - R. communicans albus: führt präganglionäre Fasern (markhaltige, daher weiß) vom Rückenmark über den Spinalnerv zum sympathischen Grenzstrang (Truncus sympathicus)
  - R. communicans griseus: führt postganglionäre Fasern (markarme, daher grau) vom sympathischen Grenzstrang über den Spinalnerv zum Rückenmark
- eigentlich sind R. communicans albus und R. communicans griseus Äste des Truncus sympathicus, die teilweise parallel zum N. spinalis verlaufen
- Plexus cervicalis (C 1–C 4): liegt lateral der HWS unter dem M. sternocleidomastoideus, gelangt in das seitliche Halsdreieck zwischen Mm. scaleni und M. levator scapulae, bildet die Ansa cervicalis profunda, versorgt motorisch infrahyoidale Muskeln und Zwerchfell, sensibel den Hals und angrenzend Teile der Schulter- und Kopfregion (Kap. 5.2.6)
- Plexus brachialis ([C 4], C 5–C 8/Th 1 [Th 2]): liegt tief im seitlichen Halsdreieck, zieht durch die Skalenuslücke, bildet primäre Stämme (Trunci) und dann sekundäre Bündel (Fasciculi), versorgt motorisch Schultergürtel und Armmuskulatur, sensibel Arm und Hand (Kap. 5.3.6)
- Plexus lumbalis, Plexus sacralis (Th 12/L 1–S 3):
  - Plexus lumbalis: liegt dorsal, teilweise innerhalb des M. psoas major, versorgt motorisch die rückwärtige Bauchmuskulatur (M. quadratus lumborum), Mm. intercostales lumborum, Hüftbeugemuskeln, Adduktoren des Oberschenkels, Kniestrecker, sensibel die Haut der tiefen kaudalen Bauchwand oberhalb des Leistenbands, äußeren Genitalbereich und ventrale Haut des Oberschenkels bis zum medialen Unterschenkel (Kap. 8.6)
  - Plexus sacralis: liegt ventral des Os sacrum, versorgt motorisch Beckenbodenmuskulatur, pelvitrochantäre, ischiokrurale Muskeln, Unterschenkelstrecker- und -beuger, plantare Fußmuskeln, sensibel kaudalen Gesäßbereich, Ober- und Unterschenkelrückseite, Großzehenbereich, Fußrücken, lateralen Fußrand und Fußsohle (Kap. 8.6)

Osteopathische Korrespondenzen

Die komplexe nervale Verschaltung des N. meningeus und sein enger Bezug zum Foramen intervertebrale sind insbesondere bei Dysfunktionen in den Wirbelsäulensegmenten, die mit einer gestörten Kinematik einhergehen, zu beachten. Komplexe Schmerzsymptome müssen nicht immer ein radikuläres Problem sein, das durch einen Bandscheibenprolaps ausgelöst wird.

Dysfunktionen im Bereich der HWS können vielfältige Symptome provozieren, die sich über die folgenden Korrespondenzen erklären lassen. C 0–C 1 steht mit den Hirnnerven N. glossopharyngeus, N. vagus, N. accessorius und N. hypoglossus in Verbindung. Die zervikalen Nervenkerne des N. trigeminus befinden sich auf Höhe von C 1–C 3. C 1–C 3 sind Austrittsbereich von N. occipitalis major, N. occipitalis minor und N. auricularis magnus. Die zervikalen Halsganglien des Grenzstrangs können durch Wirbeldysfunktionen irritiert werden (Kap. 1.4.5, Kap. 4.9.6).

Über der N. phrenicus (C 3–C 5) besteht eine Verbindung zwischen HWS mit dem Perikard, der Pleura parietalis (Pars diaphragmatica), dem Diaphragma abdominale und dem Peritoneum der Oberbauchorgane (Kap. 5.3.3, Kap. 11.1.4, ▶ **Abb. 4.36**).

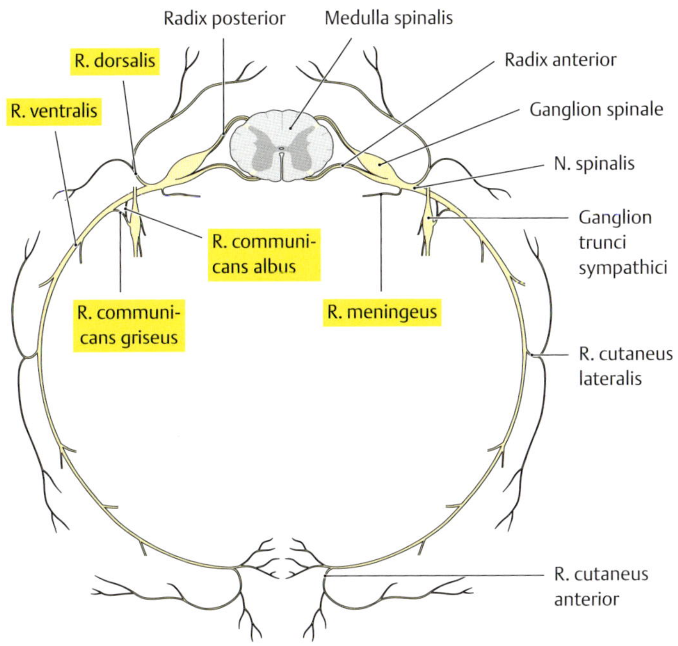

▸ **Abb. 4.35** Äste eines Spinalnervs (Ansicht von kranial). (aus Schünke M, Schulte E, Schumacher U. Prometheus, LernAtlas der Anatomie. Allgemeine Anatomie und Bewegungssystem. Illustrationen von M. Voll und K. Wesker. 5., vollständig überarbeitete Auflage. Stuttgart: Thieme; 2018)

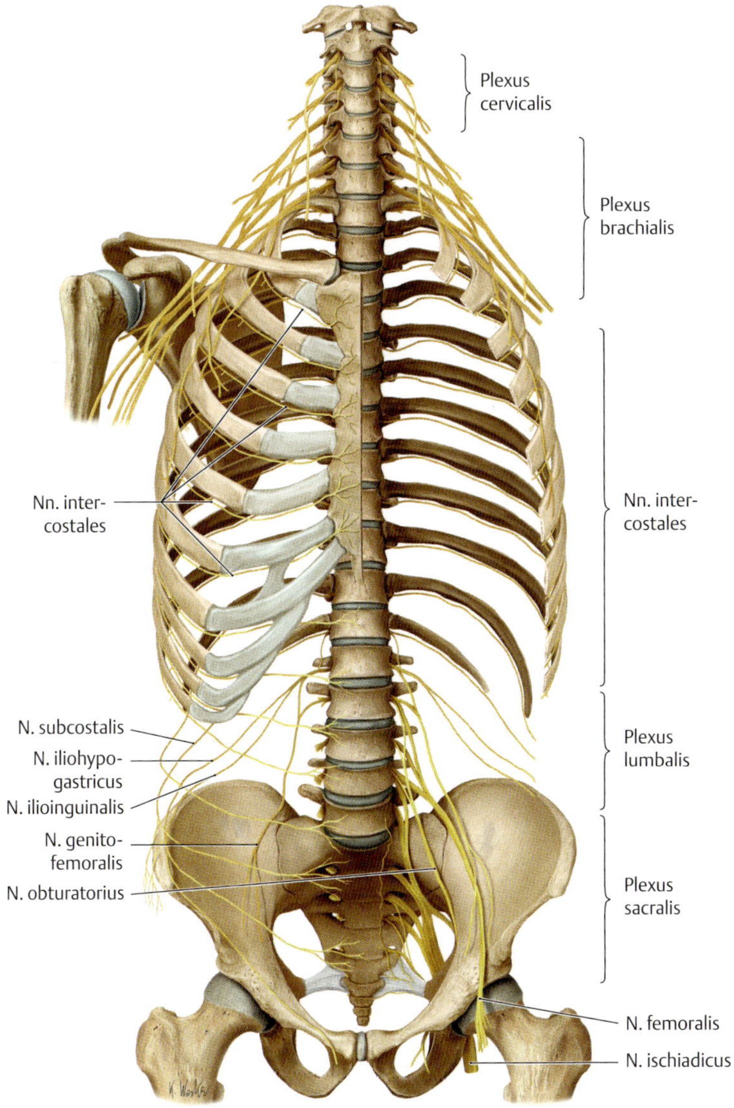

▸ **Abb. 4.36** Nerven der Rumpfwand (Ansicht von ventral). (aus Schünke M, Schulte E, Schumacher U. Prometheus, LernAtlas der Anatomie. Allgemeine Anatomie und Bewegungssystem. Illustrationen von M. Voll und K. Wesker. 5., vollständig überarbeitete Auflage. Stuttgart: Thieme; 2018)

4.8.2 Arterien

Anatomie

- arterielle Versorgung der Wirbelsäule (▶ Abb. 4.39):
  - HWS: A. subclavia
  - BWS: Aa. intercostales posteriores aus der Aorta
  - LWS: 4 paarige Aa. lumbales, die in der Regel direkt aus der Aorta abdominalis stammen (Höhe LWK 1–4); die 4 paarigen Lumbalarterien verlaufen beidseits hinter dem M. psoas major, die oberen beiden Arterien kreuzen die ipsilaterale Crus des Zwerchfells; es existieren zahlreiche Anastomosen (z. B. mit der A. epigastrica inferior, A. circumflexa ilium profunda oder A. iliolumbalis)
- jede A. intercostalis posterior verläuft dann in Richtung Foramen intervertebrale und gibt auf diesem Wege kleine Äste ab (▶ Abb. 4.37, ▶ Abb. 4.38):
  - primäre periostale und äquatoriale Arterien, die den Wirbelkörper versorgen
  - R. dorsalis: versorgt paravertebrale Muskulatur und Haut
  - R. spinalis: tritt durch das Foramen intervertebrale in den Wirbelkanal und zweigt sich dort in terminale Seitenäste auf:
    - R. canalis spinalis anterior und R. canalis spinalis posterior: bildet anastomotisches Netzwerk, das an der knöchernen Hülle des Spinalkanals liegt
    - R. radicularis anterior und R. radicularis posterior: versorgen die neurologischen Strukturen des Spinalkanals
- kaudaler Teil der Medulla spinalis wird durch die A. radicularis magna (Adamkiewicz-Arterie) versorgt

Osteopathische Korrespondenzen

Zirkulatorische Techniken über den Bauchraum können die arterielle Versorgung der Wirbelsäule positiv beeinflussen.

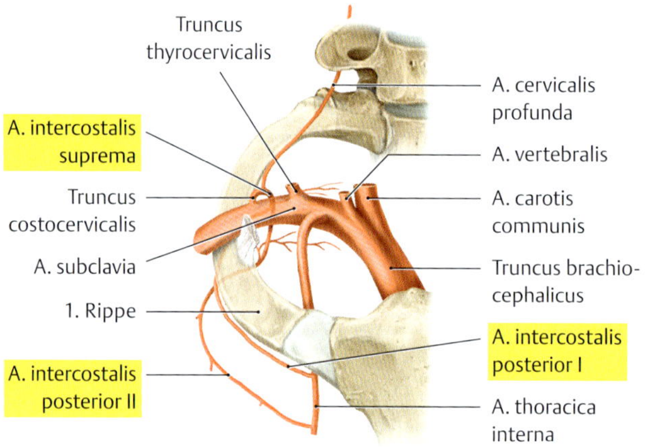

▶ **Abb. 4.37** Die Aa. intercostales posteriores I und II entspringen der A. intercostalis suprema (aus der A. subclavia) (Ansicht von ventral). (aus Schünke M, Schulte E, Schumacher U. Prometheus, LernAtlas der Anatomie. Allgemeine Anatomie und Bewegungssystem. Illustrationen von M. Voll und K. Wesker. 5., vollständig überarbeitete Auflage. Stuttgart: Thieme; 2018)

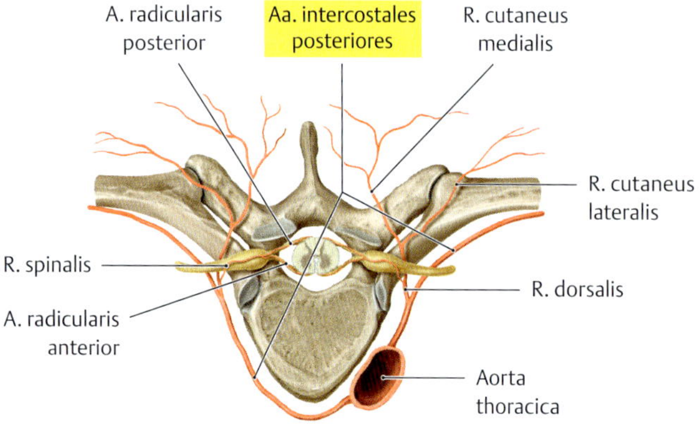

▶ **Abb. 4.38** Äste der Aa. intercostales posteriores (Ansicht von kranial). (aus Schünke M, Schulte E, Schumacher U. Prometheus, LernAtlas der Anatomie. Allgemeine Anatomie und Bewegungssystem. Illustrationen von M. Voll und K. Wesker. 5., vollständig überarbeitete Auflage. Stuttgart: Thieme; 2018)

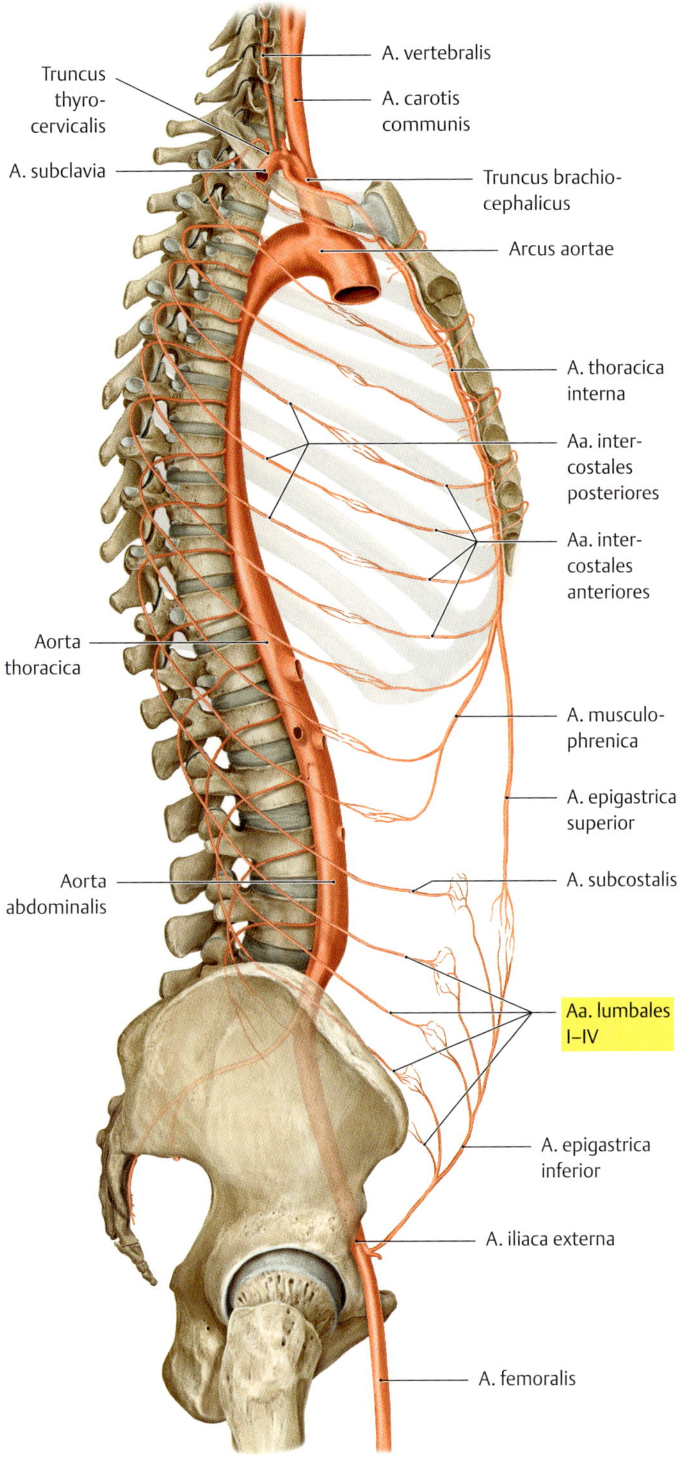

▸ **Abb. 4.39** Arterielle Versorgung der Wirbelsäule (Ansicht von rechts). (aus Schünke M, Schulte E, Schumacher U. Prometheus, LernAtlas der Anatomie. Allgemeine Anatomie und Bewegungssystem. Illustrationen von M. Voll und K. Wesker. 5., vollständig überarbeitete Auflage. Stuttgart: Thieme; 2018)

4.8.3 Venen

Anatomie

- 4 paarige Vv. lumbales (▸ Abb. 4.41):
  - drainieren in die V. lumbalis ascendens und V. cava inferior: Vv. lumbales I und II in V. cava inferior, V. lumbalis ascendens oder V. azygos, Vv. lumbalis II und III i. d. R. direkt in V. cava inferior
  - stehen mit V. epigastrica und Plexus venosus vertebralis in Verbindung
- Plexus venosus vertebralis besteht aus Plexus venosus vertebralis externus, Plexus venosus vertebralis internus und Vv. medullae spinales
- Venenplexus der Wirbelsäule (▸ Abb. 4.40) besteht aus klappenlosen Venen
- Plexus venosus vertebralis externus:
  - anteriorer Teil um den Wirbelkörper herum
  - posteriorer Teil an der Außenseite des Dornfortsatzes
- Plexus venosus vertebralis internus:
  - liegt im Canalis spinalis
  - besteht aus einem anterioren und einem posterioren Teil, die longitudinal und über transversale ringförmige Gefäßstrukturen miteinander verbunden sind
  - mit Vv. medullae spinales und Vv. radiculares anteriores et posteriores verbunden
- Vv. basivertebrales bilden transversale Verbindung zwischen Plexus venosus vertebralis externus anterior und Plexus venosus vertebralis internus anterior
- Vv. intervertebrales stellen Verbindung zwischen Plexus venosus vertebralis internus et externus sowie Vv. medullae spinales her; stehen in direkter Verbindung mit V. lumbalis

Osteopathische Korrespondenzen

Die longitudinale Ausrichtung des Venenplexus der Wirbelsäule gibt den Hinweis, dass eine venöse Verbindung zwischen Becken und Sinus duralis (venöse Blutleiter der hinteren Schädelgrube) besteht. Hier ist das V.-cava-System nicht eingebunden.

Der Durchmesser des Foramen intervertebrale ändert sich bei Bewegungen der Wirbelsäule. Bei Extensionsbewegungen verkleinert sich der Durchmesser und das Blut wird aus den Plexus vertebrales herausgedrückt. Bei Flexionsbewegungen entsteht ein Sog. Somit hat die Bewegung der Wirbelsäule eine Art Pumpenfunktion für die venöse Versorgung der Wirbelsäule. Sind die Bewegungen der Wirbelsäule eingeschränkt, sei es durch eine gestörte Kinematik im einzelnen Wirbelsegmenten (Dysfunktion) oder durch Bewegungsmangel insgesamt, könnte u. a. die Zirkulation des venösen Blutes vermindert sein und dadurch eine reduzierte Drainage des umliegenden Gewebes entstehen.

Bei Entzündungsprozessen im Weichteilgewebe oder auch an knöchernen Strukturen treten vermehrt lokale Ödeme auf. Die Drainage der lokalen Entzündungsmediatoren (z. B. Histamin, Bradykinin) ist für den Heilungsprozess aber sehr wichtig.

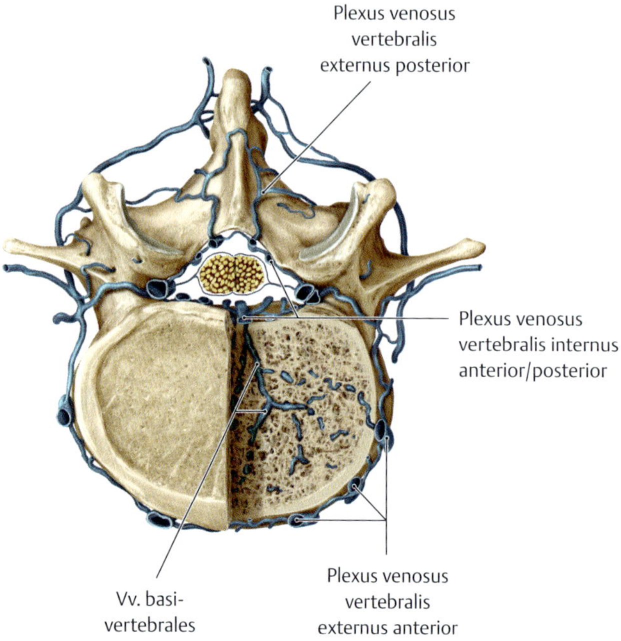

▸ **Abb. 4.40** Venenplexus des Wirbelkanals (Ansicht von kranial). (aus Schünke M, Schulte E, Schumacher U. Prometheus, LernAtlas der Anatomie. Allgemeine Anatomie und Bewegungssystem. Illustrationen von M. Voll und K. Wesker. 5., vollständig überarbeitete Auflage. Stuttgart: Thieme; 2018)

Es bestehen Verbindungen zwischen dem Plexus venosus vertebralis und den Sinus venosi durales sowie dem Venengeflecht um die Schädelbasis. Abflussstörungen können durch Dysfunktionen im supraklavikulären Bereich entstehen. Die V. jugularis kann durch Dysfunktionen in der subokzipitalen Muskulatur oder durch artikuläre Dysfunktionen von C 0 oder C 1 beeinträchtigt werden.

Speziell bei LWS-Beschwerden ist an die Vaskularisation zu denken. Denn die Komplexität der venösen Plexus vertebrales lässt den Schluss zu, dass durch Anastomosen mit dem Verdauungssystem Schmerzsymptome der LWS nicht unbedingt einen rein neurologischen oder biomechanischen Hintergrund haben müssen.

In diesem Zusammenhang ist immer wieder an die große zirkulatorische Bedeutung des Zwerchfells zu denken. Die wechselnden intrathorakalen und intraabdominalen Drücke sind wichtige physikalische Kräfte, die für die Funktionalität des vaskulären System wichtig sind.

Behandlungshinweise

Möglich ist, dass kraniale Techniken zur Drainage der venösen Blutleiter einen Einfluss auf das gesamte venöse Entsorgungsgebiet des Plexus vertebralis internus haben können.

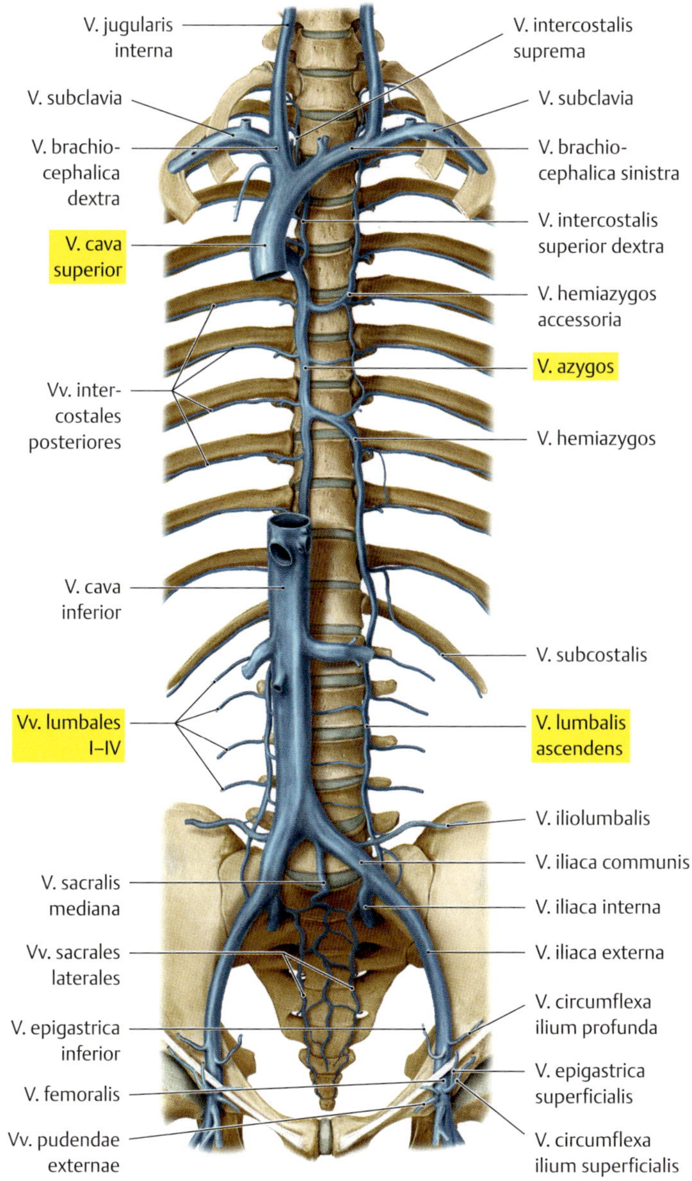

▸ **Abb. 4.41** Venöse Drainage der Wirbelsäule (Ansicht von ventral). (aus Schünke M, Schulte E, Schumacher U. Prometheus, Lern-Atlas der Anatomie. Allgemeine Anatomie und Bewegungssystem. Illustrationen von M. Voll und K. Wesker. 5., vollständig überarbeitete Auflage. Stuttgart: Thieme; 2018)

4.9 Dermatom, Myotom, Sklerotom, Viszerotom

4.9.1 Segment

In der Embryonalentwicklung findet durch die Aussprossung der Extremitätenknospen, welche die Spinalnerven hinter sich herziehen, eine segmentale Innervation statt. Die beteiligten Segmente werden durch das Wachstum entsprechend verlagert.

Als Segment bezeichnet man also ein **Versorgungsgebiet eines Spinalnervs** in den Bereichen Haut (Dermatom), Knochen (Sklerotom), Muskulatur (Myotom) und innere Organe (Viszerotom) (▸ Abb. 4.42). Alle diese Bestandteile stehen nerval miteinander in Verbindung. Die Erkrankung eines Organs, z. B. des Herzens, kann dadurch Schmerzen im Bereich der segmental zugehörigen Hautregion, den Muskeln und Knochen verursachen. Für die Diagnostik und Behandlung können so wichtige Hinweise für die osteopathische Therapie gewonnen werden.

4.9.2 Dermatom

Ein Hautareal, das von der Radix dorsalis (hintere Spinalnervenwurzel) sensibel innerviert wird, wird als Dermatom bezeichnet (▸ Abb. 4.43, ▸ Abb. 4.44). Im Rumpfbereich sind die Dermatome eindeutig gegliedert. In den Extremitäten zeigen sich bedingt durch die Bildung der Plexus brachialis, lumbalis und sacralis Verschiebungen der Segmente.

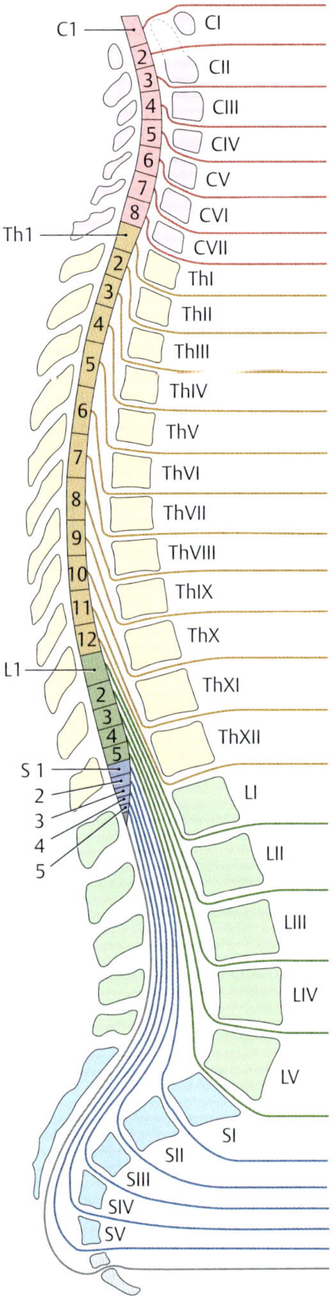

▸ **Abb. 4.42** Lage und Einteilung der Rückenmarkssegmente in Bezug auf den Wirbelkanal (Ansicht von rechts). (aus Schünke M, Schulte E, Schumacher U. Prometheus, LernAtlas der Anatomie. Allgemeine Anatomie und Bewegungssystem. Illustrationen von M. Voll und K. Wesker. 5., vollständig überarbeitete Auflage. Stuttgart: Thieme; 2018)

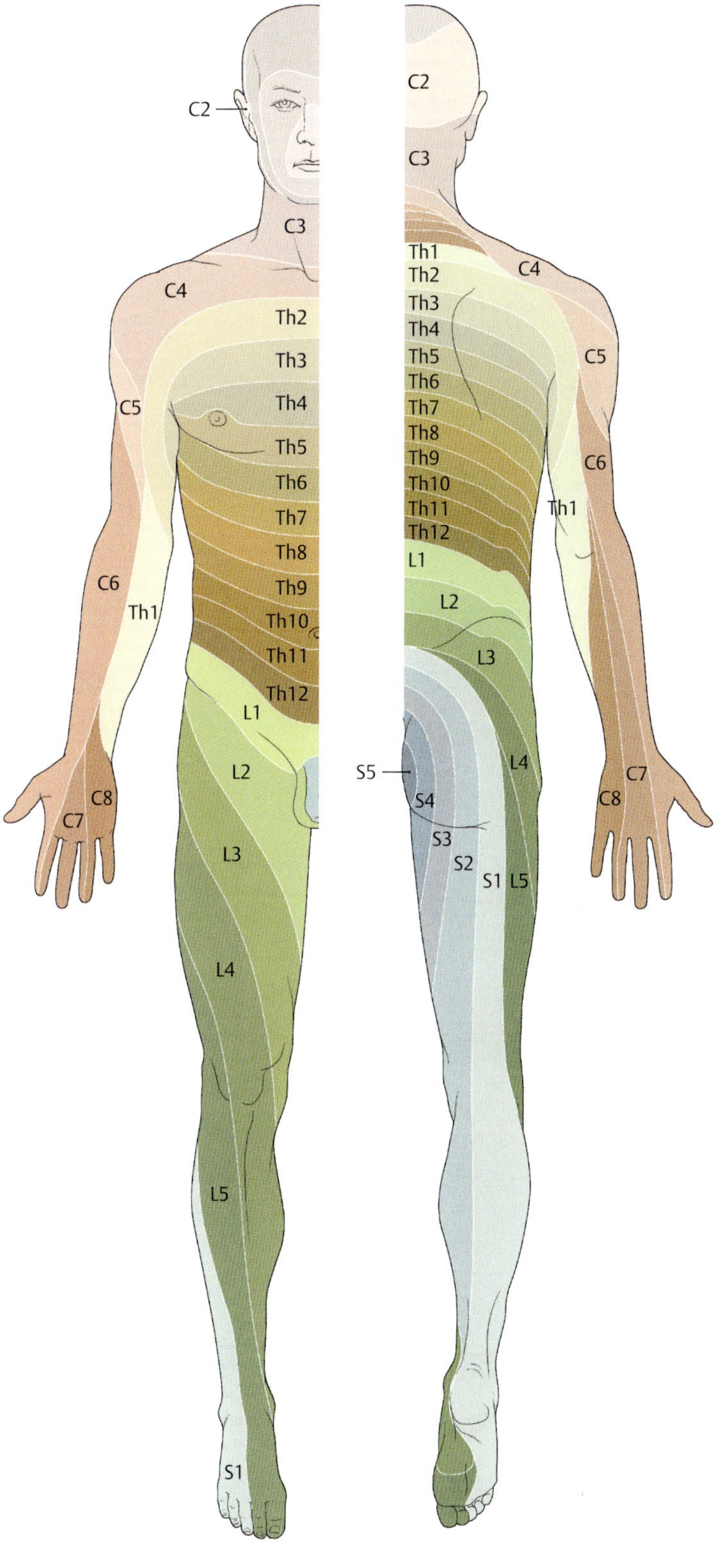

▸ **Abb. 4.43** Schema der segmentalen sensiblen Innervation. (aus Schünke M, Schulte E, Schumacher U. Prometheus, LernAtlas der Anatomie. Allgemeine Anatomie und Bewegungssystem. Illustrationen von M. Voll und K. Wesker. 5., vollständig überarbeitete Auflage. Stuttgart: Thieme; 2018)

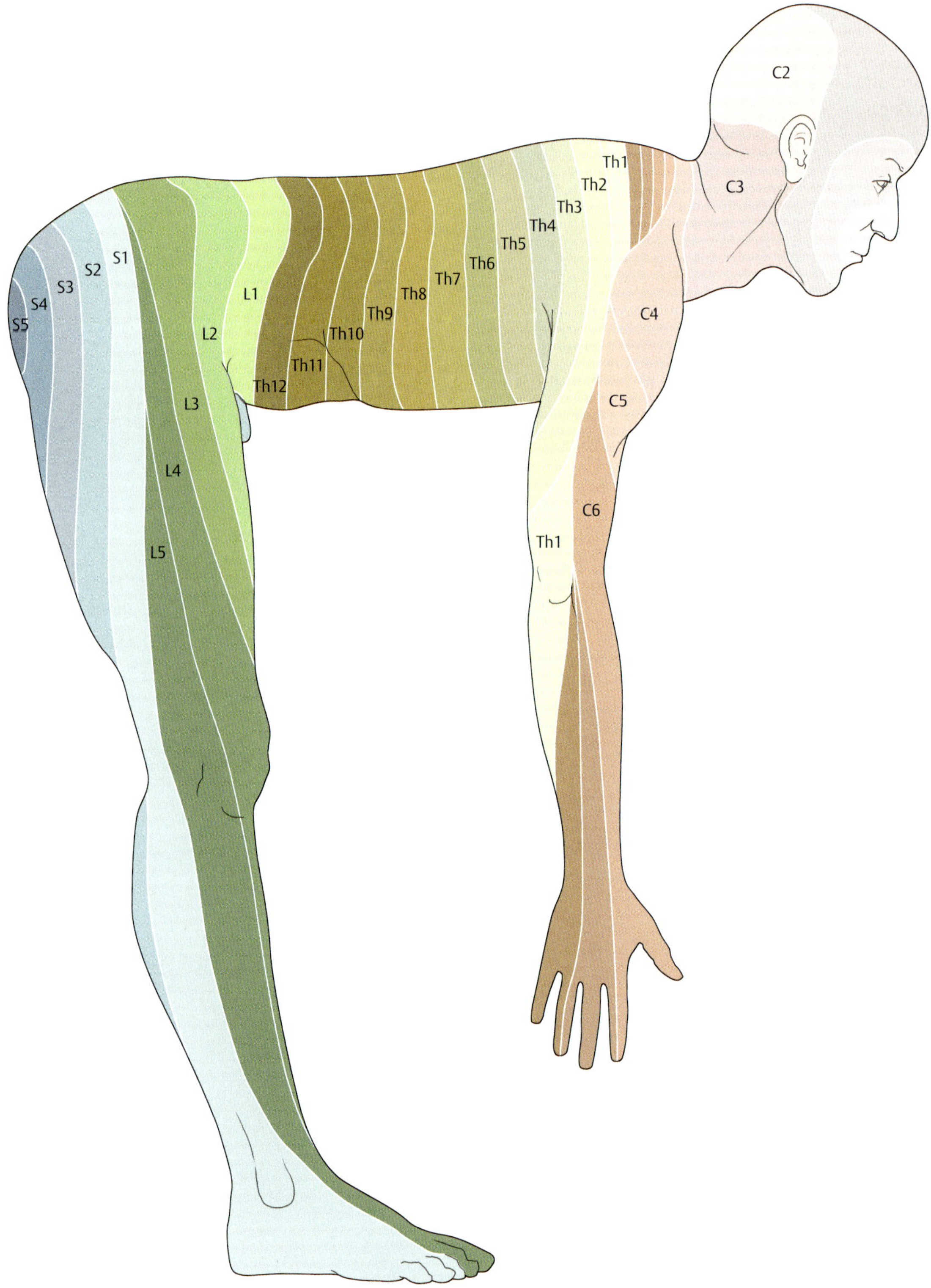

▸ **Abb. 4.44** (aus Schünke M, Schulte E, Schumacher U. Prometheus, LernAtlas der Anatomie. Allgemeine Anatomie und Bewegungssystem. Illustrationen von M. Voll und K. Wesker. 5., vollständig überarbeitete Auflage. Stuttgart: Thieme; 2018)

4.9.3 Myotom

Der Spinalnerv gibt auf seinem Weg vom Rückenmark zum Dermatom Nervenäste ab, die den zugehörigen Muskel innervieren. Ein Myotom ist demnach ein vom Spinalnerv versorgter quergestreifter Muskel. Nicht selten wird ein Muskel aus mehreren Segmenten, d. h. von mehreren Spinalnerven, innerviert (z. B. M. deltoideus aus C4, C5, C6). ▶ **Tab. 4.1** gibt eine Übersicht, welche segmentalen Störungen typische motorische Ausfälle verursachen können.

▶ **Tab. 4.1** Muskuläre Ausfallerscheinungen bei segmentalen Störungen

Betroffenes Segment	Ausfallerscheinung	Vorwiegend beteiligter Muskel
C3–C5	Inspiration	Diaphragma abdominale
C5	Abduktion Schultergelenk	M. deltoideus
C5–C6	Flexion Ellenbogen	M. biceps brachii, M. brachialis
C6–C7	Dorsalextension Handgelenk	Mm. extensores carpi radialis longus und brevis
C7–C8	Extension Ellenbogengelenk	M. triceps brachii
C8	Flexion Fingergelenke	Mm. flexores digitorum superficialis und profundus
C8/Th1	Ab- und Adduktion Finger	Mm. interossei
L2–L3	Adduktion Hüftgelenk	Adduktoren
L3/L4	Extension Kniegelenk	M. quadriceps femoris
L4/L5	Dorsalextension Fuß	M. tibialis anterior
L5/S1	Dorsalextension Großzehe	M. extensor hallucis longus
S1/S2	Plantarflexion Fuß	M. triceps surae
S2–S3	Schließmuskel Anus	M. sphincter ani externus

4.9.4 Sklerotom

Die von einem Spinalnerv innervierte Region am Knochen (Periost) wird Sklerotom genannt. Sie kann auch im Rahmen der Projektion von Schmerzen durch Organerkrankungen auffällig sein. Anscheinend sind insbesondere Dornfortsätze (aus dem zuzuordnendem Segment eines Organs) bei einer Erkrankung des Organs häufiger druckschmerzhaft.

Beispiele:

- Erkrankungen des Herzens und der Lunge können sich mit Schmerzen in Wirbeln der oberen BWS (Th 1–Th 4) zeigen.
- Störungen im Bereich des Magens und des Duodenums können sich im Bereich von Th 4–Th 8 bemerkbar machen.
- Pathologien von Leber und Galle korrespondieren mit Th 8–Th 12.
- Erkrankungen von Rektum und Urogenitaltrakt können sich in der unteren LWS und im kranialen Sakrum zeigen.

Sklerotome im Bereich von Kranium und oberer Extremität:

- C 2 / C 3: Hinterhaupt
- C 4: Klavikula
- C 5: kraniale Hälfte der Skapula, Proc. coracoideus, Spina scapulae, Margo lateralis, Epicondylus lateralis
- C 6: Akromion und schräg verlaufender Streifen von kranial lateral nach kaudal medial, Margo ulnaris, Epicondylus ulnaris, Olekranon, radiale Seite des Radius vom Capitulum bis zum Proc. styloideus radii
- C 7: unterer Streifen an der Skapula, dorsaler Bereich des Humerus bis zum Epicondylus ulnaris und radialis, dorsale und ulnare Region des Radius, Daumen, Zeige- und Mittelfinger
- C 8/Th 1: schmaler Streifen distal dorsal am Humerus, distale Hälfte der Ulna, ulnare Handwurzelknochen, Ring- und Kleinfinger

Sklerotome im Bereich Becken und der unteren Extremität:

- L 2: SIAS, Crista iliaca ventral, kranialer schmaler Bereich der Spina ischiadica
- L 3: Streifen unterhalb der Crista iliaca bis zu Symphyse und Tuberculum pubicum, Oberschenkelhals bis Femur medial, ventrales Femur einschließlich Patella, mediales Tibiaplateau bis zur Tuberositas tibiae
- L 4: laterales kleines Becken, Femurkopf, -hals, von dorsal bis zum Epicondylus lateralis des Femurs, obere Hälfte des Margo medialis der Tibia
- L 5: kaudale Beckenschaufel, gesamtes Tuber ischiadicum, Trochanter major, Caput fibulae
- S 1: SIPS, SIPI, streifenförmig zum Azetabulum, Tuber ischiadicum, schmaler Streifen zwischen Femurkopf und -hals, dorsaler lateraler Rand der Tibia, Zehen 1–5 an der Fußsohle
- S 2: SIPI, kaudaler Teil der Fibula, 5. Zehe

4.9.5 Viszerotom

Die inneren Organe werden vegetativ versorgt. Die afferenten Neurone dieser neuronalen Verbindung stehen über bestimmte Schaltzellen mit den somatomotorischen Funktionskreisen in funktionellem Zusammenhang. Gesteigerte Afferenzen aus einem inneren Organ können die segmental zugehörige quergestreifte Muskulatur verstärkt erregen und somit zum lokalen erhöhten Muskeltonus führen (viszerosomatomotorische Leitungsbahn). Umgekehrt ist es möglich, dass Hautreize (Berührung, Schmerz, Temperatur) auf das vegetativ versorgte Organ wirken (kutiviszeraler Leitungsbogen). Denn es besteht auch hier über spezialisierte Schaltzellen im Rückenmark eine Verbindung zwischen soamtoafferenten und viszeroefferenten Neuronen. Eine übersteigerte Erregbarkeit der inneren Organe kann umgekehrt auch einen erhöhten Reiz auf die Haut ausüben. Es findet eine Projektion auf das zugehörige Dermatom statt, die an der Haut durch eine lokale Hyperästhesie, Temperatur- oder Durchblutungsveränderung erkennbar ist (viszerokutaner Leitungsbogen; ▶ **Abb. 4.45**). Die Leitungsbögen sind somit für das Erkennen von Projektionen der inneren Organe auf die Haut und gleichzeitig als Grundlage für therapeutische Maßnahmen hilfreich (Kap. 4.9.6).

Die **Head-Zonen** (▶ **Abb. 4.46**) sind Projektionsflächen der inneren Organe auf die äußere Haut. Die Komplexität der neuroanatomischen Zusammenhänge von Schmerzsymptomen und Projektion ist allerdings sehr komplex und noch weitgehend unklar.

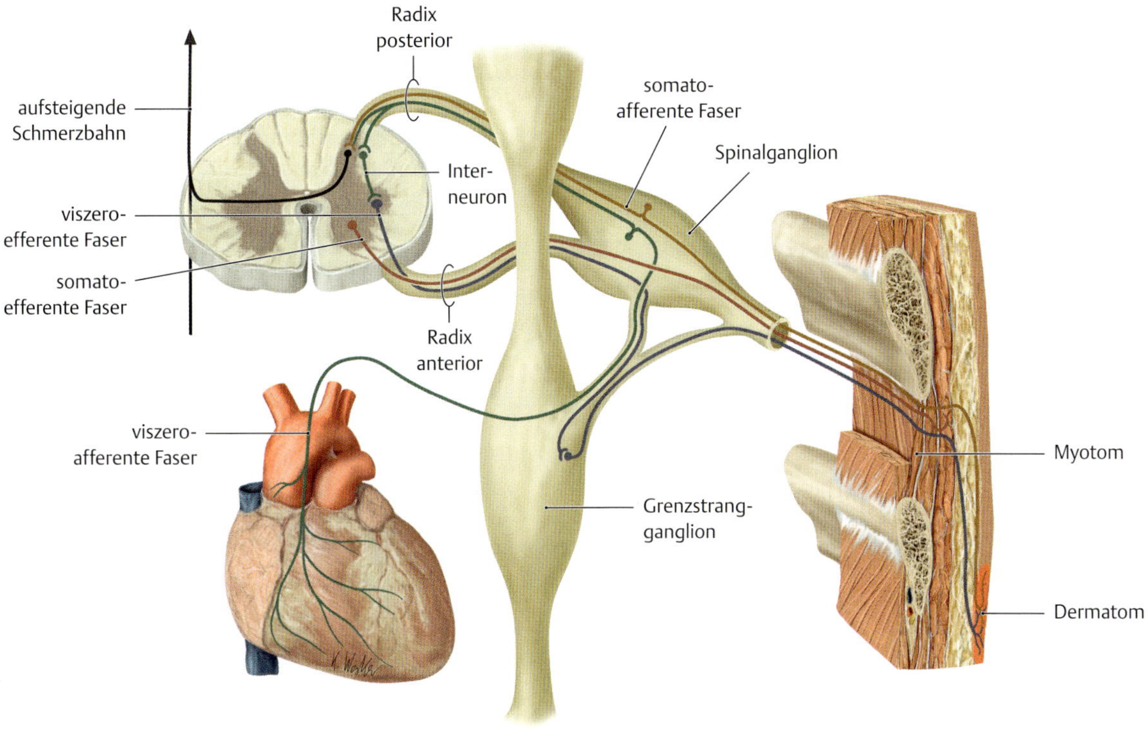

▸ **Abb. 4.45** Viszerokutaner Reflexbogen. (aus Schünke M, Schulte E, Schumacher U. Prometheus, LernAtlas der Anatomie. Innere Organe. Illustrationen von M. Voll und K. Wesker. 5. Auflage. Stuttgart: Thieme; 2018)

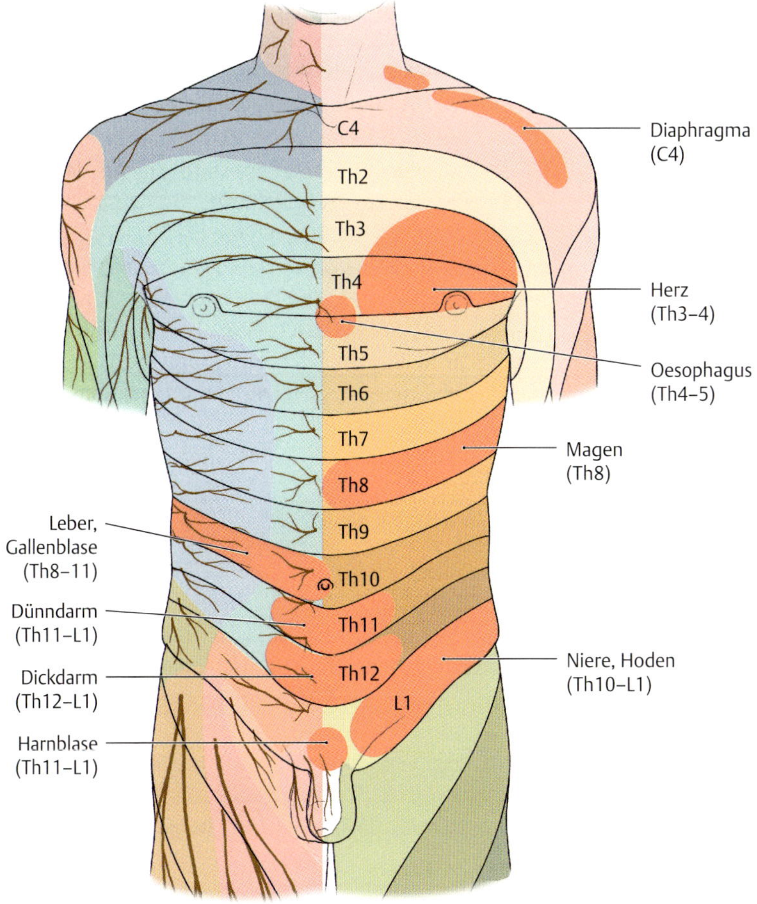

▸ **Abb. 4.46** Head-Zonen. (aus Schünke M, Schulte E, Schumacher U. Prometheus, LernAtlas der Anatomie. Innere Organe. Illustrationen von M. Voll und K. Wesker. 5. Auflage. Stuttgart: Thieme; 2018)

4.9.6 Vegetatives Nervensystem (VNS)

Anatomie

▶ Abb. 4.47

- organisiert und reguliert das innere Milieu des gesamten Körpers, damit die Körperfunktionen (wie Herz-Kreislauf-System, Atmung, Körpertemperatur, Stoffwechsel, Verdauung, Wasserhaushalt, Fortpflanzung) der jeweiligen Situation angepasst werden können und innerviert motorisch die glatte Muskulatur von inneren Organen, Gefäßen und Drüsen
- wird nicht vom Bewusstsein gesteuert, sondern von vegetativen Steuerungszentralen (Hypothalamus, limbische System, Formatio reticularis)
- die vegetativen Nervenbahnen bestehen typischerweise aus 2 hintereinander geschalteten Neuronen: das 1. Neuron liegt im Zentrum, das 2. in der Peripherie (Ganglion)
- funktionell und strukturell unterscheidet man 2 antagonistisch wirkende Bestandteile:
  - Sympathikus: Zentren liegen im Seitenhorn des Thorakal- und Lumbalmarks; setzt Energie frei und steigert dadurch Körperfunktionen (Flucht-, Kampfreaktion)
  - Parasympathikus: Zentren liegen im Hirnstamm und Sakralmark; dient eher der Körperregeneration und der Speicherung von Körperenergie
- Sympathikus:
  - Verlauf: Seitenhorn Thorakal- und oberes Lumbalmark Th1–L2 (1. Neuron), Austritt mit motorischen Fasern (Spinalnerv) über Vorderhorn als Radix anterior, Eintritt über R. communicans ins Ganglion des Truncus sympathicus, Umschaltung auf 2. Neuron entweder in prävertebralen Plexus (Eingeweide), Ganglien des Truncus sympathicus (Rumpf, Extremitäten) oder im Grenzstrangganglion, dann weiter über R. communicans griseus dem Spinalnerv anliegend bis zum Dermatom, dort Versorgung von Schweißdrüsen, Blutgefäßen und glatten Muskeln am Haarschaft (Vaso-, Pilo-, Sudomotorik)
  - versorgte Hautareale entsprechen den von den Spinalnerven versorgten Dermatomen und sind damit streng gegliedert (Kap. 1.4.5)
  - als prävertebrale Ganglien kommen in Betracht: Ganglion coeliacum, Ganglion mesentericum superius, Ganglion mesentericum inferius, Plexus hypogastricus superior und Plexus hypogastricus inferior (Kap. 2.6.1, Kap. 3.6.1)
- Parasympathikus:
  - Verlauf: N. oculomotorius (III), N. facialis (VII), N. glossopharyngeus (IX) und N. vagus (X) verfügen über parasympathische Fasern und versorgen den Kopfbereich; der N. vagus reicht von der Medulla oblongata (1. Neuron) über Foramen jugulare, Hals- und Brustbereich weit ins Abdomen bis zur linken Kolonflexur, Umschaltung auf innere Organe in den organnahen Ganglien auf 2. Neuron
  - im Sakralmark S2–S5 befinden sich die präganglionären parasympathischen Fasern, die nach Austritt aus dem Wirbelkanal in die Nn. splanchnici pelvici eintreten (▶ Abb. 3.36)
- enterisches Nervensystem:
  - Sonderform des VNS in der Wand von Ösophagus, Magen und Darm
  - besteht aus 3 Nervengeflechten: in der dünnen Bindegewebsschicht unter der Schleimhaut (Tela submucosa) liegt der Meissner-Plexus (Plexus submucosus), zwischen den beiden Schichten der glatten Muskulatur (Tunica muscularis) liegt der Auerbach-Plexus (Plexus myentericus), zwischen Serosa, Peritoneum viscerale und Tunica muscularis befindet sich der Plexus subserosus
  - steht funktionell mit den anderen vegetativen Systemen in Verbindung, agiert jedoch unabhängig davon

Osteopathische Korrespondenzen

Die sensorischen Rezeptoren in der Mukosa und Submukosa senden Nervenimpulse an das enterische Nervensystem (Afferenzen). Der Plexus myentericus, der die glatten Muskelzellen innerviert, und der Plexus submucosus, der die Drüsentätigkeit reguliert, erhalten ihre Efferenzen wiederum aus dem enterischen Nervensystem. Dadurch übermittelt der viszerosensible Teil Schmerzen, Völlegefühl etc. Verdauungsvorgänge werden viszeromotorisch koordiniert (Peristaltik, Zirkulation, Drüsentätigkeit, darmassoziiertes Immunsystem). Weitere Efferenzen bestehen zu Sympathikus, Parasympathikus, Rückenmark und Hirnstamm. Das unterstreicht die integrative Aufgabe des enterischen Nervensystems.

Behandlungshinweise

Regional begrenzte trophische Störungen der Haut können diagnostisch für das zugehörige Rückenmarksegment genutzt werden. Das sympathische System kann über ausgleichende Techniken, z. B. Rib-Raising, harmonisierend beeinflusst werden.

Vegetative Dysregulationen können z. B. Störungen im Herz-Kreislauf-System und im Verdauungstrakt hervorrufen. Osteopathische Behandlungstechniken für den vegetativen Ausgleich können dann indiziert sein, z. B. können sich kraniosakrale Techniken oder die Behandlung des Kehlkopfs harmonisierend auf den N. vagus auswirken. Oszillierende Techniken am Sakrum können vegetativ ausgleichend auf den sakralen Parasympathikus wirken.

Die sensorischen Rezeptoren des enterischen Nervensystems reagieren auf Druck und Zug. Oszillierende oder auch inhibitorische Techniken können sich positiv auf die Funktionalität des enterischen Nervensystems auswirken.

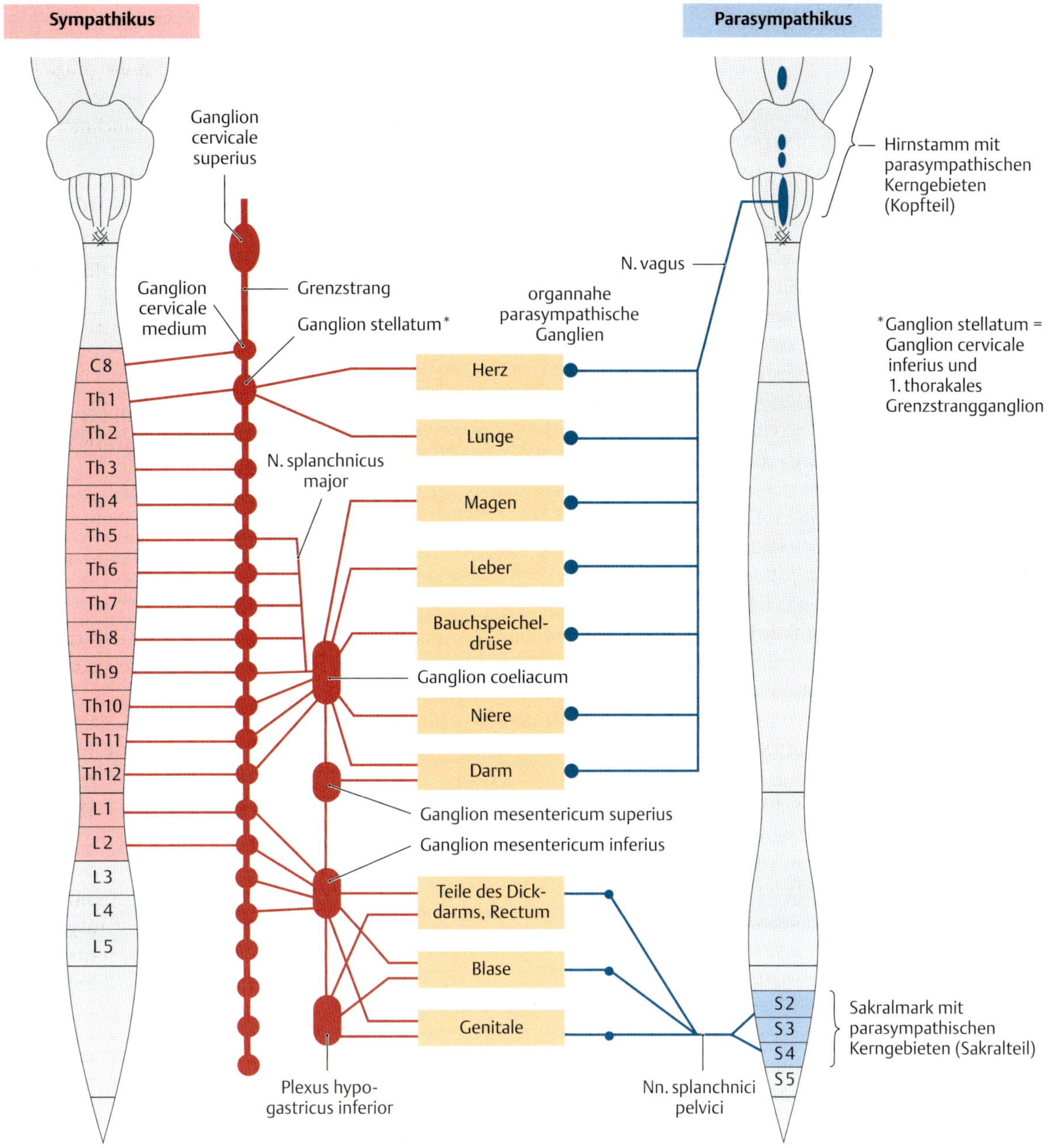

▸ **Abb. 4.47** Aufbau von Sympathikus und Parasympathikus. (aus Schünke M, Schulte E, Schumacher U. Prometheus, LernAtlas der Anatomie. Innere Organe. Illustrationen von M. Voll und K. Wesker. 5. Auflage. Stuttgart: Thieme; 2018)

5 Schultergürtel und Schultergelenk

5.1 Überblick

5.1.1 Schultergürtel und -gelenk

Das Bauprinzip der oberen und unteren Extremität ist einheitlich. Die Funktionalität der Gliedmaßen, die besonders im Vergleich von Hand und Fuß deutlich wird, ist sehr unterschiedlich. Beide Extremitäten sind durch eine Art ring- und plattförmigen Knochengürtel mit dem Torso verbunden. Alle Gliedmaßen zeigen eine dreigliedrige Aufteilung. Das eigentliche Längenwachstum erfolgt von proximal nach distal.

Funktionell befindet sich der aufrecht gehende Mensch in ständiger Auseinandersetzung mit der Schwerkraft, um das Gleichgewicht halten zu können. Durch die große Beweglichkeit können Schub- und Zugkräfte im Schulterbereich kompensiert werden. Die dynamisch und phasisch arbeitende Muskulatur ist im permanenten Einsatz.

Die obere Extremität ist myofaszial mit dem Rumpf verbunden. Durch die Aufrichtung liegt der Schultergürtel dem Thorax auf und beeinflusst allein durch seine Position die Atemdynamik des Thorax (▸ **Abb. 5.1**). Eine dysfunktionale Atemdynamik kann durch Störungen einzelner Organe und Faszien innerhalb des Thorax entstehen, aber auch bei Störungen im zervikothorakalen oder thorakolumbalen Übergang, in den Rippengelenken und der Wirbelsäulenform. Die asymmetrische Atemmechanik kann die Bewegung des Thorax stören, die Zirkulation beeinträchtigen und dies auf den Schultergürtel übertragen.

Durch Fehlhaltungen, Überlastungen und asymmetrische Belastungen kann sich der Tonus in den Muskeln verändern. Das kann wiederum die Eigenschaften der Faszien, die mit diesen Muskeln korrespondieren, beeinflussen. Entwickeln sich durch unphysiologische Zug- bzw. Druckkräfte die elastischen Fasziengewebe in festes, unflexibles Gewebe, geht das auf Kosten der Beweglichkeit des Schultergelenks. Diese Kräfte können über den Oberkörper, sogar in Verbindung mit der unteren Extremität, Becken und Abdomen, einen Einfluss auf die Schulterregion haben. Aber auch aus dem kranialen Bereich, z. B. bei kraniomandibulären Dysfunktionen, Dysfunktionen des Vestibularapparats, des Hörorgans oder der Augen, können die Funktionalität des Schultergürtels und der oberen Extremität beeinträchtig sein.

Die muskulären und faszialen Verbindungen vom Kranium zum Schultergürtel (z. B. M. trapezius, Platysma, Halsfaszien), aber auch über den Umweg HWS, BWS und Rippen können Dysfunktionen in der oberen Extremität verursachen. Insbesondere die Faszien sind, wie im gesamten Körper, hochfunktionelle Strukturen, die darüber hinaus Nerven (z. B. Plexus brachialis) und Gefäße (z. B. A. und V. subclavia, A. und V. axillaris) Durchtritts- und Passagemöglichkeiten bieten.

Bei Störungen aus dem viszeralen System kann sowohl über die Gewebe, die zur Aufhängung der oberen Extremität nötig sind, als auch über die neurologische Verbindung mit dem sympathischen Nervensystem (Th 2–Th 8) eine Störung erfolgen. Störungen des Plexus brachialis wirken sich auf den Schulter-Arm-Bereich aus. Über eine spinale Fazilitation kann z. B. der N. phrenicus negativ auf die obere Extremität wirken. Die obere Extremität wird vegetativ und mechanisch wesentlich von den oberen thorakalen Segmenten der BWS und des zervikothorakalen Übergangs beeinflusst.

5.1.2 Regionen

Für den Bereich von Schultergürtel und Schultergelenk werden topografisch betrachtet (▸ **Abb. 5.2**, ▸ **Abb. 5.3**):

- Trigonum clavipectorale
- Regio deltoidea
- Regio axillaris
- Regio scapularis
- Regio suprascapularis (lateral)
- Fossa infraclavicularis

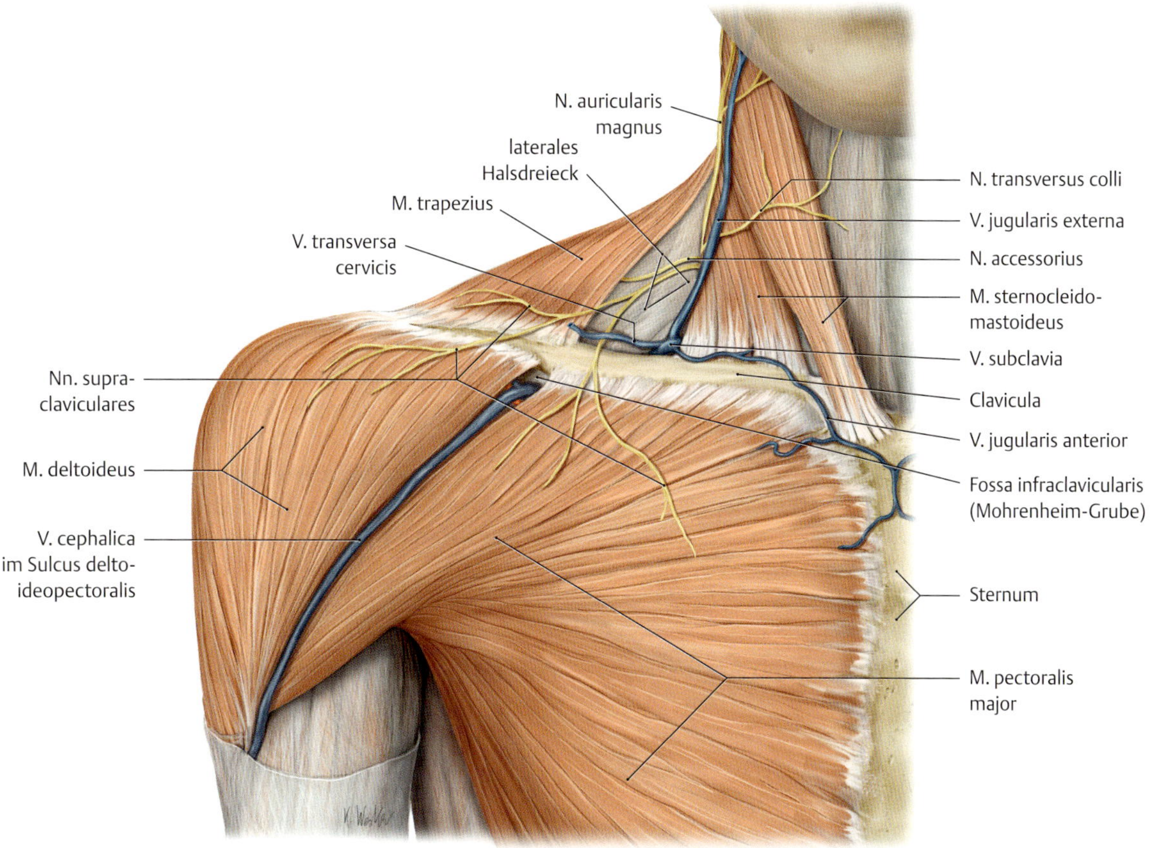

▸ **Abb. 5.1** Die Region von Schultergürtel und Schultergelenk im Überblick (Ansicht von ventral). (aus Schünke M, Schulte E, Schumacher U. Prometheus, LernAtlas der Anatomie. Allgemeine Anatomie und Bewegungssystem. Illustrationen von M. Voll und K. Wesker. 5., vollständig überarbeitete Auflage. Stuttgart: Thieme; 2018)

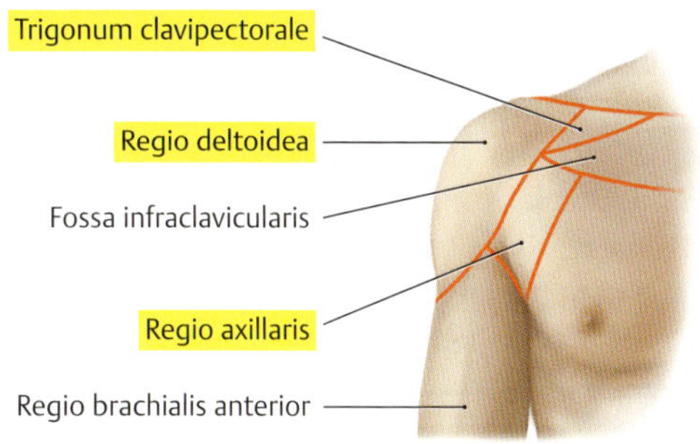

▸ **Abb. 5.2** Regionen des Schultergürtels und -gelenks (Ansicht von ventral). (aus Schünke M, Schulte E, Schumacher U. Prometheus, LernAtlas der Anatomie. Allgemeine Anatomie und Bewegungssystem. Illustrationen von M. Voll und K. Wesker. 5., vollständig überarbeitete Auflage. Stuttgart: Thieme; 2018)

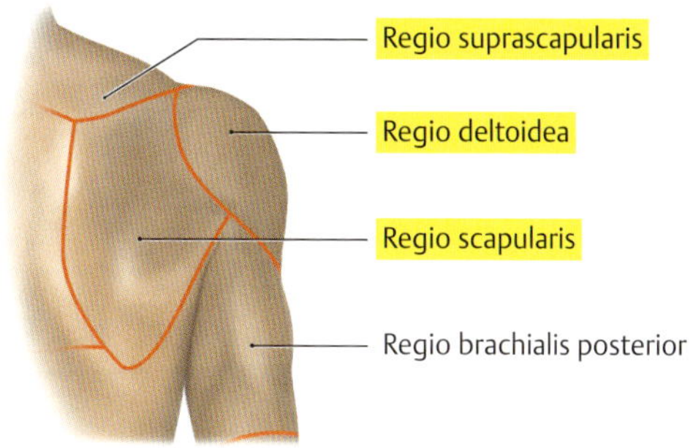

▸ **Abb. 5.3** Regionen des Schultergürtels und -gelenks (Ansicht von dorsal). (aus Schünke M, Schulte E, Schumacher U. Prometheus, LernAtlas der Anatomie. Allgemeine Anatomie und Bewegungssystem. Illustrationen von M. Voll und K. Wesker. 5., vollständig überarbeitete Auflage. Stuttgart: Thieme; 2018)

5.2
Faszienhülle, oberflächliche ventrale Schichten

5.2.1 Oberflächliche Brustfaszie (Faszie des M. pectoralis major)

Anatomie

▸ Abb. 5.4

- setzt kranial am Schlüsselbein an
- tiefes Blatt:
  - kranial fest mit dem Periost des Schlüsselbeins verwachsen
  - medial mit dem Periost des Sternums verbunden
- oberflächliches Blatt:
  - korrespondiert mit der tiefen Halsfaszie
  - umschließt M. trapezius und M. sternocleidomastoideus
  - zieht medial auf die Gegenseite in die Pektoralisfaszie
  - zieht kaudal in die Rektusscheide und in die Faszie des gegenüberliegenden M. obliquus externus abdominis
  - lateral mit der Achselhöhle verbunden

Osteopathische Korrespondenzen

In der Schulterregion treffen verschiedene Faszien aufeinander, die zum einen die Bedeutung der Funktionalität der Faszien für diese Region unterstreichen und zum anderen die Beziehung zum Rumpf veranschaulichen. Insgesamt ist die oberflächliche Faszie – im Vergleich zur tiefer liegenden Fascia clavipectoralis (Kap. 5.2.7) – dünn und verfügt über eine gute Verschieblichkeit. Sie korrespondiert mit entfernten Körperregionen.

Durch ihren Verlauf kann die Brustfaszie Zugkräfte von der einen auf die gegenüberliegende Brustmuskulatur übertragen. Eine verminderte Verschieblichkeit der Faszie des M. pectoralis major kann sich negativ auf die Verschieblichkeit der tiefen Halsfaszie auswirken. Dysfunktionen der HWS und/oder der OAA-Region können entstehen. Die Faszie umschließt auch den M. sternocleidomastoideus und den M. trapezius. Myofasziale Adhäsionen in der Faszie können dadurch kraniomandibuläre Dysfunktionen begünstigen. Möglich ist auch, dass die Faszie des M. pectoralis major Kräfte über die Rektusscheide auf den gegenüberliegenden M. obliquus externus abdominis weiterleitet. Dysfunktionen aus dem Schulterbereich können sich so auf das Ilium der Gegenseite übertragen. Auch umgekehrt ist denkbar, dass sich eine Iliumdysfunktion über den faszialen Zug negativ z. B. auf die Klavikula der Körpergegenseite auswirkt oder sich eine verminderte Elastizität bzw. Verschieblichkeit störend auf das Gangbild auswirkt (verminderte koordinierte Bewegung der gegenläufigen Arm-Bein-Bewegung).

5.2.2 Achselhöhle

Anatomie

▸ Abb. 5.4

- hat bei leicht abduziertem Arm eine vierseitige pyramidenförmige Struktur: Basis ist die Fascia axillaris (Kap. 5.2.3), die Spitze liegt dorsal ungefähr auf Höhe der Mitte der Klavikula
- Wände werden von Muskeln und ihren Faszien gebildet:
  - Vorderwand: M. pectoralis major, M. pectoralis minor und Fascia clavipectoralis
  - Rückwand: M. subscapularis, M. teres major und M. latissimus dorsi (dorsale Rückenfaszie)
  - kraniale und kaudale Wand: Ursprungszacken des M. serratus anterior, proximales Ende des Humerus, M. coracobrachialis und Caput breve des M. biceps brachii
  - lateraler Rand: M. pectoralis major und M. latissimus dorsi, welche auch die vordere und hintere Achselfalte bilden

Osteopathische Korrespondenzen

Die Dichte der Leitungsbahnen in der Achselhöhle ist sehr komplex: Sie ist ein „Verkehrsraum" für Venen, Arterien und Lymphgefäße zwischen dem seitlichen Halsdreieck und dem Oberarm. Adhäsionen und Narben im Axillarbereich können die Zirkulation und nervale Reizweiterleitung stören.

5.2.3 Fascia axillaris

Anatomie

▸ Abb. 5.4

- liegt im Bereich der Achselhöhle unter der Haut
- gehört zur Pars superficialis der Faszien der Schulter-Arm-Region
- ist eine Verschmelzung der Faszien von M. pectoralis major und M. latissimus dorsi in der Achselhöhle
- geht kaudal in die Fascia thoracica externa und Fascia abdominis superficialis über, lateral (also armwärts) in die Fascia brachii
- ist mit zahlreichen Öffnungen versehen, die den Durchtritt von Nerven, Blut- und Lymphgefäßen ermöglichen

Osteopathische Korrespondenzen

In der Tiefe ist die Fascia axillaris mit der Fascia clavipectoralis verbunden und steht damit in direkter Verbindung mit dem vorderen Anteil des Schultergürtels und den tieferen Strukturen im Schulterbereich.

Behandlungshinweise

Direkte Faszientechniken für die Fascia axillaris können die myofasziale Gleitfähig der Strukturen verbessern.

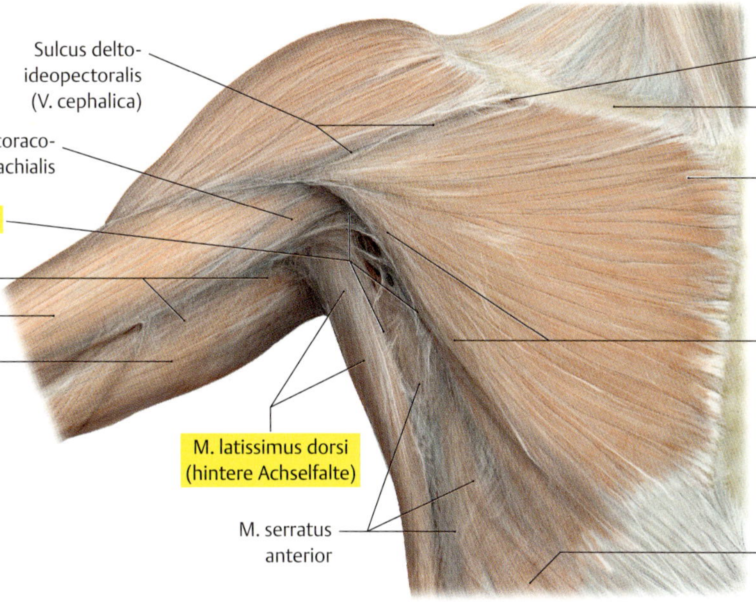

▸ **Abb. 5.4** Faszien und Wände der rechten Achselhöhle (Ansicht von ventral). (aus Schünke M, Schulte E, Schumacher U. Prometheus, LernAtlas der Anatomie. Allgemeine Anatomie und Bewegungssystem. Illustrationen von M. Voll und K. Wesker. 5., vollständig überarbeitete Auflage. Stuttgart: Thieme; 2018)

5.2.4 M. pectoralis major

Anatomie

▶ Abb. 5.7

- **Ursprung:**
  - Pars clavicularis: Klavikula (sternale Hälfte)
  - Pars sternocostalis: lateral am Manubrium und Corpus sterni Rippenknorpel 2–6, Aponeurose des M. obliquus externus abdominis
- **Ansatz:** Crista tuberculi minoris humeri, Tuberositas deltoidea (ventral)
- **Funktion:**
  - Pars clavicularis: Flexion, Adduktion im Schultergelenk
  - Pars sternocostalis: Adduktion und Innenrotation im Schultergelenk, Inspiration
- **Innervation:** Nn. pectorales medialis et lateralis (C6–Th1)
- **Triggerpunkte** (▶ Abb. 5.5): im gesamten Muskel verteilt

Myofasziale Wirkungsketten

Der M. pectoralis major ist Bestandteil der funktionellen Frontallinie, die dynamische Kräfte von einer Körperseite auf die andere übertragen kann, und der oberflächlichen frontalen Armlinie, die einen engen Bezug zur Fingerbeugemuskulatur hat.

Osteopathische Korrespondenzen

Der M. pectoralis major ist mit seiner komplexen faszialen Einbindung (Kap. 5.2.1.2) u. a. für die Fortsetzung der oberflächlichen ventralen myofaszialen Wirkungskette wichtig. Das bedeutet, dass er entscheidend an der Weiterleitung der Kraft aus den Armen auf den Rumpf beteiligt ist.

Bei aufgestützten Armen unterstützt er zusammen mit dem M. pectoralis minor als Atemhilfsmuskel intensiv die Inspiration. Dysfunktionen in den kostosternalen Gelenken können sich bei einer Verspannung des Muskels deutlich schmerzhaft zeigen. Verkürzungen des M. pectoralis major können die funktionelle Atemdynamik des Thorax beeinträchtigen.

Korrespondenzen bestehen über Strukturen des vegetativen Nervensystems zum Herzen. Die sympathische Innervation des Herzens erfolgt aus den Segmenten Th 1–Th 4.

5.2.5 M. deltoideus

▶ Abb. 5.7, Triggerpunkte ▶ Abb. 5.6, (Kap. 5.4.2)

5.2.6 Plexus cervicalis

Anatomie

▶ Abb. 5.7

- aus drei Schlingen gebildet, welche die Rr. ventrales der ersten 4 kranialen Halsnerven untereinander verbinden
- Ansa cervicalis: besteht aus Radix superior (C 1–C 2) und Radix inferior (C 2–C 3)
- innerviert u. a. die infrahyoidale Muskulatur (Kap. 4.8.1)
- C 1 und C 2: motorische Versorgung Mm. recti capitis anterior und lateralis, M. longus capitis
- sensible Äste: N. occipitalis minor (C 2 / C 3), N. auricularis magnus (C 2 / C 3), N. transversus colli, Nn. supraclaviculares (C 3/C 4), N. phrenicus (C 3–C 5)
- sensible Versorgung der Haut seitlich am Hals und an der Schulter bis unterhalb der Klavikula, motorische Versorgung über N. phrenicus von Zwerchfell

Osteopathische Korrespondenzen

Osteopathische Dysfunktionen in den HWS-Segmenten C 3/4 können sensible Störungen im seitlichen Hals- und Schulterbereich auslösen. Die Fascia colli praevertebralis bedeckt den Plexus cervicalis und ist für die Lagesicherung der Nervenverläufe wichtig. Die Ansätze von M. le-

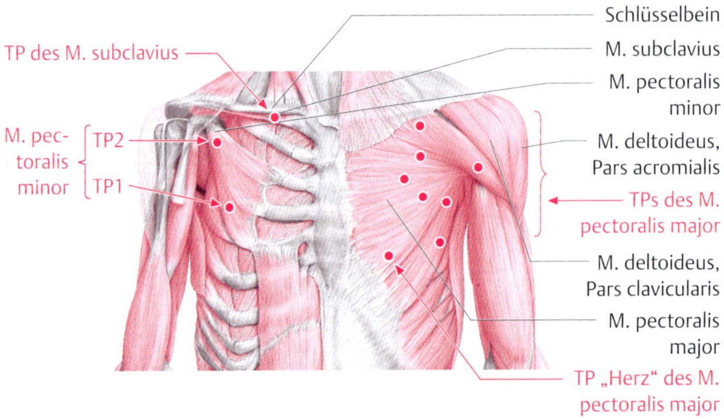

▶ **Abb. 5.5** Triggerpunkte M. pectoralis major, M. pectoralis minor und M. subclavius. (aus Hebgen E. Taschenatlas Myofasziale Triggerpunkte. Schmerzguide für Osteopathen und Manualtherapeuten. 2. Aufl. Stuttgart: Georg Thieme Verlag 2020; nach Schünke M, Schulte E, Schumacher U. Prometheus LernAtlas der Anatomie. Allgemeine Anatomie und Bewegungssystem. Illustrationen von Voll M und Wesker K. 5. Aufl. Stuttgart: Thieme; 2018)

vator scapulae und M. scalenus medius an den Querfortsätzen der HWS korrespondieren mit den Nervenverläufen des Plexus cervicalis. Ein mechanischer Zug der Muskeln kann die Nervenverläufe reizen. N. occipitalis minor, N. auricularis magnus und N. transversus colli stammen aus der Nervenwurzel von C3 und verlaufen auf dem M. scalenus medius zum Trigonum colli laterale. Sie sind für die sensible Versorgung der vorderen Halsseite und der Ohrregion wichtig. Die Nn. supraclaviculares versorgen sensibel die Schulter- und obere Brustregion. Missempfindungen im Schulterbereich können ihre Ursache in Dysfunktionen im Bereich von C3 und C4 haben (Kap. 1.2.3, Kap. 1.4.1, Kap. 1.4.2).

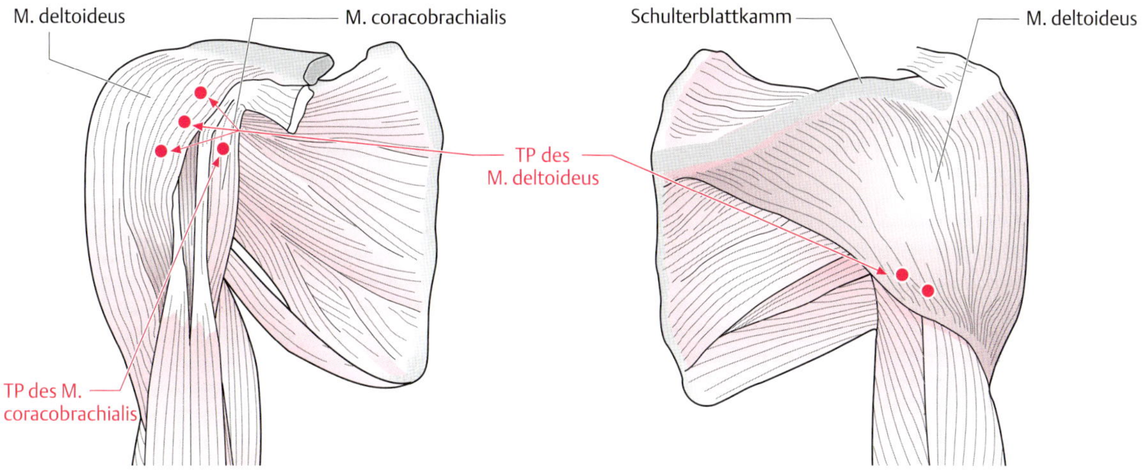

▸ **Abb. 5.6** Triggerpunkte M. deltoideus und M. coracobrachialis. (aus Richter P, Hebgen E. Triggerpunkte und Muskelfunktionsketten. 5. Aufl. Stuttgart: Haug; 2021, nach: Schünke M. Funktionelle Anatomie: Topographie und Funktion des Bewegungssystems. 1. Aufl. Stuttgart: Thieme; 2000)

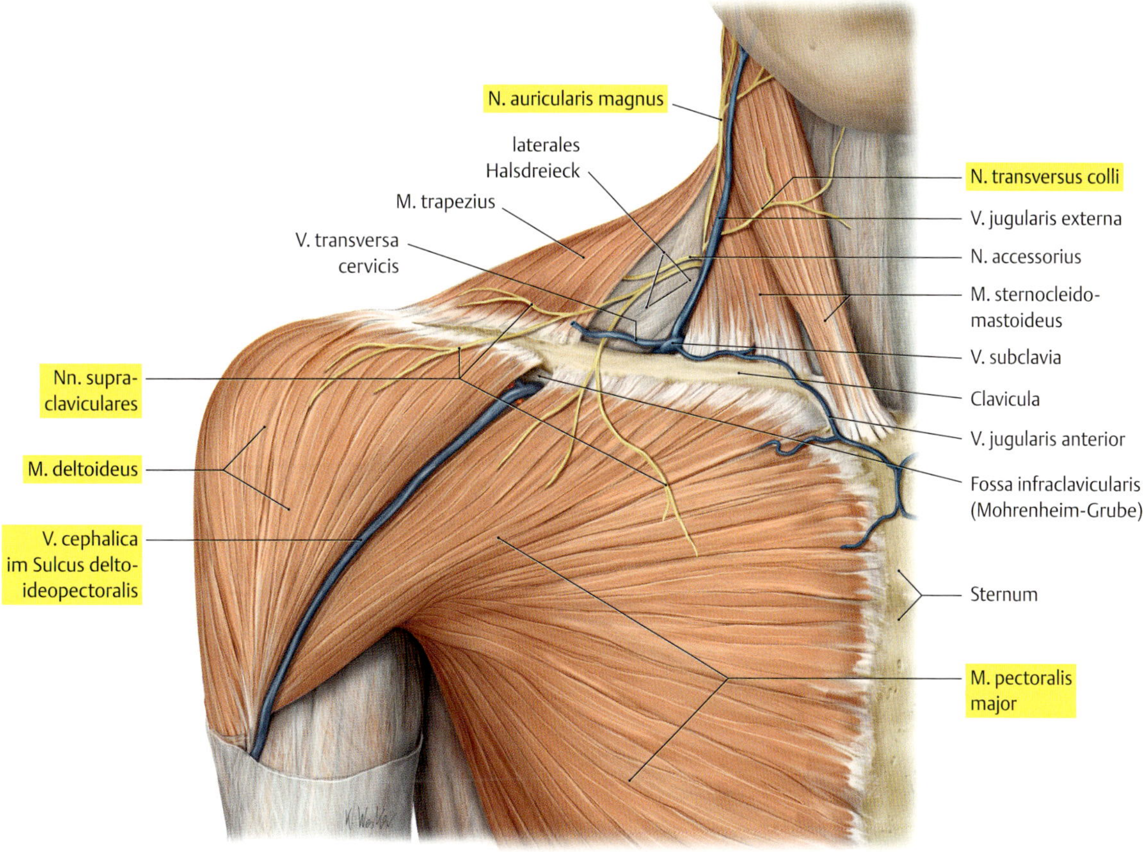

▸ **Abb. 5.7** Rechte Schulter- und Halsregion nach Entfernung der oberflächlichen Brustfaszie und des Platysmas (Ansicht von ventral). (aus Schünke M, Schulte E, Schumacher U. Prometheus, LernAtlas der Anatomie. Allgemeine Anatomie und Bewegungssystem. Illustrationen von M. Voll und K. Wesker. 5., vollständig überarbeitete Auflage. Stuttgart: Thieme; 2018)

5.2.7 Trigonum clavipectorale und Fascia clavipectoralis

Anatomie

▸ Abb. 5.8, ▸ Abb. 5.9

- **Trigonum clavipectorale:** entsteht durch die Begrenzung vom M. pectoralis major, Klavikula und M. deltoideus
- **Fascia clavipectoralis (tiefe Brustfaszie, mittlerer Anteil Pars superficialis):**
  - ist fest und zäh
  - umschließt M. subclavius und M. pectoralis minor
  - ist mit der ventralen Wand der V. subclavia verbunden
  - steht in direkter Verbindung mit der Fascia axillaris
- unterhalb der Klavikula befindet sich zwischen M. deltoideus und Pars clavicularis des M. pectoralis major die **Fossa infraclavicularis (Mohrenheim-Grube)**

Osteopathische Korrespondenzen

Eine Hypertrophie der pektoralen Brustmuskulatur (z. B. durch forciertes Krafttraining) kann die Fascia clavipectoralis spannen.

Ein verbesserter Abfluss des venösen Blutes in die V. cava superior ist möglich, wenn der M. pectoralis minor die Fascia clavipectoralis spannt. Das Lumen der Vene vergrößert sich und damit der venöse Abfluss.

Behandlungshinweise

Die Region ist gut palpierbar und kann mit direkten und indirekten Faszientechniken mobilisiert werden.

GOT-Techniken, bei denen der Arm als Hebel für die Zirkumduktion im Schultergelenk eingesetzt wird, können die Gleitfähigkeit und die Schereigenschaften der Faszien in der Schulterregion verbessern.

5.2.8 V. cephalica

Anatomie

▸ Abb. 5.1, ▸ Abb. 5.9

- zieht im Sulcus deltoideopectoralis nach kranial
- mündet im Bereich der Fossa infraclavicularis, nachdem sie die Fascia clavipectoralis durchtreten hat, in die V. axillaris, die dann in die V. subclavia mündet

Osteopathische Korrespondenzen

Bei verstärkten Adhäsionen in der Region der Fascia clavipectoralis (Kap. 5.2.7) kann der Durchtritt für die V. cephalica verengt sein.

Bei prall gefüllten Venen im Sitzen (insbesondere im Hals-, aber auch Schultergürtelbereich) ist an einen venösen Rückstau zu denken (z. B. bei Rechtsherzinsuffizienz, tumorösem Geschehen an der Lungenspitze). Differenzialdiagnostisch sind die myofaszialen Engpassstellen zu prüfen, z. B. vordere Skalenuslücke, M. pectoralis minor, Hochstand 1. Rippe.

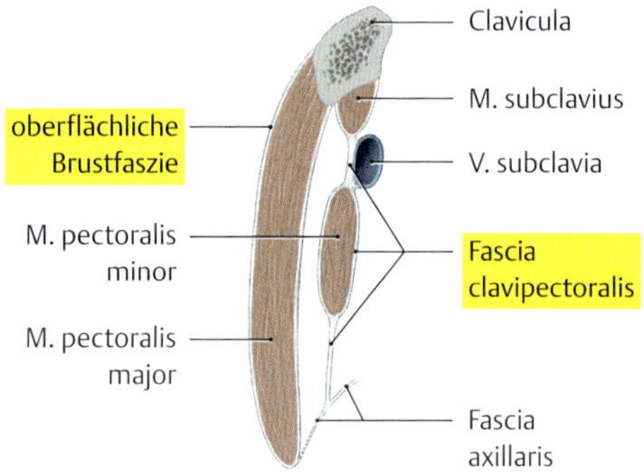

▸ **Abb. 5.8** Oberflächliche und tiefe Brustfaszie (Sagittalschnitt durch ventrale Wand der rechten Achselhöhle). (aus Schünke M, Schulte E, Schumacher U. Prometheus, LernAtlas der Anatomie. Allgemeine Anatomie und Bewegungssystem. Illustrationen von M. Voll und K. Wesker. 5., vollständig überarbeitete Auflage. Stuttgart: Thieme; 2018)

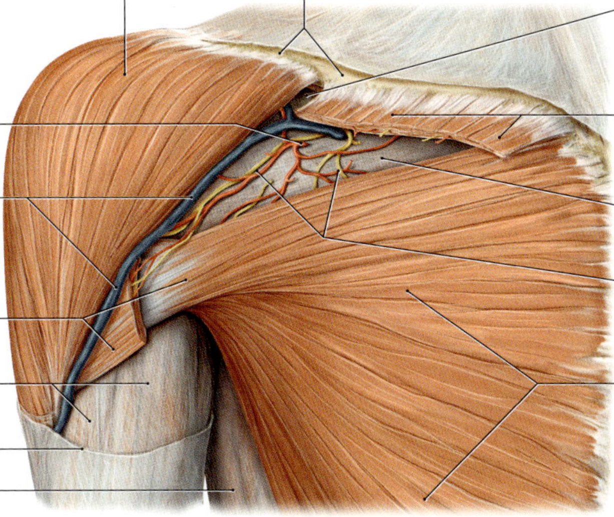

▸ **Abb. 5.9** Trigonum clavipectorale und Fascia clavipectoralis (rechte Schulter, Ansicht von ventral). (aus Schünke M, Schulte E, Schumacher U. Prometheus, LernAtlas der Anatomie. Allgemeine Anatomie und Bewegungssystem. Illustrationen von M. Voll und K. Wesker. 5., vollständig überarbeitete Auflage. Stuttgart: Thieme; 2018)

5.3 Tiefe ventrale Schichten

5.3.1 M. serratus anterior

Anatomie

▶ Abb. 5.4, ▶ Abb. 5.10

- **Ursprung:** 1.–9. Rippe, Interkostalräume im Bereich der Linea medioclavicularis
- **Ansatz:** Margo medialis scapulae
- **Funktion:**
  - zieht die Skapula nach ventrolateral
  - Einatemhilfsmuskel
- **Innervation:** N. thoracicus longus (C 5–C 7)
- **Triggerpunkte** (▶ Abb. 5.11): 5. oder 6. Rippe im Muskelverlauf auf Höhe der mittleren Axillarlinie

Myofasziale Wirkungsketten

Der M. serratus anterior gehört zur myofaszialen Wirkungskette „Spirallinien“, die auf das Körpergewicht in allen Ebenen einwirken. Sie stellen eine enge Verbindung vom Fuß zum Becken her und wirken zuggurtartig stabilisierend beim Gehen. Die Spirallinien können u. a. Kräfte entwickeln oder fortführen, die den Körper in Rotation/Torsion bringen.

Osteopathische Korrespondenzen

Die myofaszialen Ansätze des M. obliquus externus abdominis ziehen bis zur Achselhöhle. Sie stehen funktionell mit den Fasern des M. serratus anterior in Verbindung. Die Schulterblattstellung kann der M. serratus anterior im Zusammenspiel mit anderen Muskeln maßgeblich beeinflussen: mit dem M. trapezius die Ab- und Adduktionsbewegung der Skapula und mit dem M. rhomboideus die Rotationsbewegung der Skapula. Eine muskuläre Dysbalance zwischen diesen Muskeln beeinträchtigt die Mobilität der Skapula.

M. rhomboideus und M. serratus anterior sind beide an den Spirallinien beteiligt. Diese wirken auf das Körpergleichgewicht in allen Ebenen. Dysfunktionen im myofaszialen Zusammenspiel des Schultergürtels können sich maßgeblich auf die Körperhaltung und das Körpergleichgewicht auswirken. Denn diese myofaszialen Ketten können Kräfte je nach Belastung auf die gleiche oder auf die gegenüberliegende Körperseite leiten. Sie stehen über ihren Verlauf in enger Verbindung mit dem Kranium, aber auch mit dem Becken und der unteren Extremität. Sie wirken über ihre Zuggurtung stabilisierend beim Gehen. Gleichzeitig entwickeln oder leiten sie Kräfte fort, die den Körper in Rotation bzw. Torsion bringen. Viszerale Dysfunktionen können sich negativ auf die Funktionalität der Spirallinien auswirken.

Behandlungshinweise

Ein myofasziales Ausstreichen der hinteren Achselhöhle kann die Zirkulation und die myofaszialen Gleiteigenschaften in der Achselhöhle verbessern.

5.3.2 M. pectoralis minor

Anatomie

▶ Abb. 5.10, ▶ Abb. 5.4

- **Ursprung:** 3.–5. Rippe
- **Ansatz:** Proc. coracoideus scapulae (kraniomedial)
- **Funktion:**
  - zieht Skapula nach vorne-unten und medial
  - Inspirationsmuskel bei fixiertem Schulterblatt
- **Innervation:** Nn. pectorales medialis et lateralis (C 6–Th 1)
- **Triggerpunkte** (▶ Abb. 5.5):
  - TP 1: an der 4. Rippe in der Nähe des Muskelursprungs
  - TP 2: etwas kaudal des Proc. coracoideus im Übergangsbereich von der Sehne zum Muskelbauch

Myofasziale Wirkungsketten

Der M. pectoralis minor ist Bestandteil der tiefen frontalen Armlinie und stehen damit in direkter Verbindung zu den Lateral- und Spirallinien.

Osteopathische Korrespondenzen

Durch seinen Ansatz am Proc. coracoideus ziehen die Fasern des M. pectoralis minor nach kranial-lateral und münden in eine kompakte Sehnenstruktur. Bei einer Verkürzung verengt sich der Durchtrittsraum verschiedener Gefäße und Nervenstrukturen unterhalb des Muskels. Die Faszie des M. pectoralis minor ist mit der Gelenkkapsel des Schultergelenks verbunden. Sie ist kräftig, zäh und korrespondiert mit der faszialen Umgebung des Plexus brachialis. Sie ist ein Kontinuum zur Fascia clavipectoralis (Kap. 5.2.7).

Die kräftige, zähe **Fascia pectoralis minor**, die ein Kontinuum zur Fascia clavipectoralis ist, ist mit der Gelenkkapsel des Schultergelenks verbunden. Sie ist damit sowohl an Bewegungen zwischen Schultergürtel und Thorax als auch von oberer Extremität und Schultergürtel beteiligt. Eine verminderte Elastizität dieser Faszie kann die Spannung der Gelenkkapsel negativ beeinflussen und die Funktionalität des Schultergelenks stören. Eine gestörte Zentrierung des Humeruskopfes könnte dann z. B. zur erhöhten Kompression der Bursa acromialis bei der Abduktionsbewegung führen. Ein Painful Arc (schmerzhafte Abduktion zwischen 60° und 120°) könnte folgen.

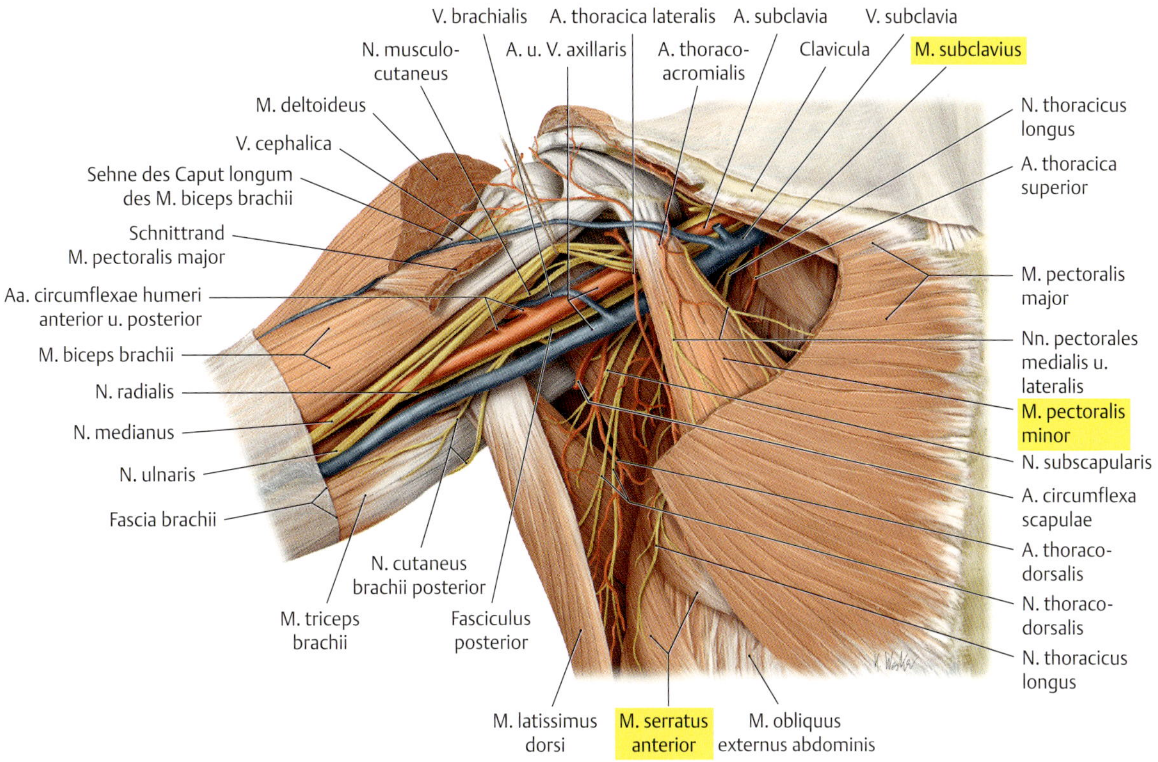

▸ **Abb. 5.10** Achselhöhle und Schultergürtelmuskulatur (rechte Schulter, Ansicht von ventral). (aus Schünke M, Schulte E, Schumacher U. Prometheus, LernAtlas der Anatomie. Allgemeine Anatomie und Bewegungssystem. Illustrationen von M. Voll und K. Wesker. 5., vollständig überarbeitete Auflage. Stuttgart: Thieme; 2018)

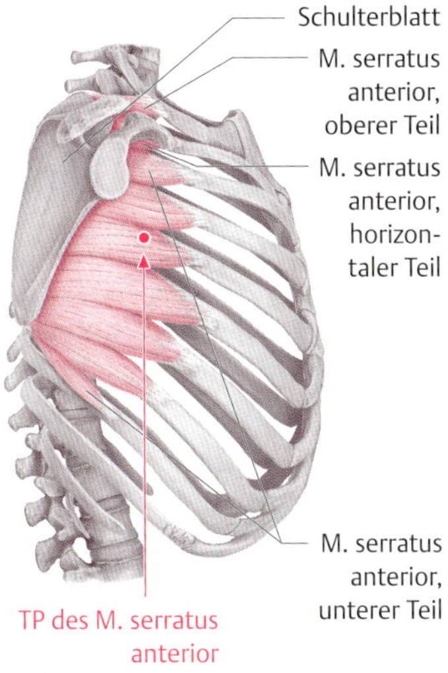

▸ **Abb. 5.11** Triggerpunkte M. serratus anterior. (aus Hebgen E. Taschenatlas Myofasziale Triggerpunkte. Schmerzguide für Osteopathen und Manualtherapeuten. 2. Aufl. Stuttgart: Georg Thieme Verlag 2020; nach Schünke M, Schulte E, Schumacher U. Prometheus LernAtlas der Anatomie. Allgemeine Anatomie und Bewegungssystem. Illustrationen von Voll M und Wesker K. 5. Aufl. Stuttgart: Thieme; 2018)

5.3.3 M. subclavius

Anatomie

- ▸ Abb. 5.10, ▸ Abb. 5.4
- **Ursprung:** 1. Rippe (Knorpel-Knochen-Grenze)
- **Ansatz:** Klavikulaunterseite im mittleren Drittel
- **Funktion:** zieht die Klavikula nach unten
- **Innervation:** N. subclavius (C5–C6)
- **Triggerpunkte** (▸ Abb. 5.5): im Ansatzbereich des Muskels, nahe an der Klavikula

Osteopathische Korrespondenzen

Schmerzhafte Triggerpunkte im Ansatz des M. subclavius sind differenzialdiagnostisch für das Behandlungskonzept wichtig. Ursache können einseitige Körperhaltungen sein, die den sternoklavikulären Bereich belasten (z. B. schwere Taschen einseitig über der Schulter tragen), aber auch eine hypertone Atemhilfsmuskulatur bei chronischen Atemwegserkrankungen ist denkbar. Der M. subclavius wird auch von einem Ast des N. phrenicus (C3–C5) innerviert (Kap. 1.3.1). Dadurch besteht eine Korrespondenz mit den vom N. phrenicus versorgten Organen (sensible Versorgung Pars diaphragmatica und der Pars mediastinalis der Pleura parietalis, des Perikards, des Peritoneums, der Oberbauchorgane Leber, Galle und Magen sowie motorische Versorgung des Zwerchfells). Schmerzausstrahlungen z. B. in die rechte Schulter und damit auch in den Bereich des rechten M. subclavius können durch Dysfunktionen der Leber oder Gallenblase verursacht werden.

Behandlungshinweise

Muskelenergietechniken für die Brustmuskulatur können die myofasziale Gleitfähig der Strukturen verbessern.

5.3.4 M. coracobrachialis

Anatomie

- ▸ Abb. 5.13, ▸ Abb. 5.4
- **Ursprung:** Proc. coracoideus scapulae
- **Ansatz:** mediale Humerusfläche (proximale Hälfte, distal der Crista tuberculi minoris)
- **Funktion:** Flexion, Adduktion, Innenrotation des Arms
- **Innervation:** N. musculocutaneus (C5–C7)
- **Triggerpunkte** (▸ Abb. 5.6): im kranialen Anteil in der Nähe des Humerus

Osteopathische Korrespondenzen

Der M. coracobrachialis zieht nach kaudal-lateral und wird teilweise vom M. biceps brachii verdeckt, der mit seinem Caput breve auch am Proc. coracoideus ansetzt. Nach kaudal-medial zieht der M. pectoralis minor. Palpatorisch können nur durch die differenzierte Anspannung der Muskeln die Anteile unterschieden werden. Eine muskuläre Dysbalance, bei der die Innenrotatoren des Schultergelenks (M. subscapularis, M. latissimus dorsi, M. teres major, M. pectoralis major und Pars clavicularis des M. deltoideus) überwiegen, kann die Außenrotation des Schultergelenks einschränken und zu einer verminderten Beweglichkeit der Schultergelenkkapsel führen (Adhäsion der Gelenkkapsel und der die Gelenkkapsel verstärkenden Bänder). Durch die Innenrotation verändert sich die Stellung des Schultergürtels, was Dysfunktionen im CTÜ und in der OAA nach sich ziehen kann.

5.3.5 M. subscapularis

Anatomie

- ▸ Abb. 5.13, ▸ Abb. 5.4
- **Ursprung:** Fossa subscapularis
- **Ansatz:** Tuberculum minus humeri, Crista tuberculi minoris humeri (proximal), Schultergelenkkapsel
- **Funktion:** Innenrotation des Schultergelenks, Schultergelenkstabilisator
- **Innervation:** N. subscapularis (C6–C7)
- **Triggerpunkte** (▸ Abb. 5.12): in der Fossa subscapularis medial in der Region des oberen Schulterblattwinkels und am lateralen Rand

Myofasziale Wirkungsketten

Der M. subscapularis ist Bestandteil der tiefen rückwärtigen Armlinie, die Bezug zum Okziput und zur mittleren BWS hat. Über die Verbindung zum M. rhomboideus korrespondiert der Muskel mit der Spirallinie. Über die Spirallinie besteht eine kaudale Verbindung zu Fuß und Becken; Kraftübertragungen aus der unteren Extremität stehen damit in Korrespondenz zum Schulterblatt.

Osteopathische Korrespondenzen

Der M. subscapularis unterstützt die Innenrotation des Schultergelenks. Gleichzeitig helfen seine horizontal verlaufenden Fasern bei der Abduktion und Adduktion mit. Die Gleitebene der Skapula auf dem Thorax kann in 2 Gleiträume unterteilt werden. Eine Gleitebene bildet der M. subscapularis mit dem M. serratus anterior. Die andere wird zwischen dem M. serratus anterior und der Thoraxfaszie gebildet. Myofasziale Adhäsionen stören die Gleitbewegung der Skapula und können über eine dysfunktionale Bewegung des Schultergürtels Störungen in kranial gelegenen Strukturen provozieren (HWS, Okziput, Kiefergelenk), aber auch medial, z. B. über den M. rhomboideus, zur BWS mit der Korrespondenz zum Herzen.

Behandlungshinweise

Eine GOT-Technik in Seitenlage kann das skapulothorakale Gleiten verbessern.

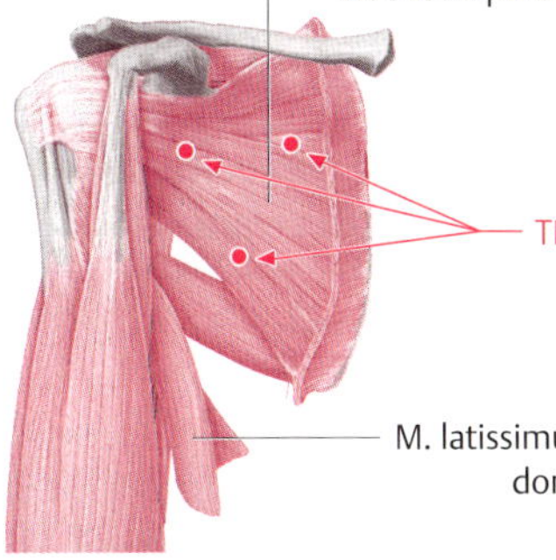

▶ **Abb. 5.12** Triggerpunkte M. subscapularis. (aus Hebgen E. Taschenatlas Myofasziale Triggerpunkte. Schmerzguide für Osteopathen und Manualtherapeuten. 2. Aufl. Stuttgart: Georg Thieme Verlag 2020; nach Schünke M, Schulte E, Schumacher U. Prometheus LernAtlas der Anatomie. Allgemeine Anatomie und Bewegungssystem. Illustrationen von Voll M und Wesker K. 5. Aufl. Stuttgart: Thieme; 2018)

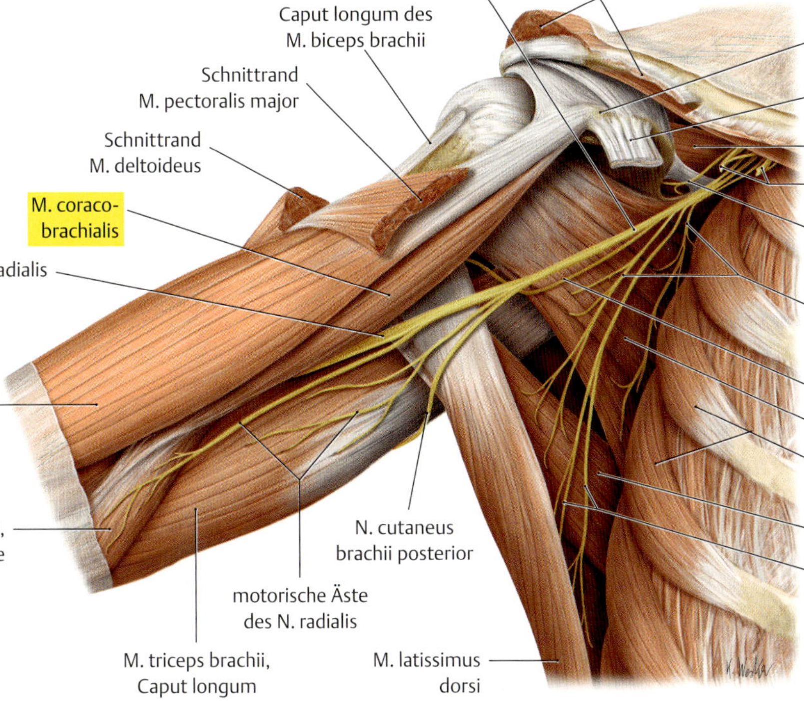

▶ **Abb. 5.13** Achselhöhle und Schultergürtelmuskulatur (rechte Schulter, Ansicht von ventral). (aus Schünke M, Schulte E, Schumacher U. Prometheus, LernAtlas der Anatomie. Allgemeine Anatomie und Bewegungssystem. Illustrationen von M. Voll und K. Wesker. 5., vollständig überarbeitete Auflage. Stuttgart: Thieme; 2018)

5.3.6 Plexus brachialis

Anatomie

▶ Abb. 5.14
- liegt im Bereich des M. pectoralis minor eng der A. axillaris an
- zum Schutz in einen Fettkörper eingebettet, der von einer Bindegewebsscheide umhüllt ist
- Fasciculus lateralis: bildet sich aus den vorderen Anteilen der Trunci superior und medius, stammt aus den Segmenten C5–C7, Äste sind N. musculocutaneus (Kap. 5.3.7), N. pectoralis lateralis, N. medianus
- Fasciculus medialis: bildet sich aus dem vorderen Ast des Truncus inferior, stammt aus Segmenten C8–Th1, Äste sind N. medianus, N. ulnaris, N. pectoralis medialis, N. cutaneus brachii medialis, N. cutaneus antebrachii medialis
- Fasciculus posterior: bildet sich aus den posterioren Anteilen der 3 Trunci und entstammt den Segmenten C5–Th1, Äste sind N. radialis, N. axillaris, N. subscapularis, N. thoracodorsalis
- Engpässe: hintere Skalenuslücke, obere Thoraxapertur mit Klavikula und 1. Rippe, M. pectoralis minor, Fascia clavipectoralis (Kap. 5.6.1)

Osteopathische Korrespondenzen

Fasciculus lateralis und medialis können bei einem verkürzten M. pectoralis minor irritiert werden. Aus Th2 verbindet sich der sensible Ramus cutaneus lateralis im Bereich der Axilla mit dem N. cutaneus brachii medialis (auch N. intercostobrachialis) und ist damit an der sensiblen Versorgung des proximalen Oberarms (dorsomedial) beteiligt. Dysfunktionen im Bereich von Th2 können sich als Missempfindung am dorsomedialen Oberarm zeigen.

Eine länger andauernde Kompression der Achselhöhle (z.B. Gehhilfen mit Achselpolster) kann zur Irritation der Äste des Fasciculus posterior führen (Kap. 1.3.8).

5.3.7 N. musculocutaneus

Anatomie

▶ Abb. 5.14
- stammt aus dem Fasciculus lateralis (C5–C7) der Pars infraclavicularis des Plexus brachialis
- durchdringt in seinem Verlauf den M. coracobrachialis
- innerviert alle Flexoren des Oberarms (M. coracobrachialis, M. biceps brachii, M. brachialis)
- versorgt sensibel den radialen Bereich des Unterarms
- hat Verbindung zur Fascia clavipectoralis und zu den Mm. pectorales minor und major

Osteopathische Korrespondenzen

Es bestehen vielfältige myofasziale Beziehungen über die verschiedenen Wirkungsketten zu anderen Körperregionen, die einen Einfluss auf die Funktionalität der Schulter nehmen können. Bevor der N. musculocutaneus den M. coracobrachialis durchdingt, verläuft er am unteren Rand des M. pectoralis minor. Myofasziale Adhäsionen in der Fascia clavipectoralis und der tiefen frontalen Armlinie können den Nerv irritieren und Missempfindungen am radialen Unterarmbereich auslösen.

Behandlungshinweise

Am Innenrand des M. coracobrachialis lässt sich der Nerv bei myofaszialen Adhäsionen gut mobilisieren.

5.3.8 N. thoracicus longus

Anatomie

▶ Abb. 5.14
- entspringt der Pars supraclavicularis des Plexus brachialis (C5–C7)
- zieht zwischen Klavikula und erster Rippe nach kaudal
- liegt eng der Thoraxwand an
- versorgt als rein motorischer Nerv den M. serratus anterior

Osteopathische Korrespondenzen

Der Nerv reagiert durch seinen langen Verlauf empfindlich auf mechanischen Druck. Besonders das Tragen schwerer Lasten, z.B. eines Rucksacks, kann eine Druckläsion auslösen (Engpass Klavikula, 1. Rippe). Der M. serratus hält das Schulterblatt dicht an den Thorax. Bei einer Läsion hebt sich der mediale Rand der Skapula vom Thorax ab (Scapula alata). Das Schulterblatt ist in seiner mediolateralen Gleitbewegung stark eingeschränkt, der Arm kann nicht weiter als bis zur Horizontalen angehoben werden.

5.3.9 A. subclavia

Anatomie

▶ Abb. 5.14
- sorgt für die arterielle Versorgung von Schultergürtel und oberer Extremität
- stammt links aus dem Aortenbogen, rechts aus dem Truncus brachiocephalicus
- tritt durch die hintere Skalenuslücke hervor, verläuft dorsal der Klavikula und durchtritt den M. subclavius
- wird im weiteren Verlauf der Achselhöhle zur A. axillaris, im Oberarmbereich zur A. brachialis und teilt sich in der Ellenbogenbeuge in A. ulnaris und A. radialis

Osteopathische Korrespondenzen

Die Stellung der Klavikula kann den Raum für die A. subclavia beeinflussen und den Radialispuls abschwächen. Eine Verengung kann provoziert werden, wenn die Schulter nach hinten-unten geführt und gleichzeitig die 1. Rippe durch eine forcierte Einatmung angehoben wird.

5.3.10 V. subclavia

Anatomie

▸ Abb. 5.14

- drainiert die Schulterregion
- enthält aus dem dorsalen Bereich venöses Blut aus V. suprascapularis und V. dorsalis scapulae, aus dem ventralen Bereich von den Vv. pectorales
- verläuft unterhalb des M. pectoralis minor und zwischen 1. Rippe und Klavikula

Osteopathische Korrespondenzen

Liegen Dysfunktionen im Bereich von zervikothorakalem Übergang, Klavikula, 1. Rippe und/oder ein verkürzter M. pectoralis minor vor, kann dies zu Zirkulationsstörungen führen.

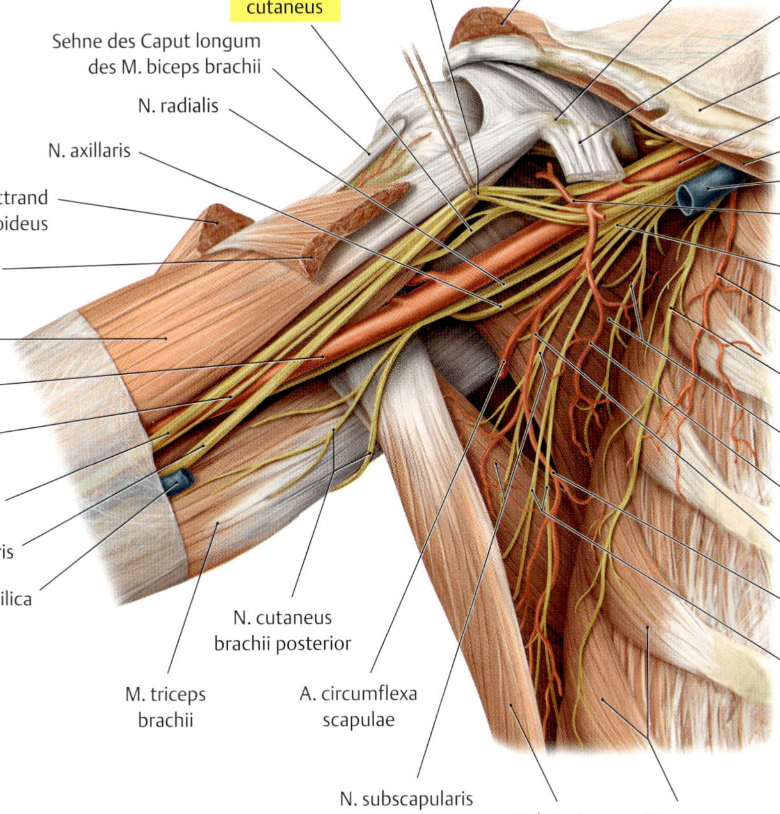

▸ **Abb. 5.14** Gefäß- und Nervenstraßen in der Achselhöhle (rechte Schulter, Ansicht von ventral). (aus Schünke M, Schulte E, Schumacher U. Prometheus, LernAtlas der Anatomie. Allgemeine Anatomie und Bewegungssystem. Illustrationen von M. Voll und K. Wesker. 5., vollständig überarbeitete Auflage. Stuttgart: Thieme; 2018)

5.4
Oberflächliche und tiefe dorsale Schicht

5.4.1 M. trapezius

▸ Abb. 5.15, Kap. 2.7.2

5.4.2 M. deltoideus

Anatomie

▸ Abb. 5.15

- **Ursprung:**
  - Pars clavicularis: Klavikula (laterales Drittel)
  - Pars acromialis: Akromion
  - Pars spinalis: Spina scapulae
- **Ansatz:** Tuberositas deltoidea am Humerus
- **Funktion:**
  - Pars clavicularis: Anteversion, Innenrotation, Adduktion
  - Pars acromialis: Abduktion des Arms
  - Pars spinalis: Retroversion, Außenrotation, Adduktion
- **Innervation:** N. axillaris (C5–C6)
- **Triggerpunkte** (▸ Abb. 5.6): ventral im Muskelbauch im oberen Drittel vor dem Glenohumeralgelenk, dorsal in der unteren Hälfte am Rand des Muskelbauchs

Myofasziale Wirkungsketten

Der M. deltoideus ist Teil der oberflächlichen rückwärtigen Armlinie. Hier besteht eine funktionelle Verbindung zwischen der dorsalen Schultergelenkmuskulatur und der dorsalen Schultergürtelmuskulatur.

Osteopathische Korrespondenzen

M. deltoideus und M. supraspinatus (Kap. 5.4.7) arbeiten eng zusammen. Nachdem der M. supaspinatus als Starter die Abduktionsbewegung des Oberarms einleitet, führt der M. deltoideus die weitere Abduktionsbewegung (vorwiegend über die Pars acromialis) durch. Ab der horizontalen Ebene muss das Schulterblatt mit seinem unteren Pol (Angulus inferior) nach lateral gleiten, damit sich die Cavitas glenoidalis nach oben richten kann und der Humeruskopf nicht gegen das Akromion gedrückt wird.

Die Faszie des M. deltoideus umschließt alle 3 Anteile und mündet in die Fascia brachii. Die tiefen Anteile sind fest mit der Spina scapulae und Klavikula verbunden. Die oberflächliche Faszienschicht verläuft weiter in die Faszie des M. trapezius.

Die Fascia subdeltoidea ist eine kräftige Faszie, welche die Rotatorenmanschette und das obere Humerusende umhüllt. Kranial geht sie in die Fascia supraspinata über, hat Verbindung zum Proc. coracoideus, Lig. coracoacromiale, Akromion (Schulterdach, Fornix humeri) und zur Spina scapulae. Sie ist damit ein periartikuläres Gewebe.

Schmerzempfindungen in der Region des M. deltoideus können durch Bandscheibenvorfälle in den HWS-Segmenten C4/5–C6/7 ausgelöst werden. Bei linksseitigen Schmerzen im Bereich dieses Muskels bei v. a. kreislaufbelastenden Bewegungen (z. B. Treppensteigen), womöglich in Verbindung mit Schmerzen im Bereich des linken M. pectoralis major, ist an ein akutes Herzgeschehen zu denken, das dringend ärztlich abgeklärt werden muss.

5.4.3 M. latissimus dorsi

Anatomie

▸ Abb. 5.15, Kap. 2.7.2

Myofaszlale Wlrkungsketten

Der M. latissimus dorsi wird der funktionellen Rückenlinie zugeordnet. Diese myofasziale Wirkungskette arbeitet körperstabilisierend und unterstützt gleichzeitig die Entwicklung dynamischer Kraftzüge, die sogar aus der unteren Extremität stammen und bis in die obere Extremität weitergeleitet werden können. Denn der Muskel ist auch Bestandteil der oberflächlichen frontalen Armlinie.

Osteopathische Korrespondenzen

Der M. latissimus ist eine Besonderheit, weil er keinen Bezug zur Skapula oder Klavikula hat, welche die eigentlichen Verbindungsstücke zwischen Schultergürtel- und Schultermuskulatur sind.

Der M. latissimus dorsi hat im Bereich der Fascia thoracolumbalis Verbindung mit dem oberflächlichen Blatt der Faszie. Er stellt damit eine direkt Verbindung zwischen der oberen Extremität und der unteren dorsalen Rumpfwand her.

5.4.4 M. teres major

Anatomie

▸ Abb. 5.15, ▸ Abb. 5.18

- **Ursprung:** distales Drittel des Margo lateralis scapulae (unterhalb des M. teres minor), Angulus inferior scapulae
- **Ansatz:** Crista tuberculi minoris humeri
- **Funktion:**
  - Innenrotation
  - Adduktion
  - Schultergelenkstabilisator
- **Innervation:** N. subscapularis (C5–C6)
- **Triggerpunkte** (▸ Abb. 5.16a, b): unterer Skapulawinkel, Muskelbauch lateral im Bereich der Achselfalte

Osteopathische Korrespondenzen

Der M. teres major liegt in der Faszie des M. latissimus dorsi. Bei Behandlungen von M. infraspinatus und M. teres minor einerseits und M. teres major und M. latissimus andererseits ist ein differenziertes Vorgehen wichtig. Denn M. infraspinatus und M. teres minor werden der tieferen Muskelschicht zugeordnet und sind Bestandteil der Rotatorenmanschette. Bei Dysfunktionen, die sich aus der unteren Extremität auf den Arm übertragen, ist die myofasziale Einbindung von M. teres major und M. latissimus dorsi besonders zu beachten.

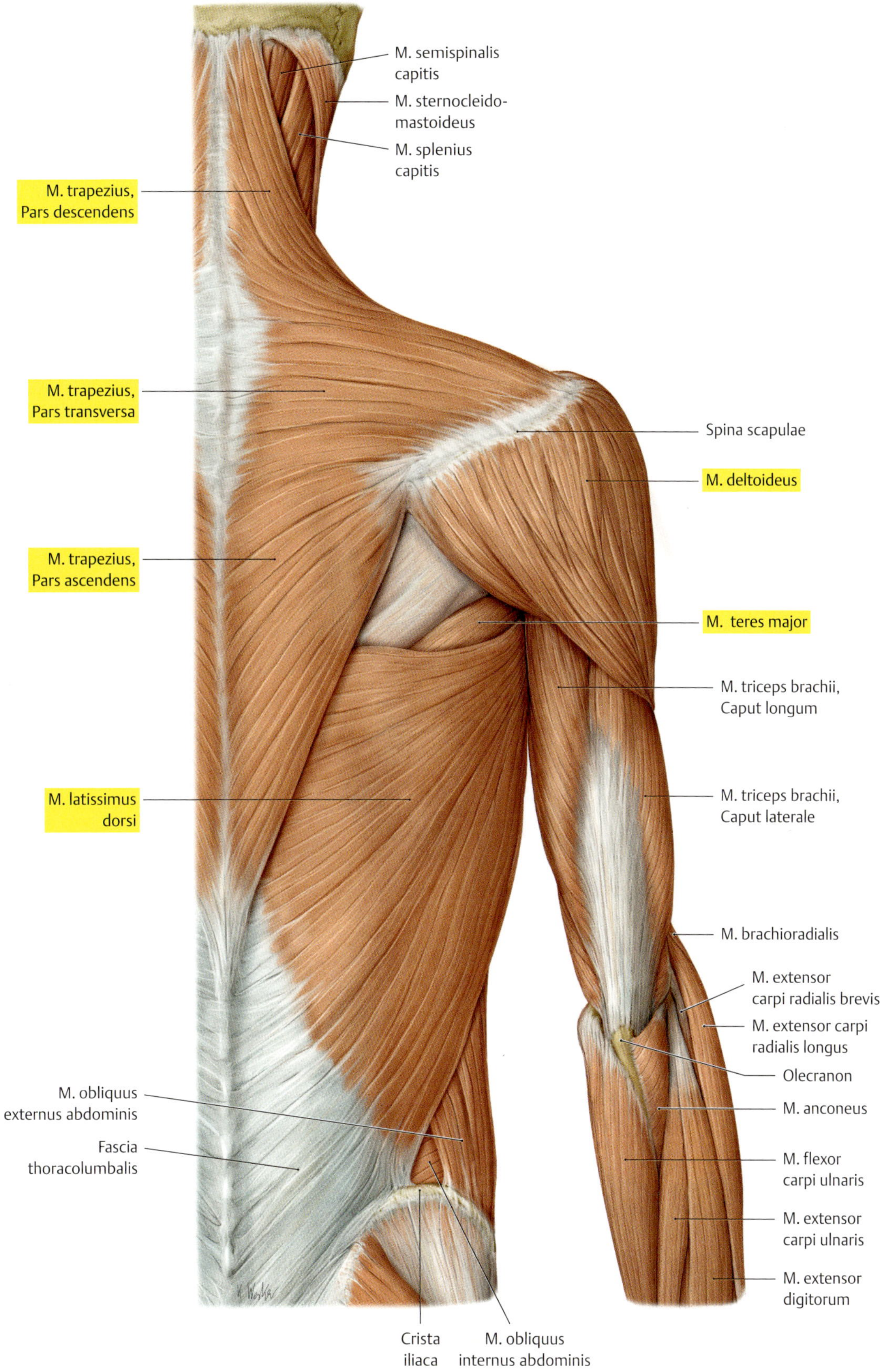

▶ **Abb. 5.15** Oberflächliche Muskulatur des Schultergelenks (Ansicht von dorsal). (aus Schünke M, Schulte E, Schumacher U. Prometheus, LernAtlas der Anatomie. Allgemeine Anatomie und Bewegungssystem. Illustrationen von M. Voll und K. Wesker. 5., vollständig überarbeitete Auflage. Stuttgart: Thieme; 2018)

5.4.5 M. levator scapulae

Anatomie

► Abb. 5.17

- **Ursprung:** Tubercula posteriora HWK 1–4
- **Ansatz:** Margo medialis scapulae (kranial)
- **Funktion:**
  - Rotation des kaudalen Skapulawinkels nach medial
  - Heben des kranialen Skapulawinkels nach kraniomedial
  - Extension (beidseitige Kontraktion) und ipsilaterale Seitneige der HWS
- **Innervation:** N. dorsalis scapulae (C5), ventrale Äste der Spinalnerven C3–C4
- **Triggerpunkte** (► **Abb. 5.16a**): Übergang Schultergürtel-Nacken, am oberen Schulterblattwinkel

Osteopathische Korrespondenzen

Kap. 5.4.6

5.4.6 Mm. rhomboidei minor und major

Anatomie

► Abb. 5.17

- **Ursprung:** Lig. nuchae, Procc. spinosi und Ligg. supraspinalia HWK6–BWK4
- **Ansatz:** Margo medialis scapulae
- **Funktion:**
  - Fixation der Skapula am Rumpf
  - zieht Skapula nach kranial-medial
- **Innervation:** N. dorsalis scapulae (C5)
- **Triggerpunkte** (► **Abb. 5.16c**): entlang des Margo medialis scapulae

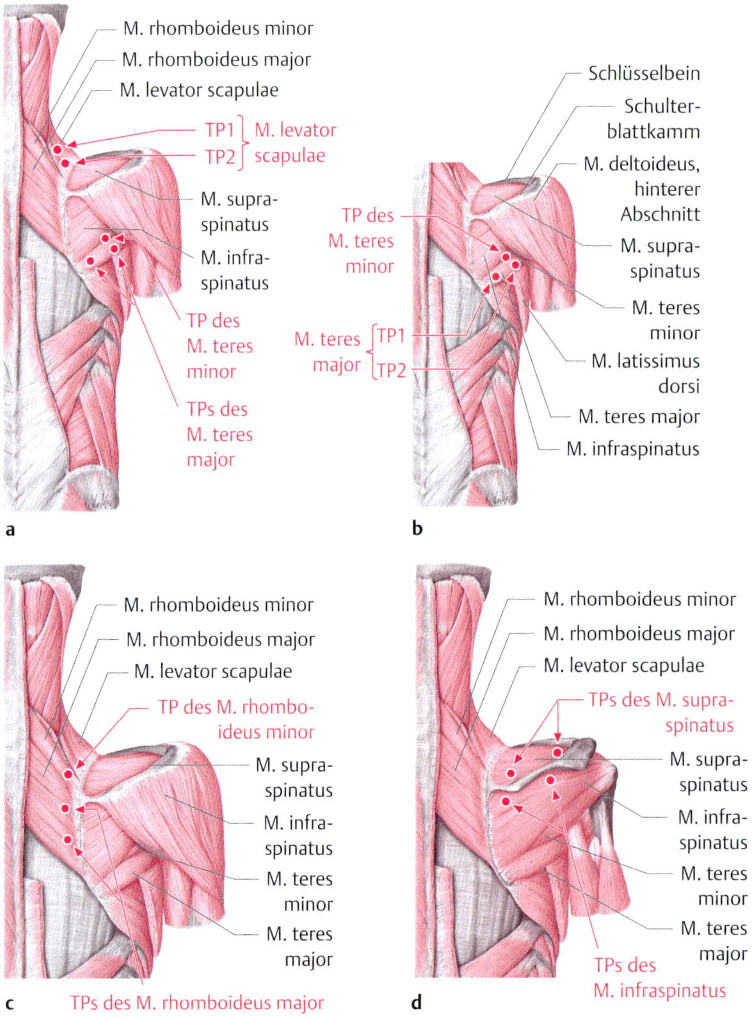

► **Abb. 5.16** Triggerpunkte M. levator scapulae, Mm. teres minor und major, Mm. rhomboidei minor und major, M. supraspinatus und M. infraspinatus. (aus Hebgen E. Taschenatlas Myofasziale Triggerpunkte. Schmerzguide für Osteopathen und Manualtherapeuten. 2. Aufl. Stuttgart: Georg Thieme Verlag 2020; nach Schünke M, Schulte E, Schumacher U. Prometheus LernAtlas der Anatomie. Allgemeine Anatomie und Bewegungssystem. Illustrationen von Voll M und Wesker K. 5. Aufl. Stuttgart: Thieme; 2018)

Myofasziale Wirkungsketten

M. levator scapulae sowie Mm. rhomboidei minor und major gehören zur tiefen rückwärtigen Armlinie.

Osteopathische Korrespondenzen

Muskuläre und fasziale Dysbalancen können die Mobilität des Schulterblatts und damit des Schultergürtels in ihrer Funktionalität negativ beeinflussen.

M. levator scapulae, Mm. rhomboidei, M. serratus anterior und M. subclavius werden von Nerven aus der Pars supraclavicularis des Plexus brachialis versorgt (C 4–C 6/7). Diese Segmente werden auch dem N. phrenicus zugeordnet. Er kann sich mit seinen afferenten Fasern aus dem Thorakal- und Bauchraum hier verschalten und zum Phänomen der spinalen Fazilitation führen. In der Folge kommt es zur Funktionsbeeinträchtigung der Schultermuskulatur aufgrund eines Geschehens, das im Versorgungsgebiet des N. phrenicus liegt. Mit diesen Muskeln korrespondierende Organe sind Herz, Magen, Gallenblase und Leber.

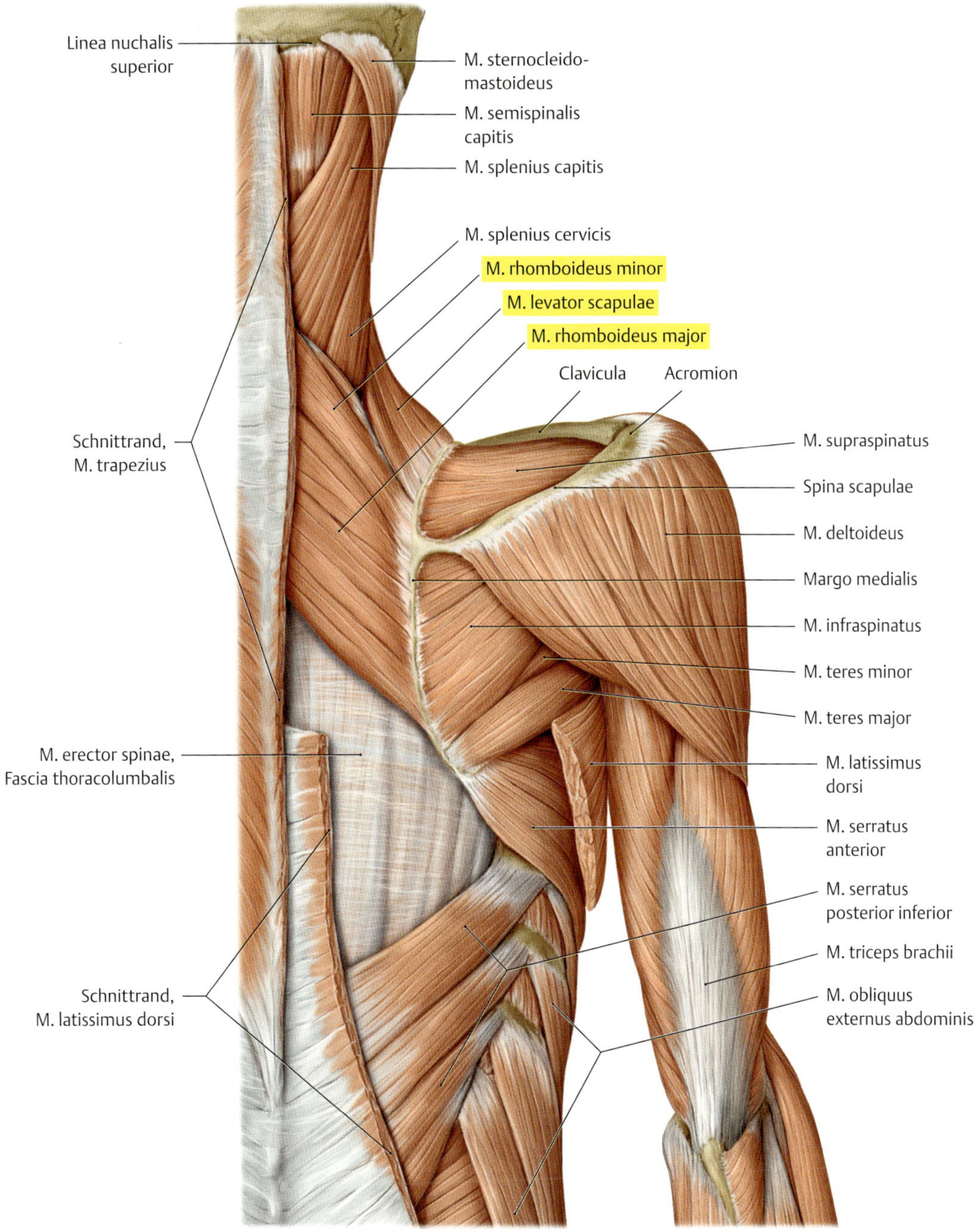

▶ **Abb. 5.17** Muskulatur des Schultergürtels (Ansicht von dorsal). (aus Schünke M, Schulte E, Schumacher U. Prometheus, LernAtlas der Anatomie. Allgemeine Anatomie und Bewegungssystem. Illustrationen von M. Voll und K. Wesker. 5., vollständig überarbeitete Auflage. Stuttgart: Thieme; 2018)

5.4.7 Rotatorenmanschette

Anatomie Muskeln

▸ Abb. 5.18

- Funktion der Rotatorenmanschette: stabilisiert und zentriert den Humeruskopf in der Gelenkpfanne, wirkt auf die Spannung der Gelenkkapsel ein und wird daher auch als „Kapselspanner" bezeichnet
- **M. supraspinatus:**
  - **Ursprung:** Fossa supraspinata scapulae, Spina scapulae
  - **Ansatz:** Tuberculum majus humeri (proximale Facette), Schultergelenkkapsel
  - **Funktion:** Abduktion des Arms, Schultergelenkstabilisator
  - **Innervation:** N. suprascapularis (C 5–C 6)
  - **Triggerpunkt** (▸ Abb. 5.16d): in der Fossa supraspinata scapulae
- **M. infraspinatus:**
  - **Ursprung:** Fossa infraspinata scapulae
  - **Ansatz:** Tuberculum majus humeri (mittlere Facette), Schultergelenkkapsel
  - **Funktion:** Außenrotation des Arms, Schultergelenkstabilisator
  - **Innervation:** N. suprascapularis (C 5–C 6), (▸ Abb. 5.19)
  - **Triggerpunkt** (▸ Abb. 5.16d): direkt unterhalb der Spina scapulae medial und lateral in der Fossa infraspinata
- **M. teres minor:**
  - **Ursprung:** lateraler Skapularand (mittleres Drittel), oberhalb des M. teres major
  - **Ansatz:** Tuberculum majus humeri (untere Facette), Schultergelenkkapsel
  - **Funktion:** Außenrotation des Arms, Schultergelenkstabilisator
  - **Innervation:** N. axillaris (C 5–C 6)
  - **Triggerpunkt** (▸ Abb. 5.16a, b): zwischen M. infraspinatus und M. teres major in der Nähe des Margo lateralis scapulae
- **M. subscapularis:** Kap. 5.3.5

Anatomie Faszien

▸ Abb. 5.19, ▸ Abb. 5.20

- **Fascia supraspinata:** kräftig, deckt den Muskel ab, bildet mit der Fossa supraspinata eine Loge für den M. supraspinatus (osteofibröser Kanal), geht in die Faszie des M. levator scapulae über
- **Fascia infraspinata:** umhüllt M. infraspinatus und M. teres minor, setzt am lateralen Rand des Schulterblatts (Margo lateralis) und der Spina scapulae an
- **Fascia subscapularis:** setzt sich nach lateral in die Fascia axillaris und Fascia infraspinata fort, geht kranial in die Faszie des M. supraspinatus über

Osteopathische Korrespondenzen

Der M. supraspinatus verläuft mit seinem sehnigen Anteil geschützt durch die Bursa acromialis über die Gelenkkapsel unter dem Akromion und setzt kranial am Tuberculum majus an. Fasziale Anteile verbinden ihn mit der Gelenkkapsel. Bei Kontraktion wirkt er neben der Starterfunktion der Armabduktion auch als Kapselspanner.

Durch den Übergang Fascia supraspinata in die Faszie des M. levator scapulae entsteht eine funktionelle Verbindung zwischen der dorsalen Schultergelenkmuskulatur und der dorsalen Schultergürtelmuskulatur. Eine Verdickung der Fascia supraspinata kann zu einer Kompression des N. suprascapularis führen. Der Nerv gelangt durch die Incisura scapulae in die Fossa supraclavicularis und versorgt motorisch Mm. supra- und infraspinatus (▸ Abb. 5.20). Sensible Anteile versorgen Anteile der Schultergelenkkapsel. Eine degenerative Veränderung des Lig. transversum scapulae kann ebenfalls zu einem Engpass im Bereich der Incisura scapulae führen. Verengt sich der subakromiale Raum durch degenerative Prozesse, z. B. an der Sehne des M. supraspinatus, kann es zum Impingementsyndrom kommen. Die Fascia infraspinata ist der Gegenspieler der Fascia clavipectoralis. Sie dient besonders im Bereich des Margo medialis als Ansatz für Mm. rhomboideus minor und major.

Der M. subscapularis und der M. serratus anterior bilden das skapulothorakale Gleitlager. Adhäsionen oder eine myofasziale Festigkeit zwischen diesen beiden Muskeln stören die Beweglichkeit der Skapula und damit auch die Funktionalität des eigentlichen Schultergelenks (Art. humeroscapularis).

Die Muskeln der Rotatorenmanschette, aber auch M. teres major und M. deltoideus weisen nicht selten Triggerpunkte bei Bandscheibenprotrusion oder gar Bandscheibenprolaps in den Segmenten C 4/5–C 6/7 auf.

Über einen Rundrücken können mechanische Kräfte auf das Schultergelenk Einfluss nehmen und die physiologischen Bewegungsräume, z. B. subakromial, verengt werden. Bissstörungen oder Dysfunktionen des Temporomandibulargelenks können die Kopfhaltung und die Stellung der HWS beeinflussen. Dies wiederum wirkt sich auf die Stellung des Schultergürtels aus.

Bei Beschwerden in der rechten Schulter ist auch an den viszeralen Funktionszusammenhang von Leber und Galle zu denken. Mögliche Verbindungen bestehen über den rechten N. phrenicus und die Beziehung zum Plexus brachialis, muskulär über z. B. M. supraspinatus sowie ligamentär bzw. faszial über Leberkapsel und -ligamente, Pleura und Fascia clavipectoralis (Kap. 5.2.7).

Behandlungshinweise

MET und GOT-Techniken können das glenohumerale Gleiten verbessern.

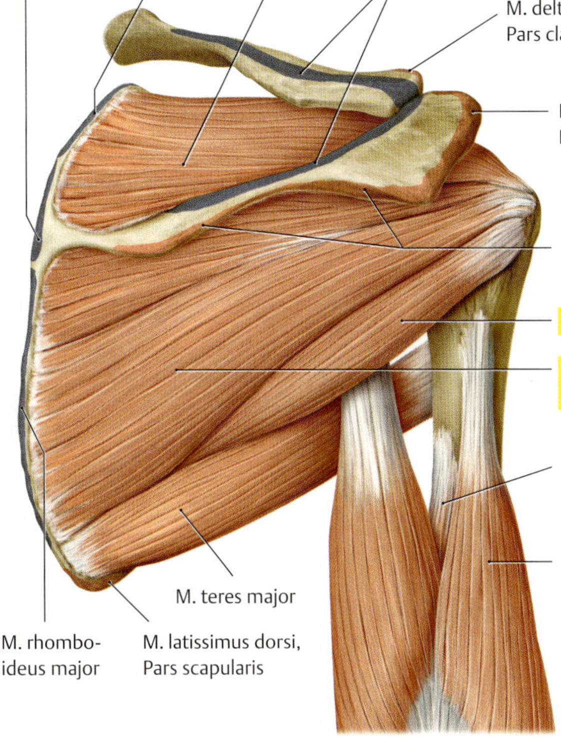

▸ **Abb. 5.18** Muskeln der rechten Schulter: Rotatorenmanschette (Ansicht von dorsal). (aus Schünke M, Schulte E, Schumacher U. Prometheus, LernAtlas der Anatomie. Allgemeine Anatomie und Bewegungssystem. Illustrationen von M. Voll und K. Wesker. 5., vollständig überarbeitete Auflage. Stuttgart: Thieme; 2018)

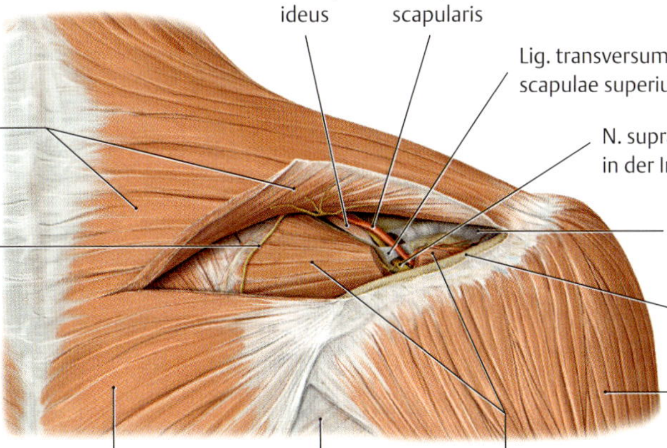

▸ **Abb. 5.19** Der N. suprascapularis verläuft unter dem Lig. scapulae in der Incisura scapulae. Sichtbar ist auch der Ansatz des M. omohyoideus, der eine Verbindung zwischen Schulterblatt und Os hyoideum (Zungenbein) darstellt. (aus Schünke M, Schulte E, Schumacher U. Prometheus, LernAtlas der Anatomie. Allgemeine Anatomie und Bewegungssystem. Illustrationen von M. Voll und K. Wesker. 5., vollständig überarbeitete Auflage. Stuttgart: Thieme; 2018)

5.4.8 Verbindungen oberflächliche und tiefe Strukturen

Anatomie

▶ Abb. 5.17, ▶ Abb. 5.18

- Muskeln des Schultergelenks (Rotatorenmanschette) und Rumpf-Arm-Muskulatur: die Ursprünge dieser Muskeln befinden sich größtenteils an der Skapula und zu einem kleinen Teil an der Klavikula
- Schultergelenkbewegungen sind mit Hilfe folgender Muskeln möglich:
  - M. supraspinatus: Zentrierung und Stabilisierung des Humeruskopfes (Hauptfunktion), Abduktion
  - M. infraspinatus: Zentrierung und Stabilisierung des Humeruskopfes (Hauptfunktion), Außenrotation
  - M. teres minor: Zentrierung und Stabilisierung des Humeruskopfes (Hauptfunktion), Außenrotation
  - M. subscapularis: Zentrierung und Stabilisierung des Humeruskopfes (Hauptfunktion), Innenrotation
  - M. deltoideus:
    - Pars clavicularis: Anteversion, Innenrotation, Adduktion
    - Pars spinalis: Retroversion, Außenrotation, Adduktion
    - beide Anteile assistieren bei der Abduktion zwischen 60° und 90°
    - Pars acromialis: Abduktion
  - M. latissimus dorsi: Innenrotation, Adduktion, Retroversion Schultergelenk, „Hustenmuskel", Ausatmungshilfsmuskel
  - M. teres major: Innenrotation, Adduktion, Retroversion
  - M. pectoralis major: Adduktion, Innenrotation
    - Pars clavicularis und Pars sternocostalis: Anteversion
  - M. coracobrachialis: Anteversion, Adduktion, Innenrotation
  - M. biceps brachii: Abduktion und Innenrotation (Caput longum), Anteversion (Caput longum, Caput breve)
  - M. triceps brachii: Retroversion. Adduktion (Caput longum)

Myofasziale Wirkungsketten

Das komplexe Zusammenspiel der myofaszialen Wirkungsketten „oberflächliche und tiefe rückwärtige Armlinie", „oberflächliche frontale Armlinie" und „funktionelle Rückenlinie" verdeutlichen die überregionale Funktionalität der genannten Muskeln.

Osteopathische Korrespondenzen

Es besteht eine Verknüpfung von Schultergürtel- und Schultergelenkmuskulatur. So sind z. B. M. supraspinatus und M. levator scapulae über ihre oberflächlichen Faszien miteinander verbunden. Betrachtet man die Funktion des M. levator scapulae, so arbeitet er vorwiegend als Haltemuskel, um das Eigengewicht des Arms und ggf. Traglasten im Schulter- bzw. Armbereich zu bewältigen. Das bedeutet, dass die Haltung des Schultergürtels in Ruhe ein aktiver und dynamischer Vorgang ist. Die Kopfhaltung und die Stellung der HWS sind wichtige Faktoren für die Funktionalität von Schultergürtel und Schultergelenk.

5.4.9 Achsellücken und Trizepsschlitz

Anatomie

▶ Abb. 5.21

- Caput longum des M. triceps brachii schiebt sich dorsal des M. teres major und ventral des M. teres minor durch die Muskellücke: dadurch entstehen eine laterale und eine mediale Achsellücke
  - **laterale Achsellücke:** Durchtrittsstelle für N. axillaris, A. und Vv. circumflexae humeri posteriores
  - **mediale Achsellücke:** Durchtrittsstelle für A. und Vv. circumflexae scapulae
- **Trizepsschlitz:**
  - entsteht durch die Begrenzung von M. triceps brachii, Caput longum (medial), M. teres major (kranial) und Humerusschaft (lateral)
  - Durchtrittsstelle für A. profunda brachii und N. radialis (sensible Äste: Nn. cutanei brachii posterior und lateralis inferior)

Osteopathische Korrespondenzen

Die Achsellücken sind besonders bei traumatischen Verletzungen (z. B. Schulterluxation) sehr anfällig.

Der N. axillaris, der motorisch M. deltoideus und M. teres minor sowie mit seinem sensiblen Ast (N. cutaneus brachii lateralis superior) die posterioren Anteile des M. deltoideus und den Bereich des M. triceps brachii (Caput longum) versorgt, kann durch myofasziale Adhäsionen im Bereich der Achsellücke sensible Missempfindungen im Dermatom C 3/C 4 auslösen (▶ Abb. 5.20).

Schmerzen bei der tiefen Palpation des N. radialis im Trizepsschlitz können auf eine myofasziale Adhäsion im Nervenverlauf hinweisen.

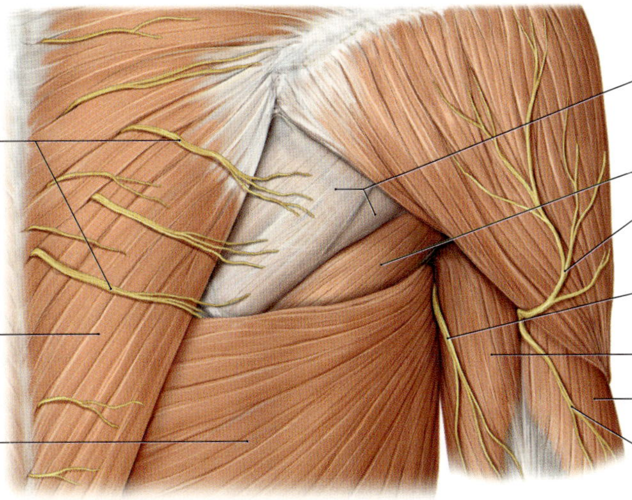

▸ **Abb. 5.20** Hautnerven und Fascia infraspinata der rechten Schulter (Ansicht von dorsal). (aus Schünke M, Schulte E, Schumacher U. Prometheus, LernAtlas der Anatomie. Allgemeine Anatomie und Bewegungssystem. Illustrationen von M. Voll und K. Wesker. 5., vollständig überarbeitete Auflage. Stuttgart: Thieme; 2018)

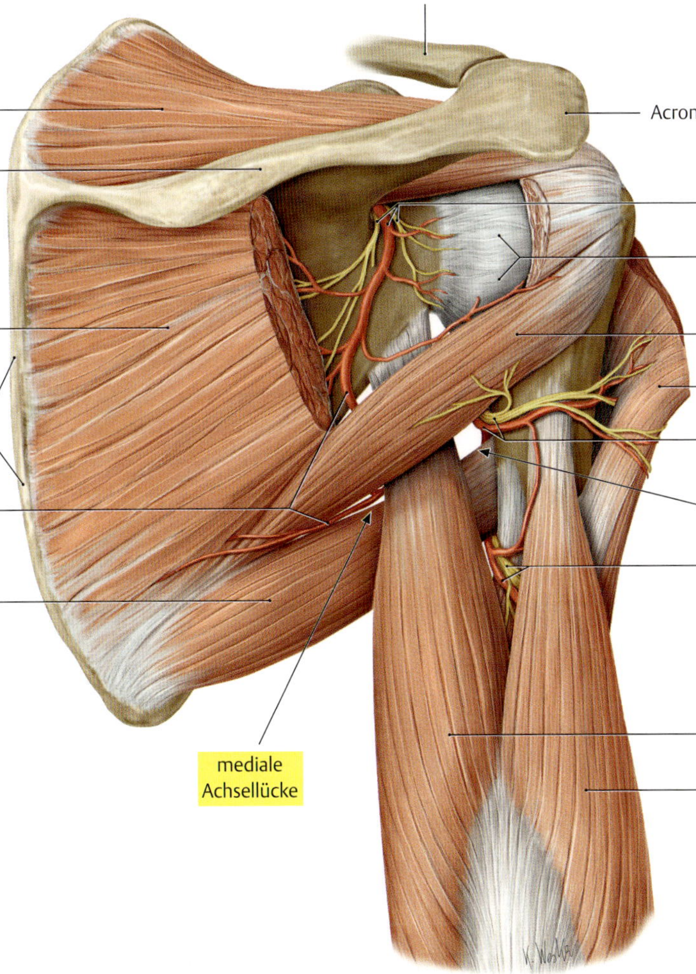

▸ **Abb. 5.21** Mediale und laterale Achsellücke, Trizepsschlitz (rechte Schulter, Ansicht von dorsal). (aus Schünke M, Schulte E, Schumacher U. Prometheus, LernAtlas der Anatomie. Allgemeine Anatomie und Bewegungssystem. Illustrationen von M. Voll und K. Wesker. 5., vollständig überarbeitete Auflage. Stuttgart: Thieme; 2018)

5.5
Knochen und Gelenke des Schultergürtels

5.5.1 Clavicula (Schlüsselbein)

Anatomie

▸ Abb. 5.22
- Verbindungsknochen zwischen Sternum und Akromion
- s-förmig gebogen
- ca. 12–15 cm lang
- kann in seiner gesamten Ausdehnung palpiert werden

Osteopathische Korrespondenzen

Die Klavikula ist faszial umfangreich umschlossen und kann bei Dysfunktion in den gelenkigen Verbindungen zu weitreichenden myofaszialen Dysfunktionen von Thorax, Schulter und Halsbereich führen. Alle Muskeln, die an der Klavikula ansetzen, können den gesamten Schultergürtel in seiner Position verändern. Das sind M. sternocleidomastoideus, M. subclavius, M. pectoralis major, M. deltoideus und M. trapezius. Bei einer Bewegung des Arms in Flexion oder Abduktion über 90° muss sich neben der Außenrotation der Skapula auch die Klavikula nach kranial anheben und außerdem um die eigene Achse drehen. Ist die Rotationsfähigkeit der Klavikula durch Dysfunktionen in den Nachbargelenken, myofasziale Adhäsionen oder eine verkürzte Muskulatur eingeschränkt, kann das die Bewegungsfreiheit des Arms und die Körperhaltung beeinträchtigen.

Behandlungshinweise

Eine hohe Effizienz haben Mobilisationstechniken der Klavikula, weil die Klavikula wie eine Führungsstange für sämtliche Bewegungen im Schultergelenk wirkt.

5.5.2 Scapula (Schulterblatt)

Anatomie

▸ Abb. 5.23, ▸ Abb. 5.24
- dreieckige Form
- relativ platt
- bietet zahlreiche Ansatzstellen für Muskeln
- Incisura scapulae: Einkerbung des Schulterblatts in der Nähe des Proc. coracoideus, die vom Lig. transversum scapulae superius überspannt wird
- Proc. coracoideus: Insertion für den kurzen Kopf des M. biceps brachialis, M. coracobrachialis und M. pectoralis minor
- Fornix humeri (Schulterdach): besteht aus Proc. coracoideus, Lig. coracoacromiale und Akromion
- Spina scapulae: Knochenleiste, welche die dorsale Fläche der Skapula in die Fossa supra- und infraspinata unterteilt
- Tuberculum supraglenoidale: Ansatzstelle für die lange Bizepssehne und das kapselstabilisierende Lig. glenohumerale
- Tuberculum infraglenoidale: Ansatzstelle für langen Kopf des M. triceps brachii (Caput longum)
- Wirkungsweise der dorsalen Rumpf-Schultermuskulatur auf das Schulterblatt:
  - M. levator scapulae: Skapulabewegung nach kranial-medial, Innenrotation
  - Mm. rhomboidei major und minor: Fixierung der Skapula am Rumpf, Skapulabewegung nach kranial-medial
  - M. serratus anterior: Skapulabewegung nach lateral-ventral
  - M. trapezius: Außenrotation (Partes descendens und ascendens), Retraktion (Partes transversa und ascendens), Elevation (Pars descendens), Depression (Pars ascendens), Fixierung des Schulterblatts am Thorax (gesamter Muskel)

Osteopathische Korrespondenzen

Bewegungen des Schulterblatts sind an die Bewegung der Klavikula gekoppelt (Kap. 5.5.1).

Durch die Incisura scapulae verläuft der N. supraspinatus. Myofasziale Adhäsionen im Bereich des M. subscapularis und M. supraspinatus können den Durchtrittsbereich des Nervs negativ beeinflussen. Verknöchert das Lig. transversum scapulae, kann es zur Kompression des Nervs kommen, die sich bei der Drehbewegung der Skapula noch verstärken kann (▸ Abb. 5.20). Schlimmstenfalls kommt es zur Atrophie des M. supraspinatus und M. infraspinatus.

Palpieren lassen sich Akromion, Margo medialis, Angulus inferior und Spina scapulae. Die Palpation des Proc. coracoideus ist durch die Dichte der Muskelansätze und des darüber verlaufenden M. pectoralis major nicht ganz einfach. Hilfreich ist die Palpation in der Tiefe von ventral bei abduziertem Arm. Bei ausgeprägter myofaszialer Spannung kann die Palpation etwas schmerzhaft sein.

Behandlungshinweise

Zur Vorbereitung einer HVLA-Technik für das Akromioklavikulargelenk bieten sich MET und GOT-Techniken an.

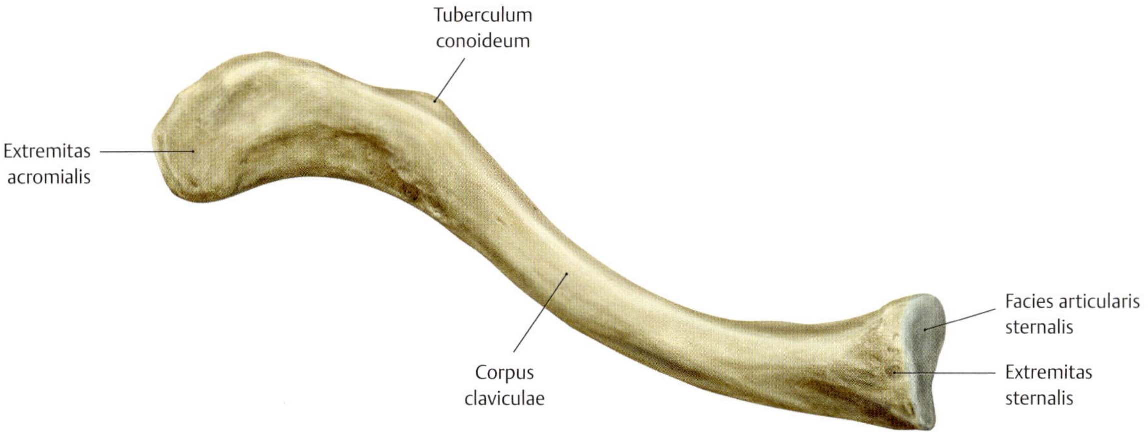

▸ **Abb. 5.22** Rechte Klavikula (Ansicht von kranial). (aus Schünke M, Schulte E, Schumacher U. Prometheus, LernAtlas der Anatomie. Allgemeine Anatomie und Bewegungssystem. Illustrationen von M. Voll und K. Wesker. 5., vollständig überarbeitete Auflage. Stuttgart: Thieme; 2018)

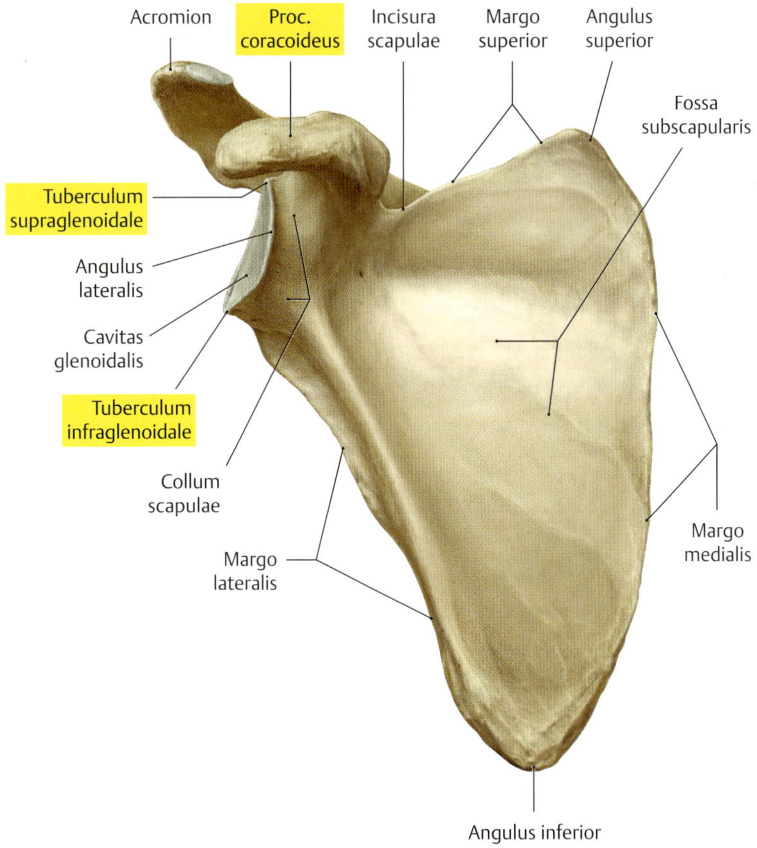

▸ **Abb. 5.23** Rechte Skapula (Ansicht von ventral). (aus Schünke M, Schulte E, Schumacher U. Prometheus, LernAtlas der Anatomie. Allgemeine Anatomie und Bewegungssystem. Illustrationen von M. Voll und K. Wesker. 5., vollständig überarbeitete Auflage. Stuttgart: Thieme; 2018)

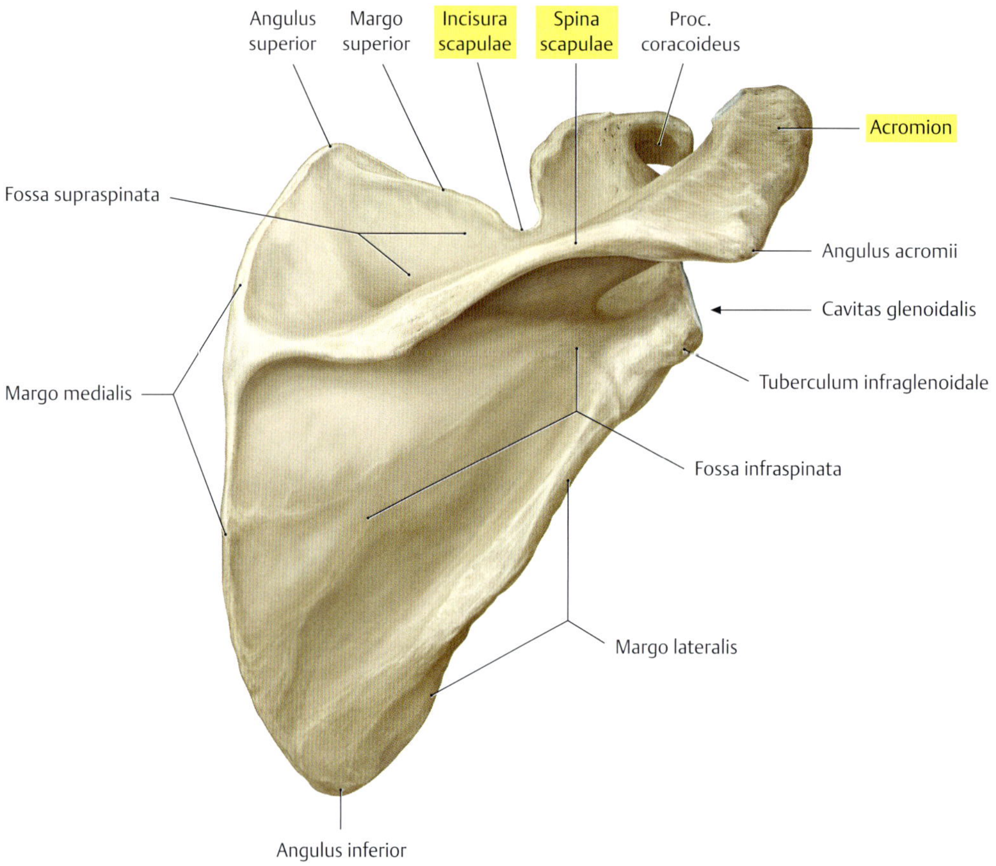

▸ **Abb. 5.24** Rechte Skapula (Ansicht von dorsal). (aus Schünke M, Schulte E, Schumacher U. Prometheus, LernAtlas der Anatomie. Allgemeine Anatomie und Bewegungssystem. Illustrationen von M. Voll und K. Wesker. 5., vollständig überarbeitete Auflage. Stuttgart: Thieme; 2018)

5.5.3 Proximaler Humerus

Anatomie

▶ Abb. 5.25

- Collum anatomicum: verhältnismäßig kurz
- Tuberculum majus (lateral) und Tuberculum minus (ventral): 2 knöcherne Erhebungen unterhalb des Collum humeri, die als Ansatzstellen für Muskeln dienen (Tuberculum majus für M. supraspinatus, M. infraspinatus und M. teres minor; Tuberculum minus für M. subscapularis)
- Crista tuberculi majoris und Crista tuberculi minoris: 2 Knochenleisten distal der Tubercula, die als Muskelansatzstellen dienen (Crista tuberculi majoris für M. pectoralis major, Septum intermusculare brachii laterale; Crista tuberculi minoris für M. latissimus dorsi, M. teres major, M. coracobrachialis, Septum intermusculare mediale)
- Sulcus intertubercularis: Führungskanal für die lange Bizepssehne zwischen den Cristae

Osteopathische Korrespondenzen

Gut tastbar ist das Tuberculum majus, bei Rotation evtl. auch das Tuberculum minus. Befindet sich der Arm in Abduktion, kann von der Achselhöhle aus der Humerushals palpiert werden.

Der Übergang der Muskelansätze und der Verlauf des Septum intermusculare mediale und laterale sind fließend. Myofasziale Dysbalancen können zu unphysiologischen Zugkräften auf die Septen führen und die Gelenkkapsel des Ellenbogengelenks beeinflussen.

5.5.4 Schultergelenke: Überblick

Anatomie

▶ Abb. 5.26

- Arm und Schultergürtel sind eine funktionelle Einheit und verfügen über 5 gelenkige Verbindungen
- 3 echte Gelenke:
  - Art. sternoclavicularis
  - Art. acromioclavicularis
  - Art. humeri
- Nebengelenke:
  - subakromiales Nebengelenk
  - Schulterblatt-Thorax-Gelenk
- 2 Bandhaften unterstützen die hohe Beweglichkeit des Schultergürtels:
  - Lig. costoclaviculare (zwischen 1. Rippe und Klavikula)
  - Lig. coracoclaviculare (zwischen Proc. coracoideus und Klavikula)

Osteopathische Korrespondenzen

Schultergürtel- und Schultergelenkbewegungen bedingen sich gegenseitig. Sie sind eine funktionelle Einheit. Ist die mechanische Bewegung in einem Bereich gestört, wirkt sich dies auf die gesamte Funktionalität des Schultergelenks aus. Die myofaszialen Wirkungsketten verdeutlichen, aus welchen weitreichenden Körperregionen Kraft- und Zuglinien einen Einfluss auf den Schultergürtel und das Schultergelenk haben können. Bei Dysfunktionen im Sternoklavikulargelenk ist auf Dysfunktionen zu achten, die aus dem Thoraxbereich oder Abdomen kommen können. Eine Dysfunktion des Akromioklavikulargelenks kann durch Dysfunktionen der HWS oder der Armregion verursacht werden.

Behandlungshinweise

Eine PIR als MET während der GOT-Armzirkumduktion kann als Ergänzung für die Behandlung einer Dysfunktion im Glenohumeralgelenk sinnvoll sein.

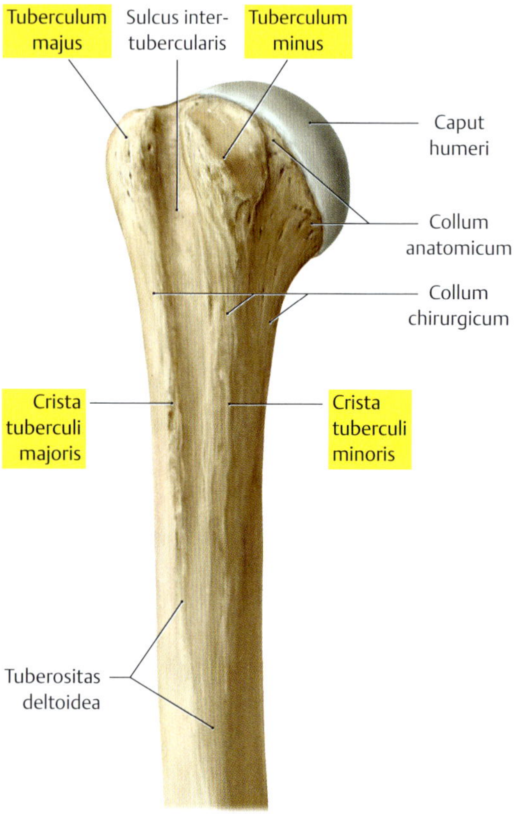

▶ **Abb. 5.25** Proximaler Teil eines rechten Humerus (Ansicht von ventral). (aus Schünke M, Schulte E, Schumacher U. Prometheus, LernAtlas der Anatomie. Allgemeine Anatomie und Bewegungssystem. Illustrationen von M. Voll und K. Wesker. 5., vollständig überarbeitete Auflage. Stuttgart: Thieme; 2018)

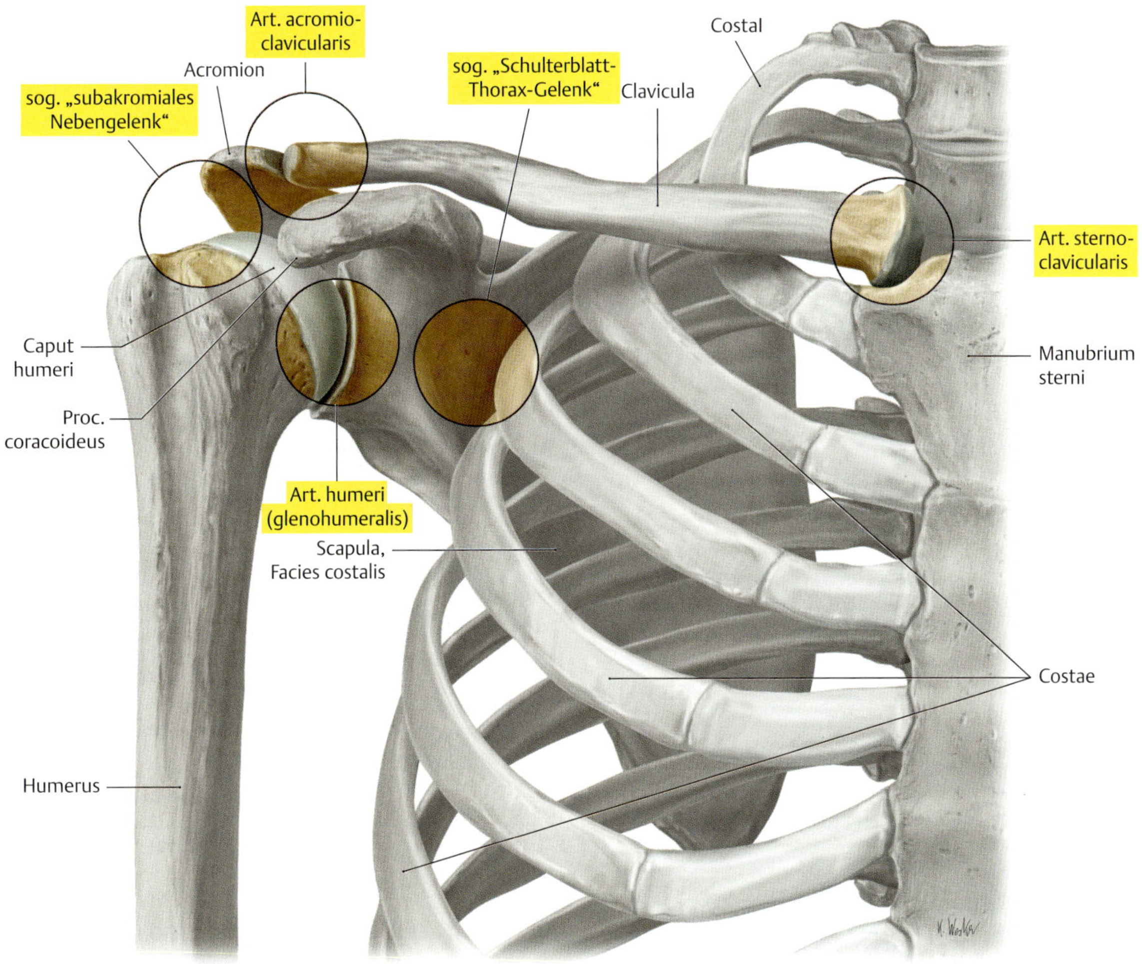

▸ **Abb. 5.26** Gelenke der Schulter (rechte Seite, Ansicht von ventral). (aus Schünke M, Schulte E, Schumacher U. Prometheus, LernAtlas der Anatomie. Allgemeine Anatomie und Bewegungssystem. Illustrationen von M. Voll und K. Wesker. 5., vollständig überarbeitete Auflage. Stuttgart: Thieme; 2018)

5.5.5 Art. sternoclavicularis

Anatomie

▸ Abb. 5.27

- mediales Schlüsselbeingelenk
- **Art:** Kugelgelenk
- **Partner:** Klavikula und Manubrium sterni; inkongruentes Gelenk, da beide Gelenkflächen sattelförmig sind → zum Ausgleich findet sich im Gelenk ein Discus articularis
- **Funktion:** Elevation (dabei Rotationsbewegung der Klavikula um die eigene Achse von bis zu 45°) und Depression, Protraktion und Retraktion
- **Ligamente:**
  - Lig. sternoclaviculare anterius: anterior von der Extremitas sternalis zum Manubrium sterni
  - Lig. sternoclaviculare posterius: posterior von der Extremitas sternalis zum Manubrium sterni
  - Lig. interclaviculare: verbindet die sternalen Enden der beiden Schlüsselbeine
  - Lig. costoclaviculare: von der 1. Rippe zur medialen Unterseite der Klavikula

Osteopathische Korrespondenzen

Die kombinierte Bewegungsvielfalt der Klavikula und Skapula erklärt die zahlreich möglichen Dysfunktionen im Schultergürtel. Mechanisch können Störungen im Thorax zu vermehrt anterioren Dysfunktionen führen, während zervikale Dysfunktionen tendenziell zu kranialen Störungen im Sternoklavikulargelenk führen. Dysfunktionen der 1. und 2. Rippe, Bewegungseinschränkung der Skapula und Dysfunktionen in der BWS können ebenfalls die Bewegungsmöglichkeiten im Sternoklavikulargelenk beeinflussen.

Der M. sternocleidomastoideus korrespondiert mit dem Lig. sternoclaviculare anterius, der M. sternohyoideus mit dem Lig. sternoclaviculare posterius. Beide Bänder verstärken die Gelenkkapsel des Sternoklavikulargelenks. Dysfunktionen des Gelenks können sich über den muskulären Zug auf das Os hyoideum bzw. auf das Os temporale übertragen.

Bei osteopathischen Dysfunktionen auch nur eines Schultergürtelgelenks kann die gesamte Bewegungsökonomie im Schulterbereich gestört sein (Kap. 1.3.2).

Behandlungshinweise

Es bieten sich Techniken in den einzelnen Gelenkregionen an. Eine hohe Effizienz haben die Mobilisationstechniken der Klavikula, weil diese wie eine Führungsstange für sämtliche Bewegungen im Schultergelenk wirkt.

5.5.6 Art. acromioclavicularis

Anatomie

▸ Abb. 5.28

- laterales Schlüsselbeingelenk, Schultereckgelenk
- **Art:** planes Gelenk
- **Partner:** Akromion und laterales Ende der Klavikula
- **Funktion:** Pro- und Retraktion des Schultergürtels, Rotation um die eigene Längsachse, geringe Elevation und Depression
- **Ligamente:**
  - Lig. acromioclaviculare: vom oberer Rand der Extremitas acromialis zum Akromion
  - Lig. coracoacromiale: vom Proc. coracoideus zum Akromion, hat keine direkte Verbindung zur Gelenkkapsel
  - Lig. coracoclaviculare: setzt sich zusammen aus
    - Lig. trapezoideum: vom Proc. coracoideus zur Unterseite der Klavikula
    - Lig. conoideum: vom Proc. coracoideus zum Tuberculum conoideum der Klavikula

Osteopathische Korrespondenzen

Das Lig. acromioclaviculare korrespondiert mit dem M. trapezius. Die Faszie M. deltoideus steht in enger Verbindung mit dem Lig. coracoacromiale. Die Funktionalität des Bandapparats kann durch unphysiologische Krafteinwirkung der Muskeln gestört werden und die Gelenkmechanik beeinträchtigen.

Behandlungshinweise

Dysfunktionen im Sterno- und Akromioklavikulargelenk treten aufgrund der funktionellen Verbindung über die Klavikula gehäuft in Kombination auf. Neben HVLA-Techniken und MET ist auch eine fasziale Mobilisation der Klavikula sinnvoll.

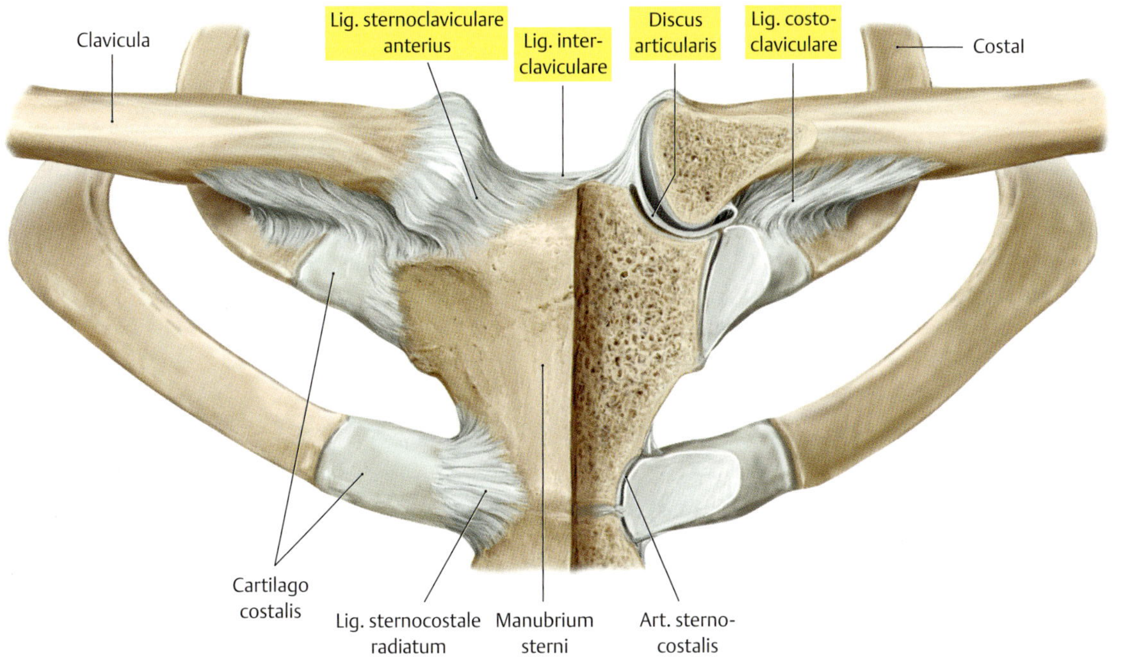

▸ **Abb. 5.27** Art. sternoclavicularis (Ansicht von ventral). (aus Schünke M, Schulte E, Schumacher U. Prometheus, LernAtlas der Anatomie. Allgemeine Anatomie und Bewegungssystem. Illustrationen von M. Voll und K. Wesker. 5., vollständig überarbeitete Auflage. Stuttgart: Thieme; 2018)

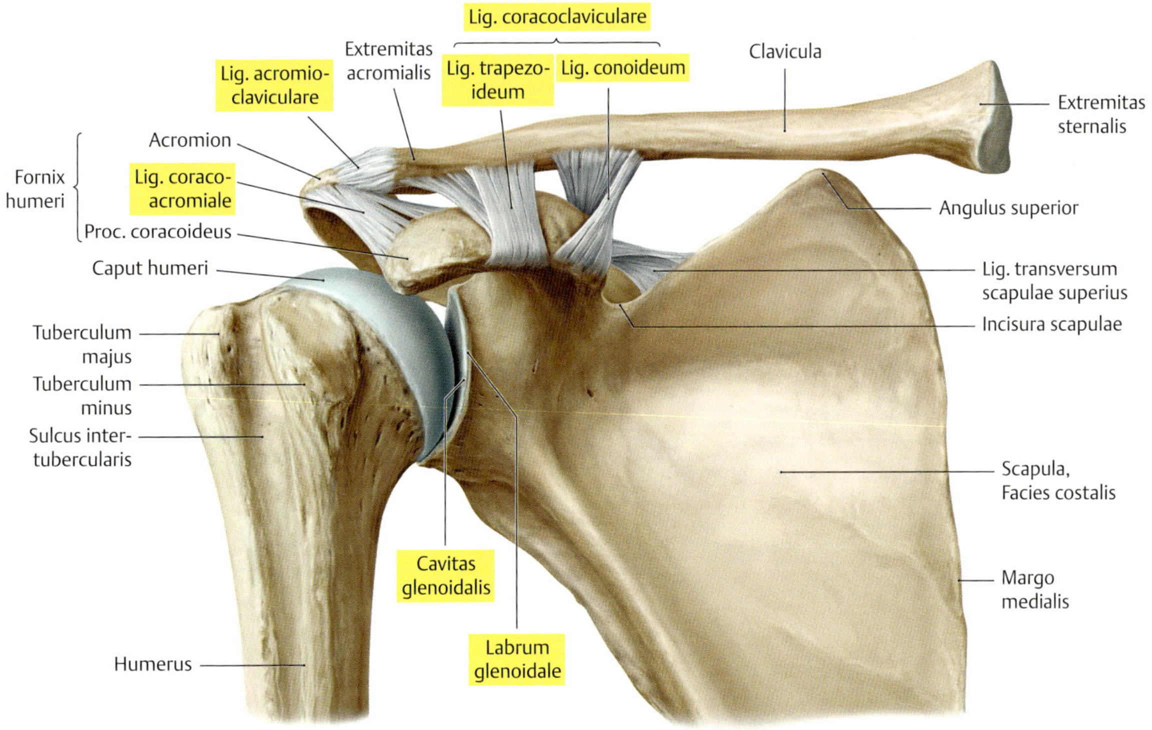

▸ **Abb. 5.28** Art. acromioclavicularis (Ansicht von ventral). (aus Schünke M, Schulte E, Schumacher U. Prometheus, LernAtlas der Anatomie. Allgemeine Anatomie und Bewegungssystem. Illustrationen von M. Voll und K. Wesker. 5., vollständig überarbeitete Auflage. Stuttgart: Thieme; 2018)

5.5.7 Schulterblatt-Thorax-Gelenk

Anatomie

▶ Abb. 5.29

- **Art:** bindegewebiges Gleitlager für die Skapula zwischen M. serratus anterior und M. subscapularis
- **Partner:** Thorax, 2.–7. Rippe dorsal
- M. serratus anterior teilt Gleitlager in anterolateralen und dorsomedialen Teil
- **Funktion:** Heben und Senken (Elevation, Depression), Vor- und Zurückführen (Pro- und Retraktion), Abduktion und Adduktion, bei welcher der Angulus inferior nach lateral bzw. nach medial wandert

Osteopathische Korrespondenzen

Betrachtet man die zahlreich ansetzenden Muskeln am Schulterblatt, zeigt sich ein (lokales) Muskelzusammenspiel für die Bewegung, aber auch für die Fixierung der Skapula. Sobald durch eine Muskelkontraktion das Schulterblatt in eine andere Position gebracht wird, müssen andere Muskeln dieser Bewegungsrichtung nachgeben oder aber sich anspannen, wenn es um die Fixierung geht.

Das heißt, lokale Muskelschlingen sind im Einsatz:

- Mm. rhomboidei – M. serratus anterior
- M. levator scapulae – M. trapezius (Pars ascendens)
- M. trapezius (Pars descendens) – M. pectoralis minor
- M. trapezius (Pars transversa) – M. serratus anterior

Ist ein Anteil einer Muskelschlinge fixiert und kann nicht nachgeben, kann dies die Bewegung des Schulterblatts beeinträchtigen. Störungen können sich dann insbesondere bei der Abduktion des Arms über 90° zeigen.

Behandlungshinweise

Mit GOT-Techniken und myofaszialen Mobilisierungstechniken lässt sich der gesamte Schultergürtel und insbesondere das Schulterblatt-Thorax-Gelenk gut von faszialen Adhäsionen befreien.

5.5.8 Subakromiales Nebengelenk

Anatomie

▶ Abb. 5.30

- **Art:** Gleitlager aus Schleimbeuteln (Bursa subacromialis und Bursa subdeltoidea, die auch miteinander verbunden sein können) zwischen Schulterdach und Rotatorenmanschette
- **Partner:** Humeruskopf und Akromion
- **Funktion:** verminderte Reibung insbesondere bei der Abduktionsbewegung zwischen Tuberculum majus und Akromion
- **Ligamente:** Lig. coracoacromiale vom Proc. coracoideus zum Akromion, hat keine direkte Verbindung zur Gelenkkapsel

Osteopathische Korrespondenzen

Bursa subacromialis und subdeltoidea dienen als Gleitlager für eine ungestörte Bewegung des Humeruskopfes und der Ansatzsehne des M. supraspinatus. Reibungslos gleiten müssen auch die Ansatzsehnen von M. subscapularis und M. infraspinatus. Daher sind auch hier Schleimbeutel vorzufinden (Bursa subtendinea m. scapularis, Bursa subtendinea m. infraspinati). Dysfunktionen der Klavikula, myofasziale Adhäsionen im Schulterblatt-Thorax-Gelenk oder dysfunktionale myofasziale Züge aus den Wirkungsketten, insbesondere aus der tiefen rückwärtigen und frontalen Armlinie, können den subakromialen Gleitraum verengen. Dies erhöht die Reibung im Gleitlager und kann zur Kompression des Schleimbeutelgewebes führen. Schleimbeutelreizungen mit Ödembildung sind möglich und verengen den Gleitraum weiter.

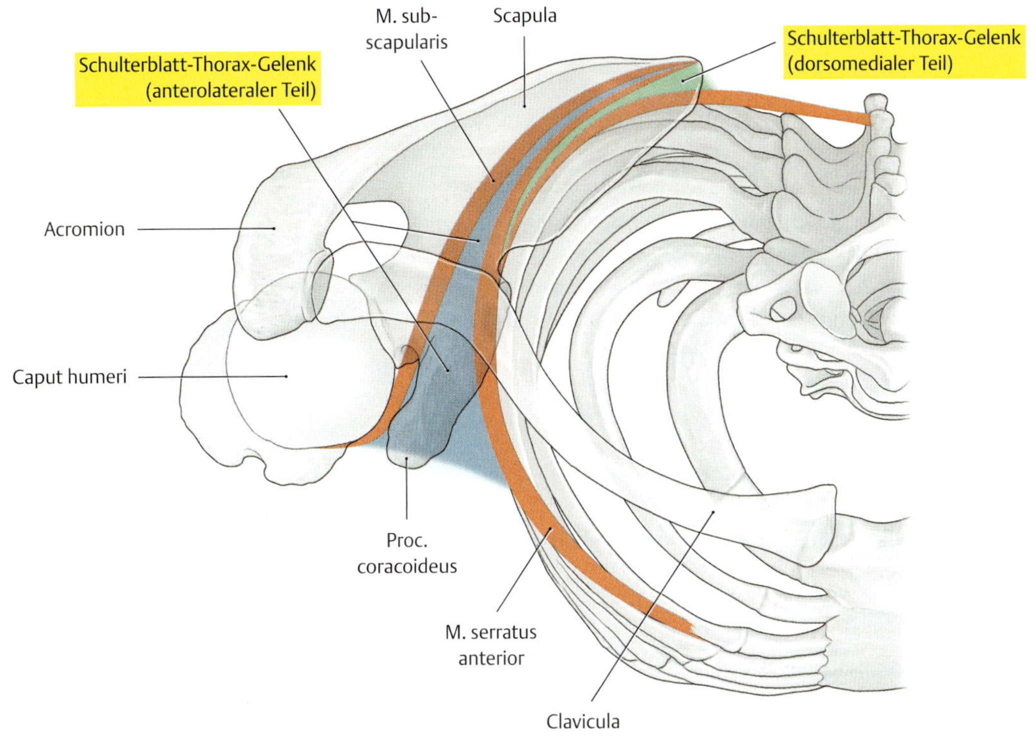

▶ **Abb. 5.29** Schulterblatt-Thorax-Gelenk (rechte Seite, Ansicht von kranial). (aus Schünke M, Schulte E, Schumacher U. Prometheus, LernAtlas der Anatomie. Allgemeine Anatomie und Bewegungssystem. Illustrationen von M. Voll und K. Wesker. 5., vollständig überarbeitete Auflage. Stuttgart: Thieme; 2018)

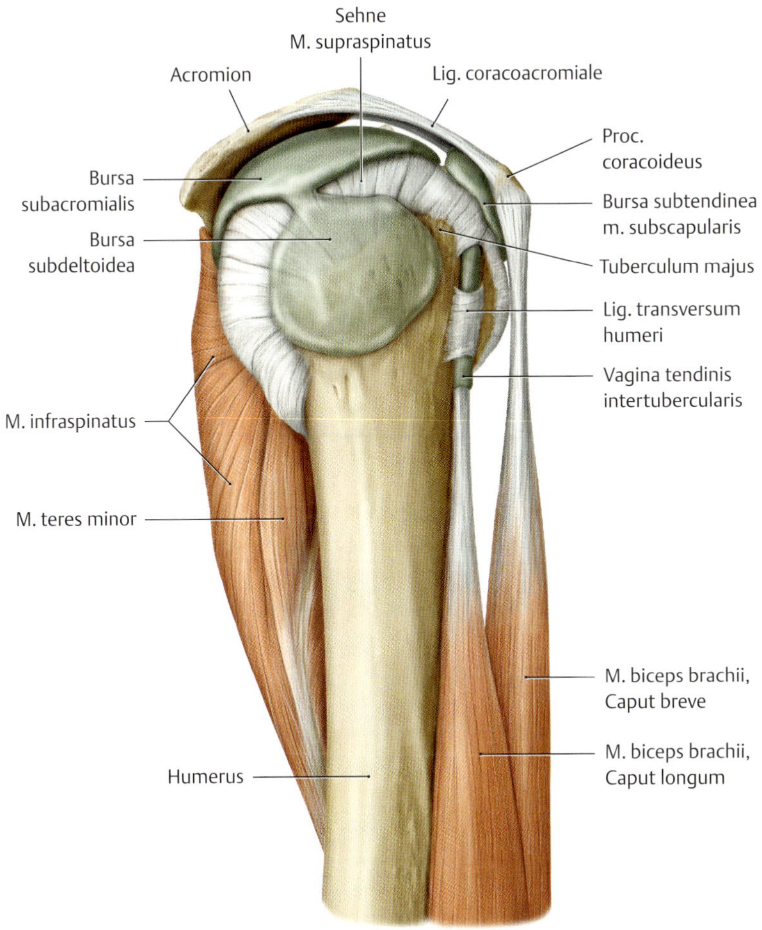

▶ **Abb. 5.30** Subakromiales Nebengelenk (rechte Schulter, Ansicht von lateral nach Entfernung des M. deltoideus). Man erkennt auch die Kompaktheit der Rotatorenmanschette. (aus Schünke M, Schulte E, Schumacher U. Prometheus, LernAtlas der Anatomie. Allgemeine Anatomie und Bewegungssystem. Illustrationen von M. Voll und K. Wesker. 5., vollständig überarbeitete Auflage. Stuttgart: Thieme; 2018)

5.5.9 Art. humeri (Schultergelenk)

Anatomie

▶ Abb. 5.28, ▶ Abb. 5.31, ▶ Abb. 5.32

- **Art:** Kugelgelenk
- **Partner:** Humeruskopf (Caput humeri) und Schultergelenkpfanne (Cavitas glenoidalis); der Humeruskopf ist 3–4-mal größer als die Gelenkpfanne und besitzt eine (unregelmäßige) Kugeloberfläche und die Gelenkpfanne ist wenig konkav bis flachgeformt → die knöcherne Führung und Stabilität in diesem Gelenk sind gering, weshalb das Schultergelenk auch sehr luxationsanfällig ist
- **Kapsel:** Schultergelenkkapsel ist keine straffe Kapselstruktur, sondern eher weit; ist im dorsalen Bereich verhältnismäßig dünn, weil sie nicht von Bändern verstärkt wird
- **Funktion:** Ante- und Retroversion, Abduktion, Adduktion, Außen- und Innenrotation
- **Ligamente:**
  - Ligg. glenohumeralia superius, medium und inferius: verstärken die Kapsel ventral und kaudal; spannen sich bei Außenrotation des Arms und sichern das Gelenk
  - Lig. glenohumerale inferius: umschließt mit seinem posterioren und anterioren Faserzug den Recessus axillaris und wirkt wie eine Hängematte zur ventralen und kaudalen Absicherung des Humeruskopfes
  - Lig. coracohumerale: verläuft kranial über den Humeruskopf; spannt sich bei Anteversion bzw. Retroversion
  - Lig. transversum humeri: überspannt den Sulcus intertubercularis
- Labrum glenoidale (faserknorpelige Gelenklippe): vergrößert die Schultergelenkpfanne; ist mit seiner Innenfläche am Pfannenrand angeheftet; die zentrale Fläche geht über in den hyalinen Gelenkknorpel, die äußere Fläche bietet Raum für die Ansätze der Gelenkkapsel; wirkt gleichzeitig wie ein Saugnapf, was die Zentrierung des Humeruskopfes unterstützt
- Fornix humeri (Schulterdach): wird von Akromion, Proc. coracoideus und Lig. coracoacromiale gebildet; begrenzt die Bewegung des Oberarms nach kranial und sichert die Lage des Humeruskopfes in der Gelenkpfanne
- Recessus axillaris: Aussackung im unteren Bereich der Gelenkkapsel bei herabhängendem Arm, die in Richtung der Achselhöhle zeigt; dient als Reservefalte bzw. der Bewegungsfreiheit des Arms v. a. bei Abduktion

Osteopathische Korrespondenzen

Störungen in der Muskelführung des Schultergelenks können die gesamte Schultergelenkmechanik stören. Differenzialdiagnostisch sind Traumata in Form von Stürzen mit ausgestrecktem Arm besonders zu beachten. Eine mögliche Rotatorenmanschettenruptur oder Insuffizienz des Labrum glenoidale muss im Behandlungskonzept berücksichtigt werden. Denn das Labrum glenoidale vergrößert zwar die Gelenkfläche und führt zu einem besseren Formschluss der Schultergelenkpfanne, ist aber für die Adhäsionskräfte im Schultergelenk bedeutend. Sie entstehen mittels eines dünnen Flüssigkeitsfilms, durch den die Gelenkpartner und die umschließende Gelenkkapsel miteinander verbunden sind. Dieser intraartikuläre Vakuumeffekt unterstützt die Zentrierung des Humeruskopfes.

Der Recessus axillaris neigt zu Adhäsionen (Gewebeverklebungen) bei länger andauernder Schonhaltung des Arms (z. B. beim Tragen einer Armschlinge). Dies kann zu großen Bewegungseinschränkungen führen.

Die sehnigen und faszialen Anteile der Muskeln der Rotatorenmanschette (Mm. supraspinatus, infraspinatus, teres minor und subscapularis) fließen in die Gelenkkapsel ein und wirken als Kapselspanner und helfen bei der Zentrierung des Oberarmkopfes im Schultergelenk. Myofasziale Dysbalancen können die physiologische Gelenkökonomie stören und zu Reizzuständen in den regionalen Weichteilen führen (z. B. im Bereich der Schleimbeutel oder der Sehnenscheide der lange Bizepssehne). Differenzialdiagnostisch sind mögliche Kalkablagerungen in der Gelenkkapsel (z. B. infolge von Traumata) abzuklären.

Die Gelenkhöhle steht mit der Bursa subtendinea des M. subscapularis, der Bursa subcoracoidea und mit der Sehnenscheide der langen Bizepssehne in Verbindung (Kap. 5.5.8).

Die Vagina tendinis intertubercularis (Sehnenscheide der langen Bizepssehne) tritt in die Gelenkkapsel ein. Adhäsionen in der Gelenkkapsel können die Sehnenscheide in ihrer Funktionalität einschränken und zu Reizungen führen.

Behandlungshinweise

Geeignet ist eine direkte Behandlung der Fasciae supraspinata, infraspinata und clavipectoralis als indirekte Behandlung der Gelenkkapsel. Die globale Mobilisation des Schultergelenks in Rückenlage eignet sich sehr gut, um die Beweglichkeit des Band-Kapsel-Apparats zu verbessern. Traktionstechniken wirken bei Schleimbeutelreizungen entlastend.

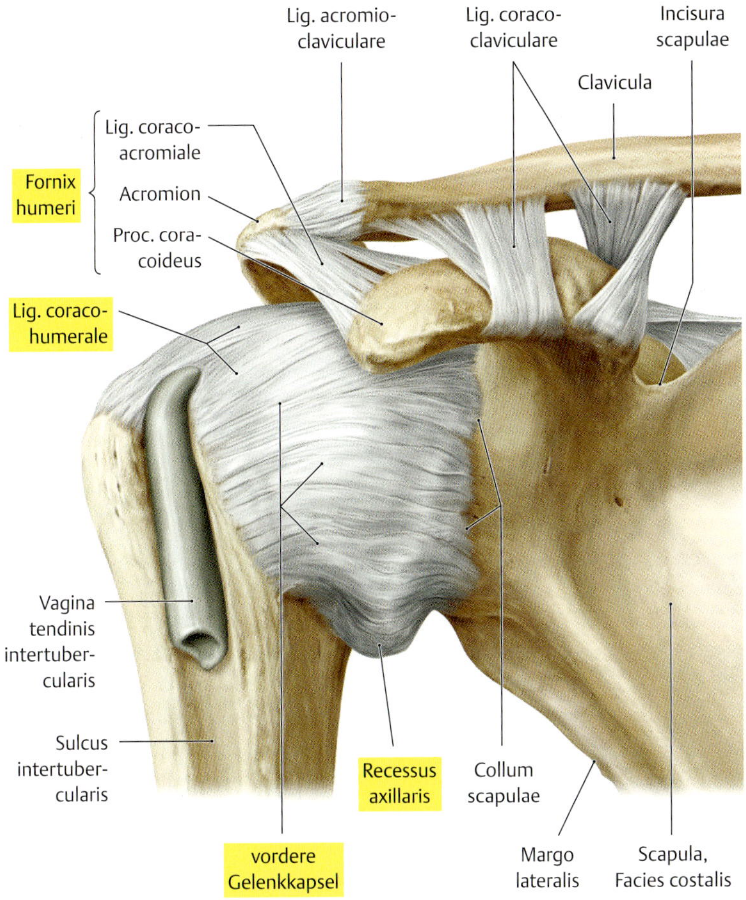

▸ **Abb. 5.31** Kapsel-Band-Apparat der rechten Schulter (Ansicht von ventral). (aus Schünke M, Schulte E, Schumacher U. Prometheus, LernAtlas der Anatomie. Allgemeine Anatomie und Bewegungssystem. Illustrationen von M. Voll und K. Wesker. 5., vollständig überarbeitete Auflage. Stuttgart: Thieme; 2018)

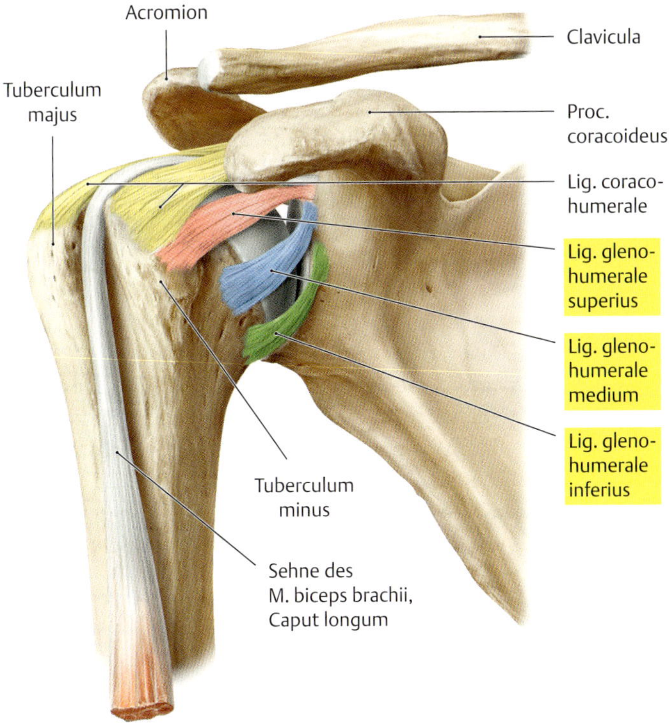

▸ **Abb. 5.32** Kapselverstärkende Bänder (rechte Schulter, Ansicht von ventral). (aus Schünke M, Schulte E, Schumacher U. Prometheus, LernAtlas der Anatomie. Allgemeine Anatomie und Bewegungssystem. Illustrationen von M. Voll und K. Wesker. 5., vollständig überarbeitete Auflage. Stuttgart: Thieme; 2018)

5.6
Nerven

5.6.1 Plexus brachialis

Anatomie

▶ **Abb. 5.33**, Kap. 5.3.6

- versorgt den Schulter- und Armbereich
- Nervengeflecht, das von den anterioren Wurzeln (Ramus anterior) der Spinalnerven der Segmente C 4/5–Th 2 gebildet wird
- Nervenverlauf wird in Pars supraclavicularis und Pars infraclavicularis eingeteilt
- Pars supraclavicularis:
  - liegt in der Grube oberhalb der Klavikula hinter der Fascia superficialis, wird von der mittleren Halsfaszie, vom M. sternocleidomastoideus und M. omohyoideus bedeckt
  - Äste verlaufen mit der A. subclavia durch die hintere Skalenuslücke und bilden 3 primäre Nervenstränge: Truncus superior (Fasern aus C 5, C 6), Truncus medius (Fasern aus C 7) und Truncus inferior (Fasern aus C 8, Th 1)
  - direkte Äste aus den Rr. ventrales:
    - N. dorsalis scapulae: C 4/C 5; versorgt M. levator scapulae, Mm. rhomboidei major und minor
    - N. suprascapularis: C 4–6; versorgt Mm. supra- und infraspinatus
    - N. thoracicus longus: C 5–7; versorgt M. serratus anterior
    - N. subclavius: C 5/C 6; versorgt M. subclavius
- Pars infraclavicularis:
  - schließt sich dem supraklavikulären Teil an
  - befindet sich hinter bzw. unter der Klavikula, liegt der Faszie des M. subclavius an und verläuft über die 1. Rippe weiter kaudal zur Achselhöhle
  - entsteht nach Aufteilungen (Divisiones) und durch Bündelung zu Sekundärsträngen (Fasciculi):
    - Fasciculus lateralis (C 5–C 7): N. musculocutaneus, N. pectoralis lateralis, N. medianus
    - Fasciculus medialis (C 8–Th 1): N. medianus, N. ulnaris, N. pectoralis medialis, N. cutaneus brachii medialis, N. cutaneus antebrachii medialis
    - Fasciculus posterior (C 5–Th 1): N. radialis, N. axillaris, N. subscapularis, N. thoracodorsalis

Osteopathische Korrespondenzen

In der Grube oberhalb der Klavikula besteht eine Verbindung zwischen N. subclavius und N. phrenicus (Anastomose). Damit sind die vom N. phrenicus versorgten viszeralen Strukturen mit dem zervikobrachialen Plexus (C 3–C 5) verbunden. Sie können so bei einer Dysfunktion die Schulter beeinträchtigen.

Die sympathische Innervation der Schulter erfolgt aus den Segmenten Th 1–Th 4. Reizungen z. B. durch gesteigerte viszerale Afferenzen können zu einer erhöhten sympathischen Aktivität führen, die sich negativ auf die Vaskularisierung der Gefäße der oberen Extremität auswirken kann. Die segmentale Versorgung erfolgt aus Th 2–Th 8. Hier liegen die präganglionären Neurone für die Versorgung der oberen Extremität. Th 1 und die 1. Rippe stehen in direkter Verbindung mit dem Ganglion stellatum. Es versorgt über den Plexus subclavius die obere Extremität mit sympathischen Nervenfasern.

Treten Schmerzen beidseits im Schultergürtel bzw. in der oberen Extremität auf, ist es möglich, dass es sich um viszerale Dysfunktionen im Bereich der Pleura, der Bronchien oder Brust handelt. Linksseitige Schmerzen sprechen vermehrt für Dysfunktionen im Bereich Herz, Ösophagus oder Magen, rechtsseitige Schmerzen geben einen Hinweis auf rechte Kolonflexur oder Leber.

Die Pars supraclavicularis kann komprimiert werden durch:

- osteopathische Dysfunktionen in den HWS-Segmenten C 4–Th 1
- fasziale Adhäsionen in den supraklavikulären Halsfaszien
- erhöhten Muskeltonus der Skalenusmuskulatur
- eine Halsrippe
- degenerative Veränderungen (z. B. am Discus vertebralis, Unkovertebralarthrose)

Die Pars infraclavicularis kann komprimiert werden durch:

- Dysfunktion der Klavikula
- Dysfunktion der 1. Rippe
- Adhäsionen in der Fascia clavipectoralis
- Adhäsionen im Bereich der Pleurabänder (pleurazervikale Bandaufhängung der Lungenspitze)
- erhöhten Muskeltonus des M. pectoralis minor
- tumoröse Veränderungen (Pancoast-Tumor, Neurofibromatose)

Behandlungshinweise

Eine direkte Befreiung der faszialen Strukturen der oberen Thoraxapertur im Bereich der Fossa supraclavicularis kann sich positiv auf die Gewebespannung im Bereich des Plexus brachialis auswirken.

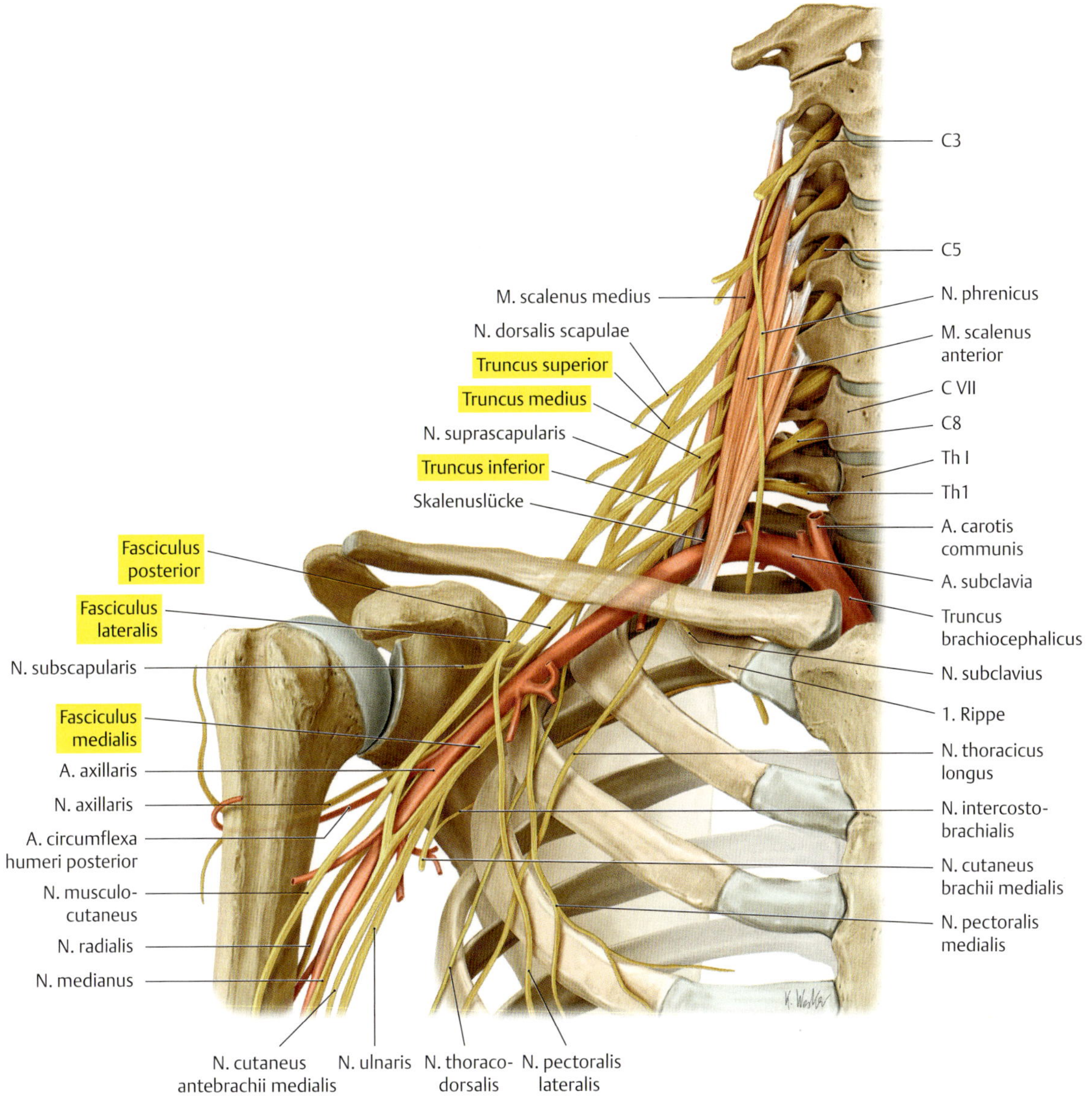

▸ **Abb. 5.33** Plexus brachialis (Ansicht von ventral). (aus Schünke M, Schulte E, Schumacher U. Prometheus, LernAtlas der Anatomie. Allgemeine Anatomie und Bewegungssystem. Illustrationen von M. Voll und K. Wesker. 5., vollständig überarbeitete Auflage. Stuttgart: Thieme; 2018)

5.7
Schnittbilder

▸ Abb. 5.34, ▸ Abb. 5.35

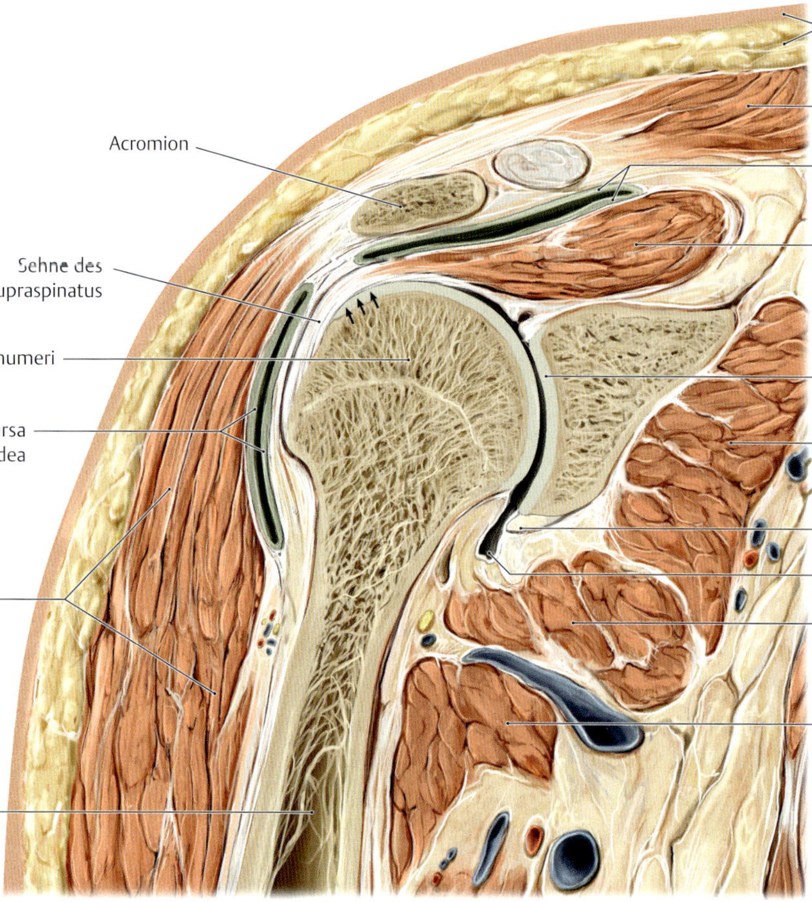

▸ **Abb. 5.34** Frontalschnitt durch das rechte Schultergelenk. Die Größe des Recessus axillaris ist gut sichtbar, auch die räumliche Enge unter dem Akromion mit der Bursa subacromialis und der Sehne des M. supraspinatus. Auffallend ist die Kompaktheit der myofaszialen Gewebe besonders im Bereich der Bursa subdeltoidea, des Humeruskopfes und der Supraspinatussehne. (aus Schünke M, Schulte E, Schumacher U. Prometheus, LernAtlas der Anatomie. Allgemeine Anatomie und Bewegungssystem. Illustrationen von M. Voll und K. Wesker. 5., vollständig überarbeitete Auflage. Stuttgart: Thieme; 2018)

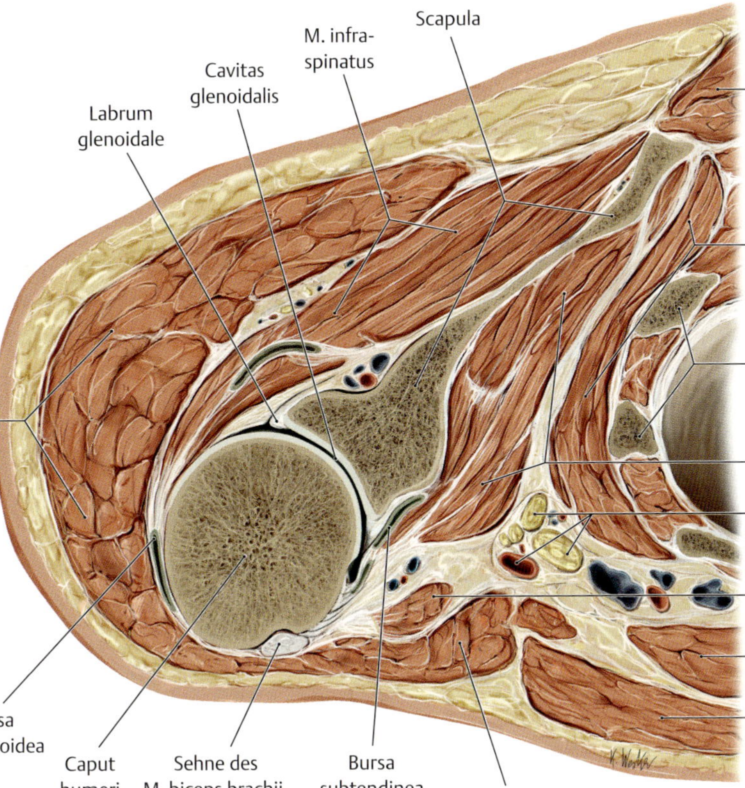

▸ **Abb. 5.35** Horizontalschnitt durch das rechte Schultergelenk. Sichtbar sind die bindegewebige Einbettung der Gefäßstraße von A. axillaris und Fasciculi des Plexus brachialis sowie das Schulterblatt-Thorax-Gelenk zwischen M. serratus anterior und M. subscapularis. (aus Schünke M, Schulte E, Schumacher U. Prometheus, LernAtlas der Anatomie. Allgemeine Anatomie und Bewegungssystem. Illustrationen von M. Voll und K. Wesker. 5., vollständig überarbeitete Auflage. Stuttgart: Thieme; 2018)

6 Oberarm und Ellenbogengelenk

6.1 Überblick

6.1.1 Oberarm und Ellenbogengelenk

Der Arm ist einer anderen faszialen Dynamik ausgesetzt als vergleichsweise der Schultergürtel. Der Schultergürtel unterliegt, wie auch der Arm, der Schwerkraft. Diese wird durch Kopfhaltung, Form der Wirbelsäule, Thoraxmobilität und Atmung, Mobilität des Abdomens und die gesamte Körperstatik in ihrer Wirkung auf die Schulter gedämpft. Entsprechend dieser Dynamik sind die Strukturen im Schultergürtel vielfältig ausgeprägt. Gemäß der Funktionalität des Armes, die sehr durch die Flexions- und Extensionsbewegung geprägt ist, richten sich auch die Faszien und Membranen anderes aus als in der Schulterregion. Typisch für den Arm ist das Fehlen von flächigen faszialen Gleitschichten, die im Schultergürtelbereich vorhanden sind (z. B. Schulterblatt-Thorax-Gelenk). In der oberen Extremität findet sich die oberflächliche Faszienhülle, die direkt mit intermuskulären Septen (Septum intermusculare brachii mediale und laterale) verbunden ist.

Die intermuskulären Septen teilen den Oberarm in Logen ein. In der ventralen Loge befinden sich die Muskeln für die Beugung, in der dorsalen die Muskeln für die Streckung.

Die Region Oberarm und Ellenbogen (▸ **Abb. 6.3**) wird aufgrund der Kontinuität der Faszien vom Schultergürtel zur oberen Extremität zusammengefasst. Aber auch die Wandlung der Funktionalität und der Bewegungsmöglichkeiten vom Oberarm zum Unterarm ist ein Aspekt für diese Kapiteleinteilung.

6.1.2 Regionen

Für den Bereich von Oberarm und Ellenbogengelenk werden topografisch betrachtet (▸ **Abb. 6.1**, ▸ **Abb. 6.2**):

- Regio brachialis anterior
- Regio brachialis posterior
- Regio cubitalis anterior
- Regio cubitalis posterior

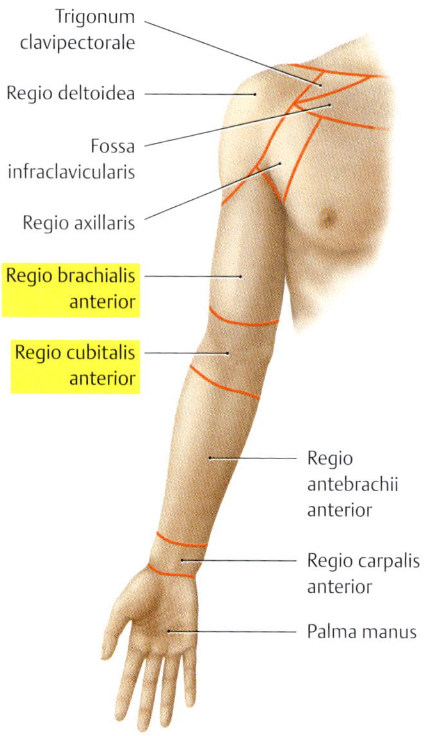

▸ **Abb. 6.1** Regionen von Oberarm und Ellenbogengelenk (Ansicht von ventral). (aus Schünke M, Schulte E, Schumacher U. Prometheus, LernAtlas der Anatomie. Allgemeine Anatomie und Bewegungssystem. Illustrationen von M. Voll und K. Wesker. 5., vollständig überarbeitete Auflage. Stuttgart: Thieme; 2018)

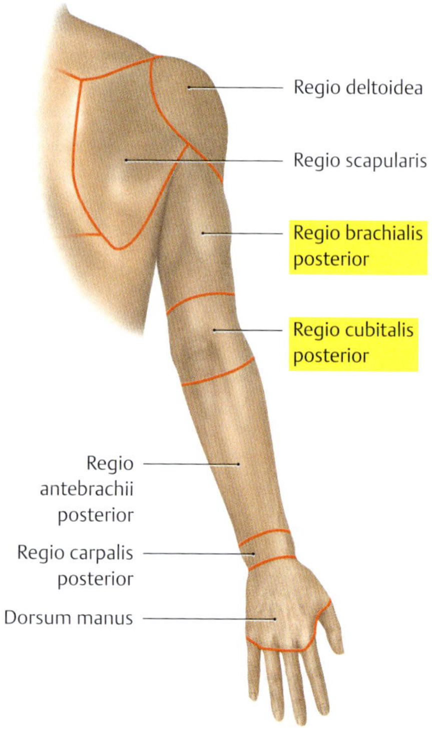

▸ **Abb. 6.2** Regionen von Oberarm und Ellenbogengelenk (Ansicht von dorsal). (aus Schünke M, Schulte E, Schumacher U. Prometheus, LernAtlas der Anatomie. Allgemeine Anatomie und Bewegungssystem. Illustrationen von M. Voll und K. Wesker. 5., vollständig überarbeitete Auflage. Stuttgart: Thieme; 2018)

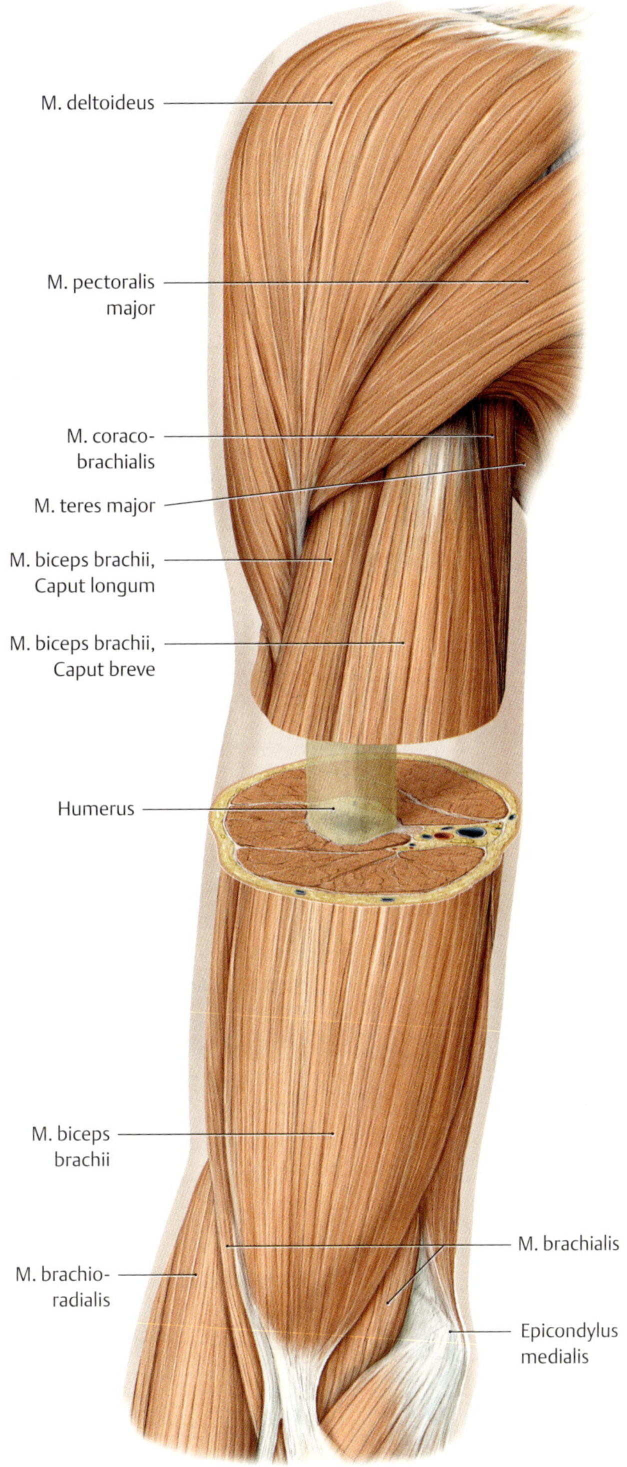

▶ **Abb. 6.3** Die Region von Oberarm und Ellenbogengelenk im Überblick (Ansicht von ventral). (aus Schünke M, Schulte E, Schumacher U. Prometheus, LernAtlas der Anatomie. Allgemeine Anatomie und Bewegungssystem. Illustrationen von M. Voll und K. Wesker. 5., vollständig überarbeitete Auflage. Stuttgart: Thieme; 2018)

6.2 Faszienhülle, oberflächliche ventrale Schichten

6.2.1 Fascia brachii und Fascia antebrachii

Anatomie

► Abb. 6.4

- umhüllt den Oberarm
- Fortsetzung der oberflächlichen Faszien aus dem Schultergürtel und der Fascia axillaris
- geht distal im Bereich des Ellenbogengelenks in die Fascia antebrachii über
- ist über die Septa intermuscularia brachii mit dem Humerus verbunden
- ist im Bereich des M. biceps brachii dünn und zart, seitlich und dorsal ist sie stärker ausgeprägt

Osteopathische Korrespondenzen

Die Fascia brachii und Fascia antebrachii stehen in direkter faszialer Verbindung mit dem Schultergelenk und dem Schultergürtel. Myofasziale Adhäsionen im Schultergürtelbereich können so über die kontinuierliche Fortsetzung der Faszie in den Ober- und Unterarm Dysfunktionen z. B. im Ellenbogengelenk auslösen.

6.2.2 N. cutaneus antebrachii lateralis

Anatomie

► Abb. 6.4

- sensibler Hautast des N. musculocutaneus
- enthält Nervenfasern aus den Segmenten C 5–C 7
- versorgt die Vorderseite des Ellenbogengelenks und den radialen Unterarmbereich
- durchtritt in der Ellenbogenbeuge zwischen den Muskeln M. biceps brachii und M. brachialis die Aponeurosis bicipitalis und teilt sich dann in 2 Äste auf, die weiter nach distal verlaufen
- kann mit dem N. medianus Anastomosen bilden

Osteopathische Korrespondenzen

Der Übergang vom Ober- zum Unterarm ist eine kritische Zone für die dort verlaufenden Nerven. Ständig wiederholende Beugebewegungen im Ellenbogengelenk unter hoher Gewichtsbelastung fordern die faszialen Strukturen im Ober- und Unterarm in ihrer Elastizität und ihren Gleiteigenschaften. Narben oder myofasziale Adhäsionen durch Verletzungen können die beweglichen Eigenschaften der Faszien im Ellenbogenbereich negativ beeinflussen.

Ist der Austrittsbereich des N. cutaneus antebrachii lateralis schmerzhaft, kann dies ein Hinweis auf eine Störung des N. musculocutaneus sein. Bizepsehnenreizungen können dann in Wirklichkeit eine Dysfunktion des N. musculocutaneus sein, deren Ursache z. B. in einer Dysfunktion von C 5/C 6 liegen kann.

Bei Beschwerden im lateralen Ellenbogenbereich sollte auch auf Dysfunktionen des Radiusköpfchens geachtet und die Engpassstelle an der Insertion des M. biceps brachii geprüft werden. Durch die räumliche Nähe zum N. cutaneus antebrachii lateralis kann hier eine Nervenreizung entstehen. Bei Schmerzen in der Ellenbogenbeuge ist ebenfalls an den N. musculocutaneus zu denken. Der Nerv kann auch beim Karpaltunnelsyndrom durch die Anastomose zum N. medianus betroffen sein.

Die sympathische Innervation der Ellenbogenregion erfolgt aus den Segmenten Th 1–Th 4. Dysfunktionen in diesen Segmenten sind auf die viszeralen Korrespondenzen von Herz und Lunge zu prüfen.

Behandlungshinweise

Die Behandlung des Nervs ist am Austrittspunkt in der Ellenbogenbeuge möglich. Als Orientierung dient die V. cephalica. Ein faszialer Ausstrich vom Handgelenk zur Ellenbogenbeuge verbessert die Gleiteigenschaften des umliegenden Gewebes.

6.2.3 M. biceps brachii

Anatomie

► Abb. 6.5

- **Ursprung:**
  - Caput longum: Tuberculum supraglenoidale scapulae
  - Caput breve: Proc. coracoideus scapulae
- **Ansatz:** Tuberositas radii, Lacertus fibrosus
- **Funktion:**
  - Flexion des Ellenbogens
  - Supination des Unterarms
  - Abduktion, Innenrotation und Anteversion der Schulter
- **Innervation:** N. musculocutaneus (C 5–C 7)
- **Triggerpunkte** (► **Abb. 6.7**): letztes distales Drittel des Muskels

Myofasziale Wirkungsketten

Der Muskel wird der tiefen frontalen Armlinie zugeordnet.

Osteopathische Korrespondenzen

Wichtig ist die Lage der langen Bizepssehne (Caput longum) mit ihrem Ansatz am Labrum glenoidale. Denn sie verläuft durch den Sulcus intertubercularis, der neben dem subakromialen Raum eine Engpassstelle darstellt. Ist das Gleiten der Sehne in diesem Sehnenverlaufskanal unter dem Lig. transversum humeri oder beim Eintritt der Sehnenscheide in die Gelenkkapsel z. B. durch myofasziale Adhäsionen eingeschränkt, können sich schmerzhafte Reizzustände einstellen. Der Ansatz des M. pectoralis major befindet sich an der Crista tuberculi majoris, einer

Knochenleiste, die vom Tuberculum majus nach kaudal zieht. Ein verkürzter M. pectoralis major kann den Sehnenkanal verengen und das Sehnengleiten beeinträchtigen.

Die Ansätze des M. biceps brachii machen ihn zum wichtigen Beuger, der bei gebeugtem Ellenbogengelenk auch der stärkste Supinator ist. Bei maximaler Supination ist die Beugekraft am stärksten, mit zunehmender Pronation nimmt die Beugekraft ab, weil sich dabei die Ansatzsehne am Radius um den Radiushals wickelt und durch die veränderten Hebelkräfte die direkte Kraftübertragung reduziert wird.

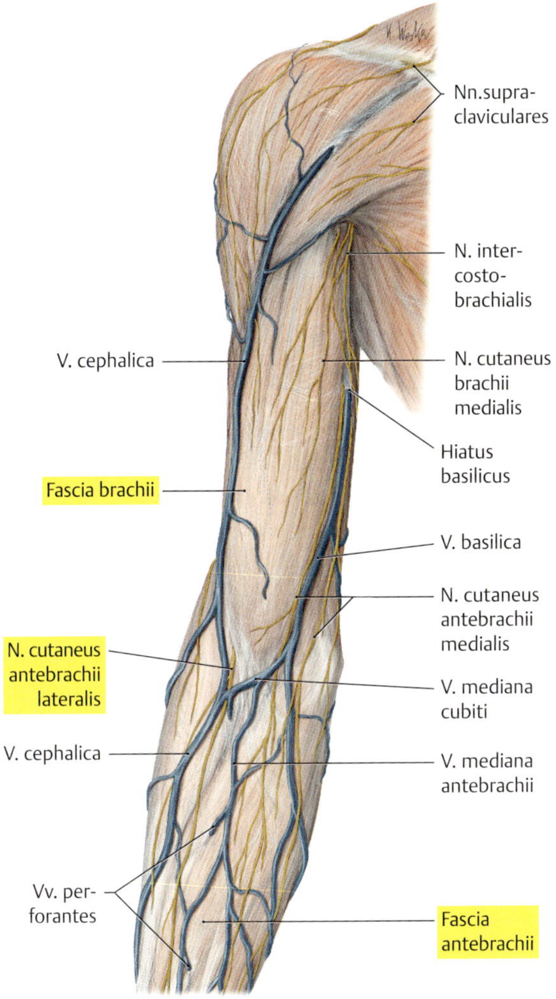

▸ **Abb. 6.4** Faszien, epifaszial gelegene Hautvenen und Hautnerven des Arms (rechter Arm, Ansicht von ventral). (aus Schünke M, Schulte E, Schumacher U. Prometheus, LernAtlas der Anatomie. Allgemeine Anatomie und Bewegungssystem. Illustrationen von M. Voll und K. Wesker. 5., vollständig überarbeitete Auflage. Stuttgart: Thieme; 2018)

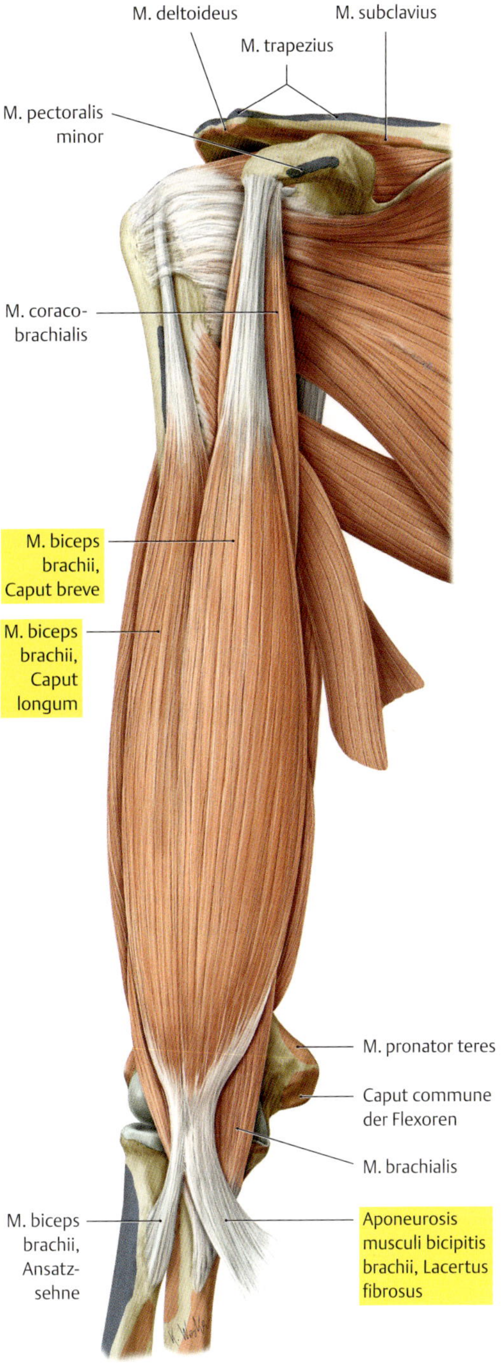

▸ **Abb. 6.5** Muskeln des rechten Oberarms (Ansicht von ventral). (aus Schünke M, Schulte E, Schumacher U. Prometheus, LernAtlas der Anatomie. Allgemeine Anatomie und Bewegungssystem. Illustrationen von M. Voll und K. Wesker. 5., vollständig überarbeitete Auflage. Stuttgart: Thieme; 2018)

6.2.4 Aponeurosis musculi bicipitis brachii (Aponeurosis bicipitalis; Lacertus fibrosus)

Anatomie

► Abb. 6.5, ► Abb. 6.6

- sehnige-fasziale Ausprägung der Bizepssehne im Ansatzbereich, die am Übergang der Fascia brachii und Fascia antebrachii liegt
- fasziale Verbindung von der Bizepssehne in die Unterarmfaszie
- verstärkt die oberflächliche Faszie im Bereich der Fossa cubitalis

Osteopathische Korrespondenzen

Kap. 6.2.5

6.2.5 M. pronator teres

Anatomie

► Abb. 6.6

- **Ursprung:** Epicondylus medialis humeri, Septum intermusculare brachii mediale, Proc. coronoideus ulnae
- **Ansatz:** Facies lateralis radii
- **Funktion:**
  - Pronation des Unterarms
  - Flexion im Ellenbogengelenk
- **Innervation:** N. medianus (C6–C7)
- **Triggerpunkte** (► Abb. 6.7): ulnar des Lacertus fibrosus

Osteopathische Korrespondenzen

Unter der Aponeurosis musculi bicipitis brachii verlaufen M. pronator teres, N. medianus und A. brachialis. Ist der M. pronator teres verspannt, kann er zu einer Kompression der umliegenden Strukturen führen, insbesondere des N. medianus. Denn der N. medianus zieht unter dem Lacertus fibrosus entlang, durchdringt den M. pronator teres und verläuft mit der Fingerbeugemuskulatur zur Handfläche. Adhäsionen im Bereich des Lacertus fibrosus können sich daher negativ auf die Funktionalität des Nervs auswirken.

6.2.6 M. brachioradialis

Anatomie

► Abb. 6.6

- **Ursprung:** Crista supracondylaris humeri (obere ⅔), Septum intermusculare laterale
- **Ansatz:** Proc. styloideus radii
- **Funktion:**
  - Flexion im Ellenbogengelenk
  - bringt Unterarm in Mittelstellung zwischen Supination und Pronation
- **Innervation:** N. radialis (C5–C6)
- **Triggerpunkte** (► Abb. 6.7): Mitte des Muskelbauchs, ca. 2 cm distal des Radiusköpfchens

Myofasziale Wirkungsketten

Die Aponeurosis m. bicipitis brachii ist Bestandteil der tiefen frontalen Armlinie, die über den M. pectoralis minor Bezug zum Thorax hat.

Osteopathische Korrespondenzen

Schmerzen im Bereich des Epicondylus lateralis humeri können sich durch einen hypertonen M. brachioradialis ergeben. Ausstrahlende Schmerzen in den lateralen Oberarm hinein können Folge eines unphysiologisch starken Muskelzugs auf das Septum intermusculare laterale sein. M. brachioradialis und M. brachialis bilden im Bereich des Ellenbogens einen Tunnel für den N. radialis. Am palmaren Rand des M. brachioradialis verläuft dann der sensible R. superficialis des N. radialis. Sich ständig wiederholende Bewegungen von Supination und Pronation können zu einer Reizung des Nervenasts führen. Dysfunktionen im Bereich von C5/C6 und der 1. Rippe müssen differenzialdiagnostisch bei Schmerzen am lateralen Epikondylus des Humerus berücksichtigt werden.

Behandlungshinweise

Im Bereich des Ellenbogens können Zirkumduktionen myofasziale Anteile gut mobilisieren und die Gelenkphysiologie verbessern.

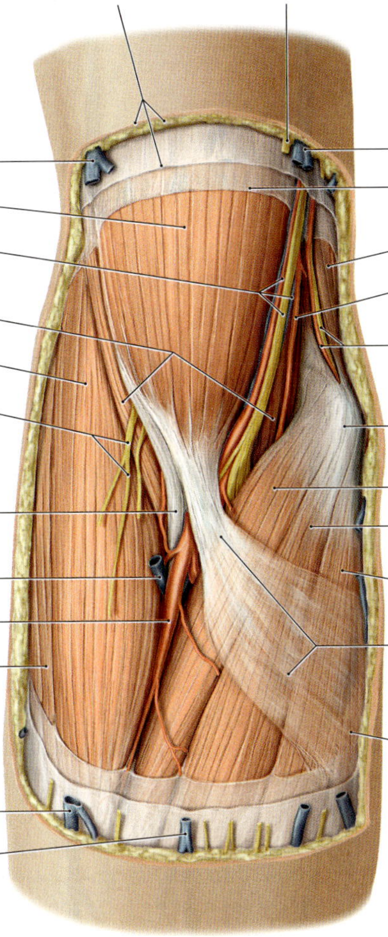

▸ **Abb. 6.6** Ellenbeuge des rechten Arms (Ansicht von ventral). (aus Schünke M, Schulte E, Schumacher U. Prometheus, LernAtlas der Anatomie. Allgemeine Anatomie und Bewegungssystem. Illustrationen von M. Voll und K. Wesker. 5., vollständig überarbeitete Auflage. Stuttgart: Thieme; 2018)

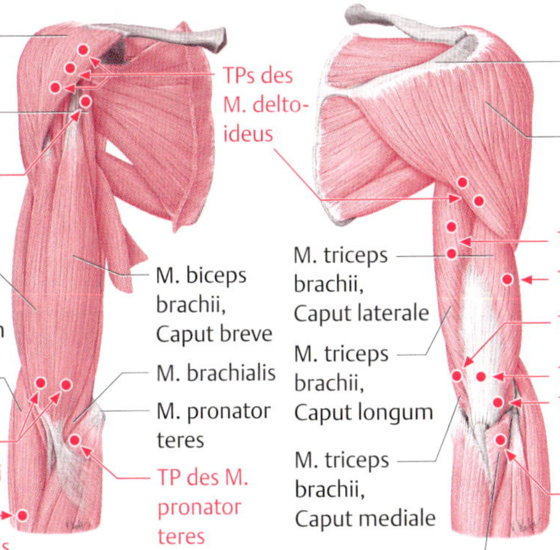

▸ **Abb. 6.7** Triggerpunkte M. biceps brachii, M. pronator teres und M. brachioradialis. (nach Hebgen E. Taschenatlas Myofasziale Triggerpunkte. Schmerzguide für Osteopathen und Manualtherapeuten. 2. Aufl. Stuttgart: Georg Thieme Verlag 2020; nach Schünke M, Schulte E, Schumacher U. Prometheus LernAtlas der Anatomie. Allgemeine Anatomie und Bewegungssystem. Illustrationen von Voll M und Wesker K. 5. Aufl. Stuttgart: Thieme; 2018)

6.2.7 Sulcus bicipitalis medialis und Engpassstellen

Anatomie

▶ Abb. 6.8, ▶ Abb. 6.9

- Haupt-Gefäß-Nerven-Straße des Oberarms
- liegt am medialen Oberarm
- oberflächlich durch die Haut begrenzt, in der Tiefe durch M. biceps brachii und M. brachialis, medial durch das Septum intermusculare mediale
- darin verlaufen: N. cutaneus antebrachii medialis, V. basilica, N. ulnaris, A. brachialis, Vv. brachiales, N. medianus, N. musculocutaneus
- **N. ulnaris:** verläuft teilweise auf dem Septum intermusculare mediale, durchdringt es im distalen Bereich, gelangt auf die dorsale Seite und zieht durch den Sulcus nervi ulnaris am Epicondylus medialis
- **N. medianus:** verläuft zusammen mit der A. brachialis in der Tiefe des Sulcus; der Innenrand des M. biceps brachialis distal am Übergang zur Ansatzsehne ist ein guter Anhaltspunkt, um den Nerv in Ellenbogenbeugenähe aufzufinden
- **N. cutaneus antebrachii medialis:** verläuft mit der V. basilica oberflächlich am Septum entlang und tritt am Hiatus basilicus in der Fossa cubitalis aus
- **N. radialis:** gelangt nach dem Verlauf im Sulcus bicipitalis lateralis zwischen M. brachialis und M. brachioradialis (Radialistunnel) zur ventralen Ellenbogenbeuge; teilt sich dort in R. profundus (motorisch) und R. superficialis (sensibel)

Osteopathische Korrespondenzen

N. cutaneus antebrachii medialis und N. intercostobrachialis können miteinander in Verbindung stehen. Es ist ein lateraler Ast des 2. und 3. Interkostalnervs (aus Th 2 und Th 3). Er ist rein sensibel, verläuft u. a. durch die Achselhöhle und versorgt den Oberarmbereich dorsal und medial. Osteopathische Dysfunktionen im Wirbelsäulensegment Th 2/Th 3 können über diesen Weg sensible Störungen der proximalen oberen Extremität verursachen. Schmerzen im Bereich des Epicondylus medialis humeri können aber auch durch Dysfunktionen im Bereich von C 7 / Th 1 ausgelöst werden.

Der Austrittsbereich und die Muskelansätze an der Membrana interossea können den Verlauf des N. radialis beeinträchtigen. Wiederkehrende Schmerzzustände im Bereich des Epicondylus lateralis, Missempfindungen im Versorgungsgebiet oder nächtlicher Ruheschmerz im Bereich des äußeren Ellenbogens können Hinweis für eine Überlastung des Nervs sein.

Neben Dysfunktionen in den Wirbelsäulensegmenten sind auch Dysfunktionen in der Peripherie zu beachten. Der N. radialis durchdringt im Bereich des Oberarms das Septum intermusculare laterale.

Behandlungshinweise

Der N. cutaneus antebrachii medialis ist ein rein sensibler Nerv. Bei chronischer Epicondylitis humeri medialis (Golferellenbogen) ist eine begleitende Behandlung des Nervs sinnvoll. Der Nerv kann in seinem faszialen Verlauf mobilisiert werden. Fixiert man mit dem Daumen etwas proximal oberhalb der Nervenaustrittsstelle (Hiatus basilicus) das Gewebe und gleitet mit dem anderen Daumen unterhalb der Austrittstelle nach distal, kann dies zur verbesserten Gewebemobilität führen und die Funktionalität des Nervs unterstützen.

Eine Manipulation des N. radialis in der Ellenbogenbeuge kann lokale Adhäsionen lösen.

Zu beachten ist der enge Durchtrittsbereich des N. medianus zwischen den beiden Ursprungssehnen des M. pronator teres (Caput humerale und Caput ulnare). Bei Schmerzen im Bereich des Epicondylus medialis sollte hier u. a. auch an ein Engpasssyndrom gedacht werden.

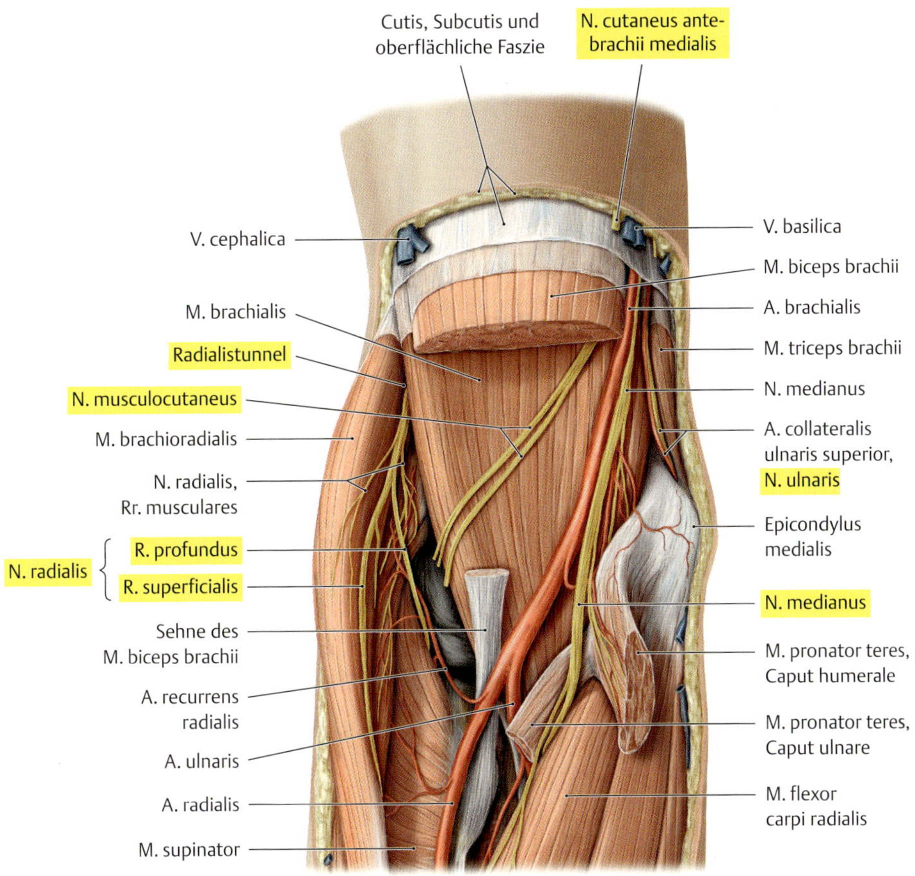

▸ **Abb. 6.8** Engpassstellen der Ellenbeuge (rechter Arm, Ansicht von ventral). (aus Schünke M, Schulte E, Schumacher U. Prometheus, LernAtlas der Anatomie. Allgemeine Anatomie und Bewegungssystem. Illustrationen von M. Voll und K. Wesker. 5., vollständig überarbeitete Auflage. Stuttgart: Thieme; 2018)

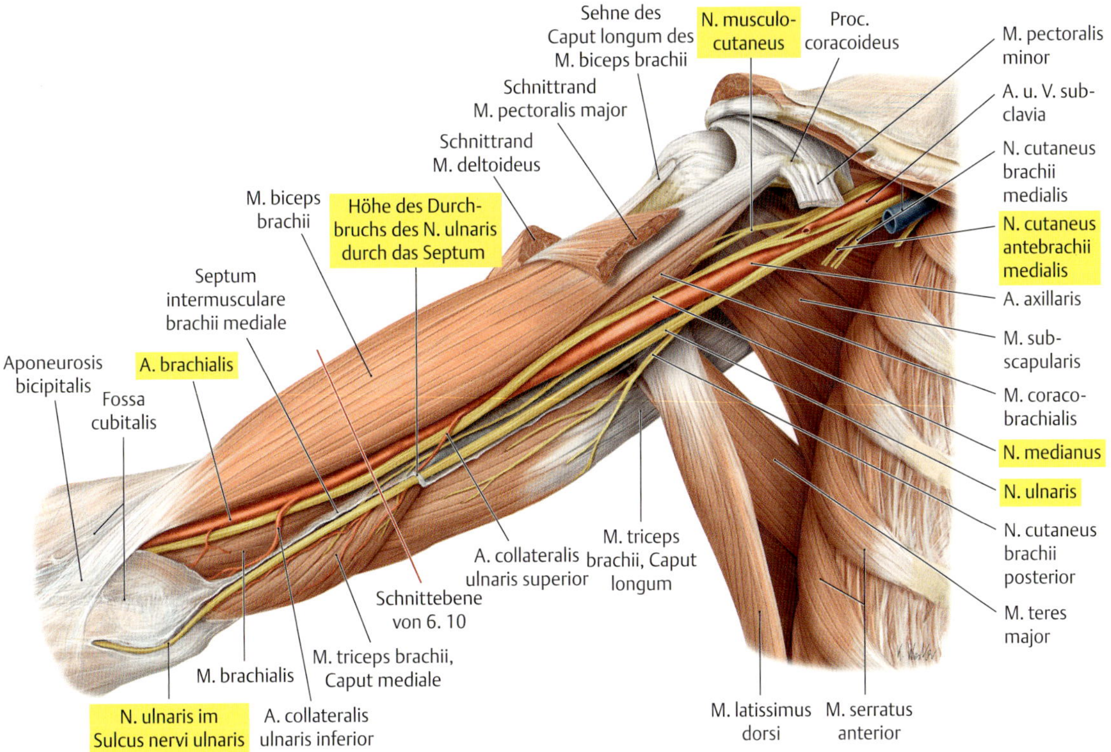

▸ **Abb. 6.9** Haupt-Gefäß-Nerven-Straße des rechten Oberarms (Arm abduziert und leicht nach außen rotiert, Ansicht von ventral). (aus Schünke M, Schulte E, Schumacher U. Prometheus, LernAtlas der Anatomie. Allgemeine Anatomie und Bewegungssystem. Illustrationen von M. Voll und K. Wesker. 5., vollständig überarbeitete Auflage. Stuttgart: Thieme; 2018)

6.3
Tiefe ventrale Schichten

6.3.1 Septum intermusculare brachii mediale und laterale

Anatomie

▶ Abb. 6.9, ▶ Abb. 6.10

- bilden Muskellogen
- Gefäße sind durch Fett und lockeres Bindegewebe geschützt
- Septum intermusculare brachii mediale:
  - zieht in der Tiefe zur medialen Kante des Humerus
  - spannt sich zwischen dem Ansatz des M. coracoideus und dem Epicondylus medialis auf
  - dient als Muskelansatzstelle für den M. brachialis und M. triceps brachii (Caput mediale)
- Septum intermusculare brachii laterale:
  - zieht in der Tiefe zur lateralen Kante des Humerus
  - befindet sich zwischen dem Ansatz des M. deltoideus und dem Epicondylus humeri lateralis
  - dient als Muskelansatzstelle für M. triceps brachii, M. brachialis, M. brachioradialis und M. extensor carpi radialis longus

Myofasziale Wirkungsketten

Das Septum ist Bestandteil der oberflächlichen rückwärtigen Armlinie. Die myofaszialen Armlinien unterstützen die vielfältige Beweglichkeit der oberen Extremität. Im Gesamtkontext ist wichtig, dass die Armlinien intensiv mit den Spiral- und Laterallinien korrespondieren (Ganzkörperlinien). Dysfunktionale Störungen in anderen Körperregionen (z. B. der unteren Extremität) können hier auf die obere Extremität übertragen werden.

Osteopathische Korrespondenzen

Myofasziale Dysfunktionen des Septums z. B. in Form von Adhäsionen oder Narbengewebe können den Verlauf des N. ulnaris stören. Aber auch Störungen in der oberflächlichen frontalen Armlinie können Ursachen für Schmerzsymptome in der oberen Extremität sein.

6.3.2 M. brachialis

Anatomie

▶ Abb. 6.8, ▶ Abb. 6.11

- **Ursprung:** Vorderfläche des Humerus (distale Hälfte)
- **Ansatz:** Tuberositas ulnae, Proc. coronoideus
- **Funktion:** Flexion im Ellenbogengelenk
- **Innervation:** N. musculocutaneus (C5–C6), N. radialis (C7)
- **Triggerpunkte** (▶ Abb. 6.11): TP1 ca. 2 cm oberhalb der Ellenbogenbeuge, TP2 in der oberen Hälfte des Muskelbauchs

Osteopathische Korrespondenzen

Der M. brachialis wirkt als eingelenkiger Muskel begünstigend auf die Beugefunktion des M. biceps brachii ein, weil er die Beugung einleitet und so dem M. biceps ein besseres Drehmoment verschafft. Das bedeutet, die an der Flexion beteiligten Muskeln arbeiten effektiver, wenn sich der Ellenbogen schon in geringgradiger Beugung befindet. In Ruheposition überwiegt die Wirkung der Flexorengruppe (physiologisch größerer Muskelquerschnitt im Vergleich zur Extensorengruppe) auf den Ellenbogen, sodass er sich in geringgradiger Beugung befindet. Eine lokale Hypermobilität und muskuläre Dysbalancen können die Funktionalität des Ellenbogengelenks stören.

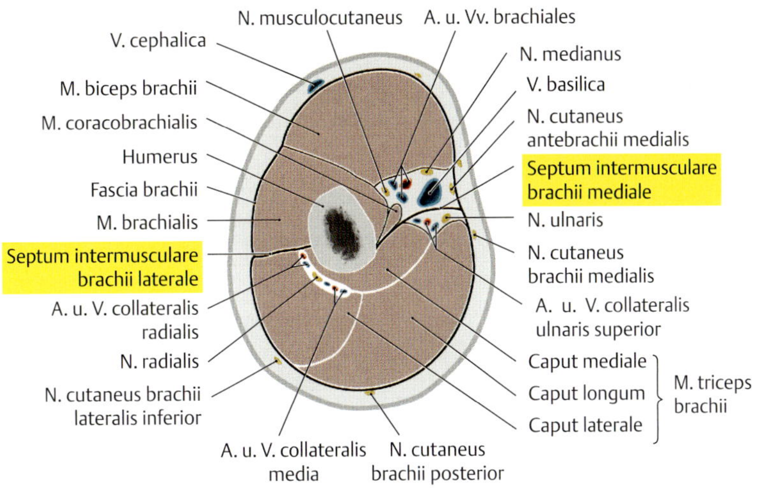

▶ **Abb. 6.10** Querschnitt durch das mittlere Drittel des rechten Oberarms (Ansicht von distal). (aus Schünke M, Schulte E, Schumacher U. Prometheus, LernAtlas der Anatomie. Allgemeine Anatomie und Bewegungssystem. Illustrationen von M. Voll und K. Wesker. 5., vollständig überarbeitete Auflage. Stuttgart: Thieme; 2018)

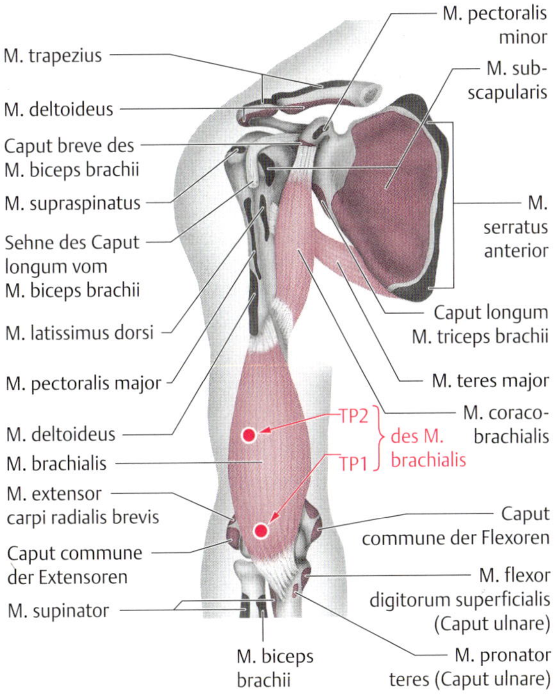

▶ **Abb. 6.11** Triggerpunkte M. brachialis. (aus Richter P, Hebgen E. Triggerpunkte und Muskelfunktionsketten. 5. Aufl. Stuttgart: Haug; 2021, nach: Schünke M. Funktionelle Anatomie: Topographie und Funktion des Bewegungssystems. 1. Aufl. Stuttgart: Thieme; 2000)

6.4 Dorsale Schichten

6.4.1 M. triceps brachii

Anatomie

▸ Abb. 6.12

- **Ursprung:**
  - Caput longum: Tuberculum infraglenoidale scapulae
  - Caput laterale: Humerushinterfläche (proximale Hälfte)
  - Caput mediale: Humerushinterfläche (distale Hälfte), inferomedial des Sulcus nervi radialis
- **Ansatz:** Olekranon, Ellenbogengelenkkapsel
- **Funktion:**
  - Extension im Ellenbogen
  - Schultergelenkstabilisator
- **Innervation:** N. radialis (C7–C8)
- **Triggerpunkte** (▸ Abb. 6.7): TP1 im Caput longum, wo der M. teres major kreuzt, TP2 im Caput mediale ca. 6 cm oberhalb des Epicondylus lateralis, TP3 im Caput laterale, etwa lateral auf Mitte des Oberarms, TP4 im Caput mediale in der Nähe des Olekranons, TP5 im Caput mediale am medialen Rand oberhalb des Epicondylus medialis

Myofasziale Wirkungsketten

Der Muskel gehört zur tiefen rückwärtigen Armlinie, die über den M. latissimus dorsi mit der funktionellen Rückenlinie in Wechselwirkung steht.

Osteopathische Korrespondenzen

Auffallend ist die lange Ansatzsehne des Muskels, die sich flächig und zweischichtig darstellt. Diese Aponeurose hat ein oberflächliches und tief liegendes Blatt, das tief in den Muskel hineinzieht. Die Ursprünge der kurzen Köpfe des Muskels (Caput mediale und laterale) haben durch ihre Lage einen Bezug zum Septum intermusculare laterale, das sich zwischen dem Ansatz des M. deltoideus und dem Epicondylus lateralis humeri aufspannt. Es trennt den medialen und den lateralen Trizepsanteil vom M. brachialis und M. brachioradialis.

Der Ansatz des langen Trizepskopfs am Schulterblatt kann bei Kontraktion den Humeruskopf gegen das Schulterdach ziehen. Damit diese Kompression nicht zu einer Bewegungseinschränkung im Schultergelenk führt, wirkt der M. latissimus dorsi dagegen und zieht den Humeruskopf nach kaudal. Hier zeigen sich die synergistische Wechselwirkung dieser beiden Muskeln und das enge Zusammenspiel von myofaszialen Wirkungsketten.

Im Ansatzbereich des M. triceps brachii spalten sich nach medial Fasern ab, die in die Gelenkkapsel münden. Andere ziehen am Olekranon vorbei und münden in die Unterarmfaszie. Diese Strukturen bilden eine Reserve für den Streckapparat.

Behandlungshinweise

Dysfunktionen des M. latissimus dorsi und seiner korrespondierenden Strukturen sollten bei Beschwerden im Arm mitbehandelt werden.

6.4.2 M. anconeus

Anatomie

▸ Abb. 6.13

- **Ursprung:** Epicondylus lateralis humeri (dorsale Fläche)
- **Ansatz:** Kapsel des Ellenbogengelenks
- **Funktion:**
  - Gelenkkapselspanner (verhindert Einklemmung der Gelenkkapsel bei Extension des Ellenbogens)
  - Extension Ellenbogen
- **Innervation:** N. radialis (C6–C8)
- **Triggerpunkte** (▸ Abb. 6.7): distal des Lig. anulare radii

Myofasziale Wirkungsketten

Der Muskel ist Bestandteil der oberflächlichen rückwärtigen Armlinie.

Osteopathische Korrespondenzen

Der Muskel ist funktionell eng mit dem M. triceps brachii verbunden, weil er eine Abspaltung vom medialen Trizepskopf ist. Bei Einklemmungen von Kapselanteilen im Ellenbogengelenk (typische Verletzung bei Wurfsportarten, z. B. Handball) ist daher neben dem Funktionszusammenhang der beteiligten myofaszialen Muskelketten auch die Funktionalität zwischen M. triceps brachii und M. anconeus zu prüfen, insbesondere auf mögliche myofasziale Adhäsionen in diesem Bereich.

Es besteht auch eine räumliche Nähe zum M. extensor carpi ulnaris. Dysfunktionen im Bereich des Handgelenks können die Extensorenmuskulatur überfordern und zu unphysiologischen Spannungen im Ursprungsbereich der Muskulatur führen. Dies kann ebenfalls die Kapselspannerfunktion des M. anconeus beeinträchtigen.

6.4.3 Rete articulare cubiti

Anatomie

- Anastomosen zwischen den Ästen von A. radialis, A. ulnaris, A. brachialis und A. interossea posterior
- liegt im Bereich des Epicondylus lateralis

Osteopathische Korrespondenzen

Es kann ein funktioneller Zusammenhang zwischen Zirkulationsstörungen und ausgeprägten myofaszialen Adhäsionen im Bereich des Epicondylus lateralis bestehen, der die Chronifizierung einer Epikondylitis begünstigen kann.

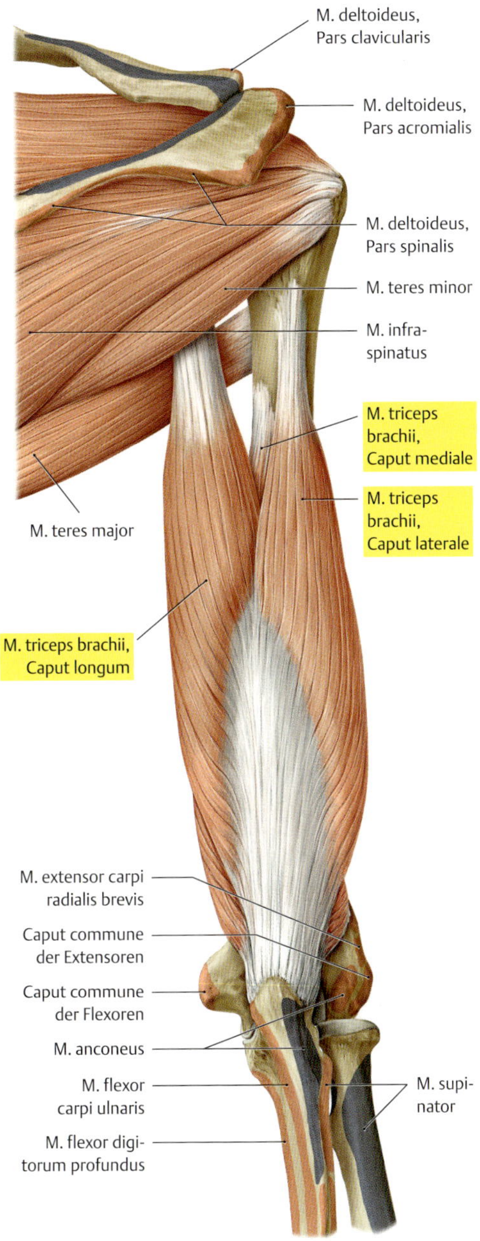

▶ **Abb. 6.12** Muskeln des rechten Oberarms (Ansicht von dorsal). (aus Schünke M, Schulte E, Schumacher U. Prometheus, LernAtlas der Anatomie. Allgemeine Anatomie und Bewegungssystem. Illustrationen von M. Voll und K. Wesker. 5., vollständig überarbeitete Auflage. Stuttgart: Thieme; 2018)

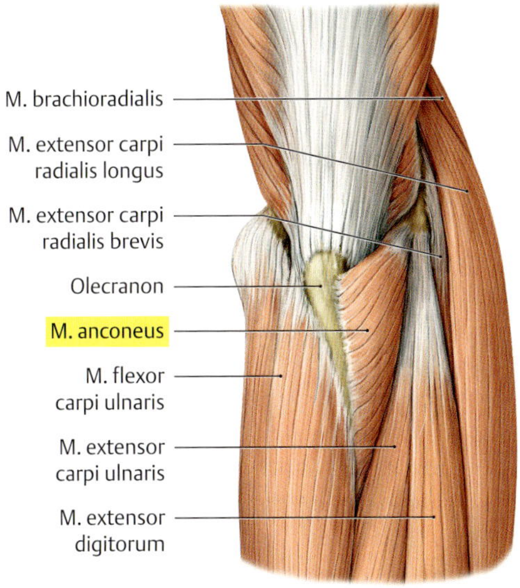

▶ **Abb. 6.13** Muskeln im Bereich des rechten Ellenbogens (Ansicht von dorsal). (aus Schünke M, Schulte E, Schumacher U. Prometheus, LernAtlas der Anatomie. Allgemeine Anatomie und Bewegungssystem. Illustrationen von M. Voll und K. Wesker. 5., vollständig überarbeitete Auflage. Stuttgart: Thieme; 2018)

6.5 Art. cubiti (Ellenbogengelenk)

6.5.1 Distaler Humerus

Anatomie

▶ Abb. 6.14

- Capitulum humeri: kugelförmige Gelenkfläche, artikuliert mit dem Radiusköpfchen (konkave Gelenkfläche)
- Trochlea humeri: Gelenkrolle, artikuliert mit der proximalen Ulna
- Epicondylus medialis und lateralis: vorgewölbte Knochenstrukturen an der medialen und lateralen Seite des Humerus
  - Epicondylus medialis: Ursprungsstelle für die oberflächlichen Unterarmflexoren (Mm. flexores carpi radialis und ulnaris, M. flexor digitorum superficialis, M. palmaris longus, M. pronator teres)
  - Epicondylus lateralis: Ursprungsstelle für die oberflächlichen Unterarmextensoren (Mm. extensores carpi ulnaris und radialis breve, M. extensor digitorum, M. extensor digiti minimi, M. supinator)
- Fossa radialis: Knochenvertiefung proximal des Capitulum humeri, bietet bei maximaler Flexion des Ellenbogens Platz für den Radiusköpfchenrand
- Fossa coronoidea: Vertiefung proximal der Trochlea humeri, bietet bei maximaler Flexion des Ellenbogens Platz für den Proc. coronoideus der Ulna
- Sulcus nervi ulnaris: Knochenrinne an posterioren Seite Epicondylus medialis humeri für N. ulnaris; bei chronischer Kompression Sulcus-ulnaris-Syndrom (klinische Zeichen: Hypoästhesie oder Anästhesie im Versorgungsgebiet, bei Parese Krallhand)

Myofasziale Wirkungsketten

Der Epicondylus medialis hat eine Beziehung zum Septum intermusculare mediale, das Bestandteil der frontalen Armlinie ist. Der Epicondylus lateralis steht mit dem Septum intermusculare laterale in Verbindung und gehört zur oberflächlichen Rückenlinie.

Osteopathische Korrespondenzen

Bei einer Dysfunktion im Ellenbogengelenk kann es bei maximaler Flexion oder Extension zu Schmerzen kommen. Dann muss weiter differenziert getestet werden, um welche Dysfunktion es handelt (z. B. Dysfunktion in Adduktion, Abduktion, Radius posterior oder anterior).

6.5.2 Radius (Speiche) und Ulna (Elle): proximaler Bereich

Anatomie

▶ Abb. 6.14

- Caput radii: Kopf des Radius, der mit dem Capitulum humeri artikuliert
- Proc. coronoideus: Knochenvorsprung der Elle in dreieckiger Form, artikuliert mit der Fossa coronoidea des Humerus
- Olekranon: prominentes proximales Ende der Ulna, Ansatz für M. triceps brachii, M. anconeus
- Membrana interossea antebrachii: verbindet Radius und Ulna bindegewebig miteinander; beginnt proximal unterhalb der Tuberositas radii und endet vor dem distalen Radioulnargelenk

Osteopathische Korrespondenzen

Die Membrana interossea antebrachii, welche die funktionellen Bewegungen von Ulna und Radius ermöglicht und sie gleichzeitig stabilisiert, kann unphysiologische Spannungen aufbauen, z. B. bei einem Sturz auf die Hände oder längerer Ruhigstellung des Unterarms nach einem Trauma. Die verminderte Elastizität der Membran kann dann die Funktionalität des Ellenbogengelenks beeinträchtigen.

Einige Faserzüge der Membrana interossea scheinen auch in die Gelenkkapsel des Handgelenks überzugehen. Diese koppelt die Bewegung zwischen dem proximalen und distalen Radioulnargelenk und verhindert ein distales Weggleiten des Radius zur Ulna. In der Supinationsstellung besteht die größte Spannung in der Membran. Die Faserzüge überkreuzen sich, typisch sind die vermehrt schrägen Verläufe. Funktionelle Lücken in den Faserzügen dienen dem Durchtritt von Nerven und Gefäßen. Distal liegen A. und V. interossea anterior und N. interosseus anterior, der motorische Ast des N. medianus. Dysfunktionen in den gelenkigen Verbindungen von Radius und Ulna können Spannungsveränderungen der Membran hervorrufen. Zirkulatorische Störungen durch Gefäßkompression sind denkbar. Die Membran dient gleichzeitig als Ursprung der tiefen Muskeln für die Fingerextension und -flexion. Muskuläre Dysbalancen können die Elastizität der Membran einschränken und ihre Funktionalität beeinträchtigen. Dysfunktionen im Handgelenk können die Folge sein.

Behandlungshinweise

MET und HVLA-Techniken bieten sich bei Dysfunktionen von Radius und Ulna an.

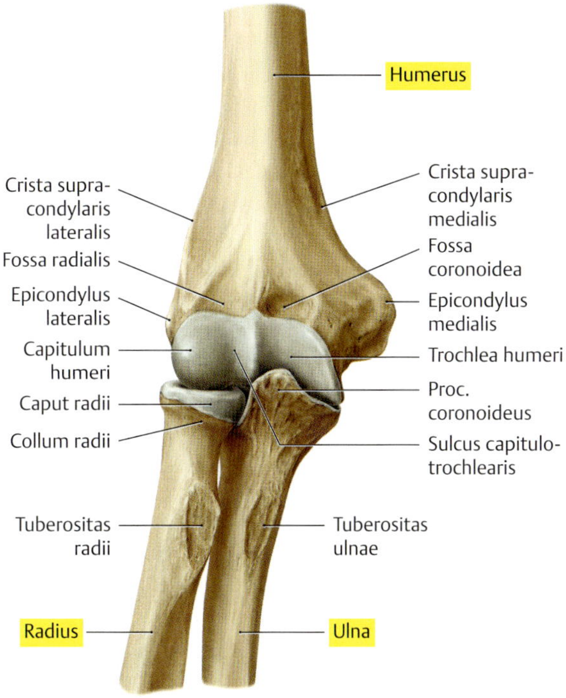

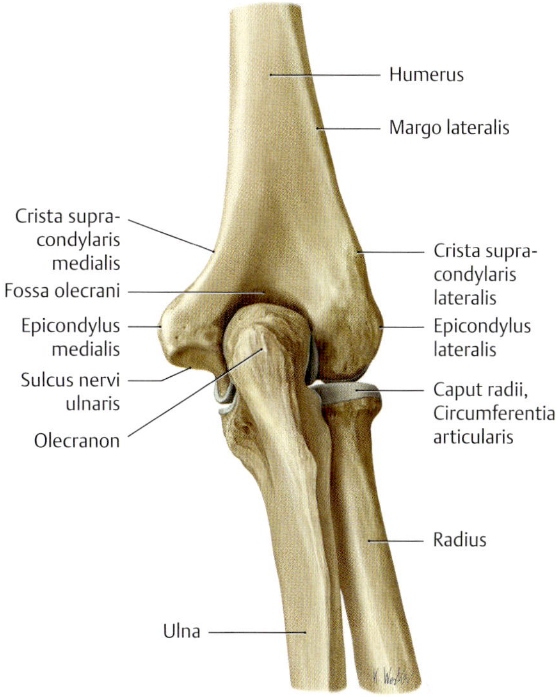

▸ **Abb. 6.14** Skelettelemente eines rechten Ellenbogengelenks. **a** Ansicht von ventral. **b** Ansicht von dorsal. (aus Schünke M, Schulte E, Schumacher U. Prometheus, LernAtlas der Anatomie. Allgemeine Anatomie und Bewegungssystem. Illustrationen von M. Voll und K. Wesker. 5., vollständig überarbeitete Auflage. Stuttgart: Thieme; 2018)

6.5.3 Art. cubiti als Ganzes

Anatomie

▶ Abb. 6.15

- besteht aus 3 Einzelgelenken: insgesamt ein Dreh-Scharniergelenk
  - **Art. humeroulnaris:**
    - **Art:** Scharniergelenk
    - **Partner:** Humerus und Ulna
  - **Art. humeroradialis:**
    - **Art:** Kugelgelenk
    - **Partner:** Humerus und Radius
  - **Art. radioulnaris proximalis:**
    - **Art:** Drehgelenk
    - **Partner:** proximale Enden von Radius und Ulna
- **Kapsel:** gemeinsame Gelenkkapsel, die alle 3 Teilgelenke umhüllt
  - weit und dünn
  - hat ihren Ursprung am Humerus oberhalb der Fossa coronoidea und radialis, dorsal oberhalb der Fossa olecrani
  - Anheftungsstellen sind der Rand der Incisura trochlearis und Collum radii
  - Epicondylus medialis und lateralis befinden sich nicht innerhalb der Kapsel, denn dort liegen die Ursprünge der Unterarmmuskeln
  - Recessus sacciformis: distale Erweiterung durch das Lig. anulare radii, die als Reservefalte bei Pro- und Supination dient
- **Funktion:** Flexion und Extension über Art. humeroulnaris und Art. humeroradialis, Pronation und Supination über Artt. radioulnares proximalis und distalis

Osteopathische Korrespondenzen

Als Kapselspanner wirken der M. brachialis, M. anconeus und die Fasern des M. triceps brachii (M. articularis cubiti). Sie verhindern ein Einklemmen der Gelenkkapsel bei Bewegung. Besonders bei schnellkräftigen sportlichen Bewegungen, z. B. Speer- oder Handballwurf, können Dysfunktionen im Ellenbogengelenk zu Kapseleinklemmungen führen.

Die mechanischen Zugkräfte über die Muskulatur, die das Ellenbogengelenk bewegen, korrespondieren zum einen mit dem Handgelenk, zum anderen aber auch mit HWS, Skapula und Thorax. Dysfunktionen in diesem Bereich können die Funktionalität des Ellenbogengelenks stören. Die komplexe Beweglichkeit des Ellenbogengelenks und das Zusammenspiel der unterschiedlichen Teilgelenke können dann Dysfunktionen in Pronation/Supination, Flexion/Extension, aber auch in Abduktion/Adduktion auslösen. Traktionstraumen im Radioulnargelenk, wie es z. B. beim Nursemaid's Ellbow geschieht, erfolgen in maximaler Extension.

Behandlungshinweise

Bei Stürzen, die mit den Händen aufgefangen werden, wird die Bewegungsenergie auf den Arm übertragen. Radius, Ulna und Membrana interossea leiten sie zum Ellenbogengelenk weiter. Ist das Trauma massiv, kann es zu Dysfunktionen bis in den Schultergürtel und in die HWS kommen. Besonders anfällig ist dabei die Klavikula im Zusammenspiel mit der 1. Rippe. Behandlungstechniken, die in der Peripherie, also am Handgelenk, beginnen und dann zur Körpermitte fortgesetzt werden, sind besonders hilfreich zur Regenerierung der myofaszialen Verbindungen der oberen Extremität und der Wirkungsketten, die sich auf den gesamten Körper beziehen (z. B. tiefe Frontallinie, diagonale und laterale Wirkungsketten).

Abduktions- und Adduktionsdysfunktionen im Ellenbogengelenk können mit HVLA-Techniken behandelt werden.

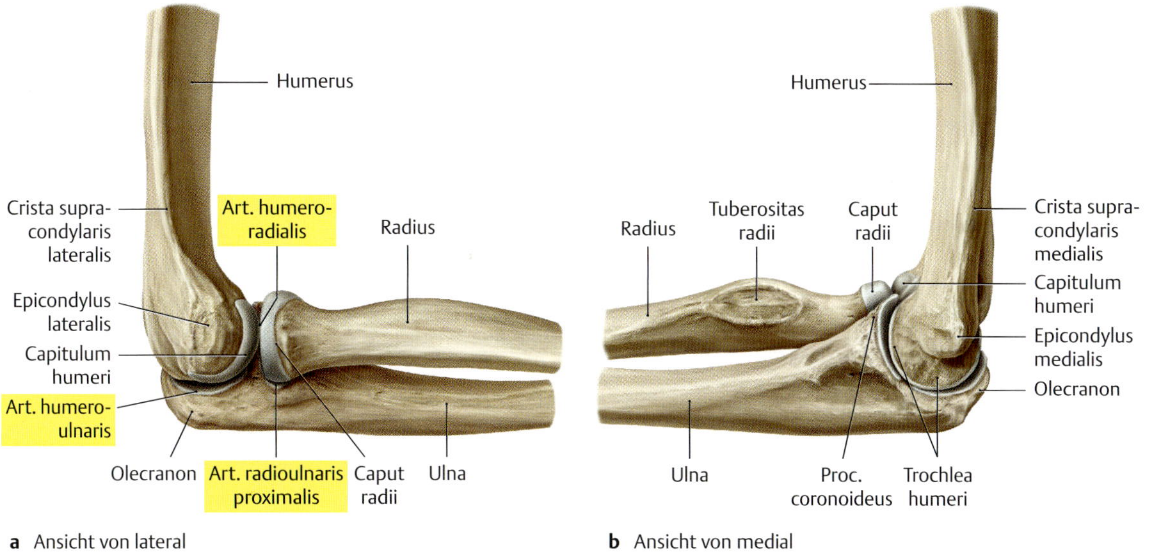

▶ **Abb. 6.15** Die 3 Teilgelenke des Ellenbogengelenks (rechter Ellenbogen). **a** Ansicht von lateral. **b** Ansicht von medial. (aus Schünke M, Schulte E, Schumacher U. Prometheus, LernAtlas der Anatomie. Allgemeine Anatomie und Bewegungssystem. Illustrationen von M. Voll und K. Wesker. 5., vollständig überarbeitete Auflage. Stuttgart: Thieme; 2018)

6.5.4 Bänder

Anatomie

▶ Abb. 6.16, ▶ Abb. 6.17, ▶ Abb. 6.18

- Lig. collaterale radiale: zieht vom Epicondylus lateralis in das Lig. anulare
- Lig. collaterale ulnare: zieht vom Epicondylus medialis fächerförmig seitlich zum Olecranon und zum Proc. coronoideus
- Lig. anulare radii:
  - gehört zur Gelenkkapsel und bildet einen osteofibrösen Ring, in dem der Radiuskopf rotiert
  - von der Ulna umschließt es das Radiusköpfchen und heftet sich dorsal wieder an der Ulna an
  - ist innen zum Radiuskopf mit Knorpel ausgestattet

Osteopathische Korrespondenzen

Das Gelenk bedarf einer verstärkten ligamentären Sicherung innerhalb der Gelenkkapsel. Die lateralen Bänder stabilisieren das Ellenbogengelenk seitlich. Bei der Behandlung einer Dysfunktion in Abduktion oder Adduktion wirken die Ligamente bewegungsbegrenzend. Dysfunktionen, die das Lig. collaterale radiale unter Spannung setzen, können auch das Lig. anulare in seiner Funktionalität beeinträchtigen und das Radioulnargelenk in seiner Bewegung einschränken.

Radioanuläre Subluxationen (Pronatio dolorosa, schmerzhafte Pronation) können insbesondere bei Kindern passieren, weil das Radiusköpfchen noch klein ist und aus der Bandführung rutschen kann. Die Gelenkkapsel bietet distal wegen des Recessus sacciformis keinen Halt. Typische Ursache ist das ruckartige Hochziehen des Armes (z. B. um einen Sturz des Kindes zu verhindern). Der Arm bleibt in Pronationsstellung und wegen der Schmerzen lässt das Kind den Arm hängen.

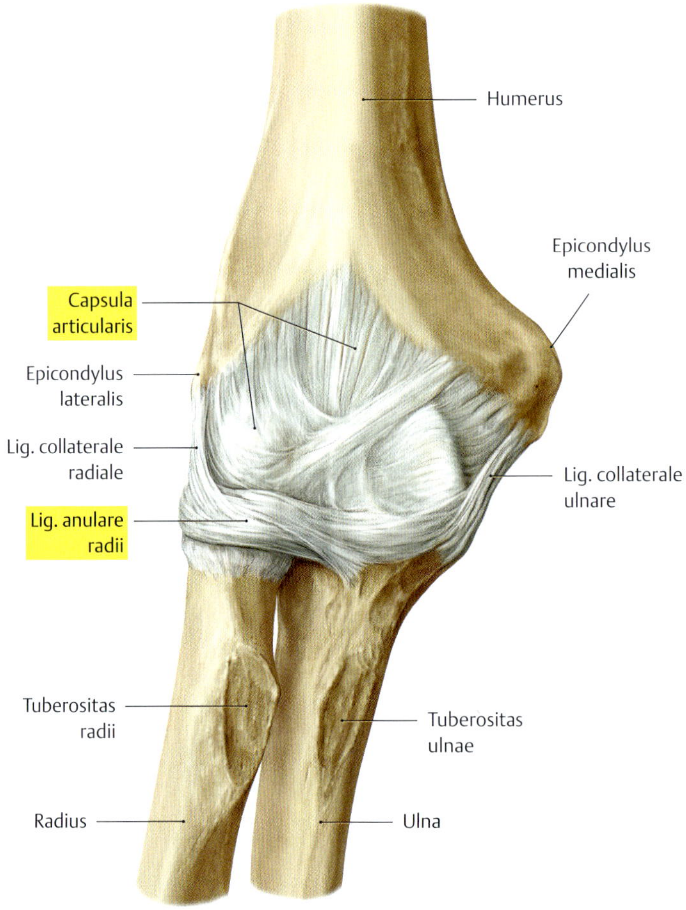

▶ **Abb. 6.16** Kapsel-Band-Apparat eines rechten Ellenbogengelenks in Extensionsstellung (Ansicht von ventral). (aus Schünke M, Schulte E, Schumacher U. Prometheus, LernAtlas der Anatomie. Allgemeine Anatomie und Bewegungssystem. Illustrationen von M. Voll und K. Wesker. 5., vollständig überarbeitete Auflage. Stuttgart: Thieme; 2018)

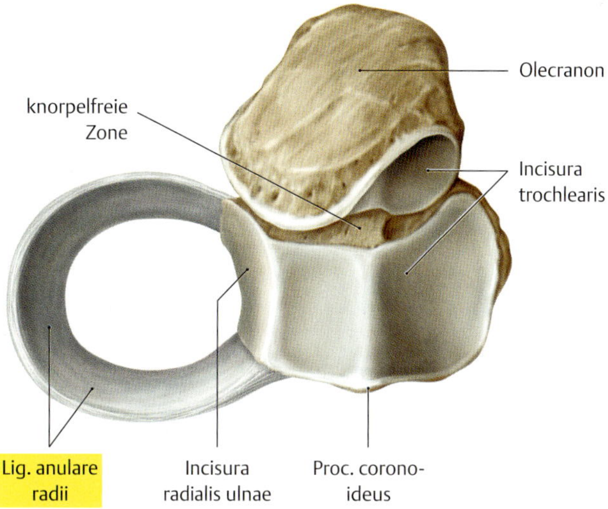

▶ **Abb. 6.17** Verlauf des Lig. anulare radii (Ansicht von proximal). (aus Schünke M, Schulte E, Schumacher U. Prometheus, LernAtlas der Anatomie. Allgemeine Anatomie und Bewegungssystem. Illustrationen von M. Voll und K. Wesker. 5., vollständig überarbeitete Auflage. Stuttgart: Thieme; 2018)

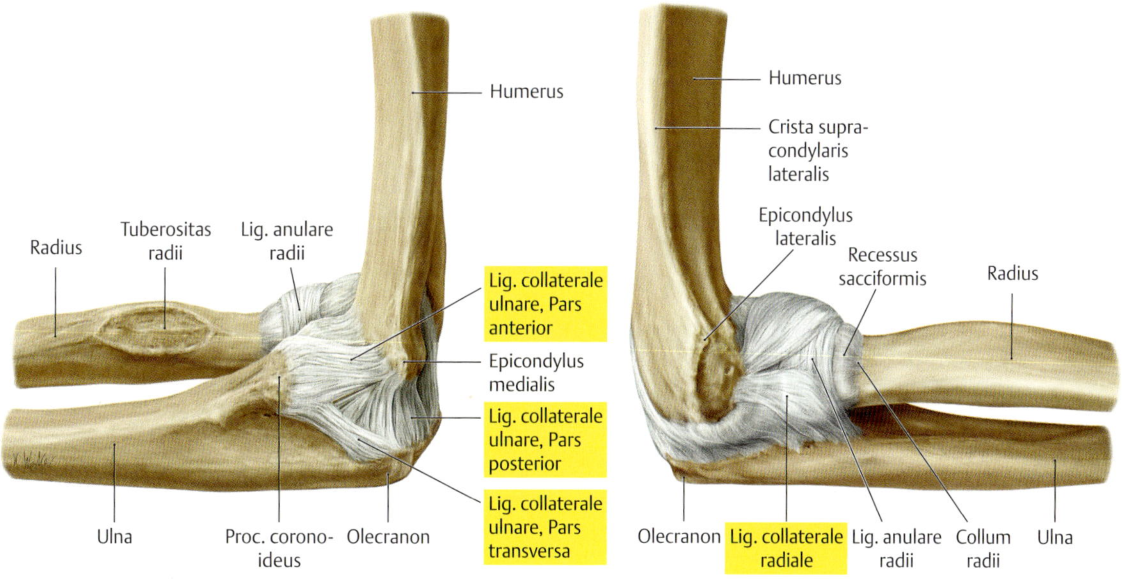

▶ **Abb. 6.18** Kapsel-Band-Apparat eines rechten Ellenbogengelenks in Beugestellung. a Ansicht von medial. b Ansicht von lateral. (aus Schünke M, Schulte E, Schumacher U. Prometheus, LernAtlas der Anatomie. Allgemeine Anatomie und Bewegungssystem. Illustrationen von M. Voll und K. Wesker. 5., vollständig überarbeitete Auflage. Stuttgart: Thieme; 2018)

6.6

Schnittbilder

▸ Abb. 6.19, ▸ Abb. 6.20, ▸ Abb. 6.21

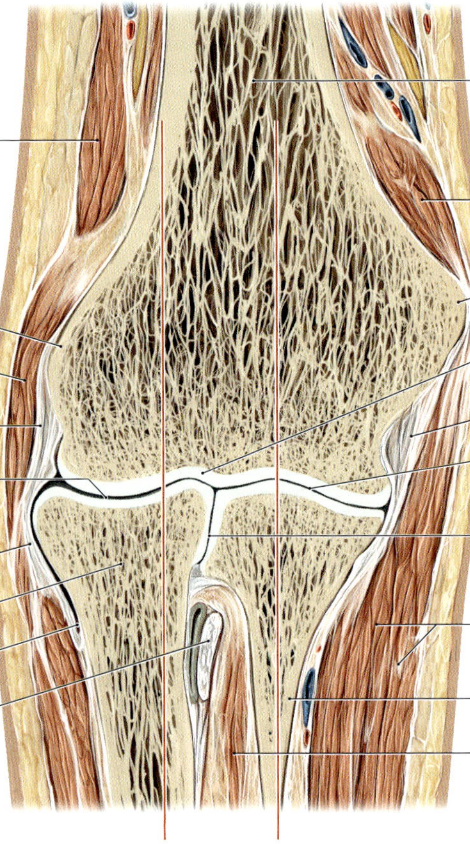

▸ **Abb. 6.19** Frontalschnitt durch den Ellenbogen (Ansicht von ventral). Man erkennt die enge Lage der Sehne des M. biceps brachii zum Radius und den dazwischenliegenden Gleitraum, der direkt mit der Membrana interossea korrespondiert. (aus Schünke M, Schulte E, Schumacher U. Prometheus, LernAtlas der Anatomie. Allgemeine Anatomie und Bewegungssystem. Illustrationen von M. Voll und K. Wesker. 5., vollständig überarbeitete Auflage. Stuttgart: Thieme; 2018)

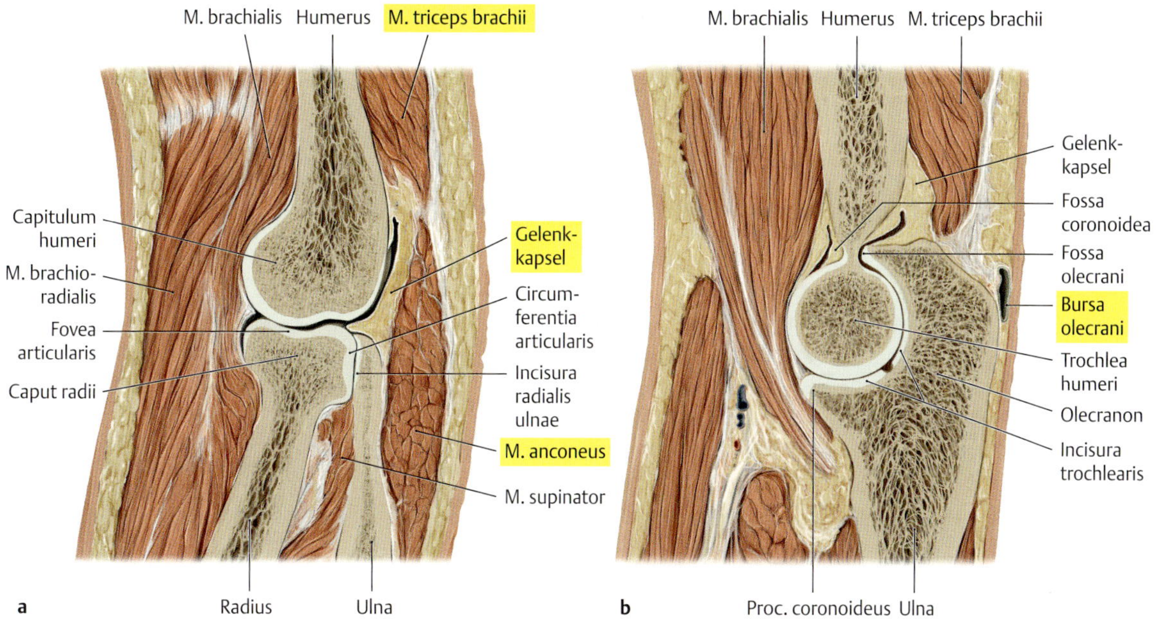

▸ **Abb. 6.20** **a** Sagittalschnitt durch das Humeroradialgelenk und das proximale Radioulnargelenk (Ansicht von medial). Die enge funktionelle Verbindung zwischen M. triceps brachii, M. anconeus und Gelenkkapsel ist zu erkennen. Gerade bei Schnellkraftsportarten in Schlag- und Wurfdisziplinen, z. B. Badminton oder Handball, kann es hier zur Einklemmung der Gelenkkapsel kommen. Neben einer Funktionsprüfung der beteiligten myofaszialen Wirkungsketten kann eine direkte Muskelansatzbehandlung hilfreich sein. **b** Sagittalschnitt durch das Humeroulnargelenk (Ansicht von medial). Bei starker Kompression der Bursa olecrani kann eine ausgeprägte Bursitis entstehen (Students' Elbow), insbesondere dann, wenn die Bursa vorab durch myofasziale Adhäsionen in ihrer Mobilität eingeschränkt war. (aus Schünke M, Schulte E, Schumacher U. Prometheus, LernAtlas der Anatomie. Allgemeine Anatomie und Bewegungssystem. Illustrationen von M. Voll und K. Wesker. 5., vollständig überarbeitete Auflage. Stuttgart: Thieme; 2018)

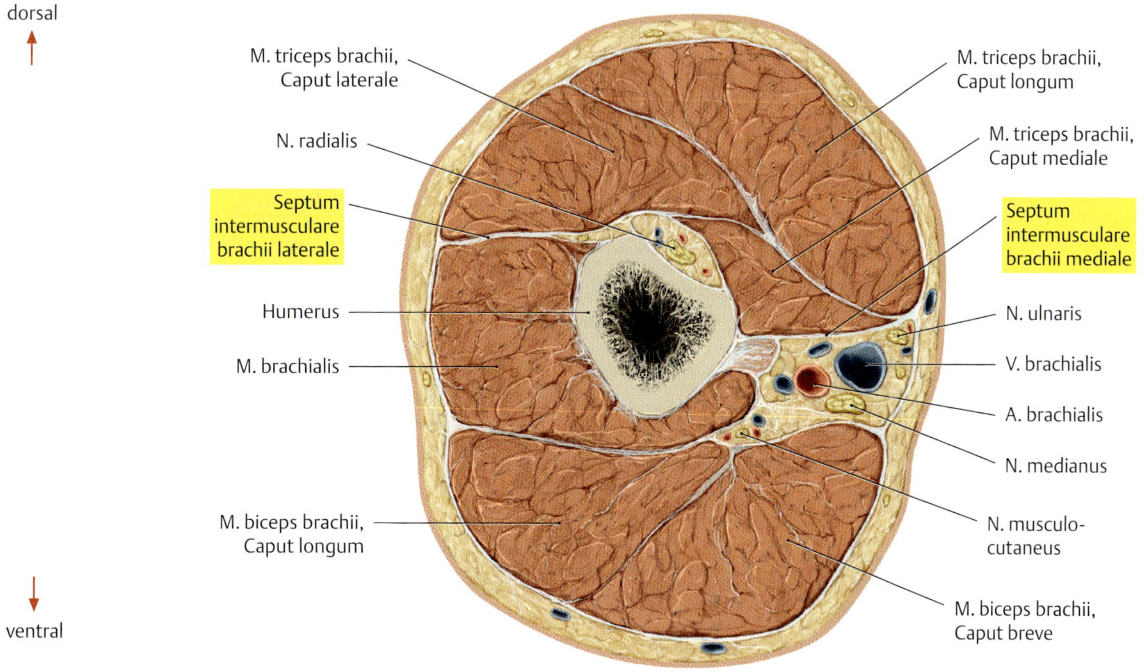

▸ **Abb. 6.21** Querschnitt durch einen rechten Oberarm (Ansicht von proximal). Die Lage des Septum intermusculare laterale und mediale steht mit der Funktion der jeweiligen Muskeln in Verbindung. Die intermuskulären Septen teilen den Oberarm in Logen ein. In der ventralen Loge befinden sich die Muskeln für die Beugung, in der dorsalen die Muskeln für die Streckung. Man erkennt gut die medial gelegene Gefäßstraße am Septum intermusculare mediale. (aus Schünke M, Schulte E, Schumacher U. Prometheus, LernAtlas der Anatomie. Allgemeine Anatomie und Bewegungssystem. Illustrationen von M. Voll und K. Wesker. 5., vollständig überarbeitete Auflage. Stuttgart: Thieme; 2018)

7 Unterarm, Handgelenk und Hand

7.1 Überblick

7.1.1 Unterarm, Handgelenk und Hand

Mit der Aufrichtung des Menschen hat sich die Hand zu einem feinmotorischen Greiforgan entwickelt. Besonders bemerkenswert ist die Beweglichkeit des menschlichen Daumens, der – gesteuert durch das Gehirn – erst die feinmotorischen Tätigkeiten möglich macht.

Die Region des Unterarms und die der Hand (▶ **Abb. 7.3**) sind durch das fasziale Kontinuum und durch die Muskeln, welche die Hand und die Finger bewegen, funktionell miteinander verbunden. Zahlreiche Dysfunktionen aus Schultergürtel, Kranium, HWS und Thorax können Beschwerden im Unterarm und in der Hand provozieren. Die myofaszialen Korrespondenzen sind zahlreich und Dysfunktionen aus Körperstamm und unterer Extremität können Auswirkungen auf den Unterarm und die Hand haben.

7.1.2 Regionen

Für den Bereich von Unterarm, Handgelenk und Hand werden topografisch betrachtet (▶ **Abb. 7.1**, ▶ **Abb. 7.2**):

- Regio antebrachii anterior
- Regio antebrachii posterior
- Regio carpalis anterior
- Regio carpalis posterior
- Palma manus
- Dorsum manus

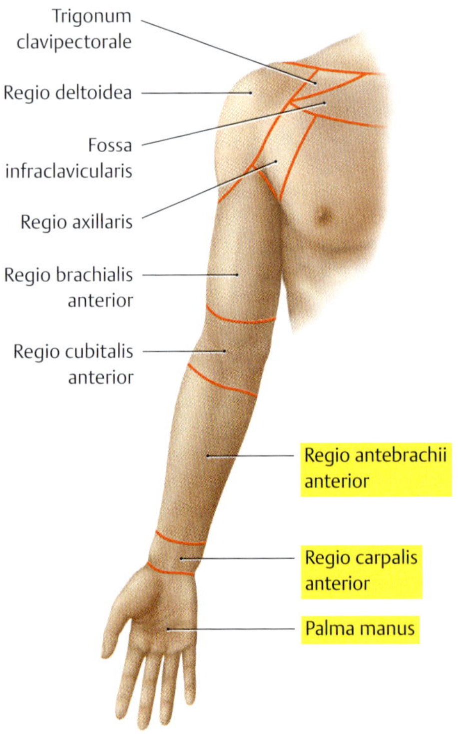

▶ **Abb. 7.1** Regionen von Unterarm, Handgelenk und Hand (Ansicht von ventral). (aus Schünke M, Schulte E, Schumacher U. Prometheus, LernAtlas der Anatomie. Allgemeine Anatomie und Bewegungssystem. Illustrationen von M. Voll und K. Wesker. 5., vollständig überarbeitete Auflage. Stuttgart: Thieme; 2018)

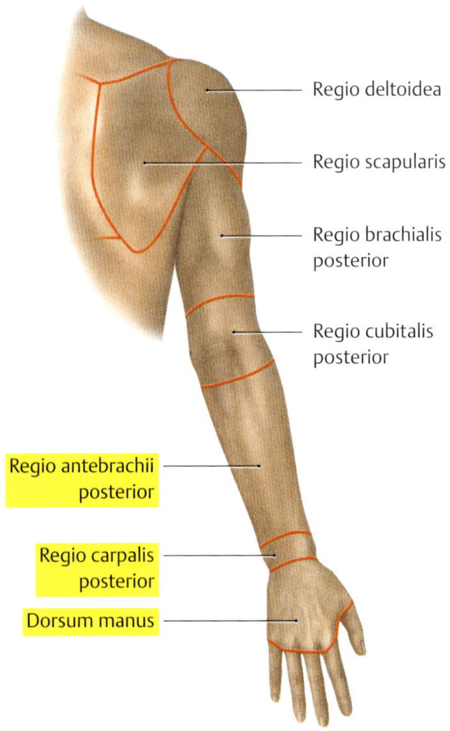

▶ **Abb. 7.2** Regionen von Unterarm, Handgelenk und Hand (Ansicht von dorsal). (aus Schünke M, Schulte E, Schumacher U. Prometheus, LernAtlas der Anatomie. Allgemeine Anatomie und Bewegungssystem. Illustrationen von M. Voll und K. Wesker. 5., vollständig überarbeitete Auflage. Stuttgart: Thieme; 2018)

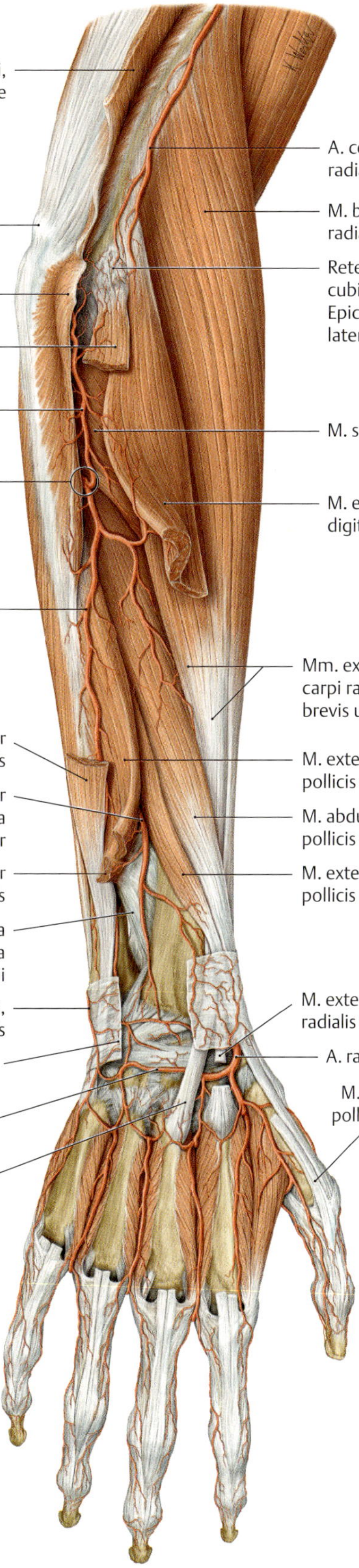

▸ **Abb. 7.3** Die Region von Unterarm, Handgelenk und Hand im Überblick (rechter Arm, Ansicht von dorsal). (aus Schünke M, Schulte E, Schumacher U. Prometheus, LernAtlas der Anatomie. Allgemeine Anatomie und Bewegungssystem. Illustrationen von M. Voll und K. Wesker. 5., vollständig überarbeitete Auflage. Stuttgart: Thieme; 2018)

7.2 Faszienhülle, oberflächliche ventrale Schichten

7.2.1 Fascia antebrachii

Anatomie

► Abb. 7.4

- die Oberarmfaszie Fascia brachii geht nahtlos in die Unterarmfaszie Fascia antebrachii über
- setzt sich in die Palmaraponeurose (Kap. 7.2.2) und Dorsalaponeurose (Kap. 7.4.2) fort, die im Gegensatz zur Palmaraponeurose sehr dünn und zart ist
- es besteht eine Verbindung zur Membrana interossea antebrachii, der Membran zwischen Ulna und Radius
- steht mit der posterioren Ulnakante und dem distalen Bereich des Radius in Verbindung
- wird durch quer verlaufende Bandzüge (Lig. carpi transversum = Retinaculum musculorum flexorum und Retinaculum musculorum extensorum) verstärkt, weil der Übergang vom Unterarm zur Hand durch die zahlreichen Nerven- und Gefäßstränge eine empfindliche Zone ist
- Faszienstruktur gliedert funktionell die Räume für die Unterarmmuskulatur in Beuger- und Streckerloge

Osteopathische Korrespondenzen

Über die Befestigung der Unterarmfaszie ist es möglich, auf die Gewebekomplexität im Ellenbogengelenk und auf die tieferen Strukturen im Unterarm mit differenzierten Behandlungstechniken Einfluss zu nehmen.

Behandlungshinweise

Möglich sind eine Ausstreichen der Anheftungsstellen der Fascia antebrachii sowie eine Dehnung und myofasziale Ausstreichung der Palmaraponeurose.

7.2.2 Palmaraponeurose (Aponeurosis palmaris)

Anatomie

► Abb. 7.4

- Muskelfaszie der Handfläche (Hohlhand), die durch Bindegewebe verdichtet und zu einer Sehnenplatte verstärkt wird
- fächerförmig gestaltet
- kräftige Struktur
- grenzt das subkutane Fettgewebe von den Weichteilen der Hand ab (Schutzfunktion)
- neben den dominierenden, in Längsrichtung angeordneten Faserzügen (Fasciculi longitudinales) gibt es auch quer verlaufene Faserzüge (Fasciculi transversi) auf Höhe der Mittehandknochen und Fingergrundgelenke, welche die Längszüge zusammenhalten
- M. palmaris brevis und M. palmaris longus wirken als Faszienspanner, damit die Palmaraponeurose auch beim Faustschluss gespannt bleibt

Myofasziale Wirkungsketten

Die Palmaraponeurose ist Bestandteil der oberflächlichen frontalen Armlinie. Diese korrespondiert mit dem M. pectoralis major und M. latissimus dorsi.

Osteopathische Korrespondenzen

Eine Verkürzung der Hohlhandfaszie kann in Form der Dupuytren-Kontraktur auftreten. Am häufigsten sind die Stränge vom Klein- und Ringfinger betroffen.

Behandlungshinweise

Auch wenn die Ursache der Kontraktur bisher unklar ist (es gibt ein gehäuftes Auftreten bei Leberzirrhose), kann insbesondere im frühen Stadium durch direkte Techniken in Form von Knet-Druck- oder Gleit-Druck-Techniken, die sowohl in Längs- als auch in Querrichtung durchgeführt werden sollten, der Prozess der zunehmenden Kontraktur verlangsamt werden. Dabei bietet sich ergänzend auch die Ausstreichung der Daumen- und Kleinfingerballenmuskulatur an (u.a. M. adductor pollicis, M. opponens pollicis). Auch eine myofasziale Behandlung der tiefen rückwärtigen Armlinie, v.a. im Bereich des Periosts der Ulna, kann hilfreich sein.

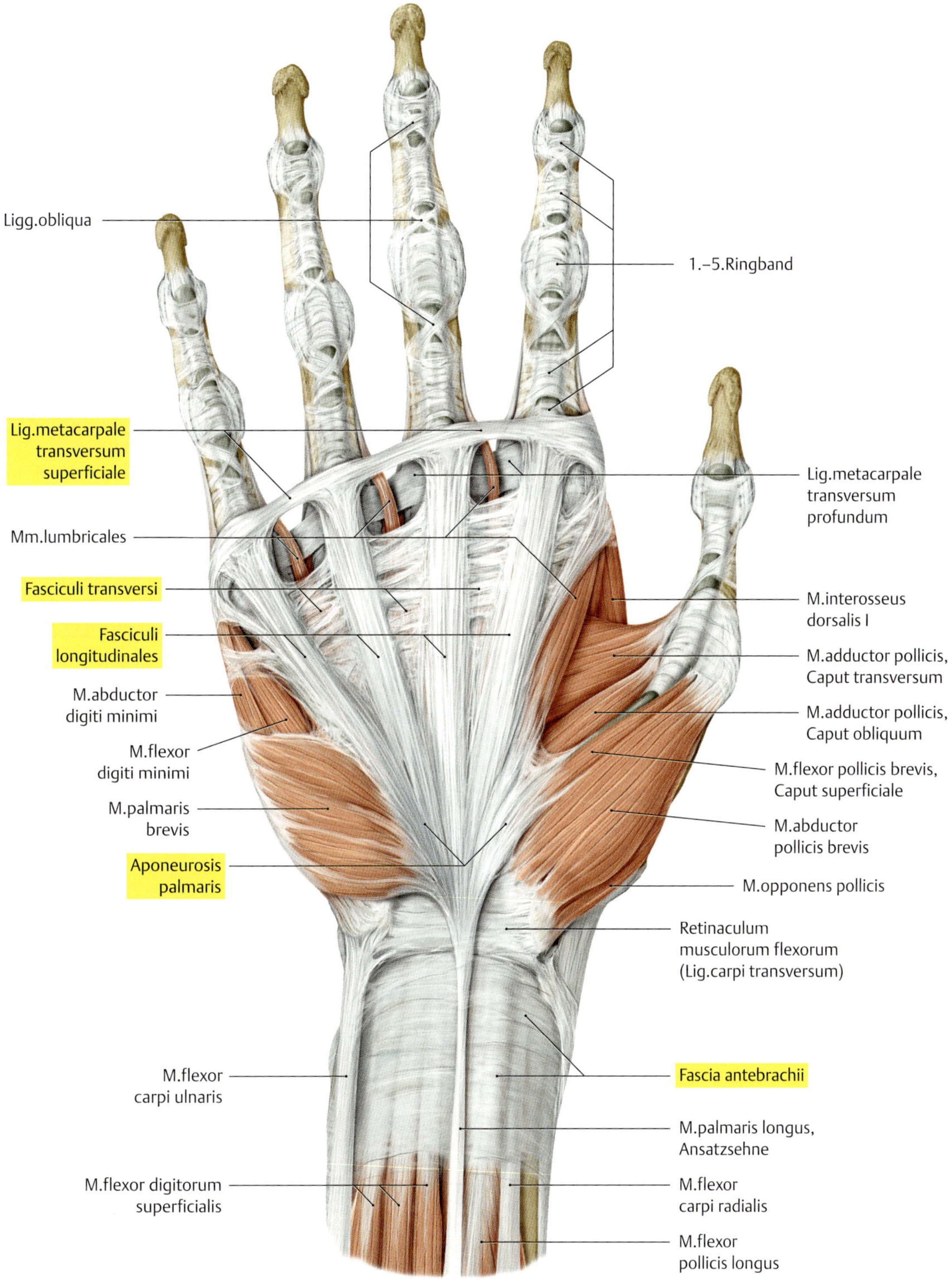

▶ **Abb. 7.4** Fascia antebrachii und Palmaraponeurose (rechte Hand, Ansicht von palmar). (aus Schünke M, Schulte E, Schumacher U. Prometheus, LernAtlas der Anatomie. Allgemeine Anatomie und Bewegungssystem. Illustrationen von M. Voll und K. Wesker. 5., vollständig überarbeitete Auflage. Stuttgart: Thieme; 2018)

7.2.3 Oberflächliche Unterarmflexoren

Allgemeines

- umlagern im Wesentlichen die Ulna
- sind in einer Loge zusammengefasst
- zentrale Ursprungsstelle der meisten Flexoren ist der Epicondylus medialis des Humerus

Anatomie

Zu den oberflächlichen Flexoren zählen (▶ Abb. 7.7):

- **M. flexor carpi radialis:**
  - **Ursprung:** Epicondylus medialis humeri
  - **Ansatz:** Basis des Os metacarpi II und III, Os scaphoideum
  - **Funktion:** Palmarflexion, Radialabduktion
  - **Innervation:** N. medianus (C 6–C 7)
  - **Triggerpunkte** (▶ Abb. 7.5): proximale Hälfte des ventralen Unterarms, in der Mitte des Muskelbauchs
- **M. palmaris longus:**
  - **Ursprung:** Epicondylus medialis humeri
  - **Ansatz:** Retinaculum flexorum, Palmaraponeurose
  - **Funktion:** Spanner der Palmaraponeurose
  - **Innervation:** N. medianus (C 7–C 8)
  - **Triggerpunkte** (▶ Abb. 7.5): mittleres Drittel des ventralen Unterarms, am Übergang zum proximalen Anteil
- **M. flexor carpi ulnaris:**
  - **Ursprung:** Epicondylus medialis humeri, Olekranon, Margo posterior ulnae, Fascia antebrachii
  - **Ansatz:** Os pisiforme, Hamulus ossis hamati, über Ligg. pisohamatum und pisometacarpeum an der Basis des Os metacarpi V
  - **Funktion:** Palmarflexion, Ulnarabduktion
  - **Innervation:** N. ulnaris (C 6–C 7)
  - **Triggerpunkte** (▶ Abb. 7.5): ulnarer Rand in der Mitte des Muskelbauchs am ventralen Unterarm in der proximalen Hälfte
- **M. flexor digitorum superficialis:**
  - **Ursprung:** Epicondylus medialis humeri (bis zu den medialen Kollateralbändern des Ellenbogens), Proc. coronoideus ulnae (medialer Rand), Chorda obliqua, Facies anterior radii entlang der Linea obliqua
  - **Ansatz:** seitlich an die Mittelphalangen der Finger II–V
  - **Funktion:** Flexion der Mittel- und Grundgelenke der Finger II–V, Flexion im Handgelenk
  - **Innervation:** N. medianus (C 7–C 8)
  - **Triggerpunkte** (▶ Abb. 7.6): proximale Hälfte des ventralen Unterarms, jeweils in der Muskelbauchmitte

Myofasziale Wirkungsketten

Diese Muskeln sind, wie alle Hand- und Fingerflexoren, Bestandteil der oberflächlichen frontalen Armlinie.

Osteopathische Korrespondenzen

Bis auf den M. palmaris longus verlaufen alle Sehnen der Hand- und Fingerbeugemuskulatur durch den Karpaltunnel (Kap. 7.2.6). Myofasziale Adhäsionen im Karpaltunnel und/oder Handteller können die Funktionalität der Muskeln stören und erhöhte Spannungen am Epicondylus medialis verursachen. Über die Fingerbeugemuskulatur besteht eine Korrespondenz zum Septum intermusculare mediale, das wiederum mit M. latissimus dorsi, M. pectoralis major und den Schlüsselbeinen in Verbindung steht. Wiederholende kraftvolle Greifbewegungen können die Ansatzstelle am Epicondylus medialis des Ellenbogens reizen und Spannungen auf den Schultergürtel übertragen. Dysfunktionen z. B. im Bereich der Klavikula hätten ihre Ursache dann im Hand- und Ellenbogenbereich. Spannungen, die über den M. latissimus dorsi auf das Septum intermusculare mediale übertragen werden, können die funktionellen Gleiteigenschaften der oberflächlichen Flexoren beeinträchtigen und Bewegungsschmerzen beim Beugen von Hand bzw. Finger verursachen.

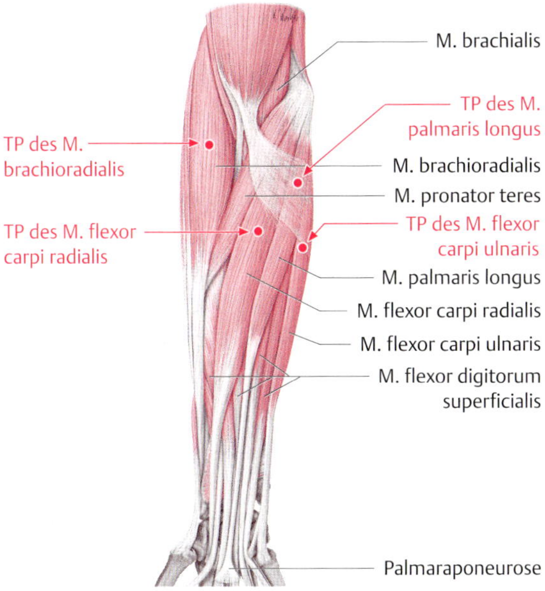

▶ **Abb. 7.5** Triggerpunkte M. brachioradialis, M. flexor carpi radialis, M. flexor carpi ulnaris und M. palmaris longus. (aus Hebgen E. Taschenatlas Myofasziale Triggerpunkte. Schmerzguide für Osteopathen und Manualtherapeuten. 2. Aufl. Stuttgart: Georg Thieme Verlag 2020; nach Schünke M, Schulte E, Schumacher U. Prometheus LernAtlas der Anatomie. Allgemeine Anatomie und Bewegungssystem. Illustrationen von Voll M und Wesker K. 5. Aufl. Stuttgart: Thieme; 2018)

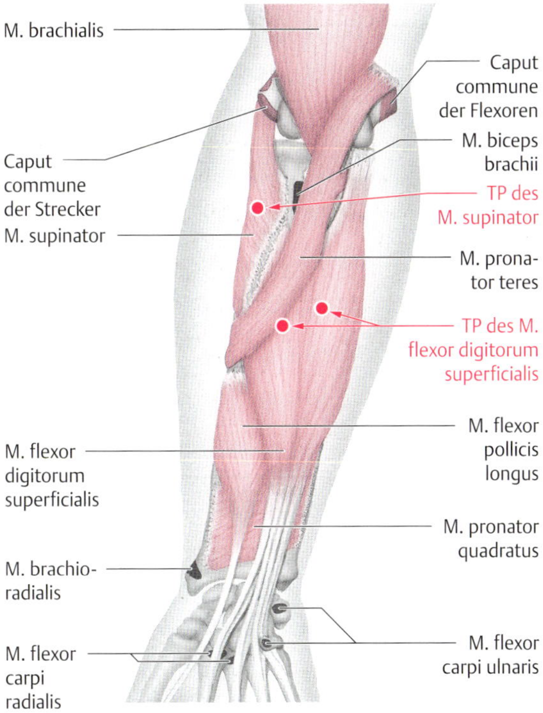

▶ **Abb. 7.6** Triggerpunkte M. supinator und M. flexor digitorum superficialis. (aus Richter P, Hebgen E. Triggerpunkte und Muskelfunktionsketten. 5. Aufl. Stuttgart: Haug; 2021, nach: Schünke M. Funktionelle Anatomie: Topographie und Funktion des Bewegungssystems. 1. Aufl. Stuttgart: Thieme; 2000)

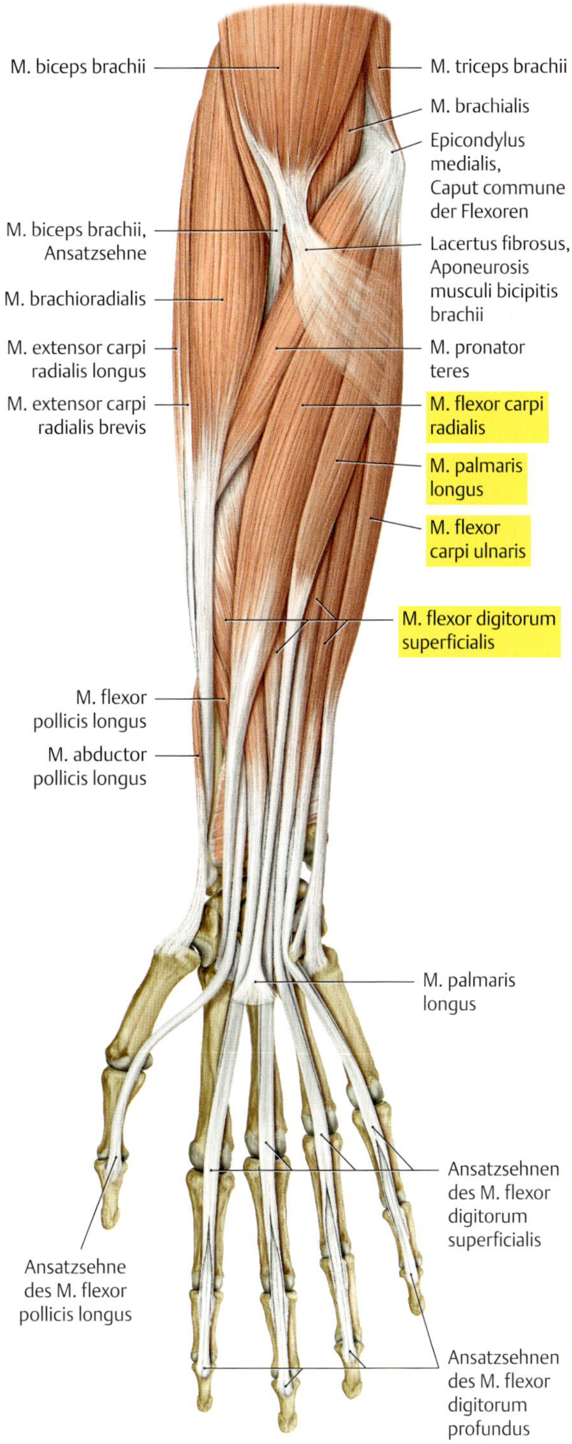

▶ **Abb. 7.7** Muskeln des Unterarms (Ansicht von ventral). (aus Schünke M, Schulte E, Schumacher U. Prometheus, LernAtlas der Anatomie. Allgemeine Anatomie und Bewegungssystem. Illustrationen von M. Voll und K. Wesker. 5., vollständig überarbeitete Auflage. Stuttgart: Thieme; 2018)

7.2.4 Loge von Guyon (Canalis ulnaris)

Anatomie

▶ Abb. 7.8

- Begrenzungen:
  - palmar: Haut, subkutanes Fettgewebe, Lig. carpi palmare und M. palmaris
  - dorsal: Retinaculum mm. flexorum (Lig. carpi transversum), Lig. pisohamatum
  - Eingang (Hiatus proximalis): auf Höhe des Os pisiforme unterhalb des Lig. carpi palmare
  - Ausgang (Hiatus distalis): Sehnenbogen zwischen Os pisiforme und Hamulus ossis hamati
- durchtretende Leitungsbahnen: N. ulnaris und A. ulnaris

Osteopathische Korrespondenzen

Bei langanhaltenden Stützbelastungen, z. B. beim Radfahren mit in Dorsalextension positionierter Hand, kann es zur Kompression der Strukturen (v. a. N. ulnaris) in dieser Loge kommen, was zu Missempfindungen im Hypothenar, Klein- und Ringfinger (ulnarer Anteil) führen kann.

Behandlungshinweise

Die Mobilisation des Os pisiforme und des distalen Radioulnargelenks kann nach Überlastungssituationen dekomprimierend wirken.

7.2.5 Arcus palmaris superficialis

Anatomie

▶ Abb. 7.9

- der oberflächlich verlaufender Ast der A. radialis (R. palmaris superficialis) kann sehr variabel verlaufen (meist zwischen den Ansätzen von M. abductor pollicis und M. flexor pollicis brevis)
- R. palmaris superficialis bildet nicht selten eine Anastomose mit der A. ulnaris (Arcus palmaris superficialis)
- die oberflächlich liegenden Arterienäste liegen weiter palmar als die Nerven
- im Verlauf des Fingerbereichs überkreuzen die Arterien (A. digitalis palmaris propria) auf Höhe des Fingergrundgelenks die Nerven und liegen dann weiter dorsal als die Nerven (N. digitalis palmaris proprius)

Osteopathische Korrespondenzen

N. ulnaris und A. ulnaris sowie N. medianus und A. radialis verlaufen in enger Nachbarschaft und oberflächlich. Die Mobilisation der Palmarfaszie kann die lokale Zirkulation im Handteller anregen. Gleichzeitig können Kompressionen durch Verbände oder ein zu eng angelegter Gips bei Frakturen des Os scaphoideum zur sympathischen Reflexdystonie führen.

Behandlungshinweise

Techniken zur Verbesserung der arteriellen Zirkulation im Gewebe haben eine hohe Effizienz im Bereich des Handtellers und können besonders bei degenerativen Veränderungen hilfreich sein.

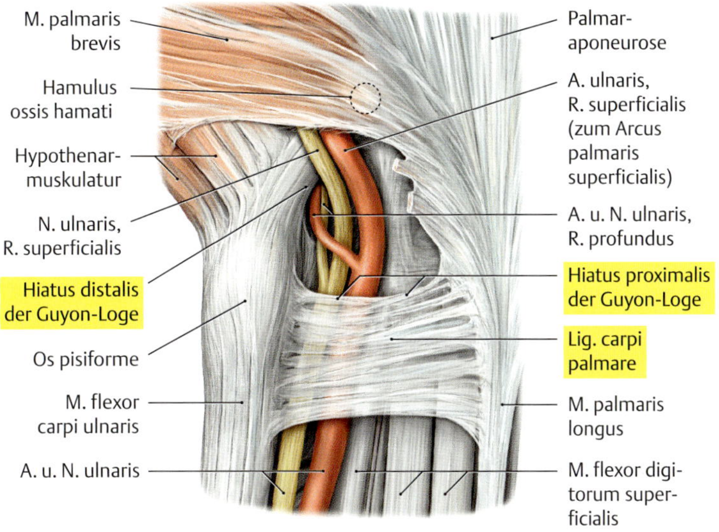

▸ **Abb. 7.8** Guyon-Loge (rechte Hand, Ansicht von palmar). (aus Schünke M, Schulte E, Schumacher U. Prometheus, LernAtlas der Anatomie. Allgemeine Anatomie und Bewegungssystem. Illustrationen von M. Voll und K. Wesker. 5., vollständig überarbeitete Auflage. Stuttgart: Thieme; 2018)

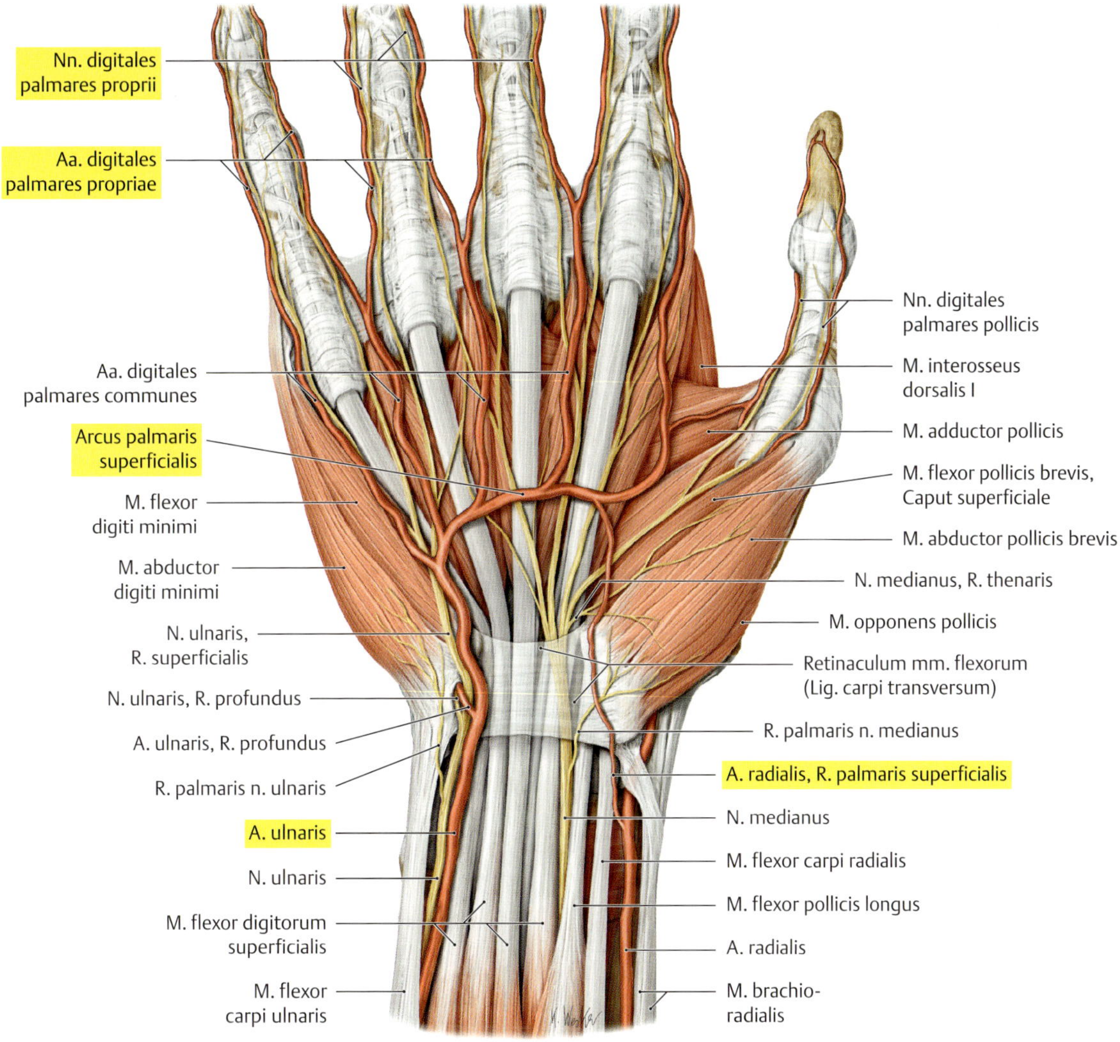

▸ **Abb. 7.9** Oberflächliche Nerven und Arterien (rechte Hand, Ansicht von palmar). (aus Schünke M, Schulte E, Schumacher U. Prometheus, LernAtlas der Anatomie. Allgemeine Anatomie und Bewegungssystem. Illustrationen von M. Voll und K. Wesker. 5., vollständig überarbeitete Auflage. Stuttgart: Thieme; 2018)

7.2.6 Canalis carpi (Karpalkanal, Karpaltunnel)

Anatomie

▶ Abb. 7.10

- Begrenzungen:
  - dorsal: Handwurzelknochen
  - palmar: Retinaculum musculorum flexorum (Lig. carpi transversum)
- durchtretende Strukturen: N. medianus, Ansatzsehnen von Mm. flexor digitorum superficialis, flexor digitorum profundus, flexor pollicis longus und flexor carpi radialis

Osteopathische Korrespondenzen

Eine Verengung des Karpaltunnels kann den N. medianus komprimieren. Typisch sind anfängliche Missempfindungen, v. a. nachts, vom Daumen bis zum Mittelfinger und zur Radialseite des Ringfingers.

Die Sehne des M. palmaris longus verläuft als einzige Sehne nicht unter, sondern über dem Lig. carpi transversum und geht direkt in die Palmaraponeurose über. Adhäsionen in den sehnigen Ausläufern des M. palmaris longus können das Gleiten über das Lig. carpi transversum behindern und die Extensionsbewegung im Handgelenk bei gleichzeitiger Fingerstreckung einschränken.

Ausläufer der Unterarmfaszie bilden das Lig. carpi palmare. Es besteht radialwärts eine feste Verbindung mit dem Retinaculum flexorum. In diesem osteofibrösen Karpalkanal verlaufen die 10 Sehnen der Beugemuskulatur und als einziger Nerv der N. medianus. Schwellungen durch Überlastung im Bereich des Karpaltunnels können den Nerv komprimieren. Aber auch Ödeme aufgrund einer veränderten Hormonlage (Schwangerschaft, Wechseljahre) können ein Kompressionssyndrom verursachen. Arterielle Beeinträchtigungen im Engpass Skalenuslücke können die Mikrozirkulation im Handgelenk und Handteller stören. Die Regenerationsprozesse des Gewebes sind dann verlangsamt und können zu Veränderungen im Gleitverhalten des Band-Kapsel-Apparats im Karpalkanal führen. Ein gestörter venolymphatischer Abfluss kann ebenfalls Verquellungen im Karpalkanal provozieren. Auch hier ist wieder auf Enpassstellen zu achten, z. B. die vordere Skalenuslücke, eine Dysfunktion der 1. Rippe oder klavipektorale Enge. Die vegetative Versorgung aus den Segmenten Th 1–Th 8 ist ebenfalls bedeutend. Die viszeralen Korrespondenzen und die Dysfunktion des Diaphragma abdominale müssen berücksichtigt werden.

Die sehnigen Strukturen können aus dem Handteller direkt eine Spannung auf das Handgelenk und die Unterarmfaszie übertragen, die sich im Bereich des Epicondylus medialis humeri manifestieren und Ursache für eine Epicondylitis medialis sein kann. Wenn das Haltungsmuster des Patienten durch eine stark kyphotische Haltung in der BWS geprägt ist, kann es zu verstärken myofaszialen Zügen auf den zervikothorakalen Übergang kommen, die wiederum Wirbeldysfunktionen in C 7/Th 1/Th 2 provozieren können und gemäß den Wirbelsäulensegmenten auf die obere Extremität einwirken. Strukturelle Einflüsse aus dem Schultergürtelbereich, insbesondere von Skapula, Akromioklavikular-, Sternokostalgelenk, aber auch von 1.–8. Rippe sind zu beachten. Nicht zuletzt haben auch die myofaszialen Verbindungen über den M. latissimus dorsi Einfluss auf die Hand und damit auf den Karpaltunnel. Besonders die oberflächliche Frontallinie mit ihrer Verbindung zum M. pectoralis major sollte hier betrachtet werden.

Behandlungshinweise

Bei der myofaszialen Gleit-Druck-Technik der Palmaraponeurose (Aponeurosis palmaris) erhöht sich die Funktionalität der Technik, wenn eine dynamische Flexion- und Extensionsbewegung des Handgelenks integriert wird.

Globale und gezielte Mobilisationstechniken im Handwurzelbereich können die Beweglichkeit und das Gleitverhalten des Gewebes im Karpaltunnel verbessern. Körperstatik, Kopfhaltung und das Temporomandibulargelenk sollten, je nach Auffälligkeit, in das Behandlungsschema aufgenommen werden.

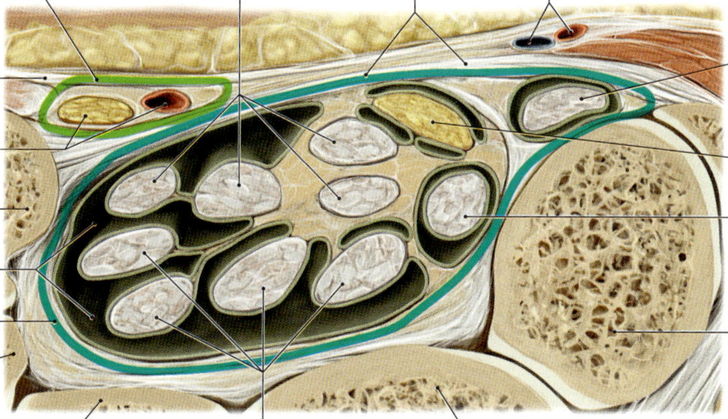

▶ **Abb. 7.10** Karpalkanal (Canalis carpi; Querschnitt einer rechten Hand, Ansicht von proximal). (aus Schünke M, Schulte E, Schumacher U. Prometheus, LernAtlas der Anatomie. Allgemeine Anatomie und Bewegungssystem. Illustrationen von M. Voll und K. Wesker. 5., vollständig überarbeitete Auflage. Stuttgart: Thieme; 2018)

7.2.7 Sehnenscheiden der Hand

Anatomie

▶ Abb. 7.13

- Führungseinrichtungen, die ein Gleiten der langen Sehnen ermöglichen
- Vagina communis tendinum musculorum flexorum (karpale Sehnenscheiden): schützt die Sehnen der Hand- und Fingerbeugemuskeln beim Durchtritt durch den Karpaltunnel (Retinaculum mm. flexorum; Kap. 7.2.5)
- digitale Sehnenscheiden: am Übergang der Sehnen zu den Fingern; stehen teilweise in direkter Verbindung mit den karpalen Sehnenscheiden (Normvarianten)
- die karpale Sehnenscheide des Daumens setzt sich regelmäßig in die digitale fort

Osteopathische Korrespondenzen

Ein optimales Gleitverhalten der Fingerbeugesehnen bedarf der uneingeschränkten Bewegung der Sehnen in den Sehnenscheiden. Adhäsionen im Fasziengewebe und/oder Kompressionen durch muskuläre Dysbalancen der Finger- oder Handbeugemuskulatur können zu Reizzuständen in den Sehnenscheiden führen (Tendovaginitis). Fasziale Adhäsionen im Unterarm und Axillarbereich in der oberflächlichen und tiefen Armlinie vermindern die Gleitfähigkeit in den Fingerbeugesehnen.

Behandlungshinweise

MET-Behandlungen im Bereich der oberflächlichen frontalen Armlinie, direkte Dehnungstechniken der Faszien der Finger- und Handtellerregion verbessern die Gleiteigenschaften der Sehnenscheiden.

7.2.8 Ring- und Kreuzbänder der Finger

Anatomie

▶ Abb. 7.12

- man unterscheidet Ringbänder (Ligg. anularia) und Kreuzbänder (Ligg. obliqua)
- Verstärker der Fingersehnenscheiden
- fixieren die äußere Hülle der Sehnenscheide der Fingerbeugesehnen an der palmaren Seite des Fingers: wird der Finger gebeugt, bleibt die Sehnenscheide dicht am Knochen und die Lücken zwischen den Ring- und Kreuzbändern schließen sich

Osteopathische Korrespondenzen

Beim schnappenden Finger (Tendovaginitis stenosans oder Digitus saltans) ist häufig die Gleiteigenschaft der Sehne am Ringband in der Nähe des Fingergrundgelenks eingeschränkt. Auch im Chiasma tendinum (die Sehne des M. flexor digitorum superficialis besitzt kurz vor dem Fingermittelgelenk einen Schlitz, durch den die Sehne des M. flexor digitorum profundus zum Fingerendgelenk ziehen kann; ▶ Abb. 7.11) können Gleitwiderstände durch Adhäsionen entstehen (Ursache kann erhöhter mechanisch Druck durch Tragen schwerer Lasten sein, z. B. einer Tragetasche).

Behandlungshinweise

Direkte Dehnungstechniken der Faszien für die palmare Seite des Fingers und Querfriktionen im Bereich des Ringbands führen zu einer verbesserten Mobilität innerhalb der Ringbänder.

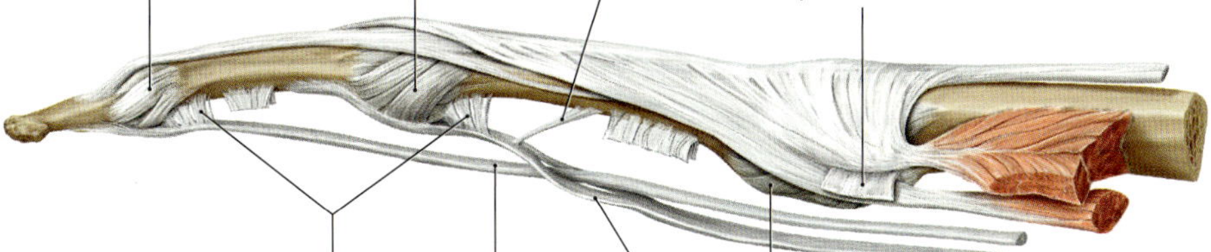

▸ **Abb. 7.11** Mittelfinger einer rechten Hand (Ansicht von radial nach Eröffnung der Sehnenscheide). (aus Schünke M, Schulte E, Schumacher U. Prometheus, LernAtlas der Anatomie. Allgemeine Anatomie und Bewegungssystem. Illustrationen von M. Voll und K. Wesker. 5., vollständig überarbeitete Auflage. Stuttgart: Thieme; 2018)

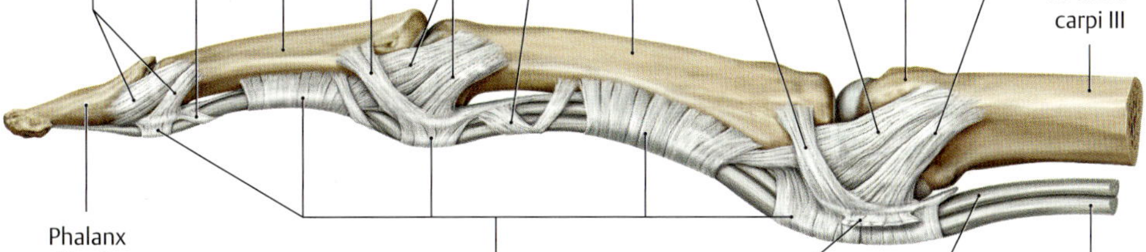

▸ **Abb. 7.12** Ring- und Kreuzbänder eines rechten Mittelfingers (Ansicht von lateral). (aus Schünke M, Schulte E, Schumacher U. Prometheus, LernAtlas der Anatomie. Allgemeine Anatomie und Bewegungssystem. Illustrationen von M. Voll und K. Wesker. 5., vollständig überarbeitete Auflage. Stuttgart: Thieme; 2018)

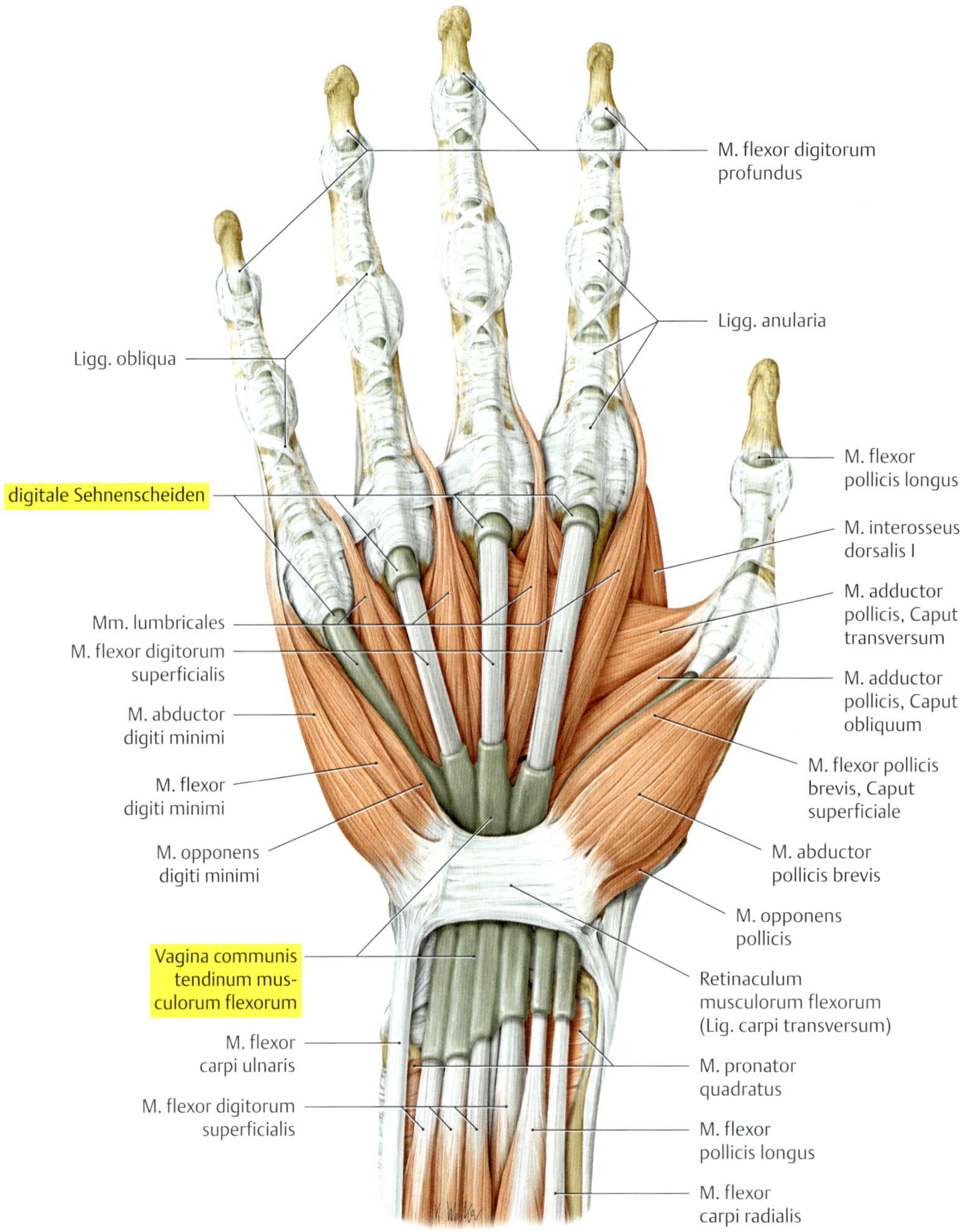

▸ **Abb. 7.13** Karpale und digitale Sehnenscheiden einer rechten Hand (Ansicht von palmar). (aus Schünke M, Schulte E, Schumacher U. Prometheus, LernAtlas der Anatomie. Allgemeine Anatomie und Bewegungssystem. Illustrationen von M. Voll und K. Wesker. 5., vollständig überarbeitete Auflage. Stuttgart: Thieme; 2018)

7.2.9 Oberflächliche Muskulatur von Thenar und Hypothenar

Anatomie

▶ Abb. 7.16

- **M. palmaris brevis** (▶ Abb. 7.4):
  - **Ursprung:** ulnarer Rand der Palmaraponeurose
  - **Ansatz:** Haut des Hypothenars
  - **Funktion:** Spannung der Palmaraponeurose
  - **Innervation:** N. ulnaris (C 8–Th 1)
- **M. abductor pollicis brevis:**
  - **Ursprung:** Os scaphoideum, Retinaculum flexorum
  - **Ansatz:** Basis der Daumengrundphalanx
  - **Funktion:** Abduktion des Daumensattelgelenks, Flexion des Daumengrundgelenks
  - **Innervation:** N. medianus (C 6–C 7)
- **M. flexor pollicis brevis:**
  - **Ursprung:** Retinaculum flexorum, Os trapezium
  - **Ansatz:** radiale Grundphalanx
  - **Funktion:** Flexion des Grundgelenks, Opposition im Sattelgelenk
  - **Innervation:** N. ulnaris (C 8/Th 1), N. medianus (C 6–Th 1)
- **M. adductor pollicis:**
  - **Ursprung:** Basis der Ossa metacarpi II–III, Os trapezoideum, Os capitatum, Corpus ossis metacarpi III
  - **Ansatz:** ulnares Sesambein, Phalanx proximalis pollicis (ulnare Fläche), Sehne des M. extensor pollicis longus
  - **Funktion:** Adduktion des Daumens
  - **Innervation:** N. ulnaris (Th 1)
  - **Triggerpunkte** (▶ Abb. 7.14): Hautfalte zwischen Daumen und Zeigefinger
- **M. opponens pollicis:**
  - **Ursprung:** Retinaculum flexorum, Tuberculum ossis trapezii
  - **Ansatz:** Os metacarpi I (radial)
  - **Funktion:** Opposition des Daumens
  - **Innervation:** N. medianus (C 8 –Th 1)
  - **Triggerpunkte** (▶ Abb. 7.15): Muskelbauch, in der Nähe des Handgelenks
- **M. abductor digiti minimi:**
  - **Ursprung:** Os pisiforme
  - **Ansatz:** ulnare Basis der Grundphalanx, Dorsalaponeurose des Fingers V
  - **Funktion:** Flexion und Abduktion im Kleinfingergrundgelenk, Extension im Kleinfingermittel- und -endgelenk
  - **Innervation:** N. ulnaris (C 8–Th 1)
  - **Triggerpunkte** (▶ Abb. 7.15): nahe der Basis des Os metacarpale V am Muskelbauch
- **M. flexor digiti minimi:**
  - **Ursprung:** Os pisiforme, Retinaculum flexorum
  - **Ansatz:** Grundphalanx Kleinfinger
  - **Funktion:** Abduktion des Kleinfingers
  - **Innervation:** N. ulnaris (C 8/Th 1)
- **M. opponens digiti minimi:**
  - **Ursprung:** Os hamatum, Retinaculum flexorum
  - **Ansatz:** Os metacarpale V
  - **Funktion:** Opposition des Kleinfingers
  - **Innervation:** N. ulnaris (C 8/Th 1)

Myofasziale Wirkungsketten

Die Kleinfingerballenmuskulatur (inkl. M. palmaris brevis) ist Bestandteil der tiefen rückwärtigen Armlinie, die einen engen Bezug auch zum Periost der Ulna hat.

Osteopathische Korrespondenzen

Dysfunktionen im Bereich des Okziputs und der HWS können sich über die myofasziale Verbindung von M. levator scapulae, M. supraspinatus und M. triceps brachii auf die Kleinfingerseite der Hand übertragen und Beschwerden z. B. im Bereich der Handwurzelknochen provozieren. Aber auch der M. subscapularis, der mit dem M. rhomboideus korrespondiert, kann in Verbindung mit dem M. triceps brachii die Funktionalität der Handwurzelknochen bzw. der Kleinfingerseite der Hand beeinträchtigen. Myofasziale Adhäsionen im Bereich des Schulterblattgleitlagers können daher Dysfunktionen im Handbereich begünstigen.

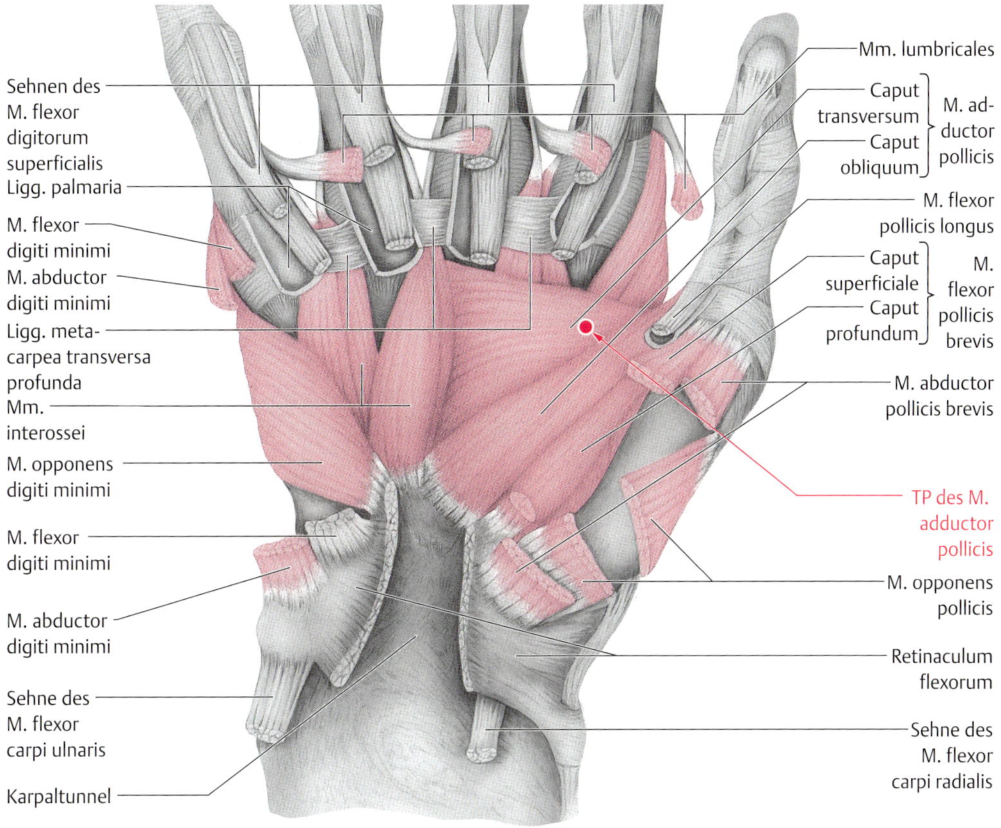

▸ **Abb. 7.14** Triggerpunkte M. adductor pollicis. (aus Richter P, Hebgen E. Triggerpunkte und Muskelfunktionsketten. 5. Aufl. Stuttgart: Haug; 2021, nach: Schünke M. Funktionelle Anatomie: Topographie und Funktion des Bewegungssystems. 1. Aufl. Stuttgart: Thieme; 2000)

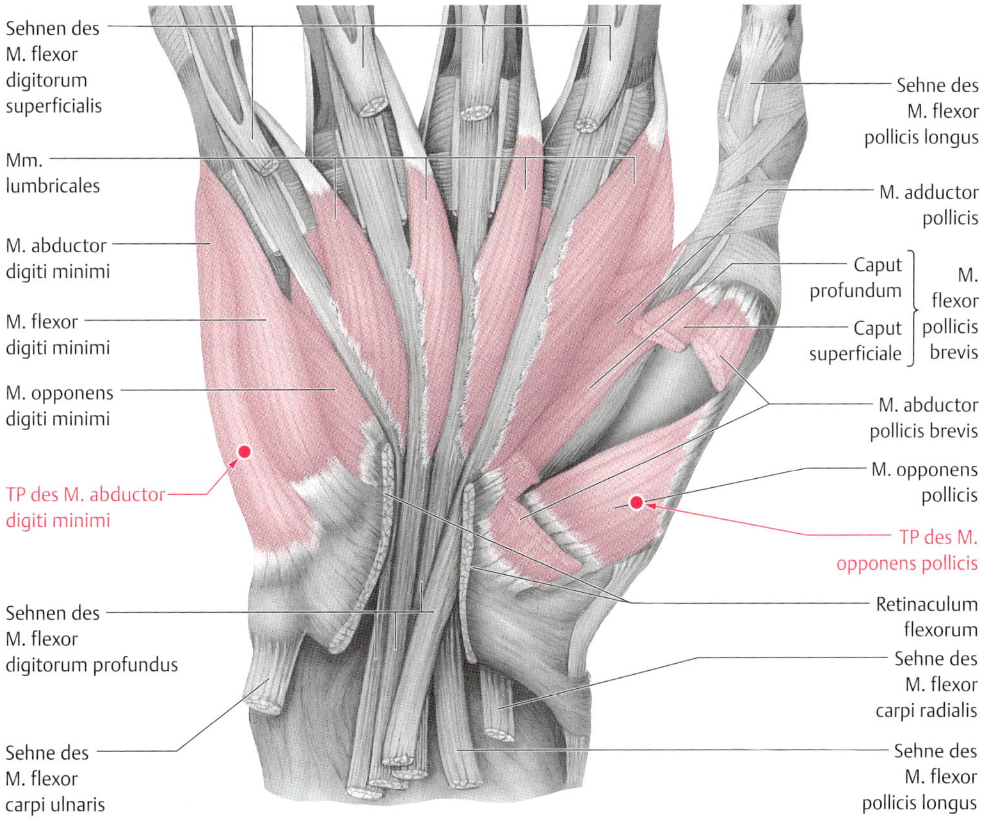

▸ **Abb. 7.15** Triggerpunkte M. abductor digiti minimi und M. opponens pollicis. (aus Richter P, Hebgen E. Triggerpunkte und Muskelfunktionsketten. 5. Aufl. Stuttgart: Haug; 2021, nach: Schünke M. Funktionelle Anatomie: Topographie und Funktion des Bewegungssystems. 1. Aufl. Stuttgart: Thieme; 2000)

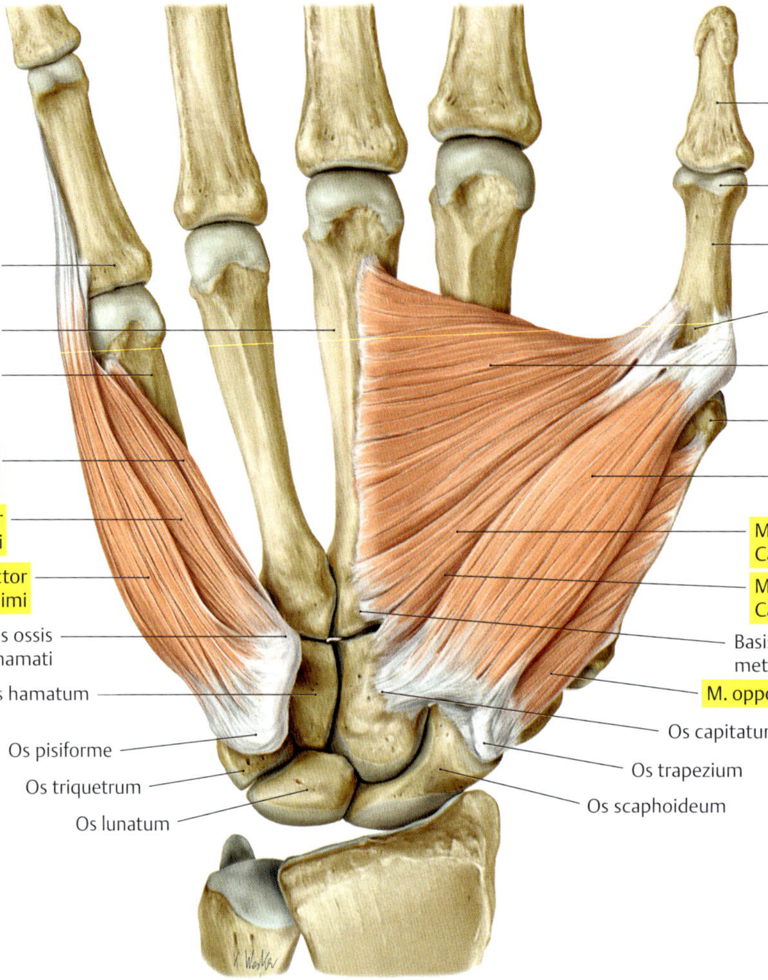

▸ **Abb. 7.16** Muskulatur von Thenar und Hypothenar einer rechten Hand (Ansicht von palmar). (aus Schünke M, Schulte E, Schumacher U. Prometheus, LernAtlas der Anatomie. Allgemeine Anatomie und Bewegungssystem. Illustrationen von M. Voll und K. Wesker. 5., vollständig überarbeitete Auflage. Stuttgart: Thieme; 2018)

7.3
Tiefe ventrale Schichten

7.3.1 M. supinator und tiefe Flexoren des Unterarms

Anatomie

▶ Abb. 7.19

- **M. supinator:**
  - **Ursprung:** Crista supinatoris ulnae, Epicondylus lateralis humeri, Lig. collaterale radiale, Lig. anulare radii
  - **Ansatz:** Collum et Corpus radii (zwischen Tuberositas radii und Ansatz des M. pronator teres)
  - **Funktion:** Supination des Unterarms
  - **Innervation:** N. radialis (C 5–C 6)
  - **Triggerpunkte** (▶ Abb. 7.6): auf der ventralen Seite des Radius, distal-lateral der Bizepssehne
- **M. flexor pollicis longus:**
  - **Ursprung:** Facies anterior radii (distal der Linea obliqua), Membrana interossea
  - **Ansatz:** Basis der Endphalanx des Daumens
  - **Funktion:** Flexion der Daumenendphalanx
  - **Innervation:** N. medianus (C 7–C 8)
  - **Triggerpunkte** (▶ Abb. 7.17): radial und etwas proximal des Handgelenks in der Medianlinie des Unterarms
- **M. flexor digitorum profundus:**
  - **Ursprung:** Olekranon (medial), Facies anterior et medialis ulnae, Membrana interossea
  - **Ansatz:** Endphalanx der Finger II–V
  - **Funktion:** Flexion aller Fingergelenke, Flexion des Handgelenks
  - **Innervation:** N. medianus (C 6–C 7), N. ulnaris (C 7–C 8)
  - **Triggerpunkte** (▶ Abb. 7.17): ventrale Unterarmseite, proximale Hälfte in der Nähe zum Ellenbogen im Muskelbauch
- **M. pronator quadratus:**
  - **Ursprung:** distales Viertel der Vorderfläche der Ulna
  - **Ansatz:** distales Viertel der Vorderfläche des Radius
  - **Funktion:** Pronation, Sicherung des distalen Radioulnagelenks
  - **Innervation:** N. medianus (C 8–Th 1)

Myofasziale Wirkungsketten

Die tiefen Unterarmflexoren gehören zur oberflächlichen frontalen Armlinie. Die Armlinien sind durch eine hohe Beweglichkeit gekennzeichnet. Sie korrespondieren insbesondere mit den Spiral- und lateralen Linien. So können Kräfte für eine Armbewegung (z. B. Ballwurfbewegung) aus der gesamten Körperspannung entwickelt werden.

Osteopathische Korrespondenzen

Der R. profundus des N. radialis durchdringt den M. supinator und verläuft dann weiter zwischen der oberflächlichen und tiefen Schicht der Streckermuskeln des Unterarms, die er versorgt (▶ Abb. 7.18). Im Durchtrittsbereich des M. supinator existiert ein ausgeprägter Faszienzug (Frohse-Arkade). Myofasziale Adhäsionen können hier eine Kompression des durchtretenden Nervs verursachen, was zum Ausfall der Streckermuskulatur im Unterarmbereich führt. Der Endast des R. profundus ist der N. interosseus posterior. Er verläuft auf der Membrana interossea antebrachii und versorgt sensibel das Handgelenk. Spannungen in der Membrana interossea antebrachii, ausgelöst z. B. durch einen Sturz auf die Hand, können den N. interosseus posterior beeinträchtigen und zu Schmerzen im dorsalen Bereich des Handgelenks führen.

Der N. medianus wird nahe dem Handgelenk teilweise vom M. palmaris longus überlagert. Myofasziale Spannungen aus dem Handteller oder Adhäsionen im sehnigen Verlauf des M. palmaris longus können die Funktionalität des N. medianus stören und zu Missempfindungen im Versorgungsgebiet der Hand führen. Muskuläre Verkürzungen bzw. myofasziale Adhäsionen im Bereich des M. pectoralis major und Septum intermusculare brachii mediale (oberflächliche frontale Armlinie) können ebenfalls Störungen im Bereich des N. medianus begünstigen. Weiter distal ist der N. medianus durch seine enge Verbindung zu den Mm. flexores digitorum superficialis und profundus gleichfalls durch myofasziale Adhäsionen irritierbar.

Behandlungshinweise

Über die Behandlung der Fingerendgelenke und der Unterarmfaszien kann direkt Einfluss auf die oberflächliche frontale Armlinie genommen werden, die sich u. a. auch aus den tiefen Unterarmflexoren zusammensetzt.

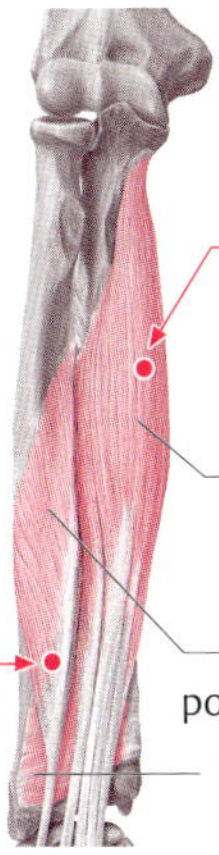

▸ **Abb. 7.17** Triggerpunkte M. flexor pollicis longus und M. flexor digitorum profundus. (aus Hebgen E. Taschenatlas Myofasziale Triggerpunkte. Schmerzguide für Osteopathen und Manualtherapeuten. 2. Aufl. Stuttgart: Georg Thieme Verlag 2020; nach Schünke M, Schulte E, Schumacher U. Prometheus LernAtlas der Anatomie. Allgemeine Anatomie und Bewegungssystem. Illustrationen von Voll M und Wesker K. 5. Aufl. Stuttgart: Thieme; 2018)

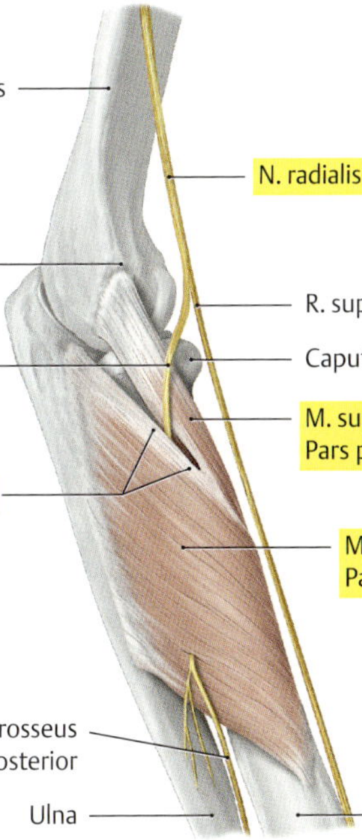

▸ **Abb. 7.18** Verlauf des N. radialis im Bereich des M. supinator (rechte Ellenbogenregion, Ansicht von radial). (aus Schünke M, Schulte E, Schumacher U. Prometheus, LernAtlas der Anatomie. Allgemeine Anatomie und Bewegungssystem. Illustrationen von M. Voll und K. Wesker. 5., vollständig überarbeitete Auflage. Stuttgart: Thieme; 2018)

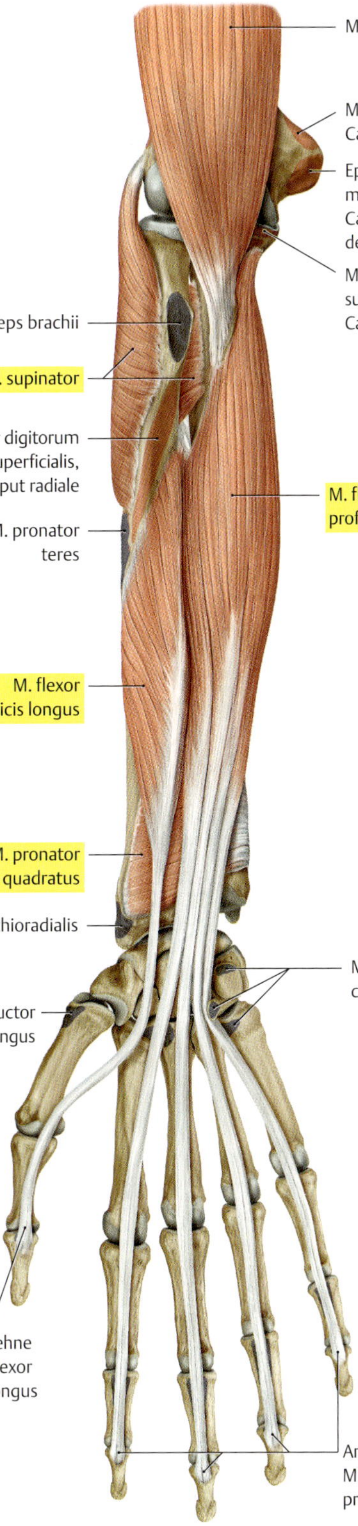

▸ **Abb. 7.19** Ventrale Muskulatur des rechten Unterarms (Ansicht von ventral). (aus Schünke M, Schulte E, Schumacher U. Prometheus, LernAtlas der Anatomie. Allgemeine Anatomie und Bewegungssystem. Illustrationen von M. Voll und K. Wesker. 5., vollständig überarbeitete Auflage. Stuttgart: Thieme; 2018)

7.3.2 Tiefe Flexoren der Hand

Anatomie

- **Mm. lumbricales** (▸ Abb. 7.20):
  - **Ursprung:** radiale Ränder der Sehnen des M. flexor digitorum profundus
  - **Ansatz:** Dorsalaponeurose
  - **Funktion:** Flexion der Fingergrundgelenke, Extension der proximalen und distalen Interphalangealgelenke II–V
  - **Innervation:** Finger II/III N. medianus (C 8/Th 1), Finger IV/V N. ulnaris (C 8/Th 1)
- **Mm. interossei palmares** (▸ Abb. 7.21):
  - **Ursprung:** Ossa metacarpi II, IV und V
  - **Ansatz:** Basis der Grundphalangen II, IV, V, Einstrahlung in die Sehnen der Dorsalaponeurose der Finger II, IV, V, ulnares Sesambein des Daumens
  - **Funktion:** Adduktion der Finger II, IV, V, Flexion der Fingergrundgelenke gekoppelt mit Extension der Mittel- und Endgelenke
  - **Innervation:** N. ulnaris (Th 1)
  - **Triggerpunkte:** Raum zwischen den Mittelhandknochen

Osteopathische Korrespondenzen

N. ulnaris und N. medianus versorgen die Mm. lumbricales und Mm. interossei palmares. Dysfunktionen im Ellenbogen oder Schultergelenk können sich nachteilig auf die Funktionalität der Handbinnenmuskulatur auswirken. Myofasziale Adhäsionen in der Palmaraponeurose oder Dupuytren-Kontrakturen schränken die Ab- und Adduktionsbewegung der Finger (Mm. interossei palmares) in den Grundgelenken ein. Die Flexion in den Fingergrundgelenken und die Extension in den Fingerendgelenken (Mm. lumbricales) kann ebenfalls dadurch eingeschränkt werden. Störungen der Mikrozirkulation des Handgewebes, z. B. bei Störungen des Lymphflusses in der Achselhöhle oder durch Dysfunktion von Klavikula und 1. Rippe, können eine verminderte Gleitbewegung der Muskeln und Sehnenstrukturen im Handteller provozieren.

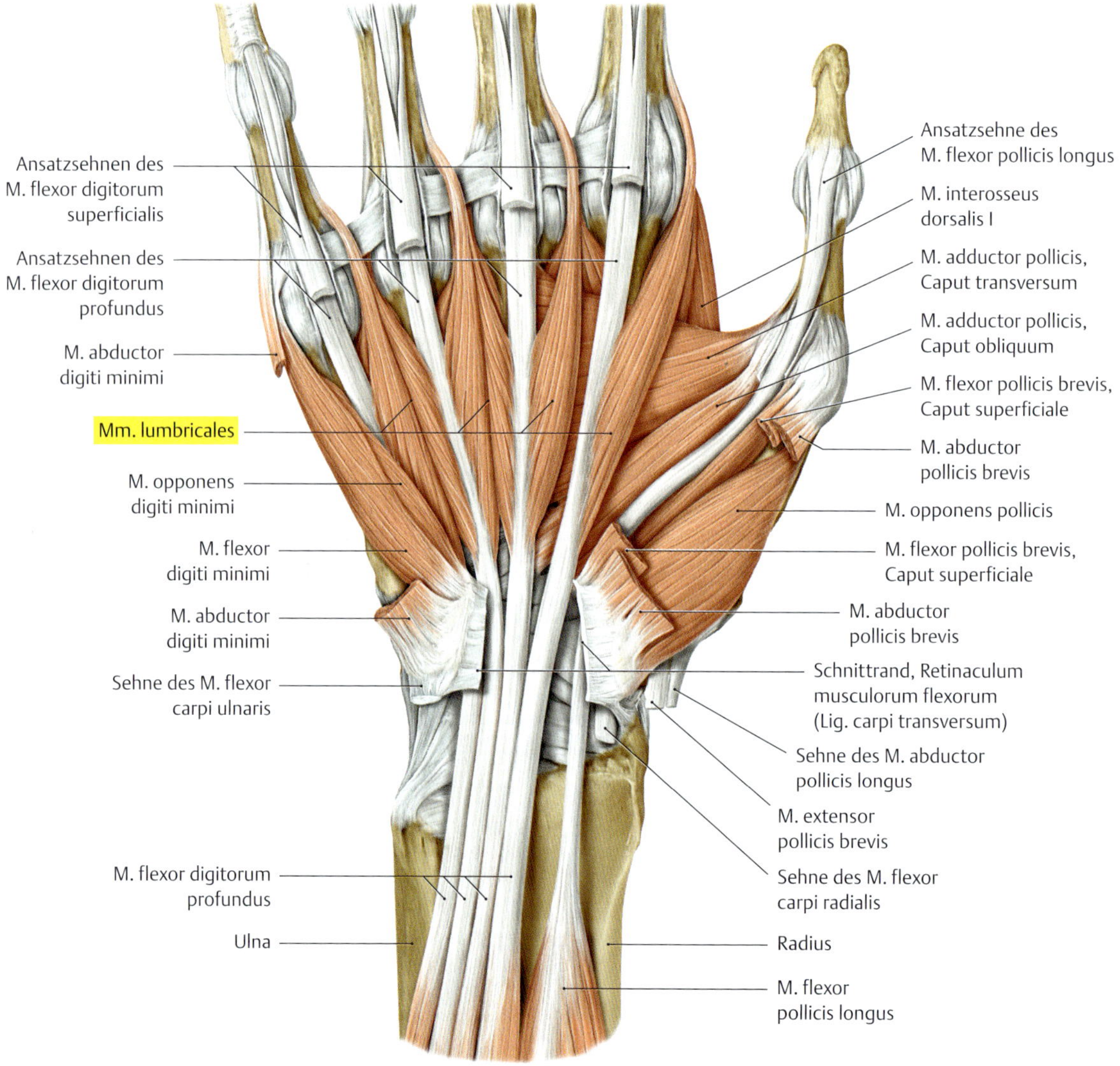

▸ **Abb. 7.20** Kurze Handmuskeln der rechten Hand I (Ansicht von palmar). (aus Schünke M, Schulte E, Schumacher U. Prometheus, LernAtlas der Anatomie. Allgemeine Anatomie und Bewegungssystem. Illustrationen von M. Voll und K. Wesker. 5., vollständig überarbeitete Auflage. Stuttgart: Thieme; 2018)

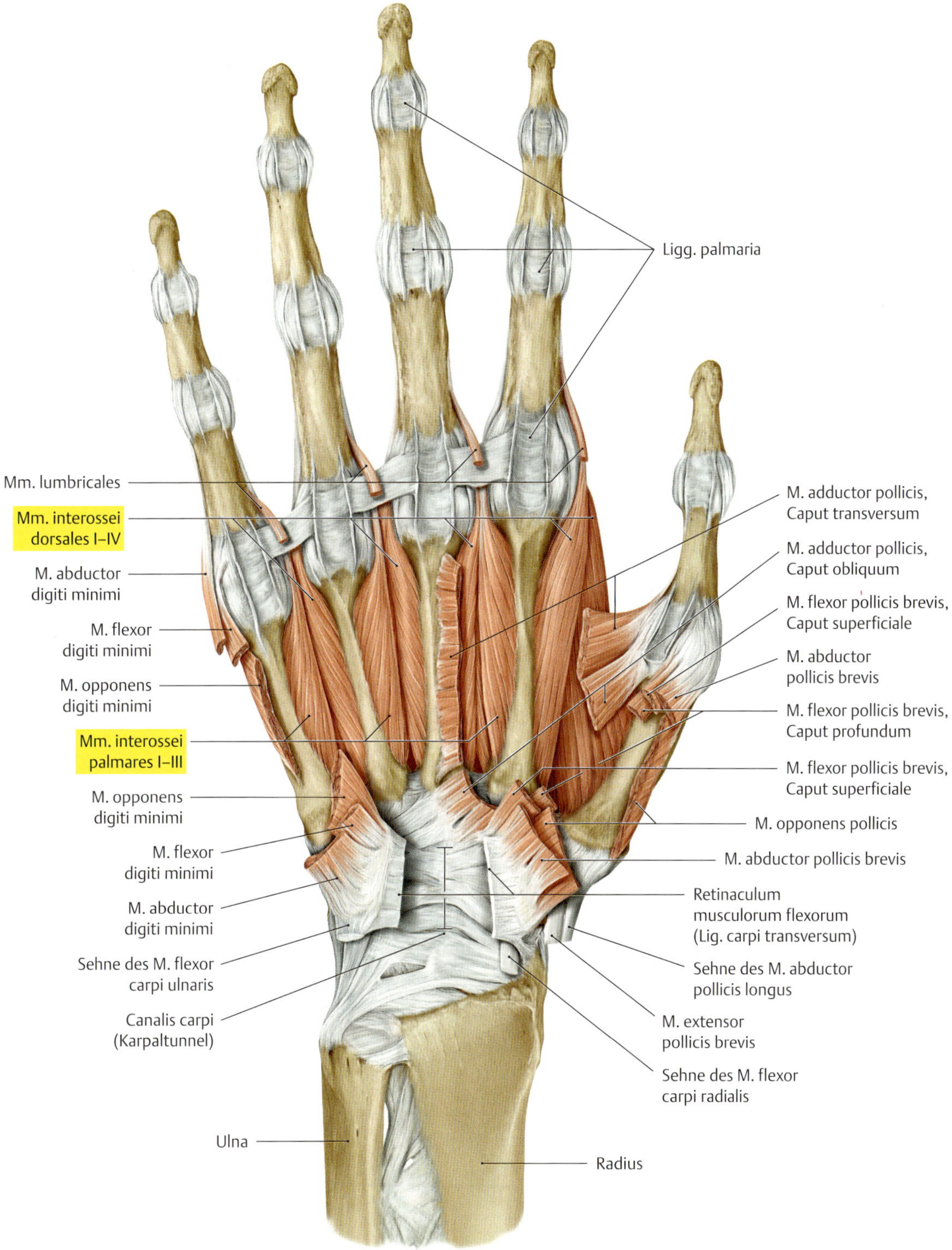

▸ **Abb. 7.21** Kurze Handmuskeln der rechten Hand II (Ansicht von palmar). (aus Schünke M, Schulte E, Schumacher U. Prometheus, LernAtlas der Anatomie. Allgemeine Anatomie und Bewegungssystem. Illustrationen von M. Voll und K. Wesker. 5., vollständig überarbeitete Auflage. Stuttgart: Thieme; 2018)

7.4 Dorsale Schichten

7.4.1 Fascia antebrachii, Retinaculum musculorum extensorum

Anatomie

- Fascia antebrachii: Kap. 7.2.1
- Retinaculum musculorum extensorum (▶ Abb. 7.24):
  - Teil der Unterarmfaszie
  - straffes Bindegewebe mit parallel liegenden Fasern
  - umgibt Art. radiocarpalis
  - fixiert Sehnenscheiden auf dem Handrücken

Osteopathische Korrespondenzen

Myofasziale Störungen der dorsalen Unterarmfaszie können ein Ganglion im Bereich der Handgelenkkapsel oder der Sehnenscheide am Handrücken provozieren, v. a. wenn die Gleitfähigkeit unter dem Retinaculum musculorum extensorum eingeschränkt ist. Adhäsionen der langen Fingerstreckermuskulatur (oberflächliche rückwärtige Armlinie) und Dysfunktionen im Bereich des Ellenbogens und Handgelenks können die Bildung von Ganglien provozieren.

7.4.2 Dorsalaponeurose

Anatomie

▶ Abb. 7.22, ▶ Abb. 7.24

- ist im Vergleich zur Palmaraponeurose dünn und zart und erst im Bereich der Finger kräftig ausgebildet
- Connexus intertendinei: bindegewebige Faserzüge zwischen den Fingerstreckersehnen, verbinden gegenüberliegende Sehnen
- dient als Ansatz der Fingerstreckermuskulatur
- bindegewebige Faserzüge, an denen Sehnen von Mm. extensores digitorum, interossei, lumbricales und M. abductor digiti minimi beteiligt sind, sind sehr komplex
- über die lateralen Bindegewebszüge (Tractus laterales) wirken die langen Fingerextensoren und die kurzen Handmuskeln auf alle 3 Fingergelenke ein

Osteopathische Korrespondenzen

Kap. 7.4.1

Behandlungshinweise

Eine myofasziale Ausstreichung der Räume zwischen den Mittelhandknochen verbessert die Gleiteigenschaften des Gewebekomplexes von Handrücken und Fingern. Muskelenergietechniken für die Finger- und Handextensoren verbessern das myofasziale Gleiten der Muskeln.

7.4.3 Sehnenscheiden und Sehnenfächer

Anatomie

▶ Abb. 7.24

- senkrechte Bindegewebssepten, die osteofibröse Kanäle bilden und zum Knochen bzw. zur Gelenkkapsel ziehen
- die Sehnen der Hand- und Fingerextensoren liegen in Sehnenscheiden, die durch die 6 Sehnenfächer des Retinaculum musculorum extensorum (Kap. 7.4.1) geführt werden

Osteopathische Korrespondenzen

Osteopathische Dysfunktionen im Bereich der Handwurzelknochen können unphysiologische Spannungen auf diesen Durchtrittsbereich bringen und die Gleiteigenschaften in den Sehnenscheiden beeinträchtigen.

Das Tuberculum dorsale am Radius ist die Umlenkrolle für die Sehne des M. extensor pollicis longus (▶ Abb. 7.23). Osteopathische Dysfunktionen im distalen Radioulnargelenk können die Mechanik der Umlenkung stören. Eine Sehnenscheidenreizung im Bereich der Daumenstreckersehne ist möglich.

Behandlungshinweise

Eine myofasziale Mobilisation des distalen Handgelenks, eine Mobilisation der proximalen und distalen Handwurzelreihe und eine myofasziale Behandlung der oberflächlichen rückwärtigen Armlinie können das Gleitverhalten in den Sehnenscheiden verbessern.

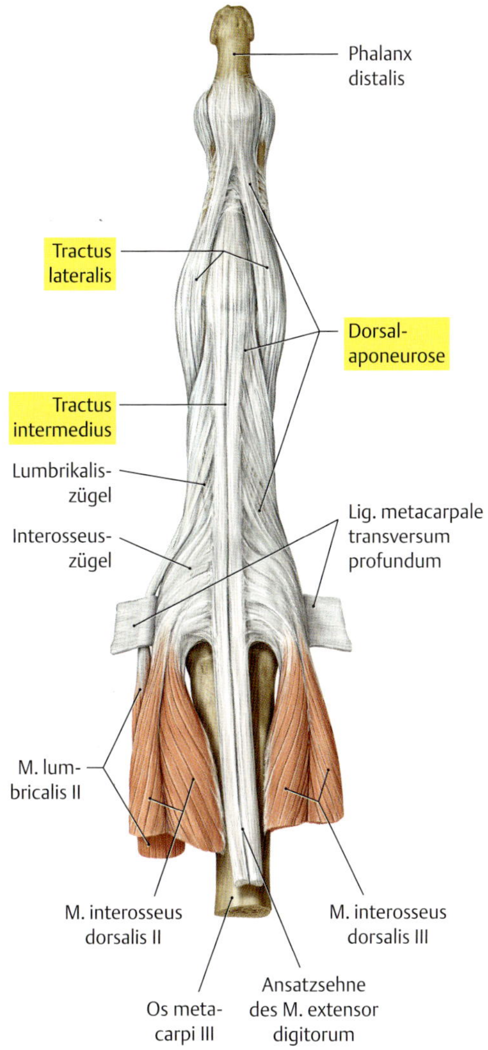

▸ **Abb. 7.22** Dorsalaponeurose der Fingerstrecker (Mittelfinger einer rechten Hand, Ansicht von dorsal). (aus Schünke M, Schulte E, Schumacher U. Prometheus, LernAtlas der Anatomie. Allgemeine Anatomie und Bewegungssystem. Illustrationen von M. Voll und K. Wesker. 5., vollständig überarbeitete Auflage. Stuttgart: Thieme; 2018)

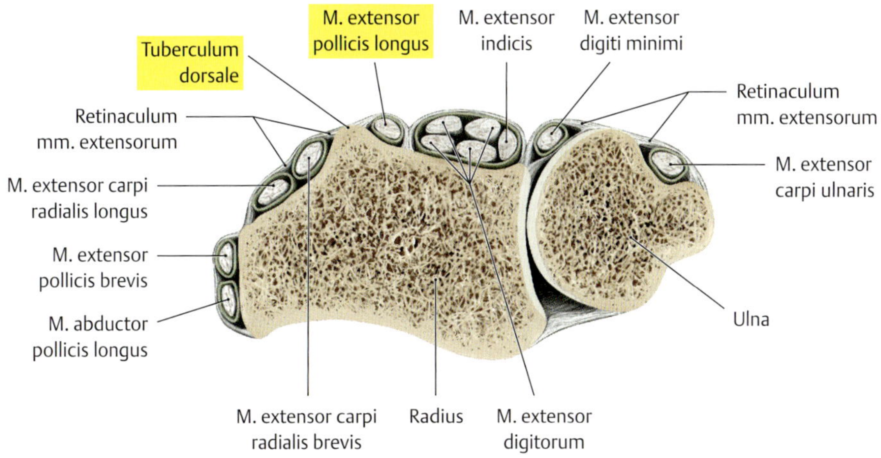

▸ **Abb. 7.23** Querschnitt in Höhe des rechten distalen Radioulnargelenks (Ansicht von proximal; Lage der Schnittebene ▸ **Abb. 7.22**). (aus Schünke M, Schulte E, Schumacher U. Prometheus, LernAtlas der Anatomie. Allgemeine Anatomie und Bewegungssystem. Illustrationen von M. Voll und K. Wesker. 5., vollständig überarbeitete Auflage. Stuttgart: Thieme; 2018)

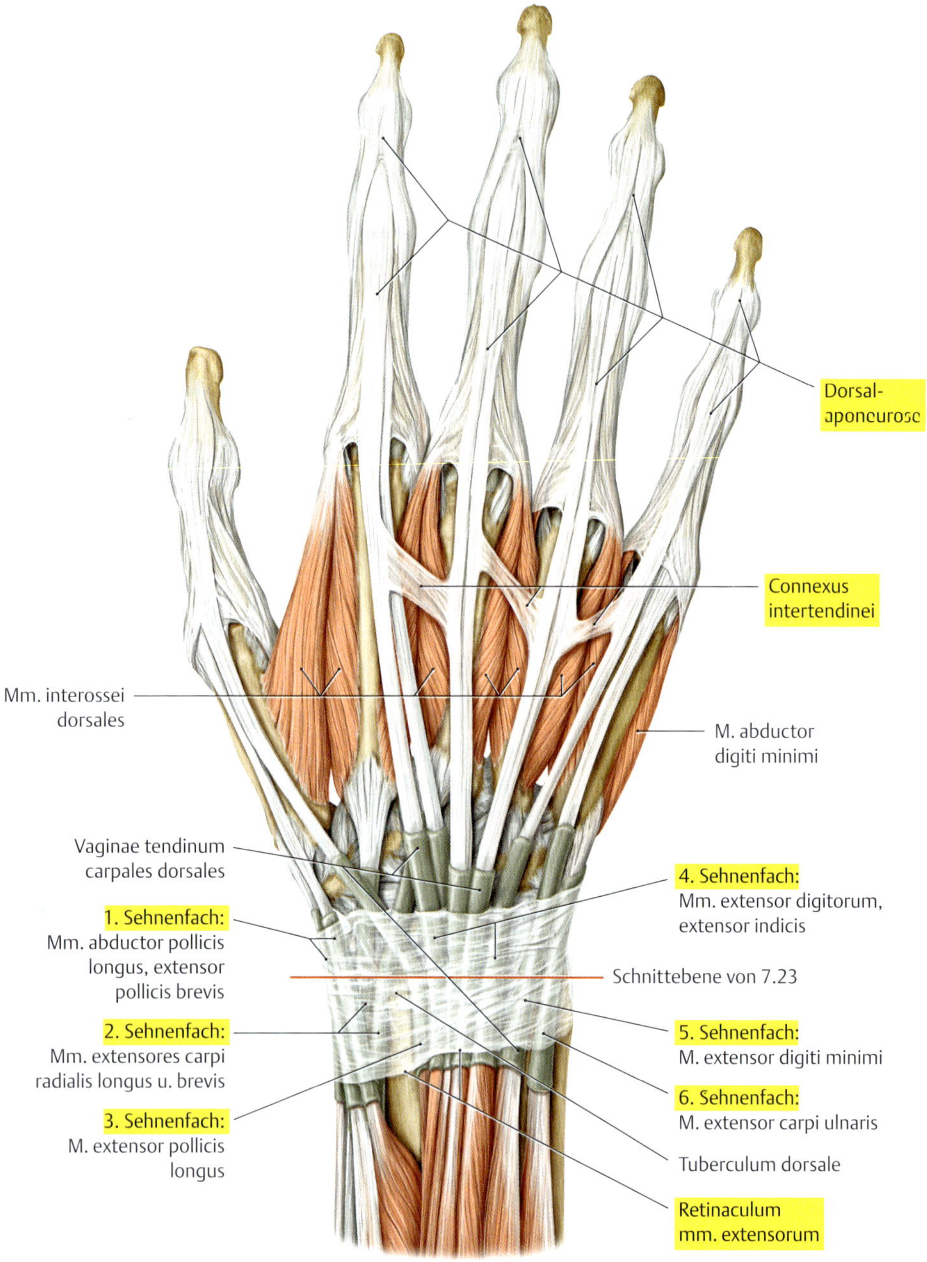

▶ **Abb. 7.24** Retinaculum musculorum extensorum und Sehnenfächer der Strecksehnen der rechten Hand (Ansicht von dorsal). (aus Schünke M, Schulte E, Schumacher U. Prometheus, LernAtlas der Anatomie. Allgemeine Anatomie und Bewegungssystem. Illustrationen von M. Voll und K. Wesker. 5., vollständig überarbeitete Auflage. Stuttgart: Thieme; 2018)

7.4.4 Oberflächliche Unterarmextensoren

Allgemeines

- die Extensoren haben ihren Ursprung im Wesentlichen am Epicondylus lateralis des Humerus
- sie gliedern sich in eine oberflächliche und tiefe Schicht
- als Radialismuskulatur werden M. brachioradialis, M. extensor carpi radialis longus und M. extensor carpi radialis brevis bezeichnet

Anatomie

▶ Abb. 7.26

- **M. extensor carpi radialis longus:**
  - **Ursprung:** Crista supracondylaris lateralis humeri (distales Drittel), Septum intermusculare laterale
  - **Ansatz:** Basis des Os metacarpi II (Streckseite)
  - **Funktion:** Dorsalextension und Radialabduktion im Handgelenk
  - **Innervation:** N. radialis (C 6–C 7)
  - **Triggerpunkte** (▶ Abb. 7.25): 1–2 cm distal des Radiusköpfchens, etwa auf Höhe des TP des M. brachioradialis, aber weiter ulnar
- **M. extensor carpi radialis brevis:**
  - **Ursprung:** Epicondylus lateralis humeri (ventrale Fläche)
  - **Ansatz:** Basis des Os metacarpi III (Streckseite)
  - **Funktion:** Dorsalextension und Radialabduktion im Handgelenk
  - **Innervation:** N. radialis (C 7–C 8)
  - **Triggerpunkte** (▶ Abb. 7.25): etwa 5–6 cm distal des Radiusköpfchens (ungefähr in der Mitte des Muskelbauchs)
- **M. extensor digitorum:**
  - **Ursprung:** Epicondylus lateralis humeri (ventrale Fläche)
  - **Ansatz:** Mittel- und Endphalangen der Finger II–V (indirekt über ein Einstrahlen der 4 Muskelsehnen in die Dorsalaponeurose)
  - **Funktion:** Extension der Fingergelenke
  - **Innervation:** N. radialis (C 7–C 8)
  - **Triggerpunkte** (▶ Abb. 7.25): für den Mittelfinger 3–4 cm distal und etwas dorsal des Radiusköpfchens, für den Ring- und Kleinfinger etwas weiter distal tief im Muskelbauch
- **M. extensor carpi ulnaris:**
  - **Ursprung:** Epicondylus lateralis humeri (ventrale Fläche)
  - **Ansatz:** Basis des Os metacarpi V
  - **Funktion:** Dorsalextension und Ulnarabduktion im Handgelenk
  - **Innervation:** N. radialis (C 7–C 8)
  - **Triggerpunkte** (▶ Abb. 7.25): etwa 7–8 cm distal des Epicondylus lateralis
- **M. extensor digiti minimi:**
  - **Ursprung:** Caput commune (Epicondylus lateralis des Humerus)
  - **Ansatz:** Dorsalaponeurose des 5. Fingers
  - **Funktion:** Dorsalextension und Ulnarabduktion im Handgelenk; Extension von Grund-, Mittel- und Endgelenken des 5. Fingers, Abspreizen des 5. Fingers
  - **Innervation:** N. radialis (C 6–C 8)

Myofasziale Wirkungsketten

Die Finger- und Handextensoren gehören zur oberflächlichen rückwärtigen Armlinie.

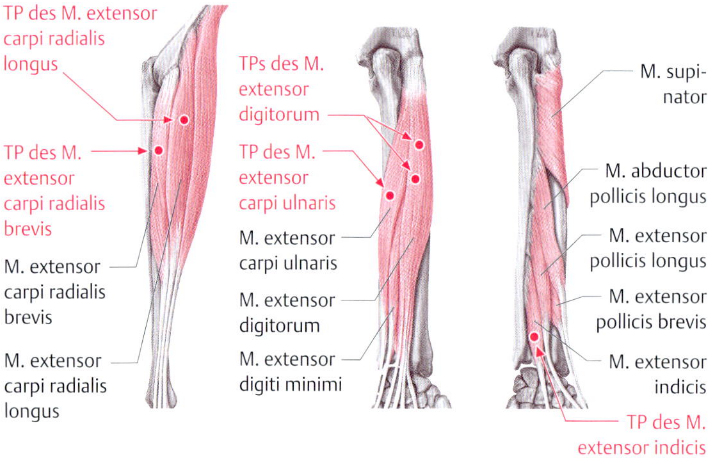

▶ **Abb. 7.25** Triggerpunkte M. extensor carpi radialis longus, M. extensor carpi radialis brevis, M. extensor carpi ulnaris, M. extensor digitorum und M. extensor indicis. (aus Hebgen E. Taschenatlas Myofasziale Triggerpunkte. Schmerzguide für Osteopathen und Manualtherapeuten. 2. Aufl. Stuttgart: Georg Thieme Verlag 2020; nach Schünke M, Schulte E, Schumacher U. Prometheus LernAtlas der Anatomie. Allgemeine Anatomie und Bewegungssystem. Illustrationen von Voll M und Wesker K. 5. Aufl. Stuttgart: Thieme; 2018)

Osteopathische Korrespondenzen

Der N. radialis versorgt die Extensoren der Hand und anteilig auch das Humeroradialgelenk. Daher muss bei jeder Epicondylitis lateralis der N. radialis untersucht werden. Hier ist der Engpass im M. supinator zu prüfen.

Behandlungshinweise

MET-Behandlungen im Bereich der oberflächlichen rückwärtigen Armlinie detonisieren die Ursprünge der Extensorenmuskeln am Epicondylus lateralis humeri.

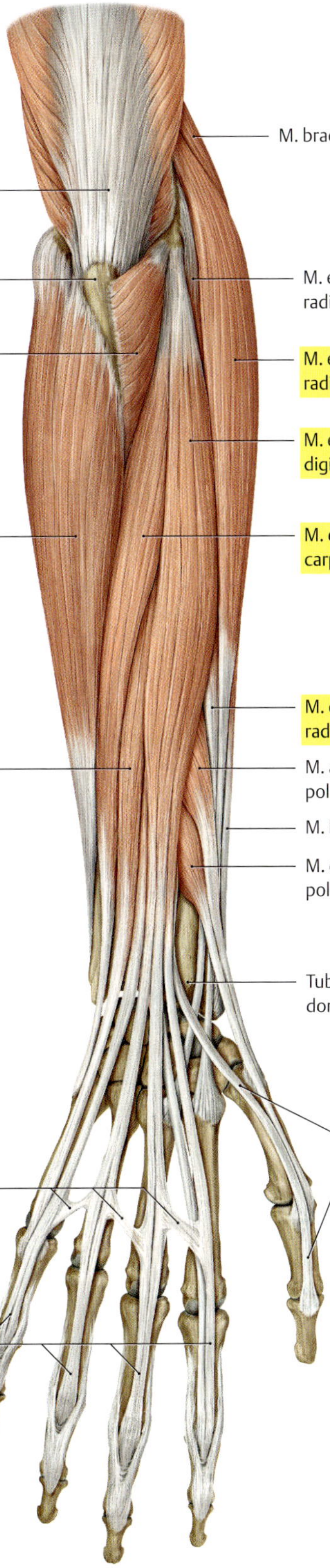

▸ **Abb. 7.26** Oberflächliche dorsale Unterarmmuskulatur (rechter Arm, Ansicht von dorsal). (aus Schünke M, Schulte E, Schumacher U. Prometheus, LernAtlas der Anatomie. Allgemeine Anatomie und Bewegungssystem. Illustrationen von M. Voll und K. Wesker. 5., vollständig überarbeitete Auflage. Stuttgart: Thieme; 2018)

7.4.5 Tiefe Unterarmextensoren

Anatomie

▸ Abb. 7.28

- **M. abductor pollicis longus:**
  - **Ursprung:** Dorsalfläche des Radius, Membrana interossea
  - **Ansatz:** Basis des Os metacarpi I
  - **Funktion:** Radialabduktion im proximalen Handgelenk; Extension im Daumensattel- und -grundgelenk
  - **Innervation:** N. radialis (C 6–C 8)
- **M. extensor pollicis longus:**
  - **Ursprung:** Dorsalfläche der Ulna, Membrana interossea
  - **Ansatz:** Basis der Endphalangen des Daumens
  - **Funktion:** Dorsalextension und Radialabduktion im Handgelenk; Adduktion im Daumensattelgelenk; Extension im Grund- und Endgelenk des Daumens
  - **Innervation:** N. radialis (C 6–C 8)
- **M. extensor indicis:**
  - **Ursprung:** Facies posterior ulnae (distaler Abschnitt), Membrana interossea
  - **Ansatz:** Einstrahlung in die Dorsalaponeurose des Zeigefingers
  - **Funktion:** Extension des Zeigefingers
  - **Innervation:** N. radialis (C 7–C 8)
  - **Triggerpunkte** (▸ Abb. 7.25): in der distalen Hälfte des Muskels in der Mitte des Unterarms zwischen Radius und Ulna
- **M. extensor pollicis brevis:**
  - **Ursprung:** Facies posterior radii (distaler Abschnitt), Membrana interossea
  - **Ansatz:** proximale Daumenphalanx
  - **Funktion:** Extension und Abduktion des Daumens
  - **Innervation:** N. radialis (C 7–C 8)

Osteopathische Korrespondenzen

Die tiefen Unterarmextensoren haben ihren Ursprung neben dem Radius auch an der Membrana interossea. Muskuläre Dysbalancen können daher die Spannung der Membrana interossea beeinflussen und einen Einfluss auf die Elastizität der Membran haben.

Behandlungshinweise

Direkte fasziale Mobilisation der Membrana interossea verbessern die Zirkulation im Handgelenk und Handteller.

7.4.6 Mm. interossei dorsales

Anatomie

▸ Abb. 7.24

- **Ursprung:** Innenflächen aller Metakarpalknochen
- **Ansatz:** Basis der entsprechenden Grundphalangen, Dorsalaponeurose der Finger II–IV
- **Funktion:** Abduktion Finger II–IV, Flexion der Fingergrundgelenke mit Extension der Mittel- und Endgelenke
- **Innervation:** N. ulnaris (Th 1)
- **Triggerpunkte** (▸ Abb. 7.27): zwischen den Mittelhandknochen

Osteopathische Korrespondenzen

Sie bilden die Zügel der Dorsalaponeurose und stellen eine Verbindung zur Gelenkkapsel der PIP her. Ihre auslaufenden Fasern reichen bis zur Endphalanx. Bei rheumatischen Erkrankungen können sich diese Strukturen verkürzen und zur Immobilität der der Fingerendgelenke führen. Über die indirekte Verbindung zur oberflächlichen frontalen Armlinie können sich Bewegungseinschränkungen der Finger insbesondere auf den medialen Epicondylus humeri negativ auswirken.

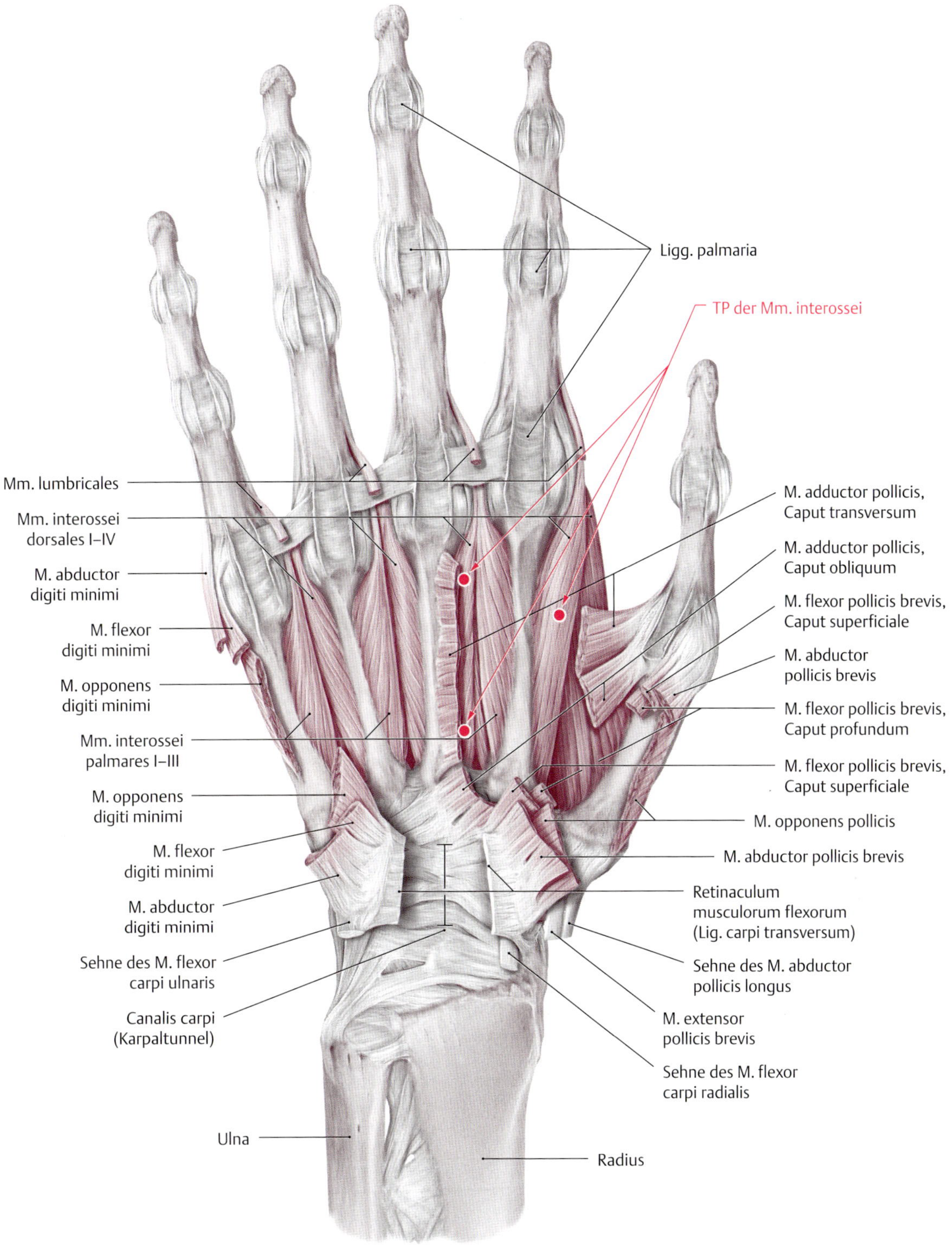

▸ **Abb. 7.27** Triggerpunkte Mm. interossei dorsales. (aus Richter P, Hebgen E. Triggerpunkte und Muskelfunktionsketten. 5. Aufl. Stuttgart: Haug; 2021, nach: Schünke M. Funktionelle Anatomie: Topographie und Funktion des Bewegungssystems. 1. Aufl. Stuttgart: Thieme; 2000)

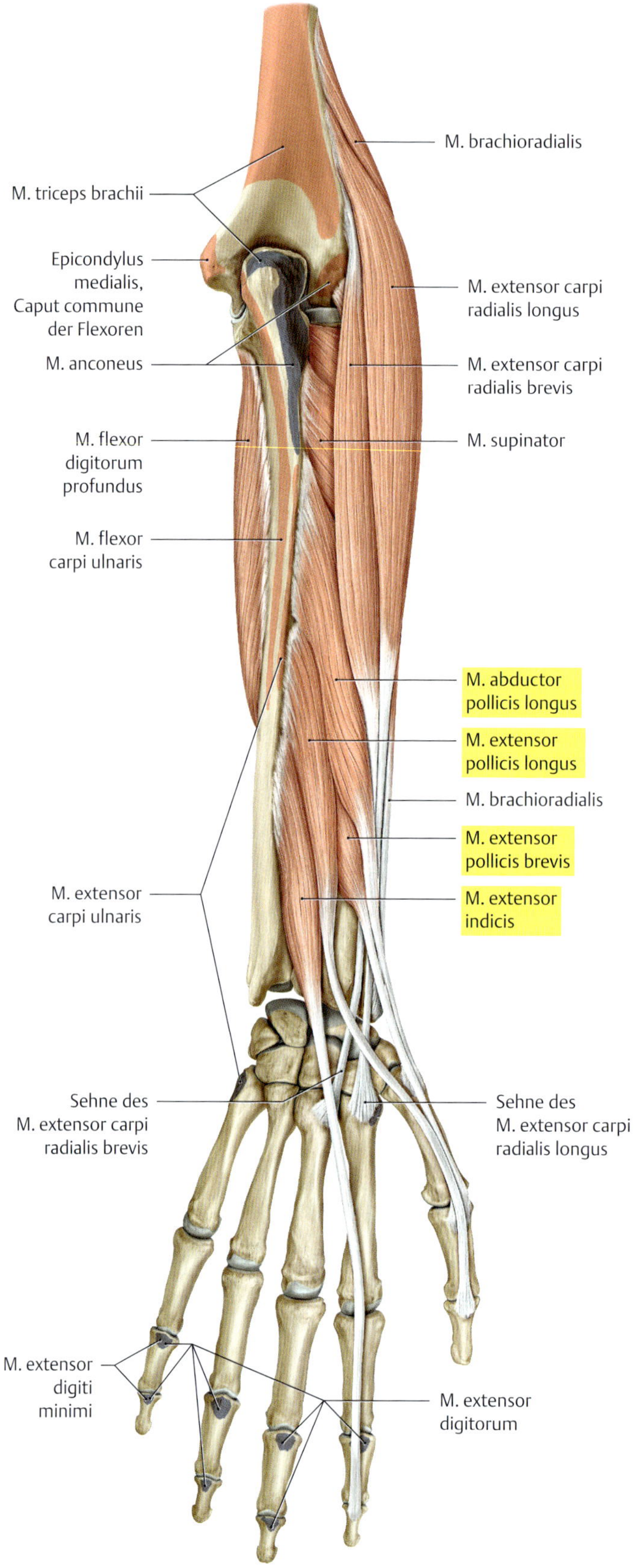

▸ **Abb. 7.28** Tiefe dorsale Unterarmmuskulatur (rechter Arm, Ansicht von dorsal). (aus Schünke M, Schulte E, Schumacher U. Prometheus, LernAtlas der Anatomie. Allgemeine Anatomie und Bewegungssystem. Illustrationen von M. Voll und K. Wesker. 5., vollständig überarbeitete Auflage. Stuttgart: Thieme; 2018)

7.5 Hand- und Fingergelenke

7.5.1 Radius (Speiche) und Ulna (Elle): distaler Bereich

Anatomie

▶ Abb. 7.29

- Caput ulnae: distaler Gelenkkopf der Ulna
- Proc. styloideus ulnae: Griffelfortsatz der Ulna, Ansatzpunkt für das Lig. collaterale carpi ulnare
- Proc. styloideus radii: Griffelfortsatz des Radius, Ansatzpunkt für das Lig. collaterale carpi radiale
- Tuberculum dorsale: Knochenvorsprung am distalen Ende des Radius, dorsal gelegen
- Membrana interossea antebrachii: membranöse Verbindung zwischen Ulna und Radius
- Chorda obliqua:
  - verbindet im proximalen Anteil Ulna und Radius
  - verläuft von der Ulna schräg nach distal zum Radius
  - darüber besteht eine Lücke, damit die Bizepssehne, die an der Tuberositas radii ansetzt, genügend Bewegungsfreiheit hat

Osteopathische Korrespondenzen

Der distale Gelenkkopf der Ulna artikuliert mit dem Discus articularis ulnocarpalis, der die Verbindung zur proximalen Handwurzelreihe (Os lunatum, Os triquetrum) ist. Die Gelenkkapsel der Art. radioulnaris distalis setzt an der Knochen-Knorpel-Grenze an. Verstärkt wird sie durch das Lig. radioulnare und durch Faserzüge der Membrana interossea. Über diese sind Radius und Ulna bei der Pronation und Supination funktionell miteinander gekoppelt. Sie sichert Radius und Ulna aneinander und schützt gegen Längsverschiebungen (z. B. beim Aufstützen). Dysfunktionen im distalen Radioulnargelenk können sowohl Dysfunktionen im Handgelenk als auch im proximalen Radioulnargelenk verursachen.

Fasziale Adhäsionen oder unphysiologische Spannungen in der Membrana interossea können die durchtretenden Gefäße (N. interosseus antebrachii anterior → N. medianus, A./V. interossea anterior > → A. ulnaris, V. brachialis) stören und ggf. die Mikrozirkulation beeinträchtigen.

7.5.2 Handwurzelknochen (Ossa carpi)

Anatomie

▶ Abb. 7.30

- man spricht von der proximalen (Os scaphoideum, Os lunatum, Os triquetrum, Os pisiforme) und distalen Handwurzelreihe (Os trapezium, Os trapezoideum, Os capitatum, Os hamatum)
- die mechanischen Kräfte wirken allerdings longitudinal auf das Handgelenk ein:
  - Skaphoidsäule: Os scaphoideum, Os trapezium, Os trapezoideum
  - Lunatumsäule: Os lunatum und Os capitatum
  - Triquetrumsäule: Os triquetrum und Os hamatum
  - das Os pisiforme wird als Sesambein (Hypomochlion) in der Sehne des M. flexor carpi ulnaris gesehen

Osteopathische Korrespondenzen

Entsprechend den Kraftverläufen sind bei osteopathischen Dysfunktionen im Handgelenk die korrespondierenden Knochen von Mittelhand, Phalangen und Unterarm zu prüfen.

7.5.3 Hand- und Fingerknochen

Anatomie

▶ Abb. 7.30

- Ossa metacarpi I–V (Mittelhandknochen): Röhrenknochen
- Phalanges proximales I–V: Röhrenknochen
- Phalanges mediae II–V: Röhrenknochen, fehlt beim Daumen
- Phalanges distales I–V: Röhrenknochen

Osteopathische Korrespondenzen

Kap. 7.5.2

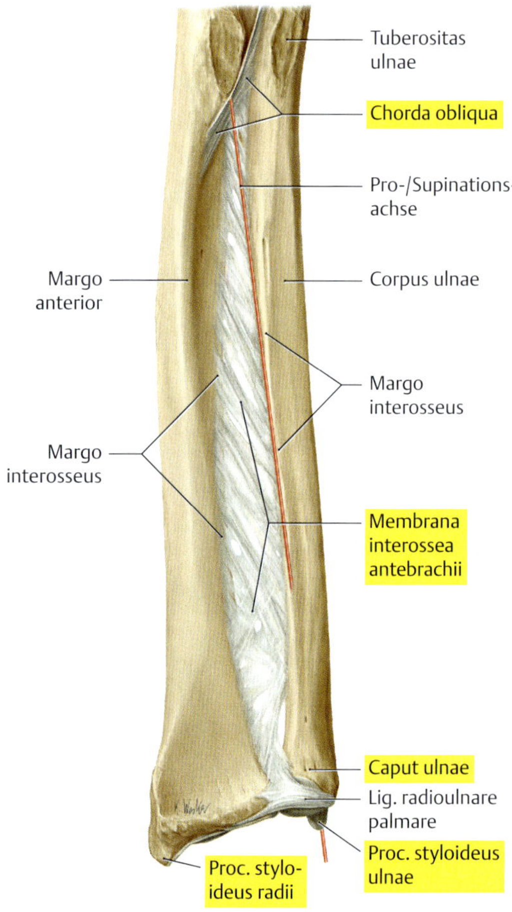

▶ **Abb. 7.29** Radius und Ulna in Supinationsstellung (rechter Unterarm, Ansicht von ventral). (aus Schünke M, Schulte E, Schumacher U. Prometheus, LernAtlas der Anatomie. Allgemeine Anatomie und Bewegungssystem. Illustrationen von M. Voll und K. Wesker. 5., vollständig überarbeitete Auflage. Stuttgart: Thieme; 2018)

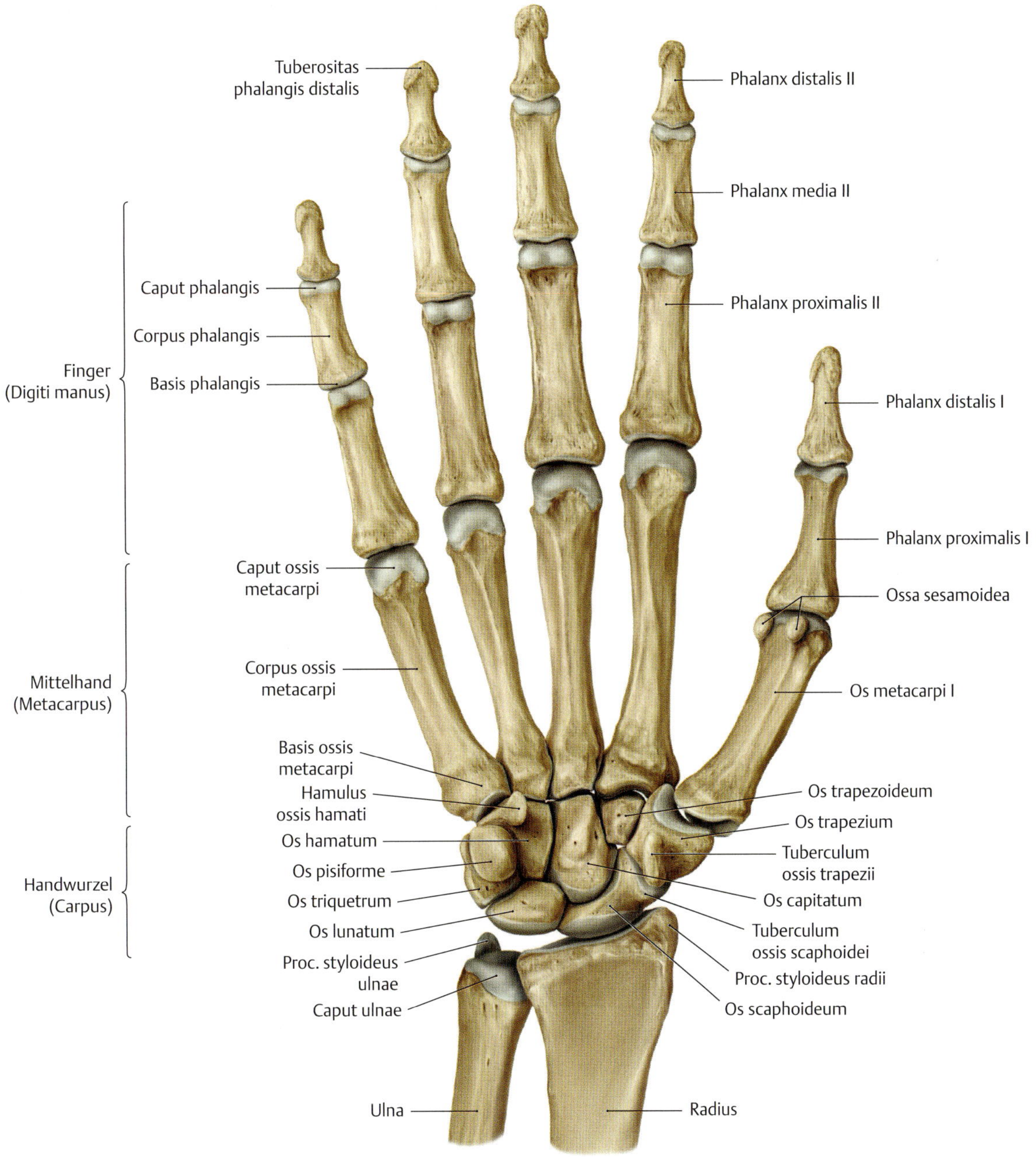

▶ **Abb. 7.30** Handwurzel-, Hand- und Fingerknochen (rechte Hand, Ansicht von palmar). (aus Schünke M, Schulte E, Schumacher U. Prometheus, LernAtlas der Anatomie. Allgemeine Anatomie und Bewegungssystem. Illustrationen von M. Voll und K. Wesker. 5., vollständig überarbeitete Auflage. Stuttgart: Thieme; 2018)

7.5.4 Art. radioulnaris distalis

Anatomie

▶ Abb. 7.32

- **Art:** gelenkige Verbindung zwischen Radius und Ulna
- **Partner:** Radius und Ulna
- **Kapsel:** schlaffe, weite Gelenkkapsel
- **Funktion:** Supination und Pronation
- **Ligamente:**
  - Lig. collaterale radiale: vom Proc. styloideus radii zur radialen Seite des Os scaphoideum
  - Lig. collaterale ulnare: vom Proc. styloideus ulnae über den Discus articularis zum Os triquetrum und Os pisiforme

Osteopathische Korrespondenzen

Das Lig. collaterale radiale bremst die Abduktion nach ulnar ab, das Lig. collaterale ulnare die Abduktionsbewegung nach radial. Dysfunktionen des Os pisiforme oder Os triquetrum können die gesamte Handgelenkmechanik stören und das Gleiten des Discus articularis behindern.

7.5.5 Handgelenk

Anatomie

▶ Abb. 7.32

- besteht aus 2 Einzelgelenken:
  - **Art. radiocarpalis** (proximales Handgelenk):
    - **Art:** Ei- oder Ellipsoidgelenk
    - **Partner:** Radius, Os scaphoideum, Os lunatum und Os triquetrum; die Gelenkfläche weist in ulnare Richtung, da der Radius weiter nach distal reicht als die Ulna
    - **Meniscus ulnocarpalis** (Discus ulnocarpalis, Discus triangularis): Knorpelscheibe, welche die Verbindung zur proximalen Handwurzelreihe und zur Ulna herstellt
    - **Kapsel:** dünne, schlaffe Gelenkkapsel
  - **Art. mediocarpalis** (distales Handgelenk):
    - **Art:** verzahntes Scharniergelenk
    - **Partner:** distale Gelenkflächen der proximalen Reihe der Handwurzelknochen und proximale Gelenkflächen der distalen Reihe; dadurch entsteht ein Kontakt zwischen Os scaphoideum und Os trapezium, Os trapezoideum und Os capitatum, Os lunatum und Os capitatum sowie mitunter auch mit dem Os hamatum und dem Os triquetrum.
    - **Kapsel:** auf der Palmarseite straff, auf der Dorsalseite schlaff
- im weiteren Sinne werden zum Handgelenk auch die **Artt. intercarpales** gerechnet:
  - **Art:** Amphiarthrosen (in der distalen Reihe sind Bewegungen zwischen den Knochen beinahe unmöglich, in der proximalen sind Bewegungen möglich)
  - **Partner:** Gelenke zwischen den Handwurzelknochen einer Reihe untereinander
  - **Kapsel:** medial eher schlaff, lateral eher straff
- **Funktion:** Palmarflexion, Dorsalextension, Radialabduktion, Ulnarabduktion

Osteopathische Korrespondenzen

Art. mediocarpalis und Artt. intercarpales bilden gemeinsam das mediokarpale Kompartiment. Diese Gelenke ermöglichen in ihrer Gesamtheit die Bewegungen des Handgelenks.

Behandlungshinweise

Der Discus ulnocarpalis neigt zur frühzeitigen Degeneration. Mobilisierende Techniken am Os triquetrum und Radius unterstützen die Gleiteigenschaften des Diskus.

Intrakarpale und intraossäre Bänder im Gelenkinnenraum teilen neben dem Discus ulnocarpalis das Handgelenk in verschiedene Kompartimente (distales Radioulnargelenk, Radiokarpalgelenk, mediokarpales Kompartiment, karpometakarpales Kompartiment, intermetakarpales Kompartiment, Daumensattelgelenk; ▶ Abb. 7.31). Für die Mobilisation der Handwurzelknochen müssen diese Kompartimente berücksichtigt werden, um eine effektive Mobilisation der intraossären Strukturen zu erreichen.

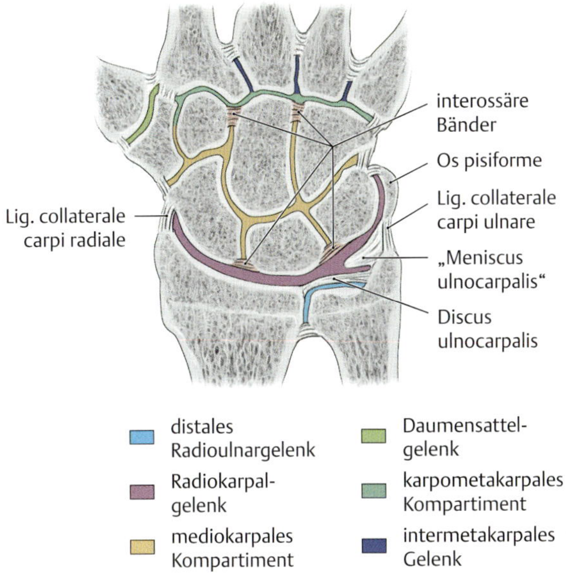

▸ **Abb. 7.31** Schematische Darstellung der Gelenkkompartimente einer rechten Hand (Ansicht von dorsal). (aus Schünke M, Schulte E, Schumacher U. Prometheus, LernAtlas der Anatomie. Allgemeine Anatomie und Bewegungssystem. Illustrationen von M. Voll und K. Wesker. 5., vollständig überarbeitete Auflage. Stuttgart: Thieme; 2018)

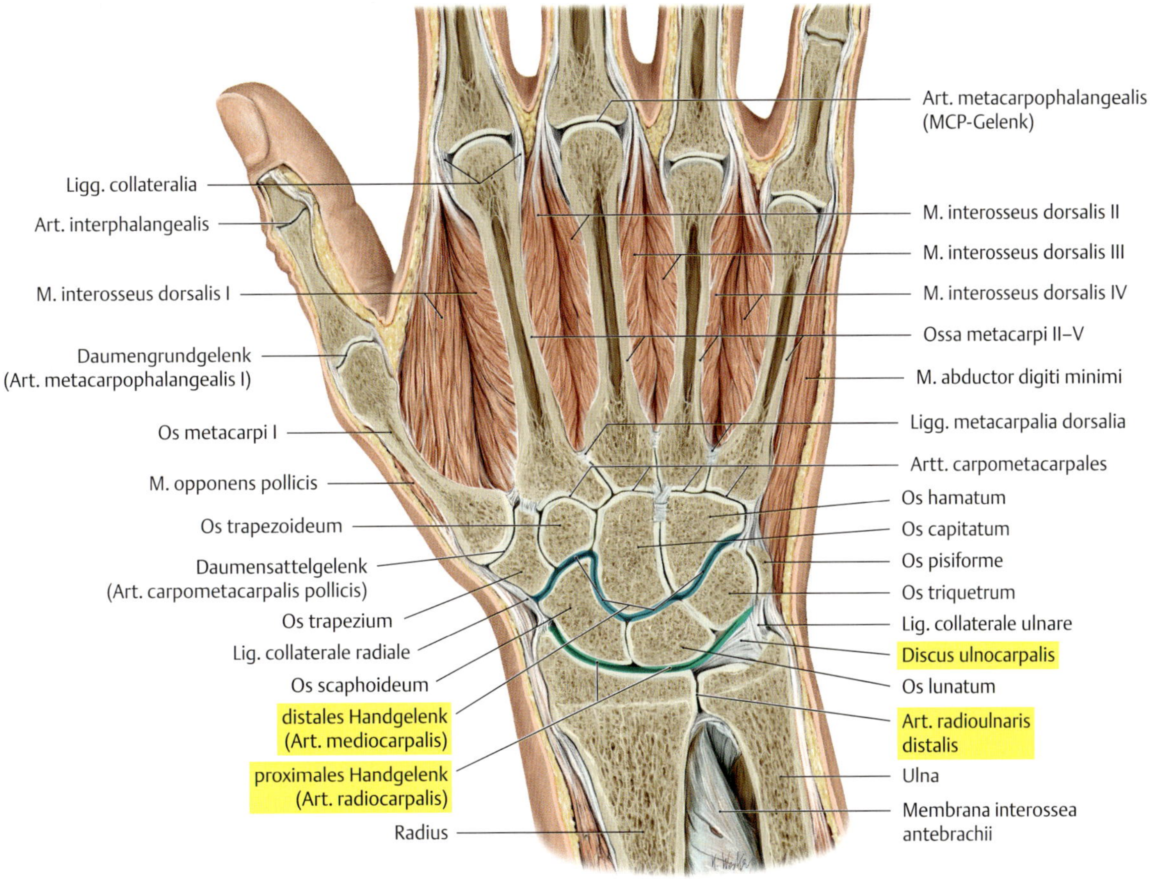

▸ **Abb. 7.32** Art. radioulnaris distalis und Handgelenk (rechte Hand, Ansicht von dorsal). (aus Schünke M, Schulte E, Schumacher U. Prometheus, LernAtlas der Anatomie. Allgemeine Anatomie und Bewegungssystem. Illustrationen von M. Voll und K. Wesker. 5., vollständig überarbeitete Auflage. Stuttgart: Thieme; 2018)

7.5.6 Hand- und Fingergelenke

Anatomie

► Abb. 7.33

- **Artt. carpometacarpales** (Art. carpometacarpalis pollicis Kap. 7.5.7):
  - **Art:** Amphiarthrosen
  - **Partner:** distale Handwurzelknochen und Basis der Mittelhandknochen
  - **Funktion:** Erhöhung der Verschieblichkeit zwischen Handwurzelknochen und Mittelhandknochen und damit der Beweglichkeit der benachbarten Gelenke, elastische Verformungen sind möglich
- **Artt. intermetacarpales:**
  - **Art:** Amphiarthrosen
  - **Partner:** Basen der Mittelhandknochen untereinander
  - **Funktion:** Erhöhung der Verschieblichkeit der Mittelhandknochen untereinander und damit der Beweglichkeit der benachbarten Gelenke
- **Artt. metacarpophalangeales** (MCP; Grundgelenke):
  - **Art:** Kugelgelenke
  - **Partner:** Mittelhandknochen und Grundphalangen
  - **Funktion:** Flexion, Extension
- **Artt. interphalangeales proximales** (PIP):
  - **Art:** Scharniergelenke
  - **Partner:** Grund- und Mittelphalangen
  - **Funktion:** Flexion, Extension, Abduktion und Adduktion
- **Artt. interphalangeales distales** (DIP):
  - **Art:** Scharniergelenke
  - **Partner:** Mittel- und Endphalangen
  - **Funktion:** Flexion, Extension, Abduktion und Adduktion

Osteopathische Korrespondenzen

Die uneingeschränkte Bewegungsfreiheit der Fingergelenke ist für die faszialen Strukturen der oberen Extremität wichtig. Dysfunktionen im Bereich der Fingergelenke können z. B. Spannungen auf die Unterarmfaszie übertragen. Das kann die Funktionalität des Karpaltunnels beeinflussen und unphysiologische Züge auf den Epicondylus medialis oder lateralis übertragen.

Behandlungshinweise

Bei der Mobilisation der Gelenke und Kapselstrukturen sind alle Bewegungsrichtungen zu berücksichtigen.

7.5.7 Art. carpometacarpalis pollicis (Daumensattelgelenk)

Anatomie

► Abb. 7.33

- **Art:** Sattelgelenk
- **Partner:** Basis ossis metacarpi I und Os trapezium
- **Kapsel:** zahlreiche Bänder, die eine weite Gelenkkapsel bilden; die Insertion der Gelenkkapsel liegt an der Knorpel-Knochen-Grenze der beteiligten Gelenkflächen
- **Funktion:** Flexion, Extension, Abduktion, Adduktion und Rotation → Opposition des Daumens gegenüber den anderen Fingern

Osteopathische Korrespondenzen

Besonders das Daumensattelgelenk ist durch das Missverhältnis zwischen der Kraftgröße und der kleinen Gelenkfläche stark belastet (v. a. bei der Oppositionsbewegung) und neigt zu degenerativen Veränderungen. Das Gelenk ist aber auch Bestandteil der tiefen frontalen Armlinie, die über den M. biceps brachii mit dem M. pectoralis minor korrespondiert. Myofasziale Adhäsionen im ventralen Schultergürtel oder Dysfunktionen von Klavikula, Akromioklavikular- oder Schultergelenk können das Daumensattelgelenk in seiner Funktionalität stören.

Behandlungshinweise

Adhäsion im Bandkapselapparat können durch gezielte Mobilisationen (z. B. Manipulation des Os metacarpi I nach Ausschluss einer Daumensattelgelenkarthrose = Rhizarthrose) gelöst werden.

Myofasziale Mobilisation der Daumenballenfaszien und der -muskulatur verbessern die Bewegungsökonomie des Daumensattelgelenks.

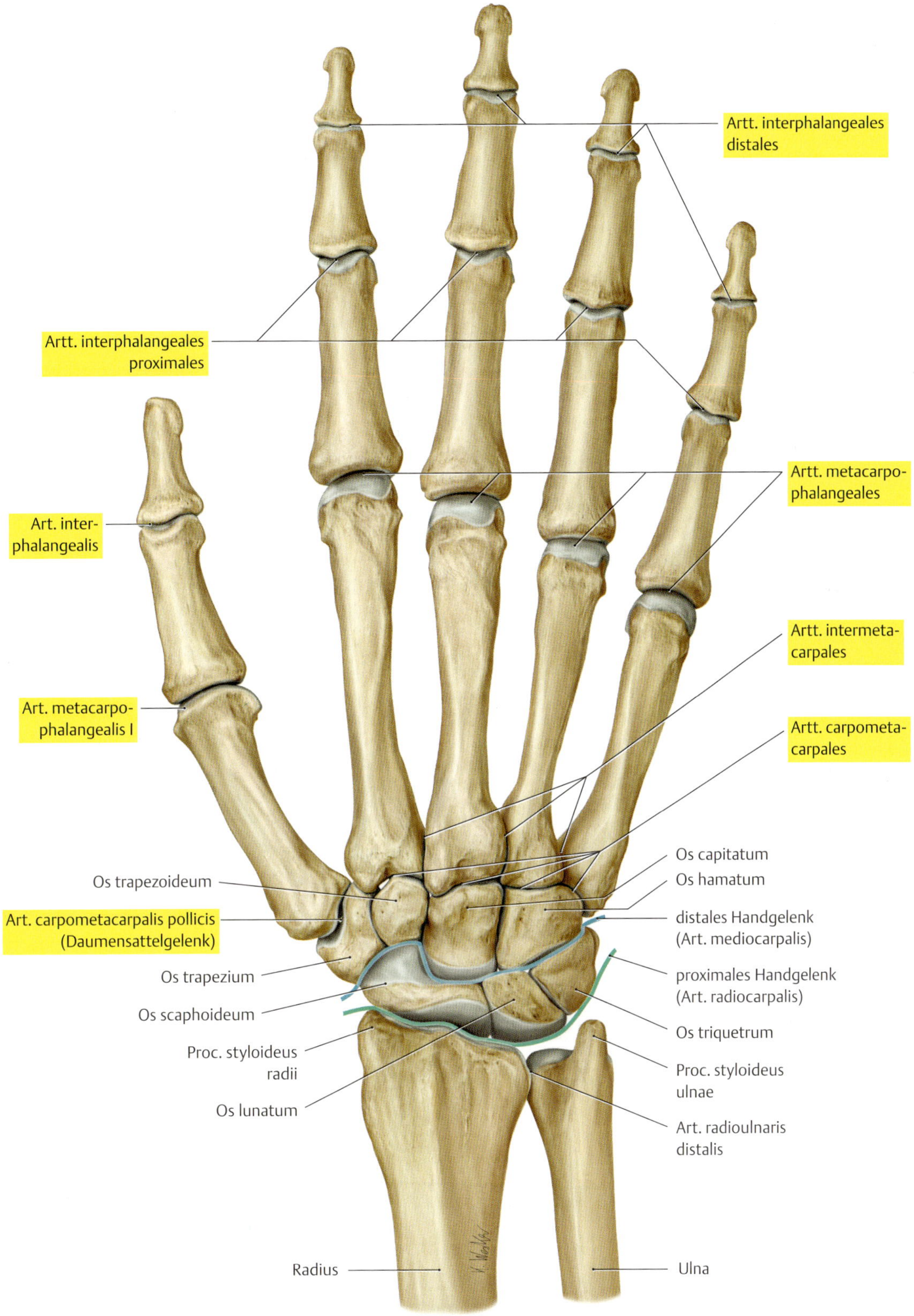

▶ **Abb. 7.33** Hand- und Fingergelenke (rechte Hand, Ansicht von dorsal). (aus Schünke M, Schulte E, Schumacher U. Prometheus, LernAtlas der Anatomie. Allgemeine Anatomie und Bewegungssystem. Illustrationen von M. Voll und K. Wesker. 5., vollständig überarbeitete Auflage. Stuttgart: Thieme; 2018)

7.5.8 Bänder

Anatomie

▶ Abb. 7.34, ▶ Abb. 7.35

- zwischen Radius und Ulna:
  - Lig. radioulnare palmare
  - Lig. radioulnare dorsale
- zwischen Unterarmknochen und proximalen Handwurzelknochen:
  - Lig. collaterale carpi ulnare
  - Lig. collaterale carpi radiale
  - Lig. radiocarpale palmare
  - Lig. radiocarpale dorsale: besteht aus Lig. radiotriquetrum und Lig. radiolunatum
  - Lig. ulnocarpale palmare: besteht aus Lig. ulnotriquetrum und Lig. ulnolunatum
- zwischen benachbarten Handwurzelknochen (Ligg. intercarpalia interossea):
  - Ligg. intercarpalia palmaria
  - Ligg. intercarpalia dorsalia
  - intraossäre Bänder der proximalen Handwurzelreihe: Lig. lunotriquetrum, Lig. scapholunatum
  - intraossäre Bänder der distalen Handwurzelreihe: Lig. capitatohamatum, Lig. trapezoideumcapitatum
- zwischen Handwurzel- und Mittelhandknochen:
  - Ligg. carpometacarpalia palmaria
  - Ligg. carpometacarpalia dorsalia
- zwischen den Basen der Mittelhandknochen:
  - Ligg. metacarpalia palmaria
  - Ligg. metacarpalia dorsalia
- zwischen den Fingergelenken:
  - Ligg. collateralia
  - Ligg. palmaria
  - Lig. metacarpale transversum profundum

Osteopathische Korrespondenzen

Die komplexen Bandstrukturen verstärken die Gelenkkapseln. Gleichzeitig führen sie über die einwirkende Muskelkraft auch die differenzierten Bewegungen der Finger und des Handgelenks. Diese Bandkonstruktionen gewährleiten zum einen fein koordinierte Bewegungen und zum anderen kraftvolle Handgriffe, um große Lasten tragen zu können. Gerade die Traktion und Kompression, die bei verschiedenen Bewegungen der Hand bewältigt werden müssen (z. B. bei sportlichen Bewegungen, wie denen des Handstands oder Klimmzugs), machen deutlich, welche Stabilität und gleichzeitige Beweglichkeit die Hand hat. Entscheidend sind aber die Kraftverläufe über die Muskulatur der oberen Extremität. Dies spiegelt sich darin wider, dass es 4 verschiedene myofasziale Armlinien gibt, die alle mit dem Schultergürtel und Rumpf kooperieren. Darum muss man bei Dysfunktionen im Handbereich immer den Blick auf die möglichen viszeralen, nervalen (spinal und vegetativ), myofaszialen und parietalen Korrespondenzen richten.

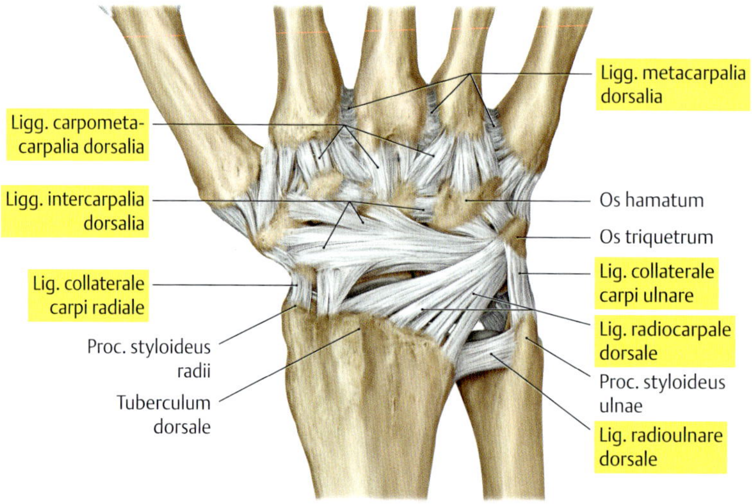

▶ **Abb. 7.34** Bänder einer rechten Hand (Ansicht von dorsal). (aus Schünke M, Schulte E, Schumacher U. Prometheus, LernAtlas der Anatomie. Allgemeine Anatomie und Bewegungssystem. Illustrationen von M. Voll und K. Wesker. 5., vollständig überarbeitete Auflage. Stuttgart: Thieme; 2018)

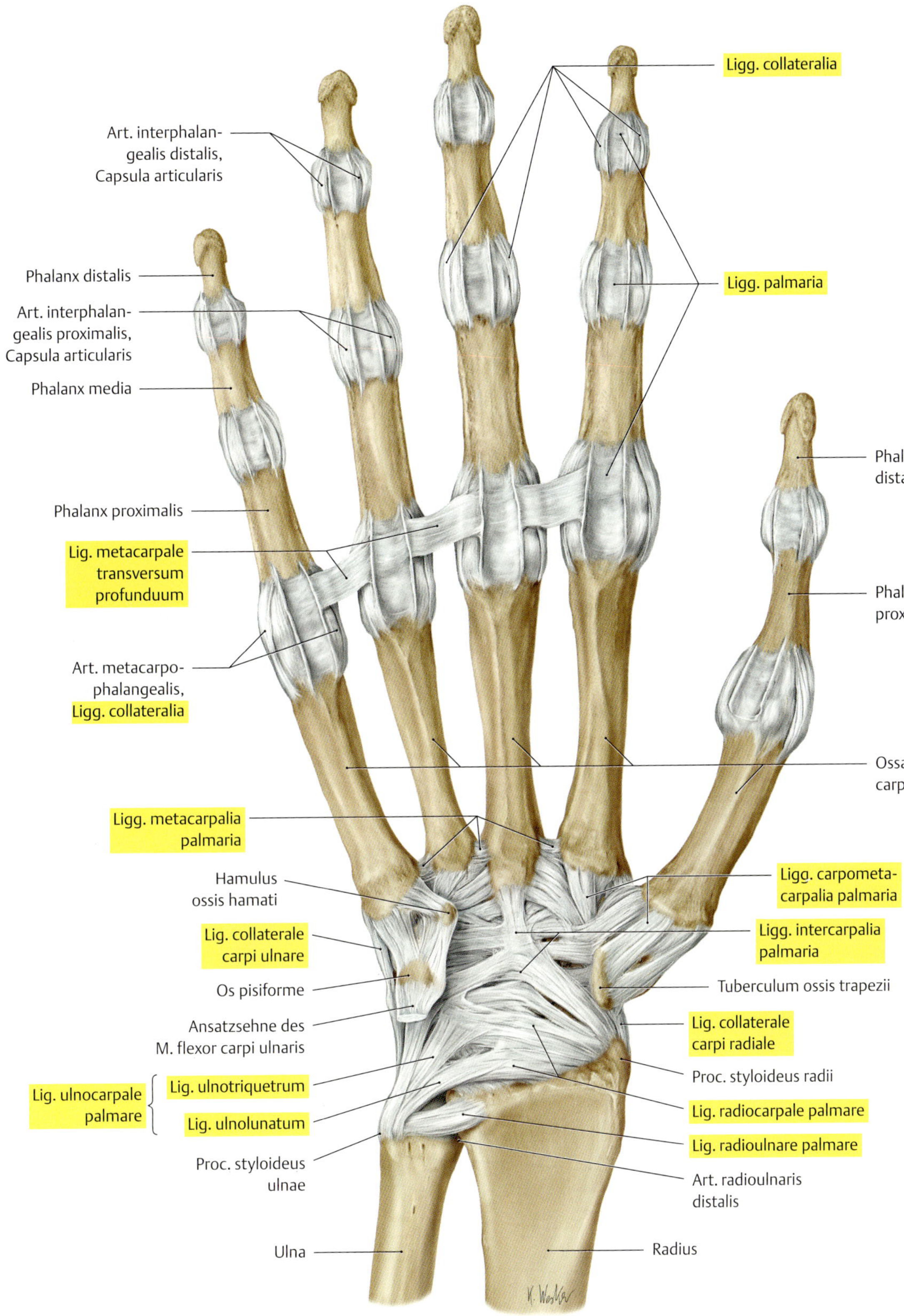

▸ **Abb. 7.35** Bänder einer rechten Hand (Ansicht von palmar). (aus Schünke M, Schulte E, Schumacher U. Prometheus, LernAtlas der Anatomie. Allgemeine Anatomie und Bewegungssystem. Illustrationen von M. Voll und K. Wesker. 5., vollständig überarbeitete Auflage. Stuttgart: Thieme; 2018)

7.6
Nerven und Gefäße

7.6.1 N. musculocutaneus

Anatomie

▶ Abb. 7.36, ▶ Abb. 7.37, ▶ Abb. 7.38

- enthält Fasern aus den Rückenmarkssegmenten C5–C7 (aus Plexus brachialis)
- gemischter Nerv mit sensiblen und motorischen Ästen:
  - versorgt motorisch die Beugemuskulatur des Armes (Rr. musculares): M. coracobrachialis, M. biceps brachii, M. brachialis
  - versorgt sensibel die Gelenkkapsel des Ellenbogengelenks (Rr. articulares) und die Haut an der Radialseite des Unterarms (N. cutaneus antebrachii lateralis)
- Engpässe:
  - Durchtritt durch M. coracobrachialis
  - Durchtritt durch die Fascia brachii oberhalb der Fossa cubiti (lateral der Bizepssehne)
- Ausfallerscheinungen:
  - eingeschränkte Beugefähigkeit im Ellenbogengelenk
  - Sensibilitätsstörungen der Gelenkkapsel des Ellenbogengelenks und am Hautareal am Unterarm (Radialseite)

Osteopathische Korrespondenzen

Der N. musculocutaneus besitzt Anastomosen zum N. medianus. Störungen des N. medianus, z. B. durch ein Karpaltunnelsyndrom, können aufsteigende Schmerzen bis zum proximalen Armbereich auslösen. Denn der N. musculocutaneus versorgt die Beugemuskulatur und sensibel die Ellenbogenbeuge samt Radialseite des Unterarms.

Behandlungshinweise

Eine lokale Behandlung bei Kompressionsstörungen durch osteopathische Dysfunktionen ist in der Achselhöhle am Innenrand des M. coracobrachialis und über die Fascia brachii lateral der Bizepssehne ca. 2 Finger breit oberhalb der Beugefalte im Ellenbogen möglich.

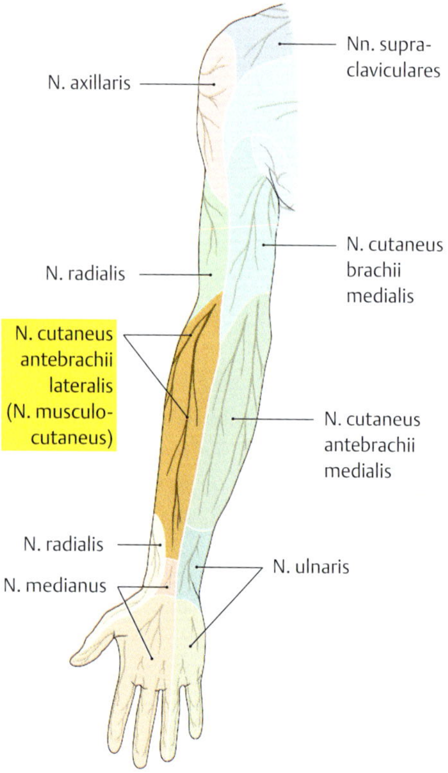

▶ **Abb. 7.36** Sensibles Innervationsgebiet des N. cutaneus antebrachii lateralis (Ansicht von ventral). (aus Schünke M, Schulte E, Schumacher U. Prometheus, LernAtlas der Anatomie. Allgemeine Anatomie und Bewegungssystem. Illustrationen von M. Voll und K. Wesker. 5., vollständig überarbeitete Auflage. Stuttgart: Thieme; 2018)

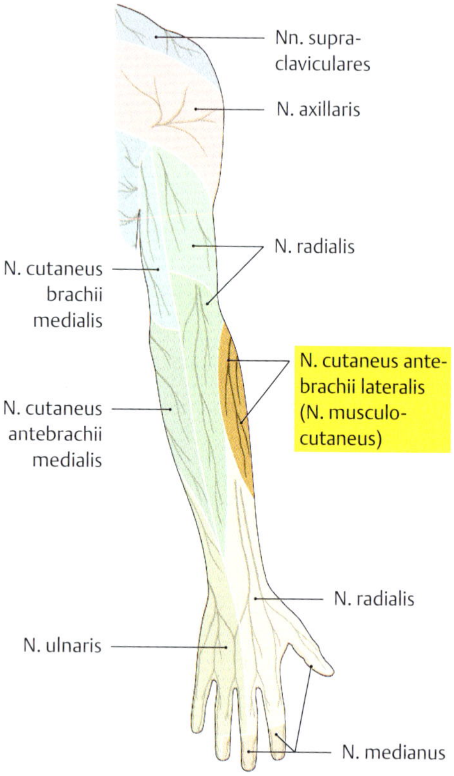

▶ **Abb. 7.37** Sensibles Innervationsgebiet des N. cutaneus antebrachii lateralis (Ansicht von dorsal). (aus Schünke M, Schulte E, Schumacher U. Prometheus, LernAtlas der Anatomie. Allgemeine Anatomie und Bewegungssystem. Illustrationen von M. Voll und K. Wesker. 5., vollständig überarbeitete Auflage. Stuttgart: Thieme; 2018)

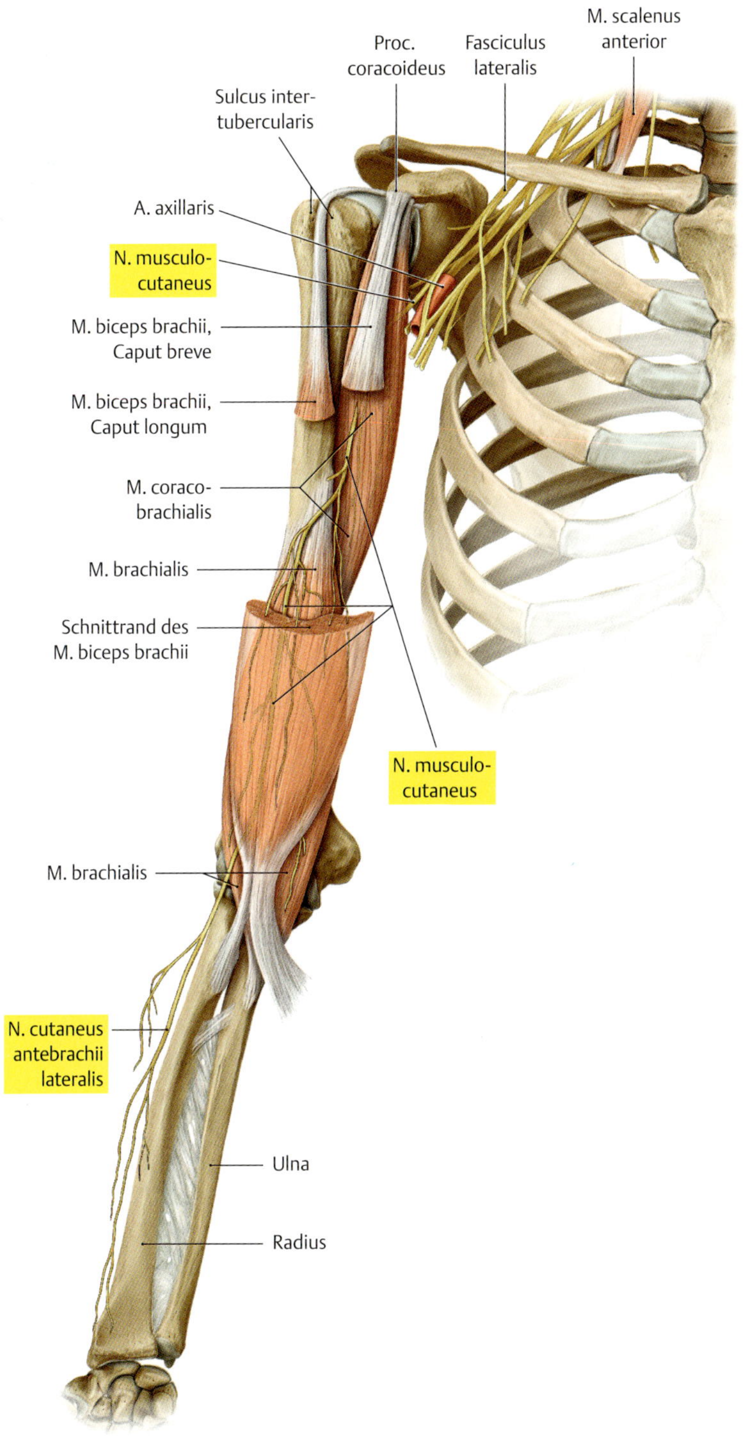

▶ **Abb. 7.38** Verlauf des N. musculocutaneus (Ansicht von ventral). (aus Schünke M, Schulte E, Schumacher U. Prometheus, LernAtlas der Anatomie. Allgemeine Anatomie und Bewegungssystem. Illustrationen von M. Voll und K. Wesker. 5., vollständig überarbeitete Auflage. Stuttgart: Thieme; 2018)

7.6.2 N. axillaris

Anatomie

▸ Abb. 7.39, ▸ Abb. 7.40, ▸ Abb. 7.41

- enthält Fasern aus den Rückenmarkssegmenten C 5–C 6 (aus Plexus brachialis)
- gemischter Nerv mit sensiblen und motorischen Ästen:
  - versorgt motorisch (Rr. musculares) M. deltoideus und M. teres minor
  - versorgt sensibel die laterale Schulterregion (N. cutaneus brachii lateralis superior)
- Engpässe: laterale Trizepslücke
- Ausfallerscheinungen: nach Trauma (z. B. Schultergelenkluxation, Fraktur am Collum chirurgicum oder dauerhafter Druck in der Achsel durch Axillargehhilfen):
  - stark eingeschränkter bis kompletter Ausfall der Armabduktion
  - Atrophie des M. deltoideus
  - Sensibilitätsstörungen der lateralen Schulter

Osteopathische Korrespondenzen

Eine verengte Trizepslücke kann den Nerv irritieren und Schmerzen in der lateralen Schulterregion (M. deltoideus) provozieren. Aus den Segmenten C 5 stammt auch das Sklerotom für den medialen Schulterblattrand. Dysfunktionen in diesem Segment können als Schulterblattschmerzen imponieren und auch das Versorgungsgebiet des N. axillaris betreffen (Kap. 5.4.9).

Behandlungshinweise

Eine lokale Behandlung bei Kompressionsstörungen durch osteopathische Dysfunktionen ist in der lateralen Trizepslücke möglich.

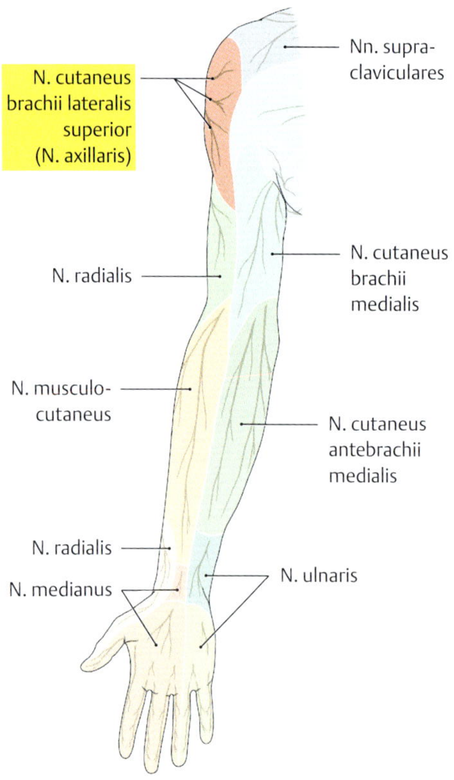

▸ **Abb. 7.39** Sensibles Innervationsgebiet des N. cutaneus brachii lateralis superior (Ansicht von ventral). (aus Schünke M, Schulte E, Schumacher U. Prometheus, LernAtlas der Anatomie. Allgemeine Anatomie und Bewegungssystem. Illustrationen von M. Voll und K. Wesker. 5., vollständig überarbeitete Auflage. Stuttgart: Thieme; 2018)

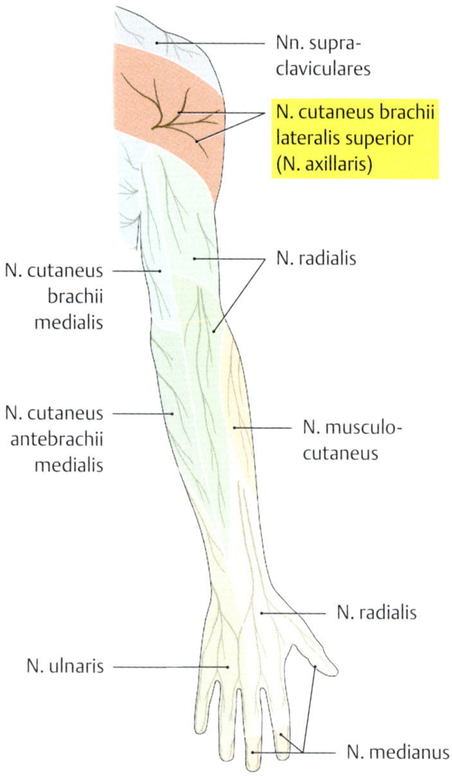

▸ **Abb. 7.40** Sensibles Innervationsgebiet des N. cutaneus brachii lateralis superior (Ansicht von dorsal). (aus Schünke M, Schulte E, Schumacher U. Prometheus, LernAtlas der Anatomie. Allgemeine Anatomie und Bewegungssystem. Illustrationen von M. Voll und K. Wesker. 5., vollständig überarbeitete Auflage. Stuttgart: Thieme; 2018)

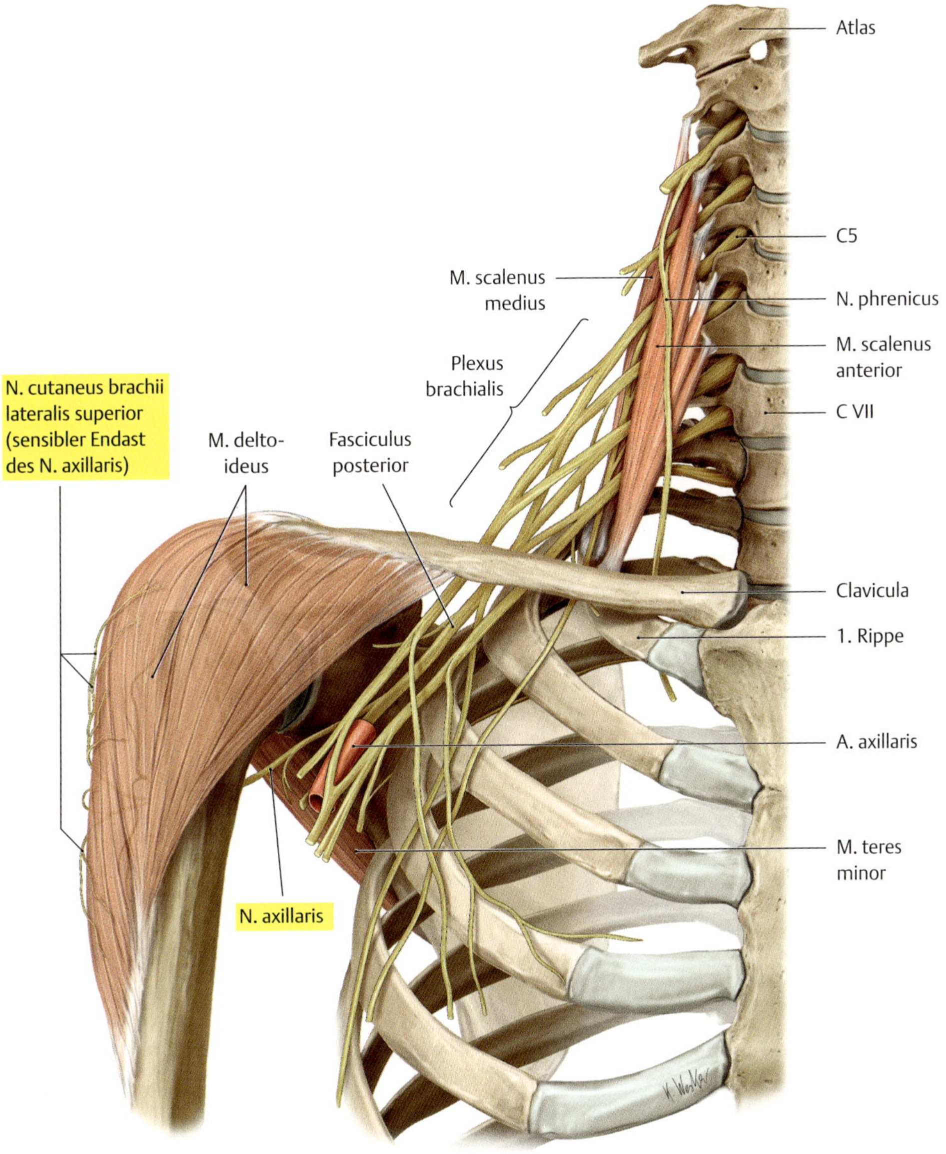

▶ **Abb. 7.41** Verlauf des N. axillaris (Ansicht von ventral). (aus Schünke M, Schulte E, Schumacher U. Prometheus, LernAtlas der Anatomie. Allgemeine Anatomie und Bewegungssystem. Illustrationen von M. Voll und K. Wesker. 5., vollständig überarbeitete Auflage. Stuttgart: Thieme; 2018)

7.6.3 N. radialis

Anatomie

▶ Abb. 7.42, ▶ Abb. 7.43, ▶ Abb. 7.44

- enthält Fasern aus den Rückenmarkssegmenten C 5–Th 1 (aus Plexus brachialis)
- gemischter Nerv mit sensiblen und motorischen Ästen:
  - versorgt motorisch die Streckmuskeln am Ober- und Unterarm: M. triceps brachii, M. anconeus, M. brachioradialis, M. extensor carpi radialis longus und M. extensor carpi radialis brevis (Rr. musculares) sowie M. supinator, M. extensor digitorum, M. extensor digiti minimi, M. extensor carpi ulnaris, M. extensor pollicis longus, M. extensor pollicis brevis, M. extensor indicis und M. abductor pollicis longus (R. profundus mit dem Endast N. interosseus posterior)
  - versorgt sensibel die Gelenkkapsel des Schultergelenks, des Handgelenks und der vier radialen Fingergrundgelenke (Rr. articulares), die Haut über der Streckmuskulatur am Ober- und Unterarm (N. cutaneus brachii posterior, N. cutaneus brachii lateralis inferior, N. cutaneus antebrachii posterior) und die dorsale Haut der Grund- und Mittelglieder von Daumen, Zeige- und Mittelfinger (R. superficialis)
- Engpässe:
  - Sulcus n. radialis am Humerus
  - Radialistunnel
  - Frohse-Arkade
  - Ausgang am Supinatortunnel
- Ausfallerscheinungen bei:
  - proximaler Läsion:
    - Bereich Axilla: Fallhand und Ausfall M. triceps brachii
    - Bereich Sulcus n. radialis: Fallhand ohne Trizepsbeteiligung
  - mittlerer Läsion im Bereich des Durchtritts durch das Septum intermusculare: Fallhand mit Sensibilitätsstörungen
  - distaler Läsion im Bereich der Frohse-Arkade: Paresen in der Streckmuskulatur von Daumen und Fingern, keine Fallhand, keine Sensibilitätsstörungen

Osteopathische Korrespondenzen

Der N. radialis gibt sensible Äst sowohl im Schulter- als auch im Handgelenksbereich ab. Die zahlreichen Engpassstellen, insbesondere der Radialistunnel, können das Schmerzsymptom einer Epicondylitis lateralis auslösen, die in diesem Falle keine Insertionstendopathie sein muss.

Behandlungshinweise

Eine lokale Behandlung bei Kompressionsstörungen durch osteopathische Dysfunktionen ist am lateralen Trizepsspalt, im Sulcus n. radialis, Sulcus bicipitalis lateralis (Weichteilrinne lateral des M. biceps brachii), am Eingang zum Supinatortunnel und am Ausgang vom Supinatortunnel möglich.

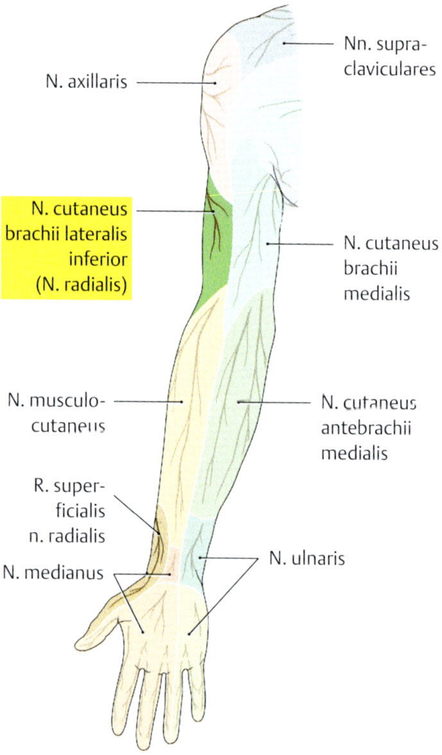

▶ **Abb. 7.42** Sensibles Innervationsgebiet des N. radialis (Ansicht von ventral). (aus Schünke M, Schulte E, Schumacher U. Prometheus, LernAtlas der Anatomie. Allgemeine Anatomie und Bewegungssystem. Illustrationen von M. Voll und K. Wesker. 5., vollständig überarbeitete Auflage. Stuttgart: Thieme; 2018)

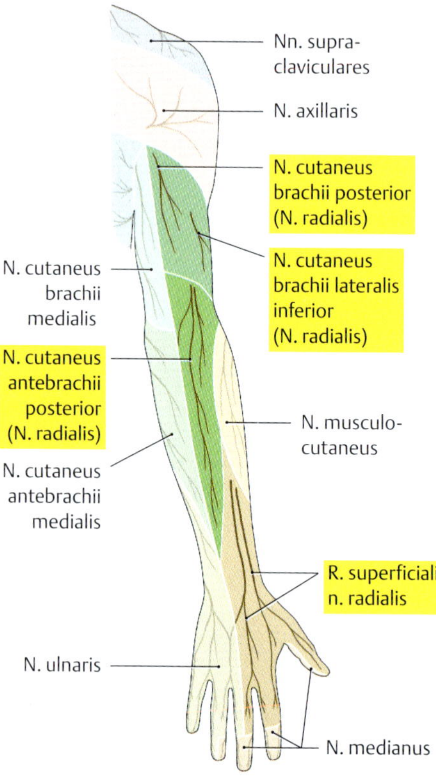

▶ **Abb. 7.43** Sensibles Innervationsgebiet des N. radialis (Ansicht von dorsal). (aus Schünke M, Schulte E, Schumacher U. Prometheus, LernAtlas der Anatomie. Allgemeine Anatomie und Bewegungssystem. Illustrationen von M. Voll und K. Wesker. 5., vollständig überarbeitete Auflage. Stuttgart: Thieme; 2018)

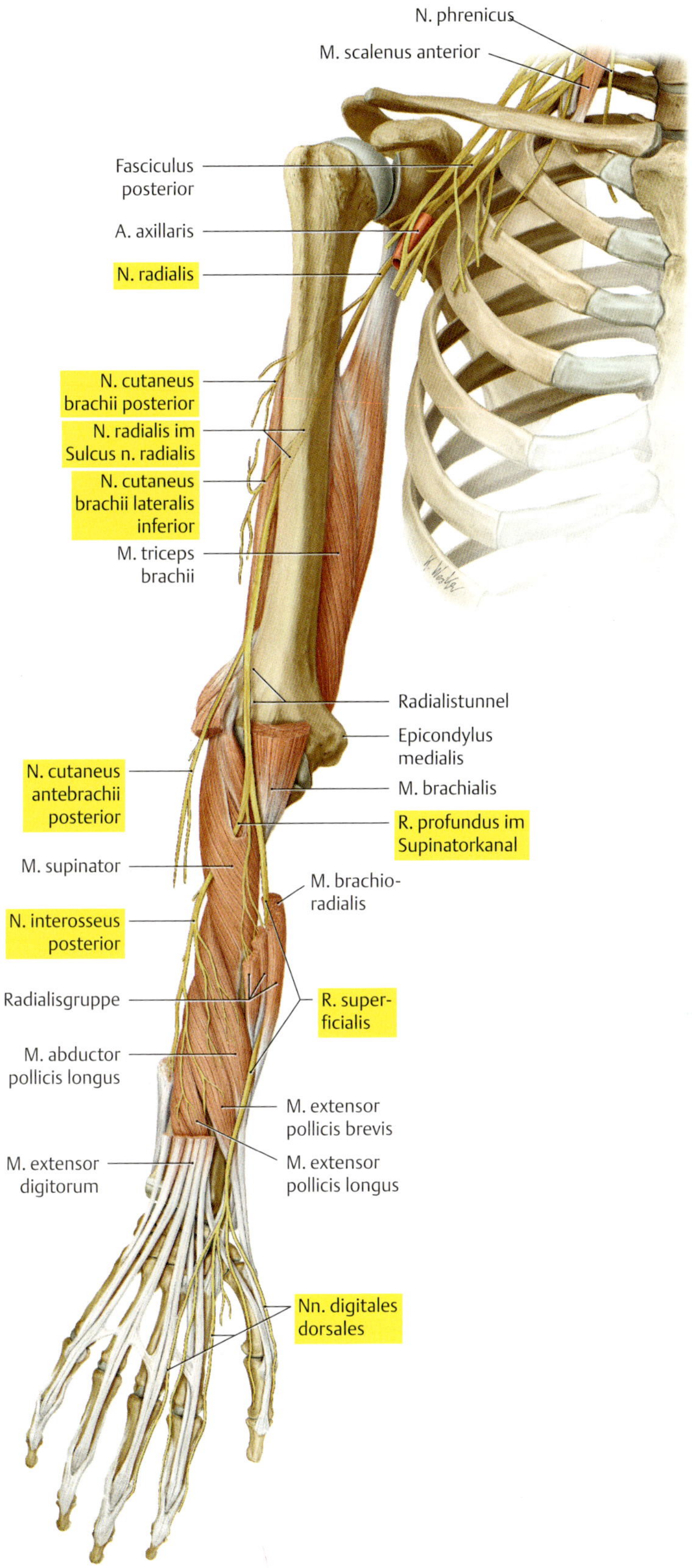

▸ **Abb. 7.44** Verlauf des N. radialis (Ansicht von ventral, Unterarm in Pronationsstellung). (aus Schünke M, Schulte E, Schumacher U. Prometheus, LernAtlas der Anatomie. Allgemeine Anatomie und Bewegungssystem. Illustrationen von M. Voll und K. Wesker. 5., vollständig überarbeitete Auflage. Stuttgart: Thieme; 2018)

7.6.4 N. medianus

Anatomie

▶ Abb. 7.45, ▶ Abb. 7.46, ▶ Abb. 7.47

- enthält Fasern aus den Rückenmarkssegmenten C 6–Th 1 (aus Plexus brachialis)
- gemischter Nerv mit sensiblen und motorischen Ästen:
  - versorgt motorisch Beugemuskeln (bis auf M. flexor carpi ulnaris), Muskeln des Daumenballens und 2 Muskeln der Mittelhand (Rr. musculares): M. pronator teres, M. flexor carpi radialis, M. palmaris longus, M. flexor digitorum superficialis, M. pronator quadratus, M. flexor pollicis longus, M. flexor digitorum profundus (radialer Teil), M. abductor pollicis brevis, M. flexor pollicis brevis (Caput superficiale), M. opponens pollicis, Mm. lumbricales I und II
  - versorgt sensibel die Gelenkkapsel des Ellenbogengelenks und der Handgelenke (Rr. articulares), die Haut über dem Daumenballen (R. palmaris), die radiale Hälfte der Handfläche, des Daumen, Zeige-, Mittelfingers und der radialen Hälfte des Ringfingers (Nn. digitales palmares communes und proprii) sowie den die distalen Enden von Finger I–III (Nn. digitales palmares proprii)
- Engpässe:
  - Pronatorloge
  - Karpaltunnel
- Ausfallerscheinungen bei:
  - proximaler Läsion im Bereich Ellenbogengelenk, Pronator-teres-Loge: Schwurhand (beim Faustschluss), verminderte Pronation, Atrophie der Daumenballenmuskulatur, Flasche kann nicht mehr umfasst werden („Flaschenzeichen“), Sensibilitätsstörungen im Bereich der Radialseite von Handteller, Daumen, Zeige-, Mittel-, Ringfinger (nur radiale Seite), vegetative Störung der Hautdurchblutung (vermehrt) und Schweißsekretion (vermindert)
  - distaler Läsion im Bereich des Karpaltunnels: keine Schwurhand, Sensibilitätsstörungen von Daumen, Ring-, Mittelfinger, später Atrophie der Daumenballenmuskulatur

Osteopathische Korrespondenzen

Der N. medianus führt zahlreiche vegetative Nervenfasern. Sie stammen aus den Segmenten Th 6–Th 8 und korrespondieren mit den Organen des Oberbauchs (Leber, Gallenblase, Duodenum, Pankreas, Magen). Viszerale Dysfunktionen können sich über die spinale Fazilitation im Versorgungsgebiet des N. medianus zeigen. Sensibilitätsstörungen im Bereich der Radialseite von Handteller, Daumen, Zeige-, Mittel- und Ringfinger (nur radiale Seite) sowie vegetative Störungen im Sinne einer vermehrten Hautdurchblutung und verminderten Schweißsekretion sind möglich (Kap. 4.8.1, Kap. 5.3.6, Kap. 5.6.1).

Behandlungshinweise

Eine lokale Behandlung bei Kompressionsstörungen durch osteopathische Dysfunktionen ist in der Achselhöhle im Bereich des M. pectoralis minor, am Oberarm in der medialen Bizepsrinne, in der Pronatorloge (ca. 2 Finger breit oberhalb der eigentlichen Loge etwas proximal vom Epicondylus medialis), in der Unterarmmitte zwischen den Fingerbeugemuskeln (profundus und superficialis), am Handgelenk ca. 1–2 Finger breit proximal der Handgelenkbeugefalte und in der Handinnenfläche im proximalen Bereich des Daumenballens in der Nähe des kurzen Daumenbeugemuskels möglich.

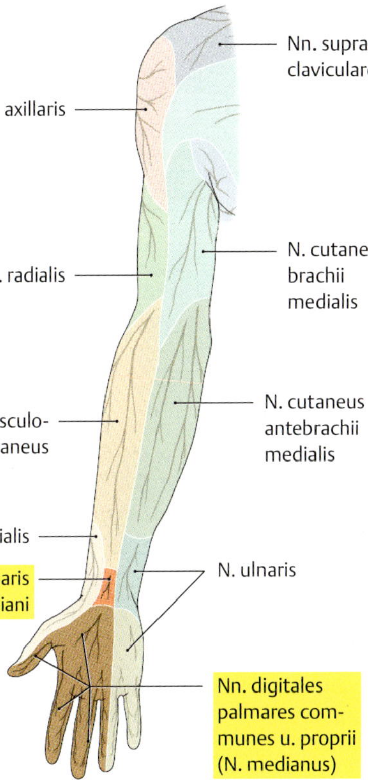

▸ **Abb. 7.45** Sensibles Innervationsgebiet des N. medianus (Ansicht von ventral). (aus Schünke M, Schulte E, Schumacher U. Prometheus, LernAtlas der Anatomie. Allgemeine Anatomie und Bewegungssystem. Illustrationen von M. Voll und K. Wesker. 5., vollständig überarbeitete Auflage. Stuttgart: Thieme; 2018)

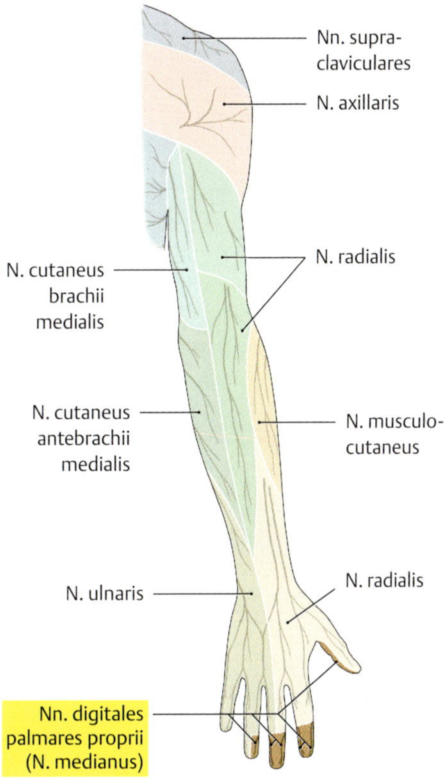

▸ **Abb. 7.46** Sensibles Innervationsgebiet des N. medianus (Ansicht von dorsal). (aus Schünke M, Schulte E, Schumacher U. Prometheus, LernAtlas der Anatomie. Allgemeine Anatomie und Bewegungssystem. Illustrationen von M. Voll und K. Wesker. 5., vollständig überarbeitete Auflage. Stuttgart: Thieme; 2018)

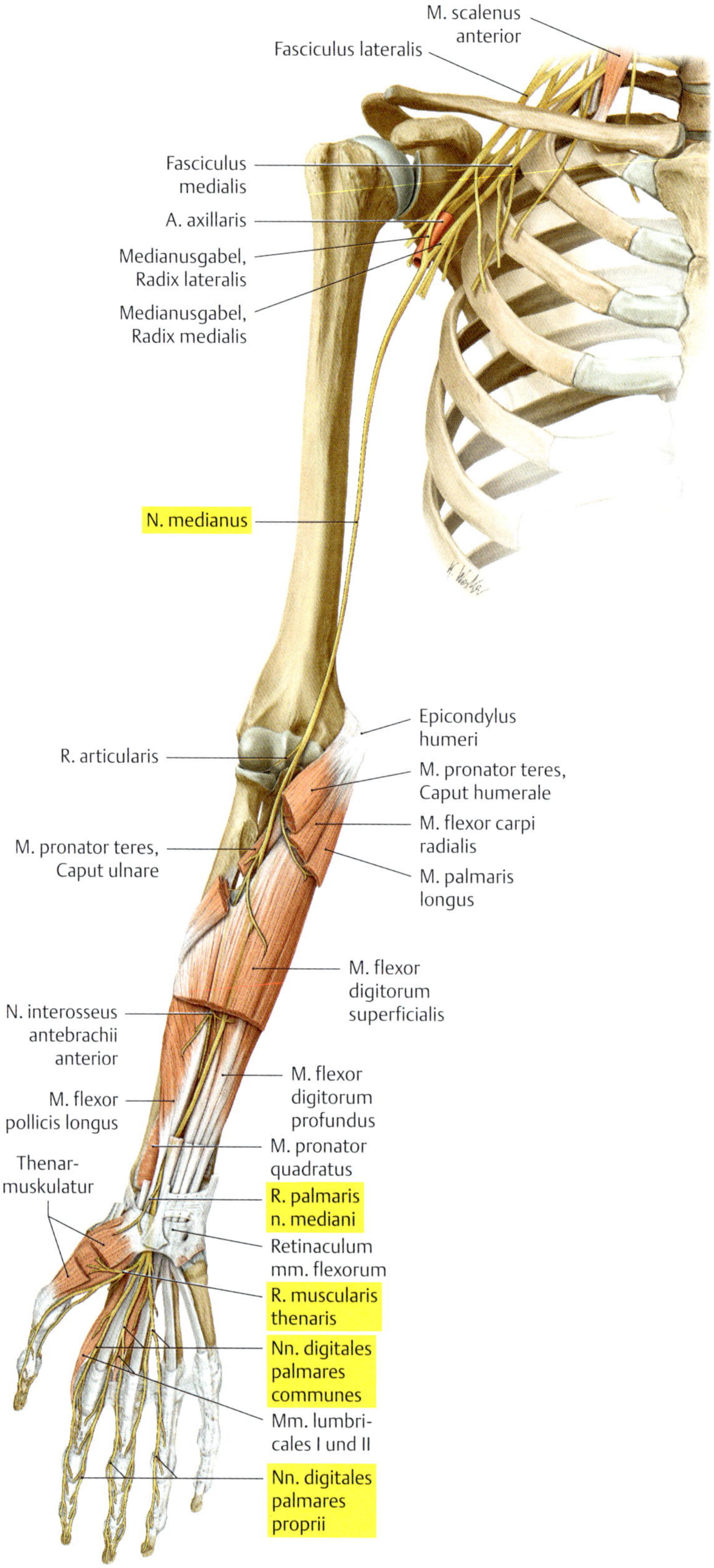

▸ **Abb. 7.47** Verlauf des N. medianus (Ansicht von ventral). (aus Schünke M, Schulte E, Schumacher U. Prometheus, LernAtlas der Anatomie. Allgemeine Anatomie und Bewegungssystem. Illustrationen von M. Voll und K. Wesker. 5., vollständig überarbeitete Auflage. Stuttgart: Thieme; 2018)

7.6.5 N. ulnaris

Anatomie

► Abb. 7.48, ► Abb. 7.49, ► Abb. 7.50

- enthält Fasern aus den Rückenmarkssegmenten C 8–Th 1 (aus Plexus brachialis)
- gemischter Nerv mit sensiblen und motorischen Ästen:
  - versorgt motorisch die Unterarm-, Daumen-, Kleinfingerballenmuskulatur und kurze Muskeln der Mittelhand (Rr. musculares): M. flexor carpi ulnaris, M. flexor digitorum profundus (ulnarer Teil), M. palmaris brevis, M. abductor digiti minimi, M. flexor digiti minimi, M. opponens digiti minimi, Mm. lumbricales III und IV, Mm. interossei palmares und dorsales, M. adductor pollicis, M. flexor pollicis brevis (Caput profundum)
  - versorgt sensibel die Gelenkkapsel des Ellenbogengelenks sowie der Hand- und Fingergrundgelenke (Rr. articulares), die Haut über dem Kleinfingerballen und dorsal die gleiche Region am Handrücken (R. palmaris und R. dorsalis), Kleinfinger und Ulnarseite des Ringfingers (Nn. digitales palmares communes und proprii, Nn. digitales dorsales)
- Engpässe:
  - Sulcus n. ulnaris am Epicondylus medialis
  - proximaler Unterarm beim M. flexor carpi ulnaris
  - Loge de Guyon
  - Arcus palmaris profundus
- Ausfallerscheinungen bei:
  - proximaler Läsion im Bereich des Sulcus n. ulnaris am medialen Epicondylus: Krallenhand mit Sensibilitätsstörungen
  - mittlerer Läsion im Bereich der Guyon-Loge: Krallenhand, eingeschränkte Sensibilitätsstörung (Hypothenarregion ist nicht betroffen)
  - distaler Läsion im Bereich der Hohlhand: Krallenhand, ohne Sensibilitätsstörungen

Osteopathische Korrespondenzen

Die Nervenfasern des Sympathikus aus den Segmenten Th 1–Th 4 versorgen Lunge, Bronchien und Herz. Dysfunktionen in den Segmenten können über eine spinale Fazilitation Störungen im Versorgungsgebiet des N. ulnaris provozieren. Typisch sind dann Schmerzen im Handgelenk oder Kleinfingerballen. Davon ist das Kompressionssyndrom in der Loge de Guyon zu differenzieren. Dabei handelt es sich um einen Engpass im Bereich des Os pisiforme, das durch eine lang andauernde Überstreckung des Handgelenks (z. B. beim Radfahren) ausgelöst wird.

Behandlungshinweise

Eine lokale Behandlung bei Kompressionsstörungen durch osteopathische Dysfunktionen ist im Sulcus n. ulnaris, am Unterarm proximal vom Retinaculum flexorum, am Kleinfingerballen und an der ulnaren Seite der Handinnenfläche möglich.

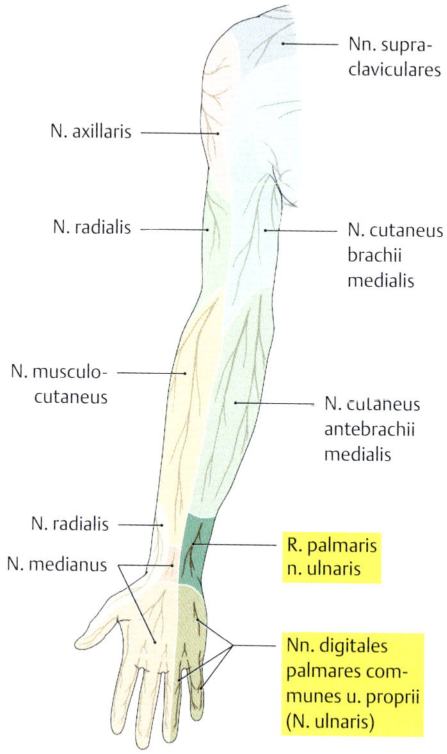

► **Abb. 7.48** Sensibles Innervationsgebiet des N. ulnaris (Ansicht von ventral). (aus Schünke M, Schulte E, Schumacher U. Prometheus, LernAtlas der Anatomie. Allgemeine Anatomie und Bewegungssystem. Illustrationen von M. Voll und K. Wesker. 5., vollständig überarbeitete Auflage. Stuttgart: Thieme; 2018)

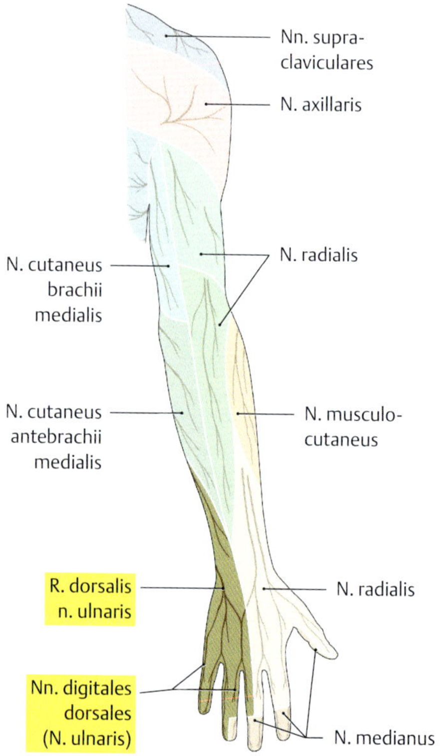

► **Abb. 7.49** Sensibles Innervationsgebiet des N. ulnaris (Ansicht von dorsal). (aus Schünke M, Schulte E, Schumacher U. Prometheus, LernAtlas der Anatomie. Allgemeine Anatomie und Bewegungssystem. Illustrationen von M. Voll und K. Wesker. 5., vollständig überarbeitete Auflage. Stuttgart: Thieme; 2018)

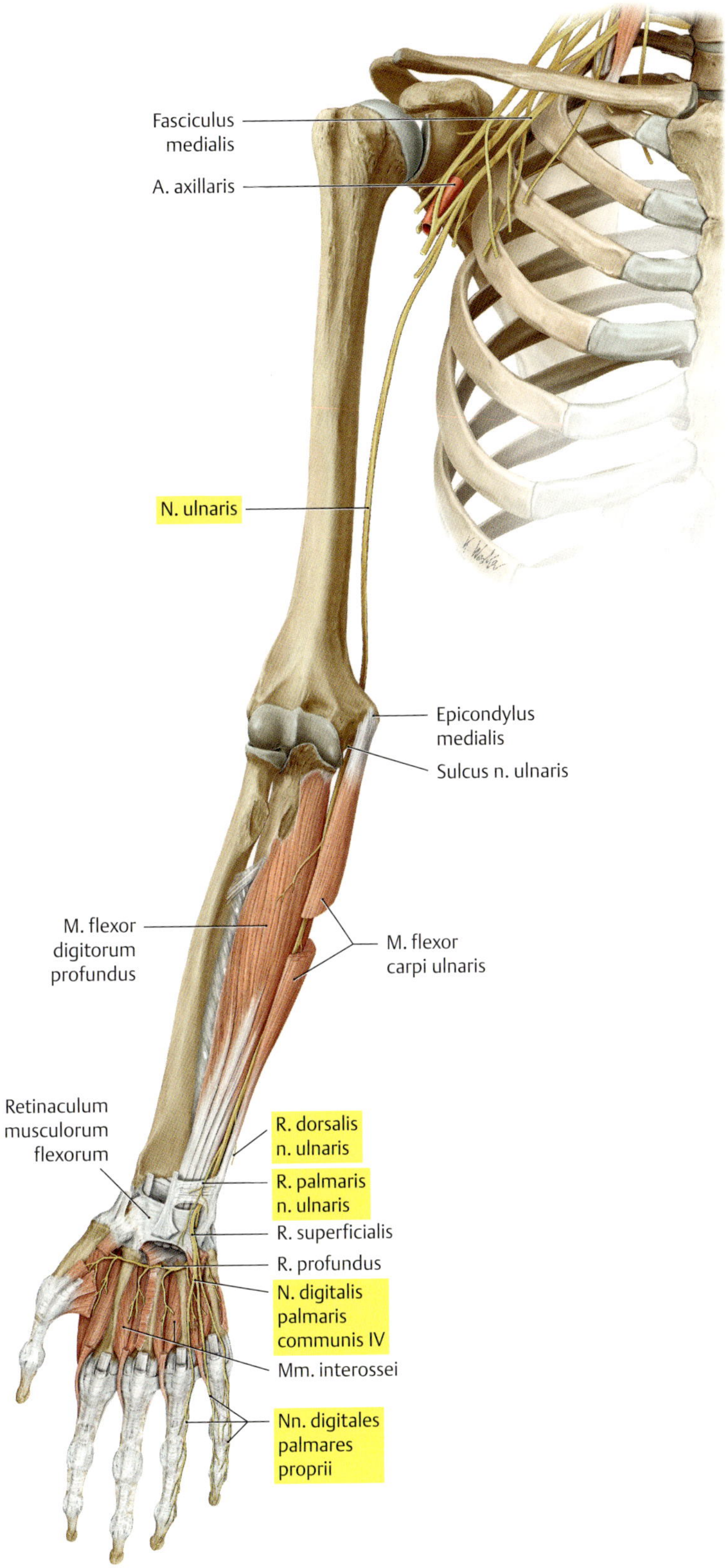

▸ **Abb. 7.50** Verlauf des N. ulnaris (Ansicht von ventral). (aus Schünke M, Schulte E, Schumacher U. Prometheus, LernAtlas der Anatomie. Allgemeine Anatomie und Bewegungssystem. Illustrationen von M. Voll und K. Wesker. 5., vollständig überarbeitete Auflage. Stuttgart: Thieme; 2018)

7.6.6 Arterien

Anatomie

▸ Abb. 7.51, ▸ Abb. 7.52

- **A. subclavia:**
  - Verlauf:
    - entspringt rechts dem Truncus brachiocephalicus, links aus dem Aortenbogen
    - zieht zwischen Mm. scaleni anterior und medius über die 1. Rippe
  - Äste: A. vertebralis, A. thoracica interna, Truncus thyrocervicalis (→ A. thyroidea inferior, A. suprascapularis, A. transversa cervicis), Truncus costocervicalis (→ A. cervicalis profunda, A. inercostalis suprema)
- **A. axillaris:**
  - Verlauf:
    - Fortsetzung der A. subclavia
    - verläuft vom lateralen Rand der 1. Rippe bis zum unteren Rand des M. pectoralis major bzw. zur Sehne des M. latissimus dorsi
  - Äste: A. thoracica superior, A. thoracoacromialis (→ R. acromialis, R. clavicularis, R. deltoideus, R. pectoralis), A. thoracica lateralis, A. subscapularis (→ A. thoracodorsalis, A. circumflexa scapulae), A. circumflexa humeri anterior, A. circumflexa humeri posterior
- **A. brachialis:**
  - Verlauf:
    - Fortsetzung der A. axillaris
    - verläuft bis zum Ellenbogengelenk
    - teilt sich dort in A. radialis und A. ulnaris auf
  - Äste: A. profunda brachii (→ A. collateralis media, A. collateralis radialis), A. collateralis ulnaris superior, A. collateralis ulnaris inferior
- **A. radialis:**
  - Verlauf:
    - verläuft auf radialer Seite des Unterarms zwischen M. brachioradialis und M. flexor carpi radialis
    - endet im Arcus palmaris profundus
  - Äste: A: recurrens radialis, R. carpalis palmaris, R. palmaris superficialis, R. carpalis dorsalis (→ Aa. metacarpales dorsales, Aa. digitales dorsales), A. princeps pollicis, A. radialis indicis, Arcus palmaris profundus (→ Aa. metacarpales palmares, Rr. perforantes)
- **A. ulnaris:**
  - Verlauf:
    - verläuft auf ulnarer Seite des Unterarms unter dem M. pronator teres hindurch
    - wird vom M. flexor carpi ulnaris bedeckt
    - endet im Arcus palmaris superficialis
  - Äste: A. recurrens ulnaris, A. interossea communis (→ A. interossea posterior, A. interossea recurrens, A. interossea anterior), R. carpalis palmaris, R. carpalis dorsalis, R. palmaris profundus, Arcus palmaris superficialis (→ Aa. digitales palmares communes, Aa. digitales palmares propriae)

Osteopathische Korrespondenzen

Die gesamt arterielle Versorgung des Arms stammt aus der A. subclavia, die sich dann in weitere Äste aufzweigt. Der arterielle Puls kann in der oberen Extremität an der A. axillaris, A. brachialis, A. ulnaris und A. radialis palpiert werden. Für die Diagnostik von faszialen Dysfunktionen aus dem Bauchraum, die zirkulatorische Störungen in der oberen Extremität auslösen können, wird z. B. der Radialispuls als Referenz genommen.

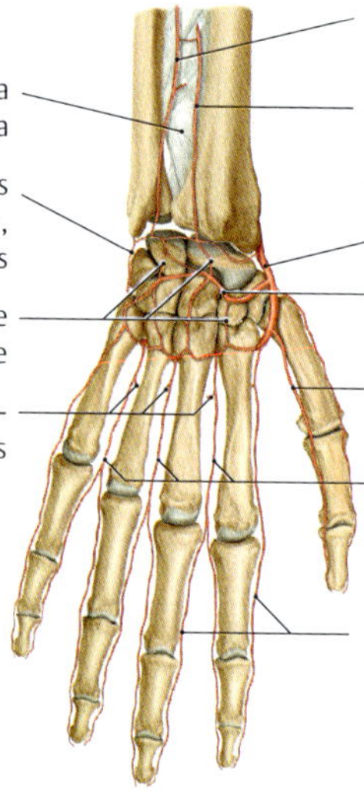

▸ **Abb. 7.51** Arterien der rechten oberen Extremität (Ansicht von ventral). (aus Schünke M, Schulte E, Schumacher U. Prometheus, LernAtlas der Anatomie. Allgemeine Anatomie und Bewegungssystem. Illustrationen von M. Voll und K. Wesker. 5., vollständig überarbeitete Auflage. Stuttgart: Thieme; 2018)

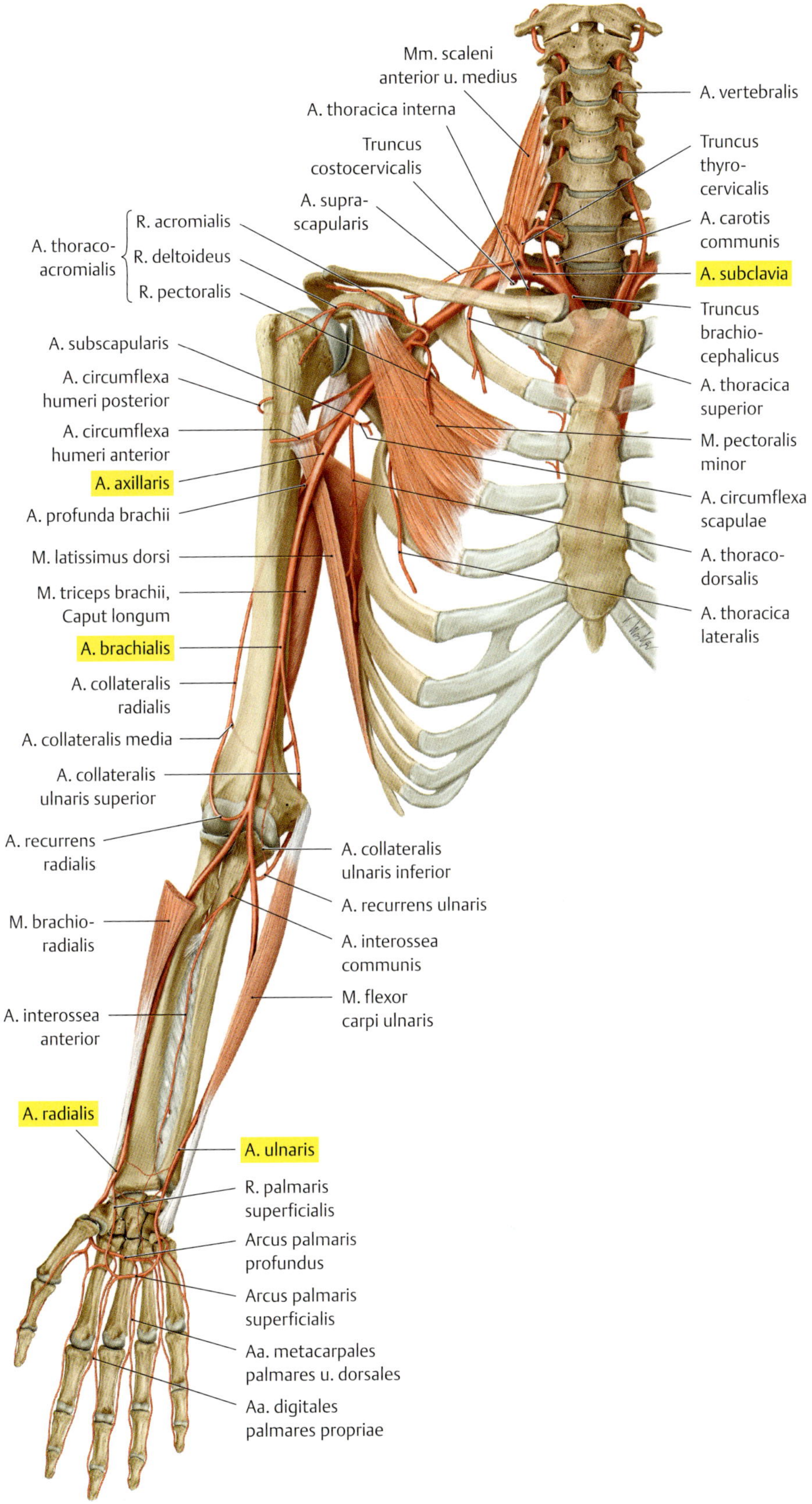

▸ **Abb. 7.52** Arterien der rechten Hand (Ansicht von dorsal). (aus Schünke M, Schulte E, Schumacher U. Prometheus, LernAtlas der Anatomie. Allgemeine Anatomie und Bewegungssystem. Illustrationen von M. Voll und K. Wesker. 5., vollständig überarbeitete Auflage. Stuttgart: Thieme; 2018)

7.6.7 Venen

Anatomie: oberflächliche Venen

▸ Abb. 7.54, ▸ Abb. 7.55

- Vv. digitales dorsales
- Vv. intercapitulares
- Arcus venosus palmaris superficialis
- Rete venosum dorsale manus
- **V. mediana antebrachii:**
  - übernimmt Blut der Unterarmbeugeseite
  - variabler Verlauf, mündet am häufigsten in der Ellenbeuge über V. mediana cephalica und V. mediana basilica in entsprechende Längsvenen
- V. mediana basilica
- V. mediana cephalica
- V. mediana cubiti
- **V. basilica:**
  - übernimmt Blut der Hautvenen des Handrückens
  - zieht epifaszial auf der medialen Oberarmseite von der Ellenbeuge im Sulcus bicipitalis medialis zum Hiatus basilicus
  - verläuft dann subfaszial und fließt in V. brachialis
- V. cephalica accessoria
- **V. cephalica:**
  - übernimmt größten Teil des Bluts der Hautvenen des Handrückens
  - verläuft auf der radialen Seite am Unterarm über die Ellenbogenbeuge
  - verläuft am Oberarm an der lateralen Seite des M. biceps brachii, dann im Sulcus deltoideopectoralis (zwischen M. deltoideus und M. pectoralis major)
  - mündet im Trigonum clavipectorale in V. axillaris
- über Vv. perforantes bestehen Verbindungen zu den tiefen Venen

Anatomie: tiefe Venen

▸ Abb. 7.53

- Vv. digitales palmares
- Vv. metacarpales palmares
- Arcus venosus palmaris profundus
- Vv. interosseae posteriores und anteriores
- **Vv. ulnares:** entspringen der Hohlhand und gehen in der Ellenbogenbeuge in die V. brachialis über
- **Vv. radiales:** entspringen der Hohlhand und gehen in der Ellenbogenbeuge in die V. brachialis über
- **V. brachialis:**
  - beginnt in der medialen Ellenbeuge durch Vereinigung von Vv. ulnares und radiales und anderen kleinen Venen
  - endet in der Achsel
- **V. axillaris:**
  - Fortsetzung der V. brachialis
  - geht auf Höhe des M. teres major in die V. subclavia über
- **V. subclavia:**
  - Fortsetzung der V. axillaris ab dem distalen Ende der 1. Rippe
  - verläuft hinter der Klavikula
  - vereinigt sich im Venenwinkel mit der V. jugularis interna zur V. brachiocephalica

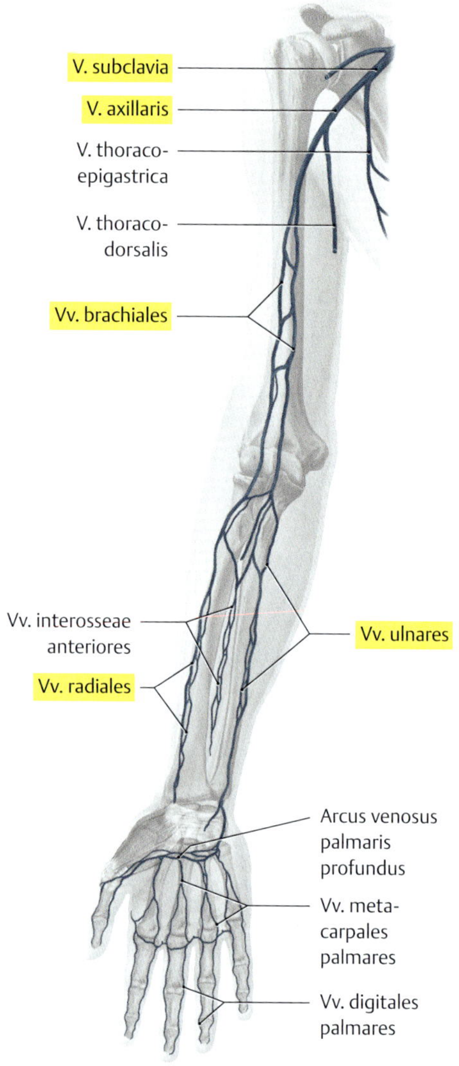

▸ **Abb. 7.53** Tiefe Venen der rechten oberen Extremität (Ansicht von ventral). (aus Schünke M, Schulte E, Schumacher U. Prometheus, LernAtlas der Anatomie. Allgemeine Anatomie und Bewegungssystem. Illustrationen von M. Voll und K. Wesker. 5., vollständig überarbeitete Auflage. Stuttgart: Thieme; 2018)

Osteopathische Korrespondenzen

Kap. 1.3.1, Kap. 5.2.3, Kap. 5.3.2

Abflussstörungen der Armvenen können durch Kompression der venösen Gefäße am Übergang vom Oberarm zum Rumpf entstehen (Thoracic-outlet-Syndrom). Neben den Dysfunktionen von Klavikula und 1. Rippe kann auch eine Verengung der vorderen Skalenuslücke mögliche Ursache sein. Eine Halsrippe kann als ossäre Ursache ebenfalls eine venöse Abflussstörung im Arm provozieren. Myofaszial kann der M. pectoralis minor bei Hypertension komprimierend auf die venösen Gefäße einwirken. Begünstigend für venöse Abflussstörungen im Arm sind auch lang andauernde handwerkliche Arbeiten über Kopf (z. B. Montage von Deckenverkleidungen, Malerarbeiten über Kopf), weil bei der Flexionsbewegung oft in Kombination mit einer Abduktionsbewegung und Außenrotation der Durchtrittsbereich der Gefäße verengt wird.

Behandlungshinweise

Um ein Thoracic-outlet-Syndrom diagnostizieren zu können, bieten sich eine Kombination von Halsrippen-, Skalenuslücken-, Sotto-Hall-Kontroll- und Hyperabduktionstest nach Wright und Adson an.

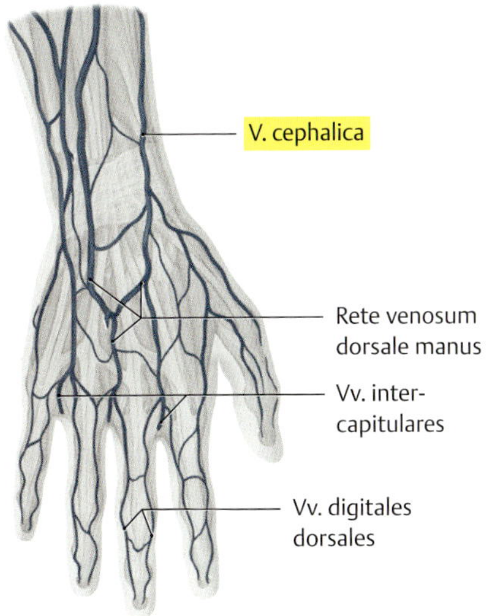

▸ **Abb. 7.54** Oberflächliche Venen der rechten Hand (Ansicht von dorsal). (aus Schünke M, Schulte E, Schumacher U. Prometheus, LernAtlas der Anatomie. Allgemeine Anatomie und Bewegungssystem. Illustrationen von M. Voll und K. Wesker. 5., vollständig überarbeitete Auflage. Stuttgart: Thieme; 2018)

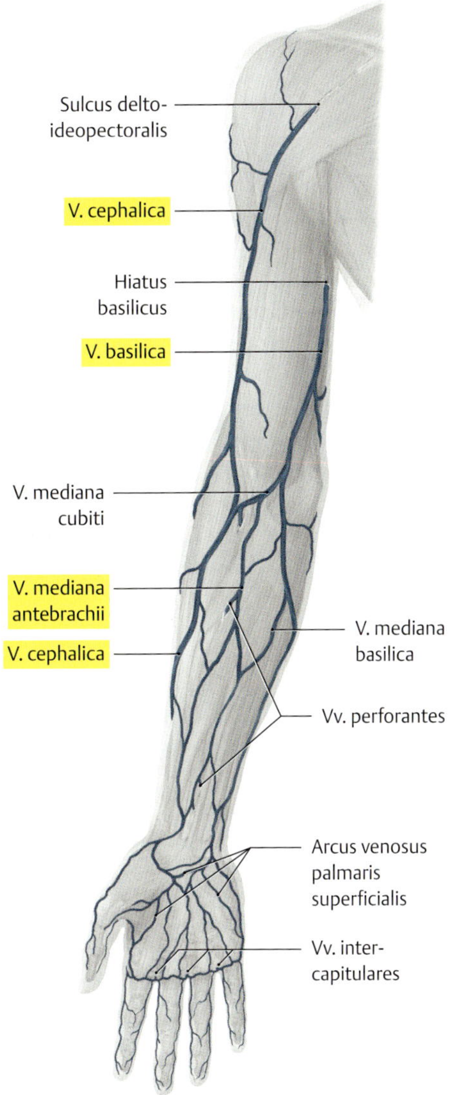

▸ **Abb. 7.55** Oberflächliche Venen der rechten oberen Extremität (Ansicht von ventral). (aus Schünke M, Schulte E, Schumacher U. Prometheus, LernAtlas der Anatomie. Allgemeine Anatomie und Bewegungssystem. Illustrationen von M. Voll und K. Wesker. 5., vollständig überarbeitete Auflage. Stuttgart: Thieme; 2018)

7.6.8 Lymphbahnen und -knoten

Anatomie

▶ Abb. 7.56, ▶ Abb. 7.57

- das System kann in ein oberflächliches und ein tiefes Lymphsystem unterteilt werden:
  - oberflächliches System: liegt im epifaszialen Bereich; oberflächliche Gefäße liegen in der Nähe der oberflächlichen Venen
  - tiefes System: tiefe Lymphgefäße verlaufen in der Nähe der Arterien und tiefen Venen
- zwischen beiden Systemen bestehen zahlreiche Anastomosen
- zentrale Sammelstelle der Lymphe des Arms sind die 60–80 Lymphknoten in der Achselhöhle (Nll. axillares), die in einzelne Gruppen unterteilt werden
- Plexus lymphaticus axillaris: Lymphgefäße der Achselhöhle, welche die Lymphknoten untereinander verbinden

Osteopathische Korrespondenzen

Ein gestörter venolymphatischer Abfluss kann Verquellungen im Karpalkanal provozieren. Auch hier ist u. a. auf Enpassstellen zu achten, die weiter proximal liegen können, z. B. die vordere Skalenuslücke, eine Dysfunktion der 1. Rippe, eine klavipektorale Enge, myofasziale Adhäsionen oder auch Narben in der Fascia axillaris und Fascia pectoralis.

Behandlungshinweise

Von Bedeutung für den Lymphfluss in der Hand ist die Mobilität der Faszien in der gesamten oberen Extremität. Fasziale Behandlungstechniken, bei denen gleichzeitig eine Gelenk- und Band-Kapselmobilisation erfolgt, sind hilfreich für die lymphatische Zirkulation.

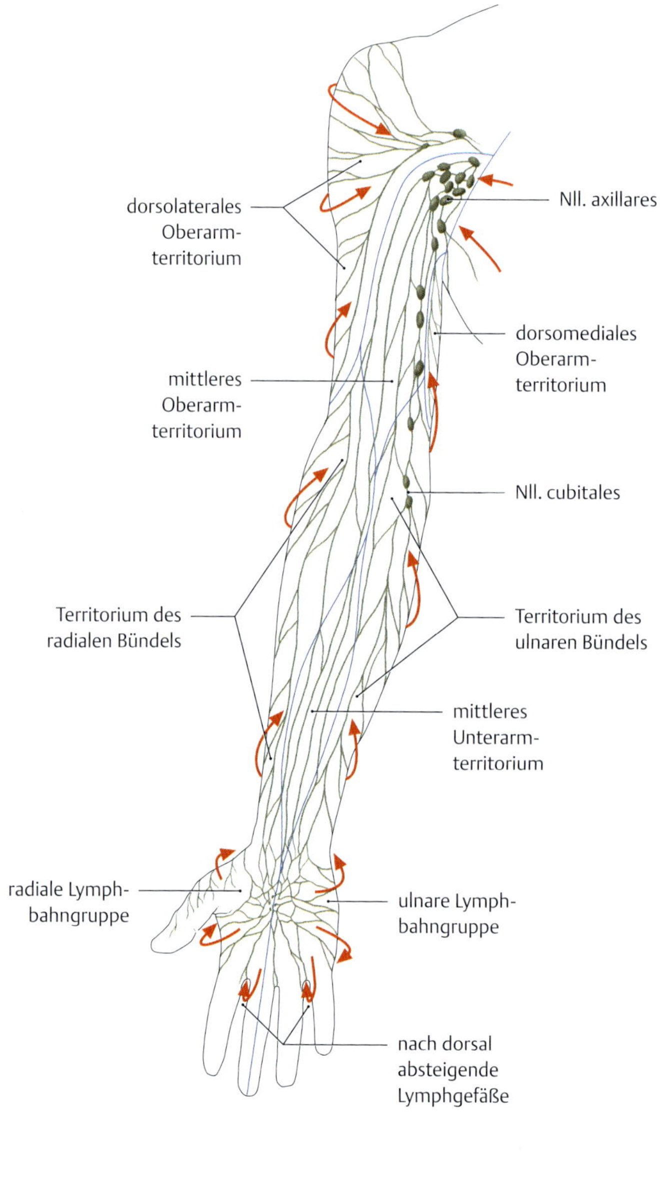

▶ **Abb. 7.56** Lymphgefäße der oberen Extremität (Ansicht von ventral). (aus Schünke M, Schulte E, Schumacher U. Prometheus, Lern-Atlas der Anatomie. Allgemeine Anatomie und Bewegungssystem. Illustrationen von M. Voll und K. Wesker. 5., vollständig überarbeitete Auflage. Stuttgart: Thieme; 2018)

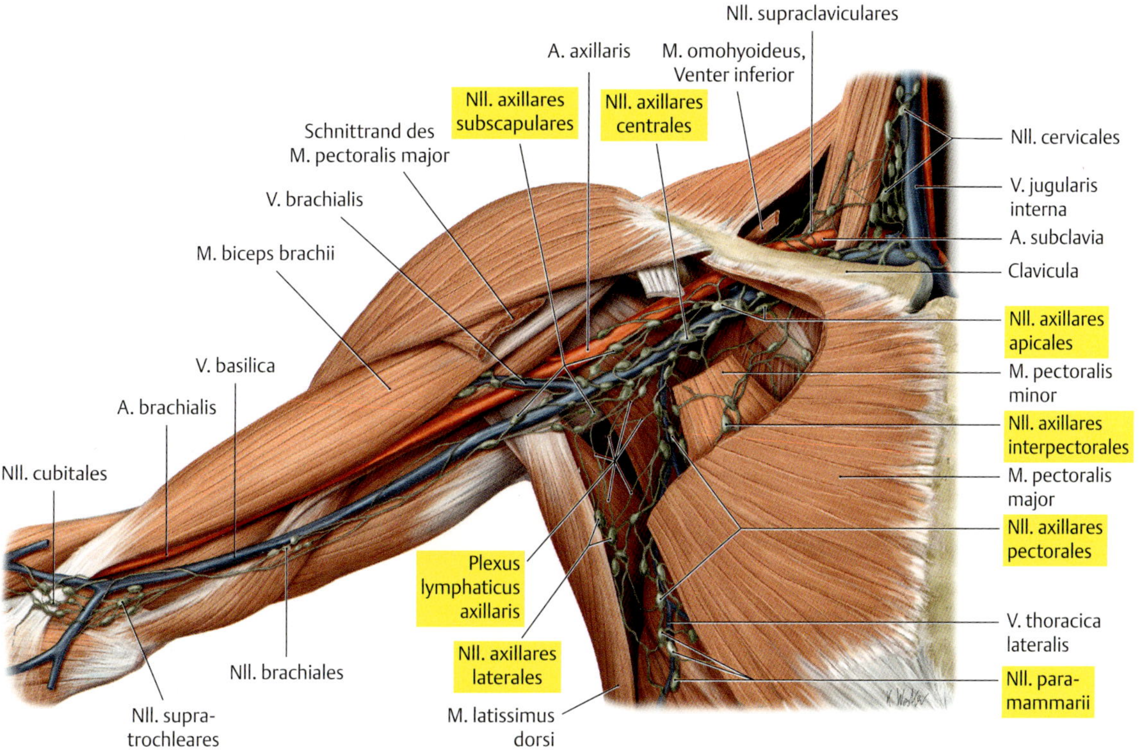

▸ **Abb. 7.57** Regionäre Lymphknoten der rechten Achselhöhle (Ansicht von ventral). Sie drainieren vordere Brustwand, Schultergürtel und Arm. (aus Schünke M, Schulte E, Schumacher U. Prometheus, LernAtlas der Anatomie. Allgemeine Anatomie und Bewegungssystem. Illustrationen von M. Voll und K. Wesker. 5., vollständig überarbeitete Auflage. Stuttgart: Thieme; 2018)

7.7
Schnittbilder

▸ Abb. 7.58, ▸ Abb. 7.59

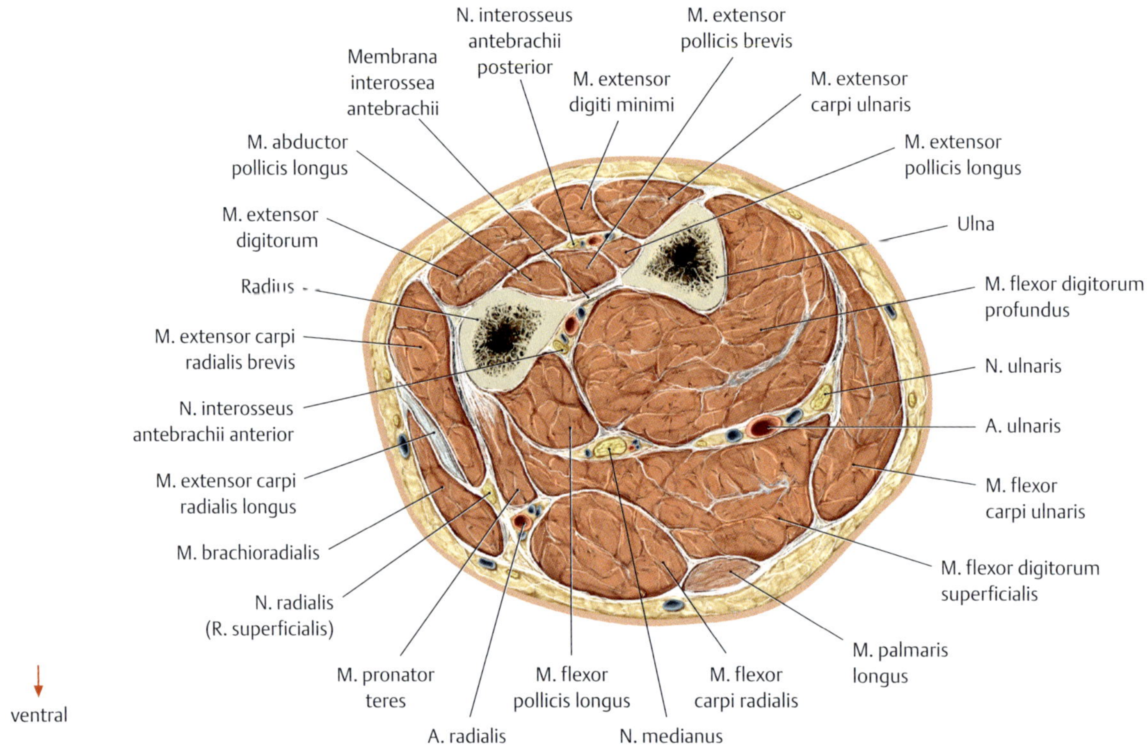

▸ **Abb. 7.58** Querschnitt durch einen rechten Unterarm (Ansicht von proximal). Gut zu erkennen ist der Verlauf der Gefäßstraßen. Radiale Nerven-Gefäß-Bahn: Leitstruktur bis zur Hand ist der M. brachioradialis, unter dem N. radialis (R. superficialis), A. und V. radialis verlaufen. Ulnare Nerven-Gefäß-Bahn: Leitstruktur bis zur Hand ist der M. flexor carpi ulnaris, unter dem N. ulnaris, A. und V. ulnaris verlaufen. Mittlere Nerven-Gefäß-Bahn: Leitstruktur ist der M. flexor carpi radialis. Zur Ulnaseite verläuft dort der N. medianus. Dorsale Zwischenknochenbahn: Leitstruktur ist der M. extensor digitorum. Dort verlaufen N. interosseus antebrachii anterior, A. und V. interossea posterior. (aus Schünke M, Schulte E, Schumacher U. Prometheus, LernAtlas der Anatomie. Allgemeine Anatomie und Bewegungssystem. Illustrationen von M. Voll und K. Wesker. 5., vollständig überarbeitete Auflage. Stuttgart: Thieme; 2018)

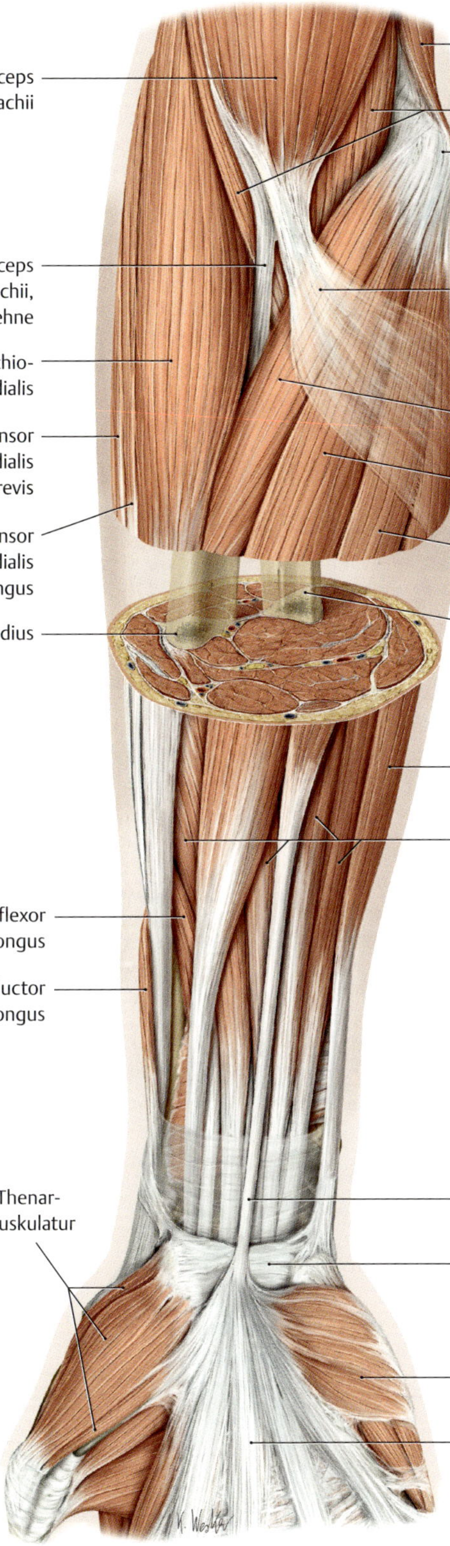

▸ **Abb. 7.59** Rechter Unterarm (Ansicht von ventral). Man sieht die Komplexität der Unterarmstrukturen, die mit der Hand korrespondieren. Die einzelnen Kompartimente der Muskelgruppen sind durch die faszialen Strukturen gut zu erkennen. Deutlich sichtbar ist der Verlauf der Sehne des M. palmaris longus über das Retinaculum musculorum flexorum (Lig. carpi transversum). (aus Schünke M, Schulte E, Schumacher U. Prometheus, LernAtlas der Anatomie. Allgemeine Anatomie und Bewegungssystem. Illustrationen von M. Voll und K. Wesker. 5., vollständig überarbeitete Auflage. Stuttgart: Thieme; 2018)

8 Beckengürtel und Hüftgelenk

8.1 Überblick

8.1.1 Beckengürtel und Hüftgelenk

Die untere Extremität ist über das Becken mit dem Rumpf verbunden. Denn über das Hüftgelenk ist die untere Extremität mit dem Darmbein (Os coxae) des Beckens gelenkig vereinigt, das wiederum über das ISG mit dem Kreuzbein korrespondiert. Das Kreuzbein wiederum ist gelenkig mit der LWS verbunden. Diese funktionelle Verbindung ist der Grund dafür, dass die Region Beckengürtel und Hüftgelenk (▶ Abb. 8.1) hier zusammengefasst und in seiner Gesamtheit betrachtet wird.

Veränderungen der Kinematik durch Dysfunktionen können die Koordination des gesamten Körpers verändern. Damit kann eine Tonusänderung der Muskulatur und des Bindegewebes, also auch der Faszien, einhergehen. Durch die Netzstruktur der Faszien, die sich dreidimensional im Raum ausbreitet, kann sich z. B. ein erhöhter myofaszialer Tonus in einem Bein auf das Becken und den angrenzenden Rücken übertragen und zu Dysfunktionen führen, die bis in die obere Extremität und ins Kranium führen können. Umgekehrt können z. B. auch Dysfunktionen aus dem kraniomandibulären Bereich oder der Wirbelsäule zu veränderten Bewegungsmustern in der unteren Extremität führen mit der Folge von Veränderungen von Muskulatur, Faszien, Gelenken und Bewegungskoordination. Dieses Wechselspiel zwischen Hypo- und Hypertonus und die veränderte Koordination in einer dysfunktionalen Region mit Wirkung auf den gesamten Organismus können im gesamten Körper beobachtet werden. Der funktionale Wirkungsgrad der unteren Extremität ist hier besonders in der Dynamik, wie dem Gehen, und in der vermehrt statischen Bewegungssituation im Stand zu beachten.

Anders als bei der oberen Extremität, die durch eine erhöhte Beweglichkeit und die Feinkoordination des Greifens geprägt ist, überwiegt im Bein die statisch-dynamische Kraftübertragung, die insbesondere Bewegungsformen wie Stehen, Gehen, Laufen, Springen, Hüpfen oder Federn möglich macht. Dabei treten zum einen von kranial nach kaudal wirkende Kräfte auf (bedingt durch die auf den Rumpf einwirkende Schwerkraft) und zum anderen daraus entstehende reaktive Kräfte, die von kaudal nach kranial wirken.

Die starke Stützbelastung, die über das Bein als Last auf den Rumpf übertragen wird, erklärt die teils kräftigen strukturellen Ausprägungen der anatomischen Bestandteile. Bei Störungen aus dem viszeralen System kann sowohl über die Gewebe, die zur Aufhängung der unteren Extremität nötig sind, als auch über die neurologische Verbindung mit dem sympathischen Nervensystem (Th 5–L 2) eine Störung erfolgen.

Aus zirkulatorischer Sicht hat der intraabdominale Druck eine Wirkung auf die Drainage der unteren Extremität: Wenn er erhöht ist, kann er sich störend auf die arterielle, venöse und lymphatische Versorgung der unteren Extremität auswirken.

8.1.2 Regionen

Für den Bereich von Beckengürtel und Hüftgelenk werden topografisch betrachtet (▶ Abb. 8.2, ▶ Abb. 8.3):

- Trigonum femorale
- Regio femoralis anterior
- Regio glutealis
- Regio femoralis posterior

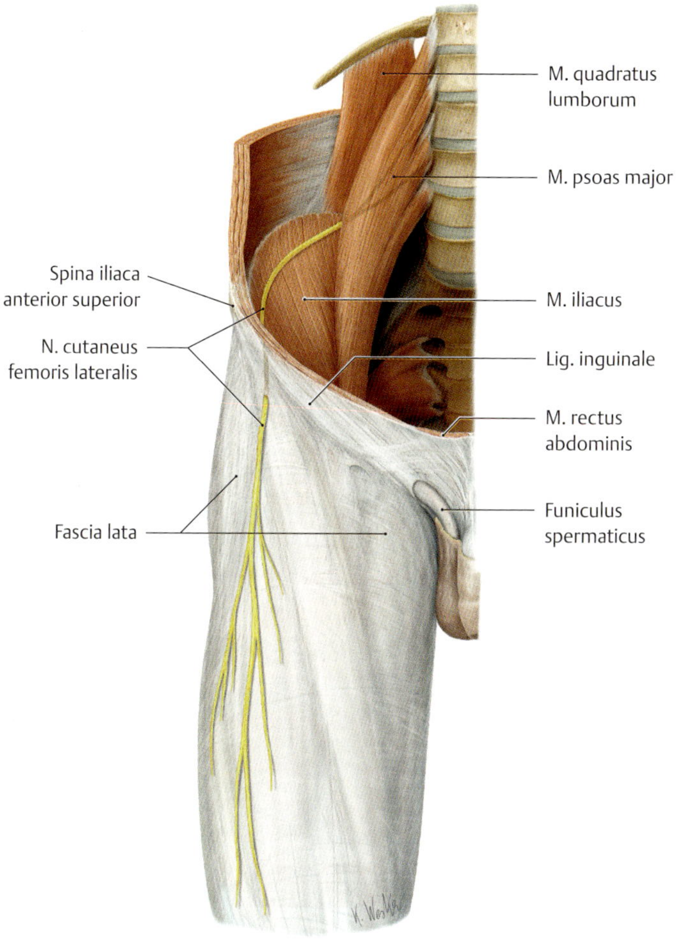

▶ **Abb. 8.1** Regionen von Beckengürtel und Hüftgelenk im Überblick (Ansicht von ventral). (aus Schünke M, Schulte E, Schumacher U. Prometheus, LernAtlas der Anatomie. Allgemeine Anatomie und Bewegungssystem. Illustrationen von M. Voll und K. Wesker. 5., vollständig überarbeitete Auflage. Stuttgart: Thieme; 2018)

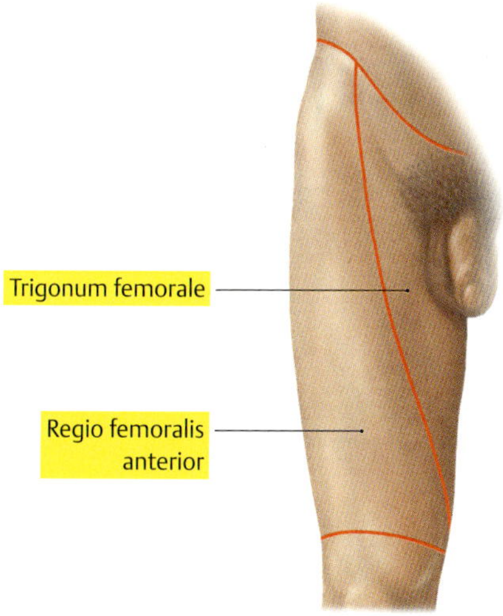

▶ **Abb. 8.2** Regionen von Beckengürtel und Hüftgelenk (Ansicht von ventral). (aus Schünke M, Schulte E, Schumacher U. Prometheus, LernAtlas der Anatomie. Allgemeine Anatomie und Bewegungssystem. Illustrationen von M. Voll und K. Wesker. 5., vollständig überarbeitete Auflage. Stuttgart: Thieme; 2018)

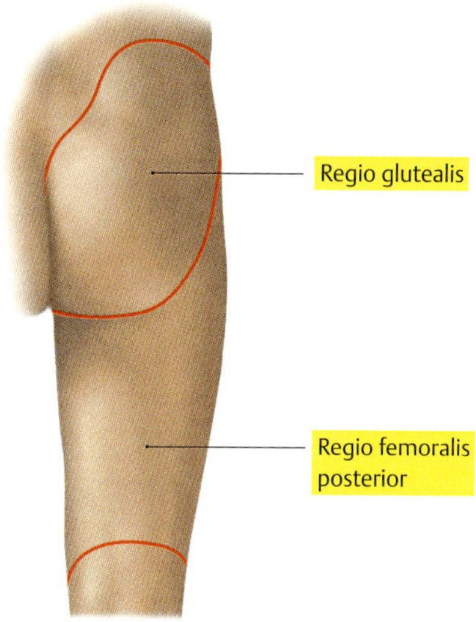

▶ **Abb. 8.3** Region von Beckengürtel und Hüftgelenk im Überblick (Ansicht von dorsal). (aus Schünke M, Schulte E, Schumacher U. Prometheus, LernAtlas der Anatomie. Allgemeine Anatomie und Bewegungssystem. Illustrationen von M. Voll und K. Wesker. 5., vollständig überarbeitete Auflage. Stuttgart: Thieme; 2018)

8.2 Faszienhülle, oberflächliche ventrale Schichten

8.2.1 Fascia lata

Anatomie

▶ Abb. 8.4
- kommt anterior vom oberen Schambeinast (Ramus superior ossis pubis) und Lig. inguinale, lateral von der Crista iliaca, posterior vom Os sacrum, Os coccygis, medial vom unteren Schambeinast (Ramus inferior ossis pubis), Sitzbein (Os ischii) und Ansatz des Lig. sacrotuberale → verbindet also Crista iliaca, Leistenband, Scham- und Sitzbein
- geht kranial über in die oberflächliche Bauchfaszie
- verdichtet sich lateral zum Tractus iliotibialis (Aponeurose), der von der Crista iliaca bis zum Tuberculum tractus iliotibialis (kraniales Ende der Tibia) zieht und fasziale Ausläufer in die Fascia cruris (anteriolaterale Anteile) hat (Kap. 9.2.2)

Osteopathische Korrespondenzen

Wie im gesamten Körper bilden die Faszienstrukturen ein Kontinuum. Das Fasziennetz und das Muskelsystem verbinden damit sogar die untere und oberen Extremität und sind in die Kraftübertragung innerhalb des menschlichen Körpers integriert. Somit kann die Fascia lata als Brücke zwischen Abdomen, Becken und unterer Extremität gesehen werden. Der Einfluss der statischen und dynamischen Kraftübertragung prägt die Strukturen im Einzelnen sehr unterschiedlich aus.

Die oberflächlich anterior verlaufende Schicht der Fascia lata ist für das Hüftgelenk wichtig, weil sie durch ihren Verlauf in Richtung Knie in die Kraft- und Zugverteilung umfangreich eingebunden ist.

8.2.2 Trigonum femorale

Anatomie

▶ Abb. 8.5
- kranial vom Lig. inguinale, medial vom M. adductor longus und lateral vom M. sartorius begrenzt
- nach dorsal begrenzen M. iliopsoas und M. pectineus
- Inhalt: A. femoralis, V. femoralis, N. femoralis

Osteopathische Korrespondenzen

Im Bereich des Trigonum femorale deckt eine dünne Faszienstruktur die Fläche ab. Diese Faszie ist siebförmig durchlöchert (deshalb auch Fascia cribrosa genannt). Sie ist eigentlich eine Umschlagfalte, die sich bei Bewegungen im Hüftgelenk entfalten kann und damit Spannungen oder gar ein Einklemmen der durchtretenden Strukturen verhindert.

Die funktionelle Bedeutung für die Zirkulation wird durch folgende strukturelle Anordnungen deutlich: Im Hiatus saphenus (▶ Abb. 8.4) ziehen sternenförmig V. epigastrica superficialis, Vv. pudendae externae, V. circumflexa ilium superficialis mit den Lymphgefäßen von der Oberfläche in die Tiefe (diese Anordnung wird auch Venenstern genannt). Ein Ast des N. genitofemoralis (R. femoralis) tritt lateral von der A. femoralis durch die Faszie.

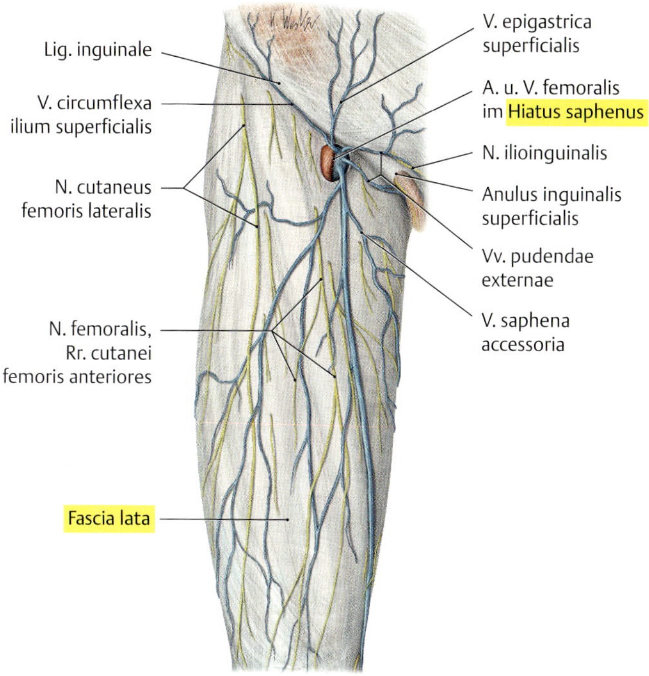

▸ **Abb. 8.4** Fascia lata sowie epifaszial gelegene Hautvenen und -nerven eines rechten Beins (Ansicht von ventral). (aus Schünke M, Schulte E, Schumacher U. Prometheus, LernAtlas der Anatomie. Allgemeine Anatomie und Bewegungssystem. Illustrationen von M. Voll und K. Wesker. 5., vollständig überarbeitete Auflage. Stuttgart: Thieme; 2018)

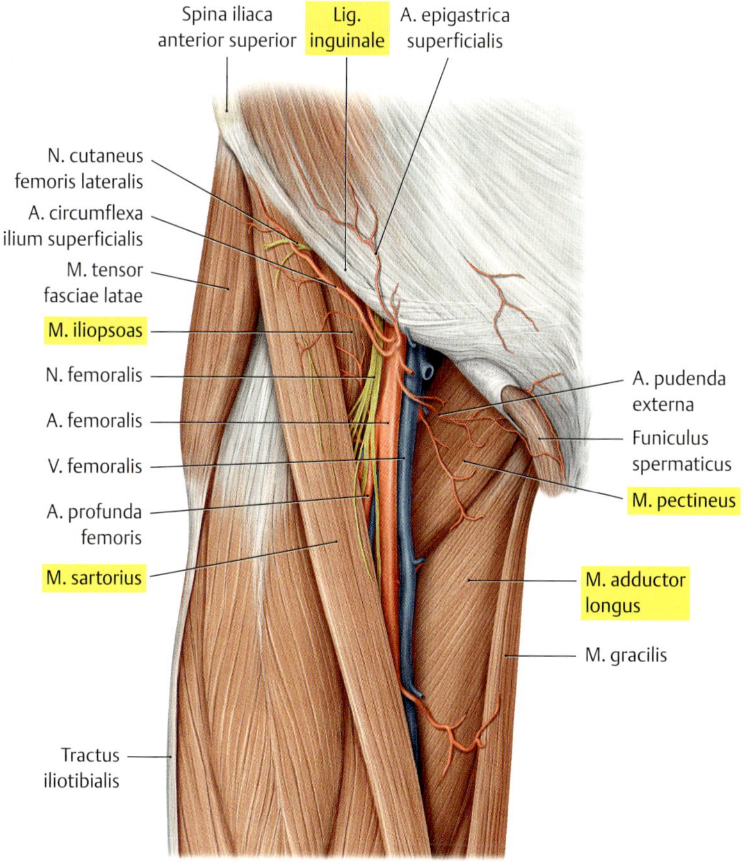

▸ **Abb. 8.5** Trigonum femorale eines rechten Oberschenkels (Ansicht von ventral). (aus Schünke M, Schulte E, Schumacher U. Prometheus, LernAtlas der Anatomie. Allgemeine Anatomie und Bewegungssystem. Illustrationen von M. Voll und K. Wesker. 5., vollständig überarbeitete Auflage. Stuttgart: Thieme; 2018)

8.2.3 Lig. inguinale (Leistenband)

Anatomie

▶ Abb. 8.6

- spannt sich zwischen Spina iliaca anterior superior und Tuberculum pubicum (am oberen Schambeinast) auf
- bildet den kaudalen Rand der Bauchmuskelfaszien (Aponeurose)
- transversal verlaufende Fasern entstammen der Fascia iliaca
- Arcus ileopectineus: verstärkter medialer Teil der Fascia iliopsoas (umschließt M. iliacus, M. psoas major und minor); verbindet das Lig. inguinale mit dem Schambein (Eminentia iliopubica) und trennt die unter dem Leistenband liegenden Gefäßpforten Lacuna musculorum (lateral) und Lacuna vasorum (medial) voneinander (Kap. 8.2.4, Kap. 8.2.5)
- Lig. lacunare: Bindegewebszug am medialen Ansatz des Lig. inguinale, das sich auf dem oberen Schambeinast fortsetzt und dort Lig. pectineum (Cooper-Band) genannt wird

Osteopathische Korrespondenzen

Das Leistenband stellt eine Verbindung zwischen den oberflächlichen Faszien des Bauchs und der unteren Extremität dar. Denn insbesondere die Faszie des M. obliquus externus ist wesentlich an der Bildung des Lig. inguinale beteiligt. Die oberflächlichen Fasern der Faszie setzen sich in die Fascia lata fort.

Durch das Lig. lacunare entsteht eine scharfkantige Begrenzung der Lacuna vasorum, die bei einer Schenkelhernie zu Einklemmungen führen kann.

8.2.4 Lacuna musculorum

Anatomie

▶ Abb. 8.6

- lateral des Arcus iliopectineus gelegen
- Inhalt: N. cutaneus femoris lateralis, N. femoralis, M. iliopsoas, Bursa iliopectinea

Osteopathische Korrespondenzen

Der N. cutaneus femoris lateralis, ein Ast des Plexus lumbalis, kann sowohl durch das Leistenband als auch beim Durchtritt durch die Fascia lata (im oberen lateralen Drittel des Oberschenkels, ca. 3 Finger breit lateral unterhalb des Schambeinasts) komprimiert werden. Ist dieser gestört, ist eine kleine druckempfindliche Verhärtung im Fasziengewebe zu spüren. Typisch sind u. a. Sensibilitätsstörungen der Oberschenkelaußenseite. Der Nerv gibt im Bereich der Fossa iliaca Äste ab, die das Peritoneum innervieren. Nierensteine können den Nerv ebenso irritieren wie Dysfunktionen von Zäkum und Sigmoid.

Der N. femoralis hat durch seinen Verlauf eine enge Beziehung zum M. psoas major und verläuft, bevor er durch die Lacuna musculorum tritt, in der Fossa iliaca. Dort ist er ventral vom Zäkum bzw. Sigmoid bedeckt und später vom Peritoneum parietale sowie medial vom M. psoas major und lateral vom M. iliacus. Die enge fasziale Verbindung von Niere und M. psoas major bzw. minor kann bei einer Nierenptose oder einer fixierten Niere den N. femoralis irritieren. Typisch sind Missempfindungen oder Schmerzen im sensiblen Versorgungsbereich des Nervs (Oberschenkelvorderseite, Unterschenkelinnenseite). Osteopathische Dysfunktionen von Ovar, Zäkum oder Sigmoid sind auch möglich. Beim Durchtritt durch die Lacuna musculorum liegt der Nerv innerhalb der Faszie des M. iliopsoas

8.2.5 Lacuna vasorum

Anatomie

▶ Abb. 8.6

- medial des Arcus iliopectineus gelegen
- Inhalt (von lateral nach medial): R. femoralis des N. genitofemoralis, A. und V. femoralis, Vasa lymphatica inguinalia profunda (u. a. Rosenmüller-Lymphknoten)
- Anulus femoralis (Schenkelring): Teil, der medial der V. femoralis liegt; dort gelangen die Lymphgefäße von der unteren Extremität in das Becken

Osteopathische Korrespondenzen

Im Bereich des Leistenbands ist die ist die arterielle Versorgung mit den Ästen der A. iliaca externa sehr komplex (▶ Abb. 8.7):

- A. epigastrica inferior
- R. pubicus
- A. epigastrica superficialis
- A. circumflexa ilium profunda
- A. circumflexa ilium superficialis (bildet Anastomosen mit Aa. circumflexae femoris medialis und lateralis, die an der Vaskularisierung des Hüftkopfs beteiligt ist)
- Aa. pudendae externae

Durch den Engpass am Leistenband (Entrapment) können Kompressionen der durchtretenden Strukturen entstehen, die zu einer Verschlechterung des regionalen Stoffwechsels führen können.

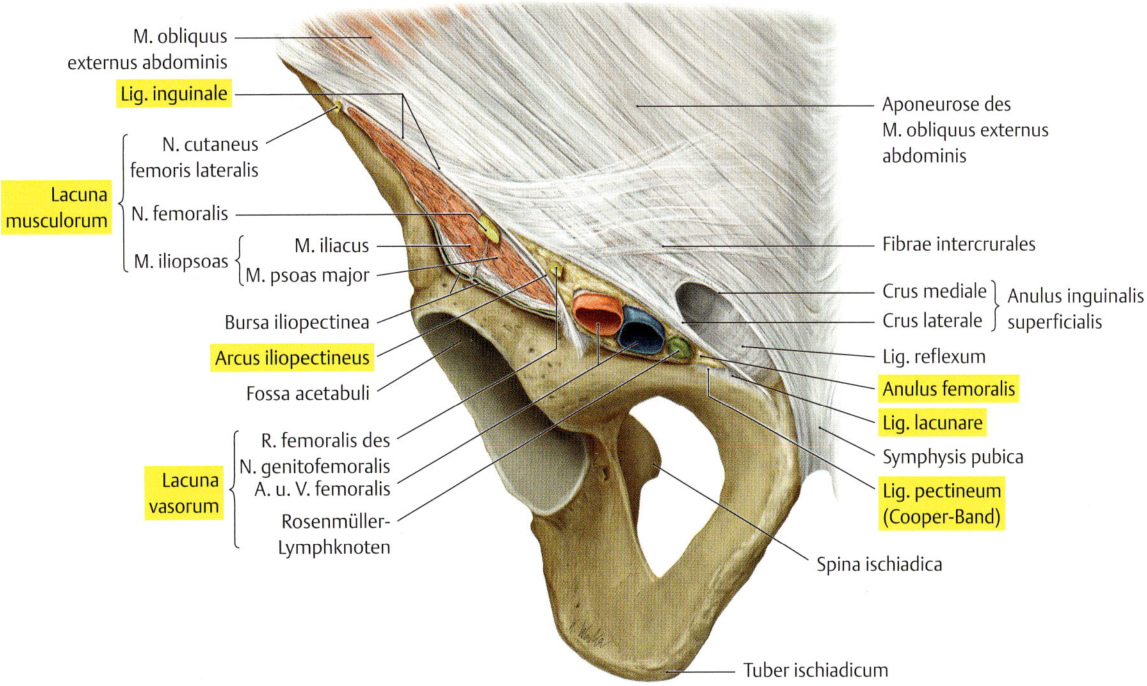

▶ **Abb. 8.6** Rechte Leistenregion mit Lig. inguinale, Lacuna musculorum und Lacuna vasorum (Ansicht von ventral). (aus Schünke M, Schulte E, Schumacher U. Prometheus, LernAtlas der Anatomie. Allgemeine Anatomie und Bewegungssystem. Illustrationen von M. Voll und K. Wesker. 5., vollständig überarbeitete Auflage. Stuttgart: Thieme; 2018)

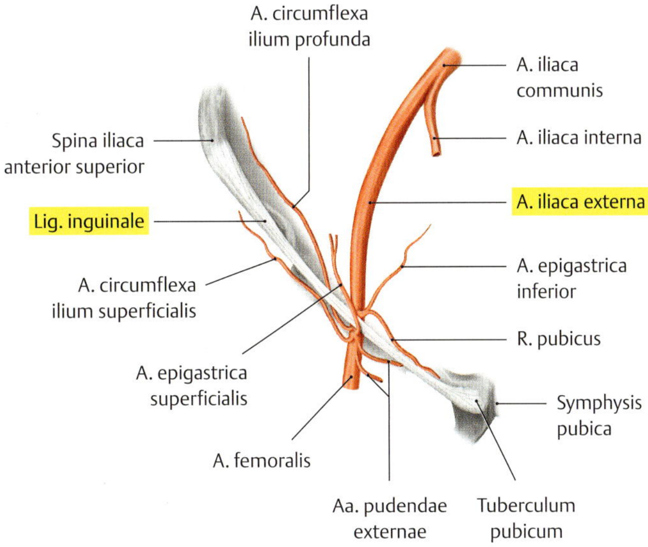

▶ **Abb. 8.7** Astfolge der rechten A. iliaca externa am Übergang zur A. femoralis im Bereich des Leistenbands (Ansicht von ventral). (aus Schünke M, Schulte E, Schumacher U. Prometheus, LernAtlas der Anatomie. Allgemeine Anatomie und Bewegungssystem. Illustrationen von M. Voll und K. Wesker. 5., vollständig überarbeitete Auflage. Stuttgart: Thieme; 2018)

8.3
Tiefe ventrale Schichten

8.3.1 Innere Hüftmuskeln und M. psoas minor

Anatomie

▶ Abb. 8.8
- **M. psoas major:**
  - **Ursprung:** Procc. transversi LWK1–5, BWK12–LWK5, Bandscheiben unterhalb von BWK12
  - **Ansatz:** Trochanter minor femoris
  - **Funktion:** Flexion im Hüftgelenk, Außen- und Innenrotation im Hüftgelenk, Abduktion im Hüftgelenk, Extension und Lateralflexion der LWS
  - **Innervation:** ventrale Äste der Spinalnerven L 1–L 2
  - **Triggerpunkte** (▶ Abb. 8.9): am lateralen Rand des Trigonum femorale, unterhalb des Bauchnabels am lateralen Rand des M. rectus abdominis in der Tiefe
  - effektivster Hüftbeuger, wird vom M. rectus femoris unterstützt
- **M. iliacus:**
  - **Ursprung:** Fossa iliaca
  - **Ansatz:** Trochanter minor femoris
  - **Funktion:** Flexion im Hüftgelenk, Außen- und Innenrotation im Hüftgelenk
  - **Innervation:** N. femoralis (L 2–L 3)
  - **Triggerpunkte** (▶ Abb. 8.9): auf Höhe der SIAS in der Fossa iliaca
  - mit Durchtritt von M. iliacus und M. psoas major durch das Leistenband (Lacuna musculorum) werden beide Muskeln als **M. iliopsoas** bezeichnet; die umschließende Faszie wird dann Fascia iliopsoas genannt
- **M. psoas minor:**
  - **Ursprung:** BWK12–LWK1 einschließlich Bandscheibe
  - **Ansatz:** Fascia iliaca
  - **Funktion:** Rumpfbeugung (schwach)
  - **Innervation:** ventraler Ast des Spinalnerven L 1

Myofasziale Wirkungsketten

Der M. iliopsoas wird der tiefen Frontallinie zugeordnet. Bemerkenswert ist die Kontinuität von den Adduktorenmuskeln bis zum Diaphragma abdominale.

Osteopathische Korrespondenzen

Die Vorderseite des M. psoas major wird durch den posterioren Teil des Peritoneum parietale bedeckt. Entzündungsprozesse im kleinen Becken, z. B. der Ovarien, und Zyklusstörungen können einen Einfluss auf den Muskel haben. Wenn man berücksichtigt, dass die Fascia renalis eine enge Verbindung zur Faszie des M. psoas major hat und darüber auch eine Verbindung zu den Zwerchfellschenkeln besteht, sind Dysfunktionen der Niere in Kombination mit Hüftgelenkbeschwerden über diesen Weg erklärbar.

Ein hypertoner oder verkürzter M. iliopsoas könnte zur verstärkten Lordose in der LWS oder verminderten Extensionsbewegung im Hüftgelenk führen. Bei einem Hartspann des M. iliopsoas können sensible und womöglich auch motorische Ausfälle auftreten, denn der Plexus lumbalis liegt mit seinen Ästen dorsal der Fascia iliopsoas bzw. es treten Nervenäste durch den M. psoas major hindurch. An der ventralen Seite von L 1–L 4 verlaufen im Ursprungsbereich des Muskels der N. genitofemoralis, N. ilioinguinalis und N. cutaneus lateralis. Bei Dysfunktionen oder Hypertensionen kann es zu pseudoradikulären Syndromen im Bereich der Vorderseite des Oberschenkels kommen (Kap. 2.5.15).

Die Bursa iliopectinea, die unter dem M. iliopsoas liegt, dient dem M. iliopsoas als Gleitlager. Gleichzeitig trennt sie den Muskel vom Hüftgelenk ab. In einigen Fällen kommuniziert sie mit der der Gelenkkapsel des Hüftgelenks. Bei einer Bursitis kann es dann zum Hüftgelenkerguss kommen. Ein möglicher Auslöser für die Bursitis kann ein unphysiologisch hoher mechanischer Druck durch den M. iliopsoas sein. Ursachen dafür können u. a. osteopathische Dysfunktionen von Os ilium, Os pubis, Os sacrum und LWS sowie viszerale, fasziale Dysfunktionen oder auch eine funktionelle Beinlängendifferenz sein.

Eine Psoasreizung kann durch Abszesse im retroperitonealen Raum hervorgerufen werden. Der Abszess kann sich in den Faszienschlauch hinein bis in die Leiste ausbreiten. Das Beugen in der Hüfte führt zur Schmerzentlastung.

8.3.2 Fascia iliopsoas

Anatomie

- recht dünn, verdichtet sich aber weiter distal zu einer kräftigen Faszie
- Fortsetzung der Lamina anterior der Faszie des M. transversus abdominis
- liegt M. psoas major und M. quadratus lumborum auf
- kranial bestehen Verbindungen zur Fascia diaphragmatica und 12. Rippe bis zum Arcus lumbocostalis
- nach dorsal besteht über die Lamina posterior eine Verbindung zum Lig. longitudinale anterius und auf der Gegenseite zur Faszie des M. transversus abdominis
- auffallende Anheftungen der Faszie beim Queren der LWS am Wirbelkörperperiost und an den Disci intervertebrales
- tritt am Lig. inguinale durch die Lacuna musculorum und setzt am Trochanter minor an

Osteopathische Korrespondenzen

Kaudal verbinden sich die Faszien von M. psoas major und M. psoas minor im Bereich des M. iliacus mit der Fascia iliaca. Somit erstreckt sich eine schlauchförmige fasziale Loge vom thorakolumbalen Übergang bis zum oberen medialen Bereich des Femurs (Trochanter minor).

Die Fascia iliaca korrespondiert mit den Beckenfaszien und der Fascia transversalis. Die Fascia transversalis kleidet die Bauchwandinnenseite aus. Sie liegt zwischen den Bauchmuskeln und dem Peritoneum parietale. Darüber hinaus bestehen Beziehungen zur Fascia thoracolumbalis, die auch welche mit dem M. longissimus dorsi hat. Denkbar ist, dass die Kraftkomponenten der beteiligten Muskeln über den Verlauf des M. longissimus weitreichenden Einfluss auf den Thorax und das Kranium haben.

Behandlungshinweise

Myofasziale Techniken, die den Band-Kapsel-Apparat des Hüftgelenks mobilisieren, können auch eine Wirkung auf die Verbindung zur Bursa iliopectinea und Fascia iliopsoas haben. Die Dehnung des M. iliopsoas kann zur myofaszialen Entspannung im Abdomen und in der gesamten Zentralsehne führen.

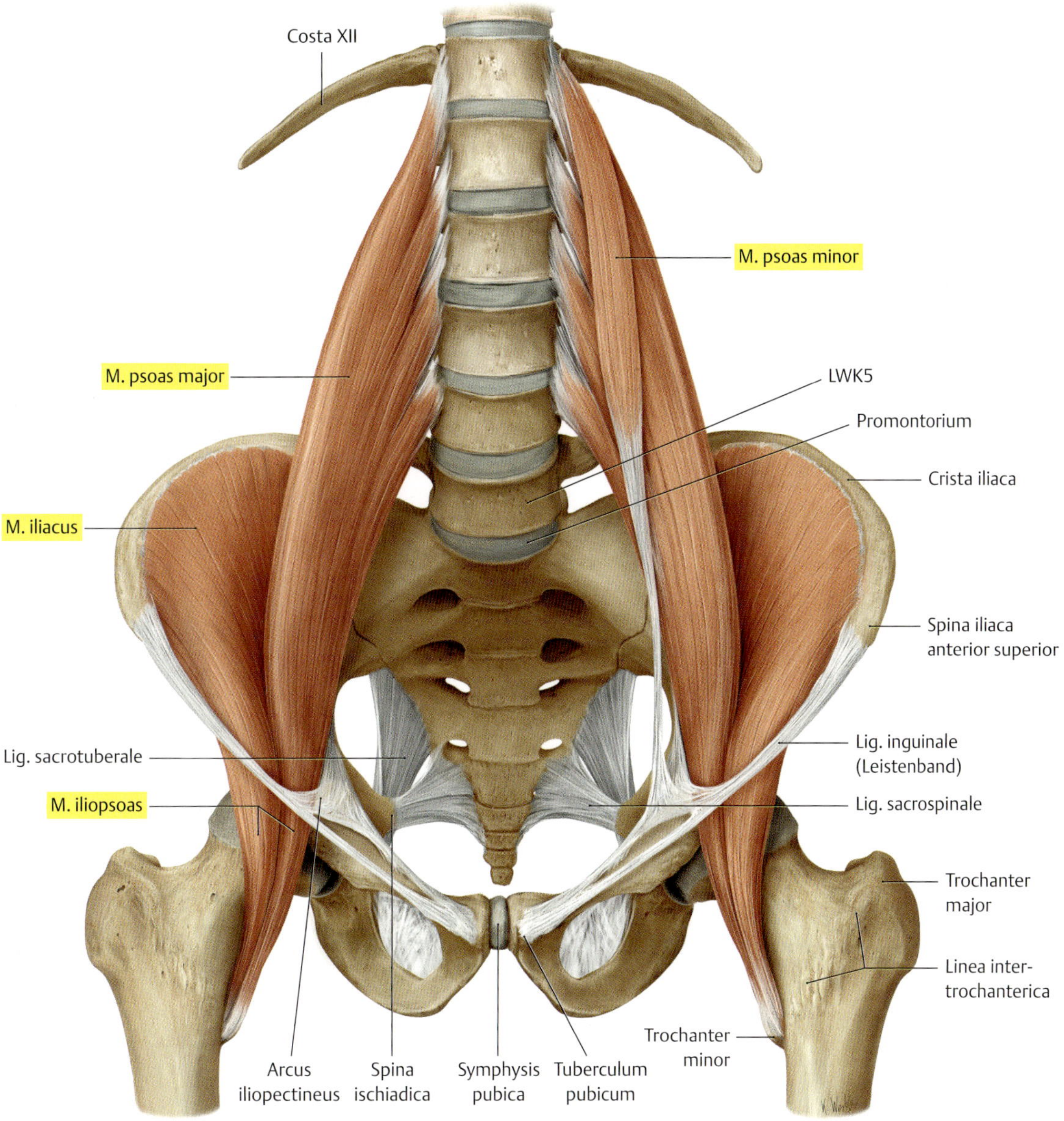

▸ **Abb. 8.8** Innere Hüftmuskeln (M. psoas major, M. iliacus, Vereinigung zum M. iliopsoas) und M. psoas minor (Ansicht von ventral). (aus Schünke M, Schulte E, Schumacher U. Prometheus, LernAtlas der Anatomie. Allgemeine Anatomie und Bewegungssystem. Illustrationen von M. Voll und K. Wesker. 5., vollständig überarbeitete Auflage. Stuttgart: Thieme; 2018)

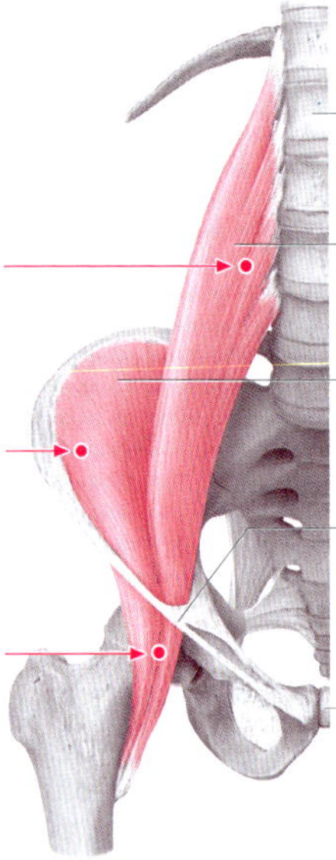

▶ **Abb. 8.9** Triggerpunkte M. psoas major, M. iliacus und M. iliopsoas. (aus Hebgen E. Taschenatlas Myofasziale Triggerpunkte. Schmerzguide für Osteopathen und Manualtherapeuten. 2. Aufl. Stuttgart: Georg Thieme Verlag 2020; nach Schünke M, Schulte E, Schumacher U. Prometheus LernAtlas der Anatomie. Allgemeine Anatomie und Bewegungssystem. Illustrationen von Voll M und Wesker K. 5. Aufl. Stuttgart: Thieme; 2018)

8.3.3 Adduktorengruppe (mediale Oberschenkelmuskulatur)

Anatomie

▶ Abb. 8.13, ▶ Abb. 8.14

- **M. pectineus:**
  - **Ursprung:** Pecten ossis pubis, Ramus superior ossis pubis
  - **Ansatz:** Linea pectinea unterhalb des Trochanter major
  - **Funktion:** Flexion, Adduktion und Innenrotation im Hüftgelenk
  - **Innervation:** N. femoralis (L2–L3), manchmal auch N. obturatorius (L2–L3)
- **M. adductor longus:**
  - **Ursprung:** Corpus ossis pubis, Tuberculum pubicum (unterhalb und medial)
  - **Ansatz:** Labium mediale der Linea aspera (distale ⅔)
  - **Funktion:** Adduktion und Innenrotation im Hüftgelenk
  - **Innervation:** N. obturatorius (L2–L3)
  - **Triggerpunkte** (▶ Abb. 8.10): proximale Hälfte des Muskels
- **M. gracilis:**
  - **Ursprung:** Ramus inferior ossis pubis (Außenfläche)
  - **Ansatz:** Tibiavorderfläche (unterhalb des M. sartorius)
  - **Funktion:** Adduktion im Hüftgelenk, Flexion und Innenrotation im Kniegelenk (bei flektiertem Knie)
  - **Innervation:** N. obturatorius (L2–L3)
  - **Triggerpunkte** (▶ Abb. 8.10): Muskelbauch, mittleres Drittel
- **M. adductor brevis:**
  - **Ursprung:** Ramus inferior und Corpus ossis pubis
  - **Ansatz:** Linea aspera (proximales Drittel)
  - **Funktion:** Adduktion im Hüftgelenk
  - **Innervation:** N. obturatorius (L2–L3)
  - **Triggerpunkte** (▶ Abb. 8.11): proximale Hälfte des Muskels
- **M. adductor magnus:**
  - **Ursprung:** Ramus ossis ischii, Ramus inferior ossis pubis, Tuber ischiadicum
  - **Ansatz:** Linea aspera bis zur Tuberositas glutaea, Tuberculum adductorium des Femurs
  - **Funktion:** Extension, Adduktion und Innenrotation im Hüftgelenk
  - **Innervation:** N. obturatorius (L2–L4), N. tibialis (L4–S3)
  - **Triggerpunkte** (▶ Abb. 8.12): TP1 nahe an der Linea aspera (Muskelmitte), TP2 Ursprung am Os ischii, Os pubis
- **M. adductor minimus (kraniale Abspaltung des M. adductor magnus):**
  - **Ursprung:** Ramus inferior ossis pubis
  - **Ansatz:** Labium mediale der Linea aspera
  - **Funktion:** Adduktion, Außenrotation und leichte Flexion im Hüftgelenk
  - **Innervation:** N. obturatorius (L2–L4)
- **M. obturatorius externus:**
  - **Ursprung:** Außenfläche der Membrana obturatoria und ihr knöcherner Rahmen
  - **Ansatz:** Fossa trochanterica
  - **Funktion:** Außenrotation und Adduktion im Hüftgelenk
  - **Innervation:** N. obturatorius (L2–L4)

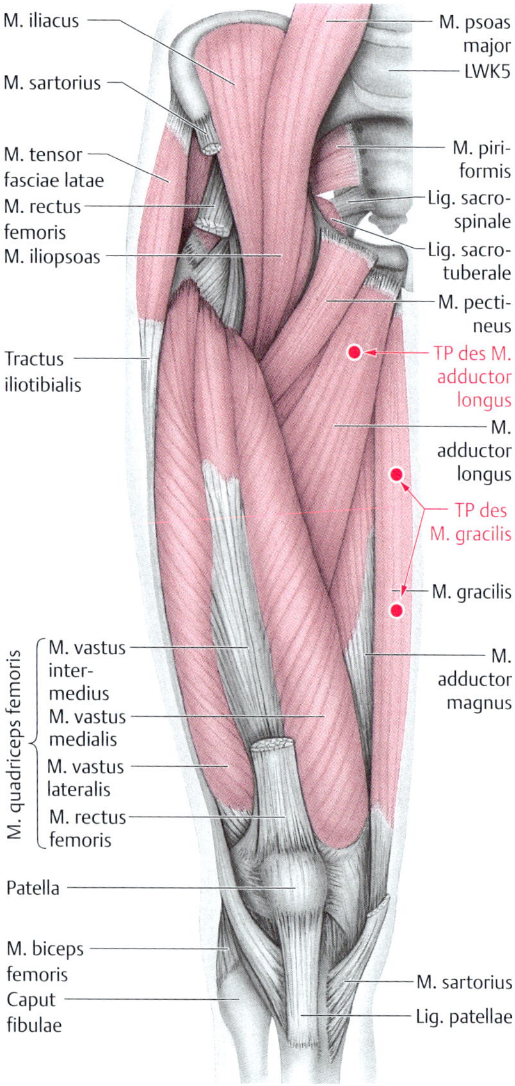

▶ **Abb. 8.10** Triggerpunkte M. adductor longus und M. gracilis. (aus Richter P, Hebgen E. Triggerpunkte und Muskelfunktionsketten. 5. Aufl. Stuttgart: Haug; 2021, nach: Schünke M. Funktionelle Anatomie: Topographie und Funktion des Bewegungssystems. 1. Aufl. Stuttgart: Thieme; 2000)

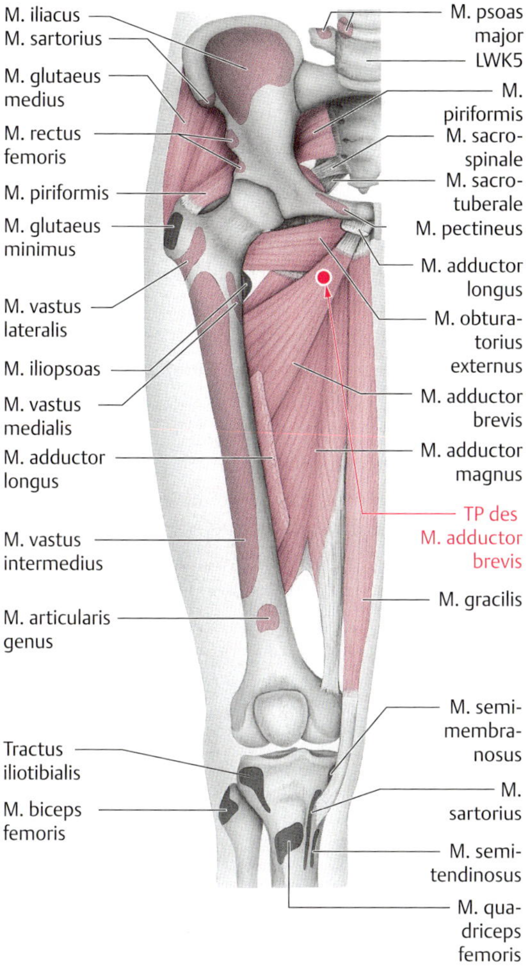

▸ **Abb. 8.11** Triggerpunkte M. adductor brevis. (aus Richter P, Hebgen E. Triggerpunkte und Muskelfunktionsketten. 5. Aufl. Stuttgart: Haug; 2021, nach: Schünke M. Funktionelle Anatomie: Topographie und Funktion des Bewegungssystems. 1. Aufl. Stuttgart: Thieme; 2000)

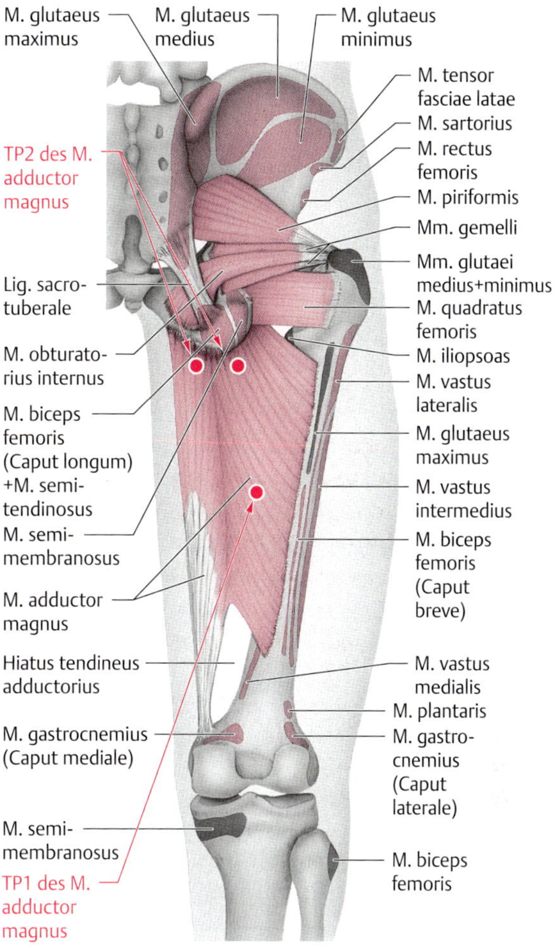

▸ **Abb. 8.12** Triggerpunkte M. adductor magnus. (aus Richter P, Hebgen E. Triggerpunkte und Muskelfunktionsketten. 5. Aufl. Stuttgart: Haug; 2021, nach: Schünke M. Funktionelle Anatomie: Topographie und Funktion des Bewegungssystems. 1. Aufl. Stuttgart: Thieme; 2000)

Myofasziale Wirkungsketten

Die Adduktorengruppe des medialen Oberschenkels wird der tiefen Frontallinie zugeordnet, deren wesentliche Funktionen die Körperstabilität und die Stützfunktion des Körpers sind. Anteile der Adduktorengruppe, z. B. der M. adductor longus, sind auch Bestandteil der funktionellen Frontallinie. Diese Wirkungskette leitet Kraft bzw. Spannungsenergie aus den Armen bzw. Beinen auf die gegenüberliegende Körperseite weiter. Ihre Funktionalität entwickeln sie insbesondere bei Bewegungen von Armen und/oder Beinen.

Osteopathische Korrespondenzen

Die Adduktoren haben funktionell die Aufgabe, die Beine zusammenzuhalten und das Körpergleichgewicht aufrechtzuerhalten. Sie wirken auch auf die Stellung des Beckens. Für das Spielbein können die Adduktoren je nach Lage und Bewegungsablauf noch Bewegungskomponenten im Hüftgelenk für Flexion, Rotation sowie Extension übernehmen. Die Fascia lata ist im Bereich der Adduktoren sehr dünn und neigt zu myofaszialen Adhäsionen.

Es besteht eine direkte Verbindung zwischen den Faszien des M. biceps femoris und den Adduktoren, die dann am Ramus ossis ischii in das kräftige Lig. sacrotuberale übergehen. Die Zugrichtung verläuft longitudinal auf das Becken. Entsprechend dominant wirken der Muskeltonus und die Faszienspannung der Oberschenkelrückseitenmuskulatur auf die Beckenstellung (tendenziell posterior) und auf die Bewegungsachse des Hüftgelenks.

Ein erhöhtes Spannungsmuster der Adduktoren behindert das Auseinanderdriften der Sitzbeinhöcker beim Sitzen. Dies führt zur Posteriorität des Beckens beim Sitzen und zu einer verminderten Lordosierung der LWS. Die Wirbelsäule zeigt sich mehr als Flachrücken und der lumbosakrale Übergang wirkt zwischen L 5 und S 1 geknickt. Manifestiert sich dieses Haltungsmuster, kann es zu einer veränderten Position der inneren Organe im Becken- und Bauchbereich kommen. Der statische Druck der intraperitonealen Organe des Mannes wirkt dann verstärkt auf die Prostata. Durch die Posteriorität des Beckens bringt der Schambeinast die Blase mehr kraniodorsal in Richtung Prostata. Der Uterus positioniert sich kippend mehr nach posterior, womöglich durch die mit der posterioren Beckenstellung einhergehende Spannungsänderung auf den Muttermund durch das Septum uretrovaginale. Die intraperitonealen Organe verlagern sich nach dorsal und können so mehr Druck auf den Enddarm ausüben. Denkbar ist auch, dass die Posteriorität des Uterus den Douglas-Raum (retrouteriner Raum) verengt und so mehr Druck auf den retrouterinen Enddarmbereich ausübt.

Durch die posteriore Beckenstellung und das Absinken der Beckenorgane entsteht über die Zentralsehne ein erhöhter Zug an der Ventralseite der Wirbelkörper der Wirbelsäule. Dem muss die autochthone Rückenmuskulatur entgegenwirken. Folglich entsteht ein erhöhter Tonus in dieser Muskulatur, der erhöhte Spannungen im Zwischenwirbelbereich (z. B. auf Bandscheiben, Facettengelenke) zur Folge haben kann. Akute wiederkehrende Lumbalgien und Ischialgien können deshalb mit einem dysfunktionalen Spannungsmuster der Beinmuskulatur in Verbindung stehen.

Behandlungshinweise

Weil die Fascia lata im medialen Bereich oberflächlich sehr dünn ist, reicht die oberflächliche fasziale Mobilisation in Form einer Dehnung bis weit in die Tiefe der intermuskularen Septen. Zirkulationsstörungen, Missempfindungen im Kniebereich oder auch myofasziale Adhäsionen in der Beckenbodenregion sind eine Indikation für fasziale Techniken im Bereich der Fascia lata.

GOT-Techniken und MET für Hüftregion und Knie können regulierend auf einen Hypertonus der Adduktorengruppe wirken. Direkte fasziale Techniken, z. B. Gleit-Druck-Techniken, können myofasziale Adhäsionen in der Adduktorengruppe lösen.

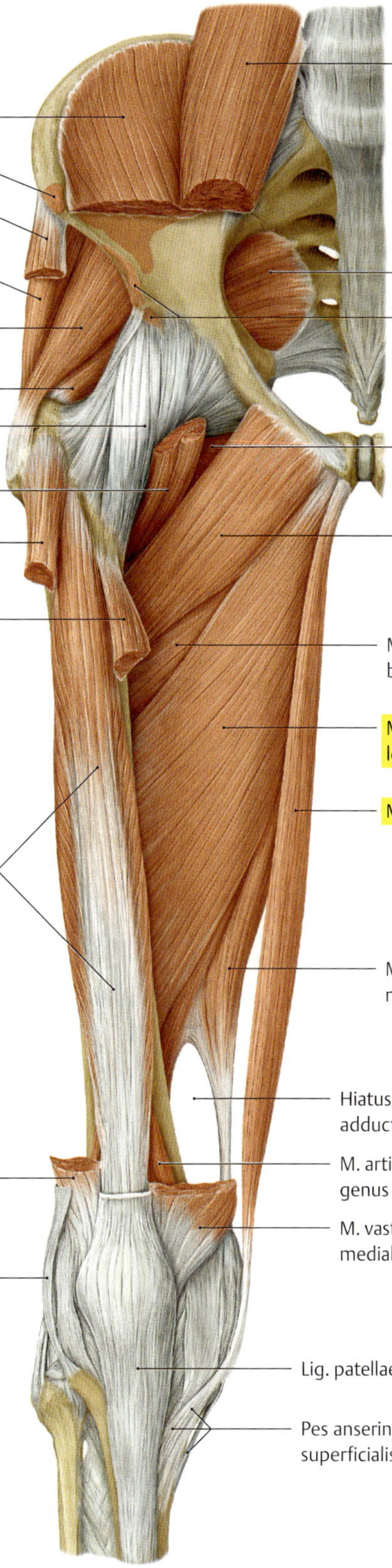

▸ **Abb. 8.13** Adduktorengruppe der rechten Seite (mediale Oberschenkelmuskulatur; Ansicht von ventral). (aus Schünke M, Schulte E, Schumacher U. Prometheus, LernAtlas der Anatomie. Allgemeine Anatomie und Bewegungssystem. Illustrationen von M. Voll und K. Wesker. 5., vollständig überarbeitete Auflage. Stuttgart: Thieme; 2018)

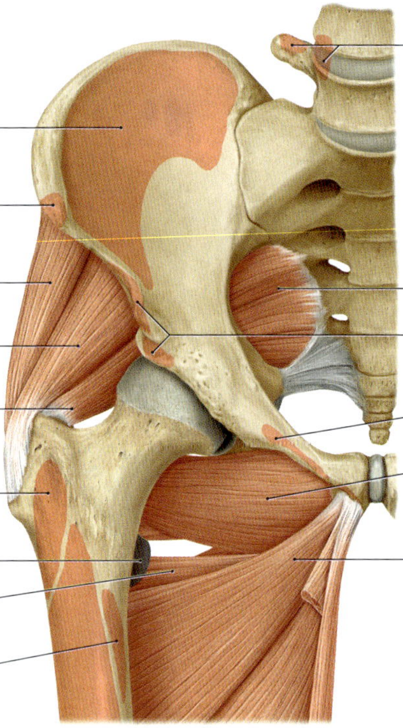

▶ **Abb. 8.14** Adduktorengruppe der rechten Seite (mediale Oberschenkelmuskulatur; Ansicht von ventral). (aus Schünke M, Schulte E, Schumacher U. Prometheus, LernAtlas der Anatomie. Allgemeine Anatomie und Bewegungssystem. Illustrationen von M. Voll und K. Wesker. 5., vollständig überarbeitete Auflage. Stuttgart: Thieme; 2018)

8.4
Dorsale Schichten

8.4.1 Fascia glutea

Anatomie

▶ Abb. 8.15, ▶ Abb. 8.16

- entspringt dorsal am Rand der Crista iliaca und ventral am Lig. inguinale
- die oberflächliche Schicht der Fascia glutea ist die dorsokaudale Fortsetzung des oberflächlichen Blatts der Fascia thoracolumbalis, die tiefe Schicht der Fascia glutea geht in das Periost der Crista iliaca über; mit dem Periost von Sakrum und Steißbein gehen die beiden Schichten eine Verbindung nach medial ein
- liegt dem M. gluteus medius auf und bildet eine Loge für ihn
- umschließt den M. gluteus maximus und bildet dort zahlreiche Kammern für die Muskelfasern
- umhüllt den M. tensor fasciae latae nach lateral
- setzt sich nach kaudal als Oberschenkelfaszie (Fascia lata) fort, dann als Fascia cruris und anschließend als Plantarfaszie
- lockeres Bindegewebe zwischen M. gluteus maximus und M. gluteus medius dient als Gefäßstraße (Stratum subgluteale)
- sie ist damit die Gleitebene zwischen M. gluteus maximus und M. gluteus medius und macht die Muskeln in ihren Kontraktionen unabhängig voneinander
- quer verlaufende verstärkende fasziale Züge am Übergang von der Glutealregion zur Rückseite des Oberschenkels bilden die Gesäßfurche (Sitzhalfter, Sulcus glutealis)

Osteopathische Korrespondenzen

Ein Faktor für die Bewegungsabstimmung zwischen Rumpf und unterer Extremität wird faszial u. a. über den M. gluteus maximus und die Fascia glutea hergestellt. Diese beiden Strukturen verbinden die Fascia thoracolumbalis mit der Fascia lata.

Funktionell ist die Fascia glutea von Bedeutung, weil sie eine wichtige Gleitschicht zwischen M. gluteus medius und M. gluteus maximus ist und mit der Fascia thoracolumbalis in Verbindung steht. Adhäsionen in der Fascia glutea können die Gleiteigenschaften negativ beeinflussen und Schmerzen provozieren (Kap. 2.7.1).

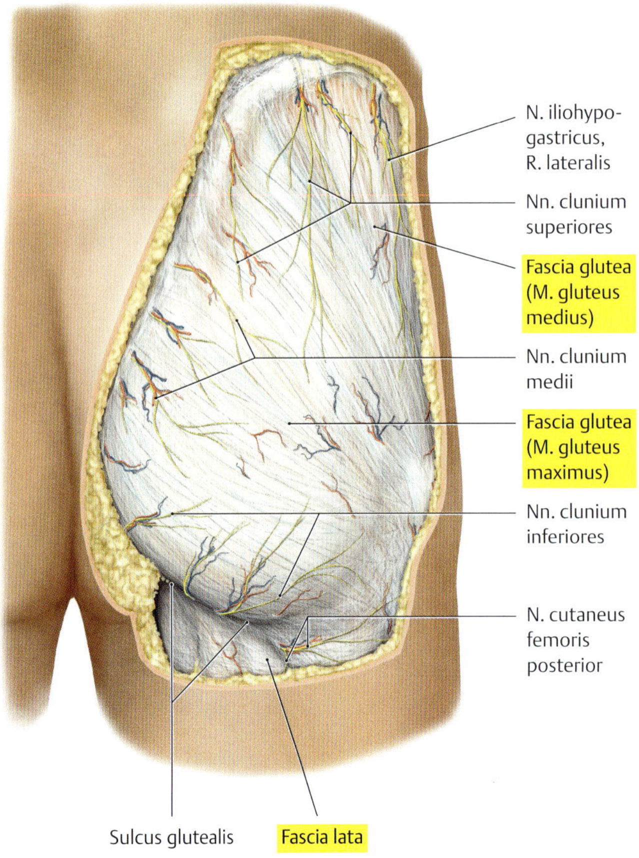

▶ **Abb. 8.15** Fascia glutea im Bereich der rechten Gesäßregion (Ansicht von dorsal). (aus Schünke M, Schulte E, Schumacher U. Prometheus, LernAtlas der Anatomie. Allgemeine Anatomie und Bewegungssystem. Illustrationen von M. Voll und K. Wesker. 5., vollständig überarbeitete Auflage. Stuttgart: Thieme; 2018)

Die tiefe Schicht der Fascia glutea ist eine Ansatzstruktur für Muskeln und sie bildet Logen für diese. Dadurch werden Zugbelastungen umverteilt und der venöse Rückstrom erleichtert. Auch dient die Beinfaszie als Gleit- und Schutzschicht für darunterliegende Gewebe. Sie verbindet Muskeln, Gelenke und intermuskuläre Septen untereinander und hat wohl auch eine hohe Bedeutung für Koordination und Wahrnehmung. Dafür sprechen die hohe Dichte an Rezeptoren und die biomechanischen Eigenschaften der Faszie. Die in der Faszie liegenden Myofibroblasten und die enge Verbindung zu den Insertionen der darunterliegenden Muskeln können für die Ansicht sprechen, dass die Faszie im Bewegungsapparat die Grundspannung beeinflussen und dadurch auf die Bewegung einwirken kann.

Behandlungshinweise

Die tiefe und die oberflächliche Faszienschicht der Fascia glutea stehen über vertikale Septen in enger Verbindung. Osteopathische Techniken, die auf die oberflächliche Faszienschicht einwirken, können somit auch Reaktionen in der tieferen Faszienschicht hervorrufen.

Für die Behandlung ist es wichtig, den Druck und Zug im oberflächlichen Fasziengewebe achtsam und sorgfältig zu dosieren. Ziel ist es, bis in tiefere Gewebeschichten einwirken zu können. Diese müssen dem Behandlungsimpuls in der oberflächlichen Ebene folgen können.

Bei unspezifischen Rückenbeschwerden sollten die myofaszialen Verbindungen zwischen Fascia thoracolumbalis und unterer Extremität näher untersucht werden.

Für die tiefen Schichten des Tractus iliotibialis ist die Behandlung des Sulcus glutealis sinnvoll.

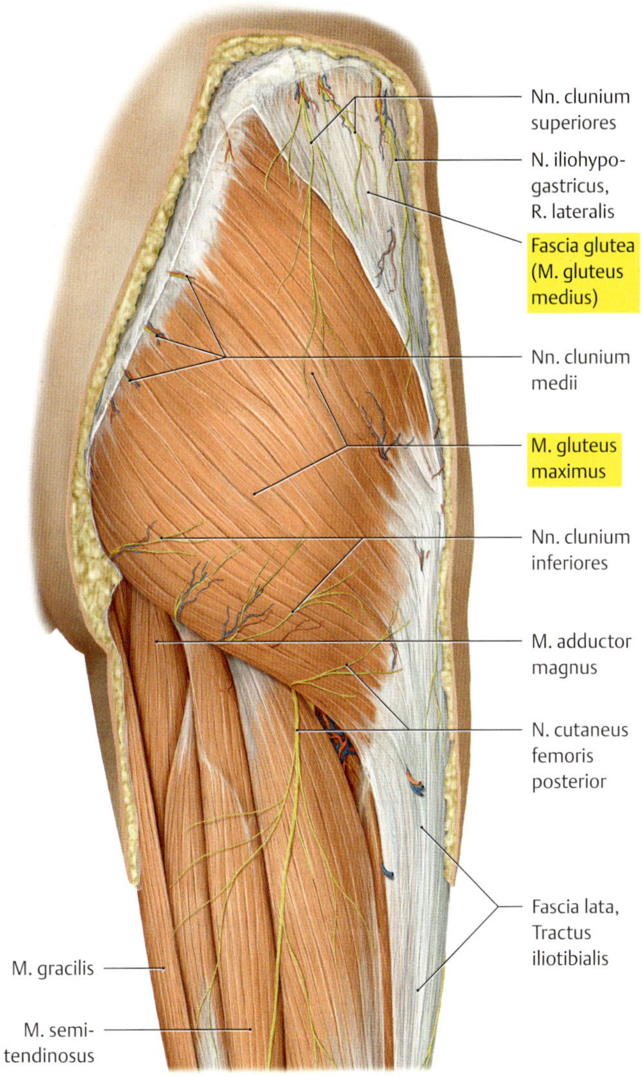

▸ **Abb. 8.16** Fascia glutea und M. gluteus maximus der rechten Gesäßregion (Ansicht von dorsal). (aus Schünke M, Schulte E, Schumacher U. Prometheus, LernAtlas der Anatomie. Allgemeine Anatomie und Bewegungssystem. Illustrationen von M. Voll und K. Wesker. 5., vollständig überarbeitete Auflage. Stuttgart: Thieme; 2018)

8.4.2 Mm. glutei

Anatomie

- **M. gluteus maximus** (▶ Abb. 8.16):
  - **Ursprung:** seitlicher Teil der Facies dorsalis des Os sacrum, hinterer Teil der Facies glutea des Os ilium (hinter der Linea glutea posterior), Fascia thoracolumbalis, Lig. sacrotuberale
  - **Ansatz:** kraniale Fasern an der Tuberositas glutea femoris, kaudale Fasern am Tractus iliotibialis
  - **Funktion:** Extension und Außenrotation im Hüftgelenk, kraniale Fasern Abduktion, kaudale Fasern Adduktion
  - **Innervation:** N. gluteus inferior (L 4 –S 2)
  - **Triggerpunkte** (▶ Abb. 8.18): TP1 im Bereich des Muskelansatzes in der Nähe der Glutealfalte, TP2 Tuber ischiadicum etwas kranial, TP3 kaudales Ende des Muskels in der Nähe der Glutealfalte
  - kräftigster Hüftstrecker
  - verhindert im Stand ein Nachvornekippen des Beckens (statische Haltearbeit)
  - Muskelrand gleitet beim Sitzen nach kranial und legt den Sitzbeinhöcker frei
- **M. gluteus medius** (▶ Abb. 8.17):
  - **Ursprung:** Außenfläche des Os ilium (zwischen Linea glutea anterior und posterior)
  - **Ansatz:** Trochanter major (dorsolateral)
  - **Funktion:** Abduktion, Innenrotation (ventraler und lateraler Anteil) und Außenrotation im Hüftgelenk (dorsaler und medialer Anteil), horizontale Stabilisierung des Beckens in der Spielbeinphase des Gehens
  - **Innervation:** N. gluteus superior (L 4 –S 1)
  - **Triggerpunkte** (▶ Abb. 8.18): TP1 nahe ISG unterhalb der Crista iliaca, TP2 Crista iliaca mittig, TP3 ventral nahe SIAS
- **M. gluteus minimus** (▶ Abb. 8.21):
  - **Ursprung:** Außenfläche des Os ilium (zwischen Linea glutea anterior und posterior)
  - **Ansatz:** Trochanter major (ventral)
  - **Funktion:** Abduktion und Innenrotation im Hüftgelenk (ventraler und lateraler Anteil), horizontale Stabilisierung des Beckens in der Spielbeinphase des Gehens
  - **Innervation:** N. gluteus superior (L 4–S 1)
  - **Triggerpunkte** (▶ Abb. 8.19): anterior Nähe SIAS etwas kaudal der Triggerpunkte des M. gluteus medius, posterior im Ursprungsbereich

Myofasziale Wirkungsketten

Der M. gluteus maximus wird der funktionellen Rückenlinie zugeordnet. Diese wirkt bei Bewegungen körperstabilisierend und unterstützt gleichzeitig die Entwicklung dynamischer Kraftzüge.

Der M. gluteus medius wird den Laterallinien zugeordnet, die u. a. einen Ausgleich bei unterschiedlichen Spannungen zwischen Arm- und Spirallinien schaffen. Die Standbeinphase wird gestört, wenn ein schwacher M. gluteus medius die gesamte Laterallinie funktionell negativ beeinflusst.

Osteopathische Korrespondenzen

Osteopathische Dysfunktionen der Blase könnten über die Verbindung der perinealen Faszien, die sich über den M. obturatorius internus und das Lig. sacrotuberale in die Faszie des M. gluteus maximus fortsetzen, einen Einfluss auf die Hüftgelenkbeweglichkeit haben.

Zwischen M. gluteus maximus und Tuber ischiadicum liegt die Bursa ischiadica musculi glutei maximi, um Reibung zu vermindern. Die ausgeprägten Zugkräfte des M. gluteus maximus auf den Tractus iliotibialis sind funktionell bedeutend. Um eine unphysiologische Reibung zu verhindern, befinden sich im Ansatzbereich am Tractus Schleimbeutel: Bursa trochanterica musculi glutei maximi (zwischen Sehnenendbereich und Trochanter major) und Bursa subcutanea trochanterica (zwischen Sehne und Haut am Trochanter major).

Osteopathische Dysfunktionen oder myofasziale Adhäsionen können unphysiologische Zugkräfte auf den Trochanter ausüben und möglicherweise zur Bursitis oder Periostitis führen. Bei einer Bursitis trochanterica ist an osteopathische Dysfunktionen des Zäkums oder der Niere zu denken.

Bei einer Insuffizienz des N. gluteus superior (z. B. nach fehlerhafter Injektion) tritt das Trendelenburg-Zeichen auf. Das Becken kippt auf der Spielbeinseite nach kaudal.

Behandlungshinweise

Eine Zirkumduktion des Hüftgelenks und MET ergänzen sich gut bei der Behandlung der Gesäßmuskulatur.

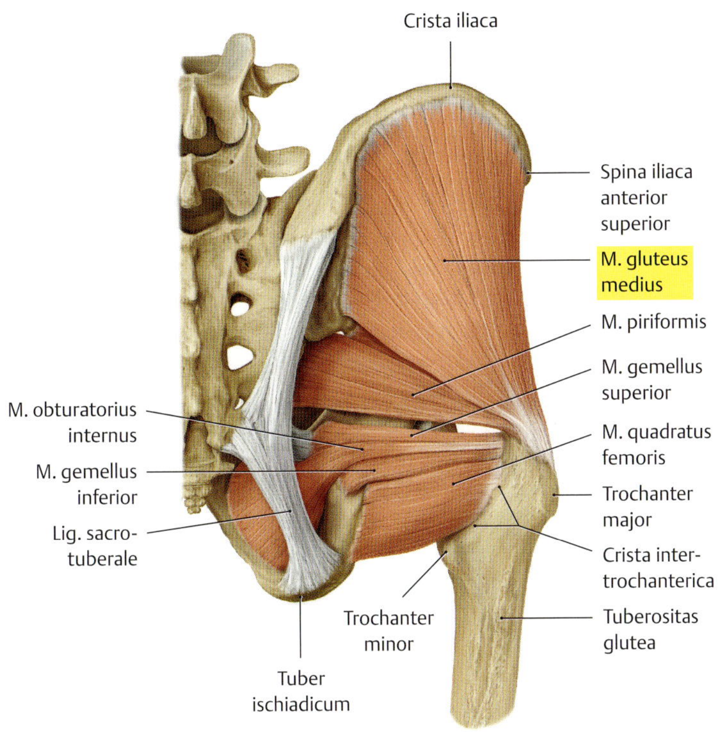

▸ **Abb. 8.17** M. gluteus medius der rechten Gesäßregion (Ansicht von dorsal). (aus Schünke M, Schulte E, Schumacher U. Prometheus, LernAtlas der Anatomie. Allgemeine Anatomie und Bewegungssystem. Illustrationen von M. Voll und K. Wesker. 5., vollständig überarbeitete Auflage. Stuttgart: Thieme; 2018)

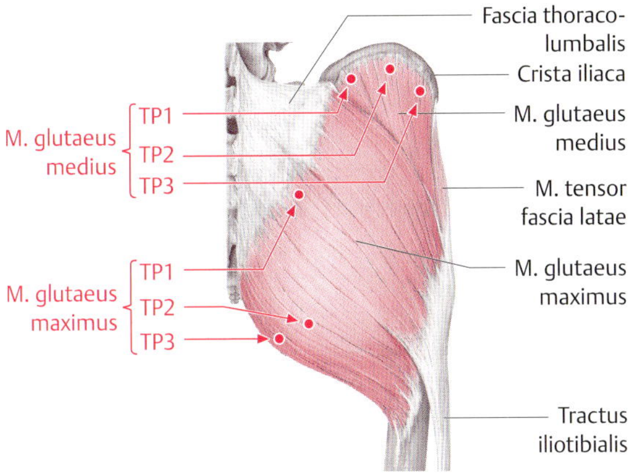

▸ **Abb. 8.18** Triggerpunkte M. gluteus maximus und M. gluteus medius. (aus Hebgen E. Taschenatlas Myofasziale Triggerpunkte. Schmerzguide für Osteopathen und Manualtherapeuten. 2. Aufl. Stuttgart: Georg Thieme Verlag 2020; nach Schünke M, Schulte E, Schumacher U. Prometheus LernAtlas der Anatomie. Allgemeine Anatomie und Bewegungssystem. Illustrationen von Voll M und Wesker K. 5. Aufl. Stuttgart: Thieme; 2018)

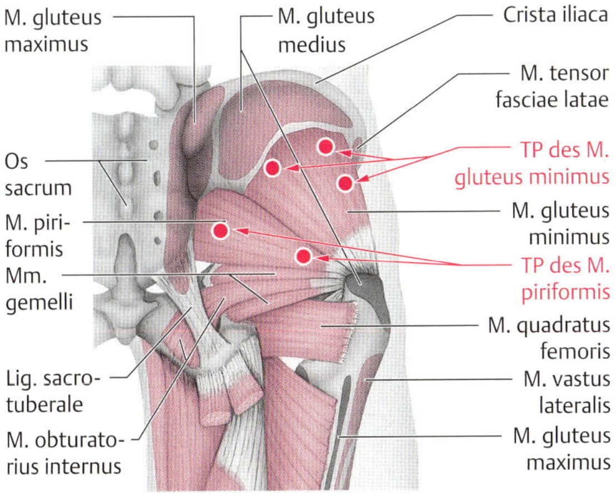

▸ **Abb. 8.19** Triggerpunkte M. gluteus minimus und M. piriformis. (aus Richter P, Hebgen E. Triggerpunkte und Muskelfunktionsketten. 5. Aufl. Stuttgart: Haug; 2021, nach: Schünke M. Funktionelle Anatomie: Topographie und Funktion des Bewegungssystems. 1. Aufl. Stuttgart: Thieme; 2000)

8.4.3 M. tensor fasciae latae

Anatomie

- ▶ Abb. 8.21, ▶ Abb. 8.22
- **Ursprung:** Crista iliaca zwischen Tuberculum iliacum und SIAS (Außenfläche)
- **Ansatz:** über den Tractus iliotibialis an der Vorderfläche des Condylus lateralis tibiae
- **Funktion:** Abduktion im Hüftgelenk, Stabilisierung des Knies in Extension
- **Innervation:** N. gluteus superior (L 4–S 1)
- **Triggerpunkte** (▶ Abb. 8.20): proximales Drittel anterior

Myofasziale Wirkungsketten

Der M. tensor fasciae latae und der Tractus iliotibialis sind Anteile der Laterallinien, die für die seitliche Körperstabilität sorgen, aber auch zwischen Arm- und Spirallinien koordinieren. Deshalb sind sie auch Bestandteile der Spirallinien.

Osteopathische Korrespondenzen

Der M. tensor fasciae latae ist mit seinen myofaszialen Ausläufern am Tractus iliotibialis beteiligt. Die kräftigen Ansätze von M. gluteus maximus und M. tensor fasciae latae verdichten dieses Fasziengewebe und können den Tractus iliotibialis unter Spannung setzen. Bei Dysfunktionen im Bereich von Fuß, Tibia oder Fibula können sich durch eine gestörte Propriozeption unphysiologische myofasziale Spannungsmuster im lateralen Knie zeigen, die insbesondere bei Belastung Schmerzen verursachen (Kap. 9.2.2).

8.4.4 M. piriformis

Anatomie

- ▶ Abb. 8.21
- **Ursprung:** Facies pelvina ossis sacri im Bereich der Foramina sacralia pelvina 2–4
- **Ansatz:** Trochanter major
- **Funktion:** Außenrotation, Innenrotation und Abduktion bei 90° flektierter Hüfte im Hüftgelenk
- **Innervation:** ventrale Äste der Spinalnerven S 1–S 2
- **Triggerpunkte** (▶ Abb. 8.19): auf einer Linie zwischen Spitze des Trochanter major und Sakrum (AIL) → TP1 am Übergang des lateralen zum medialen Drittel, TP2 am medialen Ende der Hilfslinie
- zieht durch das Foramen ischiadicum majus und unterteilt dies in
  - Foramen suprapiriforme mit A. und V. glutea superior, N. gluteus superior
  - Foramen infrapiriforme mit A. und V. glutea inferior, N. gluteus inferior, A. und V. pudenda interna, N. pudendus, N. ischiadicus, N. cutaneus femoris posterior

Myofasziale Wirkungsketten

Der M. piriformis ist Bestandteil der tiefen Frontallinie, deren Funktion insbesondere die Körperstabilität ist.

Osteopathische Korrespondenzen

Der M. piriformis ist ein posturaler Muskel mit Verbindung zu den perinealen Faszien mit Wirkung auf die Körperstatik. Durch einen ausgeprägten Hypertonus des M. piriformis kann es zur Kompression und damit Dysfunktion des N. ischiadicus kommen (Piriformis-Syndrom). Es können pseudoradikuläre Schmerzsymptome auftreten.

Am Foramen supra- und infrapiriforme steht das Stratum subgluteale mit den Faszien des kleinen Beckens (retroperitonealer Raum) in Verbindung und kann myofasziale Spannungen aus der unteren Extremität auf das kleine Becken übertragen.

Lockeres Bindegewebe zwischen M. gluteus maximus und M. gluteus medius dient als Gefäßstraße (Stratum subgluteale). Dort verlaufen u. a. die Strukturen aus dem Foramen supra- bzw. infrapiriforme. Dieser Bindegewebsraum korrespondiert daher über das Foramen ischiadicum auch mit dem Bindegewebsraum des kleinen Beckens. Myofasziale Adhäsionen im Bereich des kleinen Beckens oder im Stratum subgluteale können möglicherweise die durchlaufenden Strukturen beeinträchtigen.

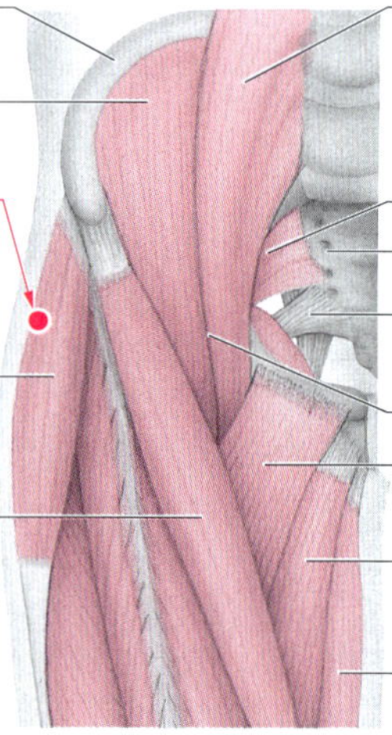

▶ **Abb. 8.20** Triggerpunkte M. tensor fasciae latae. (aus Richter P, Hebgen E. Triggerpunkte und Muskelfunktionsketten. 5. Aufl. Stuttgart: Haug; 2021, nach: Schünke M. Funktionelle Anatomie: Topographie und Funktion des Bewegungssystems. 1. Aufl. Stuttgart: Thieme; 2000)

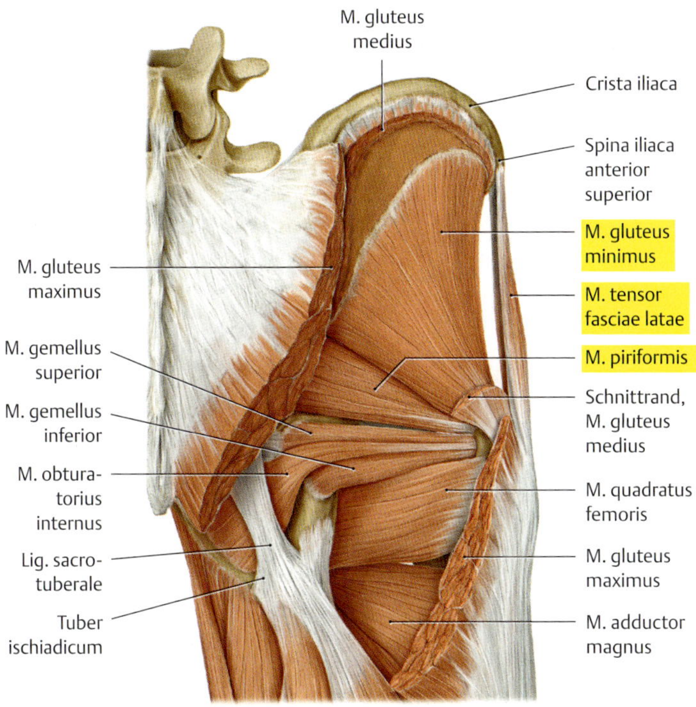

▶ **Abb. 8.21** Muskulatur der rechten Hüft- und Gesäßregion (Ansicht von dorsal). (aus Schünke M, Schulte E, Schumacher U. Prometheus, LernAtlas der Anatomie. Allgemeine Anatomie und Bewegungssystem. Illustrationen von M. Voll und K. Wesker. 5., vollständig überarbeitete Auflage. Stuttgart: Thieme; 2018)

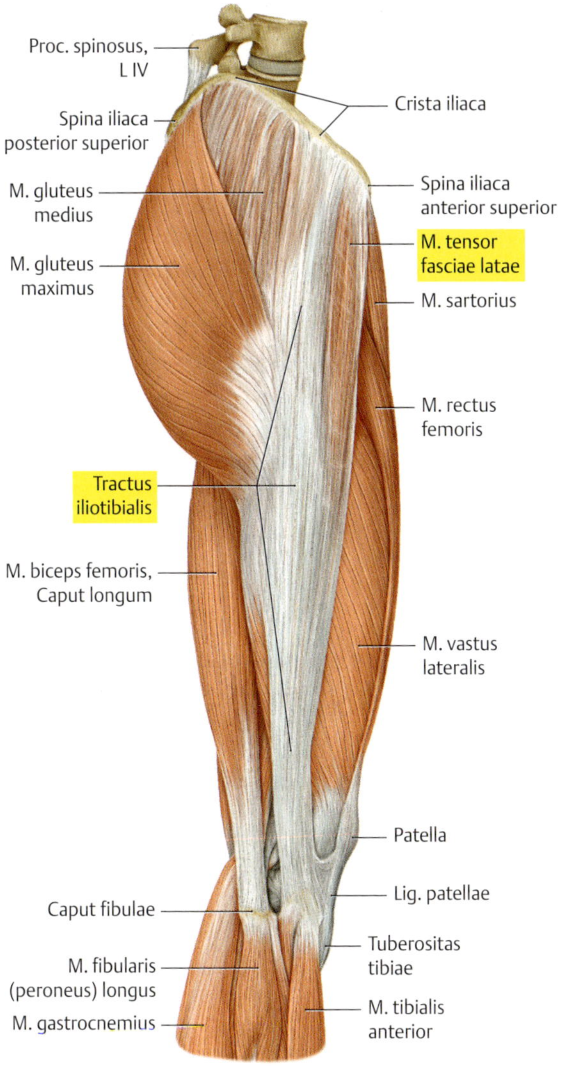

▶ **Abb. 8.22** Muskulatur der rechten Hüft- und Gesäßregion (Ansicht von lateral). (aus Schünke M, Schulte E, Schumacher U. Prometheus, LernAtlas der Anatomie. Allgemeine Anatomie und Bewegungssystem. Illustrationen von M. Voll und K. Wesker. 5., vollständig überarbeitete Auflage. Stuttgart: Thieme; 2018)

8.4.5 Pelvitrochantäre Muskulatur und Fascia obturatoria

Anatomie

▶ Abb. 8.23

- **M. obturatorius internus:**
  - **Ursprung:** Innenfläche der Membrana obturatoria und ihr knöcherner Rahmen
  - **Ansatz:** Fossa trochanterica
  - **Funktion:** Außenrotation, Adduktion und Extension im Hüftgelenk
  - **Innervation:** direkte Äste aus Plexus sacralis (L5–S2)
  - die fasziale Muskelhülle ist kräftig und vereinigt sich im Ansatzbereich der Fossa trochanterica zusätzlich noch mit den Sehnen der Mm. gemelli superior und inferior
  - der Sitzbeinhöcker dient als Hypomochlion (Umlenkrolle)
  - Bursa ischiadica m. obturatorii interni (zwischen Muskel und Knochen) vermeidet erhöhte Reibung zwischen den Strukturen
- **Mm. gemelli:**
  - **Ursprung:** Spina ischiadica (M. gemellus superior), Tuber ischiadicum (M. gemellus inferior)
  - **Ansatz:** Fossa trochanterica
  - **Funktion:** Außenrotation, Adduktion und Extension im Hüftgelenk
  - **Innervation:** direkte Äste aus Plexus sacralis (L5–S2)
- **M. quadratus femoris:**
  - **Ursprung:** Tuber ischiadicum
  - **Ansatz:** Crista intertrochanterica des Femurs
  - **Funktion:** Außenrotation und Adduktion im Hüftgelenk
  - **Innervation:** direkte Äste aus Plexus sacralis (L5–S2)
- **Fascia obturatoria:**
  - umkleidet M. obturatorius internus und Mm. gemelli
  - die Muskeln sind durch Septen innerhalb der Faszie voneinander getrennt
  - Gleitebene zwischen der pelvitrochantären Muskulatur und den darüberliegenden Muskeln
  - setzt am Lig. sacrotuberale an

Osteopathische Korrespondenzen

Diese Muskeln sind fächerförmig angeordnet und wirken zusammen mit dem M. piriformis stabilisierend und stoßdämpfend auf das Hüftgelenk. Die muskuläre Zugkraft der pelvitrochantären Muskulatur führt zur Zentrierung des Hüftkopfs (statische Muskelarbeit).

Durch den Verlauf der pelvitrochantären Muskulatur können die Druckverhältnisse im Hüftgelenk beeinflusst werden, denn manche Muskeln haben einen identischen Verlauf mit wesentlichen Bandstrukturen. Der Faserverlauf vom M. gemellus superior und M. obturatorius internus ist identisch mit dem Verlauf des Lig. sacrospinale.

Bei osteopathischen Dysfunktionen des Hüftgelenks ist neben der pelvitrochantären Muskulatur auch an die Fascia iliopsoas zu denken. Zusammen mit der Fascia iliaca wird eine schlauchförmige fasziale Loge, durch die der M. iliopsoas verläuft, gebildet. Muskel und Faszie können über die Bursa iliopectinea mit dem Hüftgelenk korrespondieren.

Der M. obturatorius internus hat über den M. levator ani eine Verbindung zum Beckenboden. Eine osteopathische Dysfunktion des Os ilium (z. B. anterior oder posterior) verändert auch die Position des Sitzbeinhöckers. Eine Veränderung der biomechanischen Parameter dieses Hypomochlions des M. obturatorius internus ist denkbar und könnte die Gleiteigenschaften zwischen Muskel und Bursa ischiadica m. obturatorii interni negativ beeinflussen.

Behandlungshinweise

Osteopathische Techniken, die das Os sacrum mobilisieren, können auch auf die fasziale Verbindung von Lig. sacrotuberale und Fascia obturatoria einwirken.

8.4.6 Alcock-Kanal (Canalis pudendalis)

Anatomie

▶ Abb. 8.24

- Faszienduplikatur des M. obturatorius internus an der lateralen Wand der Fossa ischioanalis
- beginnt unterhalb der Spina ischiadica und reicht bis zur lateralen Wand der Fossa ischioanalis in Richtung Hinterrand Diaphragma urogenitale/Arcus tendineus des M. levator ani bzw. in Richtung Symphyse des Schambeins (Symphysis pubica)
- darin verlaufen die A. und V. pudenda interna und der N. pudendus (stammen aus dem kleinen Becken, treten durch das Foramen infrapiriforme und durch das Foramen ischiadicum minus, das von Lig. sacrotuberale, Lig. sacrospinale und Incisura ischiadica minor begrenzt wird, in den Alcock-Kanal)

Osteopathische Korrespondenzen

Myofasziale Adhäsionen sowie Veränderungen im kleinen Becken könnten die Strukturen in ihrer Funktionalität negativ beeinflussen.

Die räumliche Nähe von Lig. sacrotuberale, N. pudendus, A. und V. pudenda im Zusammenhang mit der faszialen Verbindung von M. biceps femoris und den Adduktoren sollte bei der Behandlung berücksichtigt werden.

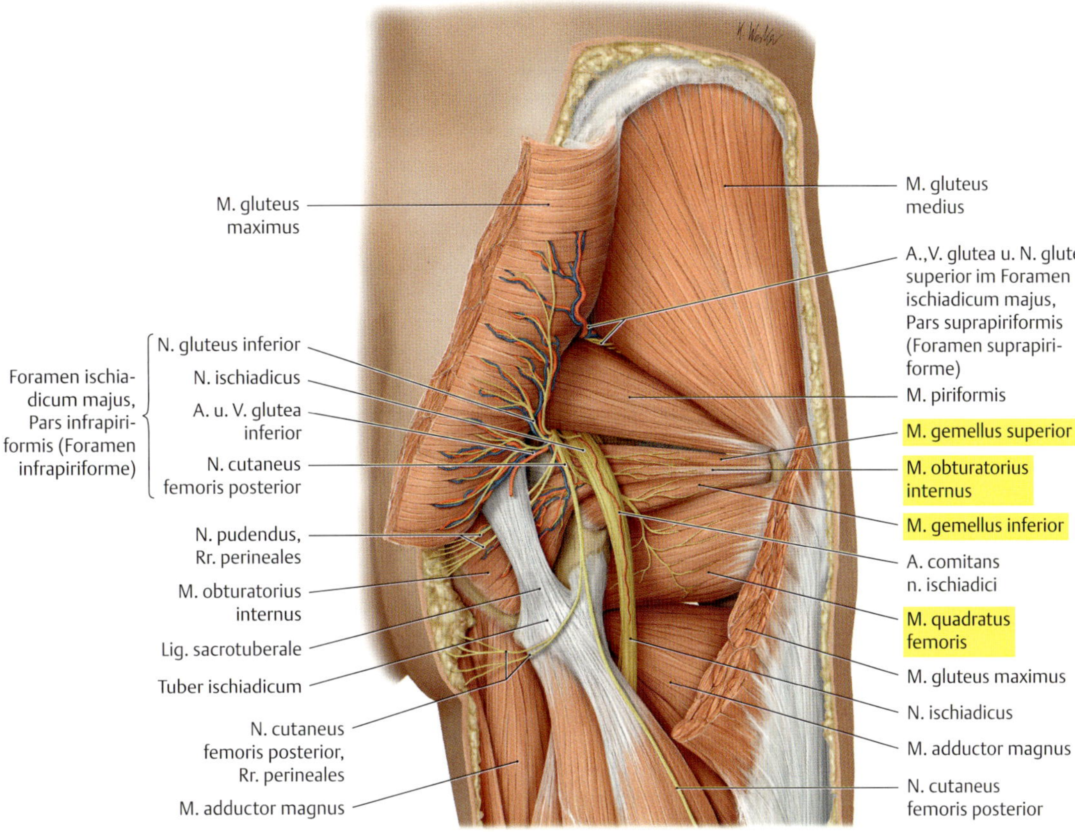

▶ **Abb. 8.23** Pelvitrochantäre Muskulatur der rechten Gesäßregion (Ansicht von dorsal). (aus Schünke M, Schulte E, Schumacher U. Prometheus, LernAtlas der Anatomie. Allgemeine Anatomie und Bewegungssystem. Illustrationen von M. Voll und K. Wesker. 5., vollständig überarbeitete Auflage. Stuttgart: Thieme; 2018)

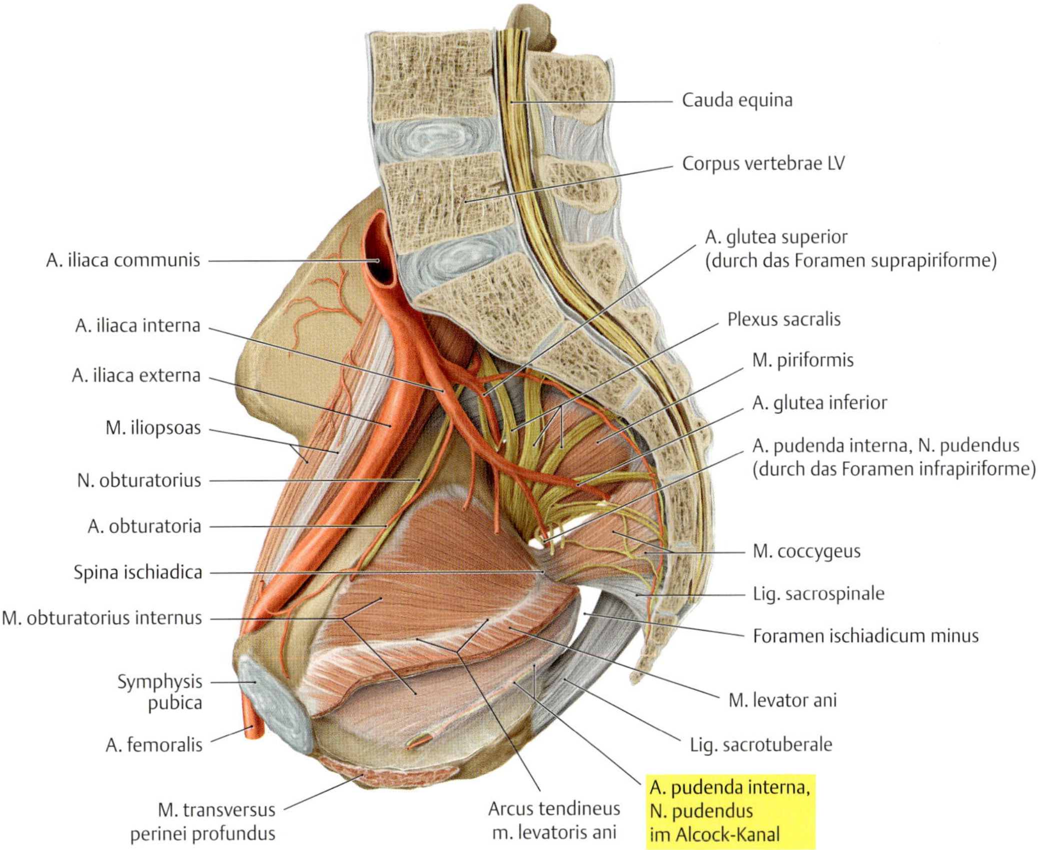

▶ **Abb. 8.24** Lage des Alcock-Kanals (Canalis pudendalis; Ansicht von medial auf die rechte Beckenhälfte). (aus Schünke M, Schulte E, Schumacher U. Prometheus, LernAtlas der Anatomie. Allgemeine Anatomie und Bewegungssystem. Illustrationen von M. Voll und K. Wesker. 5., vollständig überarbeitete Auflage. Stuttgart: Thieme; 2018)

8.5
Beckengürtel und Hüftgelenk

8.5.1 Beckengürtel als Gesamtheit

Anatomie

▸ Abb. 8.25
- stabiler knöcherner Ring
- besteht aus:
  - Os coxae (Hüftbein)
  - Os sacrum (Kap. 3.4.7)
  - Os coccygis (Kap. 3.4.8)
- gelenkige Verbindungen:
  - Art. sacroiliaca (Iliosakralgelenk): zwischen Kreuzbein und Darmbeinschaufel
  - Symphysis pubica: zwischen den beiden Schambeinkochen
  - Art. sacrococcygea: zwischen Kreuzbein und Steißbein (Kap. 3.4.7, Kap. 3.4.8)
- Becken kann als funktionelle Einheit bezeichnen werden
- im Gesamtkörperkontext kann diese funktionelle Einheit um die untere LWS (v. a. lumbosakraler Übergang) und die Hüftgelenke (Art. coxae) erweitert werden
- bildet mit seinen großen Bändern (u. a. Ligg. sacrotuberale, sacrospinale, anococcygeum) den festen Rahmen des kleinen Beckens

Osteopathische Korrespondenzen

Das knöcherne Becken umgibt die Beckenorgane und die des unteren Abdomens wie eine Schale und kann damit auch in seiner Funktion und Mobilität über diesen Wirkungszusammenhang von kranial beeinflusst werden.

Der Beckengürtel dient im Wesentlichen der Kraftübertragung. Kräfte wirken von kranial u. a. in Form der Schwerkraft und von kaudal als reaktive Kräfte, besonders im Stand über die unteren Extremitäten und im Sitzen über die beiden Sitzbeinhöcker.

Die Bewegungen im Beckenring sind gering. Sie erfolgen passiv als Reaktion auf Bewegungen und Kraftzüge aus der unteren Extremität. Die Beckenstellung (Haltung) und myofasziale Züge (z. B. aus oberer Extremität, Körpermitte, Kranium) können ebenfalls die Bewegung des Beckenrings beeinflussen. Das Ilium und damit auch die Symphysis pubica unterliegen besonders den Bewegungen der unteren Extremität, die Dysfunktionen im Becken hervorrufen können. Das Sakrum hat hier eher die Funktion eines Wirbels, der deutlich von den Bewegungen der Wirbelsäule beeinflusst wird.

Damit ist das Becken Bestandteil der Lenden-Becken-Hüftgelenk-Gabel. Die folgenden Bestandteile bilden eine funktionelle Einheit: unterer Anteil der LWS (lumbosakraler Übergang), das Becken mit seinen gelenkigen Anteilen (Iliosakralgelenk, Symphysis pubica, Sakrokokzygealgelenk) und die Hüftgelenke (Art. coxae). Der Beckenring überträgt auch die Kraftverläufe von kaudal nach kranial und umgekehrt.

Auch die Propriozeption und Exterozeption wirken auf die Beckenstellung ein (Kap. 2.7.1, Kap. 8.4.1).

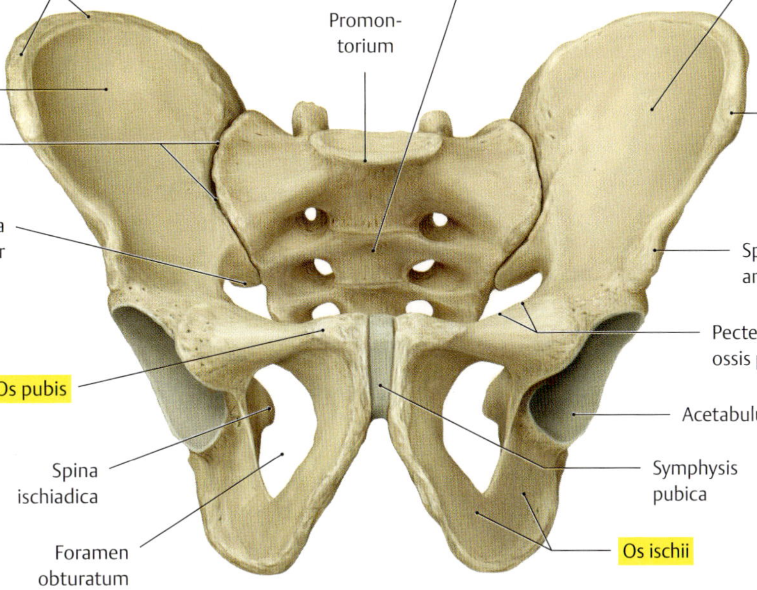

▸ **Abb. 8.25** Knöchernes Becken (Ansicht von ventral). (aus Schünke M, Schulte E, Schumacher U. Prometheus, LernAtlas der Anatomie. Allgemeine Anatomie und Bewegungssystem. Illustrationen von M. Voll und K. Wesker. 5., vollständig überarbeitete Auflage. Stuttgart: Thieme; 2018)

8.5.2 Os coxae

Anatomie

▸ Abb. 8.26, ▸ Abb. 8.27

- besteht aus Os ilium, Os pubis und Os ischii
- **Os ilium:**
  - Spina iliaca anterior superior (SIAS): oberer Knochenvorsprung am vorderen Ende der Crista iliaca
  - Spina iliaca anterior inferior (SIAI): unterer Knochenvorsprung am vorderen Ende der Crista iliaca
  - Spina iliaca posterior superior (SIPS): oberer Knochenvorsprung am hinteren Ende der Crista iliaca
  - Spina iliaca posterior inferior (SIPI): unterer Knochenvorsprung am hinteren Ende der Crista iliaca
  - Crista iliaca: verdickter kraniale Rand des Iliums mit 3 Leisten (Labium externum, Linea intermedia, Labium internum)
  - Facies glutea: Außenfläche des Iliums
  - Tuberositas iliaca: Rauigkeit am Ilium, begrenzt von Crista iliaca, SIPS und Facies auricularis
  - Gelenkflächen (Facies auricularis ossis ilii):
    - erstrecken sich von S 1–S 3
    - eher fibrös, Knorpeldicke 0,2–1,0 mm
    - kurzer, oberer Schenkel: im Stand beinahe senkrecht
    - langer, unterer Schenkel: im Stand recht horizontal
    - Winkel zwischen den beiden Schenkeln im Mittel ca. 110°
- **Os pubis:**
  - Tuberculum pubicum: knöcherner Höcker am Corpus ossis pubis
  - Ramus superior ossis pubis: kraniale Begrenzung des Foramen obturatorium
  - Ramus inferior ossis pubis: kaudale Begrenzung des Foramen obturatorium, bildet die Facies symphysialis
  - Symphysis pelvina: Beckensymphyse, wird von beiden Schambeinen gebildet
- **Os ischii:**
  - begrenzt dorsal das Foramen obturatorium
  - Tuber ischiadicum: Knochenvorsprung am Ramus inferior des Iliums
  - Spina ischiadica: am posterioren Rand des Ilium liegender spitzer Knochenfortsatz

Osteopathische Korrespondenzen

SIAS und SIPS sind wichtige Referenzpunkte für die Palpation des Beckens am stehenden, sitzenden oder liegenden Patienten. Höhenunterschiede von SIAS und SIPS in kranialer oder kaudaler Richtung können Hinweis auf z. B. eine Dysfunktion Ilium posterior, anterior, Upshift, Outflare geben. Ursachen für eine Iliumdysfunktion müssen dann differenziert untersucht werden (z. B. anatomische Beinlängendifferenz, ISG-Dysfunktion durch vorwiegend myofasziale, viszerale, kraniale und oder parietale Ursachenfolgeketten) (Kap. 3.4.7).

Die SIAS ist Ursprung von M. sartorius und M. tensor fasciae latae. Diese Muskeln stellen durch ihren Verlauf eine direkte Verbindung zwischen Ilium und Tibia her. Über das Lig. inguinale, das von der SIAS zum Tuberculum pubicum zieht, können myofasziale Züge aus der Bauchmuskelaponeurose auf das Ilium einwirken. Denn die Aponeurose gelangt von kranial zum Lig. inguinale und ist mit dem Ligament verwoben. Hier besteht auch der Übergang von der Bauchmuskelaponeurose zur weiterführenden Oberschenkelfaszie (Fascia lata), die von kaudal in das Ligament einzieht. Kompressionen im Bereich des Lig. inguinale (z. B. bei fortgeschrittener Schwangerschaft) können die durch die Lacuna musculorum verlaufenden N. cutaneus femoris lateralis und N. femoralis komprimieren und zu sensiblen Störungen im Versorgungsgebiet (lateraler bzw. ventraler Oberschenkel bis zum Knie) führen.

Die Crista iliaca ist mit ihren Leisten Ursprung und Ansatz zahlreicher Muskeln. Korrespondenzen zur LWS und 12. Rippe bestehen über den M. quadratus lumborum und kaudalen Anteil des M. transversus abdominis (Labium internum). Der M. obliquus internus abdominis hat seinen Ursprung an der Linea intermedia. Über das Labium externum korrespondiert der M. latissimus zwischen Ilium und Oberarm, der M. gluteus medius zwischen Ilium und Trochanter major und der M. obliquus externus abdominis zwischen den unteren Rippen mit der Rektusscheide, Lig. inguinale und Crista iliaca. Über die Beteiligung der Fascia thoracolumbalis, insbesondere über die Verbindung zu M. quadratus lumborum, M. transversus abdominis, Mm. obliqui externus und internus abdominis und M. latissimus dorsi, besteht nach kranial ein vielfältiges Netzwerk mit Wechselwirkung auf Wirbelsäule, Thorax, obere Extremität und Kranium.

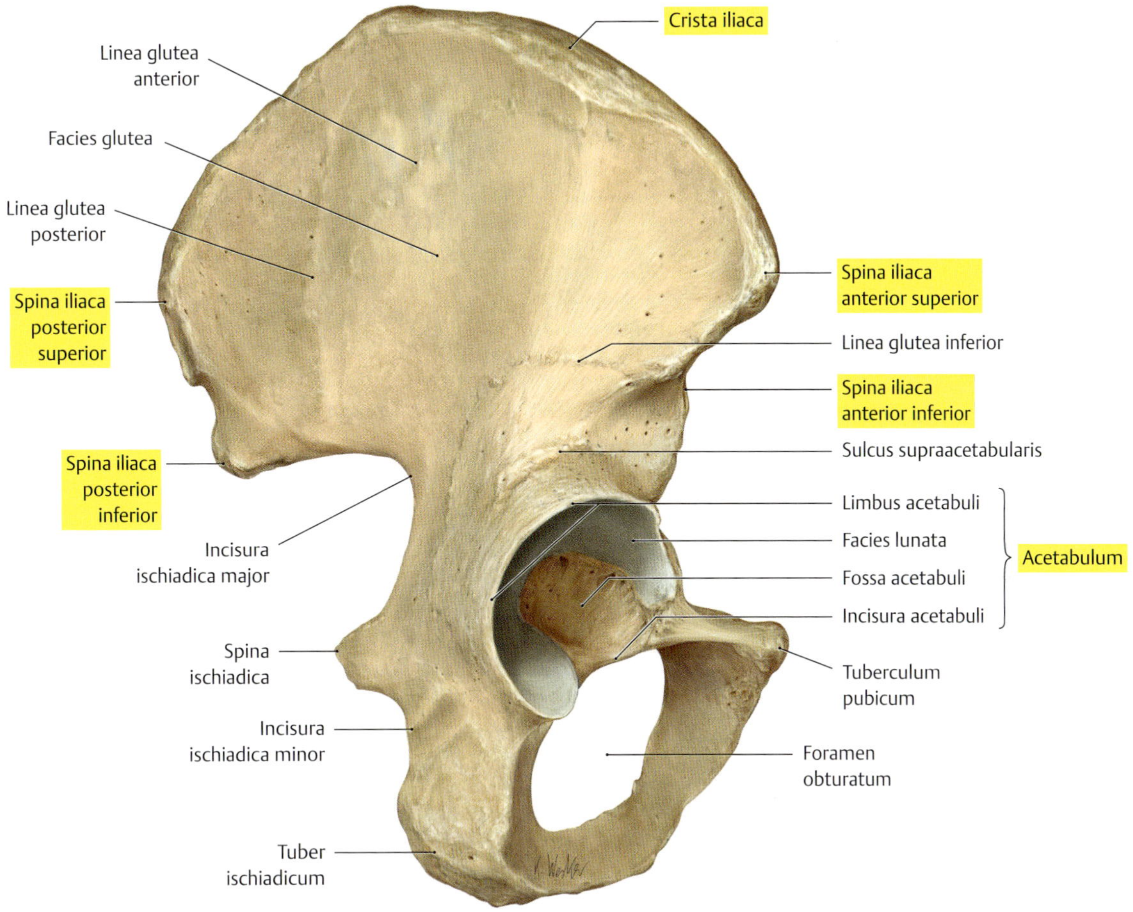

▸ **Abb. 8.26** Rechts Os coxae (Ansicht von lateral). (aus Schünke M, Schulte E, Schumacher U. Prometheus, LernAtlas der Anatomie. Allgemeine Anatomie und Bewegungssystem. Illustrationen von M. Voll und K. Wesker. 5., vollständig überarbeitete Auflage. Stuttgart: Thieme; 2018)

Das Tuber ischiadicum ist der Ursprung der ischiokruralen Muskelgruppe (M. biceps femoris, M. semimembranosus und M. semitendinosus) und des M. adductor magnus. Das Lig. sacrotuberale verbindet das Tuber mit dem Kreuzbein. Kraftzüge über diese Muskeln wirken sich über das Ilium auf das Sakrum aus und beeinflussen u. a. das ISG.

Die Spina ischiadica ist Ursprung für M. gemellus superior, M. coccygeus und Lig. sacrospinale. Muskuläre Dysbalancen der tiefen pelvitrochantären Muskulatur können die Funktionalität des Lig. sacrospinale stören und zu Dysfunktionen des Os coccygis führen. Der Arcus tendineus m. levatoris ani (eine Umschlagfalte der Fascia pelvis parietalis) liegt auf der Linie des Ramus inferior des Os pubis zur Spina ischiadica. Der Arcus tendineus ist Ursprung für den M. levator ani, der von der Fascia pelvis visceralis bedeckt wird. Hier bestehen enge Korrespondenzen zwischen den Organen des kleinen Beckens und der Fascia pelvis visceralis. Besonders die Verstärkungszüge dieser Faszie, die von der Spina ischiadica nach ventral zum Uterus und zur Harnblase ziehen, sichern die Position der Organe. Eine Ptose z. B. des Uterus kann die Funktionalität der Fascia pelvis beeinträchtigen.

Der N. pudendus tritt durch das Foramen infrapiriforme, verläuft dann dorsal um die Spina ischiadica bzw. das Lig. sacrospinale und gelangt dann durch das Foramen ischiadicum minus in den Alcock-Kanal (Canalis pudendalis), um sich dann in seine Endäste aufzuzweigen. Myofasziale Adhäsionen im Bereich des Nervenverlaufs können z. B. zu Parästhesien im Dammbereich führen (Kap. 8.5.6).

Behandlungshinweise

Durch den Vorlauftest im Stand und im Sitzen kann man differenzieren, ob eine Ilium- oder eine Sakrumdysfunktion vorliegt. Eine Iliumdysfunktion, die sich durch eine asymmetrische Bewegung während des Vorlauftests im Stand, aber nicht im Sitzen zeigt, kann auf eine aufsteigende Dysfunktionskette aus der unteren Extremität hinweisen. Differenzialdiagnostisch ist bei einem positiven Vorlauftest im Stand z. B. auch eine anatomisch oder durch eine myofasziale Dysfunktion (z. B. durch Hypertension des M. quadratus lumborum) bedingte Beinlängendifferenz zu denken.

8.5.3 Acetabulum

Anatomie

▸ Abb. 8.26, ▸ Abb. 8.39

- entsteht aus der Verschmelzung von Os ilium, Os ischii und Os pubis (y-förmige Wachstumsfuge)
- Ausrichtung: offen nach lateral, inferior und anterior
- Facies lunata:
  - mit hyalinem Knorpel überzogene hufeisenförmige Fläche
  - wird im inferioren Bereich von der Incisura acetabuli (wird vom Lig. transversum acetabuli überspannt) unterbrochen
- Limbus acetabuli: knöcherne Gelenklippe am Rand des Azetabulums, an dem das Labrum acetabuli befestigt ist
- Labrum acetabuli: geschlossener Ring aus Faserknorpel, der das Gelenk hermetisch abschließt → dadurch entstehen innerhalb des Gelenks Adhäsionskräfte, die das Gelenk stabilisieren
- Fossa acetabuli: ein zentraler, nicht überknorpelter Bereich, der mit lockerem Bindegewebe und Fett gefüllt ist

Osteopathische Korrespondenzen

In dem Vieleck der Kräfte nach Littlejohn bilden beide Acetabula zusammen mit dem Steißbein das breite Beckendreieck und die Basis für die Wirbelsäulenform. Veränderungen der Beckenstellung können über die Kraft- und Spannungslinien Einfluss auf periphere Strukturen nehmen, z. B. auf einzelne Wirbel, obere Thoraxapertur, HWS und Kranium.

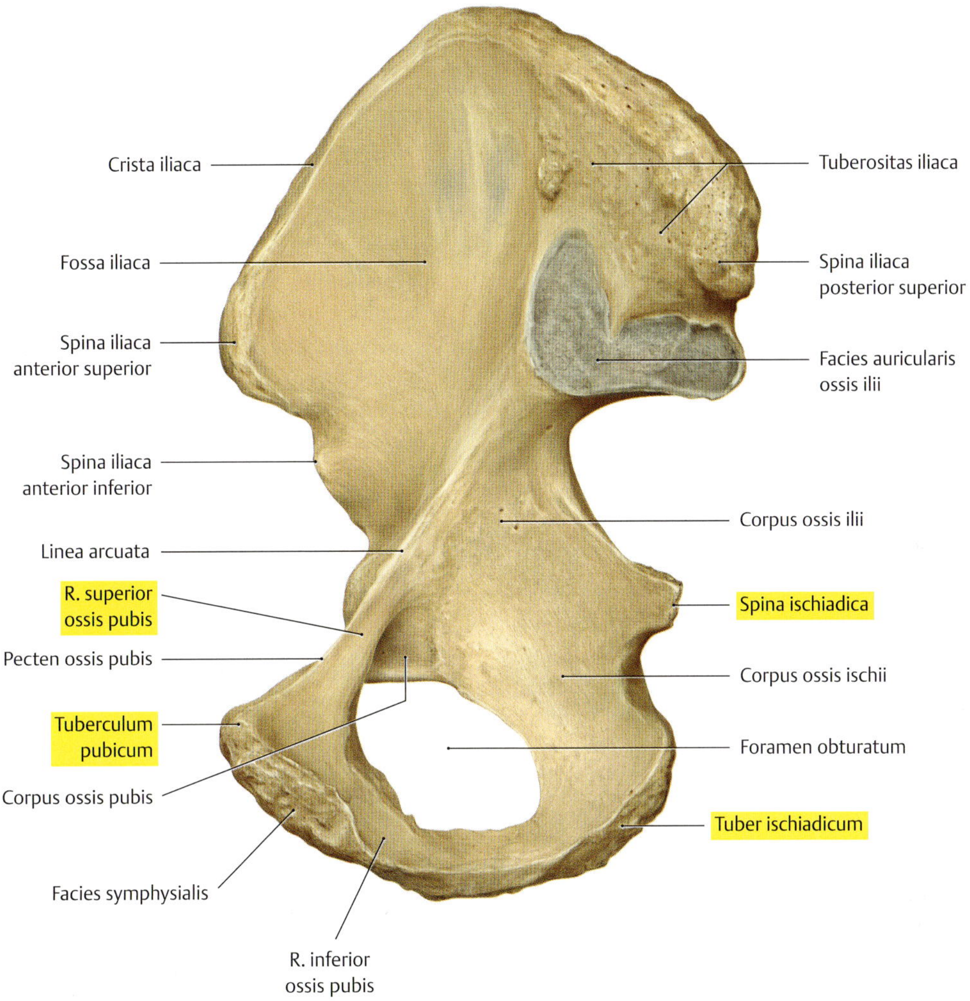

▶ **Abb. 8.27** Rechts Os coxae (Ansicht von medial). (aus Schünke M, Schulte E, Schumacher U. Prometheus, LernAtlas der Anatomie. Allgemeine Anatomie und Bewegungssystem. Illustrationen von M. Voll und K. Wesker. 5., vollständig überarbeitete Auflage. Stuttgart: Thieme; 2018)

8.5.4 Membrana obturatoria

Anatomie

▶ Abb. 8.28

- bedeckt das Foramen obturatum
- schließt das kleine Becken nach unten ab
- dient als Ansatzfläche der Mm. obturarorii
- überspannt den Sulcus obturatorius (Knochenfurche an der anterolateralen Innenseite des Os coxae) und bildet damit den Canalis obturatorius:
  - stellt die Verbindung zwischen den Bindegewebsräumen und der medialen Muskulatur des Oberschenkels her
  - durchlaufende Strukturen: A. obturatoria (versorgt mit ihren posterioren Ästen den Hüftkopf), Vv. obturatoriae, N. obturatorius und Lymphgefäße

Osteopathische Korrespondenzen

Die Membran reagiert auf Drucksteigerungen im Becken (v. a. im kleinen Becken). Durch erhöhten Druck auf die Membran kann es zu Kompressionen der Gefäße im Obturatorenkanal kommen und es können Missempfindungen im Versorgungsgebiet des N. obturatorius auftreten (Oberschenkelinnenseite und mediale Knieseite).

Faserverbindungen zwischen der Kapsel des Hüftgelenks und der Membrana obturatoria stellen eine fasziale Vernetzung der Harnblase und des Beckenbodens mit der Hüfte dar (z. B. Lig. infrapubicale). Besonders das Aufhängesystem der Blase, das Lig. umbilicale mediale, strahlt in die Fascia obturatoria und in die Fascia diaphragmatica pelvis ein. Dadurch können sich Spannungen der Becken- und der Hüftmuskelfaszien gegenseitig beeinflussen.

Die Oberschenkeladduktoren gehören zur tiefen Frontallinie, die eine komplexe Verbindung zum Peritoneum und zum Diaphragma abdominale hat. Sie stehen in enger Beziehung zur Membrana obturatoria: A. und V. obturatoria, N. obturatorius und die Lymphgefäße verlaufen durch den Canalis obturatorius. Dysfunktionen der Membrana obturatoria mit Wirkung auf den Canalis obturatorius können im Bereich von Hüfte, Adduktoren und der medialen Seite des Kniegelenks Engpasssymptome provozieren, z. B. bei viszeralen Dysfunktionen im kleinen Becken.

Behandlungshinweise

Bei Adduktorenbeschwerden ist es sinnvoll, die Membrana obturatoria und die Symphysis pubica in das Behandlungskonzept einzubinden.

8.5.5 Symphysis pubica

Anatomie

▶ Abb. 8.29

- **Art:** Synchondrose (Faserknorpel) mit Discus interpubicus mit zentralem Hohlraum
- **Partner:** rechtes und linkes Os pubis
- **Funktion:** Scherbewegung nach kranial und kaudal möglich
- **Ligamente:**
  - posterior: membranös, dünne Bandstrukturen
  - superior: Lig. pubicum superius (starkes Band zwischen Tuberculum pubicum rechts und links)
  - inferior: Lig. arcuatum pubicum (sehr kräftig, an beiden Rr. inferiores ossis pubis befestigt)
  - anterior: dickere Strukturen als posterior, quer verlaufende und schräge Fasern, erhält Fasern von M. rectus abdominis, M. pyramidalis, M. obliquus abdominis externus (crus mediale), M. adductor longus, M. gracilis

Myofasziale Wirkungsketten

Der Verlauf von oberflächlicher, funktioneller und tiefer Frontallinie steht in enger Verbindung mit der Symphysis pubica. Die oberflächliche Frontallinie, die Strukturen nach kranial zieht, die vor der Lotlinie liegen, wirkt über den M. rectus abdominis direkt auf die Symphyse ein. Die tiefe Frontallinie, die stabilisierende und stützende Funktion für den gesamten Körper hat, stabilisiert über die Adduktoren und das Diaphragma urogenitale die Schambeinfuge. Die funktionelle Frontallinie kann über den M. adductor longus in der Bewegung Kraftzüge und Muskelvorspannungen auf die Gegenseite des Körpers übertragen.

Osteopathische Korrespondenzen

Bei Muskelzerrungen und Überlastung der Adduktoren können sich Schmerzen bis in die Region der Symphyse ausbreiten. Störungen in der faszialen Kontinuität, myofasziale Adhäsionen im Bereich der Oberschenkelinnenseite und muskuläre Dysbalancen der korrespondierenden Muskulatur im Fuß und Unterschenkel (insbesondere des Zehenbeugers und des M. tibialis posterior) können die Funktionalität der Adduktoren beeinträchtigen und Dysfunktionen im Bereich der Symphysis pubica provozieren.

Behandlungshinweise

Zum Lösen von unphysiologischen Adhäsionen in der Symphysenregion eignen sich insbesondere Techniken, die zur Dekoaption der Symphysis pubica führen.

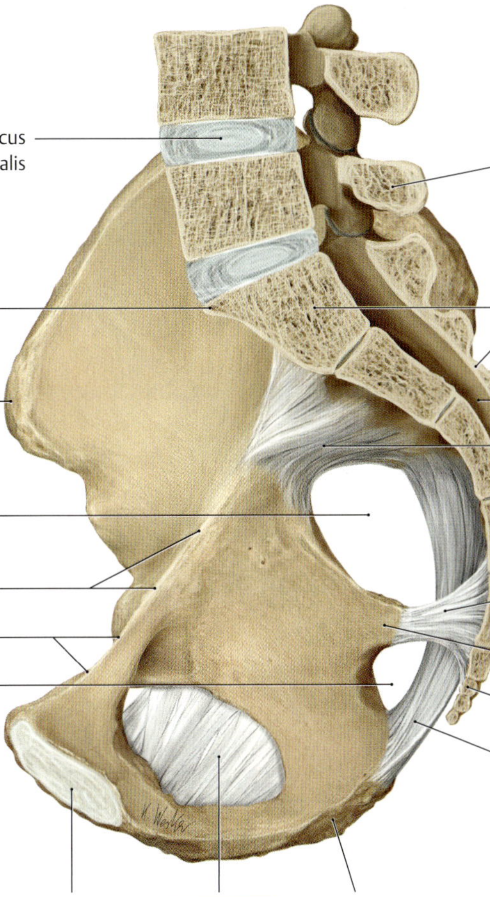

▶ **Abb. 8.28** Membrana obturatoria (rechte Beckenhälfte, Ansicht von medial). (aus Schünke M, Schulte E, Schumacher U. Prometheus, LernAtlas der Anatomie. Allgemeine Anatomie und Bewegungssystem. Illustrationen von M. Voll und K. Wesker. 5., vollständig überarbeitete Auflage. Stuttgart: Thieme; 2018)

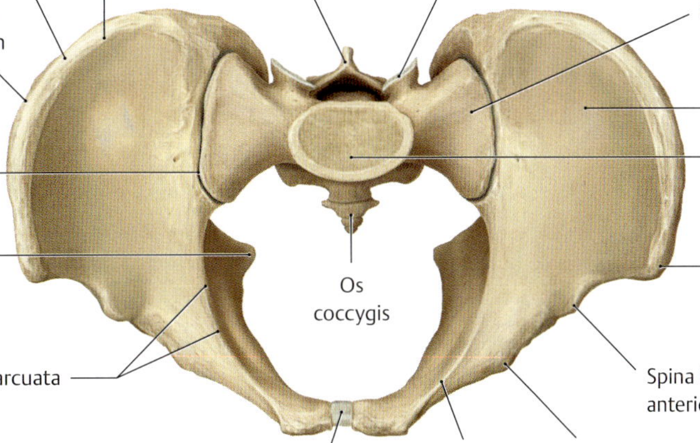

▶ **Abb. 8.29** Symphysis pubica und Art. sacroiliaca (Ansicht von kranial). (aus Schünke M, Schulte E, Schumacher U. Prometheus, LernAtlas der Anatomie. Allgemeine Anatomie und Bewegungssystem. Illustrationen von M. Voll und K. Wesker. 5., vollständig überarbeitete Auflage. Stuttgart: Thieme; 2018)

8.5.6 Iliosakralgelenk (Art. sacroiliaca, Kreuzbein-Darmbein-Gelenk)

Anatomie

▶ Abb. 8.29, ▶ Abb. 8.30, ▶ Abb. 8.31, ▶ Abb. 8.32

- **Art:** Amphiarthrose
- **Partner:** Os ilium (Facies auricularis) und Os sacrum (Facies auricularis)
- **Kapsel:** Gelenkhöhle teilweise mit Bindegewebe ausgefüllt, straffe Bandkapselsicherung über Ligg. sacroiliaca anterius und posterius
- **Funktion:** kleine Bewegungsamplitude
  - Os sacrum Nutation und Gegennutation (Flexion und Extension)
  - Os ilium: vorwiegend in Sagittalebene; Rotation nach anterior oder posterior mit den Nebenbewegungen bei einer anterioren Bewegungsrichtung nach kaudal und lateral, mit gleichzeitiger Bewegung nach posterior, kranial und medial
- **Ligamente:**
  - intrinsische Ligamente auf Dorsalseite (liegen intraossär): überspannen direkt die iliosakrale Gelenkfläche
    - Ligg. sacroiliaca interossea: kräftigster Teil, tiefe Schicht, von Tuberositas iliaca zur Tuberositas sacralis, von dorsal an der Kapsel befestigt
    - Ligg. sacroiliaca posteriora profunda: mittlere Schicht, von der SIPS zur Crista sacralis lateralis
    - Ligg. sacroiliaca posteriora superficialia: oberflächliche Schicht, von der SIPS zur Crista sacralis intermedia
    - Lig. sacroiliacum dorsale longum: von den Ligg. sacroiliaca interossea lateral der SIPS zur Crista sacralis lateralis auf Höhe von S 3 und S 4
  - intrinsische Ligamente auf der Ventralseite:
    - Ligg. sacroiliaca anteriora: schwächer als die posterioren Ligamente, „Verdickungen" der anterioren und inferioren Teile der Gelenkkapsel
  - extrinsische Ligamente: verlaufen in räumlichem Abstand zum ISG
    - Lig. sacrotuberale, superiore Anteile: von der SIPS zum lateralen Rand des Sakrums und wahrscheinlich auch des Os coccygis
    - Lig. sacrotuberale, mediale Anteile: vom lateroinferioren Winkel des Os sacrum und vom Os coccygis zum Tuber ischiadicum; spiralförmiger Verlauf der Fasern: die lateral am Tuber ischiadicum entspringenden Fasern ziehen zum kaudalen Teil des Sakrums, die medial am Tuber entspringenden ziehen weiter kranialwärts zum Sakrum
    - Lig. sacrotuberale, laterale Anteile: von SIPI zum Tuber ischiadicum; überspannt den M. piriformis und erhält von diesem einige Fasern
    - Lig. sacrospinale: zieht vom lateralen Rand des Os sacrum und Os coccygis zur Spina ischiadica und ist eng mit dem M. coccygeus verbunden
    - Lig. iliolumbale: entspringt den Querfortsätzen von L 4 und L 5, verbindet sich inferior mit den sakroiliakalen Ligamenten und ist lateral an der Crista iliaca befestigt
  - Lig. sacrotuberale und Lig. sacrospinale bilden das Foramen ischiadicum majus und Foramen ischiadicum minus

Myofasziale Wirkungsketten

Die oberflächliche Rückenlinie, die den gesamten Körper in der Extensionsbewegung unterstützt und die aufrechte Haltung stabilisiert, wirkt direkt über die Kraftkette ischiokrurale Muskeln und Lig. sacrotuberale auf Ilium und Sakrum ein. Von kranial beeinflussen der M. erector spinae und die Fascia thoracolumbalis das ISG. Die Spirallinien können je nach Belastung von Stand- und Spielbein Kräfte auf die gleiche Körperseite oder aber auf die gegenüberliegende Körperseite übertragen. Dabei ist das Sakrum ein wichtiger Kreuzungspunkt. Durch den schraubenförmigen Verlauf der Spirallinien besteht eine enge Verbindung von Fuß zum Becken. Sie wirken zuggurtartig stabilisierend auf das ISG ein. Die tiefe Frontallinie stabilisiert über das Diaphragma urogenitale und über die tiefe pelvitrochantäre Muskulatur das ISG.

Diaphragma pelvis und Diaphragma urogenitale sind Bestandteile der Zentralsehne. Diese Diaphragmen haben eine direkten Bezug zum Iliosakralgelenk und korrespondieren über das Sakrum mit dem Kranium und damit auch mit der Synchondrosis sphenobasilaris.

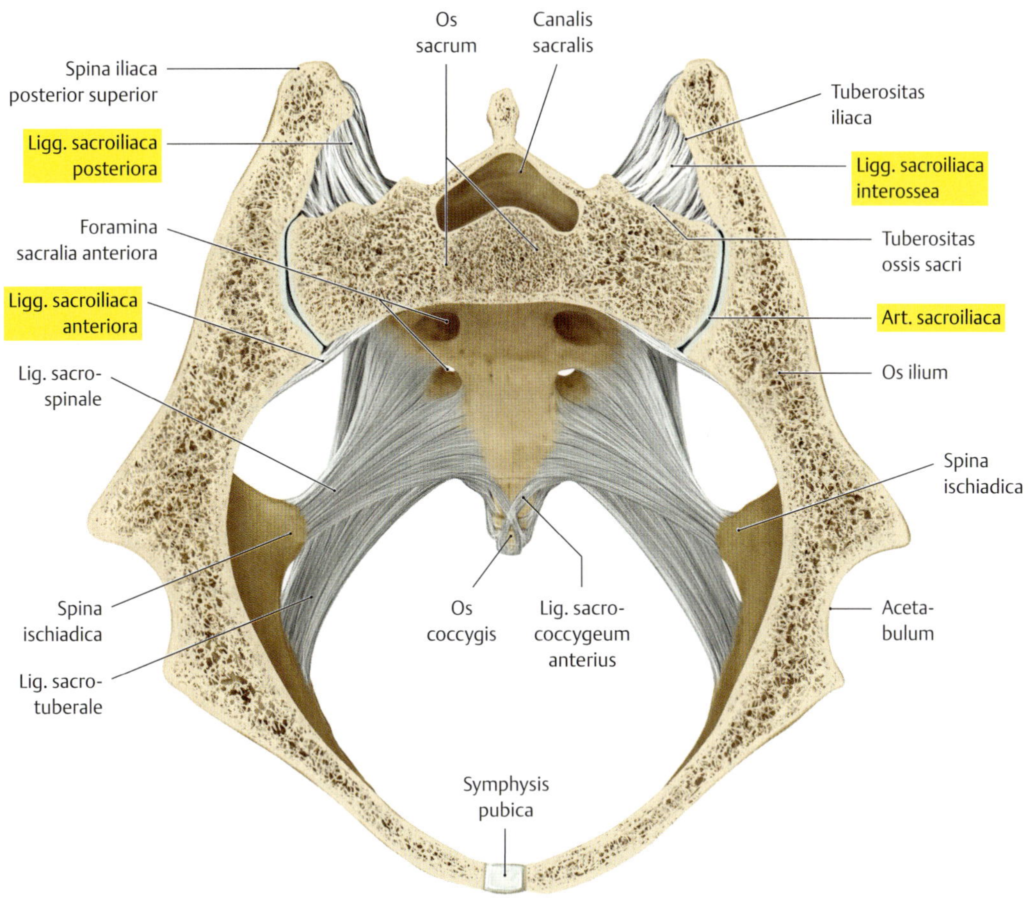

▸ **Abb. 8.30** Art. sacroiliaca und Bandapparat (nach ventral geneigter Horizontalschnitt, Ansicht von kranial). (aus Schünke M, Schulte E, Schumacher U. Prometheus, LernAtlas der Anatomie. Allgemeine Anatomie und Bewegungssystem. Illustrationen von M. Voll und K. Wesker. 5., vollständig überarbeitete Auflage. Stuttgart: Thieme; 2018)

Osteopathische Korrespondenzen

Es bestehen stark individuelle Ausprägungen der Gelenkflächen in Bezug auf Erhöhungen und Vertiefungen, auf den Winkel zwischen den beiden Schenkeln und auf die Ausrichtung der Gelenkflächen. Denkbar ist, dass damit auch eine unterschiedlich ausgeprägte Mobilität des ISG einhergeht.

Die medialen Fasern der Ligg. sacroiliaca sind an der tiefen Schicht des posterioren Blatts der Fascia thoracolumbalis und der Aponeurose des M. erector spinae befestigt, laterale Fasern vermischen sich mit dem Lig. sacrotuberale. Die Ligg. sacroiliaca anteriora verankern das Kreuzbein im Beckenring. Dadurch wird eine Verlagerung in die Beckenhöhle vermieden.

In das Lig. sacrotuberale strahlen sowohl Fasern des M. gluteus maximus als auch des M. biceps femoris ein. Bei Kontraktion der Muskeln ist vorstellbar, dass sich die Spannung des Ligaments erhöht. Das Lig. sacrotuberale ist Bestandteil der oberflächlichen Rückenlinie.

Lig. sacrotuberale und Lig. sacrospinale sichern eine dorsale Bewegung des Sakrums um die transversale Achse ab. Sie sind stabilisierende Bestandteile des Beckenbodens.

Die anterioren Bänder des Lig. iliolumbale stehen mit dem M. quadratus lumborum in Kontakt. Die posterioren Bänder koppeln die Bewegung zwischen LWS und Ilium.

Das Becken benötigt Stabilität und Bewegung. Dabei geht es immer um ein komplexes Zusammenspiel zwischen Muskeln, faszialen Befestigungen im Becken und thorakolumbalen Bereich sowie den zahlreichen Ligamenten. Das Becken wird auf den beiden Femurköpfen ausbalanciert. Die Stabilität ist in der frontalen Ebene damit größer als in der sagittalen Ebene. Folglich können in der sagittalen Ebene schon geringe Dysbalancen des myofaszialen Systems einen Einfluss auf das Gleichgewicht des Beckens (und der Wirbelsäule) haben.

Der Beckengürtel dient der Kraftübertragung von kranial nach kaudal und umgekehrt. Die entstehenden und entgegengesetzten Kräfte bauen im Becken und dort v. a. im ISG einen Selbstverriegelungsmechanismus in Form von Form- und Kraftschluss auf. Der Formverschluss (Form Closure) ist durch die Keilform des Sakrums (anteroposterior und vertikal), durch knöcherne Erweiterungen (Rillen und Firste), die mit Knorpel überzogen in das Gelenk vorspringen, und durch einen unregelmäßigen Gelenkknorpel, der im Gegensatz zu anderen Gelenken nicht glatt ist, möglich. Er stabilisiert das Gelenk bei vertikalen Kräften, wenn die Belastung konstant ist. Kommt es jedoch zu Bewegungen durch inkonstante Belastungen, müssen laterale Kräfte das Gelenk sichern. Dafür dient der Kraftschluss (Force Closure). Er ist durch Weichteile wie Ligamente, Muskeln bzw. Faszien und auch durch die Art der Sakrumbewegung in Form der Nutation möglich. Dabei wird das Sakrum nach kaudal und mit der Basis nach ventral in das Becken hineingepresst. Diese Kräfte werden u. a. vom M. gluteus maximus, dem kontralateralen M. latissimus dorsi (beides Bestanteile der funktionellen Rückenlinie) sowie Anteilen von M. obliquus internus und M. transversus abdominis aufgebaut. Reaktive Kräfte wirken dann auf das Ilium in die entgegengesetzte Richtung nach kranial und in Rotation nach posterior ein.

Die kraniosakralen Korrespondenzen bestehen vom Sakrum über den Duraschlauch zur OAA und zum Kranium. Der PRM ist der Antrieb für die kraniosakrale Bewegung, wobei die Synchondrosis sphenobasilaris als Impulsgeber fungiert. Grundlegend ist dabei die Fluktuation des Liquors. Die Synchondrosis sphenobasilaris überträgt die Bewegung auf alle Anteile von Kranium, Viszerokranium und Sakrum. Die störungsfreie Bewegung des Sakrums zwischen den beiden Darmbeinschaufeln ist für die freie Bewegung aller beteiligten Strukturen wichtig.

Behandlungshinweise

Die Funktionalität des Sakrums kann man mit Hilfe des PRM untersuchen.

Dysfunktionen des Sakrums können u. a. Schmerzen im Iliosakralgelenk, Lumbalbereich oder Kranium verursachen. Differenzialdiagnostisch muss man ursächlich auch an periphere Dysfunktionen denken. Diese können sich nachteilig auf die Funktionalität des Sakrums und damit auch das Iliosakralgelenk auswirken. Dies können z. B. Organptosen, myofasziale Adhäsionen im Peritoneum, zirkulatorische Stauungen im Abdomen und Becken, Dysfunktionen der OAA, der Synchondrosis sphenobasilaris oder des Kiefergelenks sein.

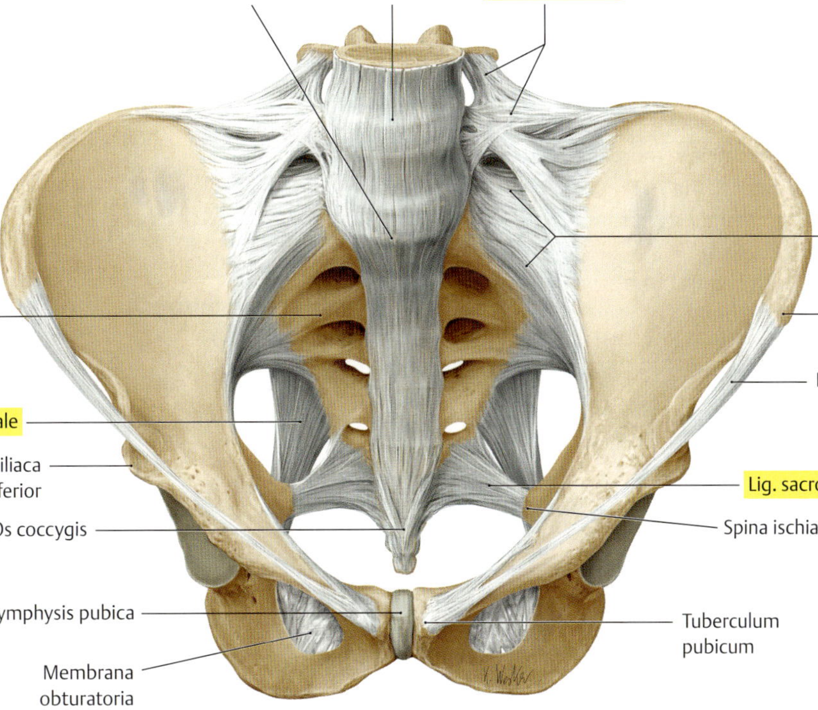

▸ **Abb. 8.31** Bandapparat des Iliosakralgelenks (Ansicht von ventral-kranial). (aus Schünke M, Schulte E, Schumacher U. Prometheus, LernAtlas der Anatomie. Allgemeine Anatomie und Bewegungssystem. Illustrationen von M. Voll und K. Wesker. 5., vollständig überarbeitete Auflage. Stuttgart: Thieme; 2018)

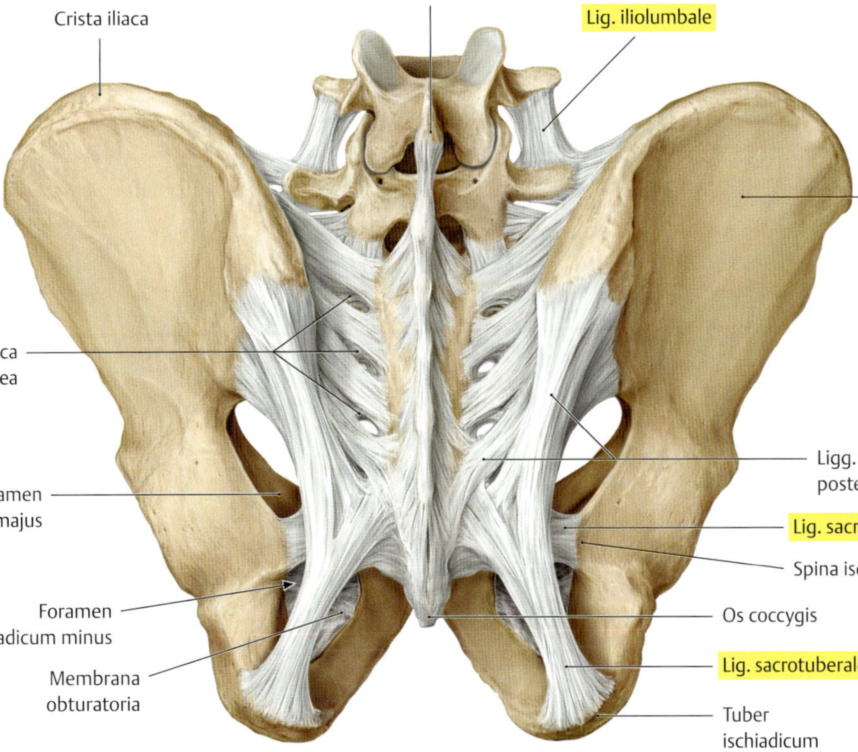

▸ **Abb. 8.32** Bandapparat des Iliosakralgelenks (Ansicht von dorsal). (aus Schünke M, Schulte E, Schumacher U. Prometheus, LernAtlas der Anatomie. Allgemeine Anatomie und Bewegungssystem. Illustrationen von M. Voll und K. Wesker. 5., vollständig überarbeitete Auflage. Stuttgart: Thieme; 2018)

8.5.7 Proximales Os femoris (Femur)

Anatomie

▸ Abb. 8.35, ▸ Abb. 8.36

- Caput femoris (Hüftkopf):
  - zu ⅔ mit hyalinem Knorpel überzogen
  - Fovea capitis femoris: kleine knorpelfreie Stelle, an der das Lig. capitis femoris ansetzt
  - Ausrichtung: medial, superior, anterior
- Collum femoris: langgezogen
- Linea intertrochanterica: ventral vom Trochanter major in Richtung Trochanter minor
- Crista intertrochanterica: dorsal vom Trochanter major in Richtung Trochanter minor
- Fossa trochanterica: medial vom Trochanter major
- Corpus femoris: verläuft nach inferior und medial (Schrägstellung im Raum) bis zum Kniegelenk
- Trochanter minor: Insertionsstelle für Muskeln, u. a. M. iliopsoas
- Trochanter major: Insertionsstelle zahlreicher tief liegender Hüftmuskeln
- CCD-Winkel (Centrum-Collum-Diaphysenwinkel; ▸ Abb. 8.33):
  - wird aus der Längsachse des Schenkelhalses und der Hauptachse des Femurschafts gebildet
  - beträgt bei Neugeborenen 150° und nimmt mit zunehmendem Alter beständig ab
  - Normwert: 126° (Coxa norma)
  - ein verkleinerter Schenkelhalswinkel (Coxa vara, 115°) führt zu einer erhöhten Biegebelastung, ein vergrößerter Winkel (Coxa valga, 140°) verursacht eine erhöhte Druckbeanspruchung
- Antetorsionswinkel Femur (▸ Abb. 8.34):
  - ergibt sich aus der Schenkelhalsachse (Kollumachse) und der Kondylenachse
  - bei einem normalen Antetorsionswinkel (ca. 12°) zeigt der Fuß leicht nach außen

Myofasziale Wirkungsketten

Der M. iliopsoas, ein wichtiger Bestandteil der tiefen Frontallinie, kann über seine Muskelspannung die Rotation im Hüftgelenk beeinflussen.

Osteopathische Korrespondenzen

Der Antetorsionswinkel des Femurs hat durch den Einfluss auf die Beinrotation auch eine Wirkung auf die Funktion von unterem Sprunggelenk und Fußgewölbe. Ein unterschiedlich großer Torsionswinkel führt bei zentrierter Hüfte zu einem veränderten Gangbild: Ein vergrößerter Antetorsionswinkel führt zu einer vermehrten Innenrotation des Beins (Fußspitze zeigt nach innen), ein verkleinerter zu einer Außenrotation (Fußspitze zeigt vermehrt nach außen).

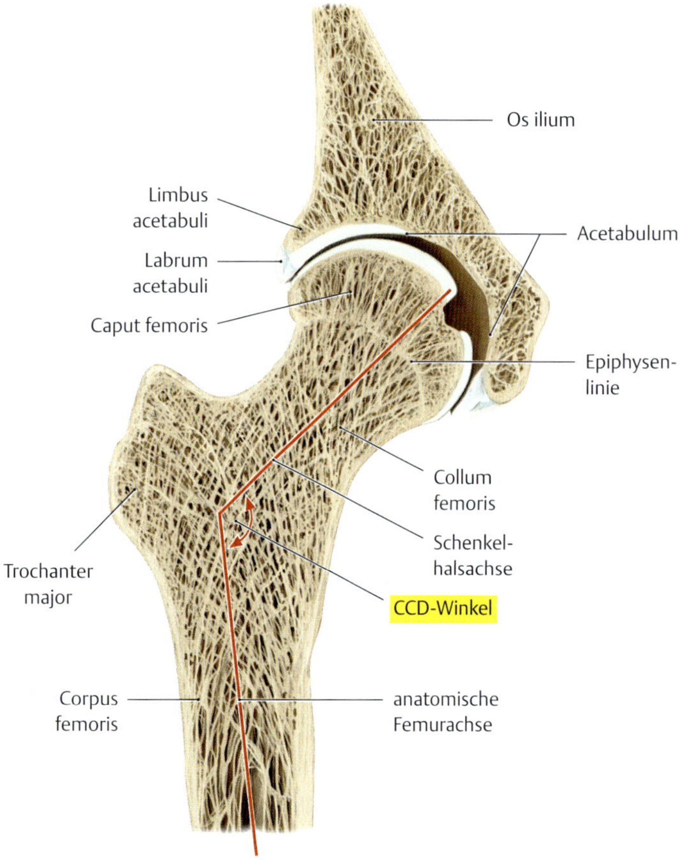

▸ **Abb. 8.33** Schenkelhalswinkel (CCD-Winkel) eines rechten Femurs (Ansicht von ventral). (aus Schünke M, Schulte E, Schumacher U. Prometheus, LernAtlas der Anatomie. Allgemeine Anatomie und Bewegungssystem. Illustrationen von M. Voll und K. Wesker. 5., vollständig überarbeitete Auflage. Stuttgart: Thieme; 2018)

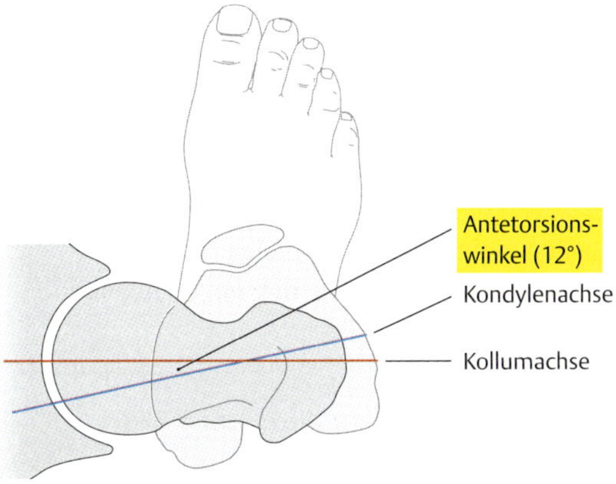

▸ **Abb. 8.34** Normaler Antetorsionswinkel (rechtes Hüftgelenk, Ansicht von kranial). (aus Schünke M, Schulte E, Schumacher U. Prometheus, LernAtlas der Anatomie. Allgemeine Anatomie und Bewegungssystem. Illustrationen von M. Voll und K. Wesker. 5., vollständig überarbeitete Auflage. Stuttgart: Thieme; 2018)

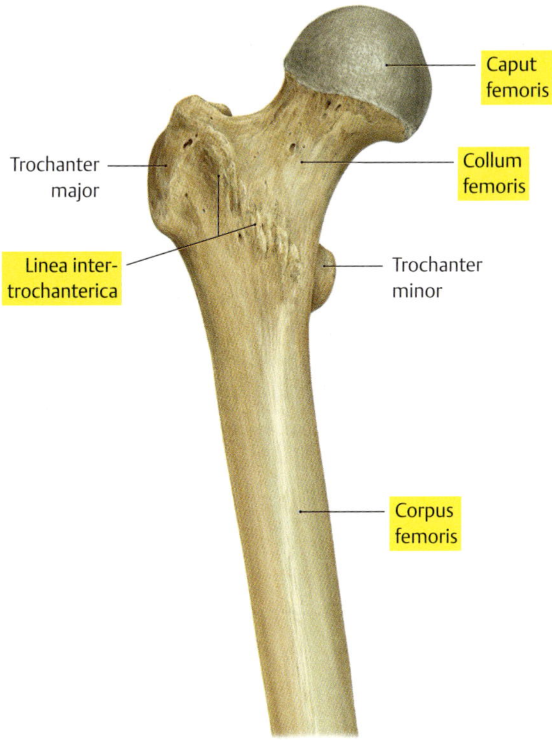

▸ **Abb. 8.35** Rechtes Os femoris (Ansicht von ventral). (aus Schünke M, Schulte E, Schumacher U. Prometheus, LernAtlas der Anatomie. Allgemeine Anatomie und Bewegungssystem. Illustrationen von M. Voll und K. Wesker. 5., vollständig überarbeitete Auflage. Stuttgart: Thieme; 2018)

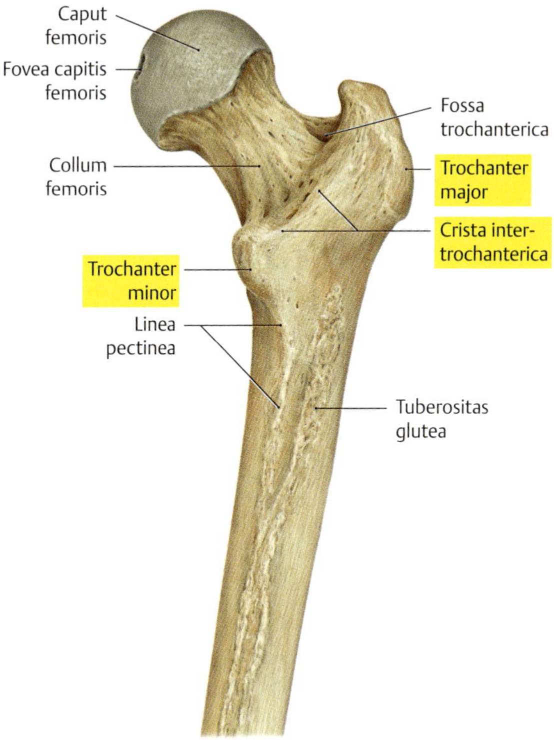

▸ **Abb. 8.36** Rechtes Os femoris (Ansicht von dorsal). (aus Schünke M, Schulte E, Schumacher U. Prometheus, LernAtlas der Anatomie. Allgemeine Anatomie und Bewegungssystem. Illustrationen von M. Voll und K. Wesker. 5., vollständig überarbeitete Auflage. Stuttgart: Thieme; 2018)

8.5.8 Art. coxae (Hüftgelenk)

Anatomie

► Abb. 8.37, ► Abb. 8.38, ► Abb. 8.39

- **Art:** Nussgelenk (Hüftkopf ist von der Gelenkpfanne weit umschlossen)
- **Partner:** Femurkopf und Os ilium
- **Kapsel:**
  - proximal am Os coxae befestigt (u. a. Limbus acetabuli und Labrum acetabulare)
  - umfasst distal den Großteil des Schenkelhalses
  - zieht ventral bis zur Linea intertrochanterica und verläuft dorsal bis etwa einen Fingerbreit vor die Crista intertrochanterica
  - kann in 2 Faseranteile unterteilt werden (► Abb. 8.37► Abb. 8.37):
    - Membrana synovialis: Fasern biegen ca. 1 cm vor der Anheftung der Membrana fibrosa um und ziehen zur Knorpel-Knochen-Grenze des Femurkopfs
    - Membrana fibrosa: ist kräftig und wird zusätzlich an einigen Stellen durch Ligamente verdickt
- **Funktion:** Flexion, Extension, Adduktion, Abduktion, Innen- und Außenrotation
- **Ligamente:**
  - Lig. iliofemorale (Darmbein-Schenkel-Band, Bertini-Band):
    - stärkstes Ligament des Körpers
    - zieht von unterhalb der SIAI fächerförmig bis zu Trochanter major und Linea intertrochanterica
    - statische Funktion: verhindert im Stand eine Dorsalkippen des Beckens, bremst v. a. die Extension, stabilisiert mit lateralen Anteilen das Becken auf der Standbeinseite und hemmt die Adduktion
  - Lig. pubofemorale:
    - zieht vom lateralen Teil des R. superior des Os pubis nach medial, inferior bis zur medialen Seite des Collum femoris und z. T. bis zur Pars medialis des Lig. iliofemorale
    - bremst Extension, Außenrotation und Abduktion
  - Lig. ischiofemorale:
    - von der Rückseite des Os ischii (superior und posterior des Azetabulums) horizontal verlaufend
    - obere Fasern gehen über in die Pars lateralis des Lig. iliofemorale
    - untere Fasern proximal des Trochanter major befestigt
    - bremst Extension und Innenrotation
    - tiefste Fasern laufen um das Collum femoris herum nach anterior und formen dort ein ringförmiges Band (Zona orbicularis): umgibt das Collum femoris an der engsten Stelle, hält den Femurkopf einem Knopfloch ähnlich in der Pfanne, erhält auch Fasern von den anderen beiden Ligamenten
  - Lig. transversum acetabuli: begrenzt die Gelenkpfanne nach unten
  - Lig. capitis femoris: hat keine mechanische Bedeutung, ist aber gefäßführend (R. acetabularis aus A. obturatoria) und versorgt den Femurkopf
- Funktionsweise der Bänder bei der Hüftgelenkbewegung:
  - Neutralstellung: wenig bis keine Spannung
  - Flexion: alle Bänder entspannt
  - Extension: zunehmender Anstieg der Spannung des Kapsel-Band-Apparats
  - Außenrotation: vermehrte Spannung der vorderen Bänder (v. a. der horizontalen Fasern)
  - Innenrotation: vermehrte Spannung des hinteren Bands
  - Adduktion: Zug an den oberen Anteilen des Lig. iliofemorale
  - Abduktion: Zug an Lig. pubofemorale und Lig. ischiofemorale

Osteopathische Korrespondenzen

Hüftgelenk und Strukturen des kleinen Beckens stehen im engen funktionellen Zusammenhang. Mm. obturatorii internus und externus mit Ursprung an der Membrana obturatoria stehen im Zusammenhang mit dem Canalis obturatorius. Über ihn erfolgt die zirkulatorische Versorgung des Hüftkopfs (Lig. capitis femoris), der N. obturatorius innerviert die Adduktoren der unteren Extremität. Die vielfältige myofasziale Komplexität zwischen Hüftgelenk, Beckenboden, Organen von Becken und Bauchraum kann bei Dysfunktion zu Störungen u. a. bei der vaskulären Versorgung der unteren Extremität führen. Auch an die Engpässe Leistenband und Alcock-Kanal ist zu denken. Eine mögliche spinale Fazilitation aus den Segmenten Th 11–L 2 (Verschaltung von viszeralen und parietalen Afferenzen) kann zum Sympathikotonus führen und Störungen in Faszien, Muskeln und Gelenk hervorrufen.

Dysfunktionen im lumbosakralen Bereich wirken sich oftmals durch die veränderte Körperstatik direkt auf Hüft- und Kniegelenk aus (Kap. 9.2.2).

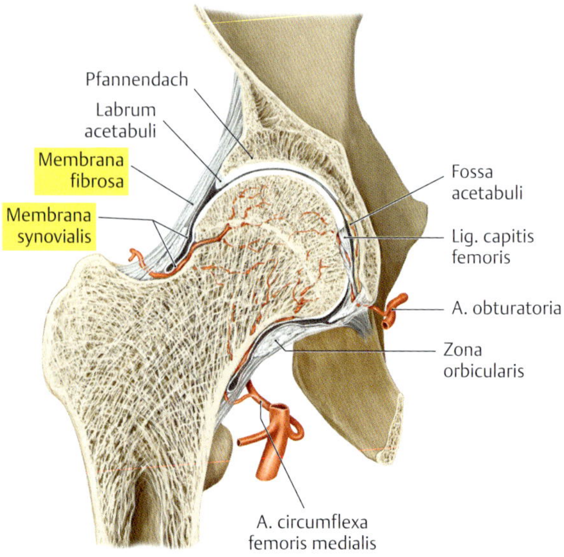

► **Abb. 8.37** Rechtes Hüftgelenk (Frontalschnitt, Ansicht von ventral). (aus Schünke M, Schulte E, Schumacher U. Prometheus, LernAtlas der Anatomie. Allgemeine Anatomie und Bewegungssystem. Illustrationen von M. Voll und K. Wesker. 5., vollständig überarbeitete Auflage. Stuttgart: Thieme; 2018)

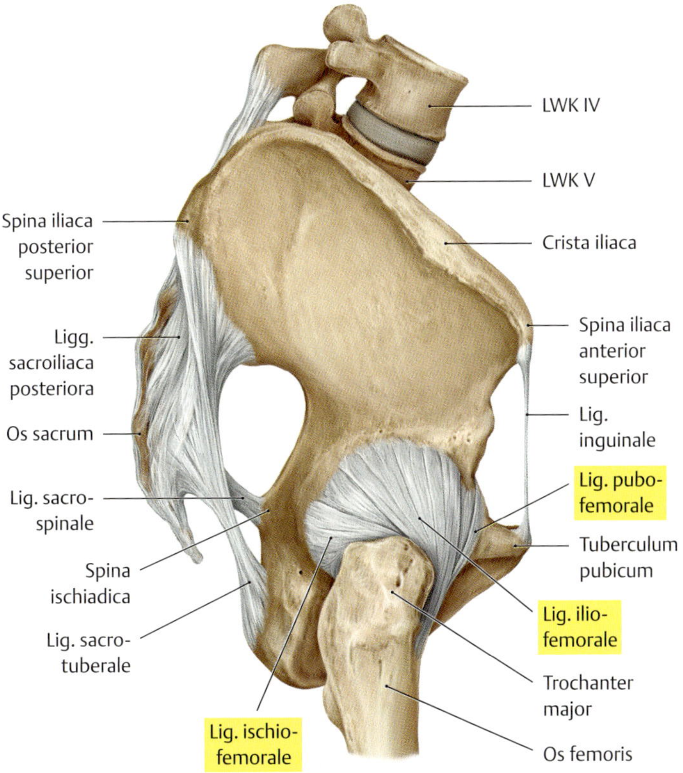

▸ **Abb. 8.38** Bandapparat des rechten Hüftgelenks (Ansicht von lateral). (aus Schünke M, Schulte E, Schumacher U. Prometheus, LernAtlas der Anatomie. Allgemeine Anatomie und Bewegungssystem. Illustrationen von M. Voll und K. Wesker. 5., vollständig überarbeitete Auflage. Stuttgart: Thieme; 2018)

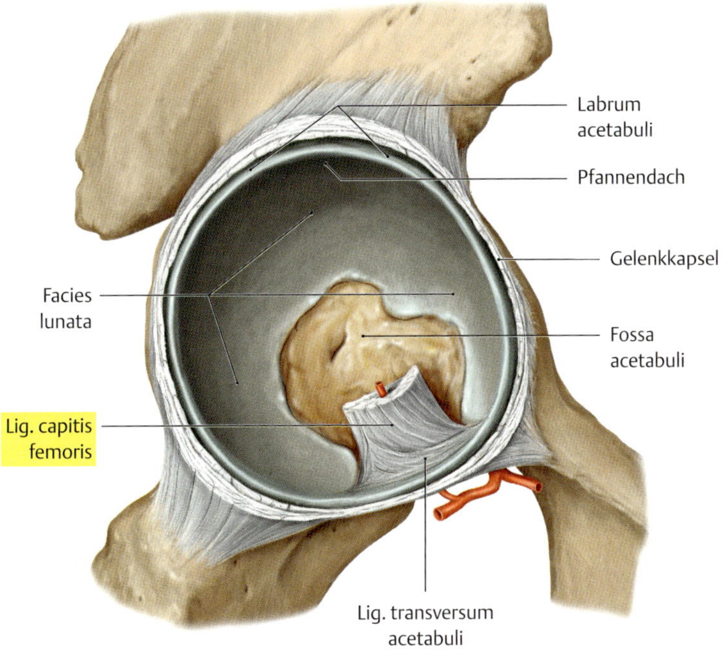

▸ **Abb. 8.39** Rechte Gelenkpfanne (Acetabulum) (Ansicht von lateral). (aus Schünke M, Schulte E, Schumacher U. Prometheus, LernAtlas der Anatomie. Allgemeine Anatomie und Bewegungssystem. Illustrationen von M. Voll und K. Wesker. 5., vollständig überarbeitete Auflage. Stuttgart: Thieme; 2018)

8.6
Nerven: Plexus lumbalis und Plexus sacralis

8.6.1 N. iliohypogastricus

Anatomie

▸ Abb. 8.40, ▸ Abb. 8.41
- enthält Fasern aus den Rückenmarkssegmenten Th 12 – L 1 (Plexus lumbalis)
- gemischter Nerv mit sensiblen und motorischen Ästen:
  - versorgt motorisch M. transversus abdominis, M. obliquus internus abdominis (kaudale Anteile)
  - versorgt sensibel über R. cutaneus lateralis und anterior die Haut der Hüftregion, über dem Leistenband, lateral-posterior an der Hüfte bis zum Trochanter major
- Engpässe: dorsaler Raum der Niere, Leistenkanal
- Ausfallerscheinungen/Symptome bei Kompression: Schmerzen im Nierenbereich

Osteopathische Korrespondenzen

Bei einer Nierenptose oder anderen osteopathischen Dysfunktionen der Niere können im Versorgungsgebiet des Nervs Irritationen auftreten. Differenzialdiagnostisch ist in diesem Zusammenhang auch an die Möglichkeit von Nierensteinen zu denken.

8.6.2 N. ilioinguinalis

Anatomie

▸ Abb. 8.40, ▸ Abb. 8.41
- enthält Fasern aus dem Rückenmarkssegment L 1 (Plexus lumbalis)
- gemischter Nerv mit sensiblen und motorischen Ästen:
  - versorgt motorisch M. transversus abdominis, M. obliquus internus abdominis (kaudale Anteile)
  - versorgt sensibel über Nn. scrotales anteriores bzw. Nn. labiales anteriores den medialen, oberen Teil der Oberschenkelhaut, das Skrotum bzw. die Labia majora
- Engpässe: Leistenkanal
- Ausfallerscheinungen/Symptome bei Kompression: Sensibilitätsstörungen im unteren Bauchbereich, obere Oberschenkelinnenseite, Skrotum bzw. Labia majora

Osteopathische Korrespondenzen

Schmerzausstrahlungen in die Hüftregion sind möglich. Auslöser können sowohl parietal, faszial (regionale Nähe Muskeln, Faszien) als auch viszeral (insbesondere der Niere) bedingt sein, da die Nerven von der LWS das Abdomen passieren, um zum Zielgebiet zu ziehen.

8.6.3 N. genitofemoralis

Anatomie

▸ Abb. 8.40, ▸ Abb. 8.41
- enthält Fasern aus den Rückenmarkssegmenten L 1– L 2 (Plexus lumbalis)
- gemischter Nerv mit sensiblen und motorischen Ästen:
  - versorgt motorisch über R. genitalis den M. cremaster
  - versorgt sensibel über R. genitalis das Skrotum, über R. femoralis die ventrale Seite des Oberschenkels
- Engpässe: M. psoas major, Leistenkanal, Lig. inguinale
- Ausfallerscheinungen/Symptome bei Kompression: M. cremaster, Sensibilitätsstörungen am Skrotum bzw. Labia majora

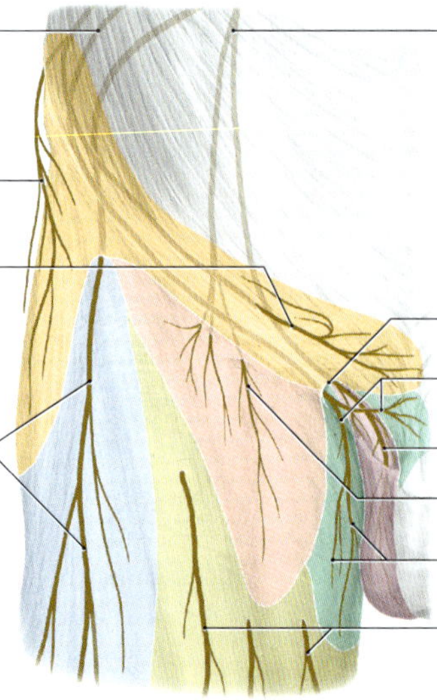

▸ **Abb. 8.40** Sensible Versorgung einer rechten Leisten- und Schenkelregion (Ansicht von ventral). (aus Schünke M, Schulte E, Schumacher U. Prometheus, LernAtlas der Anatomie. Allgemeine Anatomie und Bewegungssystem. Illustrationen von M. Voll und K. Wesker. 5., vollständig überarbeitete Auflage. Stuttgart: Thieme; 2018)

Osteopathische Korrespondenzen

Der Nerv durchbohrt den M. psoas major. Bei einem verspannten bzw. verkürzten Psoasmuskel können Irritationen im Versorgungsgebiet des Nervs auftreten.

8.6.4 N. cutaneus femoris lateralis

Anatomie

▸ Abb. 8.40, ▸ Abb. 8.41

- enthält Fasern aus den Rückenmarkssegmenten L2–L3 (Plexus lumbalis)
- rein sensibler Nerv: versorgt die Haut im Gesäßbereich und an der Außenseite des Oberschenkels
- Engpass: Leistenband (Lig. inguinale)
- Ausfallerscheinungen/Symptome bei Kompression: Sensibilitätsstörungen ungefähr von der Crista iliaca bis seitlich über die Region des Tractus iliotibialis bis zum seitlichen, oberen Kniescheibenrand

Osteopathische Korrespondenzen

Korrespondenzen bestehen beim N. cutaneus femoris lateralis u. a. zu Zäkum, Colon descendens und Sigmoid. Auch das Lig. inguinale oder myofasziale Adhäsionen in der Lacuna musculorum können die Funktionalität des Nervs beeinträchtigen.

Behandlungshinweise

Bei Kompressionsstörungen durch osteopathische Dysfunktionen kann die lokale Behandlung folgender Strukturen sinnvoll sein: M. psoas major, Niere, Zäkum, Colon descendens (mit Sigma), Lig. inguinale, Fascia lata und Tractus iliotibialis.

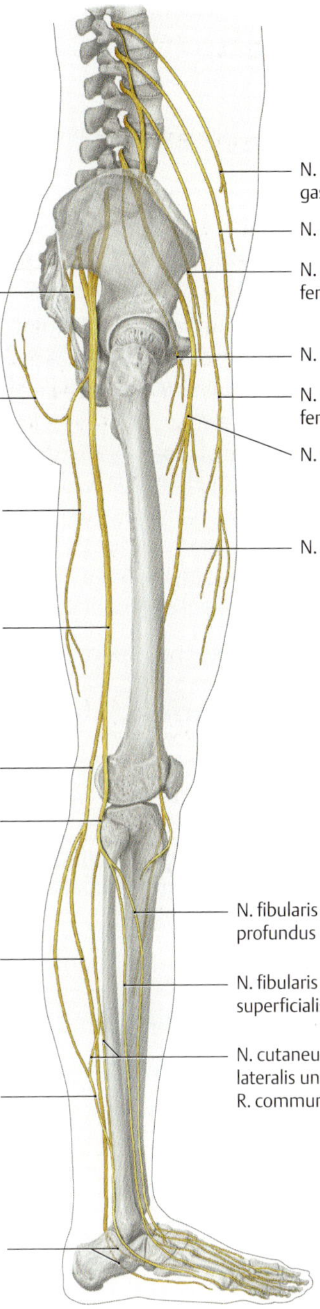

▸ **Abb. 8.41** Nerven von Plexus lumbalis (N. iliohypogastricus, N. ilioinguinalis, N. genitofemoralis, N. cutaneus femoris lateralis, N. femoralis, N. obturatorius) und Plexus sacralis (N. gluteus superior, N. gluteus inferior, N. cutaneus femoris posterior, N. ischiadicus, N. pudendus). (aus Schünke M, Schulte E, Schumacher U. Prometheus, LernAtlas der Anatomie. Allgemeine Anatomie und Bewegungssystem. Illustrationen von M. Voll und K. Wesker. 5., vollständig überarbeitete Auflage. Stuttgart: Thieme; 2018)

8.6.5 N. femoralis

Anatomie

▸ Abb. 8.42, ▸ Abb. 8.43

- enthält Fasern aus den Rückenmarkssegmenten L1–L4 (Plexus lumbalis)
- gemischter Nerv mit sensiblen und motorischen Ästen:
  - versorgt motorisch M. iliopsoas, M. pectineus (beachte: Doppelinnervation mit N. obturatorius), M. sartorius, M. quadriceps femoris
  - versorgt sensibel über Rr. cutanei anteriores die Haut am vorderen Oberschenkel und über N. saphenus die Haut am medialen Unterschenkel und Fuß
- Engpässe:
  - Lig. inguinale
  - Membrana vastoadductoria
- Ausfallerscheinungen/Symptome bei Kompression: Sensibilitätsstörungen auf der Vorder- und Innenseite des Oberschenkels, im medialen Kniebereich sowie am medialen Unterschenkel, Ausfall der Extensoren für das Kniegelenk

Osteopathische Korrespondenzen

Bei Kompressionsstörungen durch osteopathische Dysfunktionen kann die lokale Behandlung folgender Strukturen sinnvoll sein: Niere, M. psoas major, M. iliacus, Psoasfaszie, Leistenband (Lacuna musculorum), Adduktorenkanal, Region Pes anserinus am medialen Tibiakopf.

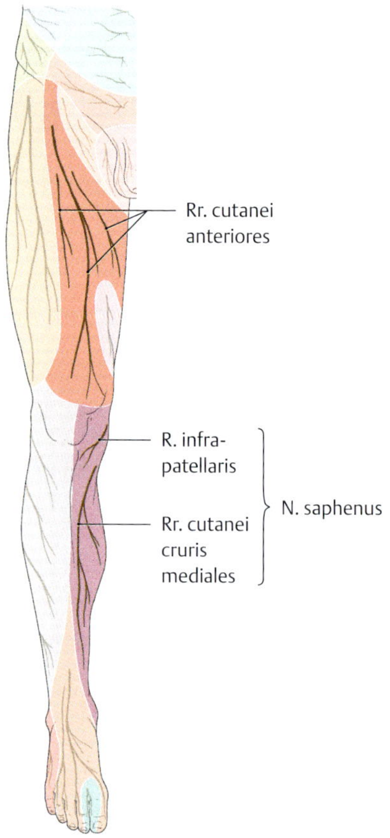

▸ **Abb. 8.42** Sensibles Innervationsgebiet des rechten N. femoralis (Ansicht von ventral). (aus Schünke M, Schulte E, Schumacher U. Prometheus, LernAtlas der Anatomie. Allgemeine Anatomie und Bewegungssystem. Illustrationen von M. Voll und K. Wesker. 5., vollständig überarbeitete Auflage. Stuttgart: Thieme; 2018)

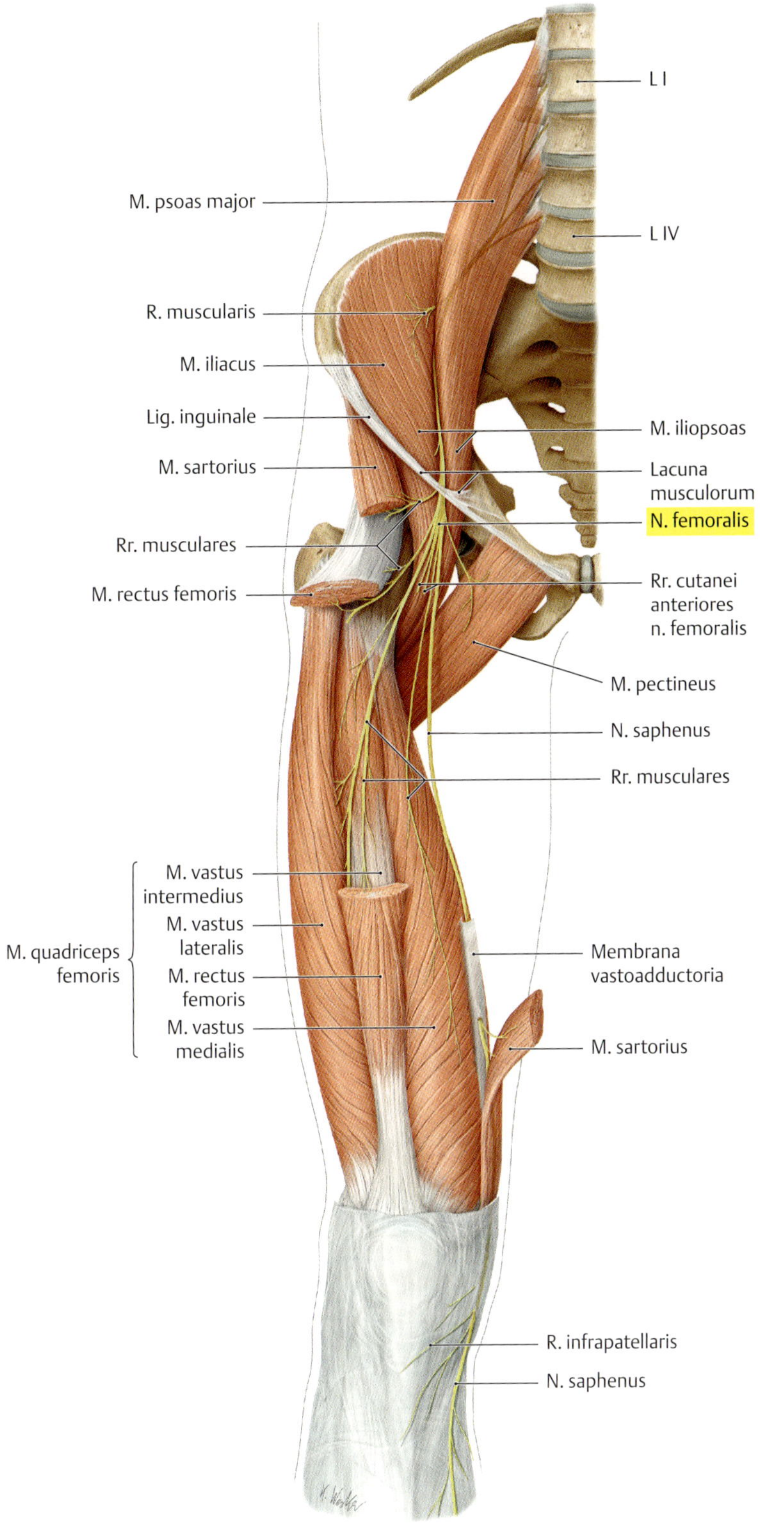

▸ **Abb. 8.43** Verlauf des rechten N. femoralis (Ansicht von ventral). (aus Schünke M, Schulte E, Schumacher U. Prometheus, LernAtlas der Anatomie. Allgemeine Anatomie und Bewegungssystem. Illustrationen von M. Voll und K. Wesker. 5., vollständig überarbeitete Auflage. Stuttgart: Thieme; 2018)

8.6.6 N. obturatorius

Anatomie

▶ Abb. 8.44, ▶ Abb. 8.45

- enthält Fasern aus den Rückenmarkssegmenten L2–L4 (Plexus lumbalis)
- gemischter Nerv mit sensiblen und motorischen Ästen:
  - versorgt motorisch M. obturatorius externus, über R. anterior M. adductor longus, M. adductor brevis, M. gracilis und M. pectineus (beachte: Doppelinnervation mit N. femoralis), über R. posterior M. adductor magnus (beachte: Doppelinnervation mit N. ischiadicus)
  - versorgt sensibel über R. anterior die Haut an der Oberschenkelinnenfläche, am Kniegelenk (autonomes Gebiet medial, kranial des Kniegelenks), über R. posterior die Kniegelenkkapsel
- Engpass: Canalis obturatorius
- Ausfallerscheinungen/Symptome bei Kompression: Schmerzausstrahlung im sensiblen Gebiet (auch bei dysfunktionalen Prozessen im kleinen Becken, z. B. des Ovars, oder bei Hernien (Howship-Romberg-Zeichen), Ausfall der Adduktoren

▶ **Abb. 8.44** Sensibles Innervationsgebiet des rechten N. obturatorius (Ansicht von medial). (aus Schünke M, Schulte E, Schumacher U. Prometheus, LernAtlas der Anatomie. Allgemeine Anatomie und Bewegungssystem. Illustrationen von M. Voll und K. Wesker. 5., vollständig überarbeitete Auflage. Stuttgart: Thieme; 2018)

Osteopathische Korrespondenzen

Bei Kompressionsstörungen durch osteopathische Dysfunktionen kann die lokale Behandlung folgender Strukturen sinnvoll sein: M. psoas major, Organe des kleinen Beckens (besonders Ovar), Membrana obturatoria (Lig. infrapubicale, das diese verstärkt).

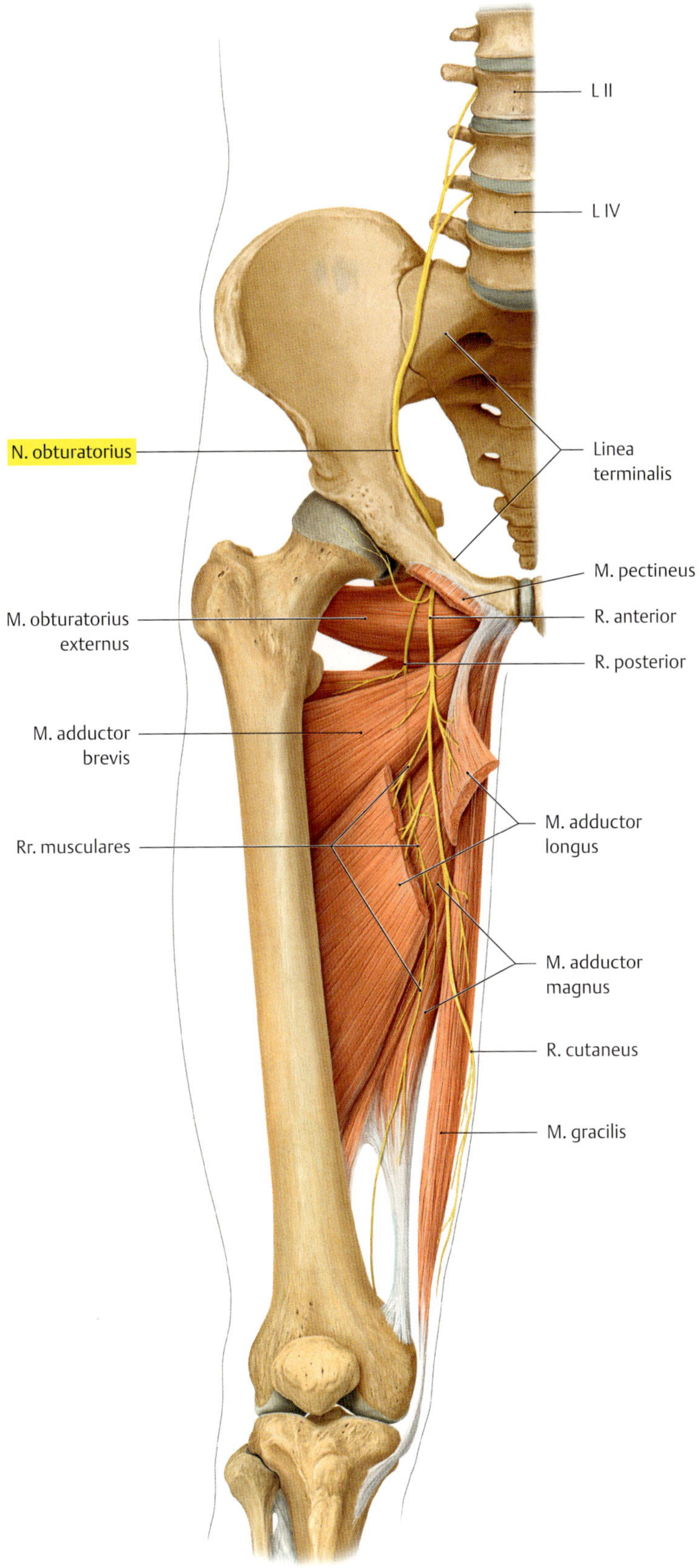

▸ **Abb. 8.45** Verlauf des rechten N. obturatorius (Ansicht von ventral). (aus Schünke M, Schulte E, Schumacher U. Prometheus, LernAtlas der Anatomie. Allgemeine Anatomie und Bewegungssystem. Illustrationen von M. Voll und K. Wesker. 5., vollständig überarbeitete Auflage. Stuttgart: Thieme; 2018)

8.6.7 N. gluteus superior

Anatomie

▶ Abb. 8.47

- enthält Fasern aus den Rückenmarkssegmenten L 4–S 1 (Plexus sacralis)
- rein motorischer Nerv: versorgt Mm. glutei medius und minimus, M. tensor fasciae latae
- Engpass: Foramen suprapiriforme
- Ausfallerscheinungen/Symptome bei Kompression: Trendelenburg-Zeichen

Osteopathische Korrespondenzen

Bei Kompressionsstörungen durch osteopathische Dysfunktionen kann die lokale Behandlung folgender Strukturen sinnvoll sein: Organe des kleinen Beckens, M. piriformis, Foramen suprapiriforme.

8.6.8 N. gluteus inferior

Anatomie

▶ Abb. 8.47

- enthält Fasern aus den Rückenmarkssegmenten L 5–S 2 (Plexus sacralis)
- rein motorischer Nerv: versorgt M. gluteus maximus
- Engpass: Foramen infrapiriforme
- Ausfallerscheinungen/Symptome bei Kompression: verminderte bzw. keine Hüftstreckung

Osteopathische Korrespondenzen

Bei Kompressionsstörungen durch osteopathische Dysfunktionen kann die lokale Behandlung folgender Strukturen sinnvoll sein: Organe des kleinen Beckens, M. piriformis, Foramen infrapiriforme.

8.6.9 N. cutaneus femoris posterior

Anatomie

▶ Abb. 8.46, ▶ Abb. 8.47

- enthält Fasern aus den Rückenmarkssegmenten S 1–S 3 (Plexus sacralis)
- rein sensibler Nerv: versorgt die Haut an der dorsalen Oberschenkelrückseite und in der Kniekehle, über Nn. clunium inferiores die Gesäßhaut, über Rr. perineales die Dammregion, die Rückseite des Hodens bis zum Steißbein
- Engpass: Foramen infrapiriforme
- Ausfallerscheinungen/Symptome bei Kompression: Sensibilitätsstörungen im Versorgungsgebiet

Osteopathische Korrespondenzen

Bei Kompressionsstörungen durch osteopathische Dysfunktionen kann die lokale Behandlung folgender Strukturen sinnvoll sein: Organe des kleinen Beckens, M. piriformis, Foramen infrapiriforme, Fascia lata.

8.6.10 N. pudendus

Anatomie

▶ Abb. 8.47

- enthält Fasern aus den Rückenmarkssegmenten S 2–S 4 (Plexus sacralis)
- gemischter Nerv mit sensiblen und motorischen Ästen:
  - versorgt motorisch M. levator ani, M. transversus perinei superficialis, M. perineus profundus, M. bulbospongiosus, M. ischiocavernosus, M. sphincter ani externus, M. sphincter urethrae
  - versorgt sensibel über Nn. rectales inferiores, über Nn. perineales die Haut um den Anus, bei der Frau die Labia majora bis einschließlich der Klitoris, beim Mann Skrotumhinterwand und Penis
- Engpass: Canalis pudendalis (Alcock-Kanal)
- Ausfallerscheinungen/Symptome bei Kompression: Sensibilitätsstörungen im Dammbereich, Kontinenzprobleme

Osteopathische Korrespondenzen

Bei Kompressionsstörungen durch osteopathische Dysfunktionen kann die lokale Behandlung folgender Strukturen sinnvoll sein: Foramen ischiadicum minus, Canalis pudendalis (Alcock-Kanal).

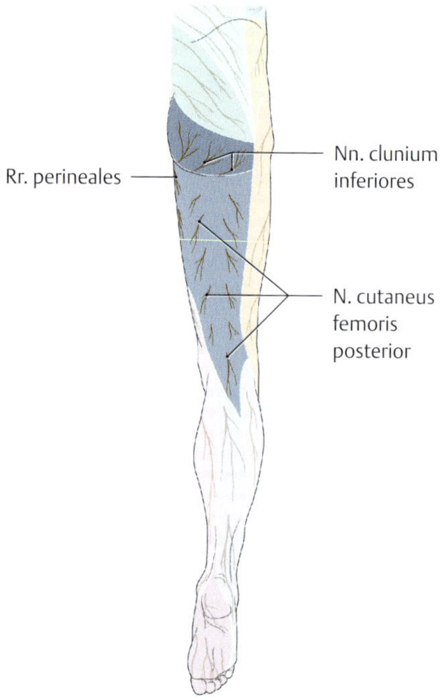

▶ **Abb. 8.46** Sensibles Innervationsgebiet eines rechten N. cutaneus femoris posterior (Ansicht von dorsal). (aus Schünke M, Schulte E, Schumacher U. Prometheus, LernAtlas der Anatomie. Allgemeine Anatomie und Bewegungssystem. Illustrationen von M. Voll und K. Wesker. 5., vollständig überarbeitete Auflage. Stuttgart: Thieme; 2018)

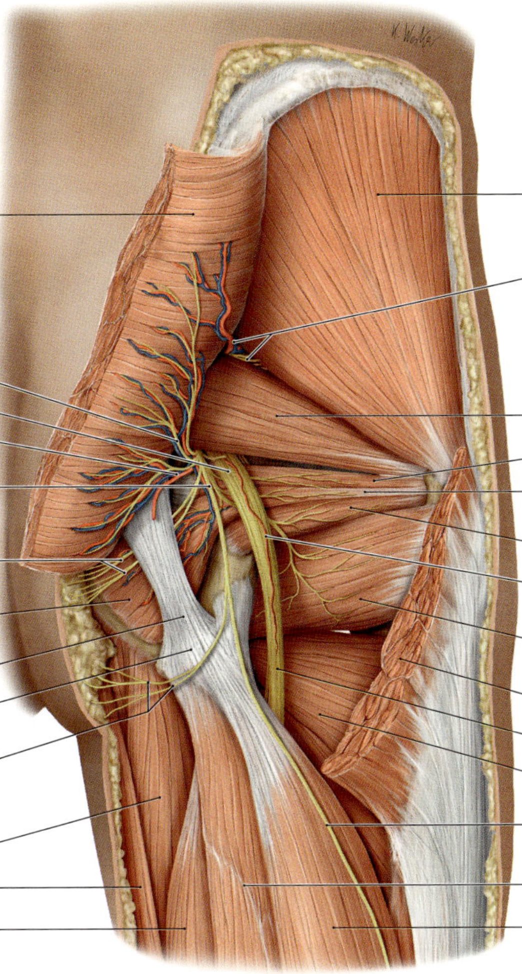

▸ **Abb. 8.47** Nerven des Plexus sacralis (rechte Gesäßregion, Ansicht von dorsal). (aus Schünke M, Schulte E, Schumacher U. Prometheus, LernAtlas der Anatomie. Allgemeine Anatomie und Bewegungssystem. Illustrationen von M. Voll und K. Wesker. 5., vollständig überarbeitete Auflage. Stuttgart: Thieme; 2018)

8.7
Schnittbilder

▶ Abb. 8.48, ▶ Abb. 8.49

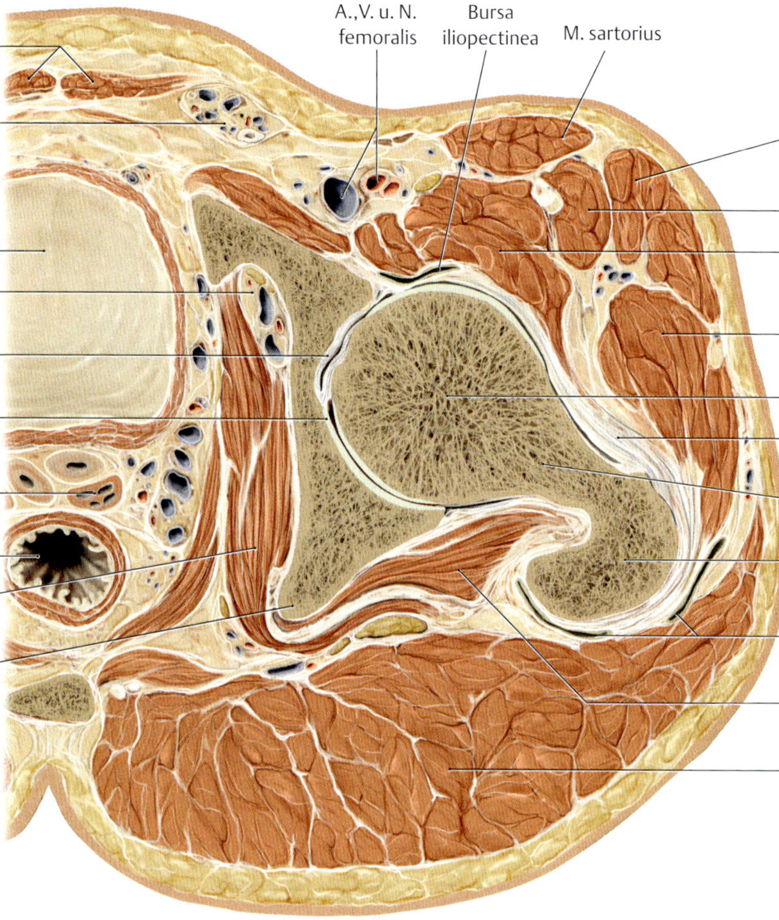

▶ **Abb. 8.48** Horizontalschnitt durch ein linkes Hüftgelenk (Ansicht von kaudal). Zu erkennen ist die funktionale Nähe von Hüftgelenk und kleinem Becken, insbesondere die Lage des M. obturatorius internus und des Canalis obturatorius. Die myofasziale Komplexität zwischen Hüftgelenk, Beckenboden, Organen von Becken und Bauchraum kann bei Dysfunktion zu Störungen u. a. die vaskuläre Versorgung der unteren Extremität beeinflussen. (aus Schünke M, Schulte E, Schumacher U. Prometheus, LernAtlas der Anatomie. Allgemeine Anatomie und Bewegungssystem. Illustrationen von M. Voll und K. Wesker. 5., vollständig überarbeitete Auflage. Stuttgart: Thieme; 2018)

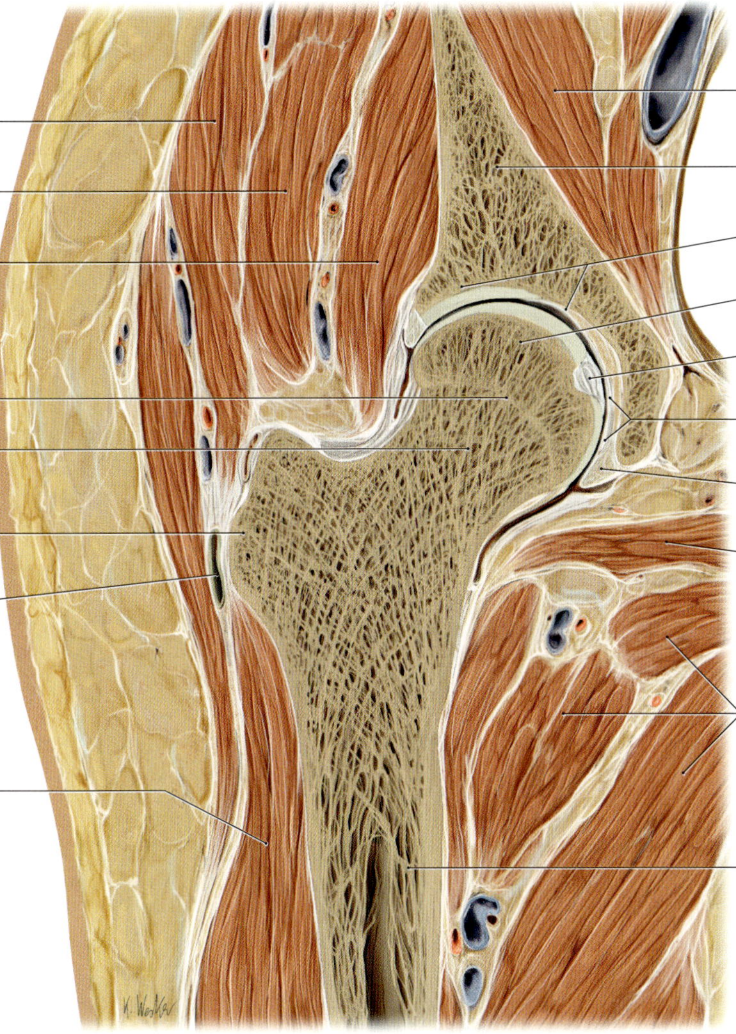

▶ **Abb. 8.49** Frontalschnitt durch ein rechtes Hüftgelenk (Ansicht von ventral). Gut erkennbar ist die komplexe muskuläre Einbindung des proximalen Femurs. Im Bereich des Trochanter major sind die Bursa trochanterica und die verdichteten faszialen Strukturen des Tractus iliotibialis gut sichtbar. Der CCD-Winkel (Winkel zwischen Schenkelhals- und Schenkelschaftachse) zeigt die Kraftübertragung auf die untere Extremität. Kräfte, die verkleinernd auf diesen Winkel wirken, sind das Körpergewicht und die von kaudal einwirkende Bodenreaktionskraft. Winkelvergrößernde Kräfte werden z. B. durch M. gluteus maximus und M. tensor fasciae latae über den Tractus iliotibialis entwickelt. (aus Schünke M, Schulte E, Schumacher U. Prometheus, LernAtlas der Anatomie. Allgemeine Anatomie und Bewegungssystem. Illustrationen von M. Voll und K. Wesker. 5., vollständig überarbeitete Auflage. Stuttgart: Thieme; 2018)

9 Oberschenkel und Kniegelenk

9.1 Überblick

9.1.1 Oberschenkel und Kniegelenk

Seine Lage macht das Kniegelenk, das zwischen mechanischen Spannungs- und Zugkräften von z. B. LWS, Becken, Hüftgelenk und Fuß gelegen ist, zum Knotenpunkt der ab- und aufsteigenden myosfaszialen Ketten. Dysfunktionen in der Peripherie (z. B. Dysfunktion des oberen Sprunggelenks, Iliumdysfunktionen) müssen womöglich durch eine veränderte Mechanik im Kniebereich kompensiert werden.

Die Region Oberschenkel und Kniegelenk (▸ Abb. 9.3) wird hier aufgrund der Kontinuität der Muskelverläufe und faszialen Geweben vom Beckengürtel auf die untere Extremität zusammengefasst. Aber auch durch die Wandlung der Funktionalität und Bewegungsmöglichkeiten von Oberschenkel zu Unterschenkel ist ein Aspekt für diese Kapiteleinteilung.

9.1.2 Regionen

Für den Bereich von Oberschenkel und Kniegelenk werden topografisch betrachtet (▸ Abb. 9.1, ▸ Abb. 9.2):

- Regio femoris anterior
- Regio genus anterior
- Regio femoris posterior
- Regio genus posterior

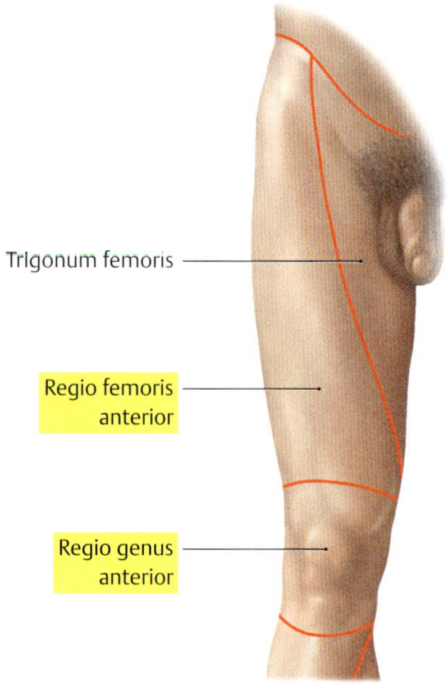

▸ **Abb. 9.1** Regionen von Oberschenkel und Kniegelenk im Überblick (Ansicht von ventral). (aus Schünke M, Schulte E, Schumacher U. Prometheus, LernAtlas der Anatomie. Allgemeine Anatomie und Bewegungssystem. Illustrationen von M. Voll und K. Wesker. 5., vollständig überarbeitete Auflage. Stuttgart: Thieme; 2018)

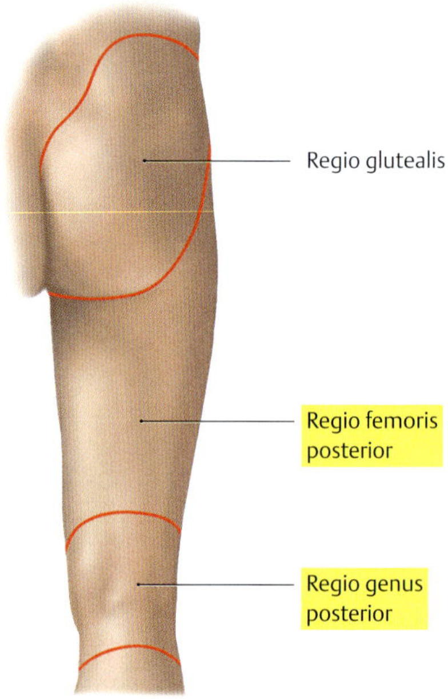

▸ **Abb. 9.2** Regionen von Oberschenkel und Kniegelenk im Überblick (Ansicht von dorsal). (aus Schünke M, Schulte E, Schumacher U. Prometheus, LernAtlas der Anatomie. Allgemeine Anatomie und Bewegungssystem. Illustrationen von M. Voll und K. Wesker. 5., vollständig überarbeitete Auflage. Stuttgart: Thieme; 2018)

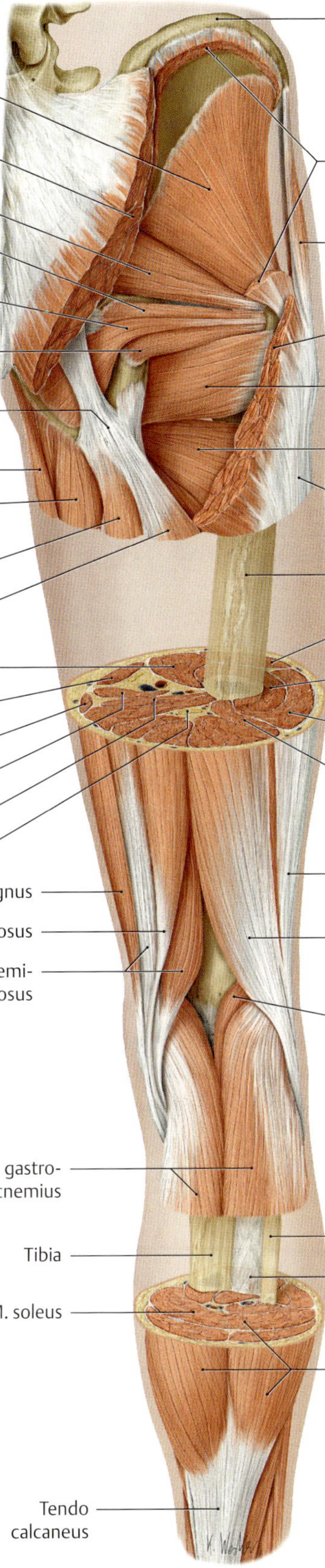

▸ **Abb. 9.3** Die Region von Oberschenkel und Kniegelenk im Überblick (Ansicht von dorsal). (aus Schünke M, Schulte E, Schumacher U. Prometheus, LernAtlas der Anatomie. Allgemeine Anatomie und Bewegungssystem. Illustrationen von M. Voll und K. Wesker. 5., vollständig überarbeitete Auflage. Stuttgart: Thieme; 2018)

9.2
Faszienhülle, oberflächliche ventrale Schichten

9.2.1 Fascia lata

Anatomie

(Kap. 8.2.1)

- zieht von der Crista iliaca, der Spina iliaca anterior superior über den Trochanter major bis zum Tuberculum tractus iliotibialis des Condylus lateralis tibiae
- hat fasziale Ausläufer in die Fascia cruris (anteriolatera le Anteile)
- der Übergang in die Fascia cruris im Bereich der Kniekehle wird als Fascia poplitea bezeichnet
- verdichtet sich lateral zum Tractus iliotibialis (Aponeurose; Kap. 9.2.2)
- an medialer und ventraler Seite relativ dünn, dorsal am Oberschenkel deutlich kräftiger
- Fascia lata verbindet sich in der Tiefe mit den intermuskulären Septen (Kap. 9.3.1, Kap. 10.2.7)

Osteopathische Korrespondenzen

Die oberflächliche Faszienstruktur der unteren Extremität, die eine Kollagenschicht bildet, ist durch Fettgewebe von der Haut bzw. von tiefen Faszien getrennt. Die Dicke dieser Fettschichten ist für die Lagebeziehung dieser Schichten zueinander maßgeblich. Die tiefe Faszienstruktur ist wie eine bindegewebige Membran aufgebaut. Zwischen ihr und dem Epimysium der Muskulatur besteht ein kontinuierlicher Raum, der mit lockerem Bindegewebe ausgefüllt ist. Diese Konstruktion macht eine gleitende Verschieblichkeit der Strukturen gegeneinander möglich.

Die Kollagenfasern der Fascia lata sind vielfältig, es überwiegen aber die longitudinalen Faserverläufe, insbesondere lateral (Tractus iliotibialis). Dadurch ist die Faszie bei verändertem Volumen der umschlossenen Muskulatur, z. B. bei Muskelkontraktion, anpassungsfähig und kann wie eine Zuggurtung die Hüftregion mit dem Knie- und Sprunggelenk verbinden.

Behandlungshinweise

Der N. ischiadicus kann in seinem Verlauf im unteren Drittel des Oberschenkels zwischen den Kniegelenkflexoren und der Adduktoren faszial gut behandelt werden.

9.2.2 Tractus iliotibialis

Anatomie

▶ Abb. 9.4

- Setzt am Tuberculum tractus iliotibialis (Tuberculum Gerdyi) am kranialen Ende der Tibia (Condylus lateralis tibiae) an, fibröse Ausläufer finden sich dann fortgesetzt im vorderen seitlichen Anteil der Unterschenkelfaszie
- kann zum einen als verdichtete Fascia lata und zum anderen als Sehne des M. tensor fasciae latae und des M. gluteus maximus (kranialer Anteil) betrachtet werden
- oberflächliches Blatt umschließt teilweise den M. tensor fasciae latae
- tiefes Blatt steht mit der Hüftgelenkkapsel in Verbindung
- über seine Länge mit dem Septum intermusculare laterale verbunden
- trotz ihrer hohen Festigkeit zeigen die tieferen Schichten eine hohe Elastizität
- stabilisiert den Oberschenkel, schützt das Femur gegen Biegekräfte nach lateral
- das Septum intermusculare laterale wird durch M. vastus lateralis und M. gluteus maximus über die Verbindung des Tractus iliotibialis unter Spannung gebracht

Myofasziale Wirkungsketten

Der Tractus iliotibialis ist Bestandteil der Lateral- und Spirallinien. Die Laterallinien unterstützen u. a. die aufrechte Körperhaltung und balancieren zwischen den Zugkräften der lateralen Körperseiten aus. Die Spirallinien wirken u. a. auf das Körpergleichgewicht in allen Ebenen ein. Sie haben eine enge Verbindung von Fuß zum Becken und wirken zuggurtartig stabilisierend beim Gehen.

Osteopathische Korrespondenzen

Im funktionellen Sinne arbeitet der Tractus wie eine Membrana interossea, die nach außen verlagert ist. Denn die Wirkungslinie der Kraftübertragung z. B. im Stand wirkt auf der lateralen Seite des Femur als Zugbelastung ein. Die fasziale Verbindung vom Tractus iliotibialis zum Septum intermusculare laterale und M. vastus lateralis und der integrierte Ansatzbereich von M. gluteus maximus und M. tensor fasciae latae können als Kraftverteilungsstruktur von der Hüftregion auf die Knieregion gesehen werden.

Distal setzt der Tractus iliotibialis am Condylus lateralis tibiae an. Er hat durch seine Faserverläufe aber auch Verbindung zum Retinaculum patellae. Damit kann er auf die Patellaführung Einfluss nehmen und die Fascia cruris, die die Fortsetzung der Fascia lata ist, unter Spannung bringen.

Schmerzen am Trochanter major können entstehen, wenn der Aufpressdruck des Tractus iliotibialis auf die Bursa trochanterica unphysiologisch hoch ist. Dieser kann durch einen hohen Muskeltonus des M. gluteus maximus und/oder M. tensor fasciae latae entstehen. Dies führt zur verstärkten Reibung zwischen Tractus iliotibialis und Trochanter major und damit zur unphysiologischen Kompression der Bursa trochanterica.

Ein schnappendes Gleiten des Tractus iliotibialis über den Trochanter major, das bei aktiver Beuge- und Streckbewegung des Oberschenkels auftritt, wird als Coxa saltans bezeichnet. Sie tritt vorwiegend bei Mädchen im pubertären Wachstumsschub auf und kann Hinweis auf eine bestehende muskuläre Dysbalance sein. Weitere mögliche Ursachen sind eine Bindegewebsschwäche, eine lose Verbindung des Tractus iliotibialis mit der Oberschenkelfaszie, viszerale Dysfunktionen von kleinem Becken, Iliosakralgelenk, LWS, M. piriformis, M. iliopsoas oder eine strangartige Verstärkung am Vorderrand des M. gluteus maximus.

Im Ansatzbereich des Tractus kann es zu einem Tractus-iliotibialis-Syndrom kommen („Läuferknie"). Die Schmerzen werden durch eine erhöhte Reibung während der Flexions- und Extensionsbewegung des Knies zwischen Tractus iliotibialis und Kondylus der Tibia hervorgerufen. Es gibt auch Hinweise, dass die veränderte Spannung innerhalb des Tractus iliotibialis die Ursache für die erhöhte Reibung ist.

Der N. cutaneus femoris lateralis durchdringt die Fascia lata und kann bei myofaszialen Adhäsionen im Bereich des Tractus iliotibialis in seinen Gleiteigenschaften beeinträchtigt werden.

Behandlungshinweise

Bei Dysfunktionen der Patella kann die myofasziale Behandlung des Tractus iliotibialis sinnvoll sein, weil u. a. Faserzüge des Tractus iliotibialis in das Retinaculum patellae lateralis einziehen.

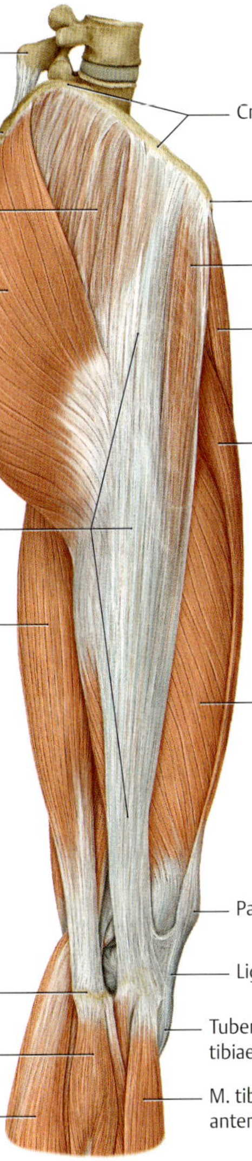

▸ **Abb. 9.4** Rechter Tractus iliotibialis (Ansicht von lateral). (aus Schünke M, Schulte E, Schumacher U. Prometheus, LernAtlas der Anatomie. Allgemeine Anatomie und Bewegungssystem. Illustrationen von M. Voll und K. Wesker. 5., vollständig überarbeitete Auflage. Stuttgart: Thieme; 2018)

9.2.3 M. sartorius

Anatomie

▸ Abb. 9.5, ▸ Abb. 9.6

- **Ursprung:** etwas unterhalb der SIAS
- **Ansatz:** Tuberositas tibiae, medialer Rand
- **Funktion:** Flexion, Abduktion und Außenrotation im Hüftgelenk, Flexion und Innenrotation im Kniegelenk
- **Innervation:** N. femoralis (L3–L4)
- **Triggerpunkte** (▸ Abb. 9.6): im Verlauf des Muskels liegen TP1–TP3

Osteopathische Korrespondenzen

Der M. sartorius ist in der Fascia lata eingebettet und verfügt über eine eigene Faszienhülle, in der er gemäß seinem Verlauf gleiten kann. Dabei handelt es sich um einen Faszienschlauch, der röhrenförmig und für den diagonalen Muskelverlauf charakteristisch ist.

9.2.4 M. quadriceps femoris

Anatomie

▸ Abb. 9.5, ▸ Abb. 9.7

- **M. rectus femoris:**
  - **Ursprung:** SIAI, Os ilium, kranial des Azetabulums
  - **Triggerpunkte** (▸ Abb. 9.6): Oberschenkel medial, kaudal von SIAI
- **M. vastus lateralis:**
  - **Ursprung:** oberer Abschnitt der Linea intertrochanterica, Trochanter major, Labium laterale der Linea aspera, Linea supracondylaris lateralis, Septum intermusculare femoris laterale
  - **Triggerpunkte** (▸ Abb. 9.7): tief im Muskelgewebe, verteilt im Muskelbauch
- **M. vastus medialis:**
  - **Ursprung:** unterer Abschnitt der Linea intertrochanterica, Labium mediale der Linea aspera, Linea spiralis, Septum intermusculare femoris mediale
  - **Triggerpunkte** (▸ Abb. 9.7): TP1 oberhalb der Patella, TP2 Oberschenkelmitte
- **M. vastus intermedius:**
  - **Ursprung:** Vorderfläche und Außenfläche des Femurs (bis etwa handbreit oberhalb der Kondylen), überlagert vom M. rectus femoris
  - **Triggerpunkte** (▸ Abb. 9.7): im Muskelbauch distal der TP vom M. rectus femoris
- **Ansatz:** über die Quadrizepssehne an der Patella, über das Lig. patellae an der Tuberositas tibiae
- **Funktion:** Extension im Kniegelenk, M. rectus femoris auch Hüftbeugung
- **Innervation:** N. femoralis (L3–L4)

Myofasziale Wirkungsketten

Der M. quadriceps femoris ist Bestandteil der oberflächlichen Frontallinie, die u. a. die Dorsalextension des Fußes und die Knieextension verursacht. Sie wirkt auch auf die Flexionsbewegung der HWS ein.

Osteopathische Korrespondenzen

Einige fasziale Ausläufer des M. quadriceps femoris verlaufen an der Stelle schräg, wo sie vom M. vastus medialis und lateralis vor der Patella ziehen. Diese verbinden sich mit der Fascia lata und wirken im Bereich des Ringbands des Knies mit (Retinaculum). Sie können damit gelenkkapselverstärkend wirken und die Extensionsbewegung unterstützen. Myofasziale Adhäsionen können dieses Wirkungsprinzip beeinträchtigen. In der gemeinsamen Endsehne der Muskeln des M. quadriceps femoris ist die Patella eingelagert. Sie agiert hier als Sesambein mit dem Ziel, als Umlenkrolle zu wirken und das Drehmoment des Muskels zu optimieren, die Sehne zu führen und den Aufpressdruck zu verteilen (Vermindern von Reibung). Muskuläre Dysbalancen oder myofasziale Adhäsionen können im Bereich des M. quadriceps femoris zu Scherkräften auf die Patella führen, die sie in eine unphysiologische Position ziehen. Daraus können sich Dysfunktionen im Femoropatellargelenk entwickeln.

9.2.5 Adduktorenkanal (Canalis adductorius)

Anatomie

▸ Abb. 9.5, Kap. 8.3.3

- wird von der Fascia lata gebildet
- reicht vom Trigonum femorale bis zum Hiatus adductorius, der Tunnelöffnung im M. adductor magnus
- Begrenzungen:
  - dorsal: M. adductor longus
  - medial: M. adductor magnus
  - ventral: Membrana vastoadductoria
  - lateral: M. vastus medialis
- Eingangsbereich vom M. sartorius überdeckt
- Ausgang liegt mehr zur Oberschenkelrückseite hin und wird durch die Muskelansätze des M. adductor magnus (Hiatus adductorius; ▸ Abb. 9.9) gebildet
- Inhalt: A. und V. femoralis, N. saphenus

Myofasziale Wirkungsketten

Die gesamte Adduktorengruppe des medialen Oberschenkels wird der tiefen Frontallinie zugeordnet, deren wesentliche Funktionen die Körperstabilität und die Stützfunktion des Körpers sind. Anteile der Adduktorengruppe, z. B. der M. adductor longus, sind auch Bestandteil der funktionellen Frontallinie. Diese Wirkungskette leitet Kraft bzw. Spannungsenergie aus den Armen bzw. Beinen auf die gegenüberliegende Körperseite weiter.

Ihre Funktionalität entwickeln sie insbesondere bei Bewegungen von Armen und/oder Beinen.

Osteopathische Korrespondenzen

Myofasziale Adhäsionen der Fascia lata können Spannungen auf den Adduktorenkanal übertragen. Der N. saphenus als rein sensibler Ast des N. femoralis kann darüber irritiert werden und mediale Knieschmerzen provozieren. Differenzialdiagnostisch ist auch an osteopathische Dysfunktionen im Bereich der Organe im kleinen Becken zu denken.

Der N. obturatorius verläuft nach dem Canalis obturatorius mit seinem R. anterior vor dem M. adductor brevis nach kaudal. Sein Ramus cutaneus versorgt eine kleines autonomes Gebiet an der medialen Seite des Oberschenkels (distales Drittel). Der Ramus anterior des N. obturatorius bildet mit dem N. saphenus eine Anastomose. Das Nervengeflecht gibt Äste an das Kniegelenk ab. Auffallend sind hier auch die Korrespondenzen zu Niere, Ovar und Zäkum.

Behandlungshinweise

Zirkulationsstörungen, Missempfindungen im Kniebereich oder auch myofasziale Adhäsionen in der Beckenbodenregion sind eine Indikation für fasziale Techniken im Bereich der Fascia lata, die an der Beininnenseite sehr dünn ist.

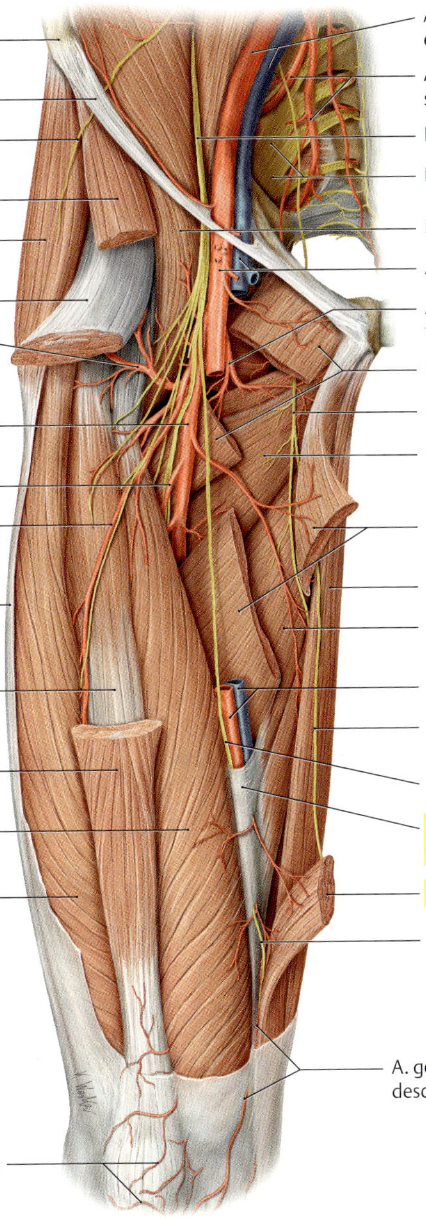

▸ **Abb. 9.5** Muskulatur des rechten Oberschenkels und Adduktorenkanal (Ansicht von ventral). (aus Schünke M, Schulte E, Schumacher U. Prometheus, LernAtlas der Anatomie. Allgemeine Anatomie und Bewegungssystem. Illustrationen von M. Voll und K. Wesker. 5., vollständig überarbeitete Auflage. Stuttgart: Thieme; 2018)

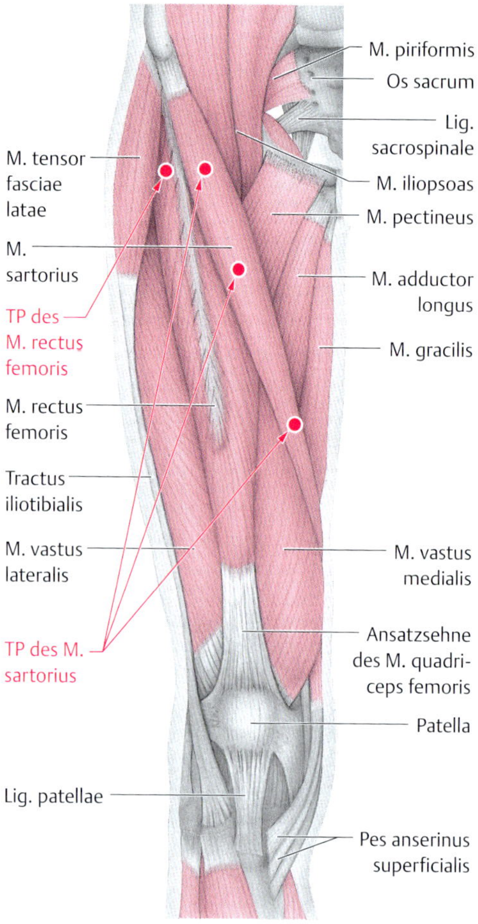

▸ **Abb. 9.6** Triggerpunkte M. sartorius und M. rectus femoris. (aus Richter P, Hebgen E. Triggerpunkte und Muskelfunktionsketten. 5. Aufl. Stuttgart: Haug; 2021, nach: Schünke M. Funktionelle Anatomie: Topographie und Funktion des Bewegungssystems. 1. Aufl. Stuttgart: Thieme; 2000)

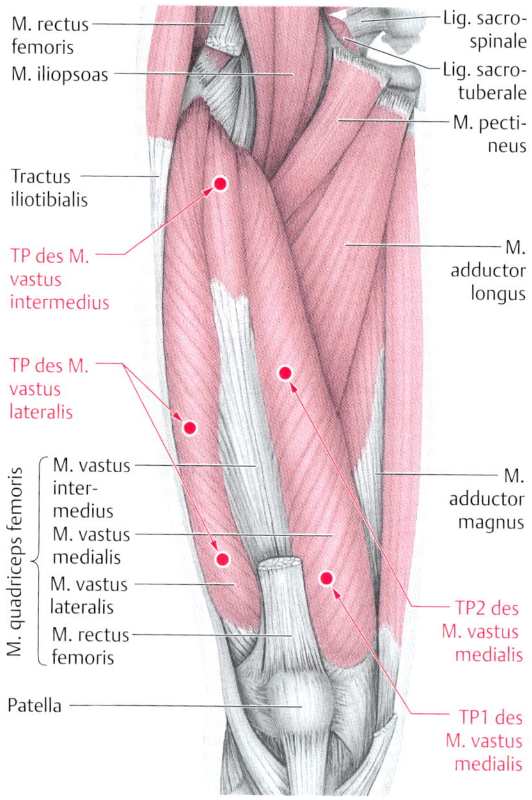

▸ **Abb. 9.7** Triggerpunkte M. vastus lateralis, M. vastus intermedius und M. vastus medialis. (aus Richter P, Hebgen E. Triggerpunkte und Muskelfunktionsketten. 5. Aufl. Stuttgart: Haug; 2021, nach: Schünke M. Funktionelle Anatomie: Topographie und Funktion des Bewegungssystems. 1. Aufl. Stuttgart: Thieme; 2000)

9.3
Tiefe ventrale Schichten

9.3.1 Intermuskuläre Septen

Anatomie

▸ Abb. 9.8

- befinden sich zwischen den Muskeln und unterteilen den Oberschenkel in 3 Muskellogen (Kompartimente), die jeweils von einem Nerv versorgt werden:
  - anteriore Extensorenloge: vom N. femoralis versorgt
  - posteriore Flexorenloge: vom N. ischiadicus versorgt
  - mediale Adduktorenloge: vom N. obturatorius versorgt
- über eigene Logen verfügen M. sartorius, M. gracilis und M. tensor fasciae latae
- Septum intermusculare femoris laterale:
  - liegt zwischen M. vastus lateralis und M. biceps femoris (Caput breve)
  - trennt Extensoren- und Flexorenloge voneinander
  - ist an der Linea aspera angeheftet
- Septum intermusculare femoris mediale:
  - liegt zwischen M. vastus medialis und M. adductor brevis
  - trennt Extensoren- und Adduktorenloge voneinander
  - setzt an Linea aspera an
- Septum intermusculare femoris posterius:
  - liegt zwischen M. semimembranosus und M. adductor magnus
  - trennt Adduktoren- und Flexorenloge voneinander
  - stammt kranial aus der Fascia glutea (Stratum subgluteale) und geht kaudal in die Faszien der Fossa poplitea über
- die Gruppenfaszie für M. gracilis und Adduktoren dient gleichzeitig auch als Oberflächenfaszie

Myofasziale Wirkungsketten

Septum intermusculare femoris mediale und posterius sind Bestandteil der tiefen Frontallinie, deren wesentliche Funktionen die Körperstabilität und die Stützfunktion des Körpers sind.

Osteopathische Korrespondenzen

Die tiefen Beinfaszien dienen als Ansätze für die Muskulatur. Sie bilden darüber hinaus osteofasziale Logen, die den Muskeln Raum geben. Sie verteilen auch die Zugbelastungen an den Übergängen von Faszien in den Knochen. Das Ziel ist, die biomechanische Energie zu verteilen. Dies dient der Prophylaxe, um maximale Belastungen abzufedern.

Die großen Gefäße der unteren Extremität verlaufen zwischen den festen Strukturen der Faszienlogen. Das Wirkprinzip besteht darin, dass über den Widerstand der festen Faszienstruktur der Mechanismus der Muskelpumpe auf die Gefäße ermöglicht wird.

Behandlungshinweise

Die Gruppenfaszie für den M. gracilis und die Adduktoren ist an der Innenseite sehr dünn und kann kombiniert mit der Bewegung der Adduktoren gut behandelt werden.

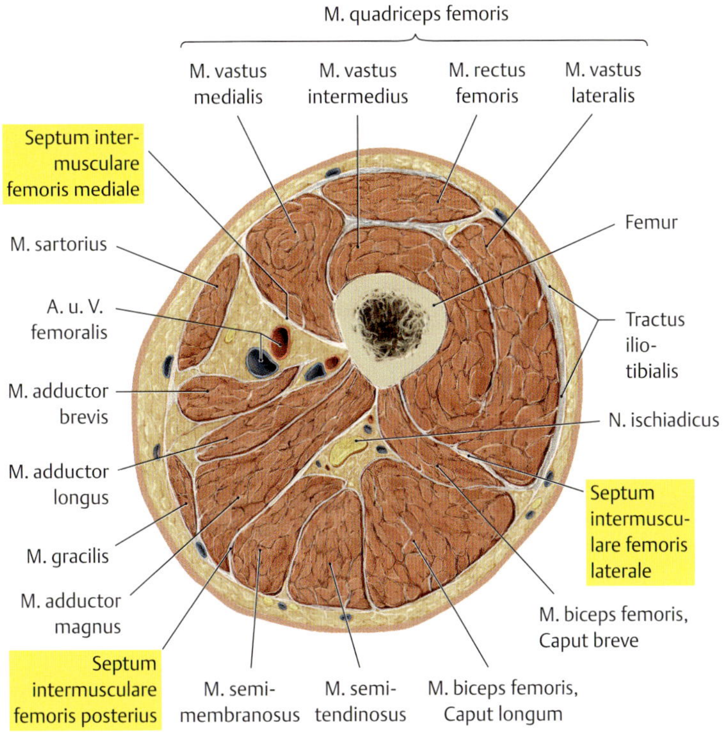

▸ **Abb. 9.8** Intermuskuläre Septen des Oberschenkels (Querschnitt durch einen rechten Oberschenkel, Ansicht von proximal). (aus Schünke M, Schulte E, Schumacher U. Prometheus, LernAtlas der Anatomie. Allgemeine Anatomie und Bewegungssystem. Illustrationen von M. Voll und K. Wesker. 5., vollständig überarbeitete Auflage. Stuttgart: Thieme; 2018)

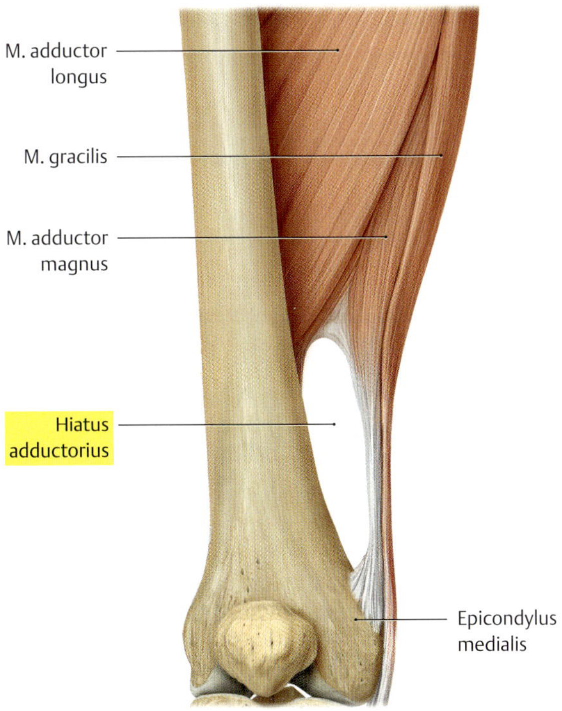

▸ **Abb. 9.9** Hiatus adductorius (rechte Seite, Ansicht von ventral). (aus Schünke M, Schulte E, Schumacher U. Prometheus, LernAtlas der Anatomie. Allgemeine Anatomie und Bewegungssystem. Illustrationen von M. Voll und K. Wesker. 5., vollständig überarbeitete Auflage. Stuttgart: Thieme; 2018)

9.4 Dorsale Schichten

9.4.1 Fascia poplitea

Anatomie

- Übergang der Fascia lata in die Fascia cruris
- bedeckt den bindegewebigen Raum der Kniekehle (Regio genus posterior)

Myofasziale Wirkungsketten

Die Fascia poplitea ist Bestandteil der tiefen Frontallinie, deren wesentliche Funktionen die Körperstabilität und die Stützfunktion des Körpers sind.

Osteopathische Korrespondenzen

Der M. gastrocnemius zieht mit seinen proximalen Anteilen in die Fascia poplitea und hat damit die Funktion eines Faszienstreckers (Kap. 10.3.5).

Unter der Fascia poplitea liegt der bindegewebig gefüllte Raum für die Gefäß-Nerven-Straße (A. und V. poplitea, N. tibialis, N. peroneus communis). Dieser Raum setzt sich kaudal unter dem Arcus tendineus musculi solei und zwischen den oberflächlichen und tiefen Flexoren des Unterschenkels fort. Kranial existiert eine Verbindung entlang des N. ischiadicus in die Flexorenloge des Oberschenkels. Die Fascia poplitea hat über den Adduktorenkanal mit der Fascia lata der Oberschenkelvorderseite Kontakt.

Durch den nahtlosen Übergang von der Fascia lata in die Fascia cruris in der Knieregion bestehen auch Korrespondenzen mit den dort ansetzenden Muskeln: medial-ventral über Pes anserinus profundus und superficialis zu M. semimembranosus, M. semitendinosus, M. gracilis und M. sartorius, ventral über das Lig. patellae zum M. quadriceps, lateral über den Tractus iliotibialis zum M. biceps femoris. Dorsal korrespondiert die Faszie mit der Fascia poplitea der Kniekehle und damit auch mit dem M. popliteus. M. gastrocnemius und M. plantaris können Zug nach kaudal auf die Kniegelenksfaszie ausüben. Ebenfalls kaudalen Zug auf die Fascia cruris können ventral der M. tibialis anterior und M. extensor digitorum longus ausüben.

Damit kann dieser Muskelkomplex als Faszienspanner von kranial und kaudal wirken und das Kniegelenk stabilisieren. Gleichzeitig ist die Funktionalität der Verknüpfung von M. semimembranosus, Lig. collaterale mediale und Innenmeniskus für die dynamische Kniegelenkmechanik wichtig. Für den lateralen Bereich ist es der M. popliteus mit seiner Faszie und seinen meniskalen-fibulären Fasern, der für eine posterolaterale Stabilität sorgt. Die fasziale Einbindung der Unterschenkelfaszie in die Kniekehle unterstützt den M. popliteus in seiner Funktion. Er ist Innenrotator im Knie, wenn der Unterschenkel frei beweglich ist. Er bremst damit die Außenrotation der Tibia. Ist der Unterschenkel fixiert, z. B. im Stand, dann bringt er das Femur in Außenrotation. Durch seinen schrägen Verlauf wirkt er der Hyperextension im Kniegelenk entgegen. Muskuläre Dysbalancen bzw. myofasziale Adhäsionen der beteiligten Strukturen aus Ober- und Unterschenkel können die Funktionalität des Kniegelenks stören.

Behandlungshinweise

Der N. tibialis lässt sich mit behutsamem Druck im Kniekehlenbereich mobilisieren.

9.4.2 M. semitendinosus und M. semimembranosus

Anatomie

▶ Abb. 9.11, ▶ Abb. 9.12

- **Ursprung:** Tuber ischiadicum (Hinterfläche)
- **Ansatz:**
  - M. semitendinosus: mediale Tibiafläche (unterhalb des M. gracilis)
  - M. semimembranosus: Condylus medialis tibiae, Lig. popliteum obliquum, Faszie des M. popliteus
- **Funktion:** Extension und Flexion im Kniegelenk, Innenrotation im Kniegelenk
- **Innervation:** N. tibialis (L5 – S1)
- **Triggerpunkte:**
  - M. semitendinosus (▶ Abb. 9.10): posteromedial am Oberschenkel
  - M. semimembranosus (▶ Abb. 9.11): posteromedial am Oberschenkel

Myofasziale Wirkungsketten

M. semimembranosus und M. semitendinosus werden der oberflächlichen Rückenlinie zugeordnet.

Osteopathische Korrespondenzen

Das Lig. collaterale tibiale (mediales Seitenband) wird von der Sehne des M. semitendinosus überkreuzt. Die Bursa anserina sorgt in diesem Bereich für eine verbesserte Gleiteigenschaft der Sehne. Bei mechanischer Überbelastung kann es zur Reizung der Bursa und zu Schmerzen kommen.

Der M. semimembranosus befindet sich unter dem M. semitendinosus und dient diesem als Gleitlager.

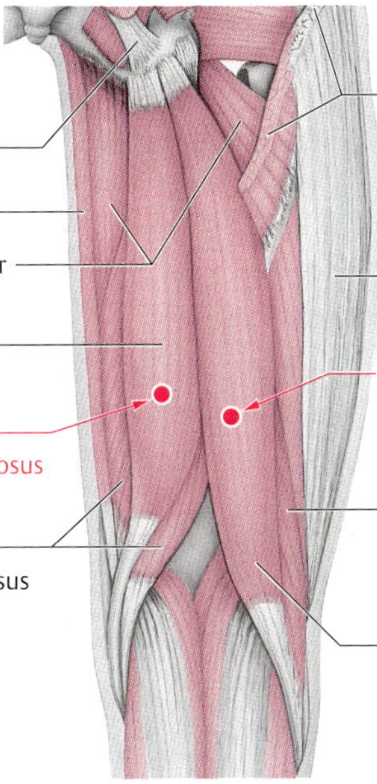

▶ **Abb. 9.10** Triggerpunkte M. semitendinosus und M. biceps femoris (Caput longum). (aus Richter P, Hebgen E. Triggerpunkte und Muskelfunktionsketten. 5. Aufl. Stuttgart: Haug; 2021, nach: Schünke M. Funktionelle Anatomie: Topographie und Funktion des Bewegungssystems. 1. Aufl. Stuttgart: Thieme; 2000)

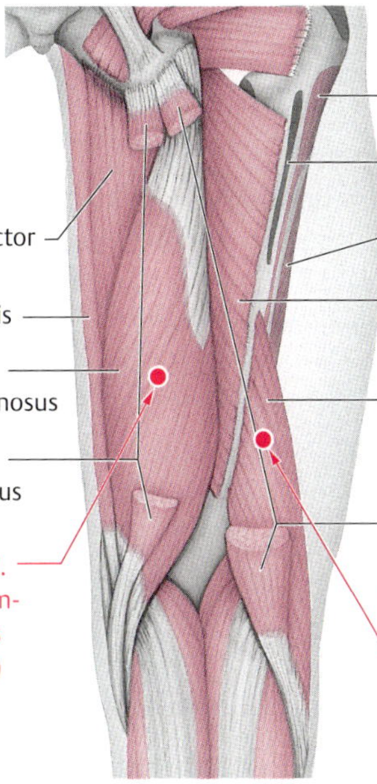

▶ **Abb. 9.11** Triggerpunkte M. semimembranosus und M. biceps femoris (Caput breve). (aus Richter P, Hebgen E. Triggerpunkte und Muskelfunktionsketten. 5. Aufl. Stuttgart: Haug; 2021, nach: Schünke M. Funktionelle Anatomie: Topographie und Funktion des Bewegungssystems. 1. Aufl. Stuttgart: Thieme; 2000)

9.4.3 Pes anserinus („Gänsefüßchen“)

Anatomie

▸ Abb. 9.12

- Pes anserinus superficialis:
  - fächerförmig gestaltete Sehnenplatte
  - ventral-medial am Condylus medialis der Tibia
  - Sehnenansätze stammen von M. sartorius, M. gracilis und M. semitendinosus
  - hier finden sich ergänzend fasziale Ausläufer im medialen und ventralen Bereich der Fascia cruris
- Pes anserinus profundus:
  - Sehnenansätze stammen vom M. semimembranosus
  - mündet proximal des Pes anserinus superficialis am Condylus medialis der Tibia im Bereich des Lig. collaterale mediale

Osteopathische Korrespondenzen

Der Meniscus medialis des Kniegelenks ist mit den tiefen Fasern des Lig. collaterale mediale verwachsen. Über die Verbindung zum M. semimembranosus, welcher der oberflächlichen Rückenlinie zugeordnet wird, bestehen direkte mechanische Spannungs- bzw. Kraftzüge aus dem Beckenbereich über Tuber ischiadicum, Lig. sacrotuberale, Fascia thoracolumbalis bis zur Wirbelsäule (M. erector spinae).

9.4.4 M. biceps femoris

Anatomie

▸ Abb. 9.11, ▸ Abb. 9.12

- **Ursprung:** Tuber ischiadicum (Hinterfläche), Labium laterale der Linea aspera (mittleres Drittel)
- **Ansatz:** Apex capitis fibulae, Linea supracondylaris lateralis femoris, Lig. collaterale fibulare, Condylus lateralis tibiae
- **Funktion:** Extension im Hüftgelenk, Flexion und Außenrotation im Kniegelenk
- **Innervation:** N. tibialis und N. fibularis (L4–S3)
- **Triggerpunkte** (▸ Abb. 9.10, ▸ Abb. 9.11): mittleres Drittel des Oberschenkels, mehr posterior/lateral

Myofasziale Wirkungsketten

Der M. biceps femoris, als Bestandteil der ischiokruralen Gruppe, wird der oberflächlichen Rückenlinie zugeordnet, die u. a. die Stabilisation der Körperhaltung gewährleistet, aber auch an der Extensionsbewegung des gesamten Körpers beteiligt ist. Der M. biceps femoris ist auch ein Teil der Spirallinien, die zuggurtartig das Gehen stabilisieren und Kräfte – je nach Belastung (Standbein/Spielbein) – auf dieselbe Körperseite oder auf die gegenüberliegende Körperseite übertragen können. Dabei ist insbesondere auf die Verbindung von M. erector spinae, Fascia thoracolumbalis, Lig. sacrotuberale und Caput fibulae zu achten.

Osteopathische Korrespondenzen

Ein unphysiologischer Zug über den M. biceps femoris am Fibulaköpfchen kann zu einer Dysfunktion in der Art. tibiofibularis führen. Hier verläuft in nächster Nähe der N. fibularis (N. peroneus), der dadurch irritiert werden kann.

Behandlungshinweise

Bei myofaszialen Adhäsionen in der Kniekehle (z. B. nach Verletzungen, Operationen) sollten auch die korrespondieren Muskeln mit ihren Faszien bei der Behandlung berücksichtigt werden.

9.4.5 M. popliteus

Anatomie

▸ Abb. 9.19

- **Ursprung:** Facies posterior tibiae (oberhalb der Linea musculi solei und unterhalb der Tibiakondylen)
- **Ansatz:** Epicondylus lateralis femoris, in die Kniegelenkkapsel einstrahlend, Verbindung zum lateralen Meniskus (Hinterhorn)
- **Funktion:** Innenrotation im Kniegelenk, zieht lateralen Meniskus nach hinten
- **Innervation:** N. tibialis (L5–S1)
- **Triggerpunkte** (▸ Abb. 10.19): Tibianähe, proximale Hälfte des Muskelursprungs

Myofasziale Wirkungsketten

Der M. popliteus ist mit seiner Faszie Bestandteil der tiefen Frontallinie, die für die Körperstabilität (Stützfunktion) wichtig ist. Er wirkt auf das hintere Kreuzband ein und stabilisiert in der Extensionsstellung das Kniegelenk.

Osteopathische Korrespondenzen

Narbengewebe in der Kniebeuge, z. B. nach Baker-Zysten-Entfernung oder Varizenstripping, kann zu Adhäsionen im dorsalen Recessus der Kniegelenkskapsel führen. Die Funktionalität des Außenmeniskus kann über die Dysfunktion der Fascia poplitea bzw. des M. popliteus beeinträchtigt sein (Kap. 10.3.5).

Der M. plantaris hat seinen Ursprung im proximalen Bereich des lateralen Femurkondylus und überspannt die Kniekehle. Er unterstützt die Innenrotation und Beugung im Kniegelenk. Der M. gastrocnemius hat seinen Ursprung am medialen und lateralen Femurkondylus. Als zweigelenkiger oberflächlicher Unterschenkelmuskel ist er an der Beugung des Kniegelenks beteiligt. Beide Muskeln können bei myofaszialen Adhäsionen zu Dysfunktionen in der Kniekehle führen.

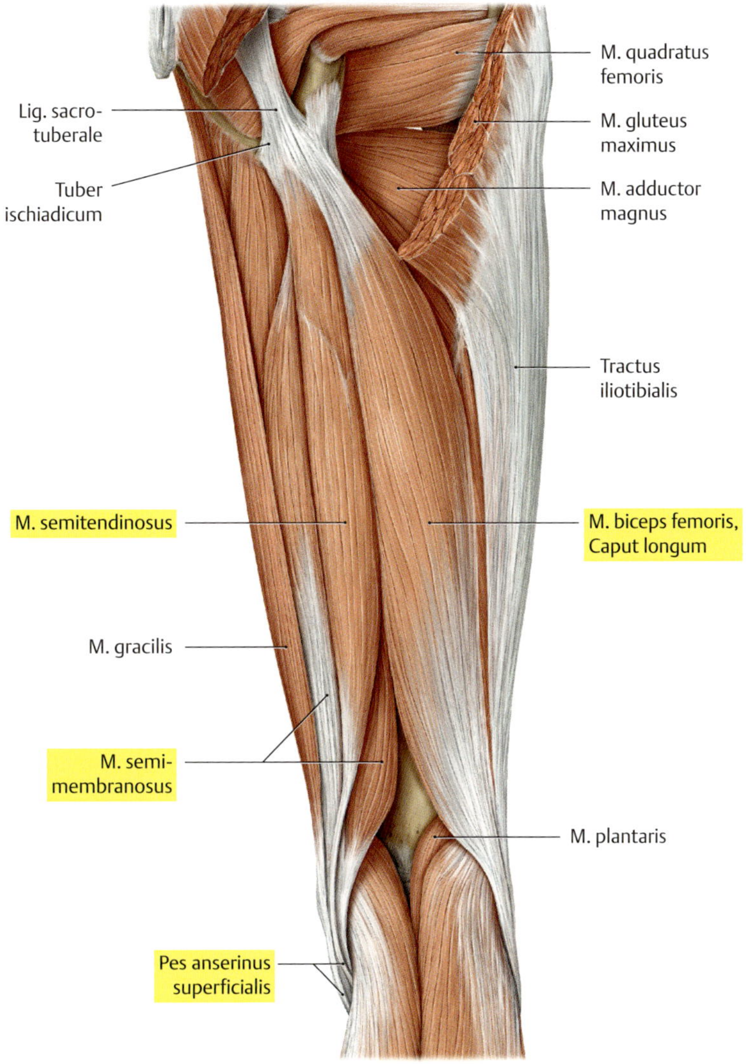

▸ **Abb. 9.12** Muskulatur des rechten Oberschenkels (Ansicht von dorsal). (aus Schünke M, Schulte E, Schumacher U. Prometheus, LernAtlas der Anatomie. Allgemeine Anatomie und Bewegungssystem. Illustrationen von M. Voll und K. Wesker. 5., vollständig überarbeitete Auflage. Stuttgart: Thieme; 2018)

9.5
Kniegelenk (Art. genus)

9.5.1 Distales Femur

Anatomie

▶ Abb. 9.14, ▶ Abb. 9.15

- Condylus medialis femoris und Condylus lateralis femoris: bilden eine mit hyalinem Knorpel überzogene Fläche für die gelenkige Verbindung mit den Tibiakondylen
- Epicondylus medialis und lateralis: Ursprung der Kollateralbänder
- Fossa intercondylaris:
  - Vertiefung zwischen den beiden Kondylen
  - Anheftungsstelle für Kreuzbänder

Osteopathische Korrespondenzen

Kap. 9.5.4

9.5.2 Proximale Tibia (Schienbein) und Fibula (Wadenbein)

Anatomie

▶ Abb. 9.13, ▶ Abb. 9.14

- Condylus lateralis tibiae und Condylus medialis tibiae: bilden eine mit hyalinem Knorpel überzogene konkave Gelenkfläche für die gelenkige Verbindung mit den Femurkondylen
- Eminentia intercondylaris: knorpelfreie knöcherne Erhebung zwischen den Kondylen
- Area intercondylaris anterior/posterior:
  - vor bzw. hinter der Eminentia intercondylaris liegender Raum
  - Ansatz für Meniskusvorder- bzw. -hinterhorn und Kreuzbänder
- Tuberositas tibiae: Apophyse am proximalen Ende der Tibia, Ansatz für Lig. patellae

Osteopathische Korrespondenzen

Kap. 9.5.4

Am Fibulaköpfchen setzt von kranial der M. biceps femoris an. Bei Muskelverkürzungen kann es zu Reizungen der Bursa subtendinea musculi bicipitis femoris inferior kommen. Die Bursa befindet sich im Bereich der Ansatzsehne des M. biceps femoris und des lateralen Seitenbands.

9.5.3 Patella (Kniescheibe)

Anatomie

▶ Abb. 9.13, ▶ Abb. 9.14

- Sesambein
- in der Sehne des M. quadriceps femoris eingelagert
- Gelenkfläche (Facies articularis) ist mit kräftigem Knorpel bedeckt (etwa 6 mm)

Osteopathische Korrespondenzen

Kap. 9.5.4

Behandlungshinweise

Bei einer druckempfindlichen Patellaspitze spricht man vom Patellaspitzensyndrom. Beinachsenfehlstellungen, z. B. durch Dysfunktionen im Fußbereich, können das Lig. patellae unter einen unphysiologischen Zug bringen, was dann die Gelenkmechanik der Patella stört. Neben der differenzialdiagnostischen Prüfung auf Dysfunktionen im Fuß ist z. B. auch auf die myofasziale Funktionalität des Tractus iliotibialis zu achten.

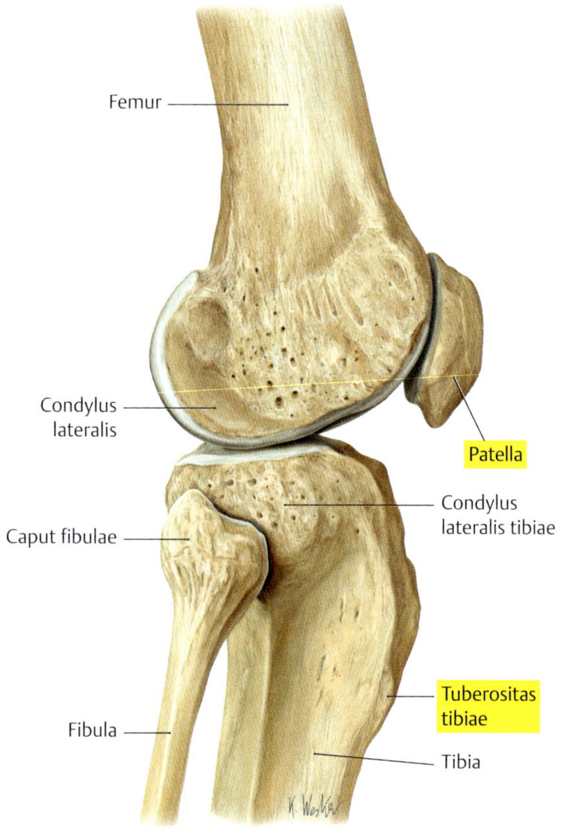

▶ **Abb. 9.13** Knochen des rechten Kniegelenks (Ansicht von lateral). (aus Schünke M, Schulte E, Schumacher U. Prometheus, LernAtlas der Anatomie. Allgemeine Anatomie und Bewegungssystem. Illustrationen von M. Voll und K. Wesker. 5., vollständig überarbeitete Auflage. Stuttgart: Thieme; 2018)

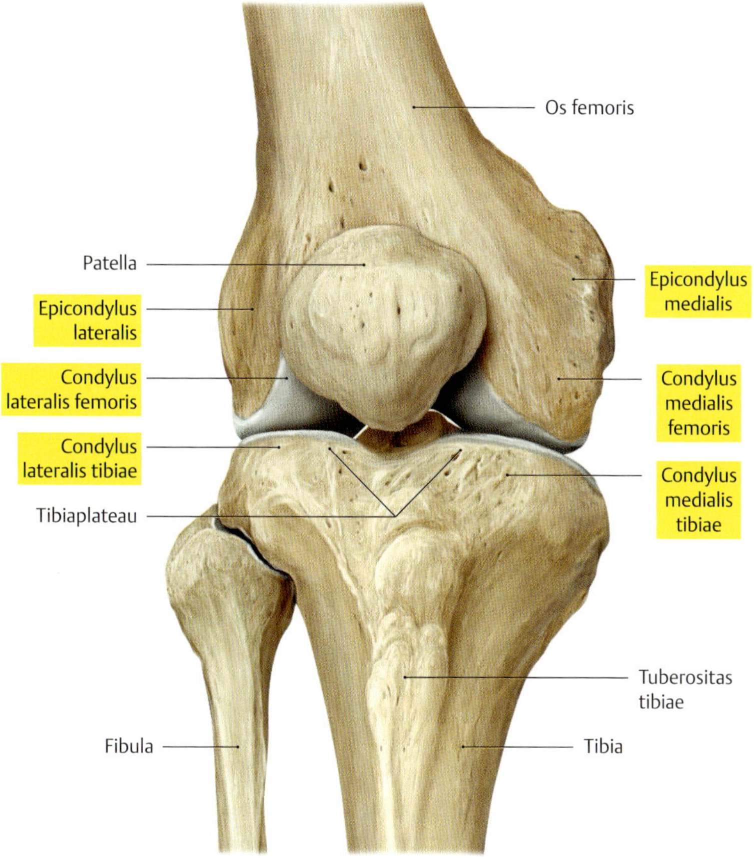

▶ **Abb. 9.14** Knochen des rechten Kniegelenks (Ansicht von ventral). (aus Schünke M, Schulte E, Schumacher U. Prometheus, LernAtlas der Anatomie. Allgemeine Anatomie und Bewegungssystem. Illustrationen von M. Voll und K. Wesker. 5., vollständig überarbeitete Auflage. Stuttgart: Thieme; 2018)

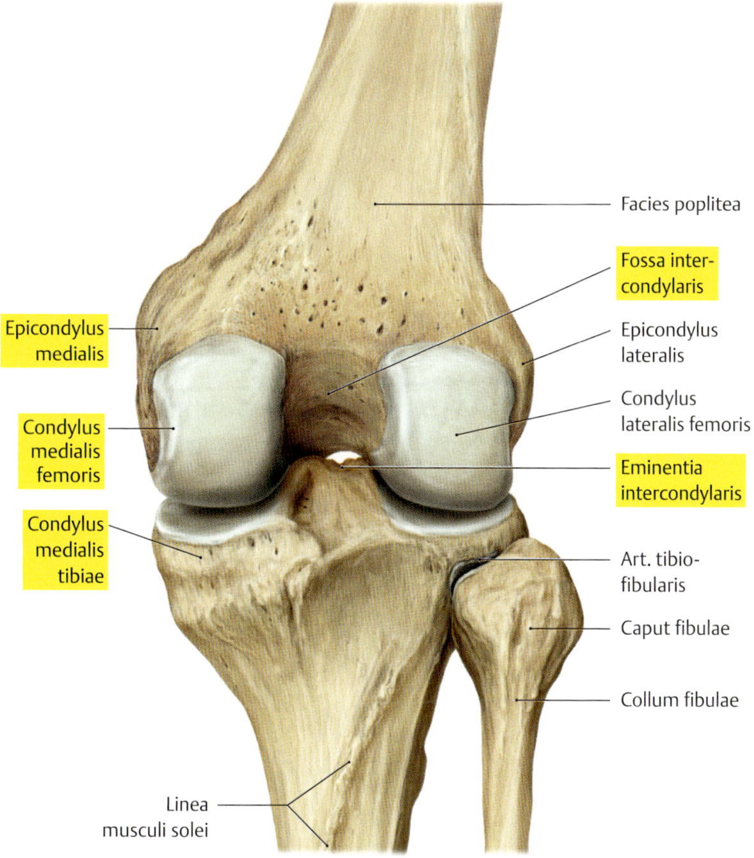

▶ **Abb. 9.15** Knochen des rechten Kniegelenks (Ansicht von dorsal). (aus Schünke M, Schulte E, Schumacher U. Prometheus, LernAtlas der Anatomie. Allgemeine Anatomie und Bewegungssystem. Illustrationen von M. Voll und K. Wesker. 5., vollständig überarbeitete Auflage. Stuttgart: Thieme; 2018)

9.5.4 Art. genus als Ganzes

Anatomie

- besteht aus 3 Gelenkpartnern (Tibia, Femur, Patella), die untereinander gelenkig verbunden sind
- besteht aus 2 Einzelgelenken:
  - **Art. femorotibialis** (Femorotibialgelenk):
    - **Art:** Scharniergelenk, das bei Beugung Rotationsbewegungen ermöglicht
    - **Partner:** Femur und Tibia
  - **Art. femoropatellaris** (Femoropatellargelenk):
    - **Art:** planes Gelenk, Patella hat die Funktion des Sesambeins
    - **Partner:** Femur und Patella
- **Kapsel** (▶ Abb. 9.16):
  - umschließt das gesamte Gelenk
  - bildet nach innen Falten (Plicae alares)
  - im hinteren und seitlichen Bereich: nahe der Knorpel-Knochen-Grenze
  - im vorderen Bereich: Quadrizepssehne mit Patella, Übergang der Membrana synovialis in den Recessus suprapatellaris, reicht bis zur Knorpel-Knochen-Grenze der Facies patellaris femoris
  - im unteren Bereich: befestigt am proximalen Tibiaende (etwa 1 cm unterhalb der Gelenkfläche)
  - Membrana synovialis: im Bereich der Area intercondylaris posterior nach vorn gebogen bis vor den Ansatz des vorderen Kreuzbands in der Area intercondylaris anterior → durch diesen Verlauf liegen die Kreuzbänder intrakapsulär (zwischen den beiden Schichten der Kapsel), aber extraartikulär bzw. extrasynovial (nicht von Gelenkflüssigkeit umspült) (▶ Abb. 9.17)
  - Membrana fibrosa: durch Bänder (u. a. Lig. collaterale tibiale) und Sehnen (u. a. Retinacula patellae) verstärkt
- **Funktion:** Gelenkflächenvergrößerung durch Plicae alares, Produktion der Synovia durch Membrana synovialis
- **Bursa:** Bursa supra-, prae- und infrapatellaris, Bursa musculi poplitei (Kap. 10.3.5)
- die Fibula ist mit einem eigenständigen Gelenk (straffes Gelenk) mit der Tibia verbunden und nicht in das Kniegelenk einbezogen (Kap. 9.5.7)
- Tibia und Femur sind in ihrer Form nicht sehr kongruent, weshalb die Stabilität nicht sehr groß ist → diese muss zum Ausgleich durch ein spezialisiertes Band-Kapsel-System hergestellt werden

Osteopathische Korrespondenzen

Es ist das größte Gelenk im menschlichen Körper. Aus osteopathischer Sicht sind Problematiken möglich, die aufgrund einer mechanischen absteigenden Dysfunktionskette über das Hüftgelenk, Becken und/oder LWS möglich sind oder aufgrund einer aufsteigenden Dysfunktionskette über das obere und untere Sprunggelenk und den Fuß.

Veränderte Faszienspannungen, insbesondere der Fascia poplitea oder des Tractus iliotibialis, können die Mechanik des Kniegelenks stören. Hier zeigt sich, dass das Kniegelenk, gelegen zwischen mechanischen Spannungs-, Druck- und Zugkräften von LWS, Becken, Hüftgelenk und Fuß, Knotenpunkt der ab- und aufsteigenden myosfaszialen Ketten ist. Dysfunktionen in der Peripherie müssen womöglich durch eine veränderte Mechanik im Kniebereich kompensiert werden.

Der N. obturatorius versorgt sensibel über den Ramus posterior die Kniegelenkkapsel, über den Ramus anterior eine kleine Fläche an der Innenseite des Oberschenkels etwas oberhalb des medialen Kniegelenks. Hier kann sich eine Schmerzausstrahlung bei Dysfunktionen oder Veränderungen am Ovar, am Foramen obturatorium oder an der Membrana obturatoria zeigen.

Die Segmente für N. obturatorius und N. femoralis sind für die Verschaltung der viszeral-afferenten Fasern der Becken- und Bauchorgane zuständig. Die vegetative sympathische Versorgung aus diesen Segmenten kann die Mikrozirkulation stören und damit die strukturellen Funktionen in der Region des Kniegelenks beeinträchtigen.

Der Sympathikus (Th 12 – L 2/L 3) und die Innervation sind für den Zustand und damit für die Belastbarkeit der (peri-)artikulären Gewebe des Kniegelenks wichtig. Vegetativ kann über die sympathischen Fasern die Vasomotorik in den artikulären und periartikulären Strukturen gestört werden. Auffallend ist die sympathische Innervation der Organe im kleinen Becken mit den Ursprungssegmenten von N. femoralis und N. obturatorius (L 2–L 4).

Der N. saphenus ist ein sensibler Ast des N. femoralis, der ein handbreites autonomes Gebiet an den 2 distalen Dritteln der Oberschenkelvorderseite versorgt. Bei Reizungen des N. femoralis und/oder N. obturatorius in seinen Ursprungssegmenten oder in seinem Verlauf kann es zu einem übertragenen Schmerz im Oberschenkel- oder Kniebereich kommen. Motorisch kann der N. femoralis über den M. quadriceps femoris den Anpressdruck im femoropatellaren Gelenk erhöhen.

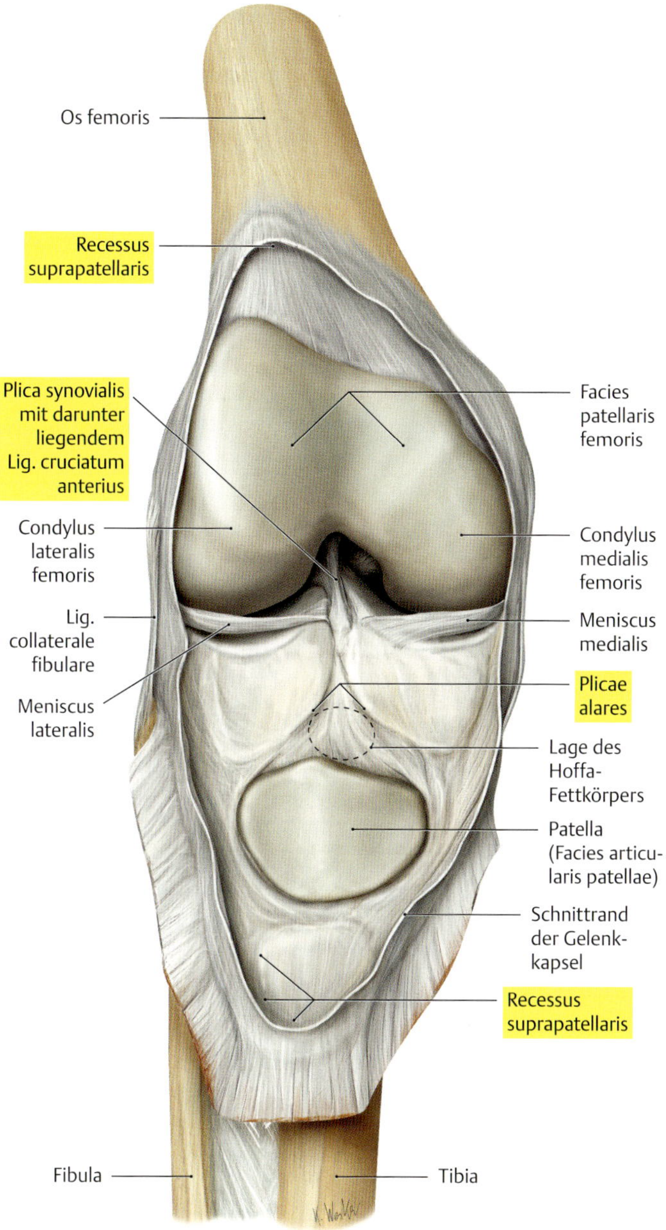

► **Abb. 9.16** Rechtes Kniegelenk mit eröffneter Kapsel (Patella nach unten geklappt, Ansicht von ventral). (aus Schünke M, Schulte E, Schumacher U. Prometheus, LernAtlas der Anatomie. Allgemeine Anatomie und Bewegungssystem. Illustrationen von M. Voll und K. Wesker. 5., vollständig überarbeitete Auflage. Stuttgart: Thieme; 2018)

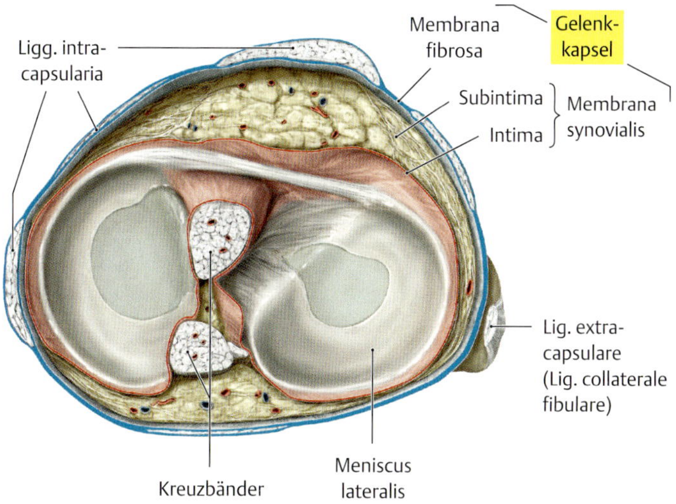

► **Abb. 9.17** Aufbau der Gelenkkapsel (Ansicht von kranial). (aus Schünke M, Schulte E, Schumacher U. Prometheus, LernAtlas der Anatomie. Allgemeine Anatomie und Bewegungssystem. Illustrationen von M. Voll und K. Wesker. 5., vollständig überarbeitete Auflage. Stuttgart: Thieme; 2018)

9.5.5 Bänder

Anatomie

▸ Abb. 9.18, ▸ Abb. 9.19, ▸ Abb. 9.20, ▸ Abb. 9.22

- Lig. patellae: vom Pol der Patella zur Tuberositas tibiae
- Retinacula patellae mediale et laterale: liegen lateral und medial der Patella an, haben Faserzüge zum Periost des Caput tibiae
- Seitenbänder:
  - Lig. collaterale tibiale (Innenband):
    - vom Epicondylus medialis zur Facies medialis tibiae
    - Verlauf von oben–hinten nach unten–vorn
    - mit Gelenkkapsel und medialem Meniskus fest verwachsen
  - Lig. collaterale fibulare (Außenband):
    - vom Epicondylus lateralis zum Caput fibulae
    - Verlauf von oben–vorn nach unten–hinten
  - gespannt in Streckstellung und bei Außenrotation des Kniegelenks, entspannt bei Flexion
  - stabilisieren das Kniegelenk in der frontalen Ebene
- Lig. popliteum obliquum: verstärkt die Rückseite der Gelenkkapsel, stammt aus der Sehne des M. semimembranosus, zieht von der Rückseite des Tibiakopfs proximal/lateral zur Fossa intercondylaris femoris
- Lig. popliteum arcuatum: bogenförmige Überbrückung des M. popliteus, verläuft dorsal vom Caput fibulae medial/kranial zur Tibia, verstärkt die hintere Gelenkkapsel und korrespondiert mit dem M. popliteus
- Kreuzbänder:
  - Lig. cruciatum anterius:
    - von der Area intercondylaris anterior der Tibia zur medialen Fläche des lateralen Femurkondylus
    - Verlauf: nach oben, hinten und lateral
  - Lig. cruciatum posterius:
    - von der Area intercondylaris posterior der Tibia zur lateralen Fläche des medialen Femurkondylus
    - Verlauf: nach oben, vorn und medial
  - Längenverhältnis des vorderen zum hinteren Kreuzband ca. 4 : 5
  - bestimmte Faseranteile sind in jeder Position des Gelenks und bei Innenrotation gespannt
  - stabilisieren Kniegelenk in der sagittalen Ebene
- Lig. transversum genus: zwischen den beiden Vorderhörnern
- Lig. meniscofemorale posterius: vom lateralen Meniskus zum Condylus medialis (Innenfläche)
- Lig. meniscofemorale anterius: Rückseite lateraler Meniskus zum Lig. cruciatum anterius (inkonstant)

Osteopathische Korrespondenzen

Das Lig. cruciatum anterius gibt dem Kniegelenk in der Beugung Stabilität. M. vastus medialis und M. semimembranosus wirken unterstützend. Je weiter das Kniegelenk in Beugung in die Innenrotation geht, desto mehr wird das vordere Kreuzband gespannt. Das hintere Kreuzband, das mit dem M. popliteus korrespondiert, stabilisiert das Kniegelenk in Extensionsstellung.

Das Lig. popliteum obliquum steht in enger Verbindung mit der A. poplitea. Die arterielle Versorgung des Kniegelenks muss bei jeder Kniegelenkstellung möglich sein. Die ligamentäre Verbindung sichert womöglich das Lumen des Gefäßes.

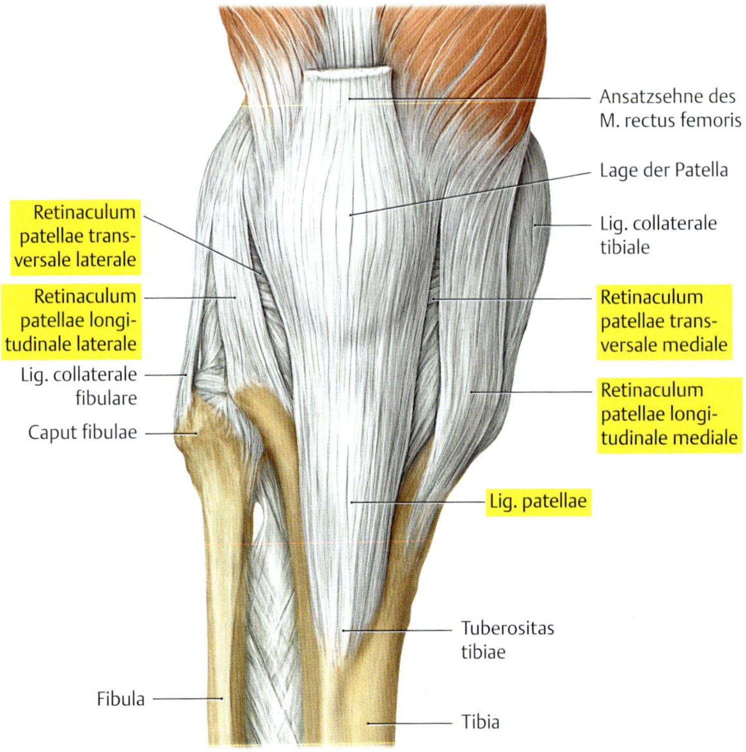

▸ **Abb. 9.18** Vordere und seitliche Außenbänder des rechten Kniegelenks (Ansicht von ventral). (aus Schünke M, Schulte E, Schumacher U. Prometheus, LernAtlas der Anatomie. Allgemeine Anatomie und Bewegungssystem. Illustrationen von M. Voll und K. Wesker. 5., vollständig überarbeitete Auflage. Stuttgart: Thieme; 2018)

Das Lig. popliteum arcuatum korrespondiert durch seinen Ansatz am Caput fibulae auch mit der Insertion des M. biceps femoris. Ein verkürzter M. biceps femoris kann hier womöglich die Funktionalität von M. popliteus und Lig. popliteum arcuatum stören und Beschwerden in der Kniekehle verursachen.

Retinacula patellae mediale und laterale sind Gelenkkapselverstärker und wirken unterstützend bei der Kniegelenkstreckung. Das ist auch dann noch möglich, wenn die Patella gebrochen ist. Fasziale Adhäsionen beidseits der Patella können diese Funktion der Retinacula einschränken.

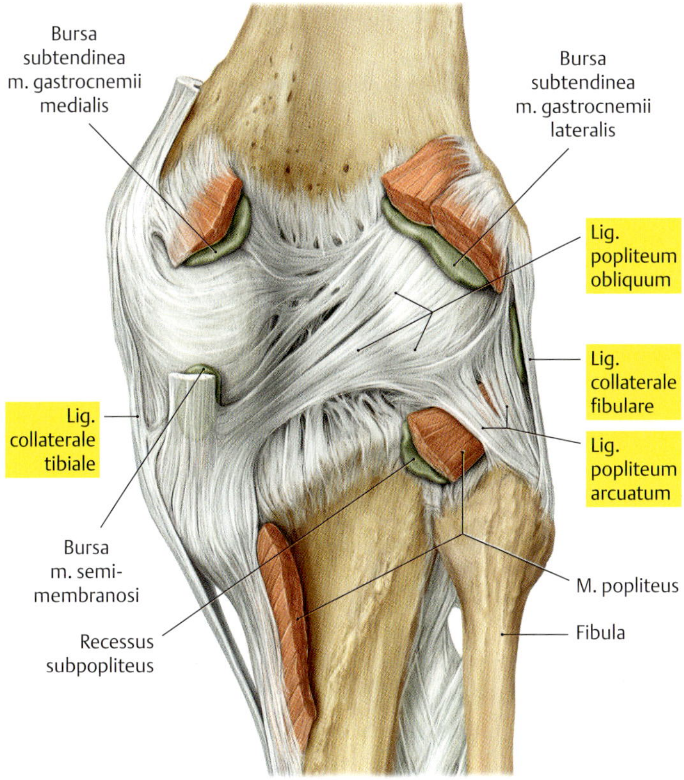

▸ **Abb. 9.19** Hintere und seitliche Außenbänder des rechten Kniegelenks (Ansicht von dorsal). (aus Schünke M, Schulte E, Schumacher U. Prometheus, LernAtlas der Anatomie. Allgemeine Anatomie und Bewegungssystem. Illustrationen von M. Voll und K. Wesker. 5., vollständig überarbeitete Auflage. Stuttgart: Thieme; 2018)

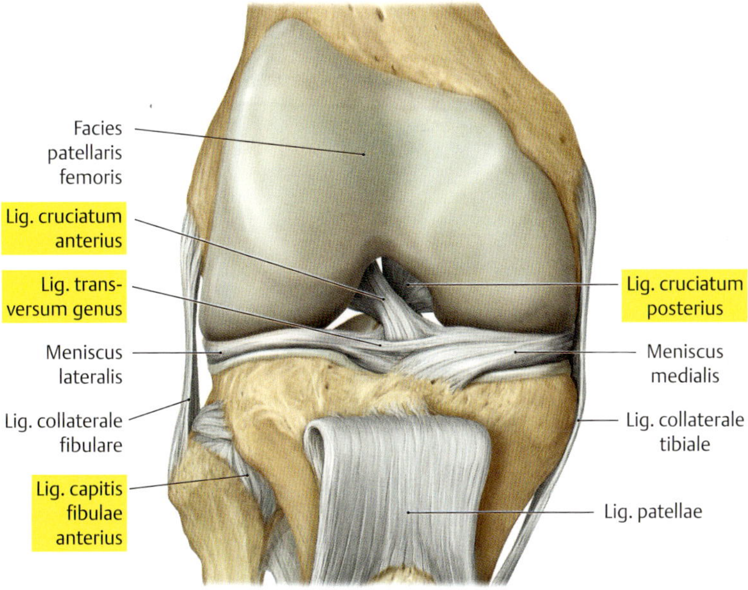

▸ **Abb. 9.20** Kreuzbänder des rechten Kniegelenks (Ansicht von ventral). (aus Schünke M, Schulte E, Schumacher U. Prometheus, LernAtlas der Anatomie. Allgemeine Anatomie und Bewegungssystem. Illustrationen von M. Voll und K. Wesker. 5., vollständig überarbeitete Auflage. Stuttgart: Thieme; 2018)

9.5.6 Menisken

Anatomie

▶ Abb. 9.21

- Meniscus lateralis (Außenmeniskus):
  - o-förmig bzw. nahezu geschlossener Ring
  - keine Verbindung zu Kollateralband
- Meniscus medialis (Innenmeniskus):
  - c- bzw. sichelförmig
  - mit Lig. collaterale tibiale fest verbunden → wenig beweglich
- beide sind keilförmig ausgestaltet
- der innere Bereich besteht aus Faserknorpel (gefäßfrei), die Ernährung erfolgt über Synovia
- der äußere Bereich ist straffes Bindegewebe, z. T. mit der Kapsel verwachsen (vaskularisiert)
- Funktion: verbesserte Kraftübertragung, Kontaktflächenvergrößerung und damit Druckverminderung durch Verteilung des Gelenkdrucks
  - bei Flexion anteriore bzw. bei Extension posteriore Verlagerung
  - bei Innenrotation: posteriore Verlagerung des Außenmeniskus, anteriore Verlagerung des Innenmeniskus; bei Außenrotation umgekehrt
- an der Tibia über kurze Bandzüge und über Lig. transversum genus (zwischen den beiden Vorderhörnern) befestigt

Osteopathische Korrespondenzen

Bei der Extension des Kniegelenks besteht die größte Passung von Femur und Tibia zueinander. Für die Beugung ist der Mechanismus des Drehens und Gleitens wichtig. Hier wirken die Menisken wie mobile Gleitflächen. Es bestehen neben den passiven Schubkräften auch aktive Kräfte, welche die Menisken bei der Beugung nach dorsal verlagern. Beim Innenmeniskus ist es die Zugkraft des M. semimembranosus und beim lateralen Meniskus ist es die des M. popliteus.

Der Innenmeniskus ist mit dem hinteren Kreuzband und dem Lig. collaterale mediale verbunden. Dieses steht wieder in enger Verbindung mit dem M. semimembranosus. Der Außenmeniskus ist durch lockere Faserzüge mit dem vorderen Kreuzband und dem M. popliteus verbunden.

Propriozeptiv versorgt ist u. a. das Lig. transversum genus. Dies sorgt womöglich für bewegungsadaptive Gelenkstatik wie auch Kinematik.

9.5.7 Art. tibiofibularis proximalis

Anatomie

▶ Abb. 9.20, ▶ Abb. 9.22

- **Art:** Amphiarthrose mit kleiner Bewegungsamplitude
- **Partner:** Condylus lateralis der Tibia und Caput fibulae
- **Funktion:** ermöglicht Gleitbewegung der Fibula zum Tibiakopf
- **Ligamente:** Lig. capitis fibulae anterius und Lig. capitis fibulae posterius

Osteopathische Korrespondenzen

Der N. peroneus communis zieht oberflächlich um das Caput fibulae herum nach ventral. Durch seinen Verlauf am medialen Rand des ansetzenden M. biceps femoris ist der Nerv durch Kompression leicht zu irritieren. Osteopathische Dysfunktionen der Art. tibiofibularis proximalis können Nervenirritationen provozieren.

Der M. soleus hat seinen Ursprung am Caput und Collum des Wadenbeins und an der Linea musculi solei tibiae. Hier liegt auch der Arcus tendineus, eine bogenförmige Sehnenstruktur, die für den Durchtritt von Leitungsbahnen wichtig ist. Dysfunktionen der Art. tibiofibularis proximalis können zu Spannungsänderungen des Arcus tendineus führen und Zirkulationsstörungen im Unterschenkel hervorrufen (Kap. 10.3.5).

Behandlungshinweise

Osteopathische Dysfunktionen der Art. tibiofibularis proximalis können mit HVLA-Techniken behandelt werden. BLT-Techniken bieten sich an, wenn auch das Kniegelenk mit seinen Weichteilen behandelt werden soll.

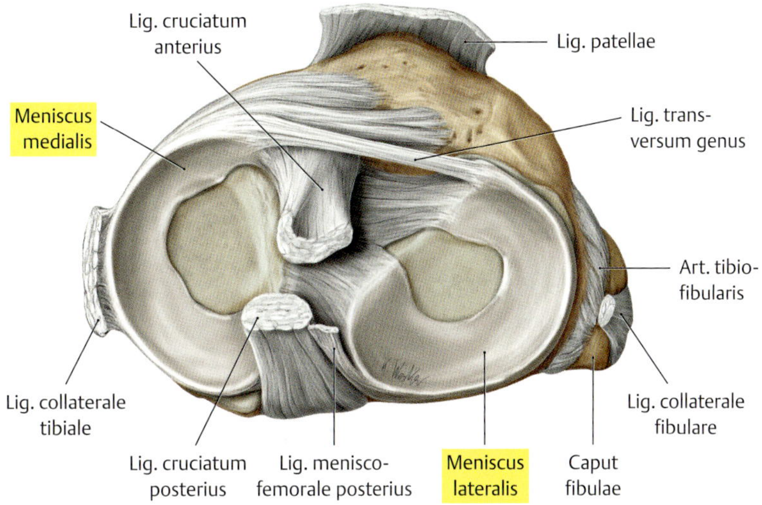

▶ **Abb. 9.21** Tibiaplateau mit aufliegenden Menisken (Ansicht von proximal). (aus Schünke M, Schulte E, Schumacher U. Prometheus, LernAtlas der Anatomie. Allgemeine Anatomie und Bewegungssystem. Illustrationen von M. Voll und K. Wesker. 5., vollständig überarbeitete Auflage. Stuttgart: Thieme; 2018)

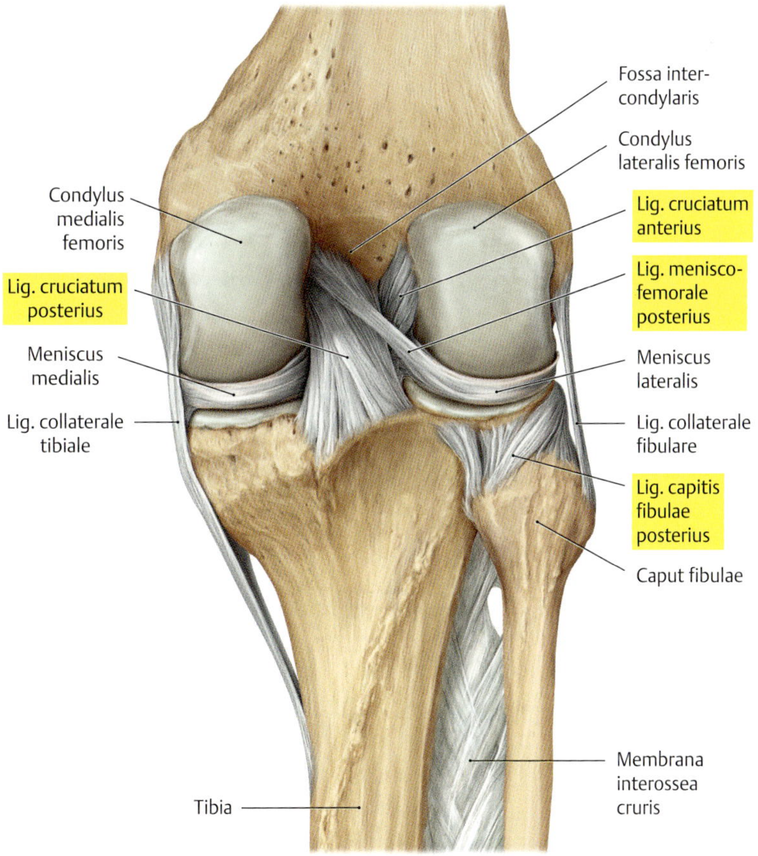

▶ **Abb. 9.22** Kreuzbänder des rechten Kniegelenks (Ansicht von dorsal). (aus Schünke M, Schulte E, Schumacher U. Prometheus, LernAtlas der Anatomie. Allgemeine Anatomie und Bewegungssystem. Illustrationen von M. Voll und K. Wesker. 5., vollständig überarbeitete Auflage. Stuttgart: Thieme; 2018)

9.6
Schnittbilder

► Abb. 9.23, ► Abb. 9.24

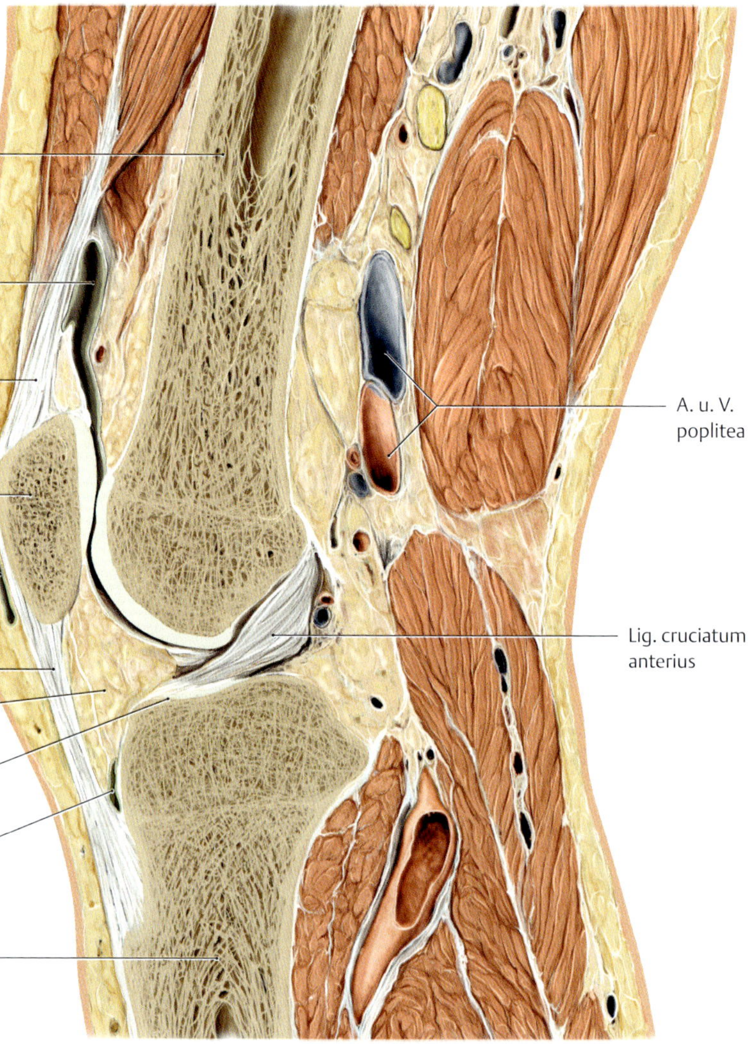

► **Abb. 9.23** Mediansagittalschnitt durch ein rechtes Kniegelenk. Auffallend ist die Ausdehnung des Recessus suprapatellaris, der sich bei einem Gelenkerguss füllt und zum Phänomen der „tanzenden Patella“ führt. Man beachte auch die Lage der Bursa infrapatellaris, die bei mechanischer Belastung (z. B. Arbeiten im Knien) zu Bursitiden und damit zu Schwellungen infrapatellar neigt (sog. „Nonnenknie“). (aus Schünke M, Schulte E, Schumacher U. Prometheus, LernAtlas der Anatomie. Allgemeine Anatomie und Bewegungssystem. Illustrationen von M. Voll und K. Wesker. 5., vollständig überarbeitete Auflage. Stuttgart: Thieme; 2018)

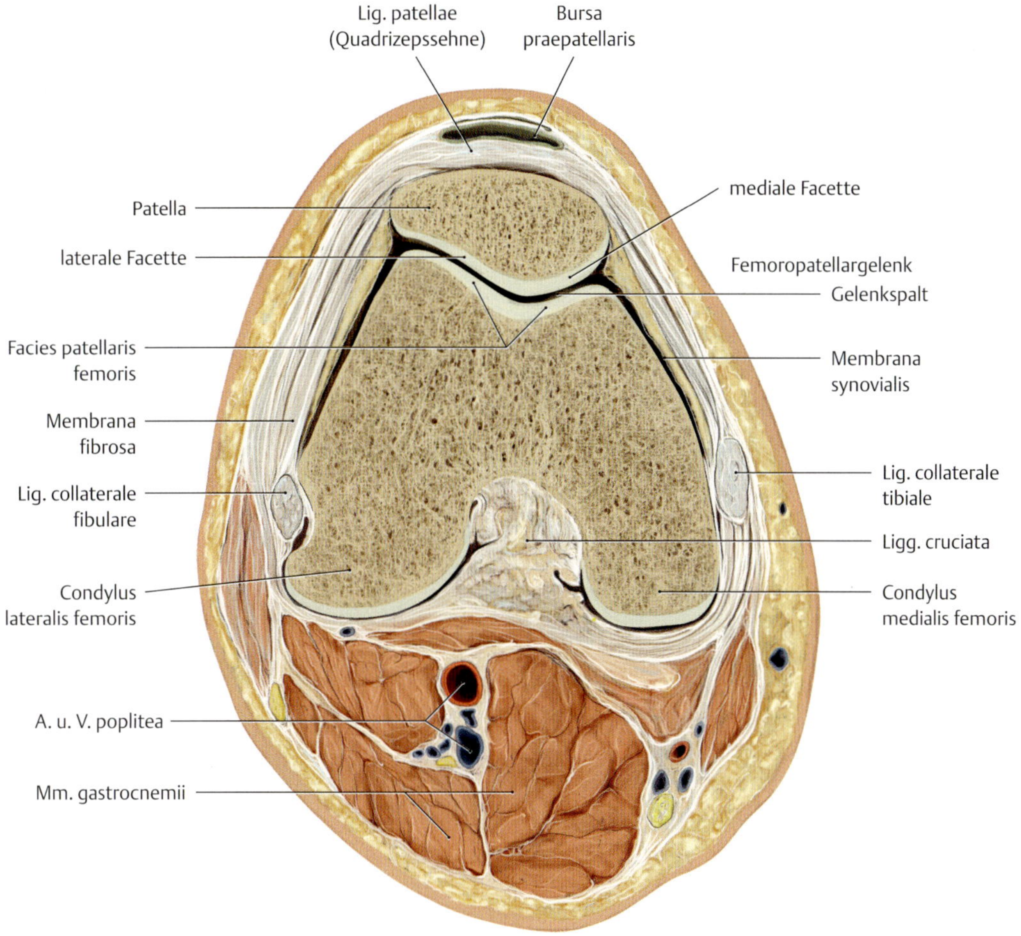

▸ **Abb. 9.24** Transversalschnitt durch ein rechtes Femoropatellargelenk (Ansicht von distal). Auffallend ist die Lage der A. und V. poplitea und die Einbettung zwischen den Ansätzen des M. gastrocnemius. (aus Schünke M, Schulte E, Schumacher U. Prometheus, LernAtlas der Anatomie. Allgemeine Anatomie und Bewegungssystem. Illustrationen von M. Voll und K. Wesker. 5., vollständig überarbeitete Auflage. Stuttgart: Thieme; 2018)

10 Unterschenkel, Fußgelenke und Fuß

10.1 Überblick

10.1.1 Unterschenkel, Fußgelenke und Fuß

Funktionell befindet sich der aufrecht gehende Mensch in ständiger Auseinandersetzung mit der Schwerkraft, um das Gleichgewicht halten zu können. Durch Fehlhaltungen, Überlastungen und asymmetrische Belastungen kann sich der Tonus in den unterschiedlichen Muskeln der unteren Extremität verändern, Nervenverläufe und Gelenke können in Dysfunktion geraten. Das kann wiederum die Eigenschaften der Faszien, die mit diesen Strukturen korrespondieren, beeinflussen.

Sensoren in den Faszien sind für das autonome Nervensystem des Körpers wichtig, um myofasziale Vorspannungen zu regulieren. Entwickelt sich durch unphysiologische Zug- bzw. Druckkräfte das elastische Fasziengewebe zu festem, unflexiblem und nicht gleitendem Gewebe, geht das auf Kosten der Beweglichkeit der gelenkigen Verbindungen der unteren Extremität. Dysfunktionen aus dem kranialen Bereich, z. B. kraniomandibuläre Dysfunktionen, Dysfunktionen des Vestibularapparats, des Hörorgans oder der Augen, können die Funktionalität der gesamten Körperstatik und damit auch der unteren Extremität (▸ **Abb. 10.1**) beeinflussen.

Dem Fuß mit seiner gelenkigen Verbindung zum Unterschenkel kommt eine besondere Bedeutung zu. Denn er ist durch seine Konstruktion, seine Bodenkontaktflächen und die komplexe Einbindung über die Propriozeption und Exterozeption eine wichtige Funktionseinheit für die Dynamik und Körperstatik. Vegetativ wird die untere Extremität über die sympathische Innervation aus den Segmenten Th 11–L 2 versorgt. In diesen Segmenten verschalten sich parietale und auch viszerale Afferenzen. In der Osteopathie wird von der spinalen Fazilitation gesprochen. Das bedeutet, dass sympathikotone Störungen u. a. auch die Gelenke und die Muskulatur der unteren Extremitäten betreffen können. Man geht davon aus, dass die Organe der Becken- und Bauchhöhle über die viszeralen Afferenzen Segmente sensibilisieren können, die sympathisch und mechanisch Folgen für die Funktionalität der unteren Extremität haben können.

10.1.2 Regionen

Für den Bereich von Unterschenkel, Fußgelenken und Fuß werden topografisch betrachtet (▸ **Abb. 10.1**, ▸ **Abb. 10.2**, ▸ **Abb. 10.3**):

- Regio cruris anterior
- Regio cruris posterior
- Regio retromalleolaris lateralis
- Regio calcanea
- Dorsum pedis
- Planta pedis

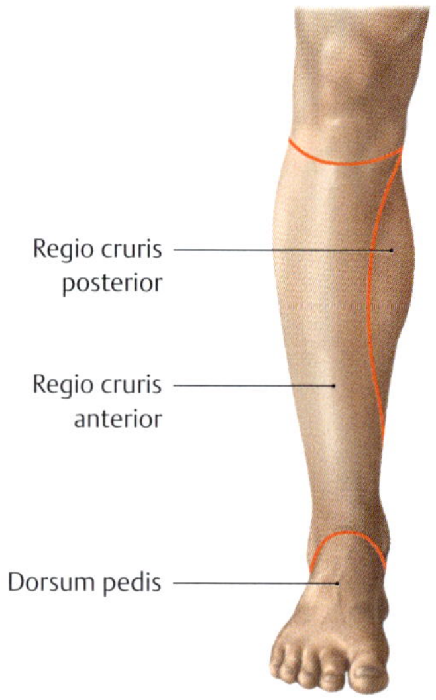

▸ **Abb. 10.1** Regionen von Unterschenkel, Fußgelenken und Fuß (Ansicht von ventral). (aus Schünke M, Schulte E, Schumacher U. Prometheus, LernAtlas der Anatomie. Allgemeine Anatomie und Bewegungssystem. Illustrationen von M. Voll und K. Wesker. 5., vollständig überarbeitete Auflage. Stuttgart: Thieme; 2018)

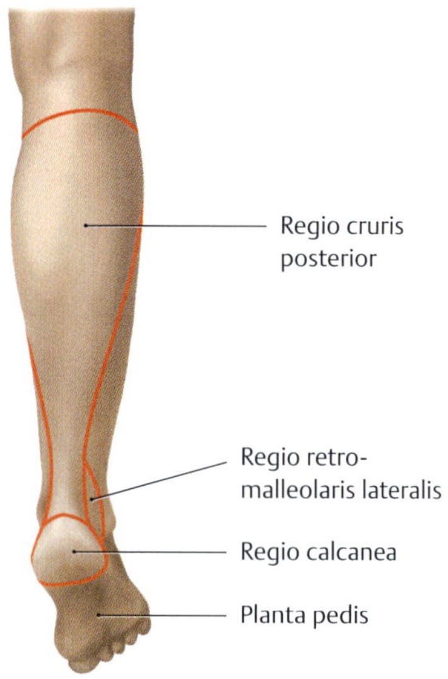

▸ **Abb. 10.2** Regionen von Unterschenkel, Fußgelenken und Fuß (Ansicht von dorsal). (aus Schünke M, Schulte E, Schumacher U. Prometheus, LernAtlas der Anatomie. Allgemeine Anatomie und Bewegungssystem. Illustrationen von M. Voll und K. Wesker. 5., vollständig überarbeitete Auflage. Stuttgart: Thieme; 2018)

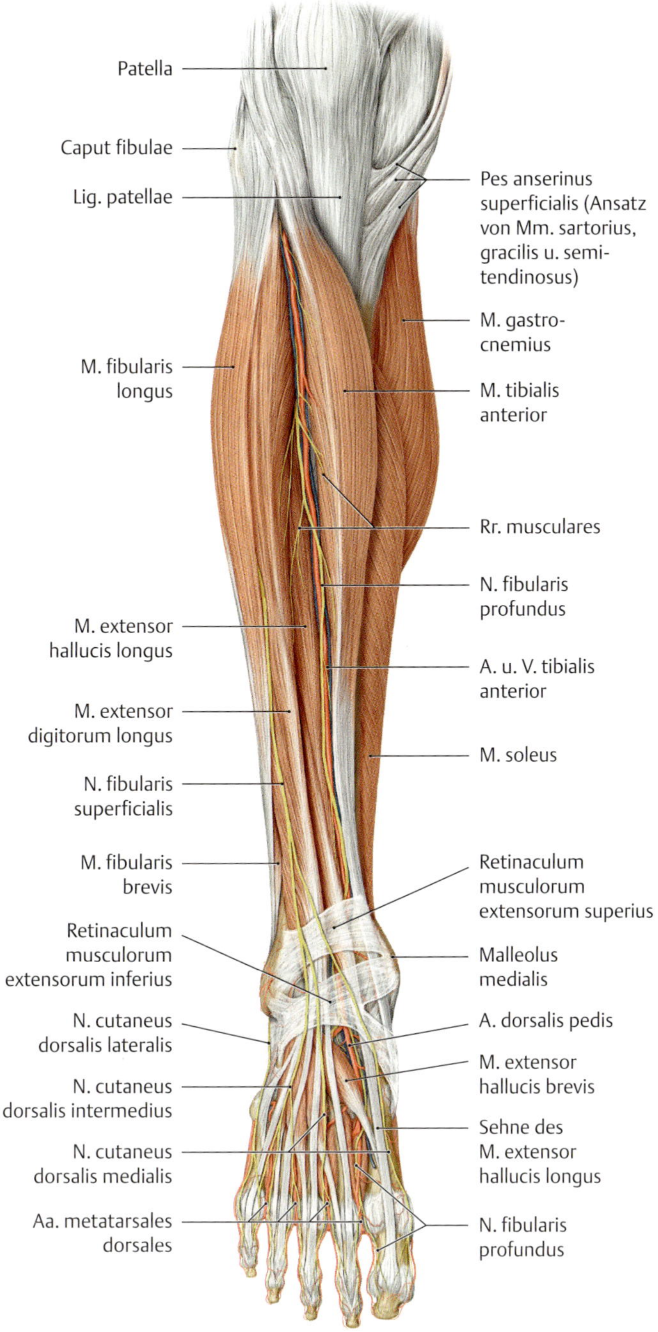

▶ **Abb. 10.3** Die Region von Unterschenkel, Fußgelenken und Fuß im Überblick (Ansicht von ventral). (aus Schünke M, Schulte E, Schumacher U. Prometheus, LernAtlas der Anatomie. Allgemeine Anatomie und Bewegungssystem. Illustrationen von M. Voll und K. Wesker. 5., vollständig überarbeitete Auflage. Stuttgart: Thieme; 2018)

10.2 Faszienhülle, oberflächliche ventrale Schichten

10.2.1 Fascia cruris

Anatomie

▸ Abb. 10.4
- kontinuierliche Fortsetzung der Fascia lata nach distal
- umschließt die Muskeln des Unterschenkels
- hat über das Periost feste Verbindungen mit Tibia (an der Facies medialis tibiae, Margo anterior tibiae, Kondylen der Tibia, Malleolus medialis) und Fibula (an den freien Rändern von Fibula, Caput fibulae, Malleolus lateralis)
- geht im Kniekehlenbereich in die Fascia poplitea und distal im Fußbereich in die Fascia pedis über
- bildet am Übergang zum Fuß die faszial verdichteten Ringbänder der Beuge- und Streckmuskulatur (Retinaculum musculorum flexorum und extensorum; Kap. 10.2.3)
- bildet eine Aponeurose als Muskelansatzstelle für M. tibialis anterior und M. extensor digitorum longus aus
- ist an der Bildung von Septum intermusculare cruris anterior und posterior beteiligt (Kap. 10.2.7)

Osteopathische Korrespondenzen

Kap. 9.4.1

10.2.2 Fascia dorsalis pedis

Anatomie

▸ Abb. 10.4
- geht nahtlos aus der Fascia cruris hervor
- teilt sich in ein oberflächliches und ein tiefes Blatt
- **Fascia dorsalis pedis superficialis** (oberflächliches Blatt): bildet eine Y-förmige Bandstruktur (Retinaculum musculorum extensorum inferius; Kap. 10.2.3)
- **Fascia dorsalis pedis profunda** (tiefes Blatt): bedeckt die Fußwurzelknochen, die Gelenkkapsel, die Bänder und umhüllt die Mm. interossei
- zwischen oberflächlichem und tiefem Blatt der Fußrückenfaszie liegen oberflächlich die Sehnenscheiden der langen Extensorenmuskeln, darunter dann die kurzen Extensorenmuskeln (M. extensor digitorum brevis, M. extensor hallucis brevis)
- zwischen beiden Blättern verlaufen die Vasa dorsalia pedis und der N. fibularis profundus

Osteopathische Korrespondenzen

Zwischen den beiden Blättern der Fascia dorsalis können Entrapments entstehen, die zu Schmerzen im Vorfuß führen können (Haut zwischen der 1. und 2. Zehe).

Behandlungshinweise

Je unterschiedlicher die Morphologie der Faszie ist, desto differenzierter muss die angewandte Behandlungstechnik sein. Denn die Retinacula sind straff und wenig verschieblich, während die Fascia dorsalis dünn und gut verschieblich ist.

10.2.3 Retinaculum musculorum extensorum

Anatomie

▸ Abb. 10.5
- nahtlose Fortsetzung der Fascia cruris
- setzen sich in den Fußfaszien und an der Fußsohle fort
- **Retinaculum musculorum extensorum superius:**
  - etwas proximal des distalen Tibiofibulargelenks gelegen
  - verläuft medial von der Tibia zur lateralen Seite der Fibula
- **Retinaculum musculorum extensorum inferius:**
- ein Teil verläuft vom Malleolus medialis zum Sinus tarsi
  - ein anderer Teil beginnt distal des lateralen Malleolus und verläuft quer zur Tuberositas ossis navicularis
  - beide Anteile überkreuzen sich und von da aus führt ein 3. Anteil in die Tiefe des Sinus tarsi
  - dient als Führungsband für die Extensoren
  - bildet mit seinen verstärkenden Fasern die Sehnenscheiden des Fußrückens

Osteopathische Korrespondenzen

Mit ihren Fasern bilden die Retinacula Anteile der Sehnenscheiden und damit ein Führungssystem, in dem die Sehnen der Muskeln verlaufen und das die Sehnen bei einer Bewegung am darunterliegenden Knochen hält. Myofasziale Adhäsionen können die Gleiteigenschaften der Sehnen beeinträchtigen und fasziale Spannungen im Vorfuß provozieren.

Beim vorderen Tarsaltunnelsyndrom entstehen Schmerzen und Missempfindungen im Bereich der Großzehe und weiterer Zehen, wenn der N. fibularis profundus in der Passage unter dem Retinaculum musculorum extensorum superius und/oder extensorum inferius komprimiert wird. Hier ist besonders auf Dysfunktionen der Malleolengabel, des Talus und auf muskuläre Dysbalancen in den myofaszialen Wirkungsketten (tiefe Frontallinie, oberflächliche Rücken- und Frontallinie) zu achten.

Behandlungshinweise

MET und BLT bieten sich an, um die Gleitfähigkeit der unter dem Retinaculum musculorum extensorum verlaufenden Strukturen zu verbessern.

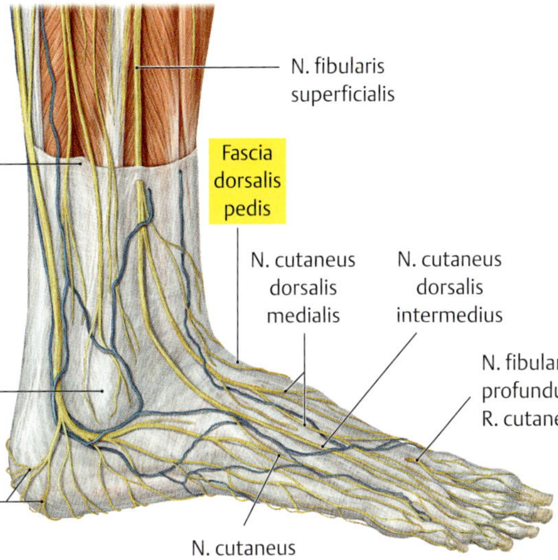

▶ **Abb. 10.4** Rechte Fascia cruris und Fascia dorsalis pedis (Ansicht von lateral). (aus Schünke M, Schulte E, Schumacher U. Prometheus, LernAtlas der Anatomie. Allgemeine Anatomie und Bewegungssystem. Illustrationen von M. Voll und K. Wesker. 5., vollständig überarbeitete Auflage. Stuttgart: Thieme; 2018)

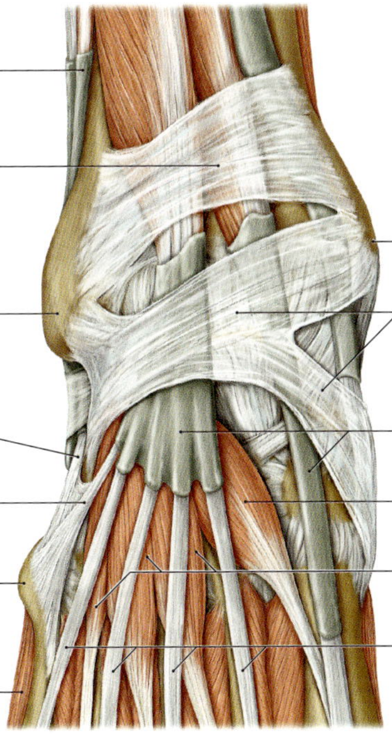

▶ **Abb. 10.5** Sehnenscheiden und Haltebänder eines rechten Fußes (Ansicht von ventral). (aus Schünke M, Schulte E, Schumacher U. Prometheus, LernAtlas der Anatomie. Allgemeine Anatomie und Bewegungssystem. Illustrationen von M. Voll und K. Wesker. 5., vollständig überarbeitete Auflage. Stuttgart: Thieme; 2018)

10.2.4 Oberflächliche Unterschenkelmuskulatur

Anatomie

▶ Abb. 10.6

- **M. tibialis anterior:**
  - **Ursprung:** Facies lateralis tibiae (proximale Hälfte), Membrana interossea
  - **Ansatz:** Os cuneiforme mediale (plantare Fläche), Basis des Os metatarsi I
  - **Funktion:** Dorsalextension im OSG, Inversion des Fußes im USG, Stabilisierung des Fußlängsgewölbes
  - **Innervation:** N. fibularis profundus (L4–L5)
  - **Triggerpunkte** (▶ Abb. 10.7): Muskelbauch, proximales Drittel
- **M. fibularis (peroneus) longus:**
  - **Ursprung:** Facies lateralis tibiae (proximale ⅔), Caput fibulae, Art. tibiofibularis proximalis
  - **Ansatz:** Basis des Os metatarsi I, Os cuneiforme mediale
  - **Funktion:** Plantarflexion im OSG, Eversion des Fußes im USG, Stabilisierung des Fußquergewölbes
  - **Innervation:** N. fibularis superficialis (L5–S1)
  - **Triggerpunkte** (▶ Abb. 10.8): Fibulaschaft, ca. 4 cm distal des Caput fibulae

Myofasziale Wirkungsketten

Der M. tibialis anterior ist Bestandteil der oberflächlichen Frontallinie und der Spirallinie. Die oberflächliche Frontallinie verursacht u. a. die Dorsalextension des Fußes und die Knieextension. Die Spirallinien wirken u. a. auf das Körpergleichgewicht in allen Ebenen ein. Sie haben eine enge Verbindung vom Fuß zum Becken und wirken zuggurtartig stabilisierend beim Gehen.

Der M. fibularis longus ist Bestandteil der Spiral- und der Laterallinien. Die Laterallinien unterstützen u. a. die aufrechte Körperhaltung und balancieren zwischen den Zugkräften der lateralen Körperseiten aus.

Osteopathische Korrespondenzen

Der M. fibularis longus nutzt, nachdem er posterior am Malleolus lateralis vorbeigezogen ist, das vorgelagerte Os cuboideum als Umlenkrolle, um zur Plantarseite des Fußes zu gelangen. Dysfunktionen des Os cuboideum können den Mechanismus der Umlenkrolle stören. Das kann die Stabilität des Fußgewölbes beeinträchtigen und zur Abflachung führen. Aber auch der Ursprungsbereich des M. fibularis longus kann durch die Dysfunktionen im Fußbereich beeinträchtigt sein. Sowohl der Einfluss des M. fibularis longus als kaudal-lateraler Faszienspanner der Knieregion als auch die Mobilität der Art. tibiofibularis können beeinträchtigt werden.

M. fibularis (peroneus) longus und M. tibialis posterior wirken über ihre Ansätze auf der Plantarseite des Fußes wie ein Steigbügel und wirken wie ein Zuggurtung auf das Quergewölbe des Fußes ein.

10.2.5 Oberflächliche Muskulatur des Fußrückens

Anatomie

▶ Abb. 10.6

- **M. extensor digitorum brevis:**
  - **Ursprung:** Kalkaneus (dorsale Fläche)
  - **Ansatz:** Phalanx proximalis hallucis, Zehen II–IV (über die langen Streckersehnen)
  - **Funktion:** Zehenstrecker
  - **Innervation:** N. fibularis profundus (L5–S1)
  - **Triggerpunkte** (▶ Abb. 10.11): im ersten Drittel der Muskelbäuche
- **M. extensor hallucis brevis:**
  - **Ursprung:** Dorsalfläche des Kalkaneus
  - **Ansatz:** Dorsalaponeurose der Großzehe, Basis der Großzehengrundphalanx
  - **Funktion:** Dorsalextension im Großzehengrundgelenk
  - **Innervation:** N. fibularis profundus (L5–S1)
  - **Triggerpunkte** (▶ Abb. 10.11): Muskelbauch, oberes Drittel

Myofasziale Wirkungsketten

M. extensor digitorum brevis und M. extensor hallucis brevis sind Bestandteil der oberflächlichen Frontallinie, die u. a. die Dorsalextension des Fußes und die Knieextension verursacht. Diese Funktionskette wirkt auch auf die Flexionsbewegung der HWS ein.

Osteopathische Korrespondenzen

Sie stellen am Fußrücken die muskuläre Verbindung zwischen den Zehen und dem Kalkaneus her. Dysfunktionen des Kalkaneus können das Abrollverhalten des Fußes beeinflussen und die Funktionalität der Dorsalextensionsbewegung der Zehen stören.

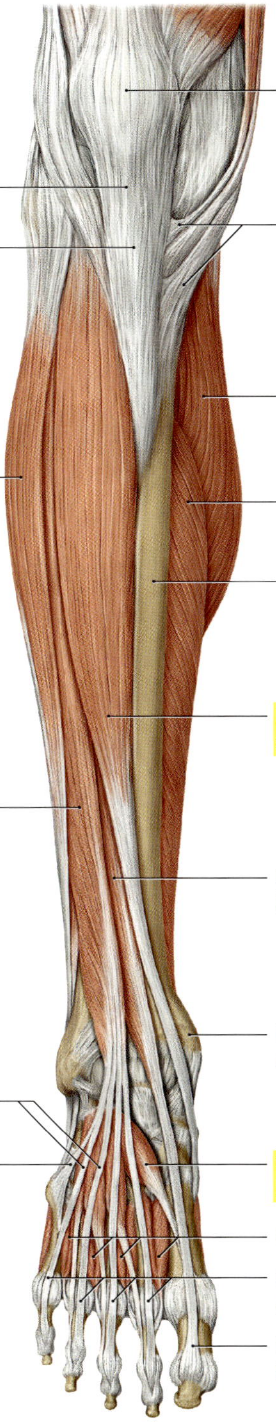

▸ **Abb. 10.6** Oberflächliche Muskulatur des Unterschenkels und Fußrückens (Ansicht von ventral). (aus Schünke M, Schulte E, Schumacher U. Prometheus, LernAtlas der Anatomie. Allgemeine Anatomie und Bewegungssystem. Illustrationen von M. Voll und K. Wesker. 5., vollständig überarbeitete Auflage. Stuttgart: Thieme; 2018)

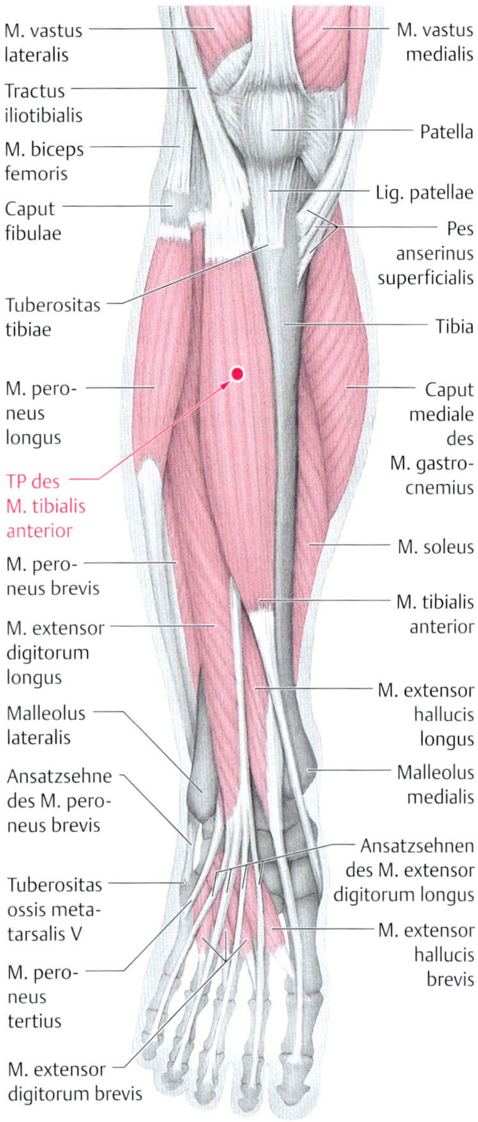

▸ **Abb. 10.7** Triggerpunkte M. tibialis anterior. (aus Richter P, Hebgen E. Triggerpunkte und Muskelfunktionsketten. 5. Aufl. Stuttgart: Haug; 2021, nach: Schünke M. Funktionelle Anatomie: Topographie und Funktion des Bewegungssystems. 1. Aufl. Stuttgart: Thieme; 2000)

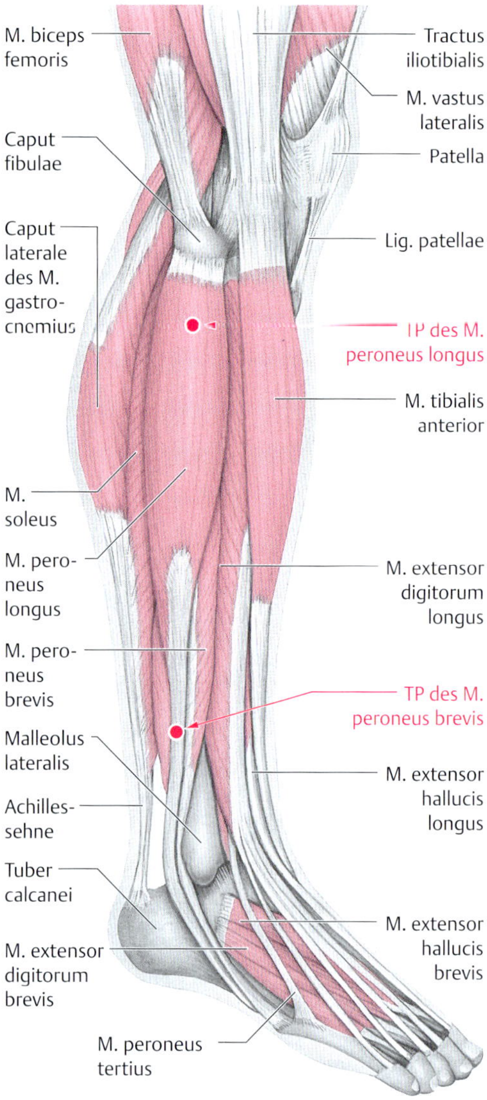

▸ **Abb. 10.8** Triggerpunkte M. peroneus longus und M. peroneus brevis. (aus Richter P, Hebgen E. Triggerpunkte und Muskelfunktionsketten. 5. Aufl. Stuttgart: Haug; 2021, nach: Schünke M. Funktionelle Anatomie: Topographie und Funktion des Bewegungssystems. 1. Aufl. Stuttgart: Thieme; 2000)

10.2.6 Tiefe Unterschenkelmuskulatur

Anatomie

▸ Abb. 10.9, ▸ Abb. 10.10

- **M. extensor digitorum longus:**
  - **Ursprung:** Caput fibulae, Condylus lateralis, Membrana interossea, Margo anterior fibulae
  - **Ansatz:** Dorsalaponeurose und Basis der Endphalangen der Zehen II–V
  - **Funktion:** Extension der Zehenendglieder, Dorsalextension, Eversion (Pronation)
  - **Innervation:** N. fibularis profundus (L 4–S 1)
  - **Triggerpunkte** (▸ Abb. 10.11): ca. 8 cm distal des Fibulaköpfchens, liegt zwischen M. tibialis anterior und M. fibularis longus
- **M. extensor hallucis longus:**
  - **Ursprung:** Facies medialis fibulae (distal ⅔), Membrana interossea cruris
  - **Ansatz:** Großzehe (Dorsalaponeurose), Basis Endphalanx
  - **Funktion:** Dorsalextension, Extension Grund- und Endgelenk Großzehe
  - **Innervation:** N. fibularis profundus (L 5–S 1)
  - **Triggerpunkte** (▸ Abb. 10.11): zwischen M. tibialis anterior und M. extensor digitorum longus, ventral der Fibula im distalen Drittel des Unterschenkels
- **M. fibularis (peroneus) brevis:**
  - **Ursprung:** Facies lateralis fibulae (distale ½)
  - **Ansatz:** Tuberositas ossis metatarsi V
  - **Funktion:** Plantarflexion, Eversion (Pronation), Stabilisierung des Fußquergewölbes
  - **Innervation:** N. fibularis superficialis (L 5–S 1)
  - **Triggerpunkte** (▸ Abb. 10.8): Beginn des unteren Drittels des Unterschenkels an der Sehne des M. peroneus longus
- **M. fibularis (peroneus) tertius** (Abspaltung des M. extensor digitorum longus):
  - **Ursprung:** distale Fibula am Margo anterior
  - **Ansatz:** Basis ossis metatarsi V
  - **Funktion:** Dorsalextension
  - **Innervation:** N. fibularis profundus (L 4–S 1)
  - **Triggerpunkte:** in der Nähe des TP des M. fibularis brevis, distal-anterior

Myofasziale Wirkungsketten

M. extensor digitorum longus und M. extensor hallucis longus gehören zur oberflächlichen Frontallinie, deren Funktion u. a. die Knieextension und Fußdorsalextension ist und die als Antagonist zur oberflächlichen Rückenlinie arbeitet. Der M. fibularis (peroneus) brevis ist Bestandteil der Laterallinien, die u. a. die aufrechte Körperhaltung unterstützen und die Zugkräfte zwischen den lateralen Körperseiten, der dorsalen und ventralen Körperseite ausbalancieren.

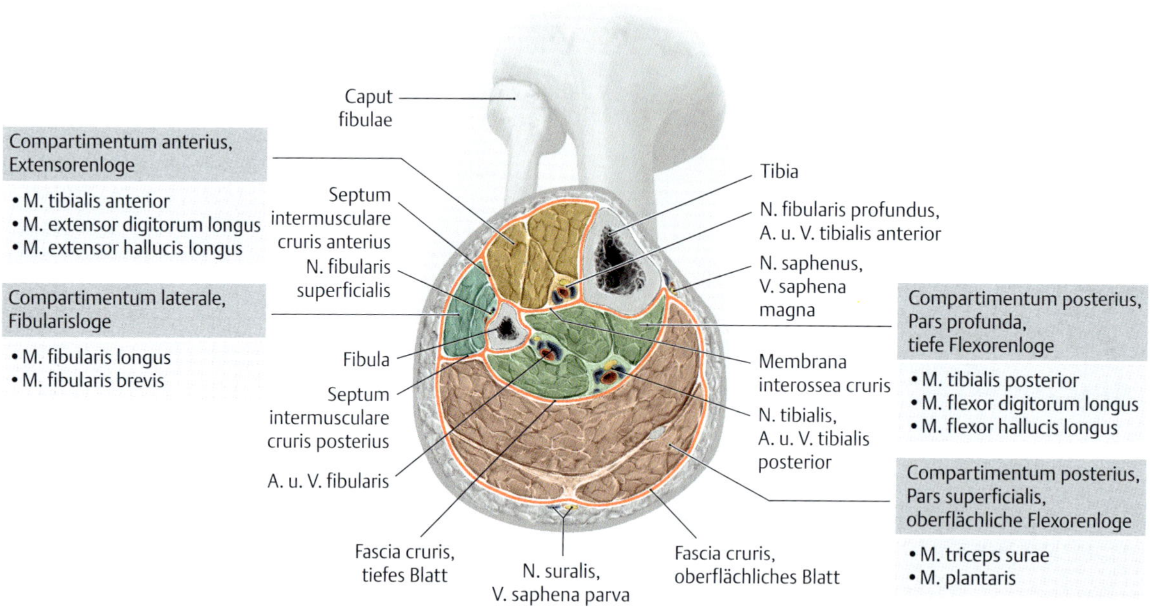

▸ **Abb. 10.9** Muskellogen (Kompartimente) am rechten Unterschenkel (Querschnitt, Ansicht von distal). (aus Schünke M, Schulte E, Schumacher U. Prometheus, LernAtlas der Anatomie. Allgemeine Anatomie und Bewegungssystem. Illustrationen von M. Voll und K. Wesker. 5., vollständig überarbeitete Auflage. Stuttgart: Thieme; 2018)

Osteopathische Korrespondenzen

M. fibularis brevis und M. fibularis longus ziehen mit ihren Sehnen posterior des lateralen Malleolus zum Fuß. Dysfunktionen im OSG, aber auch im proximalen Tibiofibulargelenk können die Gleiteigenschaften der Sehnen im bandartigen Führungskanal (Retinaculum musculorum fibularium) beeinträchtigen.

10.2.7 Septum intermusculare cruris posterius und anterius

Anatomie

- direkte Verbindungen zwischen der Fascia cruris superficialis und Fascia cruris profunda
- bilden mit Fascia cruris und Membrana interossea 4 Kompartimente:
  - Extensorenloge (ventral)
  - Fibularisloge (lateral)
  - tiefe Flexorenloge (dorsal)
  - oberflächliche Flexorenloge (dorsal)

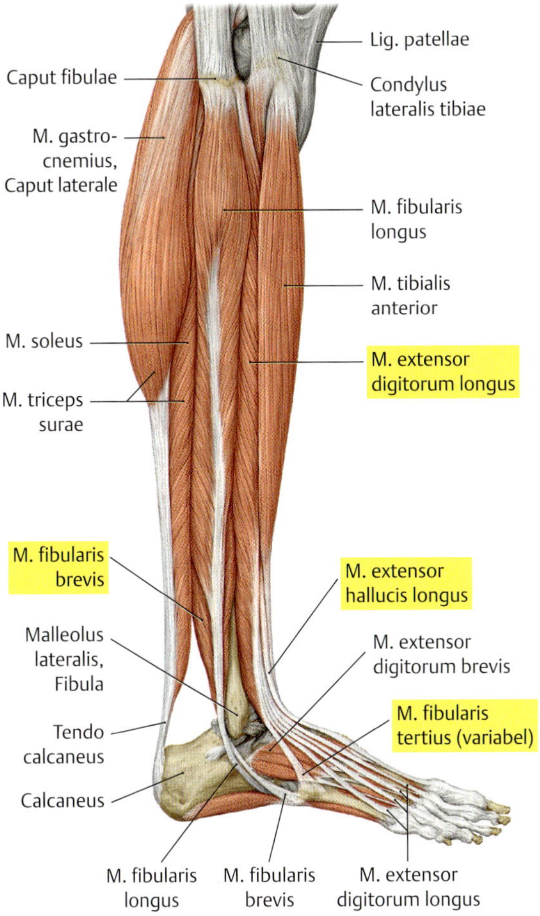

▶ **Abb. 10.10** Tiefe Muskulatur eines rechten Unterschenkels (Ansicht von lateral). (aus Schünke M, Schulte E, Schumacher U. Prometheus, LernAtlas der Anatomie. Allgemeine Anatomie und Bewegungssystem. Illustrationen von M. Voll und K. Wesker. 5., vollständig überarbeitete Auflage. Stuttgart: Thieme; 2018)

Osteopathische Korrespondenzen

Die Membrana interossea zwischen Tibia und Fibula wirkt der Verschiebung beider Knochen zueinander in Längsrichtung entgegen. Die Kompartimente sind Logen für die Muskeln, über die myofaszial Kräfte weitergeleitet und gleichzeitig auch stabilisierende Kräfte entwickelt werden.

Behandlungshinweise

Der N. fibularis superficialis kann über die Fibularisloge behandelt werden, der N. fibularis profundus über die Extensorenloge.

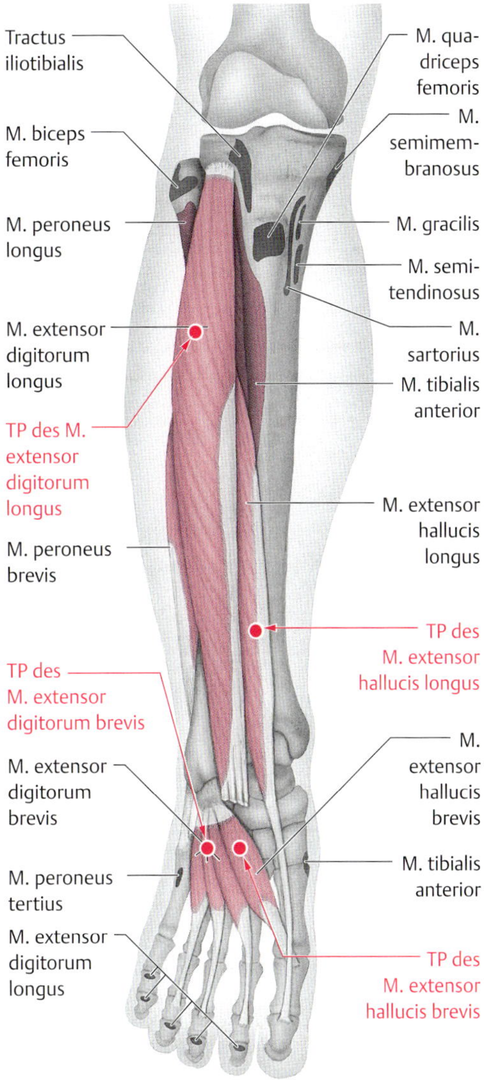

▶ **Abb. 10.11** Triggerpunkte M. extensor digitorum longus, M. extensor digitorum brevis, M. extensor hallucis longus und M. extensor hallucis brevis. (aus Richter P, Hebgen E. Triggerpunkte und Muskelfunktionsketten. 5. Aufl. Stuttgart: Haug; 2021, nach: Schünke M. Funktionelle Anatomie: Topographie und Funktion des Bewegungssystems. 1. Aufl. Stuttgart: Thieme; 2000)

10.3 Dorsale Schichten

10.3.1 Fascia cruris

Kap. 10.2.1

10.3.2 Retinaculum musculorum fibularium

Anatomie

▸ Abb. 10.12

- Retinaculum musculorum fibularium superius: verläuft vom Malleolus lateralis zum Kalkaneus
- Retinaculum musculorum fibularium inferius: verläuft vom Retinaculum musculorum extensorum inferius zum Kalkaneus

Osteopathische Korrespondenzen

Mm. fibulares brevis und longus, posterior vom Malleolus lateralis kommend, verlaufen wie in einer bandartigen Kanalführung unter dem Retinaculum musculorum fibularium zu ihren Ansatzstellen an der Plantarseite des Fußes (Tuberositas metatarsi V bzw. Os metatarsi I/Os cuneiforme mediale). Eine starke Überpronation beim Laufen kann zu Reizungen in diesem sehnigen Verlauf der Muskeln führen. Dysfunktionen der Fibula können das myofasziale Kompartiment am lateralen Unterschenkel unter eine unphysiologische Spannung setzen und die Funktionalität der Muskulatur beeinträchtigen. Kommt der N. fibularis superficialis im Bereich des Fibulaköpfchens unter Kompression (z. B. durch schlecht sitzende Knieorthese, Wundverband oder Fehllagerung bei Operationen), können sich motorische Defizite in Form einer verminderten Pronation einstellen.

10.3.3 Retinaculum musculorum flexorum

Anatomie

▸ Abb. 10.13

- besteht aus einem oberflächlichen und einem tiefen Blatt
- führt die Sehnen der Beugemuskulatur um das Sprunggelenk herum, die im Bereich der Retinacula durch Sehnenscheiden geschützt sind
- **Pars superficialis** (oberflächliches Blatt): zieht vom Malleolus medialis zum Tuber calcanei
- **Pars profunda** (tiefes Blatt):
  - Fortsetzung der Fascia cruris profunda
  - zieht vom Malleolus medialis zum Talus und Kalkaneus
  - darunter liegt der Tarsaltunnel (Canalis malleolaris), in dem die Vasa tibialia posteriora und der N. tibialis verlaufen
  - der N. tibialis teilt sich bei der Passage durch den Tarsaltunnel in seine Endäste N. plantaris lateralis und N. plantaris medialis auf

Osteopathische Korrespondenzen

Wird der N. tibialis hinter dem Innenknöchel komprimiert, spricht man von einem medialen (oder hinteren) Tarsaltunnelsyndrom. Typische Symptome sind Missempfindungen und Schmerzen in der Fußsohle. Bei massiver Kompression (z. B. bei einer Fraktur des Malleolus medialis) kann es zur Parese kommen. Das bedeutet einen Ausfall der kurzen Fußmuskeln. Eine Achsenabweichung des Fußes nach medial (Knickfuß) kann die Passage unter dem Retinaculum musculorum flexorum verengen und ein Tarsaltunnelsyndrom provozieren. Bei der Diagnostik ist daher u. a. auf die Stellung des Kalkaneus (Dysfunktion in Abduktion) zu achten.

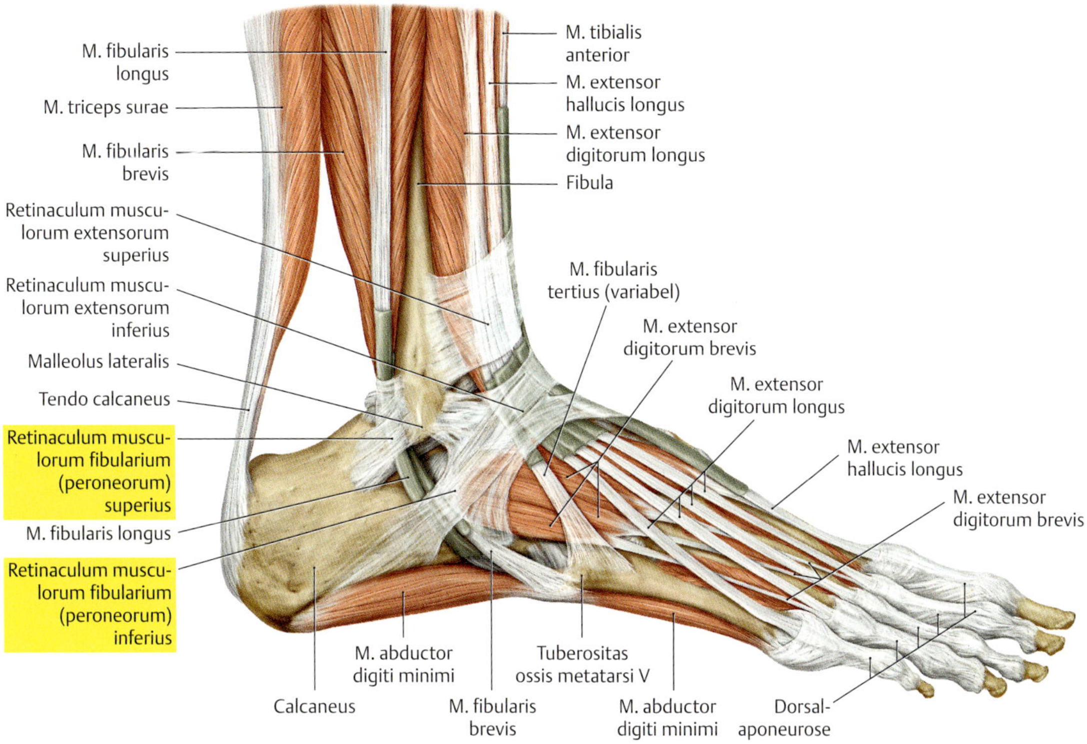

▸ **Abb. 10.12** Retinaculum musculorum fibularium des rechten Fußes (Ansicht von lateral). (aus Schünke M, Schulte E, Schumacher U. Prometheus, LernAtlas der Anatomie. Allgemeine Anatomie und Bewegungssystem. Illustrationen von M. Voll und K. Wesker. 5., vollständig überarbeitete Auflage. Stuttgart: Thieme; 2018)

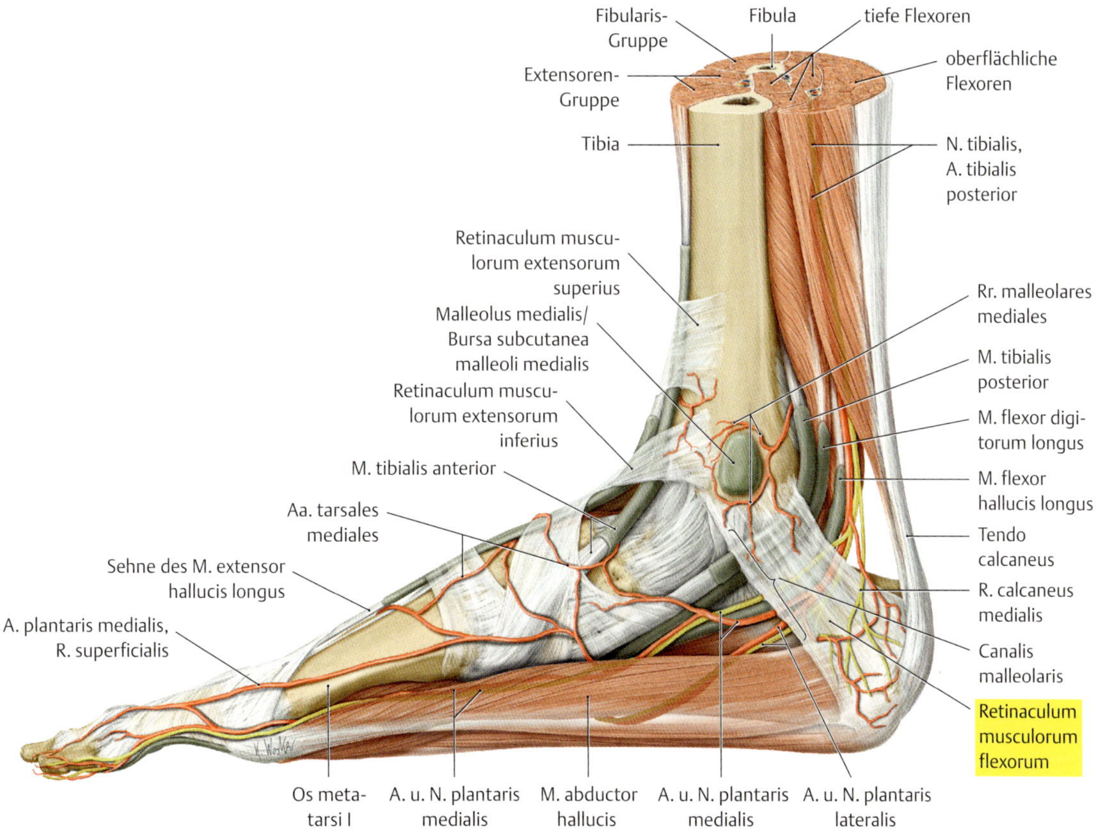

▸ **Abb. 10.13** Retinaculum musculorum flexorum eines rechten Fußes (Ansicht von medial). (aus Schünke M, Schulte E, Schumacher U. Prometheus, LernAtlas der Anatomie. Allgemeine Anatomie und Bewegungssystem. Illustrationen von M. Voll und K. Wesker. 5., vollständig überarbeitete Auflage. Stuttgart: Thieme; 2018)

10.3.4 Plantaraponeurose (Aponeurosis plantaris)

Anatomie

▶ Abb. 10.14

- derbe bindegewebige Platte
- zieht vom Tuber calcanei fächerförmig (Fasciculi longitudinales) bis zu den Zehen
- wird durch quer verlaufende Fasern (Fasciculi transversi) im Bereich der Mittelfußknochen und der Interdigitalfalten (Lig. metatarsale transversum superficiale) verstärkt
- im mittleren Teil sehr kräftig ausgeprägt, medial und lateral schwächer
- oberflächlichstes Band (von 3 Bändern; die anderen sind Lig. plantare longum und Lig. calcaneonaviculare), die das Fußgewölbe überspannen
- mit der Dermis (Lederhaut) über Haltebänder (Retinacula cutis) verbunden, was ein Verschieben zwischen Haut und Aponeurose beim Gehen verhindert
- das dort eingelagerte Fettgewebe dient als Druckpolster beim Gehen; es ist viskoelastisch und hat damit dämpfende wie auch federnde Eigenschaften
- auf der den Mittelfußknochen zugewandten Seite der Plantaraponeurose befinden sich bindegewebige Septen (Septa plantare mediale und laterale), die bis zum Fußskelett reichen und dort angeheftet sind; dadurch entstehen mit der Fascia plantaris profunda getrennte **Muskellogen** (▶ Abb. 10.15, ▶ Abb. 10.16):
  - mediales Kompartiment: M. abductor hallucis, M. flexor hallucis brevis, Ansatzsehne des M. flexor hallucis longus
  - zentrales Kompartiment: M. adductor hallucis (1. Etage); M. quadratus plantae, Mm. lumbricales, Ansatzsehne des M. flexor digitorum longus (2. Etage); M. flexor digitorum brevis (3. Etage)
  - laterales Kompartiment: M. abductor digiti minimi, M. flexor digiti minimi, M. opponens digiti minimi
  - interosseales Kompartiment: Mm. interossei dorsales und plantares
- besitzt durch ihren Verlauf einen langen Hebelarm
- dient der passiven Verspannung des Längsgewölbes

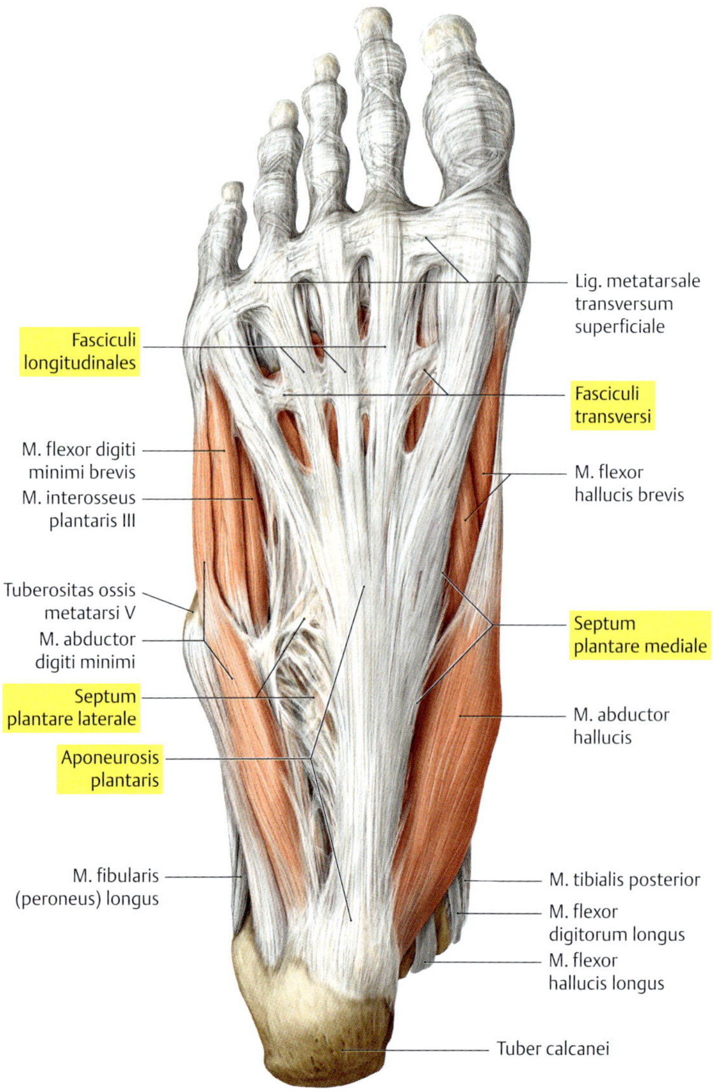

▶ **Abb. 10.14** Plantaraponeurose eines rechten Fußes (Ansicht von plantar). (aus Schünke M, Schulte E, Schumacher U. Prometheus, LernAtlas der Anatomie. Allgemeine Anatomie und Bewegungssystem. Illustrationen von M. Voll und K. Wesker. 5., vollständig überarbeitete Auflage. Stuttgart: Thieme; 2018)

Osteopathische Korrespondenzen

Es besteht eine Verbindung zwischen der Aponeurose der Fußsohle und der am Unterschenkel liegenden Fascia cruris. Durch die Konstruktion der Plantaraponeurose entsteht eine ausgeprägte Stabilität, die durch eine ligamentäre Zuggurtung und durch die kurzen Fußmuskeln unterstützt wird.

Achillodynie und Plantarfasziitis können durch die Kontinuität der faszialen Strukturen in Kombination auftreten.

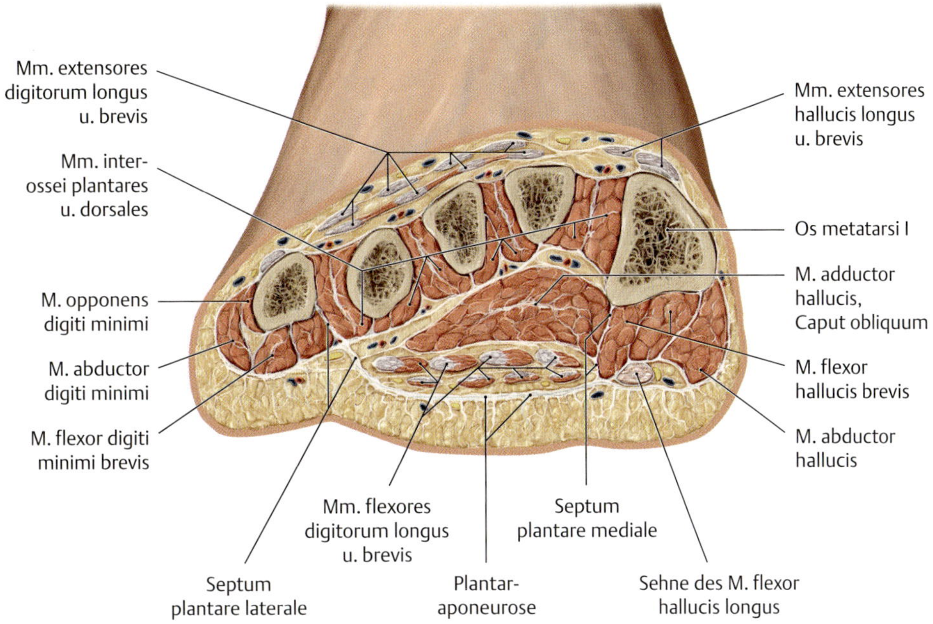

▸ **Abb. 10.15** Querschnitt durch einen rechten Fuß (Ansicht von distal). (aus Schünke M, Schulte E, Schumacher U. Prometheus, LernAtlas der Anatomie. Allgemeine Anatomie und Bewegungssystem. Illustrationen von M. Voll und K. Wesker. 5., vollständig überarbeitete Auflage. Stuttgart: Thieme; 2018)

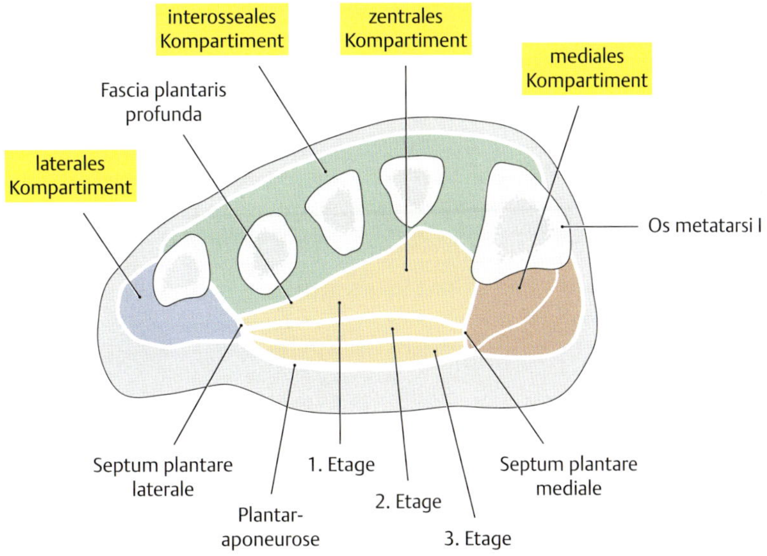

▸ **Abb. 10.16** Muskellogen (Kompartimente) am rechten Fuß (Querschnitt, Ansicht von distal). (aus Schünke M, Schulte E, Schumacher U. Prometheus, LernAtlas der Anatomie. Allgemeine Anatomie und Bewegungssystem. Illustrationen von M. Voll und K. Wesker. 5., vollständig überarbeitete Auflage. Stuttgart: Thieme; 2018)

10.3.5 Oberflächliche Flexorengruppe des Unterschenkels

Anatomie

▶ Abb. 10.17

- **M. gastrocnemius:**
  - **Ursprung:** Condylus medialis et lateralis femoris
  - **Ansatz:** Tuber calcanei (über Achillessehne)
  - **Funktion:** Plantarflexion, Knieflexion
  - **Innervation:** N. tibialis (S 1–S 2)
  - **Triggerpunkte** (▶ Abb. 10.18): TP1 und TP2 in der Muskelbauchmitte proximal am medialen, lateralen Muskelkopf; TP3 und TP4 in der Nähe der Femurkondylen medial und lateral im Muskelkopfbereich
- **M. soleus:**
  - **Ursprung:** Linea musculi solei, Facies posterior tibiae (mittleres Drittel), Collum fibulae und Facies posterior fibulae (proximales Viertel)
  - **Ansatz:** Tuber calcanei (über Achillessehne)
  - **Funktion:** Plantarflexion
  - **Innervation:** N. tibialis (S 1–S 2)
  - **Triggerpunkte** (▶ Abb. 10.19): TP1 medial der Medianlinie ca. 3 cm distal der Muskelköpfe; TP2 in Fibulaköpfchennähe; TP3 etwas proximal von TP1
- **M. plantaris:** wird zum Teil als 4. Kopf des M. triceps bezeichnet
  - **Ursprung:** proximal des M. gastrocnemius, lateraler Kopf
  - **Ansatz:** Tuber calcanei (über Achillessehne)
  - **Funktion:** aufgrund der ungünstigen Hebelverhältnisse eher gering
  - **Innervation:** N. tibialis (S 1–S 2)
  - **Triggerpunkte** (▶ Abb. 10.19): Kniekehlenmitte
- **Achillessehne:**
  - gemeinsame Ansatzsehne der Muskeln, die den M. triceps surae bilden
  - setzt dorsal des Kalkaneus an
  - hat Verbindungen zur Plantaraponeurose und den Bindegewebssepten in der Fersenregion

Myofasziale Wirkungsketten

Der M. gastrocnemius wird der oberflächlichen Rückenlinie zugeordnet, deren Funktion u. a. die Stabilisation der aufrechten Haltung ist.

Osteopathische Korrespondenzen

Der M. plantaris ist für die Vasa tibialia posteriora von Bedeutung. Die Faszie des Muskels ist mit der Adventitia der Gefäße über das Bindegewebe in der Kniekehle verbunden. Dadurch werden bei der Knieflexion durch die Kontraktion des Muskels die Gefäße vor Kompression und Knickung geschützt.

Behandlungshinweise

Bei Achillodynien sollte u. a. auch das muskulär-fasziale Zusammenspiel der dorsalen Unterschenkelmuskulatur und der Fußsohle näher untersucht werden.

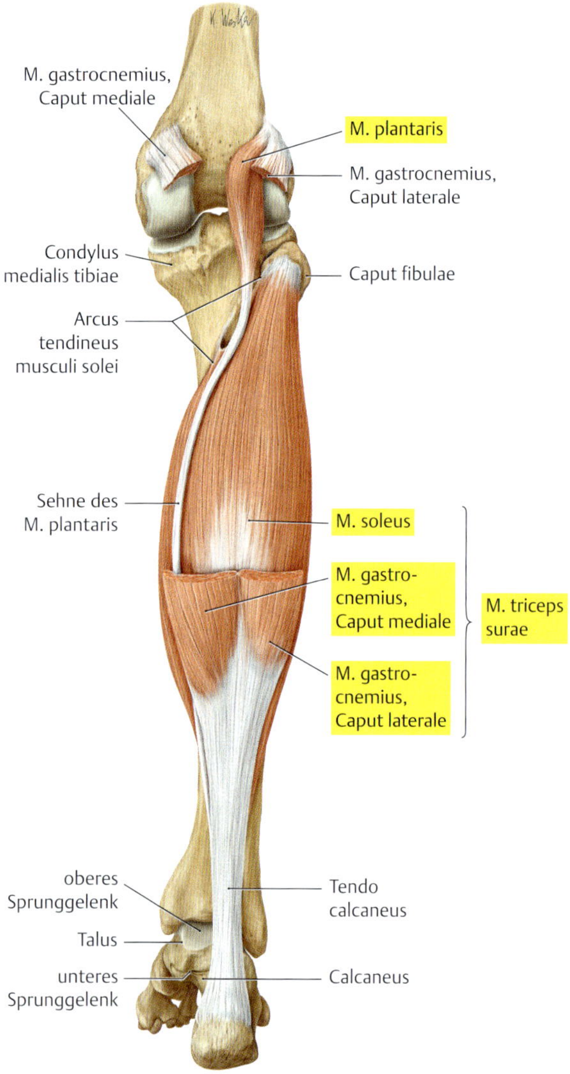

▶ **Abb. 10.17** Oberflächliche Flexorengruppe des rechten Unterschenkels (Ansicht von dorsal). (aus Schünke M, Schulte E, Schumacher U. Prometheus, LernAtlas der Anatomie. Allgemeine Anatomie und Bewegungssystem. Illustrationen von M. Voll und K. Wesker. 5., vollständig überarbeitete Auflage. Stuttgart: Thieme; 2018)

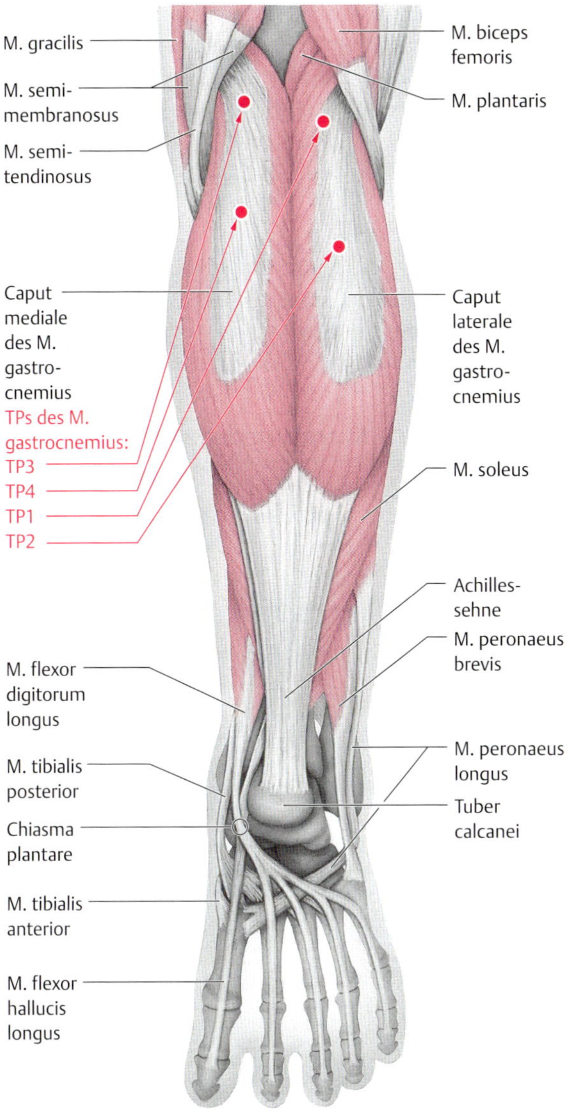

▸ **Abb. 10.18** Triggerpunkte M. gastrocnemius. (aus Richter P, Hebgen E. Triggerpunkte und Muskelfunktionsketten. 5. Aufl. Stuttgart: Haug; 2021, nach: Schünke M. Funktionelle Anatomie: Topographie und Funktion des Bewegungssystems. 1. Aufl. Stuttgart: Thieme; 2000)

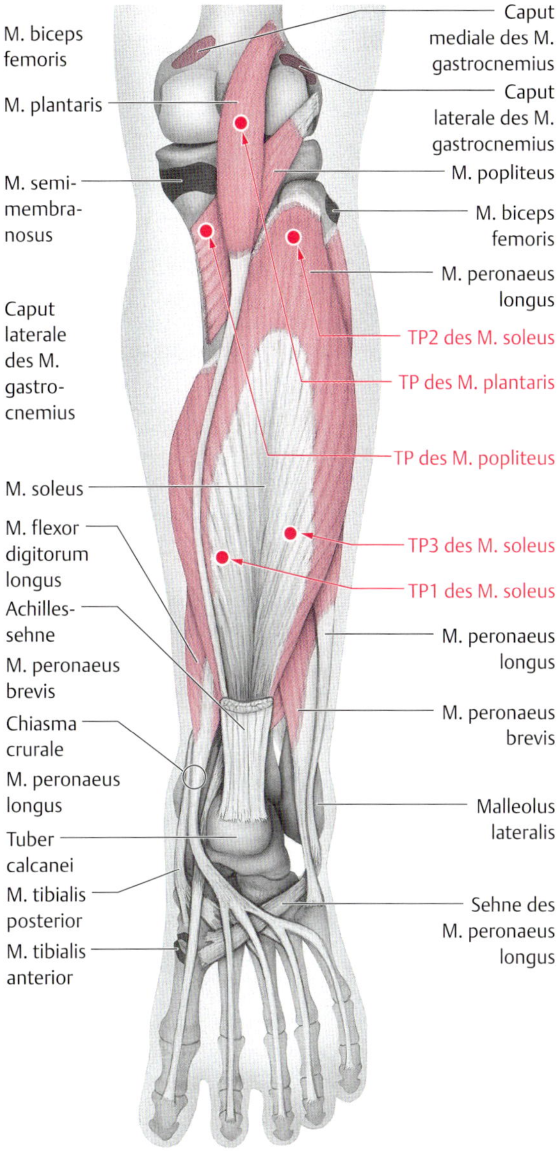

▸ **Abb. 10.19** Triggerpunkte M. plantaris, M. soleus und M. popliteus. (aus Richter P, Hebgen E. Triggerpunkte und Muskelfunktionsketten. 5. Aufl. Stuttgart: Haug; 2021, nach: Schünke M. Funktionelle Anatomie: Topographie und Funktion des Bewegungssystems. 1. Aufl. Stuttgart: Thieme; 2000)

10.3.6 Oberflächliche Muskeln der Fußsohle

Anatomie

▶ Abb. 10.21

- **M. abductor hallucis:**
  - **Ursprung:** Proc. medialis tuberis calcanei, Retinaculum flexorum
  - **Ansatz:** Großzehengrundphalanx (medial)
  - **Funktion:** Abduktion der Großzehe, Plantarflexion
  - **Innervation:** N. plantaris medialis (S 1–S 2)
  - **Triggerpunkte** (▶ Abb. 10.20): Fußinnenkannte, im Verlauf des Muskelbauchs
- **M. flexor digitorum brevis:**
  - **Ursprung:** Tuber calcanei (plantar)
  - **Ansatz:** Mittelphalangen der Zehen II–V (gespaltene Sehnen, sodass die Sehnen des M. flexor digitorum longus zu den Ansatzstellen an den Endphalangen gelangen können)
  - **Funktion:** Flexion der Zehen II–V, Stabilisierung des Fußgewölbes
  - **Innervation:** N. plantaris medialis (S 1–S 2)
  - **Triggerpunkte** (▶ Abb. 10.20): Fußsohle, proximaler Bereich der Fußmitte im Muskelbauch
- **M. abductor digiti minimi:**
  - **Ursprung:** Procc. medialis et lateralis tuberis calcanei
  - **Ansatz:** Basis der Grundphalanx der Zehe V (lateral), Os metatarsi V
  - **Funktion:** Flexion der Zehe V, Abduktion der Zehe V, Stabilisierung des Fußlängsgewölbes
  - **Innervation:** N. plantaris lateralis (S 2–S 3)
  - **Triggerpunkte** (▶ Abb. 10.20): Außenseite der Fußsohle, im Verlauf des Muskelbauchs

Osteopathische Korrespondenzen

Die Fußstabilität wird u. a. durch die vermehrt statisch arbeitenden kurzen Fußsohlenmuskeln gewährleistet. Dazu gehören M. flexor hallucis brevis, M. flexor digiti minimi brevis, M. adductor hallucis, Mm. lumbricales, M. abductor hallucis und M. abductor digiti minimi.

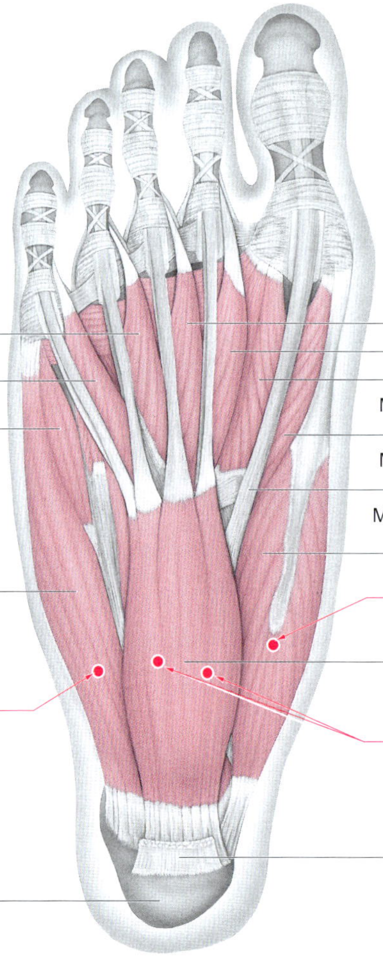

▶ **Abb. 10.20** Triggerpunkte M. abductor hallucis, M. flexor digitorum longus und M. abductor digiti minimi. (aus Richter P, Hebgen E. Triggerpunkte und Muskelfunktionsketten. 5. Aufl. Stuttgart: Haug; 2021, nach: Schünke M. Funktionelle Anatomie: Topographie und Funktion des Bewegungssystems. 1. Aufl. Stuttgart: Thieme; 2000)

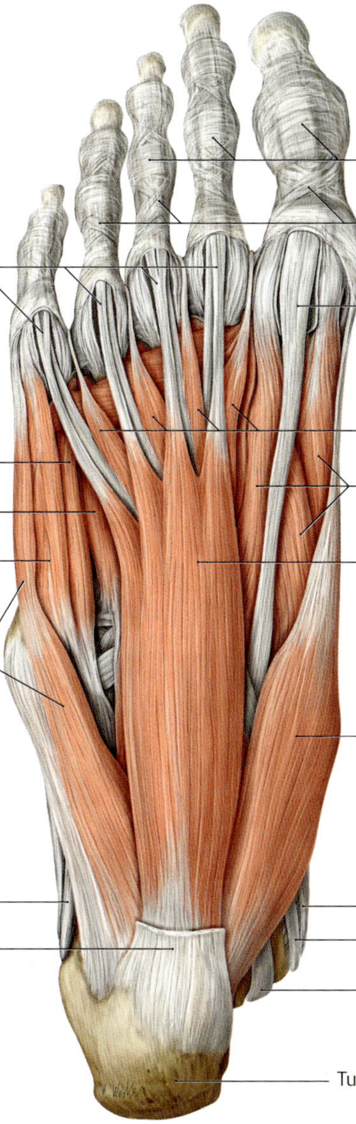

► **Abb. 10.21** Oberflächliche Muskeln der rechten Fußsohle (Ansicht von plantar). (aus Schünke M, Schulte E, Schumacher U. Prometheus, LernAtlas der Anatomie. Allgemeine Anatomie und Bewegungssystem. Illustrationen von M. Voll und K. Wesker. 5., vollständig überarbeitete Auflage. Stuttgart: Thieme; 2018)

10.3.7 Tiefe Flexorengruppe des Unterschenkels

Anatomie

▶ Abb. 10.23

- **M. tibialis posterior:**
  - **Ursprung:** Tibia- und Fibulahinterfläche (zwischen Crista medialis, Margo interosseus und Membrana interossea)
  - **Ansatz:** Tuberositas ossis navicularis, sämtliche Tarsalknochen (außer Talus), mediale Fußwurzelbänder (z. B. Lig. deltoideum)
  - **Funktion:** Plantarflexion, Inversion des Fußes, Stabilisierung des Fußlängsgewölbes
  - **Innervation:** N. tibialis (L4–L5)
  - **Triggerpunkte** (▶ Abb. 10.22): proximales Viertel der Membrana interossea, laterale Kante der Tibia posterior
- **M. flexor digitorum longus:**
  - **Ursprung:** Facies posterior tibiae (distal der Linea solei), Fibula (über Arcus tendineus)
  - **Ansatz:** Basis der Endphalangen der Zehen II–V
  - **Funktion:** Flexion der Zehenendglieder, Plantarflexion, Stabilisierung des Fußlängsgewölbes
  - **Innervation:** N. tibialis (S1–S2)
  - **Triggerpunkte** (▶ Abb. 10.22): medialer Wadenbereich im proximalen Drittel, posteriore Tibiafläche
- **M. flexor hallucis longus:**
  - **Ursprung:** Facies posterior fibulae (distale ⅔), Septum intermusculare, Aponeurose des M. flexor digitorum longus
  - **Ansatz:** Basis der Großzehengrundphalanx, Fasern zu beiden medialen Sehnen des M. flexor digitorum longus
  - **Funktion:** Flexion der Großzehengrundphalanx, Plantarflexion, Stabilisierung des Fußlängsgewölbes
  - **Innervation:** N. tibialis (S2–S3)
  - **Triggerpunkte** (▶ Abb. 10.22): dorsale Fläche der Fibula im distalen Drittel des Unterschenkels, etwas lateral der Medianlinie

Myofasziale Wirkungsketten

M. flexor hallucis longus, M. flexor digitorum longus und M. tibialis posterior sind Bestandteil der tiefen Frontallinie, die bis zum Kopf reicht und deren wesentliche Aufgaben die Stützfunktion und Körperstabilität sind.

Osteopathische Korrespondenzen

Auffallend ist der komplex Ansatz des M. tibialis posterior und damit die funktionelle Verspannung des Längs- und Quergewölbes. Nach Durchtritt durch den Tarsaltunnel zieht die Sehne des Muskels zur Fußsohle und unterstützt das Lig. calcaneonaviculare plantare. Zusammen mit dem M. fibularis longus agiert er über die Muskelansätze auf der Plantarseite des Fußes wie ein Steigbügel und beide Muskeln wirken wie eine Zuggurtung auf das Quergewölbe des Fußes.

Beide sind wichtig, um das Fußlängsgewölbe zu stabilisieren.

M. flexor hallucis longus und M. flexor digitorum longus haben einen gemeinsamen Verlauf posterior des Malleolus medialis, der hier die Funktion einer Umlenkrolle hat. Die Sehne des Muskels zieht unter dem Sustentaculum tali (Knochenvorsprung am Kalkaneus) hindurch bis zur Endphalanx der Großzehe und ist besonders wichtig für den Abrollvorgang des Fußes beim Gehen. Durch seinen Verlauf wirkt der Muskel auch stabilisierend auf das Fußlängsgewölbe.

Osteopathische Dysfunktionen von Talus, Kalkaneus oder der Malleolengabel können zur Passageverengung führen, aber auch myofasziale und muskuläre Dysbalancen können die Funktionalität des Tarsaltunnels beinträchtigen. Hier muss differenziert diagnostiziert werden, denn über die myofasziale Wirkungskette „tiefe Frontallinie", der die 3 Muskeln angehören, wirken Kräfte der Körperstatik und -stabilität direkt auf den Fuß ein.

Die tiefe Flexorenloge ist eine Art osteofibröser Kanal (Kompartiment). Denn sie ist wenig dehnbar. Bei intramuskulären Einblutungen (z. B. durch Trauma) innerhalb einer Muskelloge kann es zum Kompartment-Syndrom kommen. Durch die Festigkeit der Loge erhöht sich durch die Einblutung der Druck auf die innewohnenden Strukturen (Muskeln, Nerven, Gefäße). Folge ist eine Ischämie, die im ungünstigen Fall zur Nekrose führen kann.

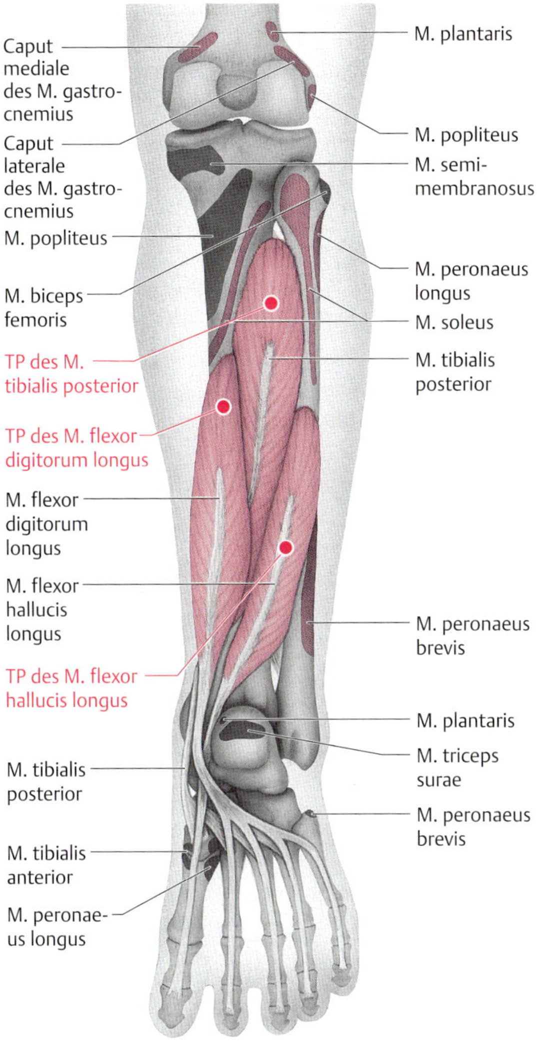

▸ **Abb. 10.22** Triggerpunkte M. tibialis posterior, M. flexor digitorum longus und M. flexor hallucis longus. (aus Richter P, Hebgen E. Triggerpunkte und Muskelfunktionsketten. 5. Aufl. Stuttgart: Haug; 2021, nach: Schünke M. Funktionelle Anatomie: Topographie und Funktion des Bewegungssystems. 1. Aufl. Stuttgart: Thieme; 2000)

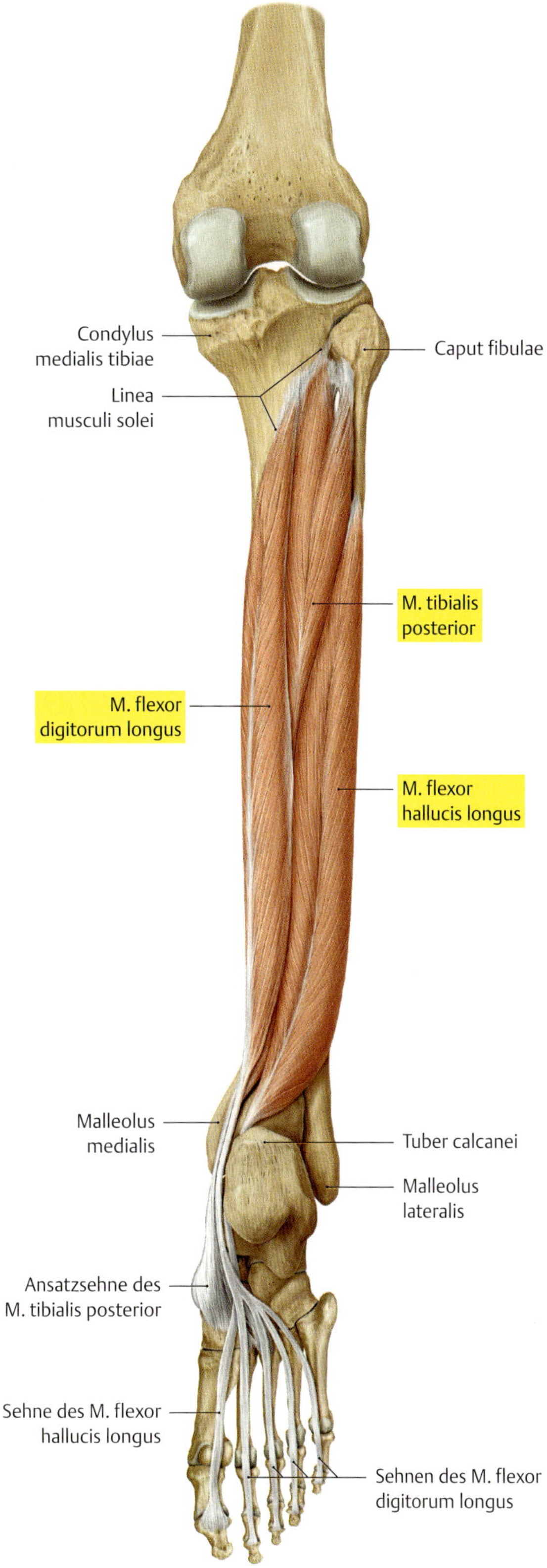

▸ **Abb. 10.23** Tiefe Flexorengruppe des rechten Unterschenkels (Ansicht von dorsal). (aus Schünke M, Schulte E, Schumacher U. Prometheus, LernAtlas der Anatomie. Allgemeine Anatomie und Bewegungssystem. Illustrationen von M. Voll und K. Wesker. 5., vollständig überarbeitete Auflage. Stuttgart: Thieme; 2018)

10.3.8 Tiefe Muskeln der Fußsohle

Anatomie

► Abb. 10.21, ► Abb. 10.24, ► Abb. 10.25, ► Abb. 10.26

- **M. quadratus plantae:**
  - **Ursprung:** zweiköpfig von den Rändern des Kalkaneus
  - **Ansatz:** Sehne des M. flexor digitorum longus
  - **Funktion:** hilft bei der Flexion der Zehen II–V
  - **Innervation:** N. plantaris lateralis (S 2–S 3)
  - **Triggerpunkte** (► Abb. 10.25): an der Fußsohle, direkt vor dem Kalkaneus
- **Mm. lumbricales I–IV:**
  - **Ursprung:** Sehnen M. flexor digitorum longus, mediale Ränder
  - **Ansatz:** Dorsalaponeurose Zehen II–V
  - **Funktion:** Plantarflexion Grundgelenke Zehen II–V, Dorsalextension Mittel- und Endgelenke Zehen II–V, Adduktion der Zehen II–V zur Großzehe
  - **Innervation:** Mm. lumbricales I, II: N. plantaris medialis (S 1, S 2), Mm. lumbricales III, IV: N. plantaris lateralis (S 1, S 2)
- **M. flexor hallucis brevis:**
  - **Ursprung:** Os cuboideum, Ossa cuneiformia I–III
  - **Ansatz:** Basis des Großzehengrundgelenks (je mit einer Sehne lateral und medial über die Sesambeine ziehend)
  - **Funktion:** Flexion der Großzehe, Stabilisierung des Fußgewölbes
  - **Innervation:** N. tibialis (S 2–S 3)
  - **Triggerpunkte** (► Abb. 10.26): proximales Metatarsalköpfchen I, Fußinnenkante
- **M. adductor hallucis:**
  - **Ursprung:**
    - Caput obliquum: Basis der Ossa metatarsi II–IV
    - Caput transversum: Kapselbänder der Zehengrundgelenke III–V, Lig. metatarsale transversum profundum
  - **Ansatz:** laterales Sesambein, Phalanx proximalis hallucis (lateral)
  - **Funktion:** Adduktion und Flexion der Großzehe, Stabilisierung des Fußgewölbes
  - **Innervation:** N. plantaris lateralis (S 2–S 3)
  - **Triggerpunkte** (► Abb. 10.26): Köpfchen Os metatarsi I–IV
- **M. flexor digiti minimi:**
  - **Ursprung:** Procc. medialis et lateralis tuberis calcanei
  - **Ansatz:** Os metatarsi V, Basis Grundphalanx Zehe V
  - **Funktion:** Flexion, Abduktion Zehe V, Stabilisation Fußlängsgewölbe
  - **Innervation:** N. plantaris lateralis (S 1, S 2)
- **Mm. interossei plantares:**
  - **Ursprung:** einköpfig von den Ossa metatarsi III–V
  - **Ansatz:** Basis der Grundphalangen der Zehen III–V, Dorsalaponeurose der Zehen
  - **Funktion:** Adduktion der Zehen III–V
  - **Innervation:** N. plantaris lateralis (S 2–S 3)
  - **Triggerpunkte** (► Abb. 10.26): Zwischenräume der Metatarsalknochen
- **Mm. interossei dorsales:**
  - **Ursprung:** zweiköpfig von den Innenflächen aller Metatarsalknochen
  - **Ansatz:** Basen der Grundphalangen (Zehe II: mediale Seite, Zehen II–IV: laterale Seite), Dorsalaponeurose der Zehen
  - **Funktion:** Abduktion der Zehen II–IV
  - **Innervation:** N. plantaris lateralis (S 2–S 3)
- **M. opponens digiti minimi:**
  - **Ursprung:** Sehnenschiede plantar von M. fibularis longus, Lig. plantare longum
  - **Ansatz:** Os metatarsi V
  - **Funktion:** zieht Os metatarsi V nach medial/plantar
  - **Innervation:** N. plantaris lateralis (S 1, S 2)

Osteopathische Korrespondenzen

Der vielschichte Muskelaufbau der Fußsohle unterstreicht die Bedeutung der langen und kurzen Fußmuskeln als aktives Verspannungssystem der Fußgewölbe. Die kurzen Fußmuskeln wirken durch ihre statische Arbeit als Stabilisatoren und können durch die langen Fußmuskeln unterstützt werden. Das bedarf der feinkoordinierten Abstimmung, die über die körpereigene Propriozeption ermöglicht wird.

Behandlungshinweise

Über die vielfältige Einbettung der Fußmuskeln und ihre Korrespondenzen mit knöchernen, ligamentären und fazialen Strukturen können sich myofasziale Zugkräfte bis weit in andere Körperregionen entwickeln. Daher ist neben der ossären Palpation auch auf eine ausgeprägte Weichteilpalpation im Fußbereich zu achten.

Ein Supinationstrauma (auch ein zeitlich weit zurückliegendes) kann die Propriozeption des Fußes stören und muss bei der Behandlung berücksichtigt werden. Zu prüfen sind Kompensationsmechanismen, die z. B. zu Störungen im Bereich von Knie, Hüfte, Ilium – Os sacrum, LWS, BWS, HWS, Okziput – Atlas – Axis und Kiefergelenk führen können.

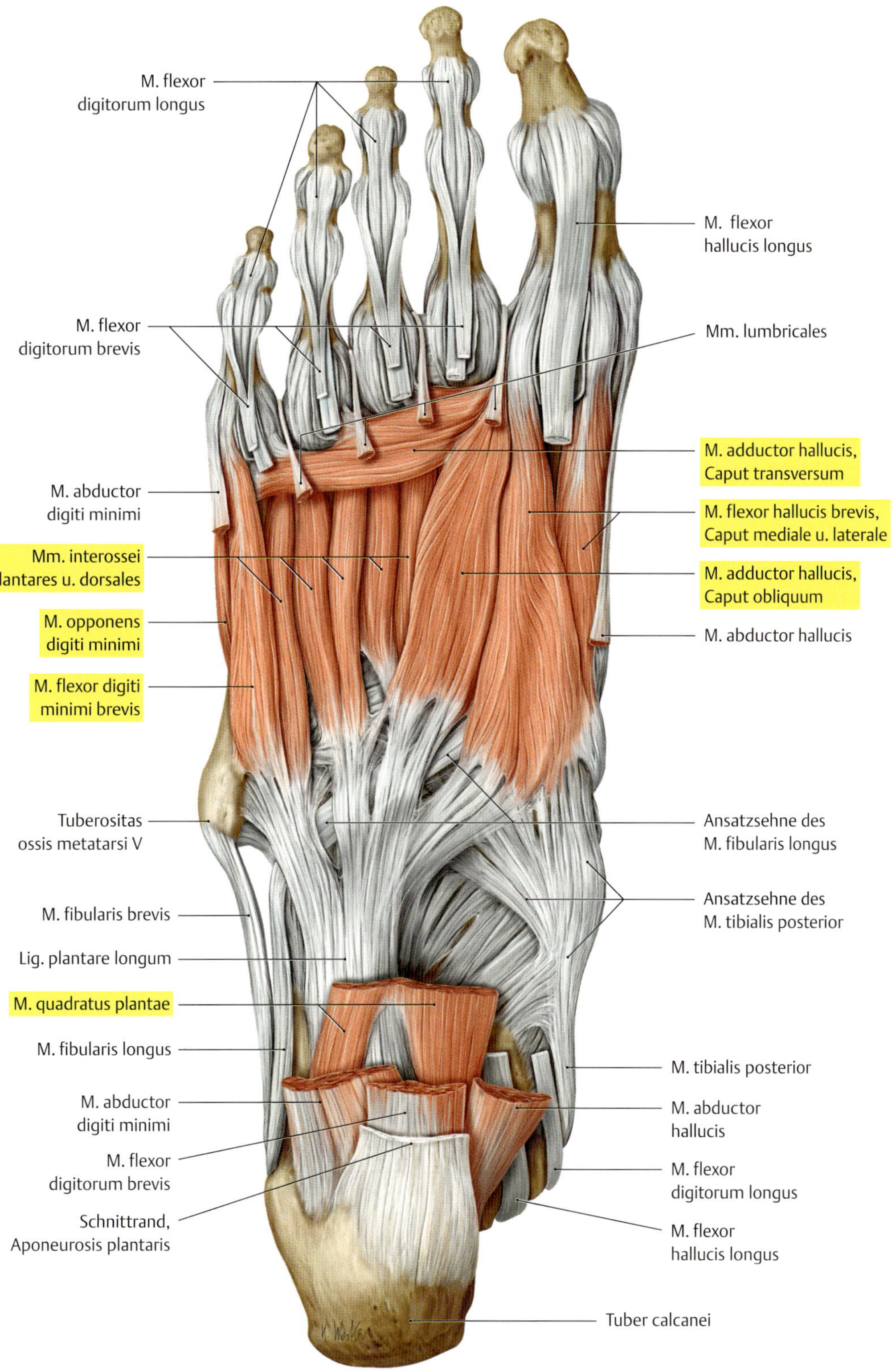

▸ **Abb. 10.24** Tiefe Muskeln der rechten Fußsohle (Ansicht von plantar). (aus Schünke M, Schulte E, Schumacher U. Prometheus, LernAtlas der Anatomie. Allgemeine Anatomie und Bewegungssystem. Illustrationen von M. Voll und K. Wesker. 5., vollständig überarbeitete Auflage. Stuttgart: Thieme; 2018)

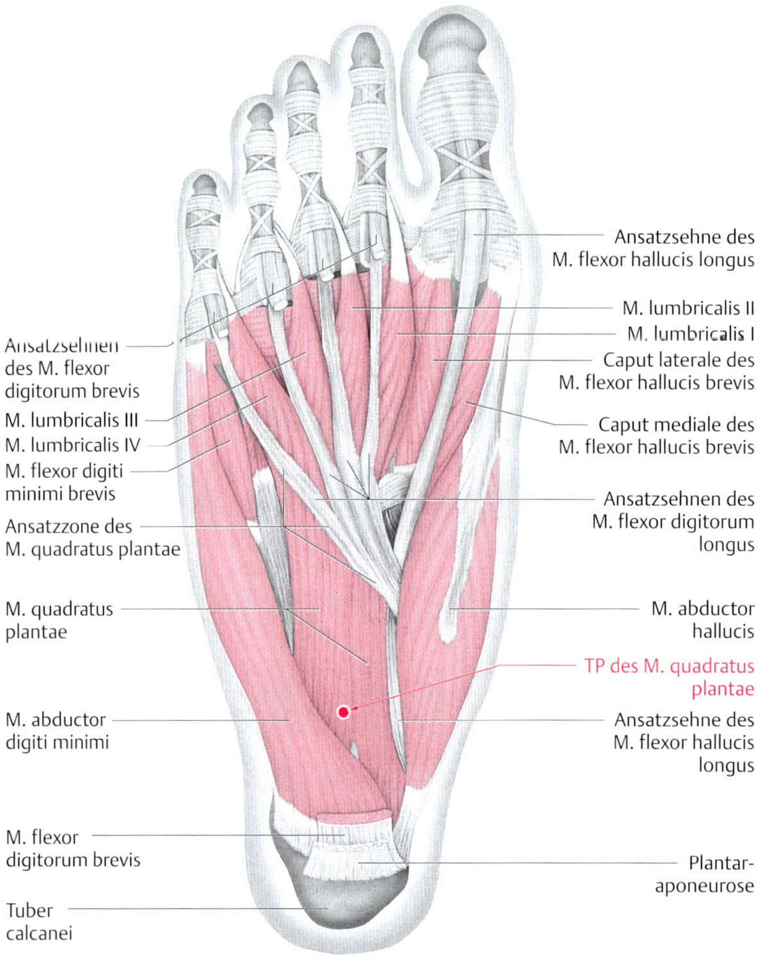

▸ **Abb. 10.25** Triggerpunkte M. quadratus plantae. (aus Richter P, Hebgen E. Triggerpunkte und Muskelfunktionsketten. 5. Aufl. Stuttgart: Haug; 2021, nach: Schünke M. Funktionelle Anatomie: Topographie und Funktion des Bewegungssystems. 1. Aufl. Stuttgart: Thieme; 2000)

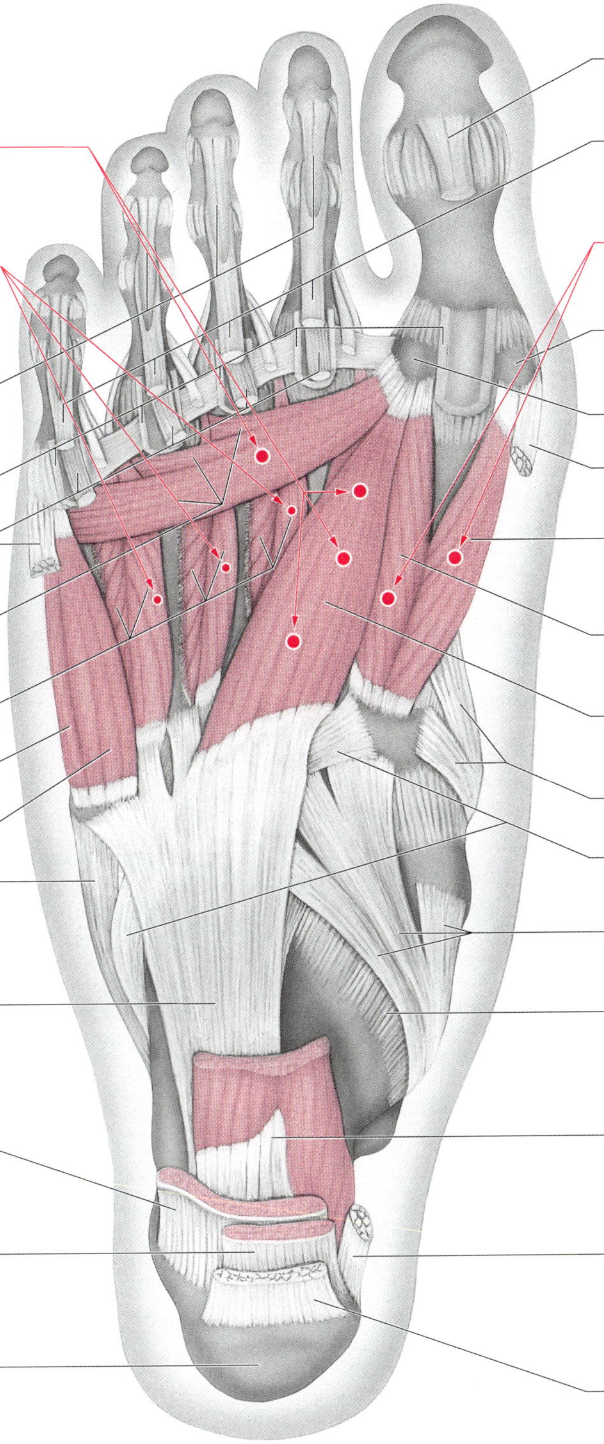

▸ **Abb. 10.26** Triggerpunkte M. flexor hallucis brevis, M. adductor halluces und Mm. interossei plantares. (aus Richter P, Hebgen E. Triggerpunkte und Muskelfunktionsketten. 5. Aufl. Stuttgart: Haug; 2021, nach: Schünke M. Funktionelle Anatomie: Topographie und Funktion des Bewegungssystems. 1. Aufl. Stuttgart: Thieme; 2000)

10.3.9 Sesambeine (Ossa sesamoidea) am Großzehengrundgelenk

Anatomie

▸ Abb. 10.28, ▸ Abb. 10.29

- artikulieren mit Caput ossis metatarsi I
- an der Gelenkkapsel und den Kollateralbändern des Grundgelenks befestigt
- Os sesamoideum mediale: Sehne von M. abductor hallucis und Caput mediale von M. flexor hallucis brevis eingelagert
- Os sesamoideum laterale: Sehne von Caput laterale von M. hallucis brevis, Caput transversum und Caput obliquum von M. adductor hallucis eingelagert
- zwischen beiden Sesambeinen verläuft die Sehne des M. flexor hallucis longus
- schützen vor zu großer Reibung der Sehnen
- verlängern mechanisch den Hebelarm des Muskels (→ Kraftersparnis)
- Sehnen, die unter Druck stehen, zeigen oftmals morphologische Anpassungen in Form von Sesambeinen

Osteopathische Korrespondenzen

Bei Formveränderungen des Fußes (z. B. Spreizfuß) verändern sich die Zugkräfte der Muskeln auf die Sesambeine und es kann zu einer Lageveränderung der Sesambeine kommen. Als Folge kommt es zu einem erhöhten Druck an den Sesambeinen mit der Gefahr einer Sesamoiditis, die Schmerzen beim Abrollen über die Großzehe verursacht.

10.3.10 Fußgewölbe

Anatomie

- Bänder sorgen für passive, Muskeln für aktive Verspannung
- Stabilisatoren des **Längsgewölbes** (▸ Abb. 10.27):
  - kurze Fußmuskeln: M. abductor hallucis, M. flexor hallucis brevis, M. flexor digitorum brevis, M. quadratus plantae, M. abductor digiti minimi
  - Plantaraponeurose, Lig. plantare longum, Lig. calcaneonaviculare plantare (Pfannenband), Sehne des M. flexor hallucis longus (verläuft unter Sustentaculum tali), Sehne des M. flexor digitorum longus
  - der schräge Verlauf von M. fibularis longus und M. tibialis posterior sichern als Synergisten zum M. tibialis anterior
- Stabilisatoren des **Quergewölbes** (▸ Abb. 10.30):
  - im Vorfußbereich: Lig. metatarsale transversum profundum
  - im Mittelfußbereich: Caput transversum des M. adductor hallucis
  - im Fußwurzelbereich: M. fibularis longus (Sehne des Muskels verläuft plantar von lateral nach medial, setzt am medialen Keilbein und an der Basis ossis metatarsi I an) und am M. tibialis posterior (mit fächerförmiger Befestigung an den Keilbeinen)

Osteopathische Korrespondenzen

Störungen der Fußgewölbestatik können im knöchernen Fußbereich insbesondere durch Dysfunktionen von Talus, Os cuboideum, Os naviculare und der Ossa cuneiformia provoziert werden.

Zu einer Morton-Neuralgie kann es bei der Spreizung des Vorfußes kommen, die zur unphysiologischen Kompression der Nervenverläufe zwischen den Köpfen der Mittelfußknochen bzw. den Zehengrundgelenken (häufig zwischen II und III) führt. Typische Symptome sind schmerzhaftes Abrollen des Vorfußes, lokaler Druckschmerz plantar zwischen den betroffenen Zehengrundgelenken und Parästhesien im Vorfußbereich. Die beidseitige seitliche Kompression des Vorfußes im Bereich der Metatarsalköpfchen provoziert den Schmerz.

Durch ein abgeflachtes Längsgewölbe wird das Pfannenband, das vom Kalkaneus zum Os naviculare zieht, überdehnt. Bei einem Funktionsverlust des Ligaments kann dies zum Plattfuß führen. Fußdeformitäten können sich durch ihren Einfluss auf die Körperstatik über den gesamten Körper, z. B. bis zum Kiefergelenk, bemerkbar machen.

Die Fußstabilität wird u. a. durch die vermehrt statisch arbeitenden kurzen Fußsohlenmuskeln gewährleistet. Dazu gehören M. flexor hallucis brevis, M. flexor digiti minimi brevis, M. adductor hallucis, Mm. lumbricales, M. abductor hallucis und M. abductor digiti minimi.

Behandlungshinweise

Myofasziale Adhäsionen in der Fußsohle können mit einer faszialen Ausstreichung der Fußsohle gelöst werden. Insbesondere myofasziale Behandlungen der gesamten unteren Extremität sind angebracht. Neurophysiologisch ist eine parietale Mobilisation der Zehen hilfreich.

Bei der Inspektion und klinischen Untersuchung ist besonders auf Fuß und Beinstellung zu achten, da dies erste Hinweise auf Ausgleichsbewegungen, Schonhaltung und myofasziale Dysbalancen geben kann. Zu beachten ist aber auch, dass nicht jede Fehlstellung eine Pathologie bedeutet. Die Funktionalität ist trotz Abweichungen möglich und in ihrer Gesamtheit zu betrachten.

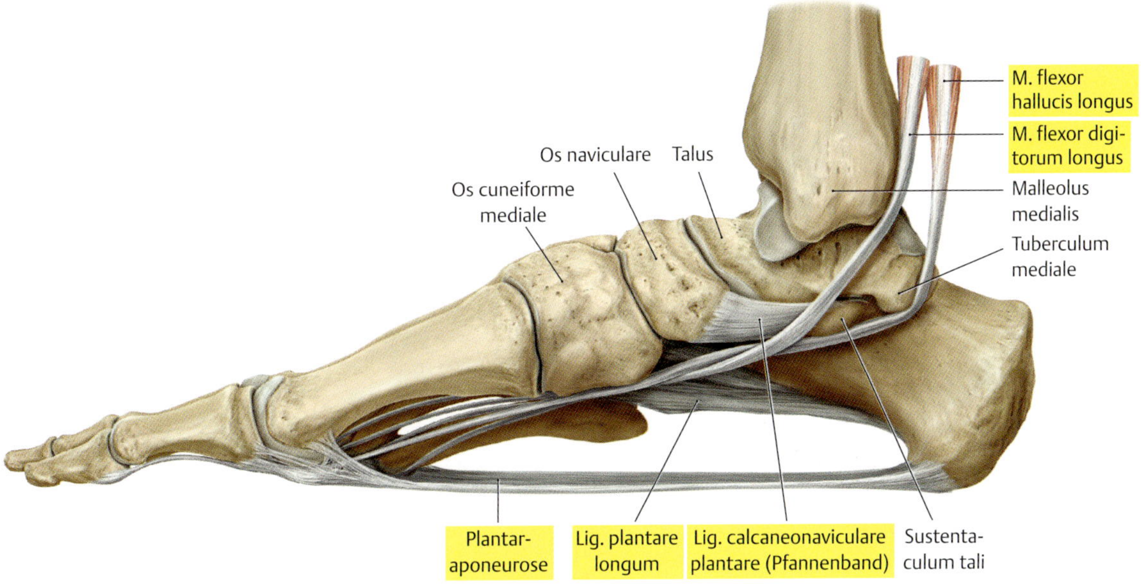

▶ **Abb. 10.27** Passive Verspannungsstrukturen des rechten Längsgewölbes (Ansicht von medial). (aus Schünke M, Schulte E, Schumacher U. Prometheus, LernAtlas der Anatomie. Allgemeine Anatomie und Bewegungssystem. Illustrationen von M. Voll und K. Wesker. 5., vollständig überarbeitete Auflage. Stuttgart: Thieme; 2018)

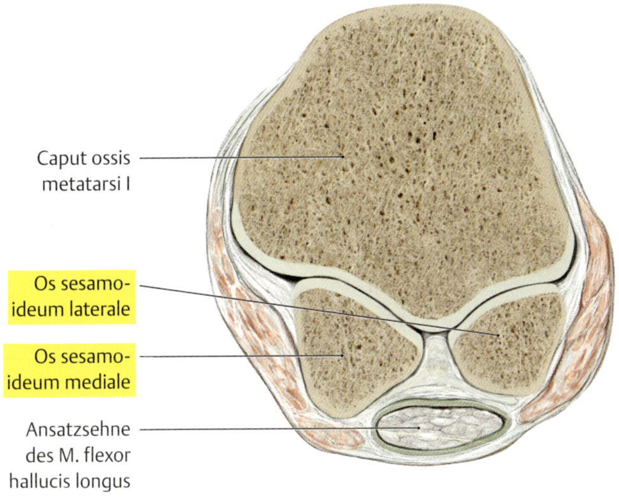

▶ **Abb. 10.28** Ossa sesamoidea der rechten Großzehe (Querschnitt, Ansicht von proximal). (aus Schünke M, Schulte E, Schumacher U. Prometheus, LernAtlas der Anatomie. Allgemeine Anatomie und Bewegungssystem. Illustrationen von M. Voll und K. Wesker. 5., vollständig überarbeitete Auflage. Stuttgart: Thieme; 2018)

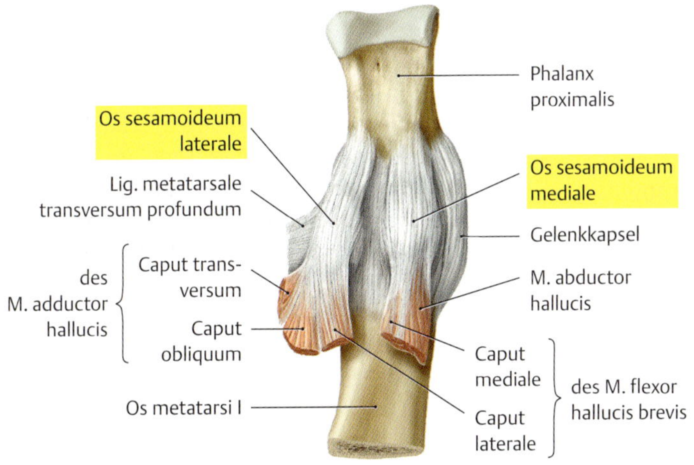

▶ **Abb. 10.29** Kapsel-Band-Apparat der Ossa sesamoidea an der rechten Großzehe (Ansicht von plantar). (aus Schünke M, Schulte E, Schumacher U. Prometheus, LernAtlas der Anatomie. Allgemeine Anatomie und Bewegungssystem. Illustrationen von M. Voll und K. Wesker. 5., vollständig überarbeitete Auflage. Stuttgart: Thieme; 2018)

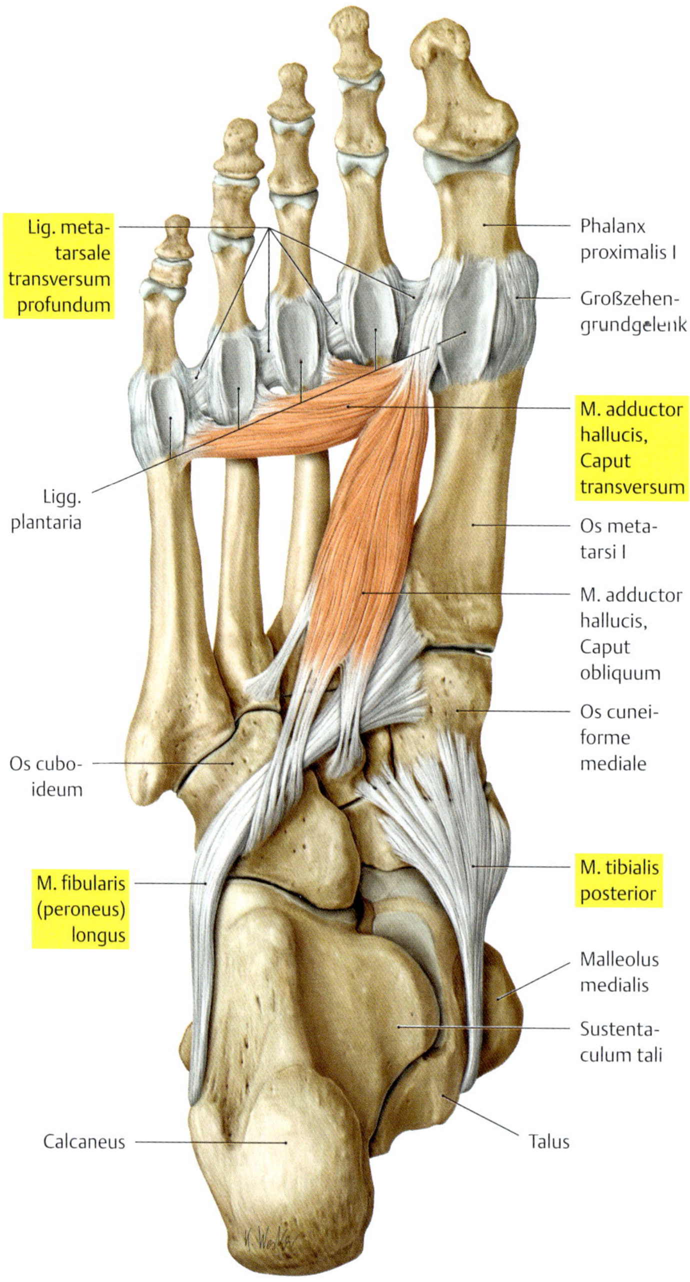

▸ **Abb. 10.30** Aktive und passive Verspannungsstrukturen des rechten Quergewölbes (Ansicht von plantar). (aus Schünke M, Schulte E, Schumacher U. Prometheus, LernAtlas der Anatomie. Allgemeine Anatomie und Bewegungssystem. Illustrationen von M. Voll und K. Wesker. 5., vollständig überarbeitete Auflage. Stuttgart: Thieme; 2018)

10.4 Fuß- und Zehengelenke

10.4.1 Tibia (Schienbein) und Fibula (Wadenbein) (distaler Bereich)

Anatomie

▸ Abb. 10.31

- **Tibia:**
  - kräftiger Unterschenkelknochen mit tragender Funktion
    Schaft ist vollständig von Muskeln umgeben
  - Malleolus medialis: Knochenvorsprung am medialen distalen Ende der Tibia
  - bildet zusammen mit der Fibula die Malleolengabel
- **Fibula:**
  - filigraner Knochen, ohne tragende Funktion
  - wichtig als Befestigungsstelle für Muskeln (v. a. absteigende Muskeln zum Fuß)
  - Malleolus lateralis: Knochenvorsprung am lateralen distalen Ende der Fibula
- **Membrana interossea cruris:**
  - straffes Bindegewebe, das Fibula und Tibia miteinander verbindet
  - wichtige Befestigungsstelle für Unterschenkelmuskeln (M. tibialis anterior, M. extensor hallucis longus, M. extensor digitorum longus, M. tibialis posterior, M. flexor hallucis longus, M. fibularis tertius)
  - proximal Durchtritt der A. tibialis anterior, distal des R. perforans aus der A. fibularis

Osteopathische Korrespondenzen

Bei Dysfunktionen der Fibula und des Sprunggelenks kann es zur Spannungsänderung in der Membrana interossea cruris kommen. Die Durchtrittstellen für die Gefäße könnten dadurch verengt und die arterielle und venöse Zirkulation beeinträchtigt werden. Dies kann zu einer verminderten Gewebeversorgung im Zielgebiet der Endstrombahn führen. Posttraumatisch ist eine verschlechterte Heilung denkbar.

Dysfunktionale Muskelzüge der ansetzenden Muskeln können sich negativ auf die Funktionalität der Membrana interossea auswirken.

10.4.2 Fußwurzel-, Mittelfuß- und Zehenknochen

Anatomie

▸ Abb. 10.32

- Tarsus besteht aus 7 Fußwurzelknochen: Kalkaneus, Talus, Os cuboideum, Os naviculare, Os cuneiforme laterale, Os cuneiforme intermedium, Os cuneiforme mediale
  - Talus: sein knöcherner „Stützpfeiler" ist das Sustentaculum tali, der gleichzeitig Hypomochlion für die Sehnen von M. flexor hallucis longus und M. flexor digitorum longus ist
- Metatarsus besteht aus 5 Ossa metatarsi (Mittelfußknochen)
- Antetarsus besteht aus 5 Phalangen mit je Phalanx proximalis, Phalanx media und Phalanx distalis
- alternativ funktionelle Einteilung des Fußskeletts: Rückfuß (Kalkaneus, Talus), Mittelfuß (Os cuboideum, Os naviculare, Ossa cuneiformia, Ossa metatarsi), Vorfuß (Grund-, Mittel-, Endphalangen)

Osteopathische Korrespondenzen

Osteopathische Dysfunktionen von Talus, Kalkaneus oder der Malleolengabel können zur Passageverengung führen, aber auch myofasziale und muskuläre Dysbalancen können die Funktionalität des Tarsaltunnels beeinträchtigen (Kap. 10.2.3, Kap. 10.3.3).

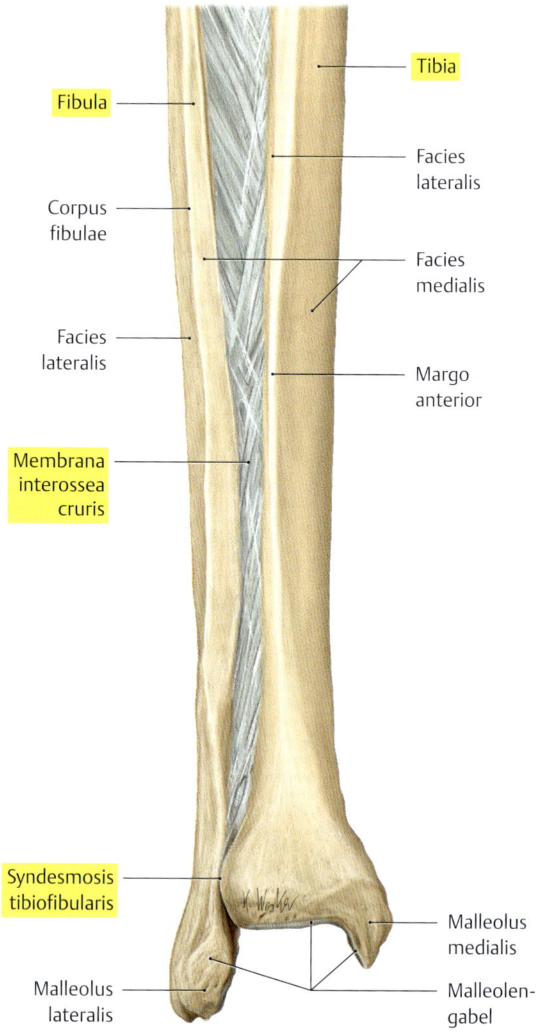

▸ **Abb. 10.31** Distaler Bereich von rechter Tibia und Fibula (Ansicht von ventral). (aus Schünke M, Schulte E, Schumacher U. Prometheus, LernAtlas der Anatomie. Allgemeine Anatomie und Bewegungssystem. Illustrationen von M. Voll und K. Wesker. 5., vollständig überarbeitete Auflage. Stuttgart: Thieme; 2018)

10.4.3 Syndesmosis tibiofibularis

Anatomie

► Abb. 10.31

- **Art:** Synarthrose
- **Partner:** distales Ende von Tibia und Fibula
- **Funktion:** Stabilisierung der Malleolengabel
- **Ligamente:** Lig. tibiofibulare anterius und Lig. tibiofibulare posterius (Syndesmosebänder der Malleolengabel; ► Abb. 10.35)

Osteopathische Korrespondenzen

Dysfunktionen der Syndesmosis tibiofibularis können den hier sehr oberflächlich verlaufenden N. fibularis communis irritieren (Kap. 10.4.4).

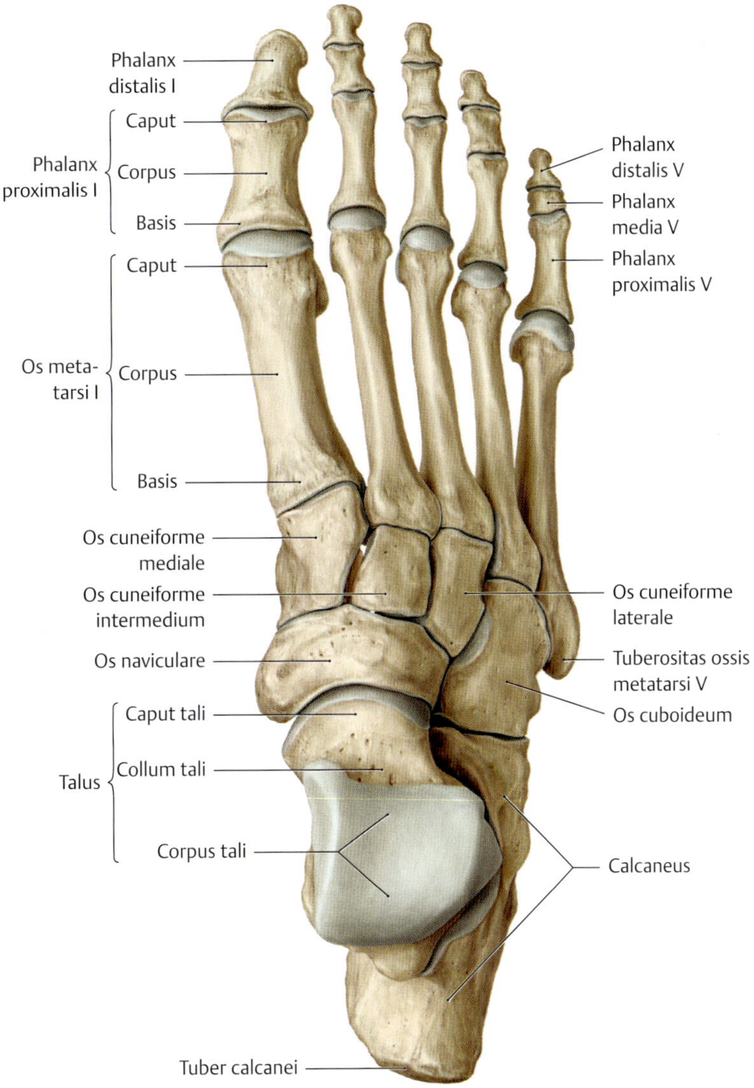

► **Abb. 10.32** Rechtes Fußskelett (Ansicht von dorsal auf den Fußrücken). (aus Schünke M, Schulte E, Schumacher U. Prometheus, LernAtlas der Anatomie. Allgemeine Anatomie und Bewegungssystem. Illustrationen von M. Voll und K. Wesker. 5., vollständig überarbeitete Auflage. Stuttgart: Thieme; 2018)

10.4.4 Oberes Sprunggelenk (Art. talocruralis)

Anatomie

▸ Abb. 10.33

- **Art:** Scharniergelenk
- **Partner:** Malleolengabel (distale Enden von Tibia und Fibula) und Trochlea tali
- **Kapsel:**
  - befindet sich an der Knorpel-Knochen-Grenze
  - im vorderen Bereich dünn und nachgiebig
  - im seitlichen und hinteren Bereich durch Ligamente verstärkt
- **Funktion:** Dorsalextension, Plantarflexion
- **Ligamente** (▸ Abb. 10.34, ▸ Abb. 10.35):
  - lateraler Bandapparat (Außenbänder, Ligg. collateralia lateralia):
    - Ligg. talofibularia anterius und posterius: fast horizontaler Verlauf, bilden die ligamentäre Verstärkung der Gelenkkapsel, dienen der passiven Stabilisierung und Führung des oberen Sprunggelenks
    - Lig. calcaneofibulare: verläuft oberflächlich schräg vertikal, dient der Stabilisierung und Führung des oberen und unteren Sprunggelenks (Kap. 10.4.5)
  - medialer Bandapparat (Innenbänder, Ligg. collateralia medialia):
    - Lig. deltoideum: besteht aus den 4 Anteilen Pars tibiotalaris anterior und Pars tibiotalaris posterior (liegen tief und verstärken die Gelenkkapsel) sowie Pars tibiocalcanea und Pars tibionavicularis (verlaufen oberflächlich), dienen der Stabilisierung und Führung des oberen und unteren Sprunggelenks; bei einer Inversionsbewegung des Fußes kommen alle Bandanteile unter Spannung, bei zusätzlicher Plantarflexion v. a. das Lig. talofibulare anterius bzw. bei Dorsalextension das Lig. talofibulare posterius

Osteopathische Korrespondenzen

Die unterschiedlichen Anteile des Bandapparats bilden eine funktionelle Einheit, die mit den proximalen (z. B. Membrana interossea) und den distalen Anteilen (z. B. Faszie des Fußrückens) korrespondiert.

Traumata oder Dysfunktionen im oberen Sprunggelenk können zu Störungen in der Mechanik der gesamten Fibula führen, denn Fibulabewegung und Bewegungen im oberen Sprunggelenk sind miteinander gekoppelt:

- Dorsalextension im OSG:
  - der Außenknöchel (distaler Anteil der Fibula) geht nach lateral
  - die gesamte Fibula bewegt sich nach kranial und dreht sich dabei nach innen (Innenrotation)
- Plantarflexion im OSG:
  - der Außenknöchel (distaler Anteil Fibula) geht nach medial
  - die gesamte Fibula bewegt sich nach kaudal und dreht sich dabei nach außen (Außenrotation)

Diese Bewegungskopplung wird u. a. durch die Form des Talus hervorgerufen. Das Corpus tali mit der Trochlea ist anterior breiter als posterior. Die Dorsalextension führt mit zunehmender Extensionsbewegung zur Verriegelung des OSG. Die Syndesmosebänder der Malleolengabel werden u. a. vermehrt gespannt. Dieser Mechanismus verstärkt die Stabilität des Gelenks im Stand.

Am Talus setzen keine Muskeln an. Die Beweglichkeit des Knochens ist damit von den korrespondierenden Nachbarstrukturen abhängig (z. B. Stellung der Malleolengabel, des Kalkaneus, des Fußes insgesamt und damit die gesamte Körperhaltung, Einwirkung der myofaszialen Strukturen, kurze und lange Fußmuskeln).

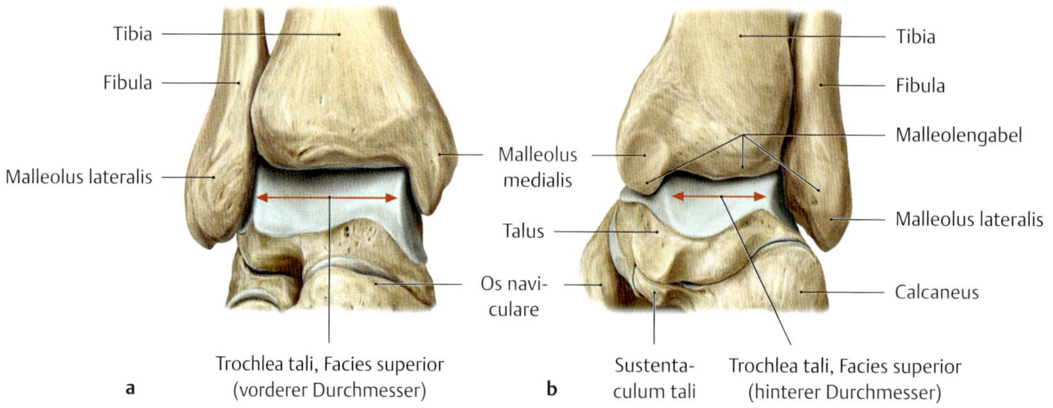

▸ **Abb. 10.33** Rechtes oberes Sprunggelenk. **a** Ansicht von ventral. **b** Ansicht von dorsal. (aus Schünke M, Schulte E, Schumacher U. Prometheus, LernAtlas der Anatomie. Allgemeine Anatomie und Bewegungssystem. Illustrationen von M. Voll und K. Wesker. 5., vollständig überarbeitete Auflage. Stuttgart: Thieme; 2018)

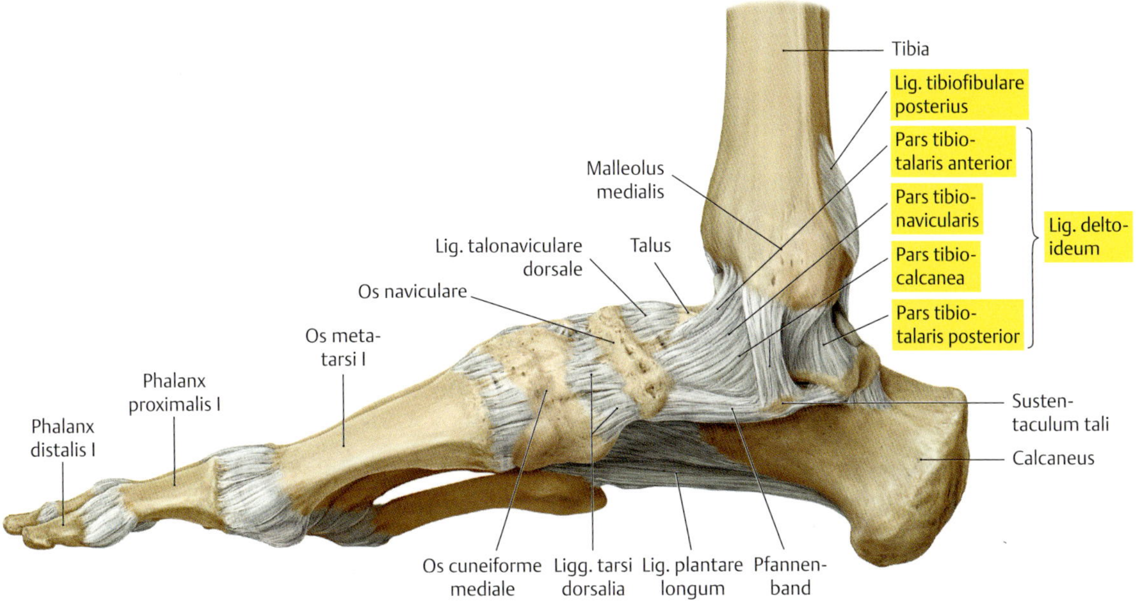

▶ **Abb. 10.34** Bandapparat eines rechten Fußes (Ansicht von medial). (aus Schünke M, Schulte E, Schumacher U. Prometheus, LernAtlas der Anatomie. Allgemeine Anatomie und Bewegungssystem. Illustrationen von M. Voll und K. Wesker. 5., vollständig überarbeitete Auflage. Stuttgart: Thieme; 2018)

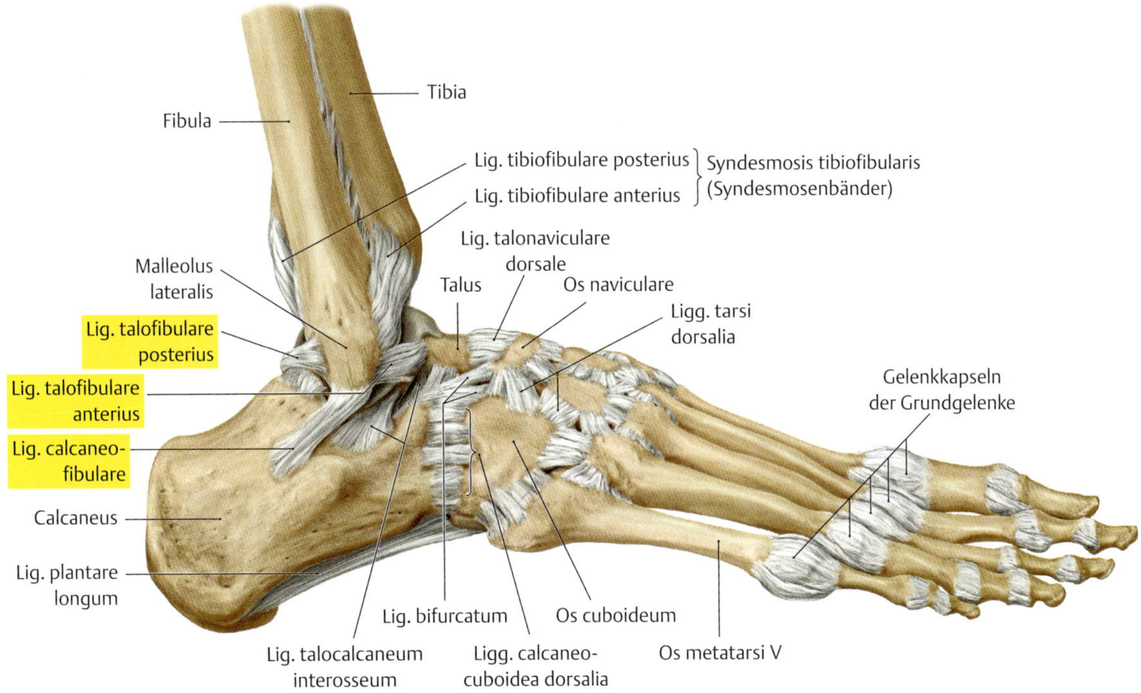

▶ **Abb. 10.35** Bandapparat eines rechten Fußes (Ansicht von lateral). (aus Schünke M, Schulte E, Schumacher U. Prometheus, LernAtlas der Anatomie. Allgemeine Anatomie und Bewegungssystem. Illustrationen von M. Voll und K. Wesker. 5., vollständig überarbeitete Auflage. Stuttgart: Thieme; 2018)

10.4.5 Unteres Sprunggelenk

Anatomie

▸ Abb. 10.36, ▸ Abb. 10.37

- kann in 2 vollständig getrennte Teilgelenke unterteilt werden (Gelenkkammern):
  - **Art. subtalaris** (hintere Gelenkkammer):
    - **Art:** planes Gelenk
    - **Partner:** Talus (Facies articularis talaris posterior) und Kalkaneus (Facies articularis calcanea posterior)
    - **Funktion:** Gleiten in Abduktion und Adduktion möglich
  - **Art. talocalcaneonavicularis** (vordere Gelenkkammer):
    - **Art:** Kugelgelenk
    - **Partner:** kugelförmiger Taluskopf (Facies articularis navicularis), Os naviculare und 2 Gelenkflächen des Kalkaneus (Facies articularis talaris anterior und media)
- **Funktion:** Inversion (Supination) und Eversion (Pronation)
- beide Gelenkammern werden knöchern durch den Canalis tarsi (gebildet aus Sinus tarsi und Sulcus calcanei) und ligamentär durch das Lig. talocalcaneum interosseum getrennt
- **Ligamente:**
  - Lig. calcaneonaviculare plantare (Pfannenband): verläuft vom Sustentaculum tali zum Os naviculare, sichert von plantar den Talus in seiner Position, besitzt an der Innenseite Knorpelzellen und vervollständigt die knöcherne Gelenkpfanne des unteren Sprunggelenks, trägt passiv zur Verspannung des Fußlängsgewölbes bei
  - Lig. talocalcaneum interosseum: liegt im Canalis tarsi (bestehend aus Sulcus tali und Sulcus calcanei), kann als „Kreuzband des USG" bezeichnet werden
  - Bänder, welche die Gelenkkapsel verstärken und vom Talus ausgehen:
    - Art. subtalaris: Ligg. talocalcanea mediale und laterale, Lig. talofibulare posterius
    - Art. talocalcaneonavicularis: Lig. talonaviculare dorsale

Osteopathische Korrespondenzen

Das Lig. talocalcaneum interosseum trennt die vordere und hintere Gelenkkammer, teilweise überkreuzen sich die lateralen („Cervical Ligament") und medialen Fasern (Lig. canalis tarsi). Das Band ist sehr kräftig und dient als Drehpunkt für Bewegungen der Supination (Inversion) und Pronation (Eversion). Gleichzeitig stabilisiert das Ligament das USG.

Am lateralen Ende des Canalis tarsi weitet sich der knöcherne Kanal auf. Dieser Bereich wird Sinus tarsi genannt und liegt ventral des lateralen Malleolus am lateralen Talushals. Hier setzen verschiedene Bänder an, u. a. das Lig. calcaneofibulare. In dieser Regio verlaufen auch Gefäße, die den Talus versorgen.

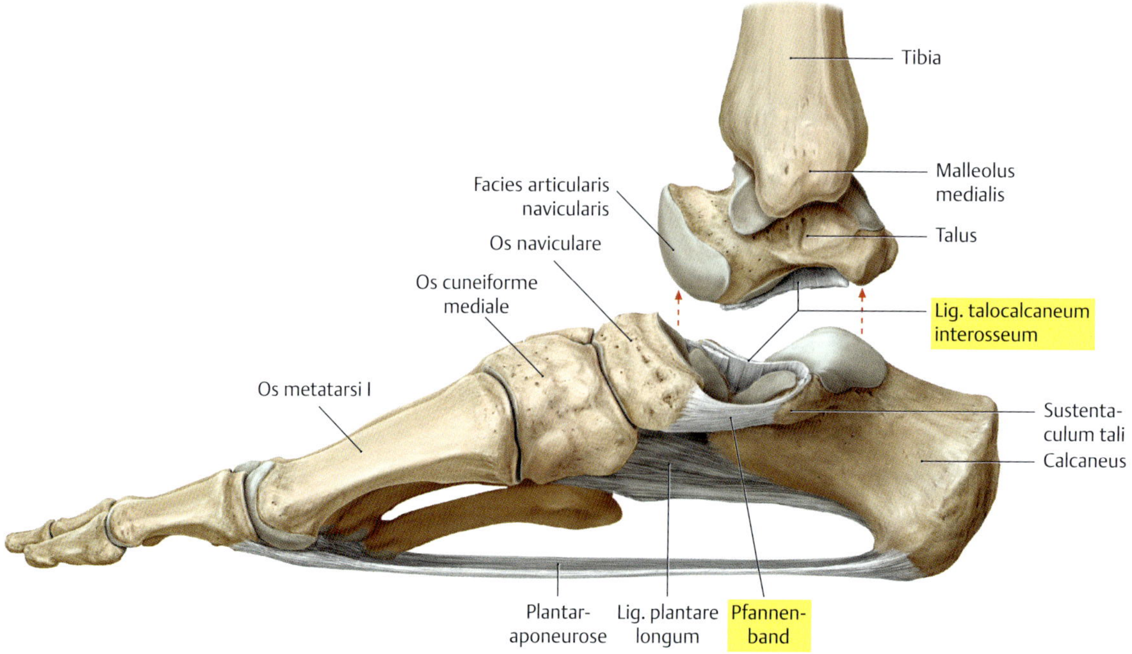

▸ **Abb. 10.36** Eröffnetes rechtes unteres Sprunggelenk (Ansicht von medial). (aus Schünke M, Schulte E, Schumacher U. Prometheus, LernAtlas der Anatomie. Allgemeine Anatomie und Bewegungssystem. Illustrationen von M. Voll und K. Wesker. 5., vollständig überarbeitete Auflage. Stuttgart: Thieme; 2018)

Bei einem Supinationstrauma oder chronischer Überbelastung des Sprunggelenks kann es zum Sinus-tarsi-Syndrom (Sulcus-tarsi-Syndrom) kommen, bei dem degenerative Veränderungen an den Bandstrukturen auftreten, welche die Funktionalität der Bänder beeinträchtigen. Das umliegende myofasziale Gewebe kann sich entzündlich verändern. Typisch sind dann diffuse Schmerzen lateral des Sprunggelenks, die sich durch Druck auf den Sinus tarsi verstärken. Mikrozirkulatorische Störungen sind ebenfalls denkbar, die durch die Degeneration der Weichteilstrukturen verursacht werden können.

Behandlungshinweise

Techniken zur Reinformation der Außenbänder (Ligg. collateralia lateralia, bestehend aus Lig. talofibulare anterius, Lig. calcaneofibulare, Lig. talofibulare posterius) können nach einem Supinationstrauma faszial und neurophysiologisch regenerativ wirken.

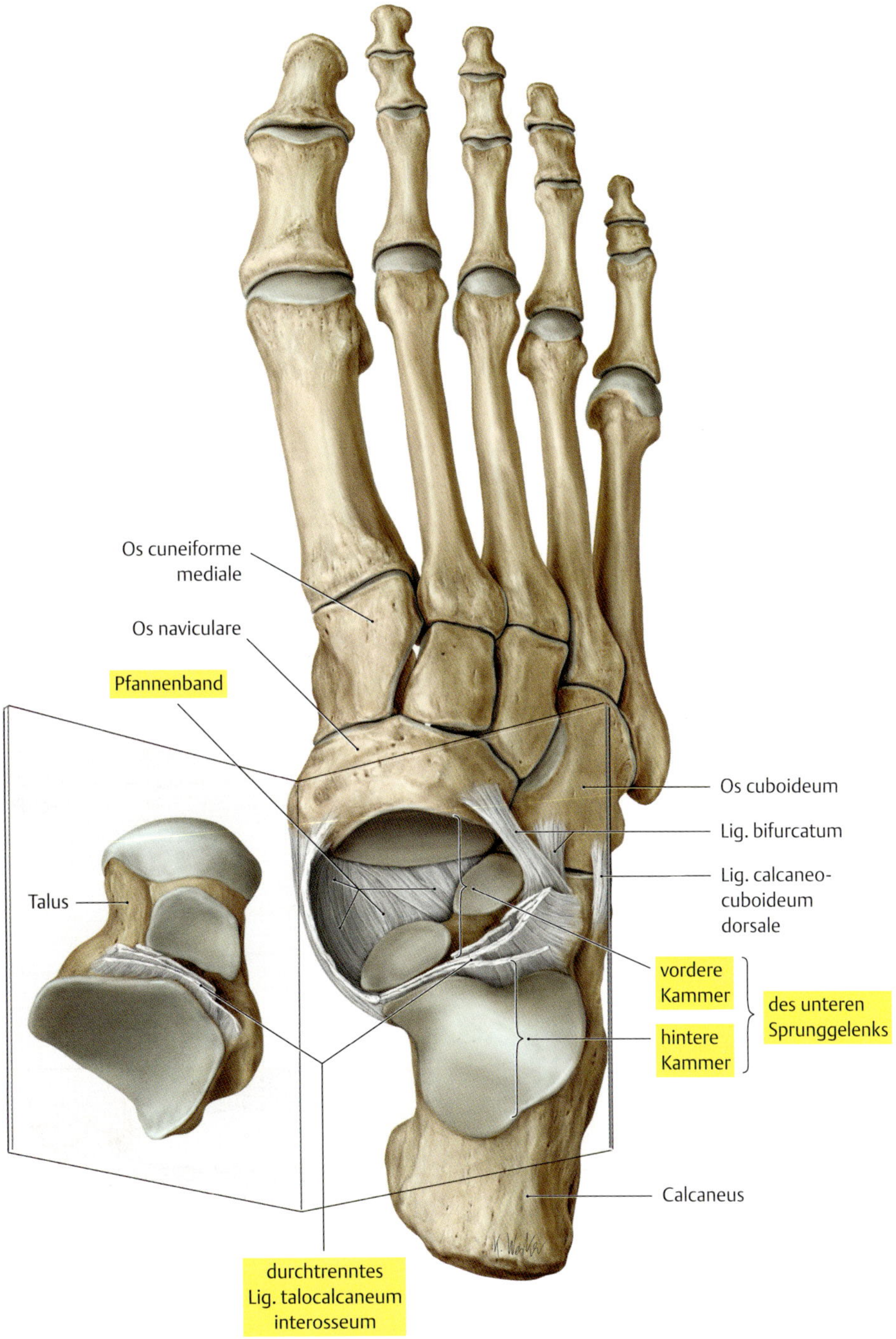

▶ **Abb. 10.37** Eröffnetes rechtes unteres Sprunggelenk (Ansicht von dorsal). (aus Schünke M, Schulte E, Schumacher U. Prometheus, LernAtlas der Anatomie. Allgemeine Anatomie und Bewegungssystem. Illustrationen von M. Voll und K. Wesker. 5., vollständig überarbeitete Auflage. Stuttgart: Thieme; 2018)

10.4.6 Fuß- und Zehengelenke

Anatomie

▶ Abb. 10.35, ▶ Abb. 10.38, ▶ Abb. 10.39

- **Art. tarsi transversa** (Chopart-Gelenklinie):
  - besteht aus Art. calcaneocuboidea und Art. talonavicularis
  - **Partner:** Kalkaneus und Os cuboideum (Art. calcaneocuboidea) bzw. Talus und Os naviculare (Art. talonavicularis)
  - **Funktion:** Supination, Pronation
  - **Ligamente:** Lig. talonaviculare dorsale, Ligg. calcaneocuboidea plantare und dorsale, Lig. bifuracatum (vom Kalkaneus zum Os naviculare und Os cuboideum)
- Gelenk der **Fußwurzelknochen untereinander:**
  - Art. cuneonavicularis, Artt. intercuneiformes, Art. cuneocuboidea
  - Ligamente: Ligg. tarsi dorsalia
- **Artt. tarsometatarsales** (Lisfranc-Gelenklinie):
  - **Partner:** Fußwurzelknochen und Basis der Mittelfußknochen
  - **Funktion:** Supination, Pronation
  - **Ligamente:** Ligg. metatarsi dorsalia
- **Artt. intermetatarsales:**
  - **Partner:** Basen der Mittelfußknochen untereinander
- **Artt. metatarsophalangeae:**
  - **Art:** Eigelenk
  - **Partner:** Mittelfußknochen und Grundphalangen
  - **Funktion:** Flexion, Extension
- **Artt. interphalangeae proximales:**
  - **Art:** Scharniergelenk
  - **Partner:** Grund- und Mittelphalangen
  - **Funktion:** Flexion, Extension
- **Artt. interphalangeae distales:**
  - **Art:** Scharniergelenk
  - **Partner:** Mittel- und Endphalangen
  - **Funktion:** Flexion, Extension

Osteopathische Korrespondenzen

Die zahlreichen gelenkigen Verbindungen ermöglichen die komplexe Abrollbewegung des Fußes und seine vielseitige Belastbarkeit im Stand und in der Bewegung. Die Bewegungsachsen im USG ermöglichen eine Inversion und Eversion. Erweitert man die Bewegung auf den Vorfuß im Bereich der Chopart- und Lisfranc-Gelenke, so ist eine Vorfußverwringung im Sinne der Pronation und Supination möglich.

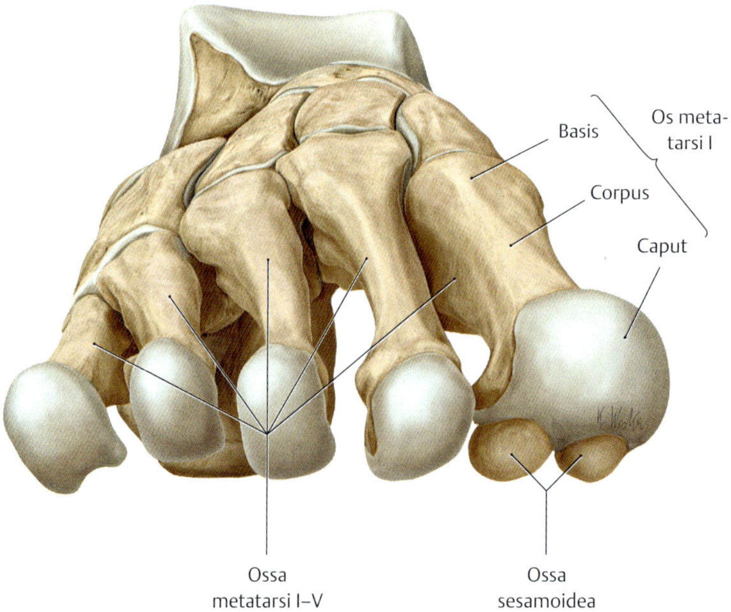

▶ **Abb. 10.38** Artt. metatarsophalangeae: Köpfe der rechten Ossa metatarsi I–V (Ansicht von distal). (aus Schünke M, Schulte E, Schumacher U. Prometheus, LernAtlas der Anatomie. Allgemeine Anatomie und Bewegungssystem. Illustrationen von M. Voll und K. Wesker. 5., vollständig überarbeitete Auflage. Stuttgart: Thieme; 2018)

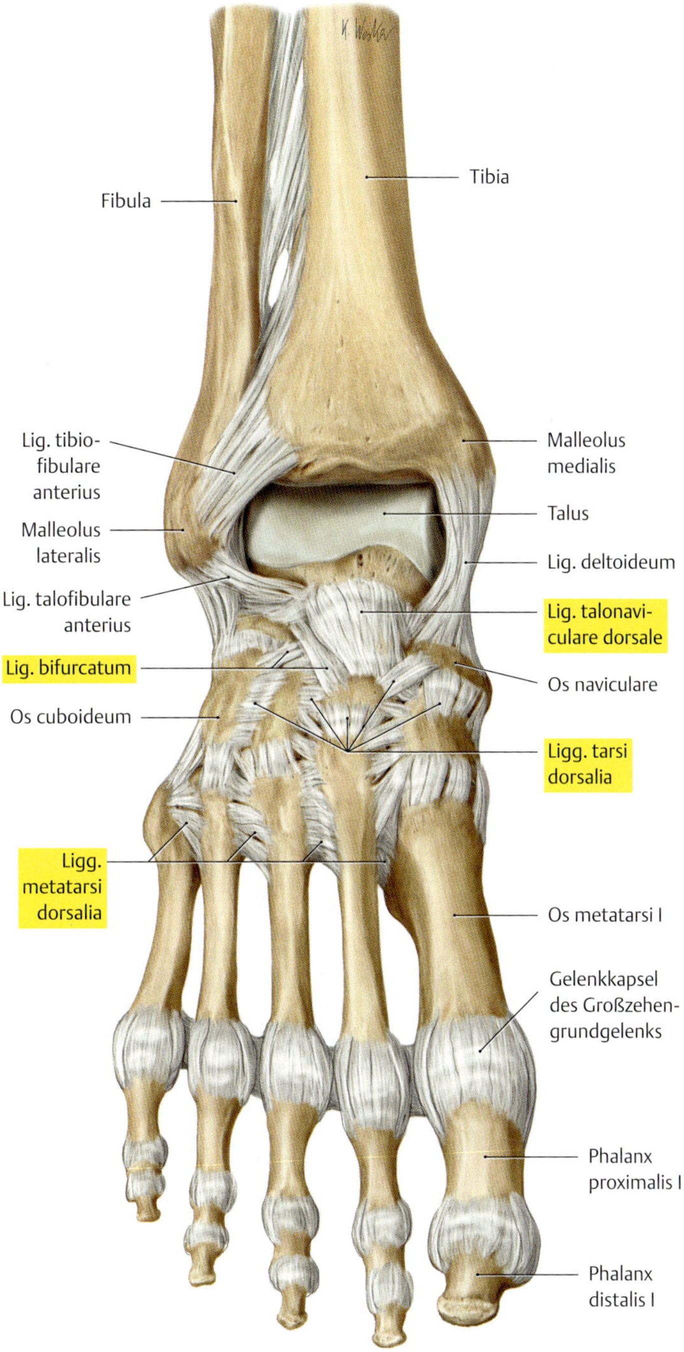

▸ **Abb. 10.39** Gelenke und Bandapparat eines rechten Fußes (Ansicht von ventral). (aus Schünke M, Schulte E, Schumacher U. Prometheus, LernAtlas der Anatomie. Allgemeine Anatomie und Bewegungssystem. Illustrationen von M. Voll und K. Wesker. 5., vollständig überarbeitete Auflage. Stuttgart: Thieme; 2018)

10.5
Nerven und Gefäße

10.5.1 N. ischiadicus

Anatomie

► Abb. 10.40, ► Abb. 10.41, ► Abb. 10.42, ► Abb. 10.43

- enthält Fasern aus den Rückenmarkssegmenten L 4–S 3 (Plexus sacralis)
- gemischter Nerv mit sensiblen und motorischen Ästen
- verläuft entlang des medialen Rands des M. biceps femoris
  - versorgt motorisch: M. semitendinosus, M. semimembranosus, M. biceps femoris, M. adductor magnus (oberflächlicher Teil)
- teilt sich i. d. R. kurz oberhalb der Regio poplitea in N. fibularis (peroneus) communis und N. tibialis
- **N. fibularis communis** (L 4–S 2):
  - versorgt sensibel über N. cutaneus surae lateralis und R. communicans fibularis die Haut am lateralen Unterschenkel, teilweise auch dorsal
  - teilt sich in N. fibularis superficialis und N. fibularis profundus
  - **N. fibularis superficialis:**
    - verläuft zwischen den Peroneusmuskeln bis zum Fußrücken
    - versorgt motorisch: M. fibularis longus, M. fibularis brevis
    - versorgt sensibel über N. cutaneus dorsalis medialis und intermedius die Haut des distalen ventralen Unterschenkels und Fußrückens
  - **N. fibularis profundus:**
    - verläuft nach anterior durch Septum intermusculare anterius in die Extensorenloge
    - begleitet erst die A. tibialis anterior und dann die A. dorsalis pedis
    - versorgt motorisch: M. tibialis anterior, M. fibularis tertius, Mm. extensores digitorum longus und brevis, Mm. extensores hallucis longus und brevis
    - versorgt sensibel über N. cutaneus hallucis lateralis und N. cutaneus digiti secundi medialis die Haut der einander zugewandten Seiten der 1. und 2. Zehe
- **N. tibialis** (L 4–S 3):
  - begleitet erst die A. poplitea und später die A. tibialis posterior
  - tritt unterhalb des Arcus tendineus m. solei in die tiefen Flexorenloge
  - versorgt motorisch: M. triceps surae, M. plantaris, M. popliteus, M. tibialis posterior, M. flexor digitorum longus, M. flexor hallucis longus
  - versorgt sensibel über N. cutaneus surae medialis (vereint sich im distalen Teil des Unterschenkels mit dem N. cutaneus surae lateralis zum N. suralis und läuft hinter dem Malleolus lateralis zum lateralen Fußrand und wird dort N. cutaneus dorsalis lateralis genannt), Rr. calcanei laterales, Rr. calcanei mediales und N. cutaneus dorsalis lateralis die Haut über dem Kalkaneus und einen Teil der Fußsohle
  - teilt sich auf Höhe des Malleolus medialis in N. plantaris medialis und N. plantaris lateralis
  - **N. plantaris medialis:**
    - versorgt motorisch: M. abductor hallucis, M. flexor digitorum brevis Caput mediale, M. flexor hallucis brevis, Mm. lumbricales I und II
    - versorgt sensibel über Nn. digitales plantares proprii die Fußsohle
  - **N. plantaris lateralis:**
    - versorgt motorisch: M. adductor hallucis, M. flexor hallucis brevis Caput laterale, M. quadratus plantae, M. abductor digiti minimi, M. flexor digiti minimi brevis, M. opponens digiti minimi, Mm. lumbricales III und IV, Mm. interossei plantares I–III, Mm. interossei dorsales I–IV
    - versorgt sensibel über Nn. digitales plantares proprii die plantare mediale Seite der Großzehe und der einander zugewandten Seiten der 1.– 4. Zehe
- Engpass: Foramen infrapiriforme
- Ausfallerscheinungen:
  - N. tibialis: Ausfall der Knieflexoren (ischiokrurale Muskulatur, aber beim M. biceps femoris nur Caput longum), alle Unterschenkelflexoren und die Zehenbeugemuskulatur (gesamte plantare Muskulatur), Muskeln für die Supination
  - N. fibularis: Ausfall von M. biceps femoris (nur Caput breve), Unterschenkel- und Fußextensoren, Muskeln für die Pronation (N. fibularis longus, brevis)

Osteopathische Korrespondenzen

Fasziale Adhäsionen im Sprunggelenk können Missempfindungen im Versorgungsgebiet der Nn. cutanei dorsales medialis, intermedius und lateralis provozieren.

Bei Dysfunktionen in verschiedenen Nervenverläufen durch osteopathische Dysfunktionen kann die lokale Behandlung folgender Strukturen sinnvoll sein: Foramen infrapiriforme, Loge zwischen M. semimembranosus und M. biceps femoris, Loge zwischen den Gastroknemiusköpfen (N. tibialis), Caput fibulae (N. peroneus communis), Peroneusloge (N. peroneus superficialis), Extensorenloge (N. peroneus profundus), dorsale Unterschenkelfaszie (N. suralis) (Kap. 10.2.3, Kap. 10.3.2, Kap. 10.3.7).

Behandlungshinweise

Der N. tibialis lässt sich im Bereich der Kniekehle kurz vor dem Durchtritt am Arcus tendineus m. solei behandeln. Der N. suralis, der u. a. brennende Schmerzen in der Fußsohle verursachen kann, kann über die Unterschenkelfaszie behandelt werden. Dabei sind besonders Dysfunktionen im Bereich des lateralen Malleolus zu beachten.

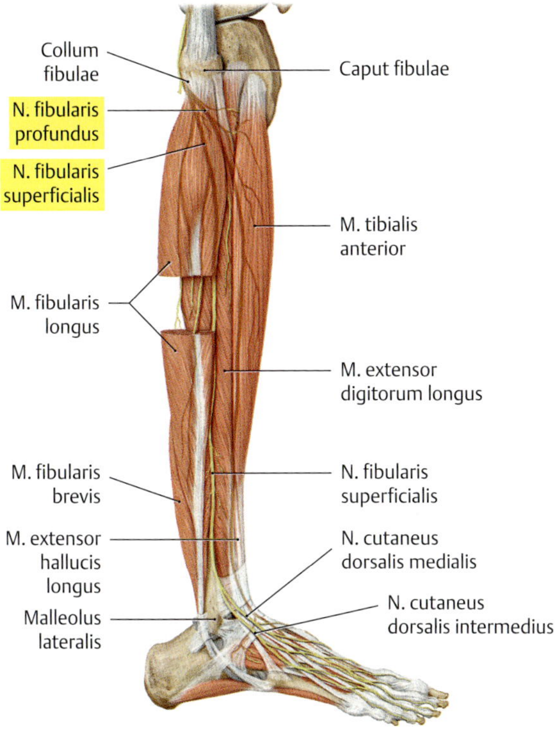

▸ Abb. 10.40 Verlauf von N. fibularis superficialis und N. fibularis profundus (Ansicht von lateral). (aus Schünke M, Schulte E, Schumacher U. Prometheus, LernAtlas der Anatomie. Allgemeine Anatomie und Bewegungssystem. Illustrationen von M. Voll und K. Wesker. 5., vollständig überarbeitete Auflage. Stuttgart: Thieme; 2018)

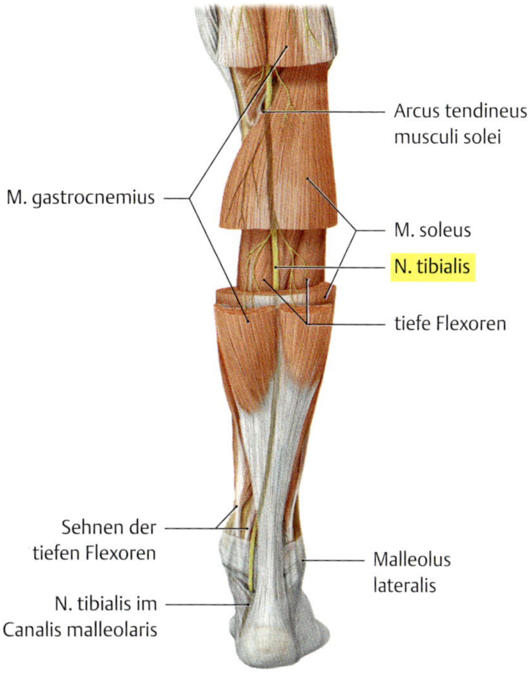

▸ Abb. 10.41 Verlauf des N. tibialis (Ansicht von dorsal). (aus Schünke M, Schulte E, Schumacher U. Prometheus, LernAtlas der Anatomie. Allgemeine Anatomie und Bewegungssystem. Illustrationen von M. Voll und K. Wesker. 5., vollständig überarbeitete Auflage. Stuttgart: Thieme; 2018)

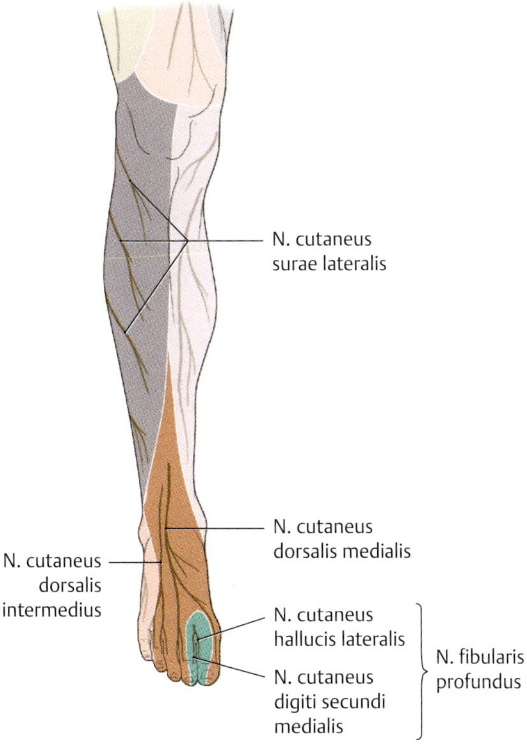

▸ Abb. 10.42 Sensibles Innervationsgebiet des N. ischiadicus (Ansicht von ventral). (aus Schünke M, Schulte E, Schumacher U. Prometheus, LernAtlas der Anatomie. Allgemeine Anatomie und Bewegungssystem. Illustrationen von M. Voll und K. Wesker. 5., vollständig überarbeitete Auflage. Stuttgart: Thieme; 2018)

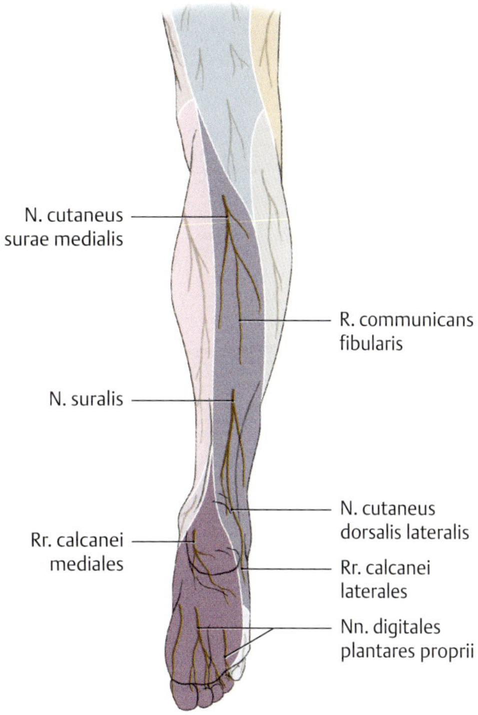

▸ Abb. 10.43 Sensibles Innervationsgebiet des N. ischiadicus (Ansicht von dorsal). (aus Schünke M, Schulte E, Schumacher U. Prometheus, LernAtlas der Anatomie. Allgemeine Anatomie und Bewegungssystem. Illustrationen von M. Voll und K. Wesker. 5., vollständig überarbeitete Auflage. Stuttgart: Thieme; 2018)

10.5.2 Arterien

Anatomie

▶ Abb. 10.44, ▶ Abb. 10.45, ▶ Abb. 10.46

- **A. iliaca communis:** teilt sich in A. iliaca externa und A. iliaca interna
- **A. iliaca externa:**
  - Verlauf:
    - zieht am medialen Rand des M. psoas major durch die Lacuna vasorum
    - geht auf Höhe des Leistenbandes in A. femoralis über
  - Äste: A. epigastrica inferior (→ A. cremasterica, A. ligamenti teretis uteri, R. pubicus), A. circumflexa ilium profunda
- **A. femoralis:**
  - Verlauf:
    - Fortsetzung der A. iliaca externa
    - verläuft zum Adduktorenkanal und gelangt auf die Rückseite des Beins
    - tritt durch Hiatus adductorius
  - Äste: A. epigastrica superficialis, A. circumflexa ilium superficialis, A. pudenda externa superficialis, A. pudenda externa profunda, A. profunda femoris (→ A. circumflexa femoris medialis, A. circumflexa femoris lateralis, Aa. perforantes), A. descendens genus
- **A. poplitea:**
  - Verlauf:
    - A. femoralis heißt nach Durchtritt durch Hiatus adductorius A. poplitea
    - zieht durch die Kniekehle zum M. popliteus und teilt sich an dessen Unterrand in die Endäste A. tibialis anterior und A. tibialis superior
  - Äste: A. superior lateralis genus, A. superior medialis genus, A. media genus, Aa. surales, A. inferior lateralis genus, A. inferior genus medialis
- **A. tibialis anterior:**
  - Verlauf:
    - gelangt am Oberrand der Membrana interossea in die Extensorenloge
    - verläuft zwischen M. tibialis anterior und M. extensor hallucis longus
    - distal des Retinaculum musculorum extensorum tritt sie als A. dorsalis pedis auf dem Fußrücken aus
  - Äste: A. recurrens tibialis anterior, A. malleolaris anterior lateralis, A. malleolaris anterior medialis, A. dorsalis pedis (→ A. tarsalis lateralis, A. tarsalis medialis, A. arcuata mit Aa. metatarsales dorsales und Aa. digitales dorsales)
- **A. tibialis posterior:**
  - Verlauf:
    - Fortsetzung der A. poplitea
    - zieht durch die Flexorenloge
    - teilt sich hinter Malleolus medialis in Endäste Aa. plantares medialis und lateralis auf der Plantarseite des Fußes
  - Äste: A. recurrens tibialis posterior, A. fibularis (→ R. perforans, R. communicans, Rr. malleolares laterales, Rr. calcanei), Rr. malleolares mediales, Rr. calcanei, A. plantaris medialis (→ R. superficialis, R. profundus), A. plantaris lateralis, Aa. metatarsales plantares, Aa. digitales plantares communes

Osteopathische Korrespondenzen

Die Faszie des Fußrückens (Fascia dorsalis pedis) ist sehr dünn. Zwischen beiden Blättern verlaufen die Vasa dorsalia pedis und der N. fibularis profundus. Hier können Entrapments entstehen, die zu Schmerzen im Vorfuß führen (Haut zwischen der 1. und 2. Zehe) und die Mikrozirkulation stören können.

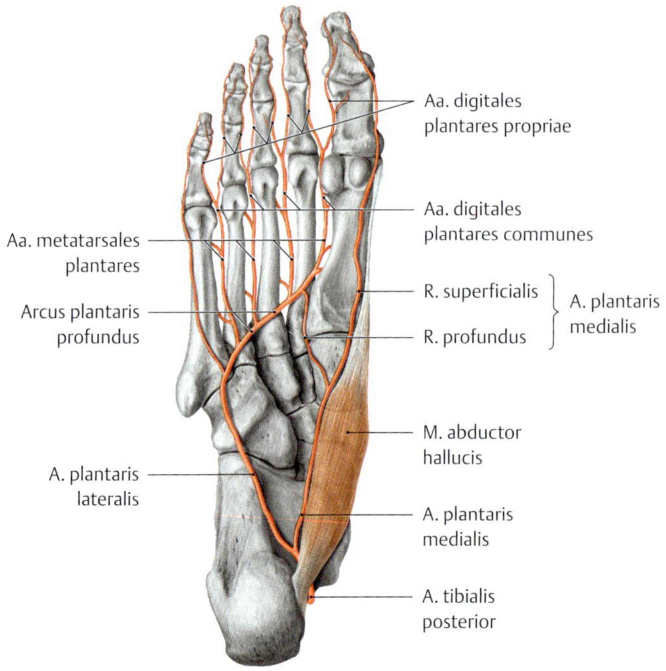

▶ **Abb. 10.44** Arterien der rechten Fußsohle (Ansicht von plantar). (aus Schünke M, Schulte E, Schumacher U. Prometheus, LernAtlas der Anatomie. Allgemeine Anatomie und Bewegungssystem. Illustrationen von M. Voll und K. Wesker. 5., vollständig überarbeitete Auflage. Stuttgart: Thieme; 2018)

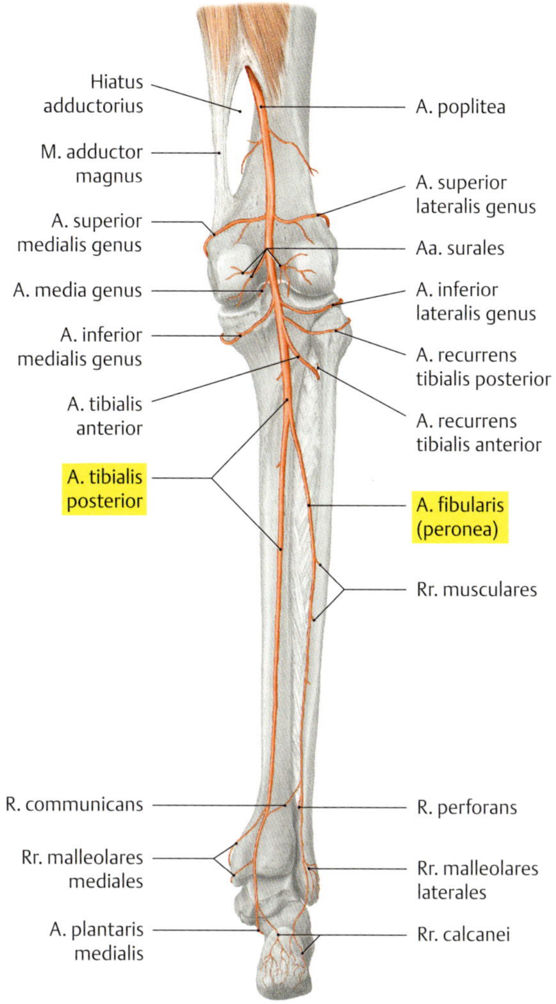

▸ **Abb. 10.45** Arterien der rechten Kniekehle und des rechten Unterschenkels (Ansicht von dorsal). (aus Schünke M, Schulte E, Schumacher U. Prometheus, LernAtlas der Anatomie. Allgemeine Anatomie und Bewegungssystem. Illustrationen von M. Voll und K. Wesker. 5., vollständig überarbeitete Auflage. Stuttgart: Thieme; 2018)

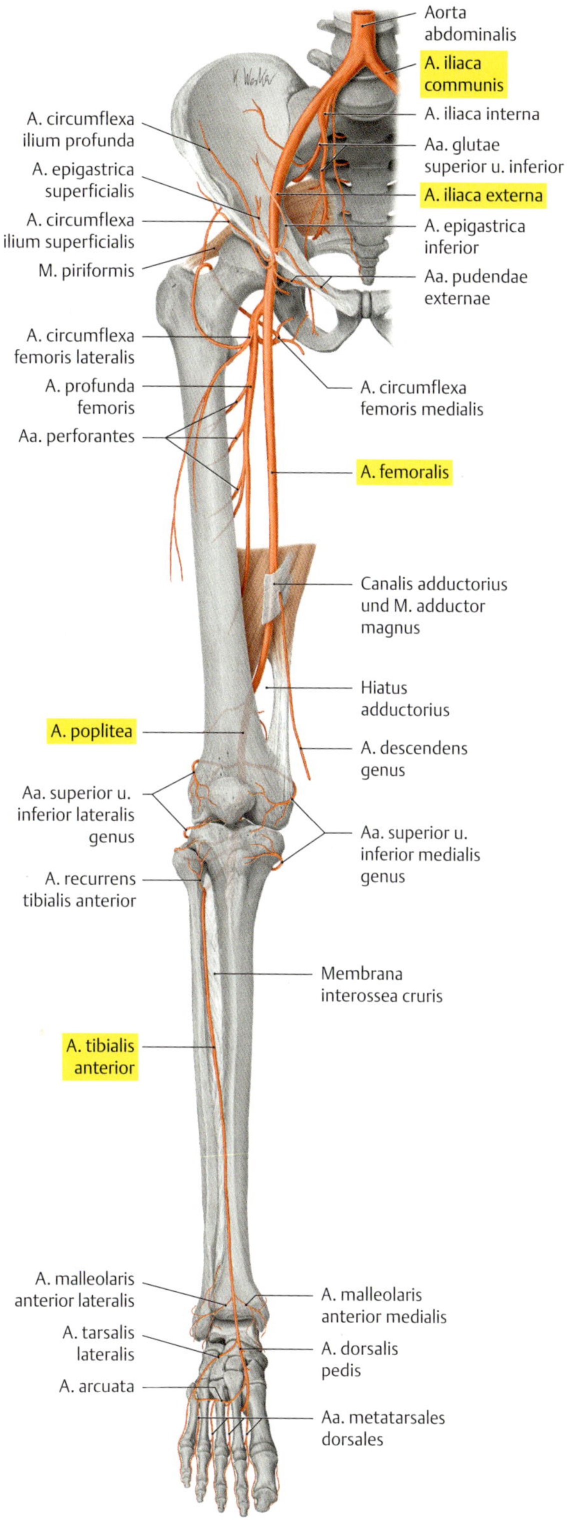

▸ **Abb. 10.46** Arterien der rechten unteren Extremität (Ansicht von ventral). (aus Schünke M, Schulte E, Schumacher U. Prometheus, LernAtlas der Anatomie. Allgemeine Anatomie und Bewegungssystem. Illustrationen von M. Voll und K. Wesker. 5., vollständig überarbeitete Auflage. Stuttgart: Thieme; 2018)

10.5.3 Venen

Anatomie: Oberflächliche Venen

▶ Abb. 10.47, ▶ Abb. 10.48, ▶ Abb. 10.49

- Arcus venosus plantaris
- Rete venosum plantare
- Arcus venosus dorsalis pedis
- Rete venosum dorsale pedis
- V. femoropoplitea
- **V. saphena parva:** Rete venosum dorsale pedis → lateraler Fußrand im Bereich der 5. Zehe → unter lateralem Malleolus zur Unterschenkelrückseite → mit N. suralis zur mittleren Kniekehle → mündet auf Höhe des Kniegelenks zwischen den beiden Gastroknemiusköpfen in V. poplitea
- V. arcuata cruris posterior
- V. saphena accessoria
- V. epigastrica superficialis
- V. circumflexa ilium superficialis
- Vv. pudendae externae
- **V. saphena magna:** unterer medialer Fußrand → am medialen Malleolus zum Unterschenkel medial/dorsal → medial im Bereich des Oberschenkels → geht kurz unterhalb des Leistenbandes in V. femoralis über (im Trigonum femorale)

Anatomie: Tiefe Venen

▶ Abb. 10.47, ▶ Abb. 10.48, ▶ Abb. 10.49

- Vv. digitales plantares
- Vv. metatarsales dorsales und plantares
- **Vv. fibulares:** lateraler Unterschenkel, Begleitvenen zur Art. fibularis → münden in V. poplitea
- **V. tibialis anterior:** ventraler Unterschenkel → zum proximalen Ende der Membrana interossea → durch Foramen ovale der Membran → vereinigt sich mit Vv. tibiales posteriores → mündet in V. poplitea
- **V. tibialis posterior:** durch Canalis malleolaris → verläuft am dorsalen Unterschenkel → verbindet sich dorsal der proximalen Membrana interossea mit V. tibialis anterior → mündet in V. poplitea
- Vv. geniculares
- Vv. surales
- **V. poplitea:**
  - Sammelgefäß aller Venen aus dem Unterschenkel
  - von der Kniekehle (Arcus tendineus m. solei) aufsteigend durch den Adduktorenkanal
  - setzt sich in V. femoralis fort
- Vv. circumflexae femoris mediales und laterales
- **V. profunda femoris:**
  - entsorgt den Oberschenkel dorsal
  - mündet in V. femoralis im Trigonum femorale
- **V. femoralis:**
  - Fortsetzung der V. poplitea
  - sammelt gesamtes venöses Blut aus dem Bein
  - verläuft durch Lacuna vasorum unterhalb des Leistenbandes
  - mündet in V. iliaca externa

Anatomie: Perforans-System

über Vv. perforantes bestehen Verbindungen von den oberflächlichen Venen zu den tiefen Venen

Osteopathische Korrespondenzen

Die Faszie des Fußrückens (Fascia dorsalis pedis) ist sehr dünn. Zwischen beiden Blättern verlaufen die Vasa dorsalia pedis und der N. fibularis profundus. Ödematöse Schwellungen zeigen sich im Fußrücken sehr prominent und können die Mikrozirkulation stören. Auf Dysfunktionen, v. a. viszerale im Beckenbereich, ist zu achten.

Behandlungshinweise

Zirkulatorische Techniken wirken entstauend u. a. auf die untere Extremität (Kap. 10.5.4).

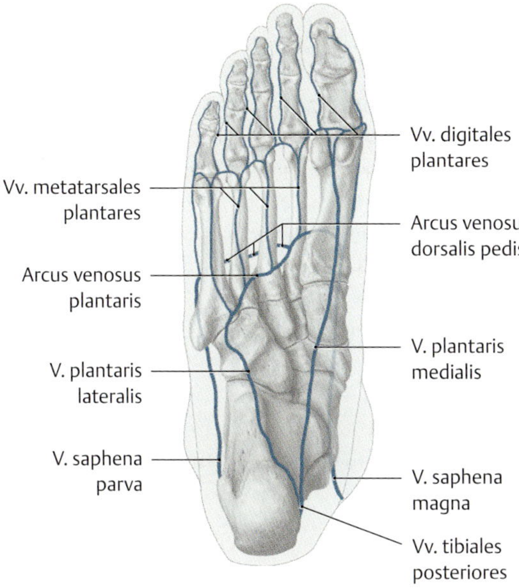

▶ **Abb. 10.47** Tiefe und oberflächliche Venen der rechten Fußsohle (Ansicht von plantar). (aus Schünke M, Schulte E, Schumacher U. Prometheus, LernAtlas der Anatomie. Allgemeine Anatomie und Bewegungssystem. Illustrationen von M. Voll und K. Wesker. 5., vollständig überarbeitete Auflage. Stuttgart: Thieme; 2018)

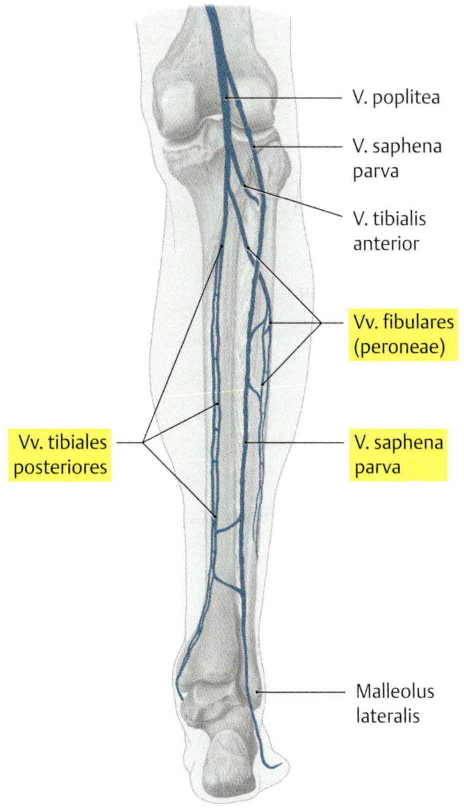

▶ **Abb. 10.48** Tiefe und oberflächliche Venen der rechten Unterschenkels (Ansicht von dorsal). (aus Schünke M, Schulte E, Schumacher U. Prometheus, LernAtlas der Anatomie. Allgemeine Anatomie und Bewegungssystem. Illustrationen von M. Voll und K. Wesker. 5., vollständig überarbeitete Auflage. Stuttgart: Thieme; 2018)

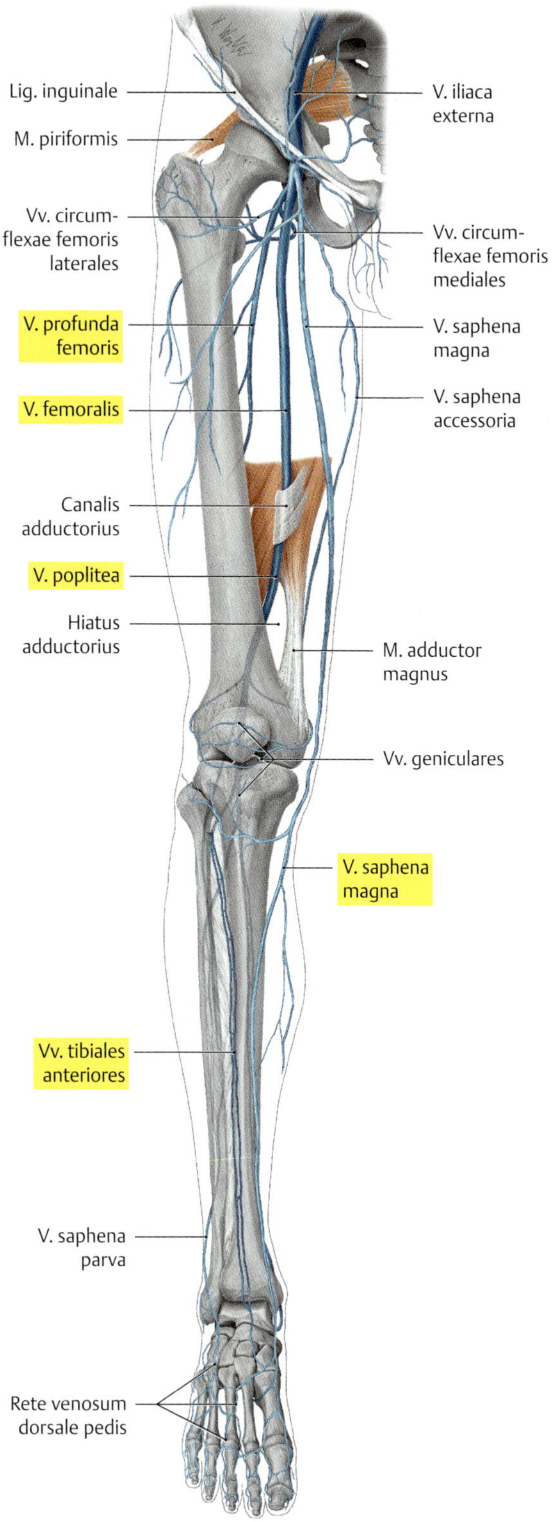

▶ **Abb. 10.49** Tiefe und oberflächliche Venen der rechten unteren Extremität (Ansicht von ventral). (aus Schünke M, Schulte E, Schumacher U. Prometheus, LernAtlas der Anatomie. Allgemeine Anatomie und Bewegungssystem. Illustrationen von M. Voll und K. Wesker. 5., vollständig überarbeitete Auflage. Stuttgart: Thieme; 2018)

10.5.4 Lymphbahnen und -knoten

Anatomie

▶ Abb. 10.50, ▶ Abb. 10.51, ▶ Abb. 10.52

- das System kann in ein oberflächliches und ein tiefes Lymphsystem unterteilt werden:
  - oberflächliches System: liegt im epifaszialen Bereich
    - ventromediales Bündel: verläuft entlang der V. saphena magna zu Nll. inguinales superficiales, drainiert Kutis und Subkutis
    - dorsolaterales Bündel: verläuft entlang der V. saphena parva und über die Nll. popliteales superficiales zu den Nll. inguinales profundi; drainiert lateralen Fußrand und schmalen Streifen auf der Wade
  - tiefes System: drainiert Muskulatur, Gelenke und Nerven
- zwischen beiden Systemen bestehen zahlreiche Anastomosen, v. a. im Bereich der Kniekehle und Leiste
- über Nll. inguinales profundi gelangt Lymphe des gesamten Beins in iliakale Lymphknoten und dann in die lumbalen Lymphknoten
- Rosenmüller-Lymphknoten: größter Lymphknoten der Nll. inguinales profundi auf Höhe des Canalis femoralis

Osteopathische Korrespondenzen

Ödematöse Veränderungen in der unteren Extremität, insbesondere im Fußbereich, können Hinweis auf Abflussstörungen im venösen und lymphatischen System sein. Viszerale Dysfunktionen, insbesondere im Bereich des Beckens, können zu ödematösen Veränderungen in der unteren Extremität führen. Differenzialdiagnostisch müssen u. a. Herzerkrankungen, tumoröse Veränderungen, allergische Reaktionen und Entzündungen ausgeschlossen werden.

Behandlungshinweise

Zirkulatorische Techniken wirken entstauend u. a. auf die untere Extremität.

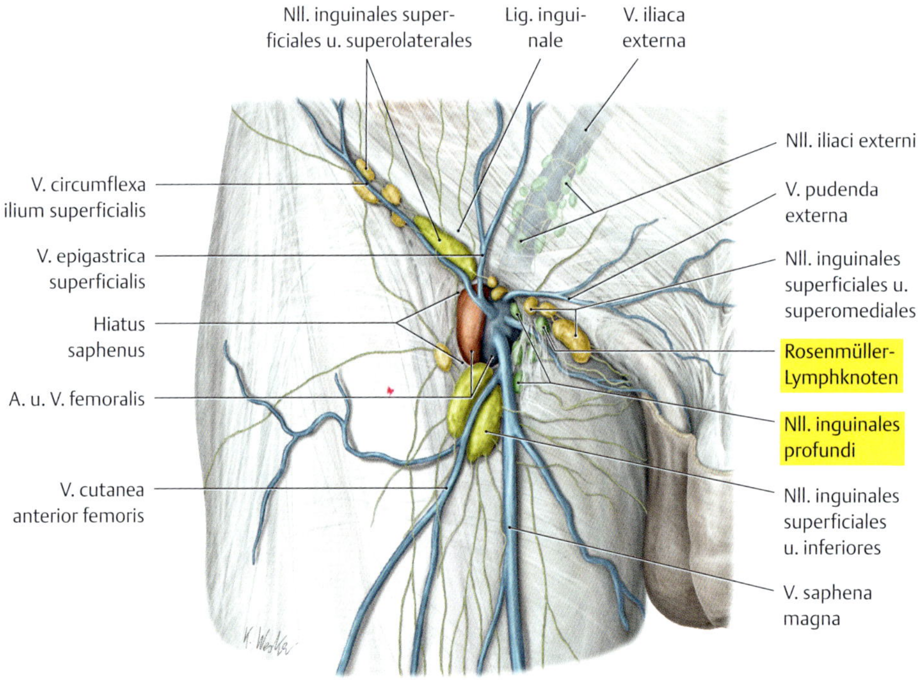

▶ **Abb. 10.50** Tiefe Lymphknoten der Leistenregion (Ansicht von ventral). (aus Schünke M, Schulte E, Schumacher U. Prometheus, LernAtlas der Anatomie. Allgemeine Anatomie und Bewegungssystem. Illustrationen von M. Voll und K. Wesker. 5., vollständig überarbeitete Auflage. Stuttgart: Thieme; 2018)

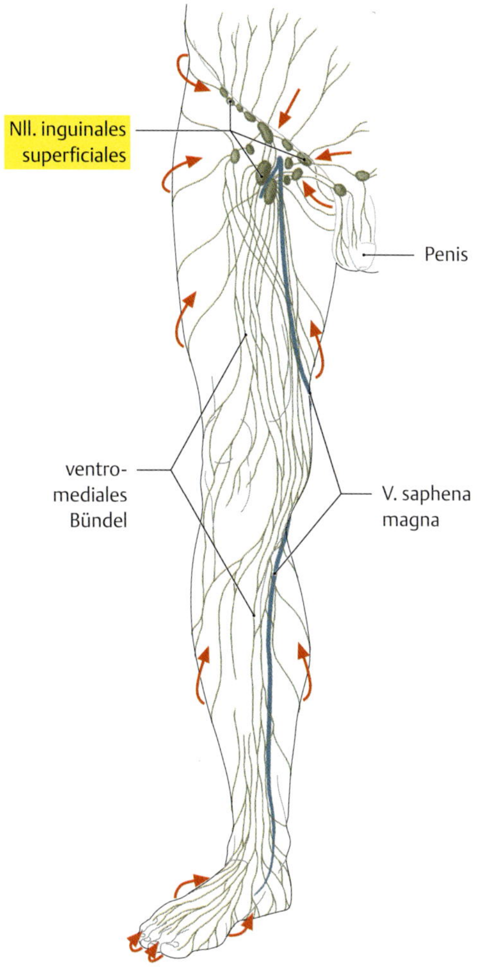

▸ **Abb. 10.51** Oberflächliches Lymphgefäßsystem des rechten Beins (Ansicht von ventral). Die Pfeile markieren die Hauptflussrichtung der Lymphflüssigkeit. (aus Schünke M, Schulte E, Schumacher U. Prometheus, LernAtlas der Anatomie. Allgemeine Anatomie und Bewegungssystem. Illustrationen von M. Voll und K. Wesker. 5., vollständig überarbeitete Auflage. Stuttgart: Thieme; 2018)

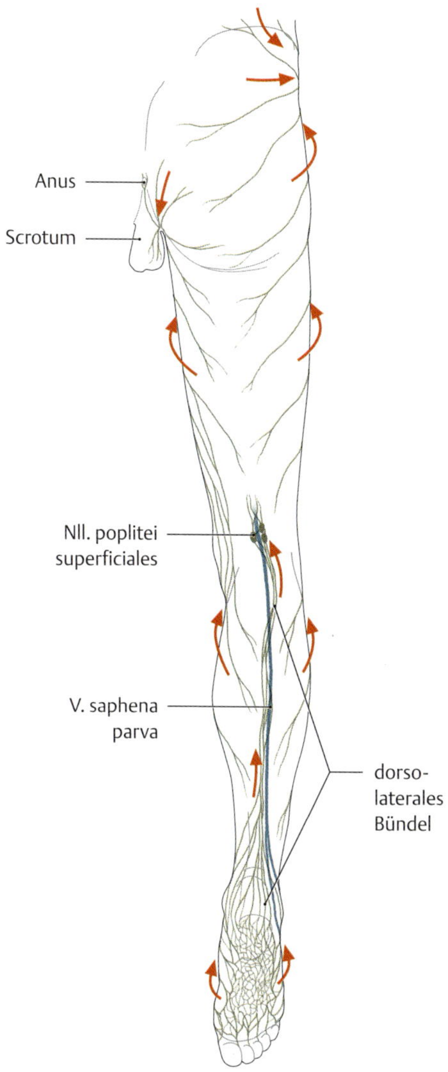

▸ **Abb. 10.52** Oberflächliches Lymphgefäßsystem des rechten Beins (Ansicht von dorsal). Die Pfeile markieren die Hauptflussrichtung der Lymphflüssigkeit. (aus Schünke M, Schulte E, Schumacher U. Prometheus, LernAtlas der Anatomie. Allgemeine Anatomie und Bewegungssystem. Illustrationen von M. Voll und K. Wesker. 5., vollständig überarbeitete Auflage. Stuttgart: Thieme; 2018)

10.6
Schnittbilder

▶ Abb. 10.53, ▶ Abb. 10.54, ▶ Abb. 10.55, ▶ Abb. 10.56, ▶ Abb. 10.57, ▶ Abb. 10.58, ▶ Abb. 10.59

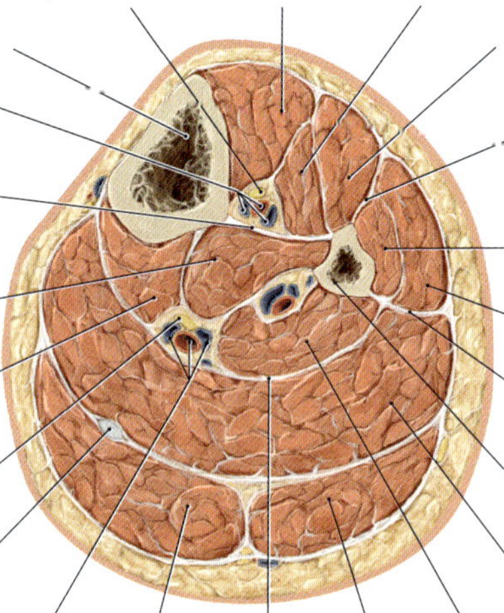

▶ **Abb. 10.53** Querschnitt durch einen rechten Unterschenkel (Ansicht von proximal). Gut zu erkennen ist die Muskelloge der tiefen Flexoren mit den darin liegenden Gefäßen, die durch die Fascia cruris profunda (tiefes Blatt) begrenzt wird. Insgesamt sind 4 deutlich abgrenzbare Kompartimente sichtbar, die durch die Fascia cruris (tiefes, oberflächliches Blatt), die Intermuskularsepten und die Membrana interossea miteinander in Verbindung stehen. Sie sind wenig dehnbar, weshalb z. B. bei lokalen Einblutungen und Ödemen insbesondere in der tiefen Flexoren- und Extensorenloge leicht ein Kompartment-Syndrom entstehen kann. Aus osteopathischer Sicht sind die faszialen Verbindungen, die Gefäße und ihre Lage im Unterschenkel für differenzierte Behandlungstechniken besonders interessant. (aus Schünke M, Schulte E, Schumacher U. Prometheus, LernAtlas der Anatomie. Allgemeine Anatomie und Bewegungssystem. Illustrationen von M. Voll und K. Wesker. 5., vollständig überarbeitete Auflage. Stuttgart: Thieme; 2018)

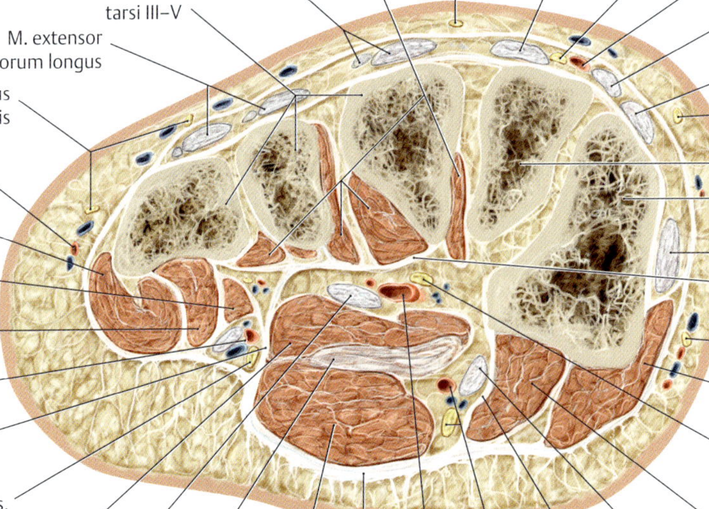

▶ **Abb. 10.54** Querschnitt durch einen rechten Fuß (Ansicht von distal). Gut sichtbar sind die Fascia plantaris und die Lage der tiefen Leitungsbahnen. Die Abbildung zeigt deutlich die Quergewölbekonstruktion. Eine verminderte bindegewebige Elastizität oder myofasziale Adhäsionen sind Indikationen für verschiedene osteopathische Techniken. (aus Schünke M, Schulte E, Schumacher U. Prometheus, LernAtlas der Anatomie. Allgemeine Anatomie und Bewegungssystem. Illustrationen von M. Voll und K. Wesker. 5., vollständig überarbeitete Auflage. Stuttgart: Thieme; 2018)

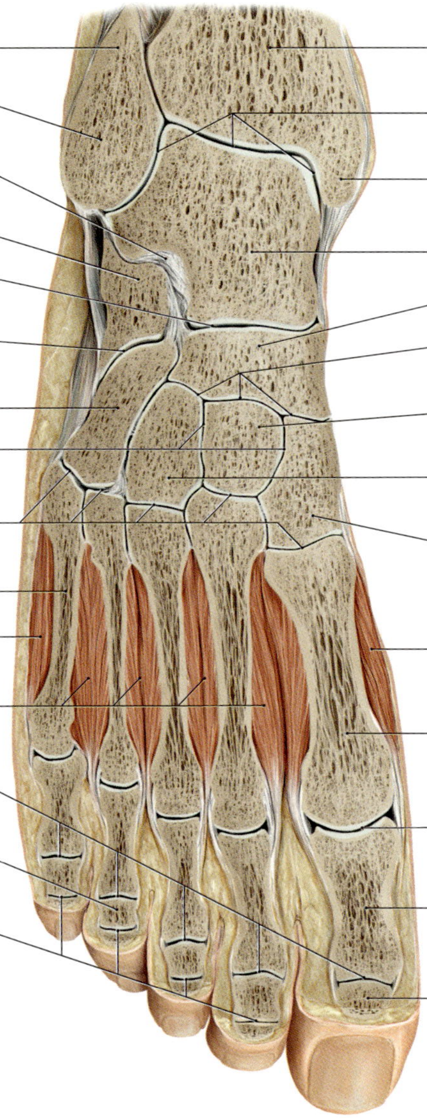

▸ **Abb. 10.55** Schräg verlaufender Transversalschnitt durch einen rechten Fuß (Ansicht von oben). Man erkennt die hohe Dichte an gelenkigen Verbindungen im Fußbereich. (aus Schünke M, Schulte E, Schumacher U. Prometheus, LernAtlas der Anatomie. Allgemeine Anatomie und Bewegungssystem. Illustrationen von M. Voll und K. Wesker. 5., vollständig überarbeitete Auflage. Stuttgart: Thieme; 2018)

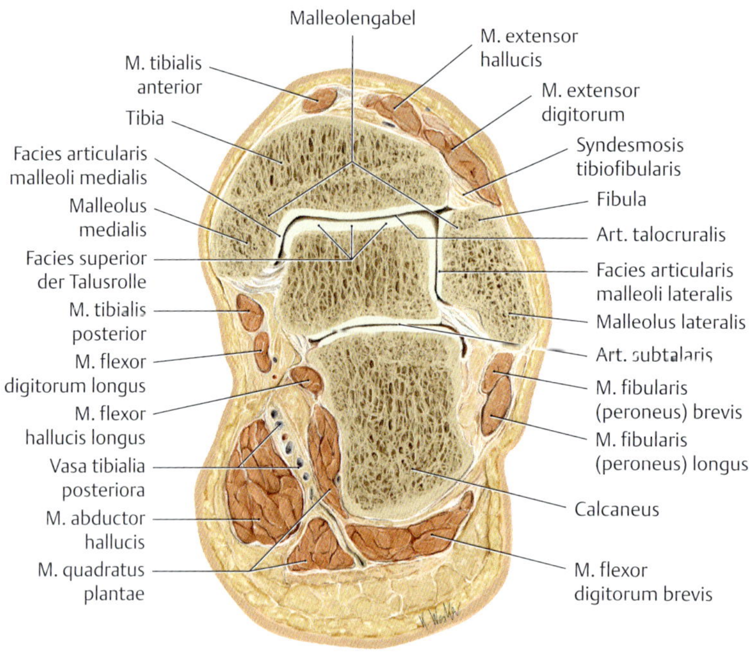

▸ **Abb. 10.56** Frontalschnitt durch das rechte obere und untere Sprunggelenk (Ansicht von proximal). Er veranschaulicht die Funktion des Talus als „Kraftverteiler". (aus Schünke M, Schulte E, Schumacher U. Prometheus, LernAtlas der Anatomie. Allgemeine Anatomie und Bewegungssystem. Illustrationen von M. Voll und K. Wesker. 5., vollständig überarbeitete Auflage. Stuttgart: Thieme; 2018)

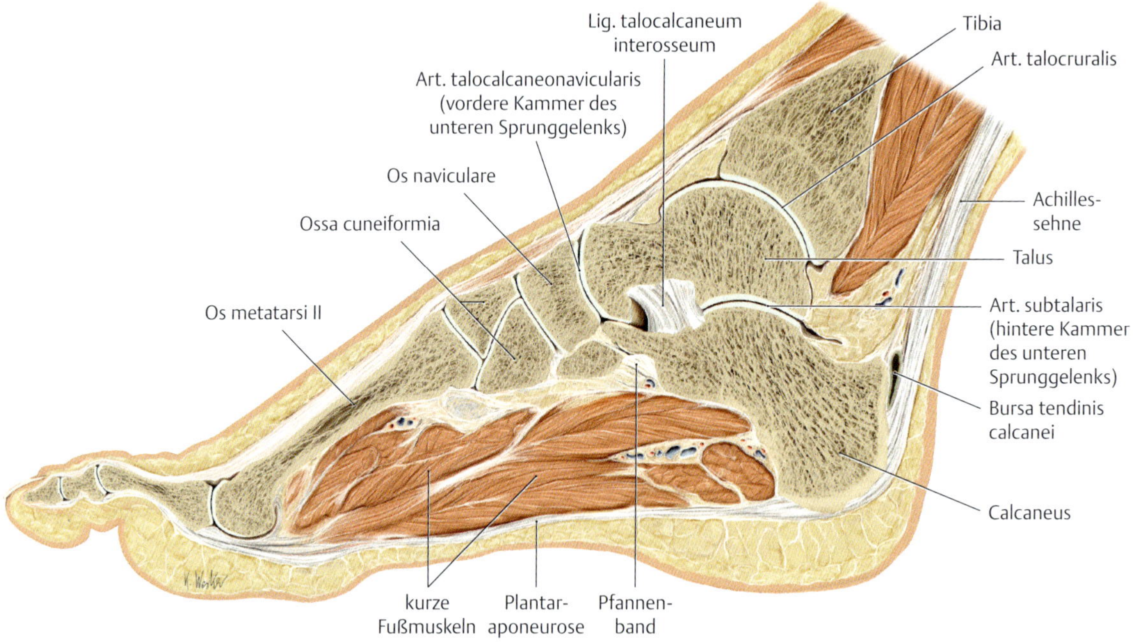

▸ **Abb. 10.57** Sagittalschnitt durch einen rechten Fuß auf Höhe des 2. Strahls (Ansicht von medial). Er zeigt die Anordnung der kurzen Fußmuskeln, die Lage des Talus mit seinen beiden Gelenkkammern im unteren Sprunggelenk und die Gelenkfläche zur Tibia sehr gut. Behandlungstechniken für den Talus sind von besonderer Bedeutung, da er die Gewichtskraft des Körpers auf den Vor- und Rückfuß verteilt und keine eigenen Muskelansätze hat. (aus Schünke M, Schulte E, Schumacher U. Prometheus, LernAtlas der Anatomie. Allgemeine Anatomie und Bewegungssystem. Illustrationen von M. Voll und K. Wesker. 5., vollständig überarbeitete Auflage. Stuttgart: Thieme; 2018)

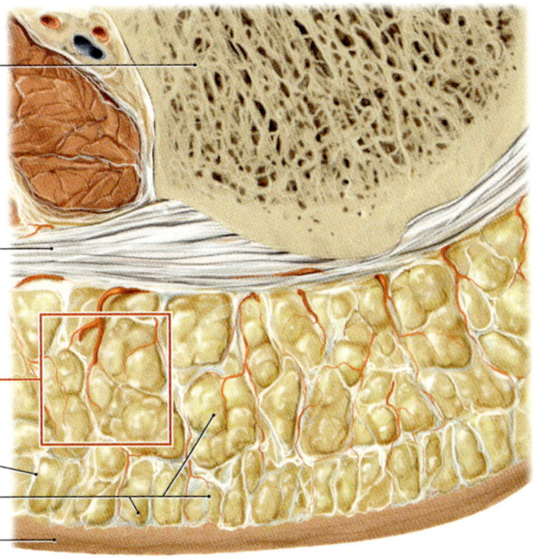

▸ **Abb. 10.58** Sagittalschnitt eines rechten Fußes (Ansicht von medial). Die massiven Druckkräfte im Bereich der Ferse werden durch ein besonderes differenziertes Fersenfettpolster aufgefangen: eine Konstruktion einzelner Druckkammern, die mit Fett gefüllt sind und zwischen Plantaraponeurose und Lederhaut verankert sind. Kollagenfasriges Bindegewebe umhüllt das fettreiche Bindegewebe und dient der Druckverteilung der auftretenden Kräfte in der Fußsohle beim Gehen und Stehen. Diese Fettpolster sind besonders ausgeprägt am Ballen und an der Ferse. Sie wirken auch als stabilisierender Stoßdämpfer und bilden eine funktionelle Einheit mit dem korrespondierenden myofaszialen System der unteren Extremität. (aus Schünke M, Schulte E, Schumacher U. Prometheus, LernAtlas der Anatomie. Allgemeine Anatomie und Bewegungssystem. Illustrationen von M. Voll und K. Wesker. 5., vollständig überarbeitete Auflage. Stuttgart: Thieme; 2018)

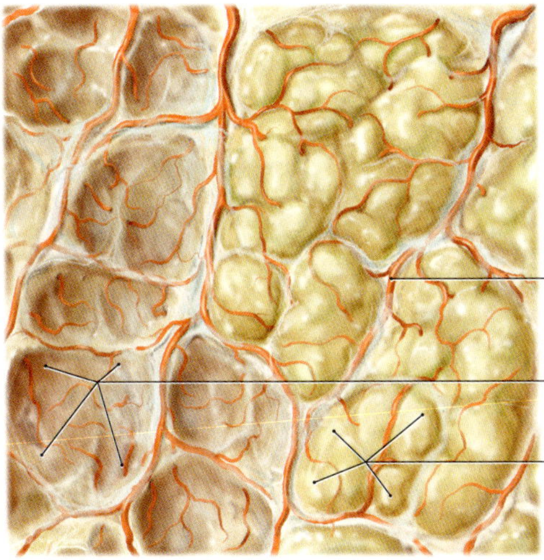

▸ **Abb. 10.59** Ausschnitt aus ▸ **Abb. 10.58**. Ein ausgeprägtes Kapillarnetz versorgt und stabilisiert diese Druckkammern. Aus osteopathischer Sicht ist u. a. die starke Durchblutung der Fußsohle von Bedeutung. Zirkulationsstörungen und degenerative Veränderungen im Bereich der Plantaraponeurose (z. B. Fersensporn) sind Indikationen für die Anwendung einer Vielzahl von Techniken. (aus Schünke M, Schulte E, Schumacher U. Prometheus, LernAtlas der Anatomie. Allgemeine Anatomie und Bewegungssystem. Illustrationen von M. Voll und K. Wesker. 5., vollständig überarbeitete Auflage. Stuttgart: Thieme; 2018)

11 Faszien

11.1 Faszien und Modelle der faszialen Verbindungen

11.1.1 Definition und Funktionalität

Faszien sind **spezialisiertes Bindegewebe** und ein integrativer Bestandteil des gesamten menschlichen Körpers. Es existieren zahlreiche Definitionen, was als Faszie zu bezeichnen ist. Grund dafür sind z. B. verschiedene mikroskopische und histologische Aspekte des Bindegewebes, die unterschiedliche Gewebedichte und die Faserausrichtung, die sich je nach regionaler Beanspruchung sehr verschieden darstellt. Es wird hier eine sehr **weit gefasste Definition** von Faszien bevorzugt, die sich in der einschlägigen Literatur wiederfindet. Demnach werden als Faszien zum einen alle Bindegewebe bezeichnet, die kollagene und elastische Fasern besitzen (Bänder, Sehnen, Retinacula, Membranen, Gelenkkapseln, Muskelhüllen, Organkapseln) und zum anderen Bindegewebe, das sich flächig mit festen oder zähelastischen Gewebeschichten darstellt, die „eigentlichen“ Faszien.

Das Fasziengewebe ist durch eine netzartige Struktur von **Kollagenfasern** gekennzeichnet, das u. a. **Zellen** wie Fibroblasten (für den Auf- und Abbau von Fasergewebe), Myofibroblasten (zur Regulation des Gewebetonus) und phagozytierende Zellen (Immunsystem) beinhaltet. Die **Grundsubstanz** ist wasserbindend und besteht u. a. aus Hyaluronsäure und Proteoglykanen. Das interstitielle Fasziengewebe ist ein wichtiges Transportsystem. Es ist stark wasserhaltig und wird als **extrazelluläre Matrix** bezeichnet. Sie kann die Diffusion von Stoffwechselprozessen beeinflussen und auf die Verbreitung von Krankheitserregern und karzinogenen Zellen einwirken.

Faszien fügen sich zu einem Netzwerk aus Bindegewebesträngen, -hüllen und -schichten zusammen. Dieses Netzwerk organisiert den Körper räumlich, also in verschiedenen Ebenen, hält ihn zusammen und macht ein verbindendes Gleiten möglich. Es kann als eigenständiges Organsystem betrachtet werden, das spezifische Funktionen besitzt und auch pathologischen Veränderungen erliegen kann. Die Fibrozyten produzieren je nach Zelltyp Kollagen bzw. Hyaluronsäure, die zum Aufbau der Matrix notwendig ist und das Gleiten möglich macht. Hyaluron bindet durch seine molekulare Struktur Gewebewasser.

Die wissenschaftliche Beweislage zur komplexen Funktionalität der Faszien steckt noch in den Anfängen. Es scheint, dass sich durch eine bestimmte Form von manueller Behandlung die Gleiteigenschaften von faszialen Strukturen verbessern bzw. regenerieren können. Daraus lassen sich aus den bisherigen Ergebnissen interessante Konsequenzen für das osteopathische Handeln ableiten.

Behandlungshinweise

Aus der Funktionalität und dem spezifischen Aufbau des Fasziennetzwerks ergeben sich Gleit- und Scherbewegungen als wesentliche Bewegungsform. Davon lassen sich die Behandlungsprinzipien für Faszien ableiten.

Grundsätzlich kann man unterscheiden, ob die Faszie durch die Behandlung direkt in die eingeschränkte Bewegungsrichtung (State of Bind) mobilisiert bzw. gedehnt wird (direkte Befreiung) oder durch die Behandlung in die freie Bewegungsrichtung (State of Ease) angenähert wird (indirekte Befreiung). Dabei soll eine dysfunktionale Afferenz bzw. Efferenz innerhalb der Faszie und ihrer korrespondierenden Gewebe durch Lagerung und Entspannung in eine funktionale Afferenz bzw. Efferenz umgewandelt werden. Eine Behandlungsform, die beide Prinzipien vereinigt, wird als kombinierte Befreiungstechnik bezeichnet.

Direkte Techniken sind z. B.

- Mobilisationstechniken, die direkt in die eingeschränkte Bewegungsrichtung der Faszie gehen
- Druckpunkt-Techniken, die eine Querfriktion innerhalb des Fasziengewebes bewirken
- Druckpunkt-Techniken, die durch anhaltenden Druck ein Schmelzen der Gewebeadhäsion erreichen
- Dehnungs- und Gleittechniken, durch welche die Faszie an 2 Punkten unter Längszug gebracht wird

Diese Techniken können z. B. durch Triggerpunktbehandlung, MET, Lagerung des Patienten, Kompression-, Traktionstechniken im Gewebe, Koordination mit der Atmung oder zielgerichtete Bewegung der Augen verstärkt werden (Enhancer).

Indirekte Techniken sind z. B.

- Lagerungseinstellung des Patienten und Einstellung der Faszie, bis sich das Fasziengewebe mit seinen korrespondierenden Strukturen am State of Ease befindet (Pain Positional Release). Als Kontrollpunkt kann ein schmerzhafter Tenderpoint ausgewählt werden, der sich durch die Positionierung nicht mehr schmerzhaft zeigt.
- Lagerungseinstellung des Patienten und Einstellung der Faszie, bis sich das Fasziengewebe mit seinen korrespondierenden Strukturen am State of Ease befindet, aber bei welcher der Therapeut über den Tastbefund die Position festlegt (Positional Release).
- Der Therapeut nimmt Kontakt mit der Faszie auf und folgt der Faszienbewegung, bis der Still-Point, also der Punkt der geringsten Spannung, gefunden ist (Dynamic Release).

Diese Techniken können z. B. durch Kompression, Traktion, Stapeln von Bewegungsrichtungen (Stacking), Lagerung oder Koordination mit der Atmung verstärkt werden (Enhancer).

11.1.2 Strukturelle Verschiedenheiten von Faszien

Topografische und mechanische Aspekte

Faszien können Spannungen übertragen sowie Gleit- und Scherbewegungen zwischen Körperabschnitten und Organen ermöglichen. Topografisch können sie umhüllen, unterteilen, verbinden, halten, formen, stabilisieren, Gleitflächen bieten und damit Bewegung ermöglichen. Sie reichen von der Oberfläche des Körpers und durchdringen ihn bis in die Tiefe.

Die Fascia superficialis ist z. B. die Faszie, die unter der Haut den Körper umgibt. Im Bereich der unteren Extremität wird z. B. der Tractus iliotibialis als besondere verdichtete Struktur der oberflächlichen Fascia lata bezeichnet. Im ZNS werden fasziale Strukturen, die ebenfalls ein Kontinuum sind, als Dura mater encephali oder im Bereich des Rückenmarks als Dura mater spinalis bezeichnet. Im Thorax finden sich die endothorakalen Faszien, z. B. Fascia endothoracica, Pleura parietalis und visceralis, Perikard und Pleura mediastinalis, die das Mediastinum als medianen Raum in der Brusthöhle begrenzt.

Im Bauchraum bezeichnet man fasziale Strukturen z. B. als Peritoneum parietale und viscerale oder Omentum majus, kleine Verschiebetaschen als Recessus oder als Ligament (z. B. Lig. suspensorium duodeni = Treitz-Band). Mit Ligament ist hier ein viszerales Ligament gemeint, das strukturell als kompaktes Gewebe der Organfaszie zu verstehen ist, das unregelmäßig und geflechtartig in Erscheinung tritt. Es lässt sich im Vergleich zu den skelettalen Bändern nicht so eindeutig vom umgebenen Gewebe abgrenzen. Die Aufgabe der viszeralen Bänder besteht z. B. darin, Gefäße und Nerven zu den Organen zu lenken oder aber ein Organ zu verankern. Als Septum bezeichnet man fasziale Strukturen, die wie eine Trenn- oder Scheidewand Gewebe voneinander abgrenzen, z. B. das Septum intermusculare oder das Kammerseptum des Herzens. Das Epineurium ist eine fasziale Struktur, die den peripheren Nerv umgibt. Bei Muskeln findet sich unter der eigentlichen oberflächlichen Muskelfaszie das Epimysium, eine von zahlreichen faszialen Strukturen im Muskelgewebe. In den Gelenkregionen gibt es fasziale Strukturen in Form von Gelenkkapseln, Bändern, Retinacula und Sehnenansätzen. Im Bereich der Gefäße ist z. B. die Tunica externa eine fasziale Struktur.

All diese Einzelbezeichnungen benennen regionale Ausprägungen des Fasziennetzwerks, das je nach mechanischer Druck- und Zugbelastung unterschiedlich ausgeprägt ist.

Immunologische Aspekte

Die trennende Funktion von Faszien (z. B. durch intermuskuläre Septen, Membranen) ist eine wichtige Schutzfunktion, damit z. B. Infektionserreger an der Ausbreitung gehindert werden. Phagozytierende Zellen im Fasziennetzwerk weisen auf die immunologische Funktion der Faszien hin. Die extrazelluläre Matrix kann die Diffusion von Stoffwechselprozessen beeinflussen und auf die Verbreitung von Krankheitserregern und karzinogenen Zellen einwirken.

Neurophysiologische Aspekte

Ergänzend zu den mechanischen Fähigkeiten sind die propriozeptiven Eigenschaften des Fasziennetzes ein besonderes Potenzial. Neben den myelinisierten Nervenendigungen (Golgi-, Pacini-, Ruffini-Körperchen) befinden sich dort auch zahlreiche freie Nervenendigungen, v. a. im viszeralen Bindegewebe, im Periost und in den Endomysien. Die Mechanorezeptoren reagieren auf Druck-, Zugbelastungen und auf Bewegung. Folglich sind sensomotorische Funktionsweisen im Bereich der Faszien ein wichtiger Aspekt. Aber auch Nozizeption (Schmerzwahrnehmung) über die Faszien scheint möglich zu sein, ebenso die Interozeption (unbewusst ablaufende Übermittlung von Signalen aus den inneren Organen an die Inselregion des Gehirns, wobei emotionale Aspekte, z. B. Stress, Traumata, mit einfließen). Damit besteht eine direkte Verbindung zum vegetativen Nervensystem. Verändert sich das Fasziengewebe z. B. durch Entzündungsprozesse, kann sich das z. B. als Schmerz, Gewebeadhäsion oder gestörte sensible Wahrnehmung auswirken. Diese neurophysiologische Verknüpfung kann damit einen Einfluss auf die Posturologie des Körpers (unbewusstes sensomotorisches Haltungssystem) haben.

Eine verminderte Bewegung kann die Qualität der faszialen Gleiteigenschaften negativ beeinflussen. Das von den Fibrozyten produzierte Kollagen scheint unter Bewegungsmangel zur Verdichtung der Faszienstruktur zu führen. Die Gleiteigenschaften vermindern sich. Es kann zum Funktionsverlust der faszialen Struktur und damit zur Versteifung kommen.

11.1.3 Diaphragmen und ihre Bedeutung im Fasziensystem

Diaphragmen mit respiratorischer Wirkung sind aus schulmedizinischer Sicht Diaphragma abdominale, Diaphragma pelvis und Diaphragma urogenitale. Sie gewährleisten durch ihre Kontraktionsfähigkeit die Volumenveränderung im Thorax und Abdomen und sind maßgeblich für den Respirationsmechanismus (Ein- und Ausatmung) verantwortlich und wirken als venolymphatische Pumpe.

Im osteopathischen Sinn spricht man auch von funktionell-osteopathischen Diaphragmen. Sie dienen neben den genannten Funktionen den auf- und absteigenden Faszienketten sowohl zur Aufhängung als auch als Kreuzungspunkt, Stabilisator und/oder auch zur Umlenkung. Es finden sich verschiedene Einteilungen der Diaphragmen. J.E. Upledger sieht **5 Diaphragmen** vor (▶ **Abb. 11.1**):

- Tentorium cerebelli in Verbindung mit der Falx cerebri und der Falx cerebelli
- zervikothorakales Diaphragma (obere Thoraxapertur)
- Diaphragma abdominale
- Diaphragma pelvis und Diaphragma urogenitale
- Fascia plantaris

Diaphragmen sind durch einen **horizontalen Verlauf** gekennzeichnet. Verschiedenste Strukturen (z. B. Gefäße, Nerven) treten durch die Diaphragmen hindurch. Die qualitativen Bewegungseigenschaften der Diaphragmen sind geprägt durch Elastizität, Kontraktion und Dekontraktion. Sie ermöglichen eine sich der Belastung anpassende rhythmisch-harmonische Bewegung und gewährleisten damit eine barrierefreie Zirkulation der Körperflüssigkeiten.

Funktionen der Diaphragmen:

- dienen als Pufferzonen im Sinne der Körperstatik
- trennen und verbinden zeitgleich die Längsstrukturen (Faszien) des Körpers
- unterstützen die Zirkulation der interstitiellen Flüssigkeiten des Körpers
- wirken als zentrale venolymphatische Pumpe
- beeinflussen durch ihre Bewegung die Druckverhältnisse im Körper und können hier ausgleichend wirken
- trennen Körperregionen und -räume voneinander ab
- sind Stütz- und Aufhängevorrichtung für die Organe

In diesem Buch wird ein Modell bevorzugt, das **4 wesentliche transversale Strukturen** beschreibt: OAA-Komplex, zervikothorakales Diaphragma, Diaphragma abdominale, Diaphragma pelvis und urogenitale. Dabei ist die OAA-Region mehr als funktionell osteopathisches Diaphragma zu sehen, die anderen Diaphragmen werden aus anatomischer Sicht als respiratorisch relevante Diaphragmen verstanden.

- **OAA-Komplex** (Kap. 4): Dieser ist über die Kopfgelenke und die subokzipitale Muskulatur reichhaltig mit Propriozeptoren bestückt. Er ist für den Körper funktionell für eine schnelle neuronale Verschaltung zu Gleichgewichtssinn, Hörorgan und Augenmuskeln wichtig, weil Orientierung im Raum, schnelle Reaktionsfähigkeit und Posturologie existenziell notwendig sind.
- **zervikothorakales Diaphragma** (Kap. 1): Es besteht aus v.a. longitudinal verlaufenden Faszien und ihren Korrespondenzen zum vegetativen Nervensystem (Truncus sympathicus, N. vagus), spinalen Nervensystem. Verbindungen zum Kranium sind für diesen Bereich charakteristisch. Die Verbindungen über das zervikothorakale Diaphragma zur oberen Extremität und das fasziale Kontinuum nach kaudal über Thoraxfaszien, Fascia transversalis und Peritoneum zum kleinen Becken bis zur unteren Extremität der Fascia lata zeigen die Komplexität von Einflüssen, die auf das zervikothorakale Diaphragma einwirken können und die dieses wiederum auf korrespondierende Strukturen hat.
- **Diaphragma abdominale** (Kap. 2): Es ist durch eine hohe Beweglichkeit und Elastizität gekennzeichnet. Es ist Garant für die Atembewegung und entscheidend an den wechselnden Druckverhältnissen zwischen Brust- und Bauchraum beteiligt. Es ist als Druck- und Sogpumpe Motor der hämodynamischen Zirkulation und unterstützt die Mobilität der korrespondierenden Organe. In Kooperation mit dem Beckenboden und den Muskeln der Bauchwand bildet es eine Funktionseinheit für die Körperstabilität.
- **Diaphragma pelvis** und **Diaphragma urogenitale** (Kap. 3): Sie bilden die Unterstützungsfläche der Organe im kleinen Becken. Elastische und muskuläre Eigenschaften machen es beim Druckaufbau im Abdomen mit dem Diaphragma abdominale zum funktionellen Partner. Direkte Verbindungen bestehen über Os coccygis und Sakrum zum kranialen System. Kräfte werden von der unteren Extremität und ebenso auf diese weitergeleitet. Das ist für die Posturalität und die Körperbewegung wichtig.

Zusätzlich sind Diaphragmen funktionell wichtige Aufhänge- und Umlenkstrukturen für das Fasziennetzwerk und insbesondere für longitudinal verlaufende Faszienstrukturen.

Behandlungshinweise

Das Listening kann als Untersuchungsmethode angewendet werden, um Dysfunktionen der Diaphragmen feststellen zu können. Behandlungstechniken wie Recoil und faszialer Release sind nur eine Auswahl von zahlreichen Behandlungstechniken.

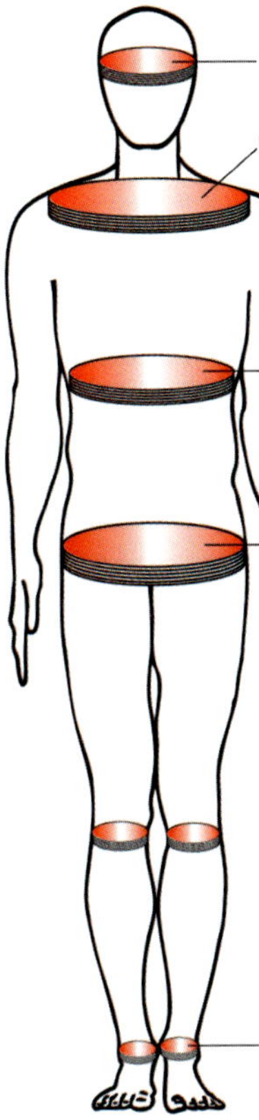

▶ **Abb. 11.1** Die 5 Diaphragmen. (aus Strunk A. Fasziale Osteopathie. 3. Aufl. Stuttgart: Haug; 2021)

11.1.4 Zentralsehne

Die Zentralsehne (▶ Abb. 11.4) ist ein Modell einer Faszienkette im Inneren des Körpers, die sich in der Region der Medianlinie befindet. Sie stellt den myofaszialen Einfluss auf die Posturologie des Körpers dar. Diese funktionelle Aneinanderreihung von myofaszialen Strukturen reicht von den intrakranialen Strukturen bis zur unteren Extremität. Der Punkt, über den der Körper ausbalanciert wird, ist der 9. Brustwirbel. Er soll u. a. Schlüsselpunkt für die Wirbelsäulenkrümmungen sein, der zentrale Punkt, an dem die Schwerkraft über die viszeralen und parietalen Strukturen nach kaudal wirkt, und ein wichtiger Fixpunkt für die Atembewegung des Diaphragma abdominale.

Falx cerebri und Falx cerebelli

Die Falx cerebri ist eine anteroposteriore Verstärkung der Dura mater encephali (▶ Abb. 11.2). Von der Crista galli des Os ethmoidale und der Crista frontalis des Os frontale verläuft sie über die Sutura metopica und über die Sutura sagittalis bis zum Inion. Hier geht sie in die Falx cerebelli über und endet am Foramen magnum. Am Inion bildet sie das Tentorium aus, das über Os occipitale, Os parietale und Os temporale bis zum Os sphenoidale reicht.

Basis cranii externa, Tuberculum pharyngeum, Pars petrosa, Proc. pterygoideus

Die Zentralsehne setzt sich mit dem extrakranialen Anteil fort. An der Basis cranii externa (kaudaler Anteil der Synchondrosis sphenobasilaris [SSB]) ist die Raphe pharyngis (Aufhängung des Pharynx) befestigt. Sie ist bogenförmig wie ein horizontal liegendes „C" aufgehängt. Die Öffnung zeigt nach anterior. Die c-förmige Aufhängung reicht von der Pars basilaris (Tuberculum pharyngeum ossis occipitalis) über die beiden Partes petrosae des Os temporale (hier Kreuzungspunkt mit knorpeligem Anteil der Tuba auditiva) bis zu den Procc. pterygoidei des Os sphenoidale.

Pharynx, Mandibula, Os hyoideum, Larynx

Die laterale, ventrale Befestigung des Pharynx (▶ Abb. 11.3) verläuft

- lateral vom Proc. pterygoideus des Os sphenoidale über die Raphe pterygomandibularis (Lig. sphenomandibulare) zur Mandibula
- lateral bzw. ventral über das Lig. stylohyoideum zum Cornu minus des Os hyoideum, dann ringförmig zum Cornu majus des Os hyoideum
- ventral vom Tuberculum thyroideum superius der Cartilago thyroidea zur Linea obliqua und von dort weiter zum Tuberculum thyroideum inferius bis hinunter zur Cartilago cricoidea

Die horizontale Ausrichtung des Kopfes ist für die sensomotorische Funktionalität der Vestibularorgane und der Sehachse der Augen bedeutend. Die Beziehung der Zentralsehne zum Os hyoideum weist auf diesen funktionellen Zusammenhang hin. Ziel ist, dass im Sinne der Posturologie Zungenbein, Schultergürtel und Kiefergelenk horizontal ausgerichtet sind.

Fasziale Korrespondenzen des Pharynx:

- Fascia buccopharyngea: umkleidet die Pharynxmuskulatur von außen; reicht vom M. buccinator (Wangenmuskel mit Bezug zur Raphe pterygomandibularis) über den oberen Schlundschnürer (M. constrictor pharyngis superior) bis zum Gaumensegel und Pharynx
- Fascia pharyngobasilaris: bedeckt die Innenseite der Pharynxmuskulatur und ist damit der anteriore Anteil der Pars profunda der Halsfaszien
- Fascia praetrachealis, Fascia thyroidea: gehören zur Pars media der Faszien im Halsbereich
- Karotisloge

Osteopathische Korrespondenzen

Falx cerebri und Falx cerebelli sind Bestandteile des intrakranialen Membransystems. Sie bilden als Duplikaturen der Dura mater Hohlräume, in denen die venösen Blutleiter verlaufen. Sowohl das intra- und extrakraniale als auch das intra- und extravertebrale Venensystem verfügen über keine Klappen. Der venöse Blutstrom ist daher von Gefäßlumen, Schwerkraft, Körperposition und Körperbewegung abhängig.

Das Os hyoideum hat keinen knöchernen Gelenkpartner und ist über die Halsfaszien bzw. die supra- und infrahyoidale Muskulatur elastisch aufgehängt (Kap. 1.3.2). Über das Lig. stylohyoideum besteht eine Bandaufhängung, die das Zungenbein direkt mit dem Os temporale verbindet. Verbindungen zur Schilddrüse bestehen über die Membrana thyreoidea und das Lig. thyreohyoideum. Dies lässt dem Zungenbein genügend Mobilität beim Schluckakt und begrenzt funktionell das kaudale Gleiten des Zungenbeins. Die komplexe fasziale, ligamentäre und muskuläre Einbindung des Zungenbeins zu Mandibula, Schulterblatt und Sternum (Kap. 1.3.2) kann leicht zu Dysfunktionen bei Spannungsänderungen in den korrespondierenden Geweben führen.

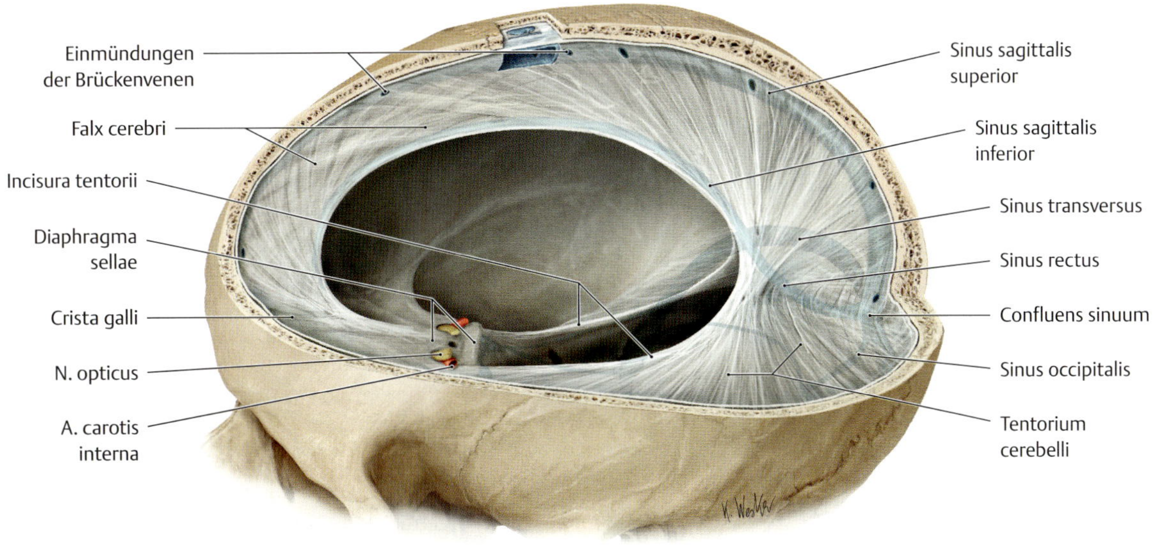

▶ **Abb. 11.2** Durasepten bzw. Hirnmembranen. (aus Schünke M, Schulte E, Schumacher U. Prometheus, LernAtlas der Anatomie. Kopf, Hals und Neuroanatomie. Illustrationen von M. Voll und K. Wesker. 5. Auflage. Stuttgart: Thieme; 2018)

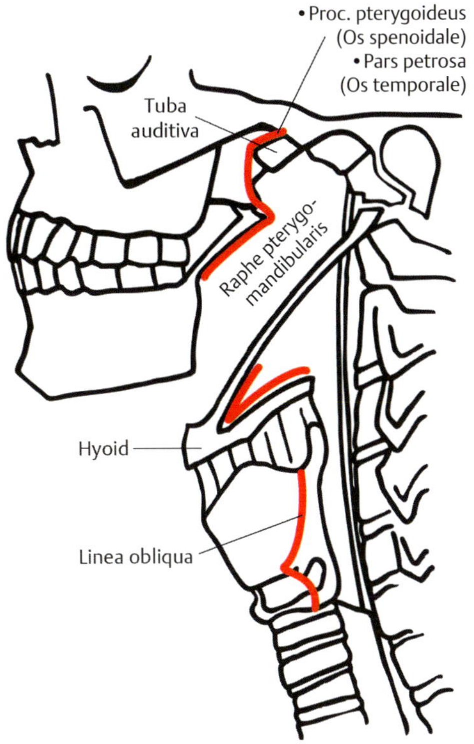

▶ **Abb. 11.3** Kraniale Aufhängung der Zentralsehne an der Schädelbasis und ihr Verlauf im Pharynx. (aus Strunk A. Fasziale Osteopathie. 3. Aufl. Stuttgart: Haug; 2021)

C6/C7, Klavikula, Pleurakuppel, Ligg. suspensoria pleurae, Sibson-Faszie

Etwa auf Höhe von C6/C7 geht der Pharynx in den Ösophagus über. Hier befindet sich auch die Aufhängung der Pleurakuppel mit den Ligg. suspensoria pleurae. Diese sind mit der Sibson-Faszie verbunden, einer Verdichtung der Fascia endothoracica mit der Pleura parietalis im Bereich der oberen Thoraxapertur. Die Klavikula ist hier faszial eingebunden.

Mediastinum, Sternum, Wirbelsäule

Die Fascia endothoracica als Fortsetzung aus der Pleurakuppel bildet u. a. den ventralen und dorsalen Anteil des Mediastinums. Die laterale Begrenzung des Mediastinums wird von der Pleura parietalis gebildet, die sich hier Pleura mediastinalis nennt. Das Mediastinum geht in das Diaphragma abdominale über. Die ventrale knöcherne Begrenzung des Mediastinums ist das Sternum. Dorsal ist es die Brustwirbelsäule.

Diaphragma abdominale, Crura diaphragmatica, Peritoneum

Das Diaphragma abdominale ist ringförmig am Sternum, an den unteren Rippen und mit 2 ligamentären Ausläufern am thorakolumbalen Übergang der Wirbelsäule befestigt. Die ligamentären Ausläufer reichen links (Crus diaphragmaticum sinistrum) ventral bis an den Wirbelkörper von L1–L2 (L3), rechts (Crus diaphragmaticum dextrum) bis L3 (L4).

Die Crura des Diaphragma abdominale setzen sich kontinuierlich beidseits in die Faszie des M. psoas major fort. Über den Zusammenschluss von M. iliacus und M. psoas major geht die Verbindung weiter über die gemeinsame Fascia iliaca. Die Fascia iliaca steht mit den Faszien des Beckens in Verbindung und wird nach der Passage unter dem Lig. inguinale als Fascia iliopsoica bezeichnet. Dieser Verlauf verdeutlicht die Kontinuität der faszialen Loge des M. psoas major, die bis zum Trochanter minor des Femurs reicht.

Über die Verbindung vom Diaphragma abdominale zum Peritoneum zeigt sich ein weiterer kontinuierlicher faszialer Verlauf zum Becken. Das Peritoneum ist eine große fasziale Hülle, die durch Omenta, Mesenterien, Ligamente und Recessus verschiedenste Gleitschichten und -spalten bildet. Es reicht bis zum Becken an den subperitonealen Raum heran. Das Peritoneum und die fasziale Ummantelung des M. psoas major stehen in enger Verbindung miteinander.

Faszien des Beckenbodens

Das Diaphragma pelvis (bestehend aus Fascia diaphragmatica pelvis superior und inferior) schließt sich dem subperitonealen Raum nach kaudal an. Die Fascia diaphragmatica urogenitalis superior bedeckt den M. transversus perinei profundus, die Fascia diaphragmatica urogenitalis inferior den M. transversus perinei profundus. Die Fascia perinei superficialis und die Fascia lata schließen gemeinsam den kaudalen Bereich des Beckens nach außen ab.

Adduktorenkanal, tiefe Flexorenloge

Vom Becken aus zieht der Adduktorenkanal zur Fascia poplitea. Hier setzen sich fasziale Strukturen als Loge der Beugemuskulatur des Fußes fort. Diese Loge kann durch den Verlauf der Fascia cruris profunda in eine oberflächliche und tiefe Loge unterteilt werden.

In der tiefen Loge verlaufen M. flexor digitorum longus, M. flexor hallucis longus und M. tibialis posterior. Die Faszie des M. flexorum digitorum ist nach kranial die kontinuierliche Fortsetzung zum Adduktorenkanal.

Lig. deltoideum, Plantarfaszie

Kaudal zieht der M. flexorum digitorum mit seinem Sehnenverlauf über das Lig. deltoideum (Lig. von Farabeuf). Hier verdichten sich die verschiedenen Faszienanteile und reichen mit ihren Ausläufern bis in die Plantarfaszie. Dort endet die Zentralsehne und zeigt über ihren Verlauf die Bedeutung für die Posturologie.

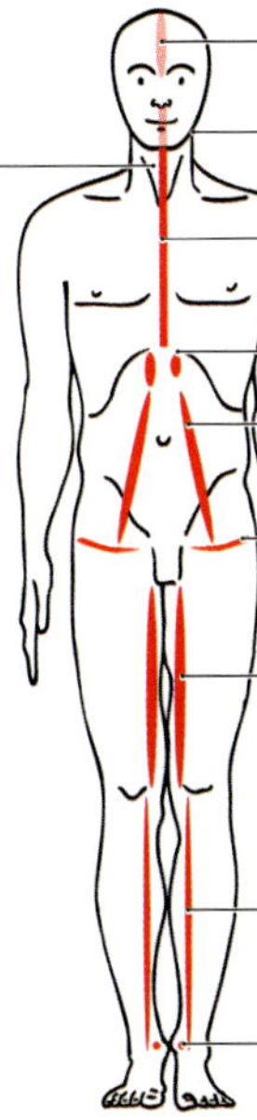

▶ **Abb. 11.4** Verlauf der Zentralsehne. (aus Strunk A. Fasziale Osteopathie. 3. Aufl. Stuttgart: Haug; 2021)

11.1.5 Bogensehne

Die Bogensehne (► Abb. 11.5) ist eine ventrale fasziale Verbindungslinie. Zum einen kann sie die Extensionsbewegung des Rumpfes durch die Rückenmuskulatur abbremsen, zum anderen ist sie eine frontale Verbindungslinie der Diaphragmen untereinander.

Fascia masseterica

Die Fascia masseterica bedeckt den M. masseter. Sie zieht vom Arcus zygomaticus (Os temporale) zum Os zygomaticum, zum Proc. frontalis maxillae und setzt an der Mandibula an. Lateral bildet sie eine kontinuierliche Fortsetzung in die Fascia parotidea. Kaudal geht sie in die Fascia colli (cervicalis) superficialis über.

Fascia colli (cervicalis) superficialis und media

Die Fascia colli (cervicalis) superficialis verläuft ventral von der Mandibula über das Os hyoideum zur Clavicula und zum Manubrium sterni. Sie verbindet sich dorsal mit der Fascia nuchae. Kaudal setzt sie sich in der Fascia pectoralis fort.

Die Fascia colli (cervicalis) media hat die Form eines Dreiecks und verbindet Fascia cervicalis superficialis und profunda. Sie zieht vom Os hyoideum über den M. omohyoideus zur Clavicula (sternaler Teil) und zum Manubrium sterni. Die Fascia endothoracica ist die kaudale Fortsetzung.

Obere Thoraxapertur, Pleurakuppel

Das Diaphragma zervicothoracale befindet sich auf Höhe der oberen Thoraxapertur. Es wird aus der Verdichtung der Fascia endothoracica und der Pleura parietalis (Membrana suprapleuralis oder Sibson-Faszie) gebildet. Zusammen bilden sie die Pleurakuppel. Diese steht mit den Ligg. suspensoria pleuralia in Verbindung. Diese Ligamente sind Aufhängebänder der Pleurakuppel und setzen an der HWS (Wirbelkörper und Querfortsatz), der 1. Rippe und der Clavicula an. Die Fascia endothoracica verschmilzt nahtlos mit der mittleren und tiefen Halsfaszie.

Mediastinum, Perikard

Die Fascia endothoracica begrenzt ventral und dorsal einen Teil des Mediastinums. Kaudal setzt sie sich, durch das Diaphragma abdominale getrennt, in die Fascia abdominalis interna oder auch Fascia transversalis fort. Das Mediastinum wird lateral von Anteilen der Pleura parietale gebildet. Es enthält das vom Perikard umgebene Herz. Das Perikard ist über Bänder mit der Wirbelsäule (Lig. vertebropericardium) und dem Sternum (Ligg. sternopericardia superius und inferius) verbunden. Der kaudale Anteil des Perikards ist fest mit seinem fibrösen Anteil am Centrum tendineum des Diaphragma abdominale verwachsen.

Lig. coronarium, Lig. falciforme hepatis

Verstärkte Faserzüge des Perikards enden am Diaphragma abdominale. Kaudal des Diaphragma abdominale setzen an dieser Stelle Lig. coronarium und Lig. falciforme hepatis an, welche die Leber fixieren. Damit korrespondieren ligamentäre Strukturen des Perikards über das Diaphragma abdominale mit den ligamentären Strukturen der Leber.

Lig. teres hepatis, Linea alba, Umbilicus

Das Lig. falciforme setzt sich in das Lig. teres hepatis fort und steht mit der Linea alba des Oberbauchs in Verbindung. Am Umbilicus vereinigen sich die Strukturen.

Umbilicus, Lig. umbilicale medianum, Delbet-Faszie

Die Bogensehne setzt sich über die Plica mediana (Lig. umbilicale medianum) fort. Das Ligament verläuft kaudal des Umbilicus und geht in die Fascia vesicoumbilicalis über, die sich kontinuierlich in die Faszie von Delbet (anteroposteriorer Verlauf der Fascia pelvis) fortsetzt.

In der Literatur existieren Ausführungen zur Bogensehne, die Tractus iliotibialis und Membrana interossea cruris mit einbeziehen.

Osteopathische Korrespondenzen

Die Bogensehne stellt u.a. das Kontinuum von der Fascia masseterica und der Fascia cervicalis über das zervikothorakale Diaphragma zum Mediastinum dar. Das bedeutet, dass das Mediastinum lückenlos mit dem faszialen Gewebe im Halsbereich zusammenhängt. Das Mediastinum muss für die Funktionalität seiner verbindenden faszialen Kompaktheit ein großes Maß an Mobilität besitzen, um die Organen Lunge, Herz, Ösophagus und Thymus sowie Nerven und zirkulatorischen Strukturen in ihrer Funktion zu unterstützen. Spannungen aus dem Bereich des Kiefergelenks und seinen umgebenden Strukturen können sich z. B. nicht nur auf das Kranium übertragen, sondern sich auch über die Halsfaszien nach kaudal auswirken.

Die strukturelle Komplexität des Mediastinum bedeutet damit gleichzeitig auch die Anfälligkeit für Dysfunktionen. Es beherbergt den Thymus im superioren Bereich. Dieses Organ steuert im Wachstumsalter die zelluläre Immunität. Im inferioren Anteil des Mediastinums liegt das Herz mit seinen perikardialen Aufhängungen (Kap. 1.4.6). Die kaudalen fibrösen Anteile des Perikards strahlen in das Centrum tendineum des Zwerchfells ein und bilden mit dem kaudal liegenden Lig. coronarium ein Kontinuum, das sich bis zur Delbet-Faszie fortsetzt. Durch die Lungenbewegung sind Trachea und Ösophagus unter Spannung, die longitudinal verläuft und sich auf das Zwerchfell und die Faszien des Abdomens auswirken kann. Der Durchtritt vom Ösophagus durch das Zwerchfell hat eine elastische Membran. Diese ermöglicht die funktionelle Längsspannung und Muskelbewegungen der Speiseröhre. Dieser Längszug wirkt auch nach kranial zur Aufhängung von Pharynx und Fascia masseterica. Als bindegewebiger Passageraum sind das superiore und das inferiore Mediastinum wichtig für Gefäße und Nerven, die nach kaudal in den Bauchraum ziehen bzw. nach kranial in den Hals- und Kopfbereich. Die Aorta zieht aus dem Herzbeutel bogenförmig nach dorsal in das hintere Mediastinum und verläuft dann auf Höhe des 4. Brustwirbels kaudal in Richtung Diaphragma abdominale zum Hiatus aorticus. Dort tritt auch der Ductus thoracicus durch. Gefäßabgänge vom Aortenbogen sind Truncus brachiochephalicus, A. subclavia und A. carotis communis links. Vv. brachiocephalicae bilden auf Höhe der ersten Rippe die V. cava superior. Diese nimmt aus dem hinteren Mediastinum die V. azygos auf und zieht weiter in den Herzbeutel. Der Ductus thoracicus mündet im linken Venenwinkel und speist dort die Lymphe ein. Die V. cava inferior tritt durch das Foramen v. cavae in den Thorax ein und zieht dann zum rechten Vorhof des Herzens, kurz vorher besteht eine Anastomose zur V. azygos. Kurz vor dem Zwerchfelldurchtritt nimmt die V. cava inferior das von der Leber kommende venöse Blut der unpaarigen Bauchorgane auf (Lebervenenstern, bestehend aus Vv. hepaticae sinistra, intermedia und dextra).

Der N. vagus tritt durch das Foramen jugulare, zieht nach kaudal durch die Halsfaszien (Vagina carotica) und tritt durch die obere Thoraxapertur rechts zwischen V. brachiocephalica und A. subclavia, links zwischen V. brachiocephalica und Aortenbogen. Er bildet ein Nervengeflecht um den Ösophagus, gibt als Ast den N. laryngeus superior und N. laryngeus recurrens aufsteigend zum Kehlkopf ab. Weitere Äste vom N. vagus versorgen Trachea, Lunge, Ösophagus und Perikard. Der N. vagus zieht weiter mit dem Ösophagus nach kaudal durch den Hiatus oesophageus ins Abdomen. Bei einem Überdruck im Abdomen, z. B. durch Schwangerschaft, können Hernien entstehen.

Der N. phrenicus (C3–C5) verläuft vor dem M. scalenus anterior und hinter dem M. sternocleidomastoideus und tritt mit der V. subclavia in die obere Thoraxapertur ein. Er läuft dann aber im Vergleich zum N. vagus weiter ventral vor der Lungenwurzel weiter kaudal zum Zwerchell und gibt auf diesem Weg sensible Äste zu Perikard und Pleura mediastinalis ab.

Der Truncus sympathicus befindet sich außerhalb des hinteren Mediastinums und ist von der Fascia endothoracica und der Pleura parietale bedeckt, gibt aber als Äste Nn. splanchnici major und minor zwischen Th5 und Th11 in das hintere Mediastinum ab. Diese treten dann mit V. azygos und V. hemiazygos durch das Zwerchfell.

Behandlungshinweise

Osteopathische Behandlungstechniken, welche die Längsspannung des Ösophagus harmonisieren, können bei Zwerchfellhernien sinnvoll eingesetzt werden. Sie können auch bei myofaszialen Adhäsionen im Bereich des ligamentären Kontinuums (Lig. falciforme hepatis, Lig. teres hepatis), das mit der Faszie von Delbet in Verbindung steht, hilfreich sein.

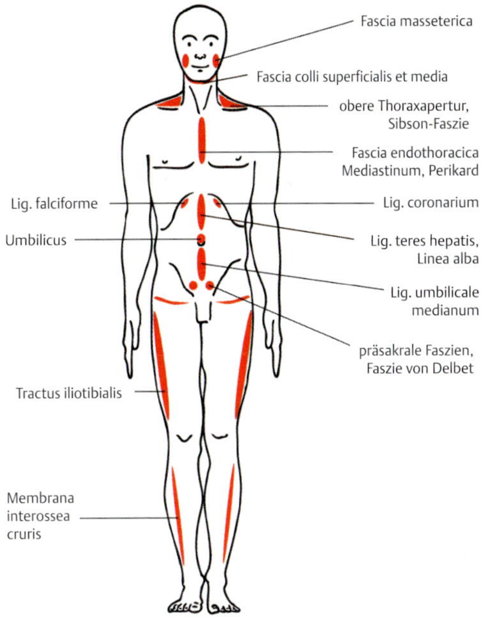

▸ **Abb. 11.5** Verlauf der Bogensehne. (aus Strunk A. Fasziale Osteopathie. 3. Aufl. Stuttgart: Haug; 2021)

11.2 Myofasziale Wirkungsketten

11.2.1 Grundmodell

Faszien ermöglichen ein verbindendes Gleiten und können Zug, Spannung, Druck körperregionenübergreifend weiterleiten. Das Grundmodell der myofaszialen Wirkungsketten beschäftigt sich damit, über welche Verläufe Zug-, Spannungs- und Stabilisierungskräfte innerhalb des menschlichen Körpers verteilt bzw. weitergeleitet werden können. Es versucht, das komplexe Wechselspiel anatomischer Strukturen (muskulär, faszial, skelettal) in Bewegung und Haltung über bestimmte Leitlinien zu erfassen.

Die myofaszialen Wirkungsketten erfassen dreidimensional den gesamten Körper und sind in ihrem Zusammenspiel untereinander multifunktionell ausgerichtet:

- Druck- und Zugkraftübertragung: Faszien und Muskeln übertragen die Druck- und Zugkräfte im Körper. Die Muskeln sind der Motor für diese Kraftübertragung. Die Faszien sind sowohl das verbindende Element als auch durch ihre Elastizität und ihre kontraktilen Elemente selbst an der Kraftentwicklung beteiligt.
- Bewegungskoordination und -harmonisierung: Dabei geht es um die Kanalisierung und Feinabstimmung der Bewegungsenergie.
- Stoßdämpfung: Sie ergibt sich aus den elastischen Eigenschaften der Faszien. Faszien wirken auch als Stabilisatoren.

Die spezifischen Eigenarten verschiedener Faszien (Dicke, Ausdehnung, Dichte der Fasern, räumliche Ausrichtung der Fasern) lassen darauf schließen, dass Anteile des Fasziennetzes einer stärkeren und/oder spezifischeren Beanspruchung ausgesetzt sind. Das bedeutet, dass der mechanische Zug die Dichte des Gewebes und die Richtung der Zugkraft bestimmt.

Aus Sicht der Bewegungsphysiologie ist die enge Verbindung zwischen Muskeln und Faszien besonders interessant. Es scheint, einen Einfluss der Festigkeit der faszialen Muskelhülle auf die Entwicklung der effektiven Muskelkraft zu geben. Die von den Muskeln entwickelte Zugkraft scheint nur zu einem Teil direkt über die sehnigen Verbindungen auf das Skelettsystem übertragen zu werden. Ein Teil der Muskelkraft wird anscheinend über begleitende Faszienverbindungen direkt auf die benachbarte myofasziale Struktur weitergeleitet. Dies kann einen Einfluss auf die dynamischen Verbindungen eines Muskels zum Knochen haben und Hinweise auf Bewegungsqualitäten geben. Bewegungsmuster prägen damit die strukturellen Eigenschaften des Fasziennetzes.

Myofasziale **Dysfunktionsketten** können entstehen, wenn eine Struktur ihre Elastizität und Beweglichkeit verliert. Dann ist dieser Bereich gestört. Statt Bewegungen bzw. Bewegungsenergie zu übertragen und harmonisch zu verteilen, werden sie in diesem Falle zu Fixierungspunkten, von denen Reizungen und Störungen der Beweglichkeit ausgehen. Gelenkblockaden können Ursache und Folge gestörter myofaszialer Wirkungsketten sein. Auslöser können u. a. parietale, fasziale, viszerale und/oder kraniosakrale Dysfunktionen, Traumata, abgelaufene Entzündungen, Narben, Infektionen, Bewegungsmangel oder Stress sein. Der Körper gerät in Dysbalance und Disharmonie. Die Folgen sind Zirkulationsstörungen, Schmerzen und Funktionsbeeinträchtigungen.

Es können nach Thomas W. Myers unterschiedliche myofasziale Meridiane bzw. anatomische Zuglinien differenziert werden. Diese werden im Folgenden beschrieben und anhand anatomischer Strukturen konkretisiert. Die einzelnen anatomischen Zuglinien sind:

- oberflächliche Rückenlinie
- oberflächliche Frontallinie
- Laterallinien
- Spirallinien
- Armlinien:
  - tiefe frontale Armlinie
  - oberflächliche frontale Armlinie
  - tiefe rückwärtige Armlinie
  - oberflächliche rückwärtige Armlinie
- funktionelle Linien:
  - funktionelle Rückenlinie
  - funktionelle Frontallinie
- tiefe Frontallinie

11.2.2 Oberflächliche Rückenlinie

- gradlinige Verbindung von der Fußsohle über die dorsale Seite des gesamten Körpers bis zur Stirn (▶ Abb. 11.6)
- **Funktion:** Unterstützung des gesamten Körpers in Extensionsbewegung, Stabilisation der aufgerichteten Haltung bzw. das Begleiten in die Überstreckung
- **Verlauf:** plantare Fläche der Zehen → M. abductor hallucis, M. abductor digiti minimi → Fascia plantaris → Kalkaneus → Achillessehne, M. gastrocnemius → Epicondylus medialis/lateralis femoris → M. semitendinosus, M. semimembranosus, M. biceps femoris (ischiokrurale Muskeln) → Tuber ischiadicum → Lig. sacrotuberale → Os sacrum → M. erector spinae, Fascia sacrolumbalis → Linea nuchalis inferior/superior → Galea aponeurotica → Os frontale, Margo supraorbitalis

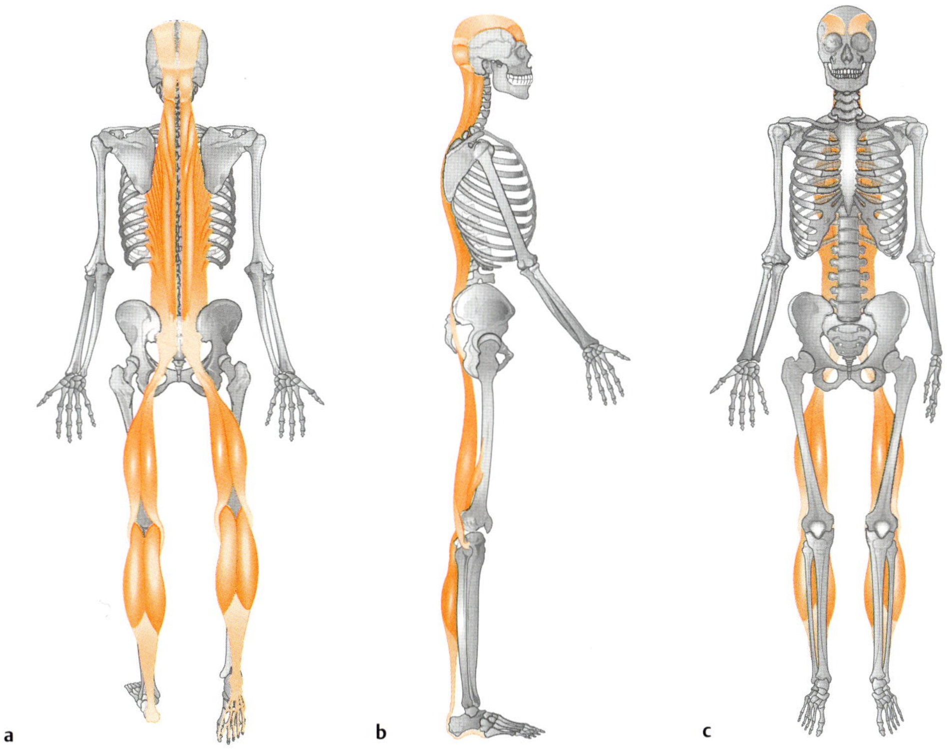

▸ **Abb. 11.6** Myofasziale Wirkungsketten: oberflächliche Rückenlinie. (aus Corts M, ter Harmsel I. Sportosteopathie. Stuttgart: Haug; 2013)

11.2.3 Oberflächliche Frontallinie

▶ Abb. 11.7a–c

- gradlinige Verbindung vom Fußrücken über die ventrale Seite des gesamten Körpers zum Mastoid und bis zur Galea aponeurotica des Hinterkopfs
- wirkt antagonistisch zur oberflächlichen Rückenlinie
- **Funktion:** unterstützt die Flexion der Körpervorderseite, zieht Strukturen nach kranial, die vor der Lotlinie liegen (z.B. ventraler Anteil des Beckens, Abdomen, ventraler Thorax), Dorsalflexion des Fußes, verursacht Knieextension, unterstützt Hüft- und Rumpfflexion, Flexion HWS
- **Verlauf:** dorsale Fläche der Zehen → M. extensor digitorum longus, M. extensor hallucis longus, M. extensor digitorum brevis, M. flexor hallucis brevis, M. tibialis anterior → Tuberositas tibiae → Lig. patellae → Patella → M. quadriceps femoris → SIAI → Tuberculum pubicum → M. rectus abdominis → 5. Rippe → Fascia sternochondralis → Manubrium sterni → M. sternocleidomastoideus → Proc. mastoideus → Galea aponeurotica

11.2.4 Laterallinien

▶ Abb. 11.7d–f

- reichen auf beiden Körperseiten gradlinig von der lateralen Seite des Fußes bis zum lateralen Schädel
- **Funktion:** bewirken Stabilisation in der Standbeinphase oder Seitneigung des Rumpfes, unterstützen die aufrechte Körperhaltung, balancieren Zugkräfte auf den lateralen Körperseiten und der dorsalen und ventralen Körperseite aus, schaffen Ausgleich bei unterschiedlichen Spannungen zwischen den Arm- und Spirallinien, stabilisieren Rumpf und Beine bei Armbewegungen, unterstützen die Rumpfseitneige, ermöglichen die Hüftabduktion und Fußeversion, können die Rumpfbewegungen in Rotation oder Seitneigung durch Anspannung verlangsamen
- **Verlauf:** Basis ossis metatarsi I → M. peroneus longus/brevis, laterales Unterschenkelkompartiment → Caput fibulae → Condylus lateralis tibiae → Tractus iliotibialis → M. tensor fasciae latae → M. gluteus maximus/medius → Crista iliaca, SIPS, SIAS → M. obliquus externus/internus abdominis → unterer Rippenbogen → Mm. intercostales interni/externi → 1. und 2. Rippe → M. splenius capitis, M. sternocleidomastoideus → Proc. mastoideus, Galea aponeurotica

11.2.5 Spirallinien

▶ Abb. 11.7g–i

- verlaufen schraubenförmig um den gesamten Körper herum und reichen vom Fuß bis zum Hinterhauptbein
- **Funktion:** ermöglichen Rotations- und Torsionsbewegungen (Cross-Body-Action) und die Zuggurtung des Rumpfes (Rumpfstabilität), wirken auf das Körpergleichgewicht in allen Ebenen, haben eine enge Verbindung zu allen anatomischen Zuglinien (oberflächliche Rückenlinie, oberflächliche Frontallinie, Laterallinien, tiefe frontale Linie), können Kräfte je nach Belastung (Standbein/Spielbein) auf derselben Körperseite weiterleiten oder aber auf die gegenüberliegende Körperseite führen, enge Verbindung von Fuß zum Becken (SIAS, Crista iliaca, SIPS), wirken zuggurtartig stabilisierend beim Gehen, Stabilisator für Bein und Rumpf, Entwickeln oder Fortführen von Kräften, die den Körper in Rotation oder Torsion bringen können, Stabilisatoren für Bein und Rumpf
- **Verlauf:** Linea nuchae superior (lateraler Bereich), Proc. mastoideus → M. splenius capitis, M. splenius cervicis → Proc. spinosus C6–Th5 → M. rhomboideus minor/major, M. serratus posterior superior → zur Gegenseite an medialen Rand der Skapula → M. serratus anterior → laterale Region Rippe 5–9 → M. obliquus externus/internus abdominis → Crista iliaca, SIAS → M. tensor fasciae latae, Tractus iliotibialis → lateraler Bereich der Tuberositas tibiae → M. tibialis anterior → plantar an Basis ossis metatarsi I → dann lateral aufsteigend über M. peroneus longus → Caput fibulae → M. biceps femoris → Tuber ischiadicum → Lig. sacrotuberale → Os sacrum → Fascia sacrolumbalis, M. erector spinae → Linea nuchae superior

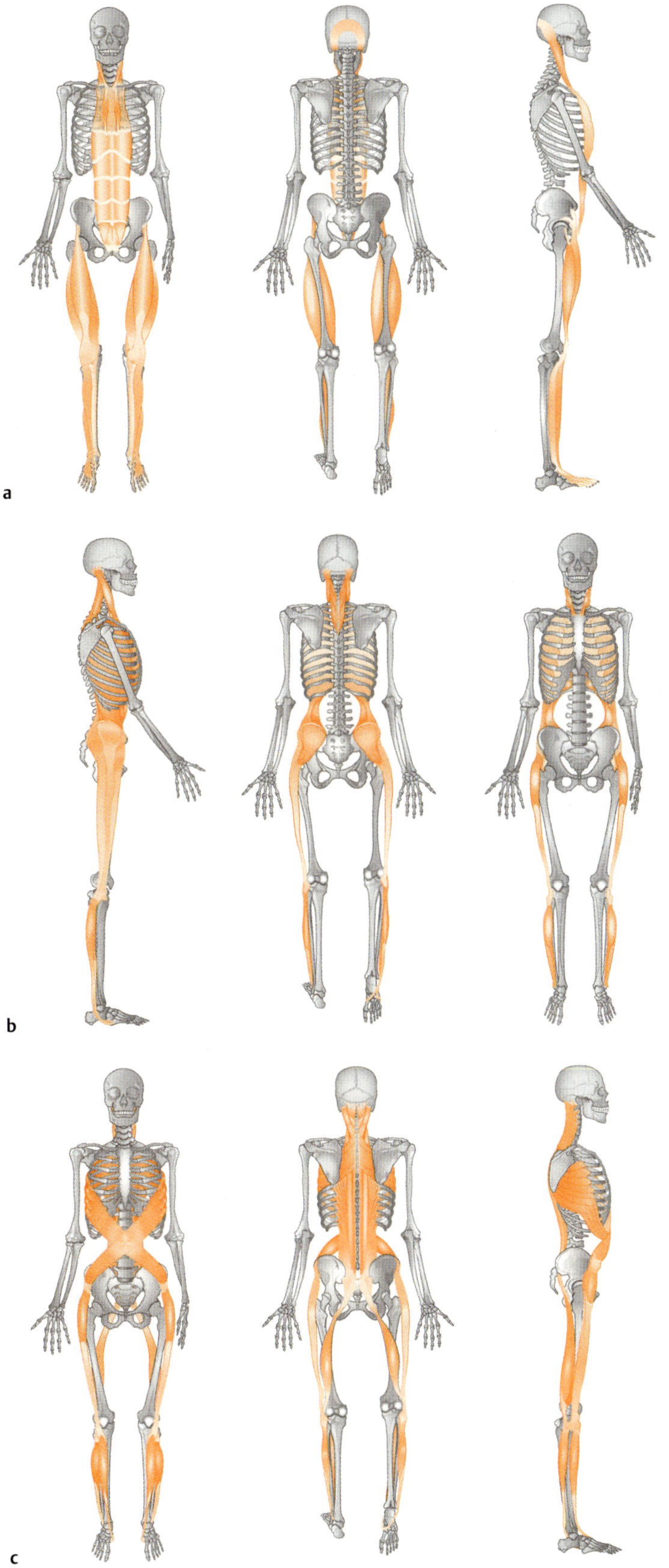

a

b

c

▶ **Abb. 11.7** **a** Oberflächliche Frontallinie von frontal, dorsal, lateral. **b** Laterallinien von lateral, dorsal, ventral. **c** Spirallinien von frontal, dorsal, ventral. (aus Corts M, ter Harmsel I. Sportosteopathie. Stuttgart: Haug; 2013)

11.2.6 Armlinien

- es gibt 4 Armlinien, die von den Fingerspitzen in den Schultergürtel, die HWS, den Kopf und teilweise bis in die Lendenregion hineinziehen.
- **Funktion:** vielfältige Beweglichkeit, die sie intensiv mit den Spirallinien und lateralen Linien korrespondieren lässt

Tiefe frontale Armlinie

Verlauf (▶ **Abb. 11.8**a): 3.–5. Rippe → Fascia clavipectoralis, M. pectoralis minor → Proc. coracoideus → M. biceps brachii → Tuberositas radii → Ventralseite Radius → Proc. styloideus radii → Lig. collaterale carpi radiale → Os scaphoideum, Os trapezium → Daumenballenmuskulatur, Os metacarpi I → Periost und Ligamente Außenseite Phalanx proximalis/distalis I

Oberflächliche frontale Armlinie

Verlauf (▶ **Abb. 11.8**b): mediales Drittel Klavikula, Cartilago costalis → M. pectoralis, M. latissimus dorsi → Crista tuberculi majoris → Septum intermusculare brachii mediale → Epicondylus medialis humeri → Fingerbeugemuskulatur (Mm. flexores digitorum superficialis und profundus, M. carpi ulnaris, M. carpi radialis) → Retinaculum musculorum flexorum, Karpaltunnel → Palmaraponeurose → palmare Seite der Finger

Tiefe rückwärtige Armlinie

Verlauf (▶ **Abb. 11.8**c): Proc. spinosus C 7–Th 3 → Mm. rhomboidei major und minor → Margo medialis scapulae → M. infraspinatus, M. teres minor, Rotatorenmanschette → Tuberculum majus humeri → M. triceps brachii → M. anconeus → Olekranon → Periost der Ulna → Proc. styloideus ulnae → Lig. collaterale carpi ulnare → Os triquetrum, Os hamatum → Kleinfingerballenmuskulatur, Os metacarpi V → Periost und Ligamente Außenseite Phalanx proximalis/distalis V

Der Anfang der tiefen rückwärtigen Armlinie kann noch weitere Strukturen umfassen:

- Variante 1: Proc. jugularis (Okziput) → M. rectus capitis lateralis → Tubercula der Procc. transversi C 1–C 4 → M. levator scapulae → Angulus superior scapulae, oberer Anteil Margo medialis scapulae → M. supraspinatus → Caput humeri → weiter mit M. triceps brachii
- Variante 2: durch den engen Bezug zur Rotatorenmanschette ist die Wirkung des M. subscapularis von Bedeutung (Verbindung M. rhomboideus), auch wenn er zum Tuberculum minus zieht

Oberflächliche rückwärtige Armlinie

Verlauf (▶ **Abb. 11.8**d): Linea nuchalis superior mittleres Drittel, Protuberantia occipitalis externa, Lig. nuchae, Procc. spinosi C 7–Th 3 → M. trapezius → Akromion, Spina scapulae → M. deltoideus → Tuberculum deltoideum → Septum intermusculare brachii laterale → Epicondylus lateralis humeri → Fingerstreckermuskulatur (Mm. extensores carpi radialis longus und brevis, M. extensor digitorum, M. extensor carpi ulnaris, Mm. extensores pollicis brevis und longus, M. extensor digiti minimi) → Retinaculum extensorum → Ossa carpi → dorsale Seite Hand und Finger

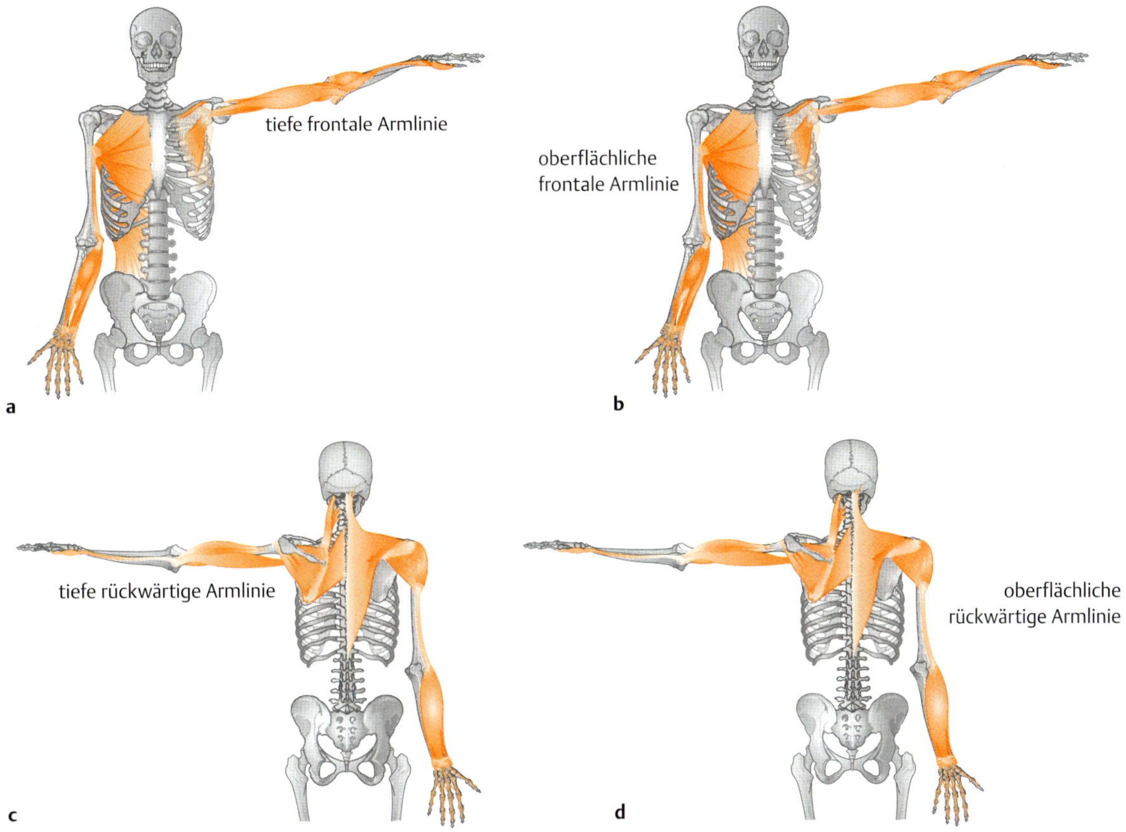

▸ **Abb. 11.8** Myofasziale Wirkungsketten. **a** Tiefe frontale Armlinie. **b** Oberflächliche frontale Armlinie. **c** Tiefe rückwärtige Armlinie. **d** Oberflächliche rückwärtige Armlinie. (aus Corts M, ter Harmsel I. Sportosteopathie. Stuttgart: Haug; 2013)

11.2.7 Funktionelle Linien

- diagonal verlaufende myofasziale Wirkungslinien über die ventrale und dorsale Oberfläche des Rumpfes
- Fortsetzung der Armlinien, die im Rumpfbereich auf die gegenüberliegende Körperseite zur unteren Extremität ziehen
- ihre Wirkungskraft entwickelt sich i. d. R. bei Bewegungen von Armen und/oder Beinen
- der Verlauf der Kräfte kann auch von kaudal nach kranial erfolgen
- **Funktion:** wirken bei Bewegungen körperstabilisierend und unterstützen gleichzeitig die Entwicklung dynamischer Kraftzüge

Funktionelle Rückenlinie

Verlauf (▶ Abb. 11.9): Crista tuberculi minoris humeri → M. latissimus dorsi → Fascia thoracolumbalis → Os sacrum → zum M. gluteus maximus (hier Wechsel zur Gegenseite) → Tuberositas glutea (Corpus femoris) → M. vastus lateralis → Patella → Lig. patellae → Tuberositas tibiae → M. tibialis anterior → anteriores Kompartiment Unterschenkel → Os cuneiforme mediale, Basis ossis metatarsi (mediales Fußgewölbe)

Funktionelle Frontallinie

Verlauf (▶ Abb. 11.9): Crista tuberculi majoris humeri → M. pectoralis major, Pars abdominalis → Cartilagines costales 5. und 6. Rippe → lateraler Rand Aponeurosis abdominalis → Tuberculum pubis, Symphysis pubica → M. adductor longus (Wechsel zur Gegenseite) → Linea aspera

11.2.8 Tiefe Frontallinie

▶ Abb. 11.10

- umfasst dreidimensional den Raum, der durch die genannten Linien umschlossen ist
- Zentrum der myofaszialen Zugketten
- reicht von den Füßen bis zur Synchondrosis sphenobasilaris
- **Funktion:** Stützfunktion des Körpers, übt über die Bewegung des Zwerchfells (Atembewegung) einen zentralen Einfluss auf sämtliche Körperregionen aus, stabilisiert als am tiefsten liegende Muskelkette den Rumpf von innen, überträgt als verbindende Struktur zwischen unterer Extremität, inneren Organen und Kranium Spannungen aus dem peritonealen und retroperitonealen Bereich auf die HWS und das Kranium
- **Verlauf:** Basis phalangis distalis II–V (plantar), Tuberositas ossis navicularis, Os cuboideum, Basis ossis metatarsi II und III → M. flexor hallucis longus, M. flexor digitorum longus, M. tibialis posterior → Facies posterior tibiae und fibulae → Fascia poplitea → Gelenkkapsel Knie → Epicondylus medialis femoris →
  - unterer posteriorer Bereich: Mm. adductores magnus und minimus (Septum intermusculare posterius) → Ramus ossis ischii → Diaphragma urogenitale → M. piriformis → Os coccygis → Lig. longitudinale anterius → Wirbelkörper LWS
  - unterer anteriorer Bereich: Linea aspera → Septum intermusculare mediale → Mm. adductores brevis, longus und magnus → Trochanter minor → M. psoas major, M. iliacus, M. pectineus (Trigonum femorale) → Wirbelkörper LWS, Procc. transversi L1–L5 → M. quadratus lumborum
  - oberer posteriorer Bereich: Wirbelkörper LWS → Lig. longitudinale anterius, M. longus colli, M. longus capitis → Pars basilaris ossis occipitalis
  - oberer mittlerer Bereich: Wirbelkörper LWS → Crura mediale und laterale des Diaphragma abdominale, Centrum tendineum → Mediastinum, Perikard, Pleura parietalis → Lig. longitudinale anterius, Fascia cervicalis (Lamina praevertebralis), Raphe pharyngis, Mm. scaleni → Faszie des M. scalenus medius → Procc. transversi C2–C7, Pars basilaris ossis occipitalis
  - oberer anteriorer Bereich: Wirbelkörper LWS → Crura mediale und laterale des Diaphragma abdominale, Centrum tendineum → ventral Pars costalis (Diaphragma abdominale) → Proc. xiphoideus, dorsale Seite der Cartilago costalis → Fascia endothoracica, M. transversus thoracis → dorsale Seite Manubrium → Mm. infrahyoidei (M. omohyoideus, M. sternohyoideus), Lamina praetrachealis → Os hyoideum → Mm. suprahyoidei (M. digastricus, M. hypoglossus, M. mylohyoideus, M. genohyoideus) → Mandibula → M. masseter (→ Arcus zygomaticus → M. temporalis → Squama ossis temporalis, Os parietale), Mm. pterygoidei lateralis und medialis (→ Os sphenoidale → Proc. pterygoideus, Ala major ossis sphenoidalis)

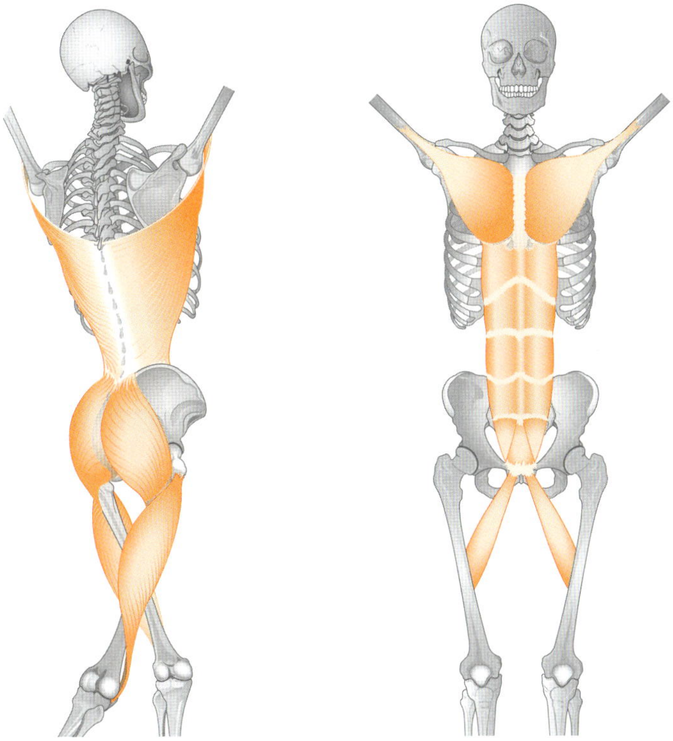

a b

▶ **Abb. 11.9** Myofasziale Wirkungsketten: funktionelle Rücken- und Frontallinie. (aus Corts M, ter Harmsel I. Sportosteopathie. Stuttgart: Haug; 2013)

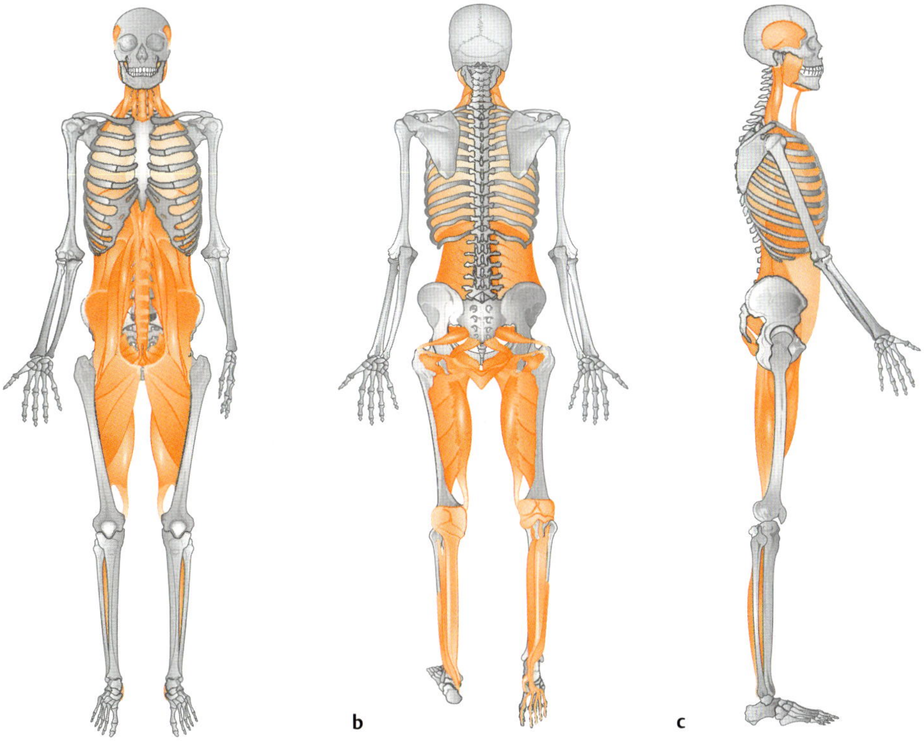

a b c

▶ **Abb. 11.10** Myofasziale Wirkungsketten: tiefe Frontallinie. (aus Corts M, ter Harmsel I. Sportosteopathie. Stuttgart: Haug; 2013)

12 Abkürzungen

A.	Arteria
Aa.	Arteriae
ACG	Akromioklavikulargelenk
AIL	Angulus inferior lateralis
Art.	Articulatio
Artt.	Articulationes
BLT	Balanced Ligamentous Tension
BWS	Brustwirbelsäule
CTÜ	kraniozervikaler Übergang
DIP	distales Interphalangealgelenk
FFL	funktionelle Frontallinie als myofasziale Wirkungskette
FRL	funktionelle Rückenlinie als myofasziale Wirkungskette
Ggl.	Ganglion
GOT	General Osteopathic Treatment
HVLA	High Velocity Low Amplitude
HWS	Halswirbelsäule
ISG	Iliosakralgelenk
Lig.	Ligamentum
Ligg.	Ligamenta
LL	laterale Linie als myofasziale Wirkungskette
LSÜ	lumbosakraler Übergang
LWS	Lendenwirbelsäule
M.	Musculus
MCP	*(Fingergrundgelenk)* Metakarpophalangealgelenk
MET	Muskelenergietechnik(en)
Mm.	Musculi
N.	Nervus
Nn.	Nervi
Nll.	Nodi lymphoidei
OAA	Okziput-Atlas-Axis-Region
OFA	oberflächliche frontale Armlinie als myofasziale Wirkungskette
OFL	oberflächliche frontale Linie als myofasziale Wirkungskette
OM-Sutur	Sutura occipitomastoidea
ORA	oberflächliche rückwärtige Armlinie als myofasziale Wirkungskette
ORL	oberflächliche Rückenlinie als myofasziale Wirkungskette
OSG	oberes Sprunggelenk
PIP	proximales Interphalangealgelenk
PRM	primärer respiratorischer Mechanismus
Proc.	Processus
Procc.	Processus (Plural)
R.	Ramus
Rr.	Rami
SCG	Sternoklavikulargelenk
SIAI	Spina iliaca anterior inferior
SIAS	Spina iliaca anterior superior
SIPI	Spina iliaca posterior inferior
SIPS	Spina iliaca posterior superior
SPL	Spirallinien als myofasziale Wirkungsketten
SSB	Synchondrosis sphenobasilaris
TFA	tiefe frontale Armlinie als myofasziale Wirkungskette
TFL	tiefe frontale Linie als myofasziale Wirkungskette
TMG	Temporomandibulargelenk
TIS	Thoracic-inlet-Syndrom
TLÜ	thorakolumbaler Übergang
TOS	Thoracic-outlet-Syndrom
TP	Triggerpunkte
TRA	tiefe rückwärtige Armlinie als myofasziale Wirkungskette
USG	unteres Sprunggelenk
V.	Vena
Vv.	Venae
ZNS	zentrales Nervensystem

13 Glossar

Adhäsion *Syn. Verklebung*
Aus osteopathischer Sicht eine geringe oder nicht mögliche Gewebeverschieblichkeit. Sie kann z. B. zwischen Faszienschichten, Organ und Faszien oder Sehnen innerhalb einer Sehnenscheide vorliegen. Narbengewebe kann zu Adhäsionen auch im umliegenden Gewebe führen.

Alcock-Kanal *(Canalis pudendalis)*
Duplikatur der Fascia obturatoria. Liegt in der Seitenwand der Fossa ischiorectalis.

Baker-Zyste *Synovialhernie*
Dorsale Ausstülpung der Kniegelenkkapsel

Bertini-Band *(Lig. iliofemorale)*
Darmbein-Schenkel-Band

Balanced Ligamentous Tension (BLT)
Bei der BLT-Technik richtet sich der Fokus der Behandlung auf ligamentäre und artikuläre Strukturen.

Bochdalek-Dreieck *(Trigonum lumbocostale)*
Spalte in dreieckiger Form zwischen Pars lumbalis und Pars costalis des Diaphragma abdominale.

Bogensehne
s. Wirkungsketten, myofasziale

Chopart-Gelenk
Transversales Fußwurzelgelenk zwischen Taluskopf, Kalkaneus, Os naviculare und Os cuboideum

CV4-Technik
Behandlungstechnik über Kompression des 4. Ventrikels zur Harmonisierung des kraniosakralen Rhythmus.

Dekoaption
Gelenkflächen werden voneinander separiert (Gelenkgapping), z. B. mittels Traktion oder Manipulation.

Delbet-Faszie *(Lamina sacro-recto-genito-pubicalis)*
Zusammenfassung von anatomischen Strukturen der Fascia pelvis, die von posterior nach anterior verlaufen. Bestandteile sind Fascia praesacralis, Septum rectovaginale (Frau), Septum rectovesicale (Mann), Septum vesicovaginale (Frau) und Fascia vesicoumbilicalis.

Dichtetest
Dichte von Gewebestrukturen, die über Palpation mit geringem Druck beurteilt wird.

Disengagement
Behandlungstechnik, bei der z. B. 2 Gelenkpartner (Schädelknochen, die über eine Sutur miteinander in Verbindung stehen, Extremitätengelenke etc.) voneinandergezogen werden, um anschließend eine bessere Beweglichkeit zu erreichen.

Douglas-Raum *(Excavatio rectouterina)*
Peritonealfalte bei der Frau zwischen Uterus und Rektum, die tief bis zum Beckenboden reicht.

Duraschaukel
Behandlungstechnik für die Dura mater über Sakrum und Okziput.

Dupuytren-Kontraktur
Verkürzung der Hohlhandfaszie

Dysbalance
Ungleichgewicht. Kann z. B. zwischen verschieden Muskelgruppen bestehen, eine gestörte Regulation innerhalb eines Gewebes, eine verminderte Elastizität und/oder Gleiteigenschaft verschiedener Gewebe zueinander sein.

Dysfunktion
Bezieht sich aus osteopathischer Sicht auf eine gestörte Funktion innerhalb des Körpersystems. Sie kann sich auf artikuläre, skelettale, myofasziale und/oder zirkulatorische Strukturen (z. B. venös, arteriell, lymphatisch, Liquor) beziehen.

Earpull-Technik
Behandlung der intrakranialen Dura über Ohrzugtechnik.

Fazilitation
s. Segment, fazilitiertes

Frohse-Arkade
Ausgeprägter Faszienzug am M. supinator.

Fryette
Harrison Fryette, amerikanischer Osteopath (1876–1960), entwickelte ein mechanisches Denkmodell für die gekoppelten Bewegungen der Wirbelgelenke (Fryette-Gesetze).

Gegennutation *Syn. Kontranutation*
Die Basis des Sakrums bewegt sich nach dorsal, die Apex nach ventral.

Gelenkgapping
s. Dekoaption

Gleitfähigkeit
Gewebe gleiten aneinander. Bei der palpatorischen Diagnostik spricht man auch von der Qualität der Gewebeverschieblichkeit. Gegenteil ist die Adhäsion (s. dort).

General Osteopathic Treatment (GOT)
Eigenname für die Behandlung nach J. M. Littlejohn. Das GOT ist eine komplette bzw. ganzheitliche Behandlung des Körpers, wobei Artikulationstechniken genutzt werden, um Bewegungseinschränkungen und Blockaden zu diagnostizieren und zu behandeln.

Guyon-Loge *(Canalis ulnaris)*
Tunnel des N. ulnaris am Handgelenk.

Hoffa-Fettkörper *(Corpus adiposum infrapatellare)*
Fettkörper unterhalb der Patella vor der Kniegelenkspalte.

HVLA *(High Velocity Low Amplitude)*
Manipulationstechnik (Impulstechnik), bei der auf sehr kurzer Strecke (Low Amplitude) mit schnellem Krafteinsatz (High Velocity) im physiologischen Bewegungsausmaß eine Dekoaption der Gelenkpartner (Gelenkgapping) erreicht wird.

Inhibition *Inhibere (lat.) = verhindern*
In der Osteopathie verwendet man Inhibitionstechniken, um durch Druck die neuronale Aktivität in einem Gewebe zu reduzieren, z. B. auf einen Triggerpunkt, bei dem es dann zur anschließenden Gewebeentspannung kommt.

Kontranutation
s. Gegennutation

Lacertus fibrosus *(Aponeurosis bicipitalis brachii)*
Nach ulnar einziehende, oberflächliche sehnige Struktur des M. biceps brachii in die Fascia antebrachii.

Läsion, osteopathische
Synonym für osteopathische Dysfunktion.

Lig. latum uteri
s. Mutterband

Lig. teres uteri
Verbindet den Uterus-Tubenwinkel mit den großen Schamlippen. Zieht über die Vorderwand des Lig. latum uteri durch den Leistenkanal zum Bindegewebe der Schamlippen.

Lisfranc-Gelenk *(tarsometatarsales Gelenk)*
Amphiarthrose zwischen Fußwurzel- und Mittelfußknochen.

Listening
Untersuchungsmethode des Therapeuten innerhalb eines osteopathischen Konzepts.

Mesokolon
Dickdarmgekröse (Bauchfellduplikaturen). Das Kolon wird darüber an der hinteren Bauchwand angeheftet.

Mesocolon sigmoideum
Bauchfellduplikatur mit guter Beweglichkeit. Geschlängelter Verlauf von der hinteren Bauchwand vom Ende des Colon descendens über L4/L5, dann median bis S2–S3, über Ureter, A. und V. iliaca communis sowie A. und V. testicularis bzw. ovaria.

Mesocolon transversum
Bauchfellduplikatur mit guter Beweglichkeit. Parietale Anheftung auf Höhe der Flexura coli dextra mit schräg kranialem Verlauf über Pankreas und Milz zur Flexura coli sinistra.

MET *(Muskelenergietechnik)*
Techniken zur Behandlung von Dysfunktionen im Bereich von Gelenken und Muskeln. Die PIR (postisometrische Relaxation) ist eine Möglichkeit der MET. Das Prinzip ist, durch die Positionierung des Patienten ihn so weit an den Rand der Gebebeweglichkeit zu bringen, dass der Grenzbereich der Bewegung im dysfunktionalen Bereich erreicht ist. Dann muss der Patient aktiv gegen den mechanischen Widerstand des Behandlers Spannung aufbauen, die er über eine kurze Zeitspanne halten muss (Anspannungsphase). Danach löst der Patient die Spannung auf und der Behandler positioniert den Patienten an die neue Bewegungsgrenze. Dies kann 3–5-mal wiederholt werden.

Milzpumpe
Zirkulatorische Technik zur Behandlung der Milz.

Mobilität
Aus osteopathischer Sicht die Bewegung von Gelenken, Organen, Faszienschichten und Bindegewebe.

Motilität
Aus osteopathischer Sicht die rhythmische Eigenbewegung eines Organs.

Motrizität
Organbewegung, die durch andere Körperbewegungen oder Kräfte provoziert wird.

Mutterband *(Lig. latum uteri)*
Peritonealduplikatur von den Uterusseiten zur seitlichen Beckenwand.

Nutation
Die Basis des Sakrums bewegt sich nach ventral, die Apex nach dorsal.

Okziputrelease
Mobilisierung des Atlantookzipitalgelenks über Dekompression der Pars basilaris des Os occipitale.

Oszillation
Leichte und intermittierende Drucktechnik mit einer Frequenz von 150–180/min.

Pfannenband *(Lig. calacaneonaviculare plantare)*
Verläuft vom Sustentaculum tali calcanei zur plantaren Fläche des Os naviculare. Teilweise knorpelige Fläche, die Teil der Gelenkpfanne für den Talus bildet.

Proust-Raum *(Excavatio rectovesicalis)*
Peritonealalte zwischen Harnblase und Rektum. Sie reicht nicht so tief nach kaudal wie der Douglas-Raum.

PRT *(Positional Release Techniques)*
Behandlungstechniken im Bereich der Weicheile, bei denen es durch eine bestimmte Lagerung des Patienten zur Gewebeentspannung (State of Ease) kommt.

Radix mesenterii
Ursprungsbefestigungsstelle des Mesenteriums an der hinteren Bauchwand. Zieht links lateral vom 2. Lendenwirbel bis zur rechten Fossa iliaca.

Recoil
Mobilisationstechnik mit Rückfederungseffekt, bei der mit Überspannung gearbeitet wird. Die Techniken werden in Abhängigkeit von Ein- und Ausatmung durchgeführt.

Release
Gewebeentspannung, die sich bei direkter oder indirekter Gewebemobilisation (Weichteiltechnik) einstellt.

Release, intrathorakal faszial
Behandlungstechnik zur Harmonisierung der faszialen intrathorakalen Strukturen.

Retzius-Raum *(Spatium retropubicum, Spatium praevesicale)*
Bindegewebig gefüllter Raum zwischen Os pubis und Harnblase.

Rib-Raising
Behandlungstechnik über die Rippen für den vegetativen Ausgleich.

Rosenmüller-Knoten
Tiefer Leistenlymphknoten.

Sakrum-Dysfunktion
Biomechanisches Denkmodell zur Darstellung von Kreuzbeindysfunktionen.

Segment, fazilitiertes *Syn. Fazilitation*
Bezieht sich auf ein Rückenmarksegment, das durch einen erhöhten Erregungszustand gekennzeichnet ist. Meist ausgelöst durch eine fehlerhafte Stimulation durch Afferenzen (parietal oder viszeral). Folge ist, dass bereits niederschwellige Reize vegetative oder motorische Reaktionen auslösen.

Sibson-Faszie *(Membrana suprapleurale)*
Feste Verbindung an der Pleurakuppel zwischen Pleura parietale und Fascia endothoracica.

Sibson-Muskel *Inkonstanter M. scalenus minimus*
Verläuft vom Proc. transversus C7 zur Pleurakuppel bzw. 1. Rippe am Innenrand. Innervation aus C8. Bei Muskelatrophie wird der Bindegewebsstrang als Lig. costo-pleuro-vertebrale bezeichnet.

State of Bind
Situation, wenn sich das Gewebe in der eingeschränkten Bewegungsrichtung befindet.

State of Ease
s. PRT

Still-Point
Punkt der geringsten Spannung eines Gewebes.

Tabatière
Speichengrübchen am medialen Handgelenk.

Techniken, zirkulatorische
Osteopathische Behandlungstechniken, die z. B. den venolymphathischen Rückfluss, die arterielle Gewebeversorgung und/oder Liquorzirkulation anregen.

Toldt-Faszie *(Fascia retrocolica)*
Teil des Mesokolons. Heftet Colon ascendens und Colon descendens an der hinteren Bauchwand an. Im medialen Anteil liegt das Mesenterium für die Versorgung von Colon ascendens und Colon descendens.

Treitz-Band bzw. -Muskel *(M. suspensorius duodeni)*
Gebündelte glatte Muskelfasern (können atrophieren, dann ist es eine Bandstruktur), welche die Flexura duodenojejunalis fixieren. Ziehen von der Flexura duodenojejunalis zu Hiatus aorticus, Truncus coeliacus und A. mesenterica superior.

Treitz-Faszie *(Fascia retropancreatica)*
Bindegewebsansammlung v.a. hinter dem Pankreaskopf und dem Duodenum Pars II, III (und IV), die diese Organe an der dorsalen Bauchwand befestigt.

Vibrationstechnik
Behandlungstechnik, bei der mit Schwingungen bzw. Bewegungsfrequenzen gearbeitet wird.

Vorlauftest
Bewegungstest, um Dysfunktionen des Iliums bzw. Sakrums festzustellen.

Vorspannung
1. Wird zur Vorbereitung bei Gelenkmanipulationen (Impuls-, HVLA-Techniken) aufgebaut. Dabei wird das Gelenk durch Druck bzw. Zug von der Neutral-Null-Position aus so positioniert, dass es sich an der Bewegungsgrenze innerhalb der der elastischen Zone befindet. Die Vorspannung ist wichtig, um bei der Manipulation des Gelenks einen möglichst kurzen Weg zurücklegen zu können (entspricht der Begrifflichkeit „Low Amplitude“). 2. Um tiefer liegende Gewebeschichten palpieren zu können, kann es hilfreich sein, darüber liegende Gewebeschichten durch Druck bzw. Zug unter Vorspannung zu bringen. Durch Druck auf eine Körperregion (z. B. oberer rechter Quadrant des Abdomens) kann das Gewebe „gestapelt“ werden, um in der Tiefe die Gewebespannung zu palpieren bzw. eine bestimmte Struktur zu behandeln.

Weichteiltechniken
s. Inhibition, MET, PRT, Release, zirkulatorische Techniken

Wirkungsketten, myofasziale
Synergistisch arbeitende, in Reihe miteinander verbundene Faszien- und Muskelstrukturen, die den gesamten Körper umfassen. Dienen der Druck- und Zugübertragung, wirken stoßdämpfend und sind für die Bewegungskoordination und -harmonisierung wichtig. Es existieren verschiedene Denkmodelle (z. B. oberflächliche Frontallinie, Bogensehne, Zentralsehne).

Zentralsehne
s. Wirkungsketten, myofasziale

14 Literaturverzeichnis

Barral JP, Croibier A. Gelenke – ein neuer osteopathischer Behandlungsansatz: Obere Extremitäten. München: Elsevier/Urban & Fischer; 2013

Barral JP, Croibier A. Gelenke – ein neuer osteopathischer Behandlungsansatz: Untere Extremitäten. München: Elsevier/Urban & Fischer; 2013

Barral JP, Croibier A. Manipulation peripherer Nerven: Osteopathische Diagnostik und Therapie. München: Elsevier/Urban & Fischer; 2005

Barral JP, Croibier A. Manipulation viszeraler Gefäße: Osteopathie in Theorie und Praxis. München: Elsevier/Urban & Fischer; 2011

Barral JP, Mercier P. Lehrbuch der Viszeralen Osteopathie. Band1 und 2. 2. Aufl. München: Urban & Fischer; 2005

Bartmer-Leitl E, Kaufer C. Die Anhaftung des Perikards zu seinen Nachbarstrukturen und seine Funktion im Mediastinum. DO 2007; 1: 13–17

Bartmer-Leitl E. Eine Faszienreise vom M. longissimus über den lumbosakralen Übergang bis zum Hyoid und dem Pharynx. DO 2010; 1: 10–13

Baenkler HW, Fritze D, Füeßl HS. Duale Reihe Innere Medizin. Stuttgart: Thieme; 2001

Breul R. Die tieferen Faszien im Hals- und vorderen Rumpfbereich. In: Schleip R et al. Lehrbuch Faszien: Grundlagen – Forschung – Behandlung. München: Elsevier/Urban & Fischer; 2014

Van Caille P. Somatogene Reize bei Sportlern und deren Einfluss auf das Haltungssystem. DO 2014; 4: 7–9

Corts M. Diagnoseleitfaden Osteopathie. 2. Aufl. Stuttgart: Haug; 2017

Corts M, ter Harmsel I. Sportosteopathie: Myofasziale Ketten bei Überlastungssyndromen. Stuttgart: Haug; 2013

De Coster M. Viszerale Osteopathie. 6. Aufl. Stuttgart: Haug; 2016

Dierlmeier D. Nervensystem in der Osteopathie: Periphere Nerven, Gehirn- und Rückenmarkshäute, Vegetativum. Stuttgart: Haug; 2015

Dittmar F. Veränderungen im Bereich des Beckenbodens in der Schwangerschaft. DO 2003; 4: 12–14

Drake RL, Vogl W, Mitchell AWM. Gray´s Anatomie für Studenten. München: Elsevier/Urban & Fischer; 2007

Fieuw L, Ott M. Osteopathische Techniken im Viszeralen Bereich. Stuttgart: Hippokrates; 2005

Frymann V. Die gesammelten Schriften von Viola M. Frymann, DO: Das osteopathische Erbe für Kinder. Pähl: Jolandos; 2007

Girardin M. Die kaudale durale Insertion und das Lig. sacrodurale anterius (nach Trolard). DO 2013; 2: 13–18

Greenman PE. Lehrbuch der osteopathischen Medizin: Grundlagen und Konzepte Techniken und Methoden Klinische Integration und Korrelation. 2. Aufl. Stuttgart: Haug; 1998

Hartmann C. Das große Littlejohn-Kompendium. Pähl: Jolandos; 2009

Hartmann C. Das große Still-Kompendium. 2. Aufl. Pähl: Jolandos; 2005

Hebgen E. Checkliste: Viszerale Osteopathie. 2. Aufl. Stuttgart: Hippokrates Haug; 2014

Hebgen E. Viszeralosteopathie – Grundlagen und Techniken. 5. Aufl. Stuttgart: Haug; 2014

Helsmoortel J. Lehrbuch der viszeralen Osteopathie: Peritoneale Organe. Stuttgart: Thieme; 2002

Hermann W. GOT – Ganzheitliche Osteopathische Therapie: Auf der Grundlage des Body Adjustment nach Littlejohn und Wernham. 3. Aufl. Stuttgart: Haug; 2012

Hirth T. Das viszerale Faszienskelett des Bauchraums. DO 2010; 1: 20–23

Hirth T. Morphologische und funktionelle Aspekte der Harnblase. DO 2011; 1: 15–19

Hochschild J. Strukturen und Funktionen begreifen: Funktionelle Anatomie – Therapierelevante Details. Band 1 und 2. 2. Aufl. Stuttgart: Thieme; 2002

Huss S. Diaphragmen und die Zirkulation: Fasziale Aspekte und Anwendung in Osteopathie und Yoga. Stuttgart: Haug; 2015

Kapandji I A. Funktionelle Anatomie der Gelenke: Schematisierte und kommentierte Zeichnungen zur menschlichen Biomechanik. 3. Aufl. Stuttgart: Hippokrates; 2001

Langer W, Hebgen E. Lehrbuch Osteopathie. 2. Aufl. Stuttgart: Haug; 2017

Lanz T, Wachsmuth W. Praktische Anatomie: Arm. 2. Aufl. Berlin: Springer; 2004

Lanz T, Wachsmuth W. Praktische Anatomie: Bauch. Berlin: Springer; 2004

Lanz T, Wachsmuth W. Praktische Anatomie: Bein und Statik. Berlin: Springer; 2004

Lanz T, Wachsmuth W. Praktische Anatomie: Hals. Berlin: Springer; 2004

Lanz T, Wachsmuth W. Praktische Anatomie: Kopf - Gehirn- und Augenschädel. Berlin: Springer; 2004

Lanz T, Wachsmuth W. Praktische Anatomie: Rücken. Berlin: Springer; 2004

Liem T, Dobler TK. Checkliste: Kraniosakrale Osteopathie. 3. Aufl. Stuttgart: Haug; 2018

Liem T. Kraniosakrale Osteopathie: Ein praktisches Lehrbuch. 6. Aufl. Stuttgart: Haug; 2013

Liem T, Dobler TK. Leitfaden Osteopathie: Parietale Techniken. 2. Aufl. München: Elsevier/Urban & Fischer; 2005

Liem T, Dobler TK, Puylaert M. Leitfaden Viszerale Osteopathie. München: Elsevier/Urban & Fischer; 2005

Liem T. Praxis der Kraniosakralen Osteopathie: Lehrbuch. 3. Aufl. Stuttgart: Haug; 2010

Liem T, Schleupen A, Altmeyer P, Zweedijk R. Osteopathische Behandlung von Kindern. 2. Aufl. Stuttgart: Hippokrates; 2012

Liem T, Vogt R. Intrakranielle und intraspinale Membranstrukturen. In: Schleip R et al. Lehrbuch Faszien: Grundlagen – Forschung – Behandlung. München: Elsevier/Urban & Fischer; 2014

Liem T et al. Osteopathie von A–Z. Stuttgart: Haug; 2015

Lütjen-Drecoll E. Topografie des weiblichen Beckens. DO 2012; 3: 16–20

Maassen A. Checkliste: Parietale Osteopathie. Stuttgart: Haug; 2011

Marris T. Altersbedingte Veränderungen des Herz-Kreislauf-Systems. DO 2016; 1: 26–29

Meert GF. Das venöse und lymphatische System aus osteopathischer Sicht: Thorax, Abdomen, Becken, Extremitäten. 2. Aufl. München: Elsevier/Urban & Fischer; 2014

Mitchell F, Mitchell P. Handbuch der Muskel-Energie-Technik. Band 1: Grundlagen der MET, Diagnostik und Therapie: Halswirbelsäule. Stuttgart: Hippokrates; 2004

Mitchell F, Mitchell P. Handbuch der Muskel-Energie-Technik. Band 2: Diagnostik und Therapie: Brustkorb, Brust- und Lendenwirbelsäule. Stuttgart: Hippokrates; 2005

Mitchell F, Mitchell P. Handbuch der Muskel-Energie-Technik. Band 3: Diagnostik und Therapie: Becken und Sakrum. Stuttgart: Hippokrates; 2005

Myers T. Anatomy Trains: Myofasziale Leitbahnen für Manual- und Bewegungstherapeuten. 2. Aufl. München: Elsevier/Urban & Fischer; 2010

Niethard F, Pfeil J. Duale Reihe Orthopädie. 4. Aufl. Stuttgart: Thieme; 2003

Paoletti S. Faszien: Anatomie, Strukturen, Techniken, Spezielle Osteopathie. München: Urban & Fischer; 2001

Paoletti S: Zwerchfellartige Strukturen. In: Schleip R et al. Lehrbuch Faszien: Grundlagen – Forschung – Behandlung. München: Elsevier/Urban & Fischer; 2014

Pischinger A. Das System der Grundregulation. 9. Aufl. Heidelberg: Haug; 1998

Purslow PP, Delage JP. Allgemeine Anatomie der Muskelfaszie. In: Schleip R et al. Lehrbuch Faszien: Grundlagen – Forschung – Behandlung. München: Elsevier/Urban & Fischer; 2014

Rapprich W. Vaskularisierung der Lendenwirbelsäule. DO 2013; 2: 19–22

Richter P, Hebgen E. Triggerpunkte und Muskelfunktionsketten in der Osteopathie und manuellen Therapie. 4. Aufl. Stuttgart: Haug; 2015

Rohen JW. Funktionelle Anatomie des Nervensystems. 5. Aufl. Stuttgart: Schattauer; 1994

Rohen J. Funktionelle Neuroanatomie: Lehrbuch und Atlas. 6. Aufl. Stuttgart: Schattauer; 2001

Rohen J, Lütjen-Drecoll E. Funktionelle Anatomie des Menschen: Lehrbuch der makroskopischen Anatomie nach funktionellen Gesichtspunkten. 11. Aufl. Stuttgart: Schattauer; 2006

Rohen JW. Topographische Anatomie. 10. Aufl. Stuttgart: Schattauer; 2008

Schiebler TH. Anatomie. 9. Aufl. Heidelberg: Springer; 2005

Schleip R. Das Fasziennetzwerk. In: Schleip R et al. Lehrbuch Faszien: Grundlagen – Forschung – Behandlung. München: Elsevier/Urban & Fischer; 2014

Schleip R, Findley TW, Chaitow L, Huijing PA. Lehrbuch Faszien: Grundlagen – Forschung – Behandlung. München: Elsevier/Urban & Fischer; 2014

Schumacher GH, Aumüller G. Topographische Anatomie des Menschen. 7. Aufl. München: Elsevier/Urban & Fischer; 2004

Schünke M, Schulte E, Schumacher U. Prometheus: LernAtlas der Anatomie. Allgemeine Anatomie und Bewegungssystem. 5. Aufl. Stuttgart: Thieme; 2018

Schünke M, Schulte E, Schumacher U. Prometheus: LernAtlas der Anatomie. Innere Organe. 5. Aufl. Stuttgart: Thieme; 2018

Schünke M, Schulte E, Schumacher U. Prometheus: LernAtlas der Anatomie. Kopf, Hals und Neuroanatomie. 5. Aufl. Stuttgart: Thieme; 2018

Schwind P. Faszien- und Membrantechnik: Handbuch für die Praxis – mit 20 Behandlungsvideos. 3. Aufl. München: Elsevier/Urban & Fischer; 2015

Silbernagel S, Despopoulos A. Taschenatlas der Physiologie. 5. Aufl. Stuttgart: Thieme; 2001

Simon H. Lehrbuch Chiropraktik. Stuttgart: Haug; 2015

Slipek-Ragnitz J, Dratwa M. Funktionelle Differenzialdiagnosen in der Osteopathie: Zusammenhänge verstehen – Lösungsansätze finden. Stuttgart: Thieme; 2019

Stecco C, Stecco A. Die tiefe Faszie der unteren Extremitäten. In: Schleip R et al. Lehrbuch Faszien: Grundlagen – Forschung – Behandlung. München: Elsevier/Urban & Fischer; 2014

Stecco C, Stecco A. Die tiefe Faszie im Schulter-Arm-Bereich. In: Schleip R et al. Lehrbuch Faszien: Grundlagen – Forschung – Behandlung. München: Elsevier/Urban & Fischer; 2014

Stecco C. Atlas des menschlichen Fasziensystems. München: Elsevier/Urban & Fischer; 2016

Steinke H, Bechmann I, Hammer N. Faszienverhältnisse des kleinen Beckens – osteopathisch überbewertet? DO 2011; 1: 11–14

Strunk A. Fasziale Osteopathie: Grundlagen und Techniken. 2. Aufl. Stuttgart: Haug; 2015

Tanzberger R. Kontinenzorgan Beckenboden – Biomechanische Leistungen des Bindegewebes für die Kontinenz sowie therapeutische Anmerkungen. DO 2006; 1: 12–19

Thon N. Stimmt unsere Vorstellung vom venösen System? DO 2014; 3: 21–23

Trepel M. Neuroanatomie: Struktur und Funktion. 4. Aufl. München: Elsevier/Urban & Fischer; 2008

Tillmann B. Atlas der Anatomie des Menschen: mit Muskeltrainer. Berlin: Springer; 2005

Upledger JE. Lehrbuch der Craniosacralen Therapie II. 2. Aufl. Stuttgart: Haug; 2011

Valerius KP et al. Das Muskelbuch: Funktionelle Darstellung der Muskeln des Bewegungsapparates. Stuttgart: Hippokrates; 2002

Vleeming A. Die Fascia thoracolumbalis. In: Schleip R et al. Lehrbuch Faszien: Grundlagen – Forschung – Behandlung. München: Elsevier/Urban & Fischer; 2014

van der Wal JP. Propriozeption. In: Schleip R et al. Lehrbuch Faszien: Grundlagen – Forschung – Behandlung. München: Elsevier/Urban & Fischer; 2014

Wancura-Kampik I. Segment-Anatomie: Der Schlüssel zu Akupunktur, Neuraltherapie und Manualtherapie. München: Elsevier/Urban & Fischer; 2009

Wieben K, Falkenberg B. Muskelfunktion: Prüfung und klinische Bedeutung. 6. Aufl. Stuttgart: Thieme; 2012

Willard FH. Die somatische Faszie. In: Schleip R et al. Lehrbuch Faszien: Grundlagen – Forschung – Behandlung. München: Elsevier/Urban & Fischer; 2014

Willard FH. Die viszerale Faszie. In: Schleip R et al. Lehrbuch Faszien: Grundlagen – Forschung – Behandlung. München: Elsevier/Urban & Fischer; 2014

Sachverzeichnis

A

B

C

N

O